CONSTANCE

Sally Beauman

Constance

Uitgeverij Luitingh ~ Sijthoff

Voor mijn vader en moeder,
Ronald en Gabrielle Kinsey-Miles,
met al mijn liefde.

© 1990 Sally Beauman
© 1991 Uitgeverij Luitingh B.V., Utrecht
Alle rechten voorbehouden
Oorspronkelijke titel: *Dark Angel*
Vertaling: Liesbeth Kramer
Omslagontwerp: Karel van Laar
Omslagdia: Daniel Faoro

CIP/ISBN 90 245 1658 7

Alle zaken met betrekking tot de oorlog,
vinden hun oorsprong in het menselijk hart...

MARÉCHAL DE SAXE,

Overpeinzingen over de kunst van oorlogvoeren, 1732

DEEL EEN

Uit de dagboeken

Wanneer mannen onder elkaar zijn, praten ze over Seks. Wanneer vrouwen onder elkaar zijn, praten ze over Liefde. Wat kunnen we uit die paradox opmaken? Dat vrouwen gewoon schijnheilig zijn. Gisteravond met Jarvis en twee anderen in de club. Bij de tweede fles port stelde ik hun een vraag: had ooit een van hen het geluk gehad een vrouw te ontmoeten die hij kon respecteren? (Ze mochten hun moeder buiten beschouwing laten. Moeders waren nu eenmaal een speciaal geval.)

Niemand verdedigde de vrouwelijke geest. Jarvis werd welsprekend toen hij het over hun openingen had, hiervoor had hij het grootste respect, beweerde hij. Hitchings, opgewonden door de port, klom op een stoel en beweerde hartstochtelijk dat hij alle vrouwen respecteerde. God was zijn getuige: waren hun instincten niet verfijnder dan de onze? Was hun geest niet subtieler? Bezat hun hart niet een gevoeligheid die onze onbuigzame sekse miste? Vrouwen gingen te gronde aan hun afhankelijkheid van onze gunsten – weinig overtuigend zoiets. Er volgde een soort verward darwinisme, waarin mannen beesten waren, neven van apen, en vrouwen (op geheimzinnige wijze vrijgesteld van die apenketen) hun beschermengelen. Aangezien hij op dat moment van zijn stoel viel, waren we het erover eens dat zijn argumenten niet telden.

Laat thuisgekomen. Hield het kindermeisje tegen mijn bureau gedrukt. Het gaslicht gaf haar een blauwe tint, als van een kadaver. Tijdens mijn hoogtepunt begon het kind in de kamer ernaast te huilen – haar meeuwenkrijs, hoog en doordringend.

Dat had ze me vaker op zo'n ongunstig ogenblik geleverd, maar toen ik ging kijken, sliep ze.

Naar Winterscombe voor de komeet (en andere licht ontvlambare heerlijkheden).

9

1

De waarzegger en mijn peettante

Ik ben eenmaal naar een waarzegger geweest. Hij heette meneer Chatterjee en had een winkeltje midden in de bazaar van New Delhi.

Het was geen idee van mij om meneer Chatterjee te consulteren. Ik geloofde niet in waarzeggers, horoscopen en meer van dat soort verleidelijke hocuspocus. Mijn vriend Wexton evenmin, dacht ik, hoewel het voorstel van hem afkomstig was.

Meneer Chatterjee was hem enthousiast aanbevolen door een van de Indiërs die we op deze reis hadden ontmoet – misschien door meneer Gopal, misschien door de maharani. Toen Wexton de volgende dag de bazaar ging bekijken, ontdekte hij de winkel en stelde me voor erheen te gaan.

Een reis met Wexton was altijd vol verrassingen. Ik dacht: *waarom eigenlijk niet*?

'Ga je niet mee, Wexton? Dan zou hij ons allebei de toekomst kunnen voorspellen.'

'Op mijn leeftijd,' antwoordde hij met een welwillende glimlach, 'heb je geen waarzegger meer nodig, Victoria.' Hij knikte in de richting van het kerkhof, maar maakte geen droefgeestige indruk.

De volgende dag ging ik op weg naar mijn toekomst. Ik baande me een weg door de drukke stegen van de bazaar en dacht na over de kwestie van leeftijd. In een Victoriaanse roman – het soort waar mijn vader zo van hield – was een vrouw op haar vijfentwintigste oud en was haar leven voorbij als ze dertig was. Nu, in de jaren tachtig, wordt een vrouw van vijftig nog als jong beschouwd, maar toen ik naar meneer Chatterjee ging was het 1968. Mensen droegen toen speldjes met *Vertrouw niemand boven de dertig*. Wexton die al ver in de zeventig is, vond het nogal amusant, maar ik wist niet of ik het wel zo leuk vond.

Toen ik naar mijn waarzegger ging was ik ongetrouwd, kinderloos, geslaagd – veronderstel ik – wat mijn carrière betreft. En ik was bijna achtendertig.

De reis naar India was een idee van Wexton. De drie maanden voor we vertrokken zat ik in Engeland, in Winterscombe, om mijn oom Steenie bij te staan tijdens zijn sterven – of in ieder geval te trachten ervoor te zorgen dat hij zo min mogelijk pijn zou lijden. Morfinecocktails werkten – Steenie beweerde zelfs dat ze bijna even goed waren als champagne – maar natuurlijk was er een ander soort pijn waarbij alle medicijnen te kort schieten. Toen Steenie uiteindelijk stierf, verloor ik een oom van wie ik veel hield, een van mijn laatste familieleden. Wexton verloor zijn oudste vriend, een rebel die eens, vermoedde ik, meer dan een vriend was geweest – hoewel Steenie noch Wexton er ooit over had gesproken.

'Moet je ons zien,' zei Wexton toen we alleen in Winterscombe achterbleven. 'Somber als twee heremieten. We moeten hier weg, Victoria. Wat vind je van India?'

Een verrassend voorstel. Ik had steeds beweerd dat ik het te druk had (maar in feite was ik bang om met mezelf geconfronteerd te worden) en ik had in geen acht jaar vakantie gehad. Wexton, wiens gedichten hem internationale roem hadden bezorgd, nam nooit vakantie. Hij was Amerikaan van geboorte maar woonde al een jaar of vijftig niet meer in Amerika. Hij had zich opgesloten in een rommelig, met boeken bezaaid huis aan Church Row in Hampstead en vond het vervelend als men probeerde hem over te halen er eens op uit te gaan. Het was niets voor hem een uitnodiging te accepteren om gefêteerd te worden, en zeker niet in New Delhi. Toch wilde hij gaan en bovendien moest ik mee.

Ik wilde dolgraag aan het verdriet en aan de verantwoordelijkheid voor Winterscombe ontsnappen (een enorm groot huis – ik zou het wel moeten verkopen), dus stemde ik toe. Ik reorganiseerde mijn werkschema en drie dagen later landden we in New Delhi. Daar hield Wexton een lezing aan de universiteit, las een paar van zijn beroemde gedichten voor aan een voornaam gezelschap Indiërs, Europeanen en Amerikanen en verdween toen vriendelijk en doelbewust.

Wexton heeft regels geschreven die in mijn hoofd zijn blijven hangen en een deel van mijn denken zijn gaan vormen. Veel gedichten gaan over liefde, tijd en verandering: toen ik hem hoorde voordragen dacht ik aan verloren kansen, een acht jaar geleden verbroken liefdesrelatie en aan mijn leeftijd. Ik voelde me onuitsprekelijk bedroefd.

Wexton, wiens houding tegenover poëzie pragmatisch is, was niet zo. Hij hield zijn lezing, boog zich als een menselijk vraagteken over de onbetrouwbare microfoon, trok aan zijn haar zodat het in plukken omhoog stond en zag eruit als een enorme welwillende beer, verbaasd dat zijn woorden zoveel indruk op zijn toehoorders maakten.

Na de lezing slenterde hij het podium af, woonde de receptie bij die ter ere van hem gegeven werd en ergerde zijn gastheren van de ambassade omdat hij de beroemdste gasten ontweek. Wel praatte hij vrij lang met meneer Gopal, een ernstige, opvliegende man die een onbelangrijke functie aan de universiteit had. Nog langer sprak hij met de maharani, een alleraardigste, enorm dikke vrouw wier dagen van sociale invloed voorbij waren.

En de volgende dag vertrok hij, tot consternatie van zijn gastheren. Wexton was dol op treinen. We gingen naar het station en namen zonder overleg een stoomtrein naar Simla.

Van Simla naar Kasjmir en een woonboot op de meren, met gordijnen die naar kerrie roken en een grammofoon die je zelf moest opwinden. Van Kasjmir naar de Taj Mahal, van de Taj Mahal naar een bavianenreservaat waar Wexton geheel door de bavianen werd ingesloten en waar meneer Gopal – intussen zijn discipel – zich bij ons voegde.

'Zeer moedige man, uw peetoom,' zei hij tegen me terwijl Wexton de bavianen welwillend aanstaarde. 'Die beesten kunnen gemeen bijten.'

Van het bavianenreservaat naar de stranden van Goa, van Goa naar Udaipur; vandaar, met talloze uitstapjes naar tempels, forten en stations, terug naar New Delhi.

Dat alles in een moordend tempo, wat Wexton enorm opvrolijkte. 'Precies wat we nodig hebben,' zei hij, wanneer hij in een nieuwe coupé in weer een andere trein ging zitten. 'Nieuwe plaatsen, nieuwe gezichten. Ten slotte moet er wel iets gebeuren.'

Natuurlijk gebeurde er iets toen ik eenmaal bij meneer Chatterjee was geweest. Ik zou op een heel ander soort reis gaan. Daar had ik me, geloof ik, al onbewust op voorbereid. Door dingen die mijn oom Steenie op zijn sterfbed tegen me had gezegd, die me geschokt hadden. Maar meneer Chatterjee gaf het laatste duwtje.

Wexton, die van mijn plannen hoorde, verzette zich ertegen. Het was verkeerd, vond hij, het verleden op te rakelen – dat was gevaarlijk terrein. Hij deed ontwijkend en we wisten beiden waarom. Mijn verleden betekende allereerst Winterscombe (dat was prima, zei Wexton, hoewel hij het mis had), maar ook New York waar ik opgroeide (ook dat was goed, mits ik me maar niet overgaf aan gedachten aan een zekere man die er woonde). Uiteindelijk was er nog Constance, mijn peettante.

Wexton weigerde de naam Constance uit te spreken. Ze was uit de aard der zaak zijn tegenpool en ik denk dat hij haar nooit gemogen heeft. Er waren niet veel mensen aan wie Wexton een hekel had, maar was dat wel het geval, dan sprak hij nooit over hen.

Eens hoorde ik hem tegen Steenie – die Constance adoreerde – beweren dat ze een duivelin was. Zulke heftige taal van Wexton was uitzonderlijk, en hij zei het nooit weer. Toen ik hem van mijn bezoek aan meneer Chatterjee en het besluit dat ik genomen had, vertelde, noemde Wexton geen enkele maal haar naam. Toch wist ik dat hij allereerst aan haar dacht. Hij werd – voor zijn doen – heel somber.

'Ik wilde dat ik nooit naar Gopal had geluisterd. Ik had kunnen weten dat het mis zou gaan. Denk even na, Victoria. Ik wil wedden om honderd roepia's – of hoeveel je maar wilt – dat die Chatterjee een charlatan is.'

Toen wist ik dat Wexton alles wilde proberen om me tegen te houden. Hij hield niet van wedden.

Meneer Chatterjee zag er niet uit als een charlatan maar evenmin als een waarzegger. Hij was klein, een jaar of veertig, droeg een schoon nylon overhemd en een pas geperste lichtbruine broek. Zijn schoenen glommen, de olie in zijn haar glansde. Hij had zachte bruine ogen die vertrouwen wekten.

Zijn winkel was onopvallend en moeilijk te vinden. Boven de ingang was op een karton een wassende maan met zeven sterren geschilderd. Een bordje vermeldde: *Verleden en Toekomst – roepia's 12,50*! Het uitroepteken zou wel dienen om de nadruk te leggen op het feit dat Chatterjee's concurrenten meer rekenden dan hij.

Binnen zag het er kaal uit. Er was niets gedaan om een geheimzinnige oosterse sfeer te scheppen. Er stonden weinig meubels en aan de wand hingen portretten van de koningin van Engeland en van Mahatma Gandhi, die met sellotape waren vastgeplakt.

De kamer rook naar de bakkerij ernaast en ook enigszins naar sandelhout. Vanachter een veelkleurig plastic vliegengordijn klonk een grammofoon met sitarmuziek. Het leek op het hokje van een kleine spoorwegbeambte, zoals ik er onderweg zoveel had gezien. Meneer Chatterjee ging aan zijn bureau zitten en pakte de kaarten. Hij glimlachte me bemoedigend toe. Ik voelde me niet bemoedigd. Meneer Chatterjee mocht er vriendelijk uitzien, vertrouwen inboezemen deed hij niet.

Niet in het begin. Hij vatte zijn taak ernstig op en op een gegeven moment ging ik in hem geloven. Dat gebeurde toen hij mijn handen aanraakte. Zijn aanraking was koel, afstandelijk, als die van een dokter en ook heel vreemd. Het gaf me een enigszins dronken gevoel, zoals wanneer je te snel op je lege maag een glas wijn drinkt. De details herinner ik me niet. Er kwamen kruiden aan te pas. Dat weet ik omdat hij mijn handen met een sterk ruikend spul inwreef, terwijl we praatten over mijn geboorteplaats (Winterscombe) en geboortejaar (1930).

Ook de sterren kwamen eraan te pas – dat gebeurde toen hij de kaarten legde. Meneer Chatterjee bekeek ze nauwkeurig, hij zette er zelfs zijn bril voor op. Hij trok adembenemende verbindingslijnen tussen het noodlot en de planeten met een potlood waarvan de punt steeds brak. De patronen schenen hem van zijn stuk te brengen.

'Ik zie een jaartal. 1910.' Hij schudde het hoofd.

Hij prikte op de kaart in een gebied dat leek op een kruispunt van hoofdwegen. Onder het prikken verbleekte hij en hij scheen er niet voor te voelen om verder te gaan.

'Wat ziet u nog meer?' drong ik aan.

Meneer Chatterjee antwoordde niet.

'Iets ergs?'

'Niet zo mooi. O hemel, nee.' Hij sleep zijn potlood. Meneer Chatterjee sloot de ogen. Sliep hij of was hij gebiologeerd door die 1910?

'Meneer Chatterjee,' zei ik zacht. 'Dat is twintig jaar voor mijn geboorte.'

'Een oogwenk.' Hij opende de ogen. 'Twintig jaar is een oogwenk. Een eeuw is een seconde. Maar ik geloof dat we verder moeten gaan. Een nieuw spoor zoeken.'

Hij borg de kaarten in een metalen archiefkast. Opgelucht zei hij toen dat hij voor de tweede fase stofgoud wilde gebruiken – hij beweerde althans dat het stofgoud was.

'Wilt u zo vriendelijk zijn de ogen te sluiten en geconcentreerd te denken aan degenen die u het dierbaarst zijn?'

Ik sloot mijn ogen. De sitarmuziek kraste. Hij sprenkelde een soort poeder op mijn oogleden en wangen en prevelde een toverspreuk in het Hindi. Ik kreeg het warm. Mijn duizeligheid verergerde. Mijn gedachten dwaalden af in richtingen die ik nooit had voorzien. Toen de toverspreuk stopte en ik mijn ogen opende, veegde meneer Chatterjee het stofgoud behoedzaam in een oud sigarettenblikje. Hij keek me treurig aan.

'Ik zie twee vrouwen. De een is dichtbij, de ander zeer ver weg. Ik denk dat u tussen die twee moet kiezen.'

Daarna voorspelde hij me de toekomst. Wat hij zei over het verleden was griezelig nauwkeurig. Zijn verhaal over mijn toekomst leek te mooi om waar te zijn. Uiteindelijk zei hij dat ik op het punt stond een reis te maken. Dat stelde me teleur. Ik was meneer Chatterjee aardig gaan vinden en was bijna in hem gaan geloven. Nu was ik bang dat hij zou komen aanzetten met een donkere vreemdeling en een of andere zeereis. Ik wilde niet dat hij zo'n smakeloze opmerking zou maken.

Een reis? Ik was altijd op reis. Mijn werk als binnenhuisarchitecte betekende dat ik altijd onderweg was, naar het volgende huis, de volgende opdracht, het volgende land. Over een week was ik terug in Engeland maar ik had een klus in Frankrijk en daarna moest ik naar Italië. Was dat het soort reis dat meneer Chatterjee bedoelde? Ik betwijfelde het. Er waren andere soorten reizen.

Meneer Chatterjee voelde mijn twijfel, denk ik. Hij glimlachte verontschuldigend, alsof mijn ongeloof aan hem te wijten was. Hij nam mijn handen in de zijne en bracht ze naar mijn gezicht.

'Ruik eens,' zei hij alsof dat alles zou verklaren. 'Ruik.' Ik snoof. Het scherpe spul op mijn handpalmen was vluchtig, het bevatte oliën maar ook alcohol. De warmte van de kamer en van mijn huid bracht geuren te voorschijn die nog sterker waren dan eerst. Ik snoof en rook India. Ik rook de wassende maan, honing en sandelhout, henna en zweet, overvloed en armoede.

'Concentreer u. Om te zien moet u eerst de ogen sluiten.' Ik inhaleerde diep, de ogen stijf dicht. Ik rook – Winterscombe. Vocht en de geur van brandend hout, leren stoelen en lange gangen, linnen en lavendel, geluk en buskruit... Ik rook mijn jeugd, mijn vader en moeder.

'Concentreer u nog eens.'

De greep van meneer Chatterjee op mijn handen werd steviger, er ging een trilling doorheen. De geur in mijn neus was nu onmiskenbaar. Ik rook het frisse groen van varens, toen een scherpere, meer assertieve geur, muskus en civet. Ik had slechts één persoon gekend die dat parfum gebruikte. Voor mij was het even persoonlijk als een vingerafdruk. Ik liet mijn handen zakken. Ik rook Constance.

Ik geloof dat meneer Chatterjee mijn ontreddering zag, want hij deed heel vriendelijk tegen me. We praatten lange tijd. Toen, als een spoorwegbeambte die een ingewikkelde dienstregeling uitlegt, gaf hij me één raad. Hij zei dat ik terug moest gaan.

'Teruggaan waarheen? Teruggaan wanneer?' zei Wexton die avond neerslachtig.

'Ik weet het nog niet. Maar ik ken de route. Jij ook.'

De volgende dag schreef ik haar. Toen ik geen antwoord kreeg, verbaasde me dat niet; ze had ook niet geantwoord toen Steenie naar haar vroeg en ik een telegram had gestuurd. Ik veranderde mijn vluchtplan.

Een week later vloog Wexton alleen terug naar Engeland. Ik vloog naar New York, naar die peettante van me: Constance.

Constance heeft me gevormd. Ik zou kunnen zeggen dat ze me heeft opgevoed, want dat is zo. Ik was een kind toen ik bij haar kwam en ben meer dan twintig jaar bij haar gebleven. Maar Constances invloed ging veel dieper. Ik beschouwde haar als een moeder, een mentor, een inspiratie, een uitdaging, een vriendin. Een gevaarlijke combinatie misschien, maar Constance straalde nu eenmaal gevaar uit, zoals de vele mannen die onder haar leden, zouden kunnen vertellen.

Mijn oom Steenie die haar bewonderde en, geloof ik, zo nu en dan bang voor haar was, zei altijd dat ze op een matador leek. Je zag hoe ze de fel gekleurde cape van haar charme rondwervelde, en de opvoering was zo oogverblindend dat je pas merkte dat ze je aan haar degen geregen had als het te laat was. Maar Steenie hield van overdrijven. De Constance die ik kende was hard, maar ook kwetsbaar.

'Denk aan haar honden,' zei ik tegen Steenie en hij hief zijn blauwe ogen naar de hemel.

'O ja, haar honden,' zei hij droogjes. 'Ik heb nooit geweten wat ik daarmee moest beginnen.'

Een raadsel, maar Constance zat vol raadsels. Ik ben bij haar opgegroeid maar heb nooit het gevoel gehad dat ik haar begreep. Ik bewonderde haar, hield van haar, was soms geschokt door haar maar leerde haar nooit kennen. Misschien hoorde dat wel tot haar charme.

Als ik 'charme' zeg, bedoel ik niet die gladde, oppervlakkige manier van doen die in de maatschappij voor charme doorgaat. Ik bedoel iets ongrijpbaars, als van een tovenares. Toen ik bij haar in New York kwam, had ze al de reputatie van een moderne Circe. Door de mannen, neem ik aan.

'Een lange rij mannen, lieve Vicky!' beweerde mijn oom Steenie later, niet zonder boosaardigheid. 'Een spoor van gebroken harten, van gebroken mannen. Slachtoffers van Constances koortsachtige carrière.'

Volgens Steenie beperkte Constance haar vernietigingsdrang tot de mannen. Als vrouwen er ook aangingen, was dat puur toeval, ze werden alleen gekwetst wanneer ze te dicht in de buurt waren als Constance aanviel.

Steenie zag Constance niet slechts als een tovenares, maar ook als een krijger. Ze kwam op mannen af en gebruikte haar seksualiteit,

16

haar schoonheid, geest en wilskracht als wapens. Door zijn eigen neigingen was Steenie ervoor gevrijwaard; dat was de reden, verklaarde hij, dat hij kon overleven als haar vriend.

Toen geloofde ik er niets van. Ik vond dat mijn oom overdreef. Ik hield van Constance, ze was altijd even aardig voor me geweest. Ik zei dan ook tegen Steenie: 'Ze is dapper, ze is energiek en begaafd en ze is edelmoedig.' Dat was ze ook, maar toch had mijn oom gelijk. Ze was inderdaad gevaarlijk. Chaos hechtte zich aan Constance als ijzer aan een magneet. Vroeg of laat (ik vermoed dat het onvermijdelijk was) zou haar aangeboren gave voor het maken van scènes en problemen ook mijn leven raken.

Dat gebeurde dan ook, acht jaar geleden, toen Constance erin slaagde mijn huwelijk te voorkomen. We kregen slaande ruzie en acht jaar lang bestond er een totale breuk. Ik had haar niet meer gezien of gesproken, en totdat mijn oom Steenie op sterven lag en hij haar naam weer noemde, had ik alles gedaan om niet meer aan haar te denken. Dat was me gelukt en ik had een nieuw leven opgebouwd. Constance, zelf binnenhuisarchitecte, had me goed opgeleid. Mijn werk floreerde, ik raakte gewend aan het alleen wonen en ging er zelfs van houden. Ook leerde ik de troost kennen van een overvolle agenda. Ik begreep dat volwassenen moeten leren leven met spijt en verdriet.

Toch ging ik nu terug. Ik zat in een vliegtuig naar het oosten. Van New Delhi naar Singapore, van Singapore naar Perth, vandaar naar Sydney, Fiji, Los Angeles en ten slotte naar New York. Toen ik eindelijk landde, wist ik niet of het gisteren of morgen was – een gevoel dat veel langer duurde dan de normale *jet-lag*.

Ik had me ingesteld op Constance. Zodra ik vanuit het luchthavengebouw de hitte instapte, wist ik dat ze er was, ergens in de stad en heel dichtbij. Terwijl een taxi me met grote snelheid naar Manhattan voerde, mijn oren nog suisden van de luchtdruk, mijn ogen prikten van de droge lucht op tienduizend meter hoogte, mijn zenuwen in de war waren door gebrek aan slaap, was ik vol vals optimisme door de adrenaline, er zelfs van overtuigd dat Constance me verwachtte.

Ik denk dat ik me een soort uiteindelijke afrekening voorstelde – geen verzoening, maar vragen die beantwoord werden, een verleden dat werd verklaard. Ik zou alles begrijpen, en eindelijk vrij zijn.

Ik had het mis. Natuurlijk. Ik dacht dat ik aankwam, terwijl de reis in feite nauwelijks begonnen was.

Constance schreef nooit, maar was dol op de telefoon. Ze had verschillende nummers die ik allemaal belde: haar huis op Long Island, de drie nummers van haar appartement aan Fifth Avenue. Het Long-Islandhuis was twee jaar geleden verkocht en de nieuwe bewoners hadden Constance sindsdien niet meer gezien. Ook op Fifth Avenue werd de telefoon niet opgenomen, iets heel ongewoons aangezien er altijd personeel in huis was, ook al was Constance er zelf niet.

Omdat het te laat was om naar haar kantoor te bellen, probeerde ik de nummers van haar vrienden. Het was eind juli en ik had adressen en telefoonnummers van acht jaar geleden, dus trok ik een groot aantal nieten. Vrienden waren verhuisd of met vakantie, maar de reactie van degenen die ik wel te pakken kreeg, was heel eigenaardig. Ze waren beleefd, deden of ze blij waren na zo'n lange tijd weer iets van me te horen, maar wisten niet waar Constance was en hadden er geen idee van wanneer ze haar voor het laatst hadden gezien. Geen van hen was verbaasd dat ik belde – en dat was vreemd. Iedereen wist van de breuk tussen Constance en mij – het was een bron van roddel geweest. Constance en ik waren partners in de zaak, we waren als moeder en dochter, als goede vriendinnen geweest. Ik wachtte tot iemand zou zeggen: Waarom wil je haar zo graag spreken? Ik dacht dat jullie in het verleden ruzie hadden gehad. Niemand vroeg iets. Eerst dacht ik dat het tact was. Bij het tiende telefoontje betwijfelde ik dat.

Om een uur of acht die avond nam ik, vechtend tegen de slaap, een taxi naar Constances appartement, waar ik vroeger had gewoond. Een brommerige, onbekende portier zei dat mevrouw Shawcross weg was en dat het appartement was afgesloten. Ze had geen adres achtergelaten.

Ik keerde naar het hotel terug. Ik probeerde redelijk te blijven. Het was tenslotte hartje zomer, met een ondraaglijke hoeveelheid vocht in de lucht. Het was onwaarschijnlijk dat Constance in New York was. Ze zat natuurlijk in Europa. Er waren maar een paar plaatsen waar ze altijd heenging. Ik kende ze allemaal.

Ik telefoneerde naar alle hotels, waar ze altijd dezelfde suite moest hebben. Maar ze was nergens, in geen enkel hotel had ze iets besproken. Ik wilde het nog steeds niet opgeven ondanks de symptomen van de jet-lag, die vreemde energie die met uitputting gepaard gaat. Maar ook voelde ik de gevaarlijke aantrekkingskracht die iedereen kent die op speurtocht gaat.

Constance was er wèl, ik wist het. Ze was niet in Europa, ondanks het seizoen, maar hier in Manhattan, vlakbij, ze had zich verstopt.

Een simpel telefoontje kon me helpen. Ik probeerde er nog twee voordat ik toegaf aan mijn vermoeidheid en naar bed ging.

Het eerste nummer dat ik verscheidene keren belde was dat van Betty Marpruder, de spil van Constances atelier, de enige die altijd wist waar Constance was. Ik had juffrouw Marpruder nooit vakantie zien nemen, had nooit gemerkt dat ze New York weleens verliet. Ik belde haar tweemaal, eenmaal om zes en eenmaal om tien uur.

Ik ging naar bed, maar bleef uitgeput en wakker in de *New York Times* bladeren. Op een van de pagina's vond ik mijn ideale vraagbaak: Conrad Vickers, de fotograaf, was in New York om een overzicht van zijn werk – vijftig jaar fotograferen – in het Museum voor Moderne Kunst voor te bereiden. De tentoonstelling zou in het najaar worden geopend met een party, waar 'le tout New York' aanwezig zou zijn. Conrad Vickers had van jaren her banden met mijn familie en ook met Constance. Na Steenie was Conrad Vickers haar oudste vriend.

Ik mocht Vickers niet en het was al laat, maar ik belde hem toch. Omdat Vickers evenmin op mij gesteld was, verwachtte ik een afwijzing. Tot mijn verbazing werd ik uitgebreid verwelkomd. Vragen over Constance werden vermeden, maar niet helemaal geblokkeerd. Hij wist niet precies waar ze op dit ogenblik was, maar als hij even navraag deed, vond hij haar vast wel.

'Kom een drankje halen. Dan bespreken we het!' riep hij. 'Morgen om zes uur? Tot dan.'

'Scha-at,' zei Conrad Vickers en kuste de lucht aan weerszijden van mijn wangen. 'Scha-at' was voor hem een term die hij zowel voor intieme vrienden als voor volslagen vreemden gebruikte. Hij vond dat nuttig. Ik veronderstel omdat hij zo het feit kon verbergen dat hij de naam niet wist van degene die hij zo hartelijk verwelkomde. Vickers vergat alle namen – behalve die van beroemdheden.

Hij maakte vage gebaren alsof hij zielsgelukkig was. Conrad Vickers, op zijn gewone manier uitgedost: een verfijnd wezen in een verfijnde kamer in een verfijnd huis aan Sixty-Second Street – vijf minuten lopen van Constances appartement. Hij droeg een blauwzijden pochet in de borstzak van een bleekgrijs Savile Row pak. Die paste bij het blauw van zijn overhemd, dat weer paste bij zijn ogen. Hij had donzig wit haar, maar werd al wat kaal. Hij had de teint van een jong meisje: Conrad Vickers, eens net als mijn oom Steenie een opvallend knappe jongeman, droeg zijn leeftijd met ere. En zijn onwaarachtigheid scheen nog onverminderd.

'Wat een tijd! Scha-at, je ziet er strálend uit. Ga zitten, dan kan ik naar je kijken. Járen. Práchtig wat je gedaan hebt aan dat huis van Antonelli – en van Molly Dorset. Ongelóóflijk knap – allebei.'

Ik ging zitten en vroeg me af waarom Vickers de moeite nam me nu in de hoogte te steken, terwijl hij dat nooit eerder had gedaan – tenzij hij het idee had dat ik in de mode kwam.

'Wat ìs het warm, hè? Ondrááglijk. Hoe híelden we het uit vóór de airconditioning? Ik ben een trekvogel, scha-at, ik fladder erdoorheen. Probeer dit klaar te krijgen.' Hij wuifde met een hand naar een stapel foto's. 'Beestenwerk. Ik bedoel werk van vijftig jaar, scha-at. Waar moet je begìnnen? Wie moet erin? Wie moet eruit? Die museummensen zijn volslágen meedogenloos. Ze willen natuurlijk de royalty's. Margot en Rudy, Andy en Mick, Wallis en lady Diana. O, en ze willen natuurlijk Constance. Maar degenen van wie ze nog nooit hebben gehoord, gaan eruit, scha-at. Ik raak de hèlft van mijn vrienden kwijt!'

Een kreet van verdriet. Maar een ogenblik later gebaarde hij naar een boeket bloemen op het tafeltje naast me.

'Zijn ze niet gòddelijk? Ben je ook zo dòl op riddersporen? Engelse bloemen voor de tuin – ik móet ze hebben, waar ik ook zit. En nu heb ik die verschrìkkelijk knappe jongeman ontdekt, die ze precies zo opmaakt als ik wil. Wáánzinnig origineel. Zullen we nu wat champagne drinken? Zeg alsjeblieft ja. Ik kan niet tegen die Martini – veel te giftig. Ben absoluut blind de volgende dag. Laten we doen of we grootheden zijn en de Bollinger openmaken.'

Vickers zweeg abrupt. Hij had zojuist de naam genoemd van Steenies meest geliefde champagne. Hij werd vuurrood en trok zenuwachtig aan zijn manchetten. Snel gaf hij instructies aan de jongen die me had binnengelaten en die bij de deur stond te wachten. Het was een Japanner, een aardig uitziende, tengere jongeman met een zwart jasje en een streepjesbroek.

Toen de jongen vertrokken was, begreep ik eindelijk waarom hij me had uitgenodigd. Vickers was niet alleen verlegen, hij voelde zich schuldig. Die invitatie had niets met Constance te maken, maar alles met mijn oom Steenie.

Aangezien Conrad Vickers meer dan vijftig jaar een vriend van mijn oom was geweest – en de helft van die tijd bij tussenpozen zijn minnaar, en omdat hij schitterde door afwezigheid toen Steenie op sterven lag, kon ik dat schuldgevoel wel begrijpen. Ik zei niets, Vickers moest maar zien hoe hij zich eruit redde.

Een tijdlang zweeg hij, alsof hij verwachtte dat ik over Steenie zou beginnen. Maar ik zweeg ook. Ik keek de zitkamer rond die – als alle kamers in zijn vele huizen – volmaakt was wat smaak betreft. Vickers' gevoel van loyaliteit mocht dan zwak zijn en zijn vriendschappen oppervlakkig, maar als het op materialen aankwam, op stoffen, meubels, dan was zijn oog even feilloos als dat van Constance. Eens had me dat belangrijk geleken. Ik had geloofd dat goede smaak waardevol was. Nu was ik daar niet meer zo zeker van.

Vickers streek over de leuning van zijn Franse stoel. De zijden bekleding, een uitstekende imitatie van een achttiende-eeuws ontwerp, herkende ik. Het was afkomstig uit de laatste collectie van Constance. De stoel was geschilderd en gerestaureerd, dacht ik, en toen met veel overleg oud gemaakt. De kleur verbleekt. Constances ateliers? vroeg ik me af. Onmogelijk te zeggen – bijna onmogelijk – of het bleke leiblauw tweehonderd jaar geleden was aangebracht of de afgelopen week.

'Vorige maand,' zei Vickers, die mijn blik opving. Ondanks al zijn fouten was hij niet dom.

'Vorige maand.' Hij zuchtte. 'Ik weet dat ik jou niet voor de gek kan houden – de restaurateur die Constance altijd heeft. O God!' Hij boog zich naar voren. Kennelijk wilde hij de sprong wagen.

'We moeten over Steenie praten. Ik weet dat ik had moeten komen. Maar ik denk dat ik er niet tegen kon om Steenie te zien sterven. Het hoorde helemaal niet bij hem. Ik kon het me niet voorstellen en wilde er in geen geval getuige van zijn. Ha, de champagne.' Hij stond op. Zijn hand beefde toen hij me mijn glas aangaf.

'Zou je het heel erg vinden als we op hem dronken? Op Steenie? Dat zou hij mooi hebben gevonden. Tenslotte had Steenie nooit illusies wat mij aangaat. Ik denk dat je me een afschuwelijke lafaard vindt en dat ben ik ook. Ziekenkamers maken me misselijk. Maar weet je, Steenie zou het begrepen hebben.'

Dat was waar. Ik hief mijn glas. Vickers keek me berouwvol aan. 'Op Steenie? Op vroeger?' Hij aarzelde. 'Oude vrienden?'

'Goed. Op Steenie.'

Vickers zette zijn glas neer en nam me met een taxerende blik op. Zijn blauwe ogen stonden waakzaam. Vickers had het vermogen van een fotograaf om gezichten te lezen. 'Je moet het me vertellen. Ik wil het graag weten. Toen ik je telegram kreeg... voelde ik me als een worm. Was het gemakkelijk? Voor Steenie, bedoel ik.'

Ik dacht na. Was de dood ooit gemakkelijk? Ik had geprobeerd het voor Steenie gemakkelijk te maken, dat had Wexton ook gedaan. Maar we waren slechts gedeeltelijk geslaagd. Toen mijn oom stierf, was hij bang. Hij was ook ongerust. Eerst had hij geprobeerd dat

21

te verbergen. Toen hij eenmaal besefte dat er geen hoop meer was, deed hij alles om in stijl te sterven.

Voor oom Steenie was stijl altijd het meest waardevolle in zijn leven geweest. Hij was van plan, denk ik, de Hades te begroeten als een oude vriend die hij zich nog herinnerde van vroegere feesten, over de Styx te worden geroeid alsof hij een gondel naar de Giudecca nam. Als oom Steenie zijn roeier Charon zag, vermoed ik dat hij hem zou willen behandelen als de portier van de Ritz. Steenie zou voorbijsnellen, maar hem een grote fooi geven.

Dat bereikte hij ten slotte. Steenie ging heen zoals hij had gewild, leunend in zijn zijden kussens, het ene moment amusant, het volgende dood.

Dat plotselinge vertrek kwam echter aan het eind van drie lange maanden, waarin zelfs Steenies vermogen om zich goed te houden te kort kon schieten. Hij had geen pijn – daar zorgden wij wel voor – maar zoals de artsen al hadden gewaarschuwd, hadden de morfinecocktails soms een eigenaardige bijwerking. Ze brachten Steenie terug naar het verleden, en wat hij daar zag deed hem in tranen uitbarsten.

Hij probeerde het te vertellen en praatte tot diep in de nacht. Hij wilde mij dolgraag laten zien wat hij zag. Ik zat bij hem, hield zijn hand vast. Ik luisterde. Hij was mijn op één na laatste familielid. Ik wist dat hij me het geschenk van het verleden wilde geven voor het te laat was.

Hij was echter vaak moeilijk te begrijpen. De woorden waren duidelijk genoeg, maar de gebeurtenissen die hij beschreef, zaten in elkaar verward. De morfine maakte Steenie een reiziger door de tijd. Hij bewoog zich vooruit en achteruit, ging van een recent gesprek over op twintig jaar terug alsof alles op dezelfde dag, op dezelfde plek was gebeurd.

Hij sprak over mijn ouders en grootouders, maar alleen de namen waren bekend, want als Steenie over hen sprak, waren ze onherkenbaar voor me. Dat was niet de vader die ik me herinnerde, dat was niet mijn moeder. De Constance over wie hij het had, was een vreemde. En sommige herinneringen waren plezierig, andere waren dat duidelijk niet. Steenie zag dingen in de schaduwen die hem deden rillen. Dan greep hij mijn hand, tuurde de kamer rond, sprak tegen spoken die hij wel zag en ik niet.

Het maakte me bang. Ik wist niet of het door de morfine kwam of niet. Ik was opgegroeid met raadsels die nooit waren opgelost, uit de tijd van mijn geboorte en doop. Ik dacht dat ik die raadsels ontgroeid was. Mijn oom Steenie bracht ze met een vaart terug.

Wat een warreling van woorden en beelden: het ene moment sprak Steenie over croquet, het volgende over kometen. Hij sprak vaak over de bossen van Winterscombe – daar keerde hij telkens met onbegrijpelijke nadruk naar terug. Ook had hij het – en toen was ik er bijna zeker van dat het door de morfine kwam – over een gewelddadige dood.

Ik geloof dat Wexton die een deel hiervan bijwoonde, de dingen beter begreep dan ik. Maar hij zweeg terughoudend – wachtte op de dood.

Steenie had twee heldere dagen voordat die kwam. Hij maakte zich gereed, dacht ik, voor de laatste aanval. Toen stierf hij, snel en barmhartig. Wexton zei dat Steenie met al zijn wil de dood naderbij wenste en ik dacht dat mijn oom niet te verslaan was. Ik hield van hem en Wexton had gelijk.

Zou je daar het woord 'gemakkelijk' voor gebruiken? Ik keek Vickers aan, vermeed toen zijn blik. Ik voelde dat Steenie, door zijn eigen afscheid op te voeren, zou hebben gewild dat ik de bravoure ervan benadrukte.

Sla de episoden achter de coulissen over. Wees voorzichtig.

'Hij... hield zich geweldig flink,' zei ik.

Dat scheen het schuldgevoel van Vickers te verminderen. Hij zuchtte.

'O, fijn.'

'Hij lag natuurlijk in bed. In zijn kamer in Winterscombe. Je herinnert je die kamer...'

'Maar scha-at, hoe zou ik dat kunnen vergeten? Belachelijk.'

'Hij droeg zijn zijden pyjama's. Lavendelkleurige op de dagen dat de doktoren kwamen. Je weet hoe leuk hij het vond iemand te shockeren.'

Vickers glimlachte. 'Make-up? Zeg niet dat hij dat nog deed...'

'Heel weinig maar. Heel discreet voor Steenies doen. Hij zei... hij zei dat hij, als hij de dood de hand moest schudden, er op zijn best uit wilde zien...'

'Je moet niet overstuur zijn. Dat zou Steenie vreselijk hebben gevonden.' Vickers klonk bijna vriendelijk. 'Vertel het me maar – het helpt om erover te praten. Dat heb ik geleerd. Een van de nadelen van de ouderdom – al je vrienden zijn het ene ogenblik op het feest, het volgende weg. Steenie en ik waren even oud. Achtenzestig. Dat is nog niet zo oud tegenwoordig. Toch...' Hij zweeg even. 'Heeft hij het nog over mij gehad... op het laatst?'

'Een beetje,' antwoordde ik. Ik besloot hem zijn egoïsme te vergeven. In feite had Steenie het nauwelijks over Vickers gehad. Ik aarzelde. 'Hij hield van praten. Hij dronk wat van de Bollinger – ik had wat bewaard. Hij rookte die afschuwelijke zwarte Russische sigaretten. Hij las gedichten.'

'Van Wexton?' Vickers had Wexton altijd als een rivaal beschouwd. Hij trok een vies gezicht.

'Meestal die van Wexton. En zijn brieven – oude, die hij in de Eerste Wereldoorlog aan Steenie had geschreven. En hij bekeek alle oude fotoalbums. Het was gek. Wat kort geleden was gebeurd, interesseerde hem niet, hij wilde verder terug. Naar zijn jeugd, naar Winterscombe zoals het vroeger was. Hij praatte veel over mijn grootouders en over zijn broers. Mijn vader, natuurlijk.' Ik zweeg even. 'En Constance.'

'O, Constance. Dat dacht ik wel. Steenie adoreerde haar altijd. De rest van je familie...' Vickers glimlachte wat boosaardig. 'Ik zou willen zeggen dat die niet zo bijster op haar gesteld was. Je tante Maud verafschuwde haar natuurlijk, en je moeder... Ik heb altijd gehoord dat ze min of meer verbannen was van Winterscombe. Ik heb nooit geweten waarom. Echt een beetje een mysterie, dacht ik altijd. Heeft Steenie het erover gehad?'

'Nee.' Ik antwoordde niet naar waarheid en als Vickers het merkte, liet hij het niet blijken. Hij schonk nog wat champagne in. Iets – de verwijzing naar Wexton misschien – had hem uit zijn humeur gebracht, dacht ik.

Plotseling scheen hij genoeg te hebben van het onderwerp Steenie. Hij stond op en zocht tussen de stapel foto's die op de tafel naast hem lag.

'Wat Constance betreft, moet je deze zien! Ik vond hem kort geleden. Ik was volkomen vergeten dat ik die genomen had. Mijn vroegste werk. De eerste foto die ik ooit van haar heb gemaakt. Vreselijk geposeerd, veel te gekunsteld. Gedateerd, veronderstel ik – maar toch... Ik zou hem kunnen gebruiken voor een terugblik. Hij heeft wel iets, vind je niet?' Hij hield een grote zwart-wit afdruk op. 'Negentienzestien – dat betekent dat ik zestien was en Constance ook, hoewel ze er nu wat jaartjes aftrekt, natuurlijk. Moet je eens kijken. Heb je ooit zoiets gezien? Bijzonder, hè?'

Ik bekeek de foto, die nieuw voor me was. Constance zag er inderdaad bijzonder uit. Heel erg volgens de mode van die tijd en anders dan in zijn latere werk. De jonge Constance lag in een gekunstelde pose op iets wat op een lijkbaar leek. Ze was in wit satijn gehuld. Alleen haar handen die een bloem vasthielden en haar hoofd waren zichtbaar, verder was ze in een soort lijkkleed gewikkeld. Haar zwarte haar was lang – ik had haar nooit met lang haar gezien – en viel in slangachtige lokken langs haar gezicht. De foto was en profil genomen, een streep licht deed de sterke vlakken van haar gezicht duidelijk uitkomen. De zwarte wimpers vormden een boog tegen de hoge, bijna Slavische jukbeenderen. Vreemd genoeg had Vickers, hoewel haar bijna zwarte ogen haar grootste aantrekkingskracht vormden, haar met gesloten ogen gefotografeerd. '"La Belle Dame sans Merci".' Vickers, die weer tot zichzelf kwam, lachte hoog en hinnikend. 'Zo noemde ik hem. Nou ja, dat soort dingen maakte je toen. Constance op een lijkbaar, de Stiwells op een lijkbaar – een heel jáár niets dan lijkbaren natuurlijk. De mensen namen het niet, want het was midden in de Eerste Wereldoorlog en ze zeiden dat het decadent was. Toch nuttig, al die schandalen...' Hij wierp me een snelle blik toe. 'Het maakte mij tot een enfant terrible, altijd de beste manier om te beginnen. De mensen zijn vergeten dat ik ooit zo ben geweest, nu ik zo'n beroemde oude man ben. Dus dacht ik dat ik die maar voor de tentoonstelling moest gebruiken – gewoon om hen eraan te herinneren. O, en haar trouwfoto's natuurlijk. Die zijn goddelijk...'

Hij ging vluchtig door de stapel foto's. 'O, ze zijn hier niet, ze zijn, denk ik, al in het museum. Maar déze zal je interesseren...'

De foto was heel informeel, van het soort dat Vickers 'familiekiekjes' noemde.

Ik herkende hem ogenblikkelijk. De foto was genomen in Venetië, in 1956. Constance stond met een stel vrienden bij het Grand Canal; achter hen kon je nog juist iets van de Santa Maria della Salute onderscheiden. Een elegante groep, in lichte zomerkleren. Aan de rand van de groep, iets van hen vandaan, stonden twee jongere figuren. Gevangen in dat gouden Venetiaanse licht, met de schaduwen van de kerk naast hen: een lange man met donker haar, een peinzende uitdrukking op zijn gezicht, een knappe man, hij had een Italiaan kunnen zijn, maar was het niet, en een jonge vrouw naar wie hij stond te kijken.

Ook zij was lang en tenger. Ze droeg een groenige jurk, had blote benen en platte sandalen aan. Het opvallendst was haar haar dat ze lang en los droeg. Het woei om haar gezicht en het Venetiaanse licht maakte de kleur ervan rossig goud of kastanjebruin. Ze zag eruit, dacht ik, of ze op het punt stond weg te vliegen – die jonge vrouw die ik eens was geweest.

Ik was toen vijfentwintig en nog niet verliefd op de man naast me. Maar ik voelde die dag de mogelijkheid ervan. Ik wilde niet naar de foto kijken, niet naar de man, niet naar mijzelf. Ik legde de foto neer zonder iets te zeggen en wendde me weer tot Vickers.

'Conrad,' zei ik, 'waar is Constance?' Hij draaide eromheen. Ja, hij had een paar maal gebeld zoals hij beloofd had, maar had haar tot zijn grote verbazing niet gevonden. Niemand scheen te weten waar Constance was, heel ongewoon – maar geen reden tot ongerustheid. Constance zou plotseling wel weer te voorschijn komen, zoals ze altijd deed. Ze was immers altijd zo onvoorspelbaar. Er zou wel een man achter zitten.

Hij overstelpte me met suggesties. Was het appartement afgesloten? Vreemd. Had ik East Hampton geprobeerd? Wat, was dat verkocht? Daar had hij geen idee van gehad. Hij liet dat onderwerp ogenblikkelijk varen, zodat ik wist dat hij had gehoord dat het huis verkocht was, alleen al vanwege de energie waarmee hij het ontkende.

'Ze is vast in Europa!' riep hij, alsof dat idee hem net was ingevallen. 'Heb je het Danielli geprobeerd, het Crillon? En Molly Dorset?'

Toen ik verklaarde dat ik al die bekende adressen had afgebeld, gaf Vickers een goede opvoering van volslagen mystificatie.

'Dan ben ik bang dat ik je niet kan helpen. Ik heb haar in bijna een jaar niet gezien.' Hij nam me kritisch op. 'Weet je, ze wordt heel vreemd, net een kluizenaar. Ze geeft geen party's meer – al in geen eeuwen. En als je haar uitnodigt... dan weet je nooit of ze komt of niet.'

'Een kluizenaar? Constance?'

'Misschien is dat het verkeerde woord. Niet direct een kluizenaar. Maar wel vreemd. Ze bekokstooft iets, zou ik zeggen toen ik haar de laatste maal zag. Ze had die vrolijke blik waar iets achter stak – weet je wel? Ik zei tegen haar: "Connie, ik ken dat gezicht. Je bent iets van plan, iets wat niet deugt." '

'En wat zei ze toen?'

'Ze zei dat ik me vergiste – dit keer. Ze lachte. Toen zei ze dat ze aan haar eigen terugblik begon. Ik geloofde er natuurlijk niets van. En dat zei ik ook. Ik wist dat er een man bij betrokken was en vroeg wie het kon zijn. Natuurlijk vertelde ze het niet. Ze glimlachte haar sfinxachtige glimlach, terwijl ik maar zat te raden.'

'Geen aanwijzingen? Dat is niets voor Constance.'

'Niets. Ik zou er wel achter komen, en als ik het wist zou ik stomverbaasd zijn. Dat was alles.' Vickers aarzelde. Hij keek op zijn horloge. 'Hemel! Is het al zo laat? Ik ben bang dat ik dadelijk zal moeten rennen.'

'Conrad...'

'Ja, scha-at?'

'Vermijdt Constance me? Is het dat?'

'Jou vermíjden?' Hij wierp me een blik toe – een weinig overtuigende blik – van gekwetste verbazing. 'Waarom zeg je dat? Kennelijk hebben jullie ruzie gehad – maar dat weten we allemaal. En ik moet zeggen, ik heb nogal wat spannende geruchten gehoord – de naam van een zekere man die van mond tot mond ging, je weet hoe dat is...' Hij lachte ondeugend. 'Maar daar praat Constance nooit over. Ze praat altijd even warm over je. Ze was dòl op je laatste werk. Die rode zitkamer voor Molly Dorset – ze vond hem verrukkelijk!'

In zijn pogingen om me te overtuigen was hij uitgegleden. Ik zag ogenblikkelijk in zijn ogen dat hij het besefte.

'De zitkamer van de Dorsets? Wat gek. Ik was pas vier maanden geleden met die kamer klaar. Het was het laatste wat ik deed voor Steenie ziek werd. Ik dacht dat je zei dat je Constance al bijna een jaar niet had gezien.'

Vickers sloeg met een toneelgebaar een hand tegen zijn voorhoofd. 'Hemel, wat haal ik de boel toch door elkaar. Het kan die van de Dorsets niet zijn geweest. Het was natuurlijk een andere kamer. Leeftijd, weet je, scha-at. Beginnende seniliteit. Dat heb ik nu de hele tijd, namen door elkaar halen, data, plaatsen vergeten, het is echt een kwelling. Wees nou niet boos, maar ik zèt je de deur uit. Ik moet over een half uur in de Village zijn – gewoon met een stel oude vrienden, maar je weet hoe het verkeer is. De hele stad zit vol met de meest afschuwelijke mensen – toeristen, weet je, autoverkopers uit Detroit, huisvrouwen uit Idaho, en ze pikken iedere taxi die ze kunnen krijgen...'

Hij manoeuvreerde me, met een stevige hand boven mijn elleboog, in de richting van de hal. Daar hing de Japanse jongen rond.

'Hóud van je in dat blauw – te gek met dat Titian-haar,' tsjilpte hij, en aangezien Vickers dikwijls tot vleierij overgaat om snel te kunnen ontsnappen, verbaasde het me niet dat ik even later op straat stond.

Ik wendde me om maar Vickers, zo beroemd om zijn charme, was nooit bang om onbeleefd te zijn.

Een bleke hand wuifde. De Japanse jongen giechelde. De auberginekleurige deur van het chique kleine huis ging voor mijn neus dicht.

Dat vond ik interessant. Zo'n gehaast vertrek. Ik was ervan overtuigd dat Vickers, trouw aan Constance hoewel niet aan mijn oom Steenie, had gelogen.

Voor mijn bezoek aan Conrad Vickers had ik een teleurstellende dag gehad, met veel telefoontjes. De rest van de avond was net zo. Ik had geen champagne moeten drinken, nu had ik dorst en was mijn jet-lag verergerd. Die drie maanden met oom Steenie in Winterscombe had ik ook niet aan Vickers moeten vertellen. Het ergste was de foto uit Venetië, met mijzelf zoals ik vroeger was en nu niet meer.

Er waren verschillende mensen die ik kon opbellen als ik gezelschap wilde. Maar ik deed het niet. Ik wilde alleen zijn. Ik wilde een beslissing nemen, denk ik, of ik verder zou gaan met mijn speurtocht of er de brui aan geven en naar Engeland teruggaan.

Met moeite opende ik een van de ramen van mijn hotelkamer en stond met de warme stadslucht in mijn gezicht naar Manhattan te kijken. De uren van overgang van dag naar nacht. Ik voelde me ook in een overgangstoestand, vlak voor een beslissende verandering. Misschien dat ik daarom zo koppig werd. Ik wist dat Constance hier was, het gevoel dat ze in de buurt zat was sterker dan de dag ervoor. *Kom dan*, zei haar stem, *als je me wilt vinden*.

Voordat ik naar bed ging, belde ik nog een keer naar Betty Marpruder. Ik probeerde het drie keer en ook de vierde maal kreeg ik geen antwoord. Vreemd was dat.

Betty Marpruder – 'juffrouw Marpruder' voor iedereen behalve voor Constance en mij, wij mochten haar Prudie noemen – verschilde in alles van de andere vrouwen die voor Constance werkten. Ze was niet jong, geen kleurrijke persoonlijkheid en ze kwam uit een eenvoudig gezin. Veel binnenhuisarchitecten hadden mannen en vrouwen in dienst wiens accent, kleding en optreden de cliënten konden imponeren. Constance had ook zulk personeel, ze noemde het spottend 'etaleren'. Maar daardoor kwam juffrouw Marpruder, met haar kettingen van de supermarkt, haar felgekleurde pantalons, haar oude invalide moeder, haar uitdagende, wat trieste oude-vrijstermanieren, nooit verder dan de achterkamer. Daar heerste ze, hield toezicht op de boeken, tiranniseerde de ateliers uit naam van Constance, joeg de fabrikanten op, en kwam onder geen voorwaarde in aanraking met de cliënten. Constance zorgde voor de inspiratie van het bedrijf, juffrouw Marpruder, die tegenwicht bood aan de wispelturigheid van Constance, deed al het praktische werk.

Hiervoor ontving ze bepaalde gunsten, waarvan de belangrijkste was dat ze altijd wist waar Constance zich bevond. Zij alleen kreeg het adres van villa of hotel, zij alleen kende de vluchtnummers. Ze had dit privilege omdat Constance wist hoe vurig ze al die details bewaakte. Juffrouw Marpruder aanbad Constance.

Er zijn altijd drama's in de binnenhuisarchitectuur. Iedereen geniet ervan. In Constances atelier gebeurde het dagelijks. Haar cliënten waren zeer rijk en dat maakte hen grillig. Kostbaar materiaal dat een jaar van tevoren was besteld, voldeed de klant niet meer. Gelakte kamers stelden teleur als ze klaar waren. Een drama volgde. Assistenten draafden, telefoons rinkelden, cliënten eisten Constance te spreken en niemand anders.

Te midden van die drukte zat juffrouw Marpruder rustig in haar kamertje. Nee, mevrouw Shawcross was onmogelijk te bereiken, nee, ze kon niet bellen naar Venetië of Parijs of met de luchtvaartmaatschappij – nu nog niet.

'Prudie heeft er een neus voor,' kraaide Constance. 'Bij iedere crisis is zij de rechter van het Hooggerechtshof.'

Ik luisterde naar juffrouw Marpruders telefoon. Ik kon hem zien, duidelijk, terwijl ik hem hoorde rinkelen. Ik zag het kanten kleedje waar hij op stond, de krakkemikkerige tafel eronder, de treurige kamer die Prudie opgewekt als haar vrijgezellenhok bestempelde.

Als kind werd ik dikwijls bij Prudie gestald. Dan nam ze me mee om haar invalide moeder goedendag te zeggen. Ze bracht me lekkers – eigengebakken koekjes, een glas echte limonade. Prudie had graag zelf kinderen willen hebben, denk ik.

Haar kamer was smakeloos en zag eruit of het ontoereikende geld te ver was uitgerekt door de doktersrekeningen. Er stond een opvallende bank van een lelijke rode kleur waar een sjaal over gedrapeerd lag als een imitatie van Constances kostbare, nonchalante techniek. In Constances kamers zou de sjaal van kasjmier zijn geweest, in die van Prudie was hij van Thaise zijde.

Ze werd door Constance uitgebuit. Wanneer begreep ik dat voor het eerst? Trouw, onmisbaar, en dan toch niet goed, zelfs onvoldoende betaald te worden – hoe oud was ik toen ik dat als verkeerd zag? Toen mijn genegenheid versmolt met medelijden in dat kamertje van Prudie, kreeg ik voor het eerst twijfels over mijn peettante.

Ik zag de telefoon die nog altijd belde, ik zag het kanten kleedje. Constance zou gerild hebben. Het was voor juffrouw Marpruder gehaakt door haar moeder en altijd als ze de telefoon had gebruikt, streek ze het glad.

'Ik houd van mooie dingen,' zei ze eens tegen me. Ik moet al een tiener zijn geweest omdat het mijn hart pijn deed. 'Kussens, kleedjes – het gaat om de details, Victoria. Dat heeft je peettante me geleerd.'

Die herinnering maakte me boos. Toen ik ging slapen had ik een hekel aan Constance en ik herhaalde voor mezelf alle ellende die ze had aangericht. Maar toen ik sliep, droomde ik – en in mijn droom wat mijn peettante een volkomen andere figuur. Eens had ik reden gehad om van Constance te houden.

De speurtocht nam een nieuwe richting. Ik stond op, nam een douche en kleedde me aan. Het was nog heel vroeg. Ik voelde me ongeduldig binnen de begrenzing van de kamer en ging naar buiten. Glinsterend licht en klamme hitte. Ik hield een taxi aan, maar wist pas waar ik heen wilde toen ik de chauffeur het adres moest geven.

De man aarzelde, misschien uit ergernis.

'Ik wijs u de weg wel.'

'Naar het Groene Veld?'

'Precies.'

'Is het een soort huis?'

'Nee, het is een dierenbegraafplaats.'

Ik was er in geen acht jaar geweest en het duurde even voor ik Berties graf vond. Ik liep langs keurige witte grafstenen ter nagedachtenis aan honden, katten en – in één geval – een muis. Toen viel ik bijna over de ijsberg van Bertie.

Hij was precies zoals ik me hem herinnerde. Constance had Berties laatste rustplaats het landschap willen geven van zijn voorouders, zoals zij zich dat voorstelde. Bertie was een Newfoundlander en Constances idee van Newfoundland was wel poëtisch maar nogal vaag. Bertie droomde van ijsbergen, zei ze altijd. Laat een ijsberg de plaats aanwijzen. Er was een steen gehouwen. Toen kwam er ruzie met de beheerders van de begraafplaats die van nette grafstenen hielden en een ijsberg ongepast vonden. Constance had gewonnen, zoals gewoonlijk, en hier was nu die ijsberg. De gelijkenis was echter miniem, je moest weten wat het voorstelde.

Ik was dol op Bertie geweest, was met hem opgegroeid. Het was een enorme zwarte hond, majesteitelijk als een beer. Ik las de inscriptie: *Voor Bertie, de laatste en liefste van mijn honden.* Ik keek naar de data van geboorte en dood die nauwkeurig waren weergegeven. Toen keek ik naar iets anders.

Onder de toppen van de ijsberg, die wit was, waren beekjes van groen marmer die de noordelijke zee moesten voorstellen. Ze strekten zich zo'n dertig centimeter van de basis uit, en daar, in een vel wit papier, lag een boeketje bloemen.

De bloemen waren met zorg gekozen, het was geen gewone bos. De boeket was even mooi en zorgvuldig geschikt als de bloemen die ik de vorige dag in Conrad Vickers' zitkamer had gezien. Er waren fresia's, witte rozen, kleine takken van blauwe riddersporen, anjers, viooltjes, lelietjes-van-dalen, alle soorten bloemen van het seizoen en ook van buiten het seizoen.

Ik boog me om de zoete geur op te snuiven. Toen dacht ik na. Het was halverwege de ochtend en Berties graf kreeg geen schaduw, de temperatuur in de zon was minstens vijfendertig graden. De bloemen waren niet verwelkt, ze konden er niet meer dan een uur geleden zijn neergelegd. Er was slechts één mens in New York die om Bertie rouwde, slechts één mens die bloemen zou leggen op het graf van een hond die al vierentwintig jaar dood was.

Mijn ogen vlogen langs de grasvelden, langs de graven. Niemand te zien. Ik draaide me om en begon te rennen.

Constance was in de stad; medelijden had haar naderbij gebracht. Al mijn liefde voor mijn peettante kwam terug met verbazingwekkende kracht. Het was net als vroeger, toen Constance voor me uit rende en ik hijgde om haar bij te houden, maar – en ik voelde een moment van triomf – ditmaal haalde ik haar in.

Ik deed iets wat ik nooit eerder had gedaan. Ik kocht de portier om. Niet de portier die ik had gezien op de dag van mijn aankomst, en niet de portier die ik me herinnerde – die zou wel met pensioen zijn. Nee, een nieuwe jongeman, keurig en omkoopbaar, die me opnam op een manier die zeker niet met die van zijn voorgangers overeenkwam.

'Ik krijg geen antwoord.' Hij legde de hoorn van de telefoon neer. 'Ik zei u toch dat het appartement afgesloten is.'

Ik had het met flirten kunnen proberen, maar deed het liever met een biljet van twintig dollar. Ik verwachtte een afwijzing. Tot mijn verbazing verdween het biljet in een zak van zijn prachtige roodbruine uniform.

'Oké,' hij haalde zijn schouders op. 'Gaat u maar naar boven. Ze geven toch geen antwoord. Vijfde verdieping...'

'Dat weet ik. Ik heb hier vroeger gewoond.'

'Als iemand vraagt...' Hij haalde zijn schouders weer op, 'dan bent u langs me heen geslopen. Ik heb u niet gezien.'

Belachelijk. Bij dit soort appartementen kon je niet zomaar langs de portier glippen.

'Wie hebt u nog meer gezien behalve mij?'

'Wat bedoelt u?'

'Mevrouw Shawcross, bijvoorbeeld. Hebt u haar gezien?'

'Al in geen weken. Ik zei u toch...'

Ik maakte hem nerveus. Nog één vraag en ondanks de twintig dollar kon hij wel eens van gedachten veranderen en me niet binnenlaten.

Ik nam de lift naar de vijfde verdieping en belde aan bij Constances appartement. Tot mijn verbazing werd de deur onmiddellijk geopend.

Ik keek in mijn oude huis, in Constances beroemde spiegelhal. De rechterspiegel weerkaatste de spiegel aan de linkerkant en gaf de illusie van een enorme ruimte.

'Tel eens,' had Constance gezegd toen ik voor het eerst binnenkwam. 'Tel maar. Hoeveel Victoria's kun je zien? Zeven? Acht? Er zijn er nog veel meer – kijk maar goed. Ze gaan altijd maar door.'

'Constance,' zei ik, dertig jaar later, 'ik ben het, Victoria...'

'Niet hier. Niet hier.'

Van achter de deur kwam een lilliputachtige Filippijnse te voorschijn, gekleed in een keurig grijs uniform. Ze keek me verbaasd aan, alsof ze iemand anders had verwacht. Toen versperde ze me resoluut de weg.

'Niet hier,' zei ze weer en schudde haar hoofd. 'Mevrouw Shawcross weg – alles gesloten – geen bezoek.'

Ze gaf me een duwtje.

'Wacht nou even,' begon ik. 'Ik wilde alleen maar vragen wanneer Constance vertrokken is. Waar kan ik haar bereiken?'

'Weet niet. Geen adres. Geen bezoek.' Weer een duwtje. 'Alles dicht voor de zomer.'

'Mag ik dan een briefje achterlaten? Het duurt maar even. Laat me er nu in. Constance is mijn peettante en ik moet haar nodig spreken...'

Bij het woord 'peettante' dat het meisje kennelijk niet begreep, keek ze me woedend aan.

'Geen kinderen hier. Nooit kinderen hier...'

'Nee, nu niet. Vroeger heb ik hier gewoond bij Constance, als kind. Je moet toch een telefoonnummer, of een adres hebben...'

'Politie.' Ze duwde me weg. 'U gaat nu gelijk, of ik roepen politie, snel roepen. Kijk, alarmknop, hier.'

Ze hield één hand aan de deurknop, met de andere reikte ze naar een doos aan de muur.

'Paniekknop – u nu zien?' Ze richtte zich in haar volle lengte van een meter vijftig op en stampte met een minuscuul voetje.

'Wacht even,' begon ik en deed een stap achteruit, vroeg me af waar Constance (die nooit lang personeel kon houden) deze kleine *spitfire* vandaan had. Die stap achteruit was fout. De deur werd met een klap gesloten. Er kwamen geluiden van grendels, kettingen en sleutels.

Ik was met de ene lift bovengekomen en nam een andere naar beneden. Zodra de deuren dicht waren, voelde ik de spanning. Er hing nog iets van een parfum. Ik rook de bekende tweeslachtigheid: het frisse groen van varens, met de aardse geur van civet eronder. Het parfum van Constance, dat ze altijd gebruikte en dat ik me net zo herinnerde als haar ogen of haar stem. Weer voelde ik het verleden op me afkomen.

De afdaling scheen onmogelijk langzaam. Ik was ervan overtuigd dat ze me net voor was geweest, dat zij met de lift naar beneden ging toen ik met de andere naar boven kwam.

Daarom was de deur zo snel geopend. Het meisje had natuurlijk aangenomen dat Constance iets vergeten had en terugkwam. Een kwestie van seconden. Constance kon nog beneden zijn, of op straat.

De hal was leeg, de portier was ergens mee bezig. Ik rende naar buiten, de hitte van de straat in. Keek naar alle gezichten die langskwamen, naar de ingang van het park, de weg die Constance en ik jaren geleden, bijna dagelijks met Bertie hadden genomen.

Ik geloof dat ik één ogenblik bijna verwachtte niet alleen Constance te zien, maar ook mijzelf, een kind dat aan Constances arm hing, terwijl we samen lachten en babbelden en Bertie zijn grote kop ophief als we het park naderden.

De tijd gaat voorbij: de mensen op het trottoir zagen onze geesten niet en ik zag geen Constance. Geen snel figuurtje, geen gebarende handen. Ik had haar gevoeld in de lucht en in de lucht was ze vervluchtigd.

Het besef van verlies was volkomen. Ik bleef staan en tuurde blindelings over het park. Toen, omdat dit verlies nog meer verlies naderbij bracht, deed ik voor het eerst nog iets – veel dwazer dan het omkopen van een portier. Ik stak de weg over en liep naar het westen, naar een straat die en een appartement dat ik acht jaar lang zorgvuldig had vermeden.

Er was niets veranderd en dat deed pijn. De Zesenzeventigste Straat, tussen Amsterdam en Columbus, het derde gebouw links: armoedige rode baksteen in een buurt die Constance verachtte. Daar woonde ik, de man op de foto van Conrad Vickers woonde er samen met mij. Ons appartement was op de bovenste verdieping, op die brandtrap daarboven zaten we altijd op warme zomeravonden om naar Manhattan te kijken en te luisteren.

Ik keek omhoog. De brandtrap was leeg. Ergens wapperde een droogdoek aan een waslijn. Er woonde nu iemand anders.

Ik wendde me om. Ik beefde. Als je hebt geloofd dat je vrij bent van het verleden en dan ontdekt dat de ellendige gevolgen ervan nog steeds bestaan, als een soort terugkerende malaria – zal dat wel altijd een schok zijn.

Ik ging naar het hotel. Ik deed de deur op slot. Ik spetterde water op mijn gezicht, ik zag de kranen huilen.

Toen ging ik op bed liggen om het verleden te dwingen weg te gaan. Dat weigerde het natuurlijk. Het fluisterde in de airconditioning. Het kroop nader, nog nader, en alle omwegen in mijn leven leidden uiteindelijk terug naar Constance.

Het landschap van mijn verleden: het herinnerde me aan thuis, het herinnerde me aan Engeland. Al die paden door het bos. Ik droomde van Winterscombe toen ik in slaap viel.

Stel je een vallei voor, een milde Engelse vallei. Geen steile hellingen. Eiken- en beukenbossen, essen en berken. Niets wijst op de nabijheid van de uitgestrekte Vlakte van Salisbury.

Het is een beschutte plek; eeuwenlang is de natuurlijke schoonheid ervan door de mensen verfijnd. De loop van de rivier, die vol vis zit, is verlegd zodat het water uitmondt in een mooi aangelegd meer.

Aan de ene kant van het meer beginnen de bossen. Er zijn paden in aangelegd die naar open plekken leiden of naar hoogten die worden aangeduid met een beeld, een obelisk of een belvédère.

Aan de andere kant is een park met een vrij lelijk kerkje op een heuvel, een geschenk van mijn grootvader. Er zijn gazons, tennisbanen en een rosarium. Achter de muren van de groentetuin glinstert het glas van de kassen, waar nog steeds blauwe druiven en meloenen en perziken worden gekweekt, al zijn er niet meer zoveel tuinlieden als vroeger.

Er stijgt rook op uit de huizen die bij het landgoed horen. Je kunt de weerhaan zien schitteren op de torenklok van de stallen. En als je je omdraait naar de gazons, zie je een terras en daarachter het huis van mijn grootvader dat hij met het geld van mijn overgrootvader bouwde.

Iedereen die ik ken, klaagt over het huis. Mijn moeder vindt het te groot: het was voor een andere wereld gebouwd en is nu belachelijk. Mijn vader zegt dat het geld verslindt omdat de kamers zo groot zijn en de plafonds zo hoog. Het dak lekt en de ramen rammelen en het sanitair protesteert en fluit. Je kunt zien hoe het huis geld verslindt als je naar de kelder en het stookhok gaat, waar Jack Hennessy de ketel met cokes stookt. Al stopte hij die dag en nacht vol, dan had hij nog niet genoeg, zegt Hennessy. Ik zie al die scheppen cokes als bankbiljetten, want ik heb geleerd dat je zuinig moet zijn. Toch zijn de radiatoren lauw, is het badwater lauw. 'Dit is geen centrale verwarming, het is een randverwarming,' zegt mijn vader wanhopig. Dus worden ook de open haarden gestookt en zitten we allemaal rond het vuur met een hete voorkant en een koude rug.

Het huis ontstond zo: mijn betovergrootvader maakte fortuin, eerst door zeep en later door gepatenteerde bleekmiddelen. Mijn meeste familieleden vinden dat minder prettig, vooral mijn oudtante Maud, die chic is en oud en vroeger beroemd was om haar feesten; alleen mijn vader heeft het wel eens over zeep en bleekmiddelen en dat alleen als hij oudtante Maud of oom Steenie wil plagen. Mijn overgrootvader verdiende nog meer aan zijn fabrieken in de Schotse laaglanden. Hij vond het niet prettig daar te dichtbij te wonen, en misschien wilde ook hij liever niet herinnerd worden aan de bleekpoeder, omdat hij met zijn gezin naar het zuiden trok, aan politiek ging doen, de titel van baron kocht, de eerste lord Callendar werd en mijn grootvader, Denton Cavendish, naar Eton stuurde.

Mijn grootvader Denton was beroemd om zijn fazanten, zijn woede-uitbarstingen en zijn Amerikaanse vrouw, mijn grootmoeder Gwen, die heel mooi was maar geen cent bezat. Mijn grootvader liet dit huis bouwen, legde de tuinen eromheen aan en vergrootte het landgoed. Mijn vader en zijn broers werden hier geboren, net als ik.

Toen mijn grootvader het bouwde, was het het toppunt van moderne stijl. Het was in de jaren negentig van de vorige eeuw, Victoria zat nog op de troon maar qua geest en ontwerp was het een huis uit de tijd van koning Edward. Een enorm gebouw met kantelen, absurd, geschikt voor de lange zomerdagen van voor de Eerste Wereldoorlog, voor feesten, jachtpartijen en een discreet soort vrijetijds-overspel. Winterscombe, mijn huis; het heeft me nooit kunnen schelen dat het geld verslond en in wezen, geloof ik, interesseerde het mijn ouders ook niet. Zij hielden ervan, ik hield ervan, en ik hield van hen. Als ik eraan terugdenk, is het altijd herfst, hangt er altijd een nevel over het meer, is er altijd de geur van brandend hout en ben ik altijd gelukkig. Natuurlijk.

Toen ik ouder was en in New York bij Constance kwam wonen, leerde ik van een opwindender leven te houden. Ik leerde de charme van wispelturigheid te waarderen. Ik leerde de luxe van zorgeloosheid kennen.

In Winterscombe had ik zulke dingen nooit gekend en ik hield van dat tegengestelde leven. Anderen vonden het misschien saai, ik hield van de veiligheid van rituelen en de zekerheid bij het naar bed gaan dat de volgende dag vrijwel gelijk zou zijn aan de dag ervoor. Ik was, denk ik, zeer Engels, net als mijn ouders.

's Morgens werd ik om zeven uur gewekt door Jenna, mijn kindermeisje, dat een koperen kan heet water en een handdoek bracht. Ze boende mijn hals en gezicht en de achterkant van mijn oren tot mijn huid gloeide en daarna borstelde ze mijn haar dat rood en krullerig was – ik vond dat vreselijk – met vijftig slagen. Ze vlocht stevige vlechten die ze met een elastiekje vastmaakte en vervolgens met een strik die moest kleuren bij de jurk die ik die dag droeg. Jenna stond op orde.

Mijn kleren kwamen altijd tweemaal per jaar uit Londen. Het waren draagbare kleren en altijd eender. 's Zomers droeg ik katoenen hemden en 's winters wollen hemden met mouwtjes. Ik droeg lange sokken of wollen kousen in de winter en korte katoenen sokjes als het zomer was. Ik had drie soorten schoenen: stevige bruine laarzen, stevige bruine sandalen en platte pumps voor party's, hoewel ik daar zelden heenging. 's Zomers droeg ik katoenen jurken en vesten die Jenna had gebreid, in de winter grijs flanellen plooirokken en grijs flanellen jasjes. Verder mantels van Harris tweed met fluwelen kraagjes. Ze zagen er altijd hetzelfde uit, net als de pothoeden met elastiek onder de kin. Ik had een hekel aan de kriebelige winterhemden, maar verder dacht ik niet aan kleren, behalve wanneer ik bij oudtante Maud in Londen ging logeren.

Tante Maud hield niet van mijn kleren en zei dat ook ronduit. 'Het kind ziet er *vaal* uit,' verklaarde ze, terwijl ze me streng aankeek. 'Ik moet haar meenemen naar Harrods. Ze heeft... mogelijkheden.'

Ik wist niet wat die mogelijkheden waren: als ik in de spiegel keek, zag ik dat ik lang en mager was en grote voeten had, vooral in de bruine laarzen die Jenna altijd poetste tot ze blonken als kastanjes. Ik had sproeten, waar ik me voor schaamde. Ik had ogen van een onbestemde kleur groen. Ik had dat afschuwelijke krullende rode haar dat tot halverwege mijn rug viel, terwijl ik niets liever wilde hebben dan kort zwart haar en felle blauwe ogen, zoals de heldinnen in de lievelingsromans van tante Maud.

Er waren geen mogelijkheden die ik kon zien en de dikwijls beloofde bezoeken aan Harrods gingen ook nooit door. Ik denk dat tante

Maud, die toen al oud en wat vaag was, het gewoonweg vergat; anderzijds kan mijn moeder – die mode lichtzinnig vond – tussenbeide zijn gekomen. 'Ik houd veel van tante Maud,' zei ze, 'maar ze gaat wel eens te ver. Je moet op je stuk blijven staan.'

Het is waar dat tante Maud op mijn zevende verjaardag haar beste beentje voorzette. Haar financiën waren voor zover ik het begreep, een mysterie, ze leefde van schilderijen – een verzameling die ze eens had gekregen van een zeer dierbare vriend. De meeste van die schilderijen waren een paar jaar ervoor al verkocht, maar ze hield er enkele in reserve. 'Voor als de nood aan de man komt,' zei ze.

Ik denk dat tante Maud, toen mijn zevende verjaardag naderde, een schilderij had geofferd, want Maud kocht kleren voor zichzelf en ging ook naar Harrods. Al een paar weken van tevoren stuurde ze me een feestjurk.

Ik zie die jurk nog voor me in al zijn pracht toen hij uit de lagen vloeipapier te voorschijn kwam. Een fluwelen jurk met de kleur van Chinese amber. Hij had een wijde rok met een wijduitstaande petticoat, pofmouwen en een grote kanten kraag.

'O hemel. Brussels kant. Maud is zo vreselijk extravagant.' Mijn moeder stond treurig naar de jurk te kijken en – over haar hoofd heen – knipoogde Jenna tegen me.

Toen mijn moeder weer beneden was, trok Jenna de gordijnen dicht, stak de lamp aan en zette een staande spiegel neer.

'Nou,' zei ze. 'We zullen eens kijken. Ik zal dadelijk je haar wel doen.'

Ik was opgewonden en huppelde door de kamer, wriemelde tussen Jenna's handen. Het leek zeer lang te duren. De crèmekleurige zijden kousen, vastgemaakt met elastieken kousebanden, de bronzen pumps, de onderrokken. Zelfs toen ik de jurk aanhad, moest Jenna eerst mijn haar borstelen voordat ik in de spiegel mocht kijken. Ik wist, geloof ik, dat er een probleem was omdat het moeilijk was om de jurk dicht te maken, ik moest er mijn adem voor inhouden. Maar dat vergat ik toen ik in de spiegel keek omdat de jurk zo mooi was en er een heel ander meisje stond. Ik bleef nog even naar dat vreemde kind kijken; toen zuchtte Jenna en ik wist dat er iets mis mee was. Ik was te lang en de rok te kort; ik was mager maar het lijfje spande over mijn ribben. 'Ik kan hem misschien wel wat uitleggen,' zei Jenna en bevoelde de zoom. 'Met het lijfje lukt het ook wel. Misschien wist je tante Maud niet precies welke maat je hebt. Wees maar niet bang, van de winter past alles uitstekend. Met Charlottes partijtje kun je hem dragen.'

Charlottes partijtje was de enige gebeurtenis waarop ik 's winters kon rekenen. Charlotte was een klein, mager blond meisje, een paar jaar ouder dan ik; ik mocht haar eigenlijk niet. Ze woonde in een groot huis zo'n vijfentwintig kilometer van Winterscombe. Charlotte gaf party's van een onvoorstelbare luxe, met goochelaars uit Londen en – vorig jaar – een ijstaart. Haar vader kocht ieder jaar een nieuwe Rolls-Royce en rookte sigaren, haar moeder droeg overdag haar diamanten. Charlotte was eenmaal in Winterscombe geweest en vond het armoedig. Dat had pijn gedaan, dus verheugde ik me erop de fantastisch mooie jurk op Charlottes party te dragen.

Dat jaar kreeg Charlotte echter mazelen en de amberkleurige jurk bleef in de kast hangen en werd steeds kleiner naarmate de weken voorbijgingen. Ik probeerde niet te eten, maar werd toch groter. Met Kerstmis legde Jenna de jurk nog een keer uit en we begonnen beiden te hopen. Ik zou hem toch wel met Kerstmis kunnen dragen? Dan kwam tante Maud. Op kerstavond paste ik het ding, maar de haakjes en oogjes konden niet meer worden vastgemaakt en ik ging naar de kerstlunch als altijd, in mijn saaie viyella.

Tante Maud was de jurk al vergeten, geloof ik. Op tweede kerstdag legde ik haar een ander probleem voor.

'Tante Maud, kunt u maken dat mijn sproeten verdwijnen?'

Tante Maud zette haar lorgnet op en bekeek mijn gezicht nauwkeurig. 'Natuurlijk. Volaarde. Dat gebruik ik voor een blanke huid. Al jaren.'

We probeerden het. Tante Maud nam me mee naar haar badkamer en mengde een grijsachtige pasta. Die wreef ze op mijn neus en wangen, liet me toen in een stoel zitten en las me voor uit een van haar romans terwijl de aarde droogde. De roman heette *Een Hart op het Kruispunt*. Alles gebeurde op een oceaanboot. Er waren altijd Goede Stukken, zoals ze die noemde en ze las me een van de beste voor. Het was tegen het eind, een tedere scène op het achterdek bij maanlicht die eindigde met een interessante beschrijving van een omhelzing. Als mijn moeder het had gehoord, zou ze vast op haar stuk hebben gestaan maar tante Maud was er diep van onder de indruk en begon aan een van haar eigen verhalen over Winterscombe en de feesten die er vroeger werden gehouden, toen mijn Amerikaanse grootmoeder Gwen nog leefde.

'Ik herinner me dat er eens een feest was voor een komeet. De komeet van Halley, weet je. We zouden met elkaar souperen en dan naar buiten gaan om de komeet te zien...'

Ik zat muisstil. Ik hield van die verhalen maar mijn neus begon te kriebelen en ik vroeg me af of het onbeleefd zou zijn haar te onderbreken.

'Ik droeg mijn smaragden. Of waren het de saffieren? Nee, de saffieren denk ik, want ik weet nog dat ik een blauwe japon droeg en Monty – o!' Ze uitte een kreet. 'De volaarde, Vicky! Vlug!'

Ik werd meegesleurd naar de badkamer en tante Maud boende mijn gezicht met haar speciale Franse zeep.

'Mag ik nu kijken, tante Maud?'

Tante Maud tuurde naar mijn gezicht en gaf me aarzelend een spiegel in de hand. Ik hield die dicht bij mijn neus en keek eens goed. Mijn neus was rood, mijn hele gezicht vuurrood, de sproeten lachten me toe. Er schenen er nog meer te zijn dan eerst.

'Ik geloof niet dat het goed heeft geholpen, tante Maud,' begon ik en tante Maud trok de spiegel uit mijn handen.

'Natuurlijk werkt het niet direct. *Il faut souffrir pour être belle*! Je moet doorzetten, Vicky. Ik zal een pakje achterlaten en dat moet je iedere week opbrengen...'

Ik nam het pakje volaarde van haar aan en probeerde het eens per week, vier weken lang. Toen alles op was en de sproeten er nog waren, zag ik de waarheid in. Ik hield van tante Maud maar ze had het wat drie dingen betreft, mis gehad: wat betreft de maat van mijn jurk, wat betreft de volaarde en wat betreft mijn mogelijkheden. Ik had geen mogelijkheden. En al bleef mijn geloof in tante Maud bestaan, er was wel een deuk in gekomen.

Tante Maud was een van de pijlers van mijn leven, zij bepaalde de grenzen. Verder waren er mijn peetoom, de dichter Wexton, Steenies vriend, Jenna, mijn vader en moeder, mijn ooms en ook nog William, die we de butler noemden, maar die een manusje van alles was en dingen deed die andere butlers nooit uitvoerden, waaronder schoenen poetsen – iets waar Charlotte op de dag dat ze kwam theedrinken, zeer minachtend over deed.

'De butler poetst jullie schoenen?'

Het was winter en we waren juist teruggekeerd met modderige laarzen van een wandeling over het terrein.

'Hebben jullie geen jongen voor de schoenen?'

'Jenna poetst die van mij meestal.'

'Jenna? Maar dat is je kinderjuffrouw. Ze is niet eens echt. Dat zegt mamma. Mijn kinderjuffrouw draagt een bruin uniform.'

Dat vond ik erger dan ik wilde toegeven. Toen we thee dronken met mijn moeder, zag ik dat Charlotte haar ook niet veel bijzonders vond. Ik zag hoe ze naar de jurk van mijn moeder keek, iets heel gewoons met een tweed jasje. Ik kende de mening van mijn moeder over diamanten overdag en – hoewel ik wist dat ze gelijk had – wenste ik dat ze die nu om haar hals had in plaats van een simpel parelsnoer. Haar diamanten lagen bij de bank, en ieder half jaar was er geruzie over verkopen of niet.

Kon ik Charlotte maar iets over die diamanten vertellen, maar ik wist dat mijn moeder dat niet wilde. Ik zat te draaien op mijn stoel en probeerde er niet op te letten toen Charlotte huiverde en naar de tochtige ramen keek.

Mijn moeder vertelde haar juist over haar werk in het weeshuis en Charlotte luisterde met een hooghartig glimlachje dat me nog nerveuzer maakte; ze verachtte weeshuizen evenzeer als mijn moeder, zag ik.

Toen mijn vader binnenkwam, ontspande ik me wat. Ik wist zeker dat mijn vader boven alles verheven was: hij was zo lang en zo knap, hij had mooie handen en een rustige, droge manier van spreken; hij was een uitstekend ruiter en als hij zijn jachtkostuum droeg, zei William dat niemand in het land het bij hem haalde. Ik wilde bijna dat hij het nu ook droeg zodat Charlotte hem op zijn best kon zien, maar hij droeg een van de tweed pakken die voor hem gemaakt waren, en William (die ze altijd moest afborstelen) bevoelde het materiaal en zei: 'Dat is kwaliteit.'

Ik hoopte dat Charlotte het zag en dat als mijn vader met haar praatte dat verwaande lachje zou verdwijnen. Mijn vader stotterde bij bepaalde woorden, een erfenis uit de Wereldoorlog, maar hij was vriendelijk en charmeerde iedereen. Het duurde niet lang, hoopte ik, en Charlotte zou voor hem vallen.

Eerst vroeg hij haar naar haar lessen maar Charlotte was op kostschool en had me onderweg haar mening al verteld over meisjes die thuisbleven.

'Krijg je les van je móeder? Ik dacht dat je minstens een gouvernante had.'

'Vroeger wel, maar ze is weg.' Ik aarzelde. Geen van de gouvernantes bleef lang, we hadden ook geen kamermeisje meer en de kokkin zei altijd haar baan op.

Dit kwam door het loon, en de ketel in de kelder, die geld verslond, en de weeshuizen die nog meer kostten.

'Ze geeft je in *alles* les?'

'Ze is heel knap. Ik doe Engels en Frans en aardrijkskunde met haar en volgend jaar beginnen we met Latijn. Meneer Birdsong komt driemaal per week voor wiskunde.'

'Meneer Birdsong? Maar hij is de hùlppredikant.'

Definitieve minachting. Ik schaamde me ogenblikkelijk voor meneer Birdsong, die ik altijd aardig had gevonden. Ik wilde dat mijn vader een ander onderwerp aansneed. Charlotte praatte over Roedean en het verwaande lachje was er nog steeds.

'En wat doe je in de zomervakantie?' vroeg mijn vader toen haar verhaal uit was. Hij vroeg het heel beleefd maar ik zag dat hij Charlotte absoluut niet mocht. Eigenlijk denk ik dat hij haar een mallig kind vond, maar dat zag je niet want zijn manieren waren volmaakt.

'O, mamma zegt dat we dit jaar niet naar Frankrijk gaan. Ze zegt dat de Rivièra overvol is. Misschien gaan we naar Italië. Of Duitsland. Pappa zegt dat Duitsland steeds hoger op de ladder komt.' Ze zwaaide met een voet en keek me sluw aan.

'En jij Vicky? Jij hebt niets gezegd.'

'O, we hebben grote plannen,' kwam mijn vader nonchalant.

'Echt?' Ze keek hem doordringend aan.

'Ja. We blijven hier. Net als altijd.'

'De hele zomer?'

'Beslist. De hele zomer, hè schat?'

Hij wendde zich tot mijn moeder en ik zag de geamuseerde blik die ze wisselden. Mijn moeder glimlachte.

Ze zei rustig: 'Winterscombe is zo heerlijk in juni en juli – en bovendien komen de jongens van het weeshuis. Daarom moeten we thuis zijn, Charlotte. Heb je zin in een sandwich? Of een stuk cake?'

Na de thee lieten mijn ouders ons alleen. Charlotte en ik zaten bij de open haard en speelden een tijd lang gin rummy en daarna beurtelings patience. Charlotte vertelde me over de nieuwe Rolls-Royce die haar straks zou komen halen en waarom die zoveel beter was dan de vorige. En ze liet duidelijk blijken dat spelletjes patience niet haar idee van een gezellige middag was.

Ik voelde me vernederd en was bang dat Charlotte op de vakantie zou terugkomen. Toen het mijn beurt was om de kaarten te leggen, deed ik het langzaam en probeerde genoeg moed bij elkaar te rapen om over de diamanten van mijn moeder te beginnen. Want ik kon zien dat Charlotte mijn moeder maar heel gewoon en armoedig vond, net als het huis. Maar de afkeuring van mijn moeder hield me tegen en ik ging in mijn geheugen na of er niets was wat die hooghartige glimlach van Charlottes gezicht kon laten verdwijnen. Ik had twee ooms – de andere pijlers van mijn leven – en terwijl ik de kaarten neerlegde, dacht ik over hen na. Oom Freddie had veel banen gehad, waaronder een als vliegenier voor de posterijen in Zuid-Amerika, en dat was toch wel bijzonder. Zijn nieuwste hobby waren de twee windhonden die hij de vorige maand naar Winterscombe had gebracht en die, tot afschuw van mijn moeder, biefstuk kregen. Die honden zouden de Ierse windhondenrennen gaan winnen, verzekerde oom Freddie.

Maar ik was niet zo zeker van die honden, die als ze niet aten, meestal lagen te slapen en absoluut niet luisterden naar de speciale commando's die oom Freddie van hun Ierse trainer had geleerd. Misschien kon ik beter niets over de honden zeggen en ook niet over Zuid-Amerika dat oom Freddie onder verdachte omstandigheden had verlaten.

Maar oom Steenie was echt in het oog vallend. Hij kleedde zich uitstekend en sprak uitstekend. Hij had het blondste haar dat ik ooit had gezien en de mooiste blanke en roze gelaatskleur. Oom Steenie kende vrijwel iedereen en noemde vrijwel iedereen 'schat' met een warme klank in zijn stem. Ook zei hij dikwijls 'te'. De reis was te onmogelijk, de wijn te slecht, het hotel te ouderwets. Hij had overal ter wereld vrienden en aangezien hij niet werkte, ging hij er telkens logeren. Dan stuurde hij ansichten, ik kreeg er een per week. De boodschap was altijd kort *Salut Vicky, hier zit ik op Capri*, waarbij hij tekeningetjes maakte van zichzelf, of van een boom of een schelp. Oom Steenie kon goed tekenen en schreef met paarse inkt. Hij was het afgelopen jaar al op Capri, in Tanger en op nog meer plaatsen geweest en ook in een villa bij Fiesole, die te prachtig was, en in bezit was van zijn vriend Conrad Vickers, de beroemde fotograaf.

Mijn peetoom Steenie had veel beroemde vrienden, hij kende filmsterren en schilders en schrijvers. Wexton die zijn beste vriend was geweest, had een heel boek met gedichten aan oom Steenie opgedragen.

Zou ik oom Steenie noemen? Hij kwam niet vaak naar Winterscombe en als hij er was, kwam er altijd ruzie over geld. Oom Steenie wilde de Best Uitziende Jongen ter wereld zijn, iets wat hij luidkeels uitriep toen hij alle wijn tijdens de lunch had opgedronken. Ik vond het raar, want al zag oom Steenie er uitstekend uit, hij was geen jongen, al lang niet meer. Toen hij het woord weer eens gebruikte, werd mijn vader woedend.

'In godsnaam, Steenie,' hoorde ik mijn vader zeggen toen ik langs de open deur van de bibliotheek liep. 'Je bent bijna veertig. Dit kan niet doorgaan. Wat is er gebeurd met de laatste cheque die ik je gestuurd heb?'

Misschien was het maar beter mijn oom Steenie ook niet te noemen. Charlotte zou zeker vragen wat hij deed. Dat vroeg ze altijd, ze vroeg het zelfs van mijn vader.

'Maar wat dóet hij dan?' zei ze nadat ik haar had uitgelegd over het landgoed en de weeshuizen van mijn moeder en het meer dat uitgebaggerd moest worden.

'Hij heeft zeker een eigen inkomen?' Ze liet het klinken als een afschuwelijke ziekte. 'Pappa had gezegd dat dat wel moest. Anders kun je niet leven in zo'n grote schuur van een huis. Natuurlijk hadden jullie wel een titel...' Ze trok haar neus op. 'Pappa zegt dat titels tegenwoordig niets meer waard zijn. Of ze moeten heel oud zijn en dat is die van jullie niet. Pappa zegt dat ze natuurlijk nuttig kunnen zijn. Jammer dat je vader niet in de City zit zoals pappa, vind je niet? Vreselijk als je zo arm bent.'

'Ik geloof niet dat we arm zijn.' Ik had een kleur gekregen. 'Mamma zegt dat we geluk hebben.'

'Onzin. Jullie hebben geen cent. Dat heeft pappa zelf gezegd. En vorige week heeft hij met één transactie meer geld verdiend dan je vader in vijf jaar. Vraag zelf maar.'

Nee, beter geen oom Steenie die niet werkte, of mijn oom Freddie met zijn onwillige windhonden, of mijn tante Maud die beroemd was geweest als gastvrouw.

Ik wierp een blik op de klok in de hoop dat het tijd was voor Charlotte en legde mijn kaarten neer: zwarte koningin op rode koning, deze patience kwam natuurlijk niet uit.

Charlotte zat te kijken alsof ze erop rekende dat ik vals zou spelen. Ze tikte met haar vingers op het groen laken kleed. Plotseling kreeg ik een ingeving: de troefkaart.

Er was geen tijd meer om subtiel te doen. 'Misschien ga ik volgend jaar naar Amerika. Heb ik je dat al verteld?'

'Amerika?'

'Ja, naar New York. Mijn peettante woont daar en ze wil dat ik bij haar kom.'

'Je peettante? Je hebt het nooit over een Amerikaanse peettante gehad.'

'Ik noem haar tante. Tante Constance. Maar ze is geen echte tante.'

Het was meer dan opschepperij, het was een leugen, maar ik rook de overwinning. Charlotte kneep haar ogen half dicht.

'Constance?'

'Constance Shawcross,' zei ik.

Het klonk triomfantelijk. Ik hoopte natuurlijk indruk te maken, want ik wist vaag dat mijn peettante beroemd was. Ze moest echter veel beroemder zijn dan ik me had voorgesteld. Charlottes reactie ging al mijn verwachtingen te boven. Haar ogen werden rond met een uitdrukking van naijver en ongeloof.

'Nee! Dè Constance Shawcross?'
'Natuurlijk,' zei ik resoluut, plotseling bang dat er twee van waren. Charlotte bekeek me met nieuwe eerbied. 'Wat zal mamma wel zeggen.'
Het was een triomf! Ik was bang dat ik het moeilijk kon volhouden, want Charlotte zou me met vragen overstelpen en mijn antwoorden waren zeker verkeerd. Gelukkig werd ik gered door het gekraak van wielen op het grind. Charlotte keek op. Snel veranderde ik de volgorde van mijn kaarten.
'Je vader is er,' zei ik. 'Kijk, de patience komt toch uit.'

Zo begon een leugen die de meest vreselijke gevolgen zou hebben. Toen ik die middag aan de kaarttafel de naam van Constance noemde, wist ik alleen dat het waarschijnlijk indruk zou maken. Ik wist dat mijn tante beroemd was, maar had geen idee waarvoor. Ik wist dat mijn oom Steenie haar adoreerde, hij vond dat ze met niemand te vergelijken was. Ik wist dat hij, als hij naar Winterscombe kwam, soms tijdschriften bij zich had waar haar sociale activiteiten ademloos in werden beschreven. Ik wist ook dat hij, als hij haar naam noemde, alleen zwijgen ontmoette. De tijdschriften die oom Steenie open op tafel liet liggen, werden weggehaald zodra hij de kamer uit was. Kort en goed, ik wist dat er een geheim bestond.
Toen ik werd geboren (dat had Jenna me verteld) was Constance bij de doop en – als de peet in een sprookje – had ze zich over de wieg gebogen om me een kus te geven. Ze had me voor de kerk in haar armen gehouden en had me als doopgeschenk een heel bijzondere armband gegeven in de vorm van een opgerolde slang. Die slang, door Jenna als 'ongepast' omschreven, had ik nooit gezien: hij lag samen met de diamanten van mijn moeder in de bank.
Na de doop moet Constance uit de gratie zijn geraakt, want ze werd uitgewist. Er waren talloze foto's van mijn doop maar Constance stond er niet op. Ze werd nooit uitgenodigd om te komen logeren, hoewel ze vaak in Engeland kwam, dat vertelde oom Steenie. Ik wist alleen dat ze mijn peettante was, omdat ze het mij zelf vertelde. Ieder jaar kreeg ik met Kerstmis en op mijn verjaardag een kaart, waarop stond: *van je peettante Constance*. Het handschrift was klein, de halen fors, de inkt zwart.
Die kaarten werden met de andere die ik kreeg, op de schoorsteenmantel in de kinderkamer gezet. Als de verjaardag voorbij was, mocht ik alle kaarten houden, behalve die van mijn peettante. Die gingen altijd weg.
Die tactiek was, denk ik, bedoeld om me mijn peettante te doen

44

vergeten. Aangezien ik een kind was, gebeurde het tegenovergestelde. Hoe minder ik te horen kreeg, hoe meer ik wilde weten, maar dat was buitengewoon moeilijk.

Mijn ouders waren onvermurwbaar. Niets kon hen ertoe brengen haar naam te noemen. Ze gaven alleen toe dat Constance mijn peettante was.

Ik had Jenna nog wel eens tot een verhaal over mijn doop kunnen verleiden, over de exotische armband, maar daarna zullen mijn ouders haar wel hebben gewaarschuwd dat ze niets meer over Constance mocht zeggen. Tante Maud had kennelijk een hekel aan haar, de enige maal dat ik het riskeerde iets te vragen, rechtte ze haar rug, keek me hooghartig aan en snoof.

'Je peettante telt absoluut niet mee, Victoria, ik zou graag willen dat je haar naam niet meer noemde tegen mij. Ik begrijp niet waarom ze je interesseert.'

'Ik wilde alleen maar weten... of ze... vurige ogen had,' ging ik door.

'Haar ogen zijn als twee stukken kool.' Dat was het einde van het gesprek.

William de butler beweerde dat hij nooit van haar had gehoord. Oom Freddie wendde de ogen af als ik haar naam noemde; toen we een keer alleen in het bos waren, vertelde hij na veel aandringen dat hij en zijn broers Constance als kind hadden gekend; je kon – en hij fronste tegen de bomen – enorm veel plezier met haar hebben, op haar manier.

'Was pappa toen op haar gesteld, oom Freddie? Ik geloof niet dat hij haar nu nog aardig vindt.'

'Misschien, misschien.' Freddie floot. 'Ik weet het niet meer. Nou, waar zijn die ellendige honden? Roep eens, Victoria. O, goed gedaan, daar komen ze.'

Dus bleef oom Steenie over. Ik had al mijn hoop op hem gevestigd, vooral als ik hem belaagde na de lunch, of als hij op zijn kamer zat waar hij een zilveren heupfles had voor een opkikkertje op koude middagen. Na een paar slokken zei hij: 'Ga zitten, Victoria en laten we eens lekker kletsen.' Op een van zijn bezoeken kon ik Jenna en de voorgeschreven middagwandeling ontwijken en sloop naar de kamer van oom Steenie.

Hij gaf me een chocoladetruffel uit zijn geheime voorraad en vertelde me over Capri. Toen hij even zweeg, stelde ik mijn vraag. Oom Steenie keek me ondeugend aan.

'Constance? Je peettante?' Hij klakte met zijn tong. 'Vicky, schat, ze is een absolute demon.'

'Een demon? Bedoelt u dat ze slecht is? Willen ze daarom geen van allen over haar praten?'

'Slecht?' Oom Steenie scheen dat een interessant idee te vinden. 'Ja,' zei hij met slepende stem, 'ik weet dat nooit zo precies. Je kent toch wel dat versje over een klein meisje met een krul op haar voorhoofd? Als ze lief was, was ze heel lief, als ze stout was, was ze verschrikkelijk. Misschien is Constance ook zo. Persoonlijk was ik het meest op haar gesteld als ze verschrikkelijk was. Het heerlijkste van je peettante is dat ze nooit saai is, Vicky.'

'Is ze... mooi?'

'Schatje, néé. Niet zoiets liefs. Ze schòkt je.' Hij nam nog een slok. 'Ze gooit de mensen gewoon omver. Vooral mannen. Ze vallen voor haar als een blok.'

'Bent u ooit voor haar gevallen, oom Steenie?'

'Niet direct, Vicky.' Hij zweeg even. 'Ze probeerde het misschien te veel. Of ze had een ander op het oog. We zijn bijna even oud en we zijn altijd vrienden geweest. Toen we elkaar voor het eerst zagen, waren we – even denken – een jaar of zes, jonger dan jij nu bent. We zijn beiden even oud als de eeuw, dus dat moet in 1906 zijn geweest. God, wat ben ik oeroud! Het lijkt eeuwen geleden.'

'Dus is ze nu zevenendertig?'

Een teleurstelling, want zevenendertig leek heel oud.

'Maar Vicky, schat, in het geval van Constance komen de jaren er niet op aan. Leeftijd doet haar niets – de rest van ons helaas wel. Weet je wat ik vanochtend in de spiegel zag? Iets vreselijks. Een kraaiepootje. Vicky, hier in mijn ooghoek.'

'Maar het is geen groot kraaiepootje.'

'Schat, je stelt me weer gerust. Weet je waardoor het zo klein is? Door mijn nieuwe crème. Heb ik je die laten zien? Hij ruikt naar viooltjes, hemels gewoon.'

'Zou het ook helpen tegen sproeten, oom Steenie?'

'Onmiddellijk, schat. Die crème kan alles. Het is gewoon een wonder. Dat is maar goed ook, want het kost een kapitaal. Wacht, ik geef je er wat van, als je wilt. Klop het er iedere avond in, Vicky.'

Zo veranderde oom Steenie van onderwerp, handiger dan de rest van mijn familie, maar toch... Die avond ging het stormachtig toe en klonk het slaan van deuren beneden en oom Steenie was zo van zijn stuk gebracht dat hij door vader en William naar bed werd geholpen. De volgende ochtend vertrok hij al vroeg, zodat ik nooit mijn potje met viooltjescrème kreeg en niets meer over Constance hoorde.

Een paar maanden gebeurde er niets. Charlotte kreeg mazelen, haar partijtje werd afgezegd en haar moeder ging met haar naar Zwitserland. Kerstmis kwam en ging en pas in januari van het nieuwe jaar, 1938, zag ik Charlotte weer.

Ik werd uitgenodigd, alleen – een eer die me nog nooit te beurt was gevallen. Tot mijn verbazing mocht ik de volgende week weer komen en de week daarna kreeg ik een uitnodiging om met Charlotte en wat vriendinnetjes naar Londen, naar een pantomime te gaan.

Mijn ster was kennelijk gerezen, niet alleen bij Charlotte maar ook bij haar ouders. Ik was niet langer dat saaie kind met een verarmde achtergrond, ik was het petekind van Constance Shawcross en zou in New York gaan logeren. Plotseling had ik mogelijkheden.

Eerst genoot ik ervan. Ik kreeg vleugels door Constances uitstraling. Daar ik vrijwel niets van mijn peettante wist, kon ik verzinnen wat ik wilde, en ontdekte de verslaving ervan.

Eerst gaf ik Constance alle attributen die ikzelf het meest bewonderde. Ik gaf haar zwart haar, donkerblauwe ogen en een vurig temperament. Ik gaf haar vijf Perzische katten en een Ierse wolfshond. Ze werd een uitstekend ruiter en ik zei terloops dat ze altijd grote flessen Franse parfum bestelde, op de bovenste etage van een Newyorkse wolkenkrabber woonde met uitzicht over het Vrijheidsbeeld. Al haar kleren, tot haar ondergoed toe, kwamen van Harrods.

'Harrods? Weet je dat zeker, Victoria?' Charlottes moeder had alles beluisterd, maar nu twijfelde ze toch.

'Misschien niet àlles,' zei ik voorzichtig. Ik dacht aan mijn tante Maud en haar herinneringen.

'Ik geloof dat ze ook wel eens naar Parijs gaat.'

'Natuurlijk, Schiaparelli, of misschien Chanel. Ik zag ergens een foto – Charlotte, waar heb ik dat boek gelaten?' Charlottes moeder noemde ieder tijdschrift een boek en nu kwam een veel bekeken *Vogue* te voorschijn die minstens twee jaar oud was. Daar, in mijn bevende handen was de eerste foto die ik ooit van mijn peettante zag. Slank, uitdagend chic op een Londense party met de slechte Wallis Simpson, Conrad Vickers en de toenmalige prins van Wales. Ze gebaarde, zodat haar gezicht niet te zien was.

Hierna werden mijn leugens onzuiver. Ik had geleerd van mijn vergissing betreffende Harrods en paste het beeld van mijn peettante aan aan de smaak van mijn gehoor. Constance kreeg een paar auto's – boosaardig genoeg had ze geen Rolls-Royce; ze kreeg een jacht, een permanente suite in de Ritz, gele diamanten, koffers van krokodilleleer, zijden ondergoed en een intieme vriendschap met koning Faroek.

Ik leerde snel. De details vond ik in de tijdschriften die bij Charlotte verspreid lagen en die nooit in Winterscombe kwamen. Ik hield meer van de eerste Constance die met haar honden op jacht ging. Maar ik zag dat die nieuwe verhalen indruk op mijn gehoor maakten. Als ik het had over koffers van krokodilleleer, zuchtte de moeder van Charlotte; zijzelf, zei ze weemoedig, had kort geleden iets dergelijks bij Asprey bewonderd.

Er bestond gevaar, dat zag ik wel. Charlotte en haar moeder schenen angstwekkend op de hoogte te zijn van alles wat mijn peettante betrof. Ze verslonden de roddelbladen, noemden namen van mensen die mijn peettante scheen te kennen. 'Die jurk van lady Diana – wat vind je, mamma?'

'O, vrij saai, niet zo chic als anders.' Kènden ze lady Diana? Ik was nergens zeker van maar besefte dat ik voorzichtig moest zijn. Was mijn peettante getrouwd, bijvoorbeeld? Gescheiden? In dat geval kon het feit dat ze uit de gunst was, worden verklaard, want mijn moeder was volstrekt tegen iedere echtscheiding. Ik kon het niet weten maar vermoedde dat Charlotte en haar moeder wel op de hoogte waren. Zij wisten waarschijnlijk ook – en ik niet – waarom mijn peettante rijk was, wat ze deed, wie haar ouders waren, waar ze vandaan kwam.

Dus ik verzon wel verhalen, maar voorzichtiger, zonder ooit een echtgenoot te noemen. In antwoord op mijn verzinsels sprokkelde ik wat feiten bij elkaar. Zo kwam ik te weten dat ze in Engeland was geboren maar een genaturaliseerde Amerikaanse was, dat ze huizen 'opknapte' hoewel niemand zei wat dat betekende. Ik hoorde dat ze even gemakkelijk de oceaan overstak als het Kanaal en dat ze dol op Venetië was en daar alleen in het Danielli wilde logeren.

'Niet het Gritti. Dat zei ik je toch, Harold.' We zaten in hun salon, op een brokaten sofa. Charlottes moeder dronk een Martini uit een ijs-beslagen glas, zette het neer op een tafel van glas en chroom en keek haar man met een koude blik aan. Ze wendde zich weer tot mij, alsof ik, net als mijn peettante, hun smaak kon beoordelen.

'Verleden jaar zaten we in het Gritti, Victoria, omdat het Danielli stampvol zat. Maar als we de keus hadden gehad... we bespraken alleen te laat.'

Vakantie. Ik werd nerveus, want daar lag een gevaar, mijn bezoek aan New York. Ik had gehoopt dat Charlotte het vergeten was, maar dat was ze niet. Ze wist ook nog de datum: dit jaar.

Maar wanneer dit jaar? Naarmate de weken voorbijgingen, werd de vraag urgenter. Charlotte ging weer naar haar kostschool, maar in de paasvakantie werden de uitnodigingen om te komen theedrinken, hernieuwd.

Wanneer zou ik precies gaan? Wist ik al met welke boot, de *Aquitanië* of de *Ile de France*? Ging ik alleen of kwam mijn peettante naar Engeland om me te halen? Ik kon 's zomers toch niet naar New York – dan ging niemand er naar toe, en zat mijn peettante gewoonlijk in Europa.

Ik kreeg dat voorjaar nog even respijt vanwege de politiek. Oostenrijk werd door Duitsland geannexeerd, en hoewel ik er geen idee van had wat dat betekende, merkte ik dat het ernstig was, want mijn vader en moeder hielden lange gesprekken die stopten wanneer ik binnenkwam, zelfs Charlottes vader keek ernstig. Hun eigen bezoek aan Duitsland werd voor de zomer afgezegd, ze gingen toch maar naar Italië.

'Het is allemaal wel erg onzeker,' zei Charlottes moeder. 'Ik vraag me af of je ouders je op reis willen laten gaan, Victoria. Het zou een teleurstelling zijn als je zo'n reis moest afzeggen, maar ik begrijp...'

'Het moet misschien worden... uitgesteld,' zei ik zacht.

'Ik zie niet in waarom.' Charlotte, die naast me zat, keek me doordringend aan. 'Amerika is toch de andere kant op. Dáár gebeurt niets.'

Ik mompelde iets – niet bijster overtuigend, denk ik, want Charlotte en haar moeder wisselden een veelzeggende blik. Misschien dacht Charlotte al dat het bezoek aan mijn peettante verzonnen was, ze keek me aan met iets van de vroegere verwaandheid. Al mocht ik haar niet, toch wilde ik dolgraag haar respect terugkrijgen.

Ik wist wat je moest doen als je iets per se wilde: je bad. Dat had mijn moeder me geleerd. Jarenlang waren mijn vader en moeder kinderloos gebleven. Mijn moeder had gebeden om een kind en ten slotte waren haar gebeden verhoord.

'Bad pappa dan ook om een kind?' vroeg ik en mijn moeder fronste.

'Ik denk van wel, Vicky, op zijn manier. En denk erom – het is heel belangrijk dat je niet alleen bidt voor jezelf. Je moet God niet als Sinterklaas behandelen. Maar als je de juiste dingen vraagt, dan luistert God. Hij verhoort je gebed niet altijd – of op een onverwachte manier, maar Hij luistert altijd, Vicky. Dat geloof ik.'

Was het bezoek aan mijn peettante goed, mocht ik erom bidden? Ik overwoog het en vond het uiteindelijk een goed ding. Ik had geleerd om systematisch te zijn en daarom bad ik iedere avond en iedere ochtend, kocht eens per week een kaars om het gebed vleugels te geven en was heel beleefd. Alstublieft-God-als-u-vindt-dat-het-goed-is-mag-ik-dan-naar-Constance-in-New-York-als-het-Uw-wil-is-dank-U-Amen.

Tweemaal per dag, drie maanden achter elkaar. Toen, midden in de zomer, werd mijn wens vervuld. Misschien had ik beter naar mijn moeder moeten luisteren, omdat de wens op een uitzonderlijke manier in vervulling ging.

Totdat mijn wens werd vervuld, genoot ik van de zomer. Ik herinner me dagen van warmte en zon, een tijd van kalmte alsof de wereld de adem inhield. Ergens achter de grens van die veilige wereld, was er iets aan de gang en soms verbeeldde ik me dat ik het hoorde, ver weg en zachtjes, als een grote, onzichtbare machine die werd ingeschakeld.

Ik wist al jaren op een vage manier dat de weeshuizen die zoveel tijd van mijn moeder in beslag namen en zoveel geld van mijn vader opeisten, banden hadden met soortgelijke huizen in Europa. Dus ik was niet erg verbaasd toen mijn moeder me uitlegde dat de plannen waren veranderd en dat zij en mijn vader in juli en augustus in Europa zouden zijn om voor de weeshuizen te werken.

Hoewel we nooit naar het buitenland gingen, had mijn moeder een- of tweemaal in het verleden zo'n reis gemaakt, meestal in gezelschap van haar beste vriendin, de formidabele Winifred Hunter-Coote, die ze nog kende uit de oorlog.

Ditmaal was mijn vader van plan mee te gaan, omdat ze niet alleen, zoals anders, de weeshuizen zouden bezoeken maar ook vrienden in Duitsland wilden spreken die hen konden helpen bepaalde kinderen naar Engeland te brengen. Het zou veiliger voor die kinderen zijn als ze een poosje hier woonden in plaats van thuis in hun eigen land. Het waren niet allemaal wezen, vertelde ze op haar omzichtige manier, ze leken meer op vluchtelingen. Omdat het niet altijd eenvoudig was de autoriteiten te bewegen hen te laten vertrekken, ging mijn vader mee daar hij vloeiend Duits sprak.

Ze zweeg op een manier die niet bij haar paste en ik wist dat er iets was wat ze wegliet, wat ik niet mocht weten.

'Zullen die ouders hun kinderen niet missen?' Mijn moeder glimlachte.

'Natuurlijk, liefje. Maar ze weten dat het voor hun bestwil is. We blijven heel lang weg en ik zal jou ook missen. Je schrijft me, hè Vicky?'

Ik schreef inderdaad, iedere dag, zodat de brieven een soort dagboek vormden. Eens per week stuurde ik ze weg naar reeksen poste restante adressen. In het begin was het vreemd, een zomer in Winterscombe zonder mijn ouders, maar na een poos raakte ik gewend aan de nieuwe rust in huis, en bovendien was er heel wat afleiding. Mijn tante Maud kwam met stapels kleurig ingebonden romans. Ze was zwak, want ze had met Pasen een lichte beroerte gehad, maar haar leeswoede was onverminderd. Oom Freddie kwam compleet met windhonden, al was zijn enthousiasme voor de rennen kennelijk gedoofd. Dat begreep ik omdat hij niet langer over de Ierse derby sprak. En Jenna was er, en William was er, en Charlotte was veilig ver weg in het Danielli, dus voorlopig hoefde ik me nog geen zorgen te maken over mijn leugens. Er waren aardbeien, en toen frambozen en jonge doperwtjes en sla. Hartje zomer, en ik was tevreden, al waren mijn ouders er niet. Maar het beste van alles was dat ik een nieuwe vriend had.

Hij heette Franz-Jacob, hij was tien, Duits en een jood. Hij kwam met het eerste stel weeskinderen, een groepje van vijf of zes Duitse jongens die zich afzijdig hielden van de Engelse kinderen die iedere zomer geregeld naar Winterscombe kwamen.

Misschien hadden mijn ouders het gezin gekend dat in Duitsland was achtergebleven – of misschien wist men dat hij buitengewoon knap was en waren er speciale voorzieningen voor Franz-Jacob getroffen, waardoor hij wat apart stond. Hij zat met de andere kinderen in de slaapzalen waarvoor jaren geleden de melkerij en wasserij waren omgebouwd en hij mocht meedoen met cricket en tennis, met zwemmen en natuurwandelingen die dit jaar, net als altijd, georganiseerd werden. Maar hij kwam ook iedere morgen naar het huis om samen met mij les te krijgen.

Aangezien mijn moeder weg was, waren de lessen uitsluitend in handen van meneer Birdsong, die zich concentreerde op zijn eigen sterke punten: geschiedenis, wiskunde en vroegere Engelse poëzie. Ik was in geen van die vakken erg goed, en nu ik terugkijk, geloof ik dat het vervelend voor meneer Birdsong moet zijn geweest om me les te geven, hoewel hij zijn ongeduld wel wist te verbergen. Vanaf de eerste dag dat Franz-Jacob meedeed, bloeide meneer Birdsong op.

Ik worstelde nog met mijn deelsommen en schoot weinig op. Franz-Jacob, wiens Engels zeer matig was, verschafte meneer Birdsong de gelegenheid zijn Duits te oefenen – dat was al opwindend. Bovendien had hij een knobbel voor wiskunde. Ze begonnen met equaties, er kwam een leerboek aan te pas en Franz-Jacob boog zich over zijn lessenaar. De zon scheen, de kamer was warm, zijn pen kraste. In de tijd die ik nodig had om twee sommen te maken, had Franz-Jacob een hele oefening afgewerkt.

Hij bracht die naar meneer Birdsong en overhandigde de papieren met een kleine buiging. Meneer Birdsong keek ze na. Hij knikte, klakte met zijn tong van bewondering. Hij leek eerst verbaasd, kreeg toen een kleur, een teken van opwinding.

'Heel goed, Franz-Jacob. *Das ist wirklich sehr gut.* Zullen we nu een paar breuken proberen?'

Franz-Jacob haalde de schouders op – de breuken werden even snel gemaakt als de vorige sommen. Vanaf dat moment was meneer Birdsong als herboren en hij kwam met nieuwe energie de school-kamer binnen. Voor het eerst zag ik iets van de man zoals hij vroeger was, een begaafde wiskundige in Oxford die – op verzoek van zijn vader – een academische loopbaan had opgegeven om predikant te worden.

Hij verwaarloosde me, maar dat kon me niet schelen. Meneer Birdsong liet me gedichten uit mijn hoofd leren en moedigde me aan de belangrijkste jaartallen van de kerkhervorming op te schrijven maar hoewel hij altijd even vriendelijk was, zag ik geen vuur in zijn ogen als hij naar de gedichten luisterde of de lijst jaartallen bekeek. Het vuur was voor Franz-Jacob, ze waren al gevorderd tot differentiaalrekenen.

Ik vond de reactie van meneer Birdsong volkomen terecht. Franz-Jacob was nu eenmaal heel bijzonder, ook ik kon dat zien.

Hij was klein en tenger gebouwd, maar met een spierkracht die maakte dat de grotere Engelse jongens zich bedachten en hem niet gauw op zijn kop zaten. Hij had een smal, gevoelig gezicht, donke-re ogen en dun zwart haar dat kort geknipt was in zijn nek en lang aan de voorkant, zodat het over zijn ogen viel als hij zat te werken. Hij glimlachte zelden en had een blik in zijn ogen die ik toen niet kende maar die ik later vele malen heb gezien, een blik, eigen aan Europeanen wier families zijn vervolgd en misschien opnieuw ver-volgd zullen worden: Europese ogen, die zelfs voor het geluk op hun hoede zijn.

Hij was een stil kind, en ouderwets; hij was eenzaam. Ook ik was eenzaam nu mijn ouders weg waren, ik denk dat ik stil was, en in ieder geval ouderwets, want ik was opgevoed in het geloof van een bepaalde manier van leven en met normen die al aan het uitsterven waren. Het was niet zo gek dat we vrienden werden.

Die hele zomer waren we onafscheidelijk. 's Avonds, als hij met de andere jongens naar zijn slaapzaal was teruggekeerd, zonden we elkaar boodschappen in morse met zaklantaarns, vanuit onze ramen. Overdag, als de lessen voorbij waren, bleef hij bij me. Hij werd de lieveling van mijn tante Maud, die er een eigen Duitse taal op na hield. Ze bombardeerde hem met verhalen over Kaiser Wilhelm die ze had gekend maar niet aardig had gevonden. Ook vond ze het heerlijk het dieet van Franz aan de bedienden en de rest van ons gezin uit te leggen.

'Geen varkensvlees voor Franz-Jacob, William,' zei ze met klinkende stem. 'Ik geloof dat ik om zalm heb gevraagd. Ha, daar is het. Dat kun je veilig eten, Franz-Jacob – ik ben naar de keuken gegaan om toezicht te houden op het koken, ik weet alles van die dingen af. Heb ik je wel eens van mijn vriend Montague verteld? Natuurlijk. Montague was niet echt strikt, maar ik zorgde er wel voor dat hij bij mij thuis nooit ham kreeg. En geen worstjes bij het ontbijt. Ik vertrouw worstjes nooit. Je weet niet wat ze er allemaal instoppen...'

Ook mijn oom Freddie was op hem gesteld, vooral toen hij ontdekte dat Franz-Jacob van honden hield en graag met de dieren ging wandelen. Oom Freddie had een nieuw project, dat maakte dat hij uren met zijn aantekeningen in de bibliotheek zat – al vertelde hij niet waar de nieuwe bevlieging mee te maken had. Oom Freddie, een dikke man die niet van wandelen hield, was dolblij dat hij in de bibliotheek kon blijven en de windhonden aan Franz-Jacob en mij kon overlaten.

Het leek wel of we altijd maar wandelden: naar het meer, en langs de rivier, we bekeken het dorp en het vervallen huisje aan het eind van een weggetje waar Jack Hennessy woonde en wandelden langs de korenvelden die altijd zo'n onbevredigende oogst leverden en langs de muren die om het landgoed van mijn vader stonden.

We liepen, we praatten. Ik leerde Franz-Jacob wat Engels en hij mij wat Duits. Hij vertelde me van zijn vader die hoogleraar was geweest tot hij het jaar ervoor ontslagen was. Hij beschreef zijn moeder, zijn oudere broers, zijn drie jongste zusjes. Geen van die familieleden zouden de komende oorlog overleven. Hij kon dat natuurlijk niet weten maar ik vroeg me naderhand af of Franz-Jacob intuïtief aanvoelde wat er ging gebeuren, want zijn ogen stonden dan altijd bedroefd, gericht op een Europese horizon, vol van toekomstige, maar niet vergeten pijn.

Ik had nooit een vertrouweling van mijn eigen leeftijd gehad en was van nature niet gesloten. Dus ik vertelde Franz-Jacob van alles. Van het huis en hoe het geld verslond. Ik vertelde hem van oom Freddies bevliegingen en hoe die weer uitdoofden. Ik vertelde hem van oom Steenies geheimzinnige ambitie om de Best Uitziende Jongen ter Wereld te zijn. Ik vertelde van tante Maud en de amberkleurige jurk die niet paste. Ik sprak over het vreselijke ongeluk geboren te worden met sproeten en rood, krullerig haar. Franz-Jacob, die beter dan ik wist wat ongeluk betekende, was geduldig. Zodoende vertelde ik hem nog meer vreselijke dingen over Charlotte, mijn peettante Constance en mijn afschuwelijke leugen. Ook zei ik dat ik nog steeds bad. Ik hield de adem in, want ik had ontzag voor Franz-Jacob, maar hij haalde alleen zijn schouders op zonder me te veroordelen.

'Waar maak je je zorgen om? Het is zo'n dom kind en je ouders zijn goede mensen. *Das ist alles selbstverständlich...*'

Hij floot de honden en we wandelden verder. Het was die dag, geloof ik, dat we thuiskwamen en dat Franz-Jacob die het over wiskunde had gehad, waar hij zo van hield omdat het volmaakt was, als de mooiste muziek, plotseling bleef staan en mijn gezicht bekeek, alsof hij me voor het eerst zag.

'Weet je hoeveel sproeten je hebt?' zei hij eindelijk en stapte achteruit.

'Hoeveel?' Ik vond het gemeen van hem dat hij ze geteld had.

'Tweeënzeventig. En weet je wat?'

'Wat dan?'

'Dat het me niets kan schelen. Ze staan heel leuk.'

'Weet je dat zeker?'

'*Natürlich.*'

Hij keek me ongeduldig aan zoals hij wel eens tijdens de les deed. Toen rende hij de trap op, met de honden achter hem aan en ik stond beneden, vuurrood en gelukkig.

De speciale dag kwam weken later, tegen het eind van augustus. Ik wist niet dat het een speciale dag zou zijn, maar hij was vreemd vanaf het begin.

Die ochtend bad ik voor het eerst in drie maanden niet om New York. Ik zag de dwaasheid ervan in en begreep dat het onmogelijk was alles vol te houden als Charlotte terug was. Franz-Jacobs afwijzing van Charlotte – *een dom kind* – gaf me kracht. Waarom zou ik me bekommeren om wat zij vond? Ik mocht haar niet en al vond zij mijn familie saai en armoedig, Franz-Jacob vond Winterscombe prachtig – '*ein Zauberort*', een magische plaats – en hij wist dat mijn ouders goede mensen waren.

Nu ik niet meer bad, voelde ik me zuiver en eigenaardig bevrijd. Zelfs mijn lessen bij meneer Birdsong gingen beter – ik zou binnenkort wel algebra kunnen doen.

Na de lunch namen Franz-Jacob en ik de honden mee voor een wandeling. We liepen naar het meer en bleven naar de zwarte zwanen kijken; toen – en dat gebeurde niet vaak – namen we de weg naar de bossen. Franz-Jacob hield er niet van, maar ik wel, zeker in de zomer vanwege de koelte.

Het was erg heet en Franz-Jacob trok gewoontegetrouw zijn schouders op. We hadden ook langs de bosrand kunnen lopen, maar de honden roken iets en gingen er vandoor. We moesten er wel achter aan, we riepen en floten en kwamen steeds dieper in het bos waar de paadjes smal en begroeid waren. Ik liep voor Franz-Jacob uit, hoorde de honden in het kreupelhout en zag voor me het zonlicht van een open plek, waar ik wel met Jenna had gelopen.

'Ze zijn hier, Franz!' riep ik. Ik hoorde hem aarzelen en gekraak van takken. Pas toen hij in het zonlicht stond en ik zijn gezicht zag, besefte ik dat er iets mis was. Franz-Jacob was altijd bleek, nu was zijn gezicht zonder enige kleur. Hij huiverde in de warme zon.

'Kom mee.' Hij trok aan mijn mouw. 'Weg van deze plek.'

'Franz, wat is er?'

'*Gespenster.*' Hij keek over zijn schouder. 'Spoken. *Ich spüre sie. Sie sind hier. Es ist übel hier. Wir müssen schnell gehen.*'

Angst springt snel over. Ik had de Duitse woorden niet verstaan maar begreep de uitdrukking in zijn ogen. Even later was ik ook bang, de bekende, mooie plek werd bedreigd en vol schaduwen. We begonnen te rennen, gleden uit over het mos, struikelden over takken. We stonden pas stil toen we het bos uit waren.

'Wat is daar gebeurd? Er is iets gebeurd,' zei Franz-Jacob. Hij keek achterom naar de bomen en de twee windhonden die uit het kreupelhout te voorschijn kwamen.

'In dat bos?' Ik aarzelde. 'Niets. Ik geloof dat er eens een ongeluk is gebeurd. Maar dat was eeuwen geleden. Niemand praat erover.'

'Het is er nu.' Hij rilde nog steeds. 'Ik voelde het, *konnte es riechen.*'

'Wat? Wat? Ik begrijp je niet. Wat zei je?'

De honden hadden ons nu bereikt; Franz-Jacob boog zich over hen heen. Ze hadden een haas of een konijn gevangen want toen hij zich oprichtte, zag ik bloed aan hun bek en Franz-Jacob had bloed aan zijn handen.

'Ik zei dat ik het kon ruiken.' Hij keek me met grote Europese ogen aan. 'Dit kon ik ruiken.'

Hij stak zijn hand uit en bleef er verwezen naar kijken.

'Bloed? Bedoel je dat je bloed rook?'

'*Nein, nein. Du bist ein dummes englisches Mädchen, du verstehst nichts.*' Hij draaide zich om. '*Ich konnte den Krieg riechen.*'

Ditmaal begreep ik het. Ik begreep dat hij me dom vond en Engels. De tranen sprongen me in de ogen. Ik was gekwetst en daarom werd ik boos.

'Ik begrijp je wèl. En ik ben niet dom. Jíj bent dom. Je verbeeldt je dingen. Je kunt de oorlog niet ruiken. Hoe kan dat nou, in een bos?'

Ik schreeuwde die vraag. Franz-Jacob draaide zich om en liep weg, met de honden achter zich aan en zelfs toen ik naar hem toe rende, aan zijn mouw trok en de vraag nog eens stelde, gaf hij geen antwoord.

Die avond hadden we een party. Het was geïmproviseerd, bedacht door tante Maud die erover klaagde dat ze de hele dag alleen was geweest. Tante Maud zag op haar manier ook spoken – de spoken van het glorieuze verleden van Winterscombe, de droeve geesten van lang voorbije festiviteiten.

'Er waren hier vroeger altijd mensen,' zei ze tijdens het avondeten bedroefd en wierp een verwijtende blik over de lange tafel. 'Moet je nu eens zien! We rammelen als vier erwten in een dop. Ik herinner me nog dat er wel veertig mensen aan deze tafel zaten. Dan werd er gedanst en gebridged – en gebiljart door de mannen – muziek en champagne, Victoria! Een bediende achter iedere stoel... en nu? We hebben William, met krakende schoenen. Freddie, je moet het hem eens zeggen.'

William die een meter van tante Maud verwijderd was toen ze die uitspraak deed, bleef recht voor zich uit kijken. Hij was op tante Maud gesteld, wist hoe ze was en had geleerd dat de beste bedienden altijd moeten doen of ze doof zijn.

Oom Freddie bloosde, maar werd weer vrolijk toen de kruisbessentaart op tafel kwam. Ik geloof dat het oom Freddie was die voorstelde om na het eten wat te dansen. Ook tante Maud kwam tot leven en werd zelfs energiek. Nee, beweerde ze, de zitkamer met een opgerold tapijt was niet goed genoeg, het moest de balzaal zijn of niets. Voor zover ik wist, werd die balzaal nooit gebruikt. Hij lag aan de andere kant van het huis en was er door mijn grootvader aangebouwd: een holle ruimte, beschilderd in suikerzoete kleuren. Oom Freddie en Franz-Jacob gingen ijverig aan de gang. William werd geroepen om een trapleer en gloeilampen te halen en ook de opwindbare grammofoon van mijn moeder. Toen de kroonluchters eenmaal brandden, fleurde de zaal op en zagen de decoraties er minder smakeloos uit.

'Wat een heerlijke avond!' Tante Maud had het misschien over deze avond, misschien over andere in een ver verleden. Ze gooide de deuren naar de tuin open: warmte, frisse lucht en een paar nachtvlinders, aangetrokken door het vele licht.

'Wanneer is de zaal voor het laatst gebruikt, Freddie?' vroeg tante Maud en ik zag vanuit de verte Freddie aarzelen.

'Ik weet het niet meer precies...' begon hij en tante Maud keek hem vol minachting aan.

'Je herinnert het je best, net als ik. Constances bal, haar debuut. Ze droeg zo'n vulgaire avondjapon. Freddie, wind de grammofoon op.'

Oom Freddie vond tussen sonates van Beethoven en wat Mozart en Haydn twee Weense walsen.

Op de klanken van de 'Schöne blaue Donau' leidde Freddie tante Maud over de dansvloer. Zij recht als een kaars, oom Freddie al gauw buiten adem.

Toen waren tante Maud en Franz-Jacob aan de beurt. Hij danste zoals hij alles deed, afgemeten. Hij boog voor tante Maud en sloeg toen een arm om haar middel. Tante Maud was lang, Franz-Jacob klein voor zijn leeftijd. Zijn kruin kwam tot aan tante Mauds ingeregen boezem. Hij droeg zijn beste pak, bruin met broekspijpen die tot zijn knieën reikten, met stevige, glimmend gepoetste laarzen, eerder geschikt voor een wandeling dan een balzaal. Ze vormden een eigenaardig paar – tante Maud danste een wals uit de tijd van koning Edward, terwijl Franz-Jacob zich bewoog als een marionet. Oom Freddie en ik dansten ook en hij vertrouwde me toe dat hij een held was geweest in het dansen van de charleston, maar dat dit niets voor hem was. Toen waren Franz-Jacob en ik aan de beurt.

Tante Maud ging op een verguld stoeltje zitten en riep aanmoedigingen vanaf de zijlijn: '*Buigen*, Vicky – vanuit het middel. Wat meer souplesse. Hemel, wat is dat kind stijf!' En wij ploegden verder over de dansvloer.

Ik had een vaag idee van de juiste passen, al scheen Franz-Jacob er meer van te weten, maar het interesseerde me niet dat ik struikelde, dat we langzaam waren, dat de muziek zuchtte en om snelheid van ons vroeg. Het was bitterzoete muziek, een bitterzoete dans. We draaiden in het rond en ik droomde van een andere wereld: van blauwe avonden en een violette zonsopgang, van droefgeestige steden en jonge meisjes met blanke schouders en witte handschoenen, het vooruitzicht van een romance. Een Weense droom in een Engels huis. Ik stelde me voor dat ik mijn peettante Constance was, ik hoorde haar tegen me fluisteren in deze balzaal van haar.

Toen de grammofoon weer was opgewonden en we voor de tweede

maal aan het dansen waren, keek ik hem eindelijk aan. Ik zag dat zijn gezicht strak en geconcentreerd stond, alsof hij zijn aandacht gaf aan de ingewikkelde passen om andere, minder plezierige opwellingen opzij te zetten. Ik herinnerde me zijn gedrag van die middag, zijn blik toen we omkeken naar het bos, en ik vroeg me af of hij nog steeds spoken zag.

'Je danst heel goed, Franz-Jacob. Je weet de passen precies.'

'Mijn zuster Hannah heeft het me geleerd,' antwoordde hij en stopte. *'Es ist genug*. Nu houden we op.'

Hij liet me los en deed een stap achteruit. Het duurde even voor ik besefte dat hij stond te luisteren. Toen hoorde ik het ook, dwars door de wals, gedempt door de gangen: het rinkelen van de telefoon ergens in huis.

Ik weet nu niet meer of alles wat er toen gebeurde, langzaam of snel ging. William, die mijn oom Freddie waarschuwde; het gebabbel van tante Maud toen Freddie weg was en toen hij terugkeerde, een plotseling zwijgen. Tante Maud en oom Freddie die samen weggingen, de stilte in de balzaal.

We werden in de salon geroepen waar tante Maud en oom Freddie wat onhandig voor de haard stonden. Ik denk dat ze mij alleen hadden willen spreken maar nu Franz-Jacob erbij was, wilden ze hem niet wegsturen.

Oom Freddie vertelde me dat er een ongeluk was gebeurd en tante Maud zei dat het nog niet zeker was en dat ik dapper moest zijn. Hun woorden schenen van heel ver te komen en ik heb nooit precies geweten wat ze zeiden.

Wel herinner ik me Franz-Jacob. Hij stond naast me te luisteren en keek naar zijn bruine laarzen. Toen oom Freddie en tante Maud uitgesproken waren, draaide hij zich om, liep naar de ramen en keek naar buiten.

De volle maan deed de torenhaan glanzen, maakte de bossen tot een doolhof van schaduwen, gaf het meer de kleur van glimmend staal.

Franz-Jacob haalde de schouders op. *'Es geht los,'* mompelde hij, maar toen hij merkte dat ik luisterde en het niet begreep, vertaalde hij het. 'Het gaat beginnen,' zei hij. 'Het begint weer. Ik wist het. Ik heb het vanmiddag gehoord.'

Uiteindelijk vertelden ze me dat mijn vader en moeder dood waren, maar toen was er al een week voorbij. Toen geloofde ik de verhalen over verwarring, ziekenhuizen. Ik denk dat oom Freddie wist dat ze dood waren toen hij dat telefoontje kreeg en dat hij het beter vond me de waarheid geleidelijk aan te vertellen. Ten slotte vertelde hij het omdat hij een goed hart had en niet wilde dat ik bleef hopen. Maar de verwarring bleef bestaan. Niemand kon met zekerheid zeggen hoe mijn ouders gestorven waren en waarom en noch oom Freddie noch tante Maud scheen het te interesseren dat de informatie die ze kregen, tegenstrijdig was.

Mevrouw Hunter-Coote, de vrouw die op de bewuste avond had gebeld, sprak over straatrellen, gewelddadigheden en nazipummels. Tante Maud die von Ribbentrop, de Duitse minister van buitenlandse zaken, kende, schreef hem een brief op poten en kreeg in gladde bewoordingen te horen dat er een incident was geweest, een zaak van verkeerd begrepen identiteit en dat er een onderzoek zou worden ingesteld.

Jaren na de oorlog probeerde ik achter de waarheid te komen, maar werd met een kluitje in het riet gestuurd. Het was indertijd een onbelangrijk incident geweest en de verslagen ervan waren vernietigd.

Ik geloof dat een oude vriend van mijn vader er vragen over stelde in het Lagerhuis maar de dood van mijn ouders was geen nieuws meer toen Chamberlain uit München terugkeerde met de belofte van vrede in onze tijd. En de kranten hadden belangrijker dingen te melden.

Het geheugen heeft een eigen manier om pijn te verzachten en er is veel uit die eerstvolgende weken wat ik me niet herinner. Als ik er nu aan terugdenk, zie ik duidelijk bepaalde beelden als een ketting kralen met hiaten die ik niet kan invullen. De lichamen van mijn ouders werden teruggevlogen naar Engeland en de begrafenis was in Winterscombe. Het kerkje was stampvol en dat verbaasde me omdat mijn ouders zelden gasten ontvingen en ik aannam dat ze weinig vrienden hadden. Mijn peetoom Wexton, die bevriend was geweest met mijn moeder en mijn oom Steenie, las een gedicht voor over tijd en verandering waar ik niets van begreep maar waar Jenna, naast me, om moest huilen. Er waren vrienden uit het regiment van mijn vader uit de oorlog en mensen van liefdadige instellingen waar mijn moeder voor had gewerkt. Ook de weeskinderen waren aanwezig met een zwarte band om hun arm, en Franz-Jacob zat in de bank achter me.

Na afloop drukte Winifred Hunter-Coote mij aan haar enorme boezem en gaf me een besnorde kus. Ik kreeg zoet thee en sandwiches met vispasta en ze zei dat mijn moeder de fijnste vrouw was die ze ooit had gekend. 'Ooit!' riep ze en keek wild de kamer rond. 'De allerfijnste vrouw! Ze had het hart van een leeuwin!'

Toen iedereen was vertrokken en tante Maud, oud en ziek, naar bed was gegaan, liep ik naar de schoolkamer en haalde mijn atlas. Die legde ik bij oom Freddie neer. Ik had het idee dat ik niet begreep wàt er was gebeurd, maar dat het duidelijk zou worden als ik wist wáár het was gebeurd.

Dit legde ik uit aan oom Freddie terwijl ik de atlas voor hem opensloeg op de dubbele pagina die een beeld van de hele wereld gaf.

Er was een indrukwekkende hoeveelheid rood: dat was het Britse Rijk, waar de zon nooit onderging, zoals oom Freddie eens had gezegd. Daar was Amerika, waar mijn peettante Constance woonde, daar was Europa, met steeds wisselende landsgrenzen die opnieuw zouden veranderen.

'Waar is het gebeurd, oom Freddie?' en oom Freddie bekeek de kaart in hopeloze verwarring.

Ik denk dat hij het niet zeker wist, maar hij zag hoe dolgraag ik het wilde weten, dus priemde hij zijn vingers stevig op een plek ergens in Duitsland.

'Daar,' zei hij. 'Het was ongeveer daar, Victoria.' Ik bekeek de plek, ergens links van Berlijn. Toen, tot mijn grote verbazing, want oom Freddie was een volwassen man, verborg hij zijn gezicht in zijn handen.

Toen hij weer te voorschijn kwam en zijn neus snoot, keek hij me smekend aan, alsof hij het kind was en ik de volwassene. 'Het brengt zoveel terug, weet je. Het hier zijn – toen we kinderen waren. De vorige oorlog. Je vader vocht, Victoria, maar ik niet. Ik had kunnen gaan, maar ik deed het niet. Ik was een lafaard, denk ik.'

'U was vast geen lafaard, oom Freddie, u reed een ambulance, u...'

'Toch wel. En ik ben nòg laf.' Hij zuchtte diep en keek me met bedroefde bruine ogen aan. 'Dit is zo vreselijk. Absoluut vreselijk. Ik kan gewoon niet meer denken. O, Victoria, wat moeten we in vredesnaam doen?'

'Het komt wel goed. Alles komt in orde. We hebben elkaar toch.' Ik sprak snel, op de toon van mijn moeder, omdat ik bang was dat oom Freddie weer zou gaan huilen. 'En oom Steenie komt gauw. Dan wordt het beter. Oom Steenie weet wel wat we moeten doen.' Dit scheen oom Freddie op te fleuren. 'Dat is zo. Niets kan Steenie ontmoedigen. Hij vindt wel een uitweg... Nee, bedtijd, jonge dame.'

Ik wilde hem vragen waarom we een uitweg moesten zoeken maar oom Freddie gaf me geen kans, hij joeg me naar boven en toen Jenna me in bed had gestopt, kwam hij naar mijn kamer en zei dat hij me zou voorlezen.

Oom Freddie las met grote levendigheid. Maar zijn literaire keuze was even ongeschikt, zij het op een andere manier – als die van tante Maud. Die avond las hij me een verhaal voor dat hier even aan deed denken. Want het was een detectiveverhaal en er kwam een moord in voor.

Oom Freddie, die dol was op bloeddorstige gebeurtenissen, las met een grafstem voor en rolde telkens met zijn ogen.

'Over mijn lijk!'

Oom Steenie was gekomen, zoals hij in een telegram had beloofd. Hij arriveerde drie dagen later, omdat hij niet eerder een hut had kunnen krijgen op een schip uit New York. Oom Steenie was dol op regelen, hoe gecompliceerder hoe beter en ik zag een glans van toekomstige regelingen in zijn ogen toen ik hem naar zijn kamer volgde. Ik kreeg een chocoladetruffel, die wat oud was en hij nam een opkikkertje uit zijn zilveren heupfles.

'Nou,' zei hij. 'Ik wil dat je weet, Vicky schat, dat alles in orde komt. Ik heb het perfect geregeld. Maar eerst...' Hij gaf me een kus. 'Allereerst krijgen we een kleine schermutseling. Wacht maar boven, dan ben je lief. Ik moet met je oudtante Maud praten.'

Ik schrok van die geruststelling. Alles kwam toch in orde... tenminste voor zover dat nu nog mogelijk was. Ik zou in Winterscombe blijven met Jenna en William. Tante Maud kwam een poosje, oom Freddie kwam een poosje en oom Steenie vloog zoals altijd in en uit. Wat moest hij dan nog regelen?

Ik bleef een tijdlang boven, maar sloop toen naar de overloop. De schermutseling scheen lang te duren en ik liep zachtjes de trap af. De deur van de kamer stond op een kier en mijn oom Steenie had een heldere, ver dragende stem.

'Over mijn lijk!' verklaarde tante Maud woedend en oom Steenie onderbrak haar.

'Maud, schat, wees toch verstandig! Er komt oorlog. Jij kunt die vredestichters geloven, ik niet – en Freddie evenmin. Wat stel jij dan voor? Er is geen geld. Freddie kan niet voor haar zorgen. En ik weet zeker dat jij niet zult zeggen dat ik de juiste man ben. Het arme ding is gewoon verpletterd. Ze moet ver weg, om dit alles te vergeten...'

'Nooit. Niet die vrouw. Ik sta het niet toe, Steenie. Ik wil hier geen discussie over, begrijp je? Dit is een van die dolzinnige plannen van je. Er bestaat geen probleem, alleen in jouw hoofd. Victoria gaat met mij mee naar Londen.'

'Dolzinnig?' Oom Steenie klonk knorrig. 'Het is absoluut niet dol-

zinnig, het is juist verstandig. Je bent toevallig bevooroordeeld tegen Constance, dat ben je altijd geweest. Ze is de peettante van het kind.'
'Peettante. Dat was een fout. Zoals ik toen al zei.'
'Zodra ze het hoorde, bood ze aan Victoria in huis te nemen. Onmiddellijk. Zonder aarzelen...'
'Ze laat het en je kunt haar zeggen, Steenie, dat ik het heel vriendelijk zou vinden als ze niet tussenbeide kwam. Victoria komt naar Londen.'
'En als de oorlog uitbreekt, wat dan? Je blijft toch in Londen? Dat lijkt me niet direct verstandig. Bovendien voel je je niet goed, je bent niet meer zo jong als vroeger.'
'Ik ben nog niet seniel, wil je zo vriendelijk zijn daaraan te denken?'
'Amerika is de meest voor de hand liggende plek, in het begin althans. Als er oorlog komt, is ze er absoluut veilig. In godsnaam, Maud, we hebben het niet over een blijvende regeling, maar over iets tijdelijks. Het kind heeft Constance altijd al willen ontmoeten en vraagt telkens naar haar.'
'Heb je gedronken, Steenie?'
'Nee.'
'Jawel. Je ogen zijn duidelijk rood. Daar zie ik het aan. Je wordt helemaal wild en ik stel voor dat je een poosje gaat liggen. Er valt niets meer te zeggen, jij vergeet dat belachelijke plan en ik vergeet dat jij op het idee kwam.'
'Ik vergeet het niet.' Oom Steenie klonk nu vechtlustig. 'Ik zou erop kunnen wijzen, Maud, dat Freddie en ik haar voogden zijn, niet jij – dus technisch gezien ligt de beslissing bij ons.'
'Pff, Freddie is het met mij eens, hè Freddie?'
'Och,' hoorde ik oom Freddie zuchten. Hij hield niet van beslissen. 'Kennelijk heeft Maud gelijk.' Hij zweeg even. 'Anderzijds heeft Steenie ook gelijk. Ik bedoel, als er oorlog komt, kan Amerika de beste plaats zijn, maar ik geloof eigenlijk niet dat Constance...'
Het ging nog een half uur zo door, steeds ruziënd.
Ik was er zeker van toen ik die avond naar bed ging, dat mijn tante Maud zou winnen, want hoewel tante Maud oud werd en nogal eens vaag was, had ze een geweldige wil als ze werd uitgedaagd. Ik bad lange tijd dat tante Maud zou winnen, dat ik bij haar in Londen zou gaan wonen.
Als ze verloor, zag ik een afschuwelijk visioen voor me. Ik zou naar Constance in New York gaan, zoals ik al die maanden gebeden had. En dat bezoek werd mogelijk door de dood van mijn ou-

ders. 'O, alstublieft, God,' bad ik die avond, 'ik meende het niet. Doe me dit niet aan.'

Die avond werd mijn tante Maud overwonnen, niet door argumenten maar door de kuren van haar hart. Tijdens het avondeten klaagde ze over een slapende arm, ze beschuldigde Steenie dat hij haar overstuur had gemaakt. 's Nachts in bed had ze een tweede beroerte, ernstiger dan de eerste, waardoor ze rechts verlamd raakte en maandenlang niet kon spreken of schrijven of voor zichzelf opkomen. Ze genas, maar het ging heel langzaam, en intussen had oom Steenie zijn zin doorgedreven. Ik geloof dat oom Freddie zijn best deed om er tegenin te gaan maar hij had nooit tegen zijn jongere broer op gekund. Ik probeerde mijn ooms te vertellen dat ik in Engeland wilde blijven, maar oom Freddie was bang dat Steenie boos zou worden en Steenie wilde niet luisteren. Hij draafde maar door.

'Onzin, Victoria, het is de beste oplossing. Bendes kleine meisjes zouden er alles voor over hebben. Je zult New York enig vinden. En Constance, van haar ga je ook houden, net als ik. Ze is zo aardig, Vicky. Ze gaat overal heen, ze kent iedereen, je zult een verrukkelijke tijd hebben. Je kruipt helemaal uit je schulp, dat zul je zien...'

'Ik denk niet dat pappa en mamma dat zouden willen. Ze vonden haar niet aardig, oom Steenie – u weet dat het zo is.'

'O, daar hadden ze hun redenen voor.' Oom Steenie ontweek mijn ogen en wuifde met zijn handen. 'Vergeet het, schat. Het komt er niet op aan. Het ligt allemaal in het verleden.' Hij nam een slokje en wierp me een ondeugende blik toe. 'En het is niet helemáál waar. Er is een tijd geweest dat je pappa Constance juist heel erg aardig vond.'

'Weet u dat zeker, oom Steenie?'

'Absoluut. En ze is hèm altijd aardig blijven vinden. Nu is het goed, hè?'

En voordat ik nog iets kon zeggen, stopte hij me een chocoladetruffel in de mond.

Ik vertrok uit Engeland met de *Ile de France*, op 18 november 1938, één maand voor mijn achtste verjaardag. De boot lag in Southampton.

Tante Maud was nog niet genoeg hersteld om me uit te zwaaien, dus ging ik afscheid van haar nemen in Londen, in haar eens zo beroemde salon die uitkeek over Hyde Park. Mijn beide ooms brachten me naar de boot, samen met Franz-Jacob – dat had ik gevraagd. Jenna ging mee naar New York.

Ze gaven me allemaal een cadeautje voor onderweg; oom Freddie een stapel detectiveverhalen, oom Steenie een orchidee die er als een vleeseter uitzag en Franz-Jacob een doos bonbons.

Dat geschenk gaf hij me op het laatste ogenblik, toen we aan boord waren. De meeste uitzwaaiers waren al terug naar de kade, mijn ooms stonden te wuiven en de eerste confetti werd al uitgestrooid. 'Hier.' Franz-Jacob haalde een vierkant doosje uit zijn zak. Later zag ik dat er acht prachtige bonbons in zaten, een voor ieder levensjaar. Ze waren versierd met gesuikerde viooltjes die eruitzagen als amethisten, en met smaragdgroene engelwortel. Weense bonbons: ze moesten speciaal door zijn ouders gestuurd zijn.

Ik was ontroerd dat hij dat voor mij had gedaan, maar omdat ik hem niet verlegen wilde maken door mijn emotie, bedankte ik hem alleen en drukte de doos dicht tegen me aan. Ik aarzelde.

'Ik zal je missen, Franz-Jacob,' zei ik ten slotte.

'Je mist me niet. Er bestaat geen afstand tussen de harten van vrienden.'

Hij had die zin voorbereid, neem ik aan, want hij sprak die zeer formeel uit. We gaven elkaar een hand.

'Ik zal je iedere week schrijven, Franz-Jacob. Schrijf jij ook? Je laat me toch wel weten waar je heengaat?'

'Natuurlijk schrijf ik.' Hij keek me ongeduldig aan, trok een paar bruinleren handschoenen aan en knoopte ze zorgvuldig dicht aan zijn pols.

'Ik schrijf iedere zaterdag en doe er dan een som bij.' Het leek bijna of hij ging glimlachen. 'Ik moet een oogje houden op je ontwikkeling, hè?'

Ik denk dat hij wist dat ik kon gaan huilen en tranen zouden hem pijnlijk verlegen hebben gemaakt. De scheepsfluiten bliezen en ik schrok, en een vrouw naast me gooide met serpentines. Ik zag ze fladderen en vallen.

Toen ik me weer omdraaide, liep Franz-Jacob stijf de loopplank over en verdween uit mijn leven. Gelukkig wist ik dat toen niet – maar Franz-Jacob, aan wie ik mijn leven zou toevertrouwen, liet nooit meer iets van zich horen.

De sleepboten kwamen in actie en langzaam dreven we weg uit de haven. Jenna en ik bleven lange tijd aan de reling staan en keken door een gordijn van motregen naar de kade, waar een band speelde en mijn ooms wuifden. Franz-Jacob stond onbeweeglijk; hun gestalten werden steeds kleiner totdat we moesten toegeven dat er niets meer te zien was.

Dat is alles wat ik me herinner van mijn vertrek: Franz-Jacob en de belofte die hij nooit heeft gehouden. De reis ben ik vergeten, ik heb er ook nooit over gedroomd. De oceaanreus, de Atlantische Oceaan vanaf het dek – het is allemaal weg, maar wel droom ik soms van de stad die me wachtte. Dan zie ik Manhattan zoals ik het voor het eerst zag, een onbekende plaats van aangrijpende schoonheid. Ik zie mist over het water, ik proef de ochtend in mijn mond, de winterzon schijnt op een Babylon van torens.

Constance staat op de kade te wachten. Ze is van top tot teen in het zwart, terwijl ik alleen een rouwband om de mouw van mijn Harris tweedmantel draag. In mijn dromen begroet Constance me zoals ze me toen begroette. Ze komt naar voren. Ze sluit me in haar armen. Haar kleren zijn zacht. Ik ruik haar parfum, groen als varens, met een vochtiger, hongeriger geur eronder, als aarde. Ze draagt handschoenen, raakt mijn gezicht aan met die handschoenen. Haar handen zijn klein, niet veel groter dan de mijne. De handschoenen zitten strak als een tweede huid.

Wat vond Constance aanrakingen toch heerlijk! Ze streelt mijn haar. Ze lacht om mijn hoed. Haar gezicht wordt ernstig. Ze neemt mijn gezicht tussen haar handen en bekijkt een voor een mijn gelaatstrekken. De bleke huid, de sproeten, de modderkleurige onbestemde ogen – en ze schijnt iets te zien wat haar bevalt, want ze glimlacht.

Het is alsof ze me herkent – hoewel dat onmogelijk is. Ik staar naar mijn peettante. Ze straalt.

'Victoria,' zegt ze en neemt mijn hand in de hare. 'Victoria, jij bent het. Welkom thuis.'

'Jij bent het.'

Juffrouw Marpruder zei dertig jaar later precies hetzelfde toen ze me op haar stoep zag staan, onaangekondigd.

'Jij bent het,' zei ze weer en haar gezicht betrok.

Ze voegde er geen 'welkom thuis' aan toe, maar bleef in de deuropening staan – juffrouw Marpruder die altijd zo gastvrij was geweest. We keken elkaar wat ongelukkig aan. Achter haar zag ik de bekende zitkamer met de rode bank. Er stond een doorgezakte stoel bij de tv. Haar moeder was dood, dat wist ik. Ze woonde alleen – ik kon de eenzaamheid ruiken, die drong door tot in de hal.

'Prudie,' zei ik, verbaasd over die ontvangst. 'Ik heb geprobeerd je te bellen. Ik heb het hele weekend gebeld en toen dacht ik...'

'Ik wist dat jij het was. Daarom nam ik de telefoon niet op.'

Ik keek haar geschokt aan. Ze deed niets om het vijandige in haar stem te verbergen.

'Ga weg. Ik wil je niet zien. Ik ben bezig, ik zit naar de tv te kijken.'

'Prudie, toe, wacht even. Wat is er mis?'

Ze stond op het punt de deur voor mijn neus dicht te slaan maar bedacht zich. Ik begreep er niets van, haar gezicht was vertrokken van woede.

'Mis? Jij hebt het mis. Ik weet waarom je hier bent – niet om mij op te zoeken. Je zoekt mevrouw Shawcross. Nou, ik kan je niet helpen – en àls ik het kon, zou ik het niet doen. Ik wéét niet waar ze is. Zo – is dat duidelijk genoeg voor je?'

'Prudie, ik begrijp er niets van.' Ik wilde haar arm aanraken maar ze deed of ik haar een klap wilde geven.

'Je begrijpt het niet? Als je dat gelooft, geloof je alles, juffertje Succes – o, wat doen we het goed. Al die welgestelde cliënten. Gek hè, hoeveel van hen vroeger bij je peettante kwamen.'

Ze sprak snel, alsof al haar wrok boven kwam. 'Je hebt mevrouw Shawcross gebruikt en nu probeer je mij te gebruiken. Acht jaar – ik heb je in geen acht jaar gezien.'

'Maar ik ben in geen acht jaar in New York geweest. Alleen op het vliegveld, om over te stappen. Ik heb je toch geschreven. Ik schreef toen...'

'Toen mijn moeder stierf – o ja.' Haar ogen vulden zich met tranen. 'En nou ben ik je van alles schuldig, hè?'

'Maar Prudie, hoe kun je zoiets zeggen?'

'Gemakkelijk. Nou zie ik hoe je bent, vroeger niet. Ik word er ziek van.'

Ze beefde, door haar pogingen om me te overtuigen, dacht ik eerst. Toen zag ik dat het leek of ze probeerde zichzelf te overtuigen.

'Prudie, goed, ik zal gaan. Maar voordat ik wegga, wil ik je nog één ding duidelijk maken. Je moet niet denken dat ik de cliënten van Constance heb weggekaapt. Zo werken we niet – dat moet jij toch weten...'

'O ja? En dat huis in Dorset dan? En Antonelli?' De namen rolden van haar tong alsof ze ze geoefend had. Ik keek haar verbijsterd aan.

'Maar Prudie. Ze vroegen eerst of Constance het wilde doen. Toen die weigerde, kwamen ze bij mij.' Ik zweeg even. 'Dat zijn mijn enige cliënten die iets met Constance te maken hebben gehad. Ik heb alles zelf opgebouwd.'

'Ze heeft geweigerd?' Juffrouw Marpruder leek na te denken. Ze schudde haar hoofd.

'Het is waar, Prudie.'

'Ja, dat kan wel. Misschien heb je gelijk. Ik was woedend op je. Ik ben moe en ik slaap slecht. Ga nu maar. Zoals ik al zei – ik kan je niet helpen.'

'Prudie, wat is er aan de hand?'

'Aan de hand? Wat kan er zijn? Ik ben nu toch een vrijetijdsbesteder. Geen crises meer om op te lossen. Geen geren naar de ondergrondse iedere ochtend. Ik kan vierentwintig uur tv kijken als ik wil. O, met mij is het best. Ik ben gepensioneerd.'

Ik staarde haar aan, kon me niet voorstellen dat de zaken van Constance zonder haar functioneerden – tenzij ze een jongere vervangster had.

Mijn hart deed pijn van medelijden. Nu de pit er bij juffrouw Marpruder uit was, zag ze er oud uit. De rimpels schenen door de laag poeder op haar gezicht. Haar sleutelbeenderen staken naar voren. Haar gepermanente haar was dun. Ik besefte plotseling dat ik niet wist hoe oud ze was.

'Vijfenzestig,' zei ze alsof ze mijn gedachten kon lezen. 'Nee, het was geen idee van mij. Ik wilde niet weg. Maar mevrouw Shawcross wilde het, twee maanden geleden. En ze wilde niet luisteren. Je weet hoe ze is als ze eenmaal iets in haar hoofd heeft...'

'Prudie, wat erg.'

'Ik wen er wel aan. Ze laat alles op zijn beloop... de zaak. Net alsof ze er zelf mee wil ophouden. Daarom moest ik weg, denk ik.'

Voordat ik iets kon vragen, ging ze verder: 'O, ze is niet ziek – zij niet. En nog steeds even mooi, vol energie. Maar ze is veranderd. Sinds jij weg bent – toen is het, geloof ik, begonnen. En ze was diep onder de indruk toen je oom Steenie stierf. Ze heeft overal genoeg van, geloof ik. Ze wil gaan reizen – dat zei ze tegen me.'

'Reizen? Waarheen? Ik heb alle hotels gebeld. Haar vrienden verwachten haar ook niet, dat zeggen ze tenminste.'

Prudie haalde haar schouders op. 'Ik zou het niet weten. Ze had een route uitgestippeld. Ik weet niet waarheen, ik weet niet wanneer.'

'Prudie, alsjeblieft. Dat kan niet. Je moet weten waar ze is en waar ze heengaat. Je wist het altijd. Ik móet haar spreken. Nu Steenie dood is – is zij mijn verléden, Prudie. Er zijn dingen die zij alleen kan uitleggen. Dat begrijp je toch wel?'

Ze aarzelde. Speelde met een glazen ketting en even dacht ik dat ze zou ontdooien. Haar gezicht werd zachter. Ze knikte een paar maal.

'Ja, dat begrijp ik wel. Toen mijn moeder stierf – waren er dingen die ik had willen vragen en nu is het te laat.' Ze zweeg plotseling.

Haar gezicht werd weer hard. 'Ik begrijp het, maar het maakt geen verschil. Ik zei het al, ik kan je niet helpen.'
Ze deed een stap achteruit. In de kamer kwam een nieuw deuntje uit de tv.
'Kun je het niet of wil je het niet, Prudie?'
'Kies zelf maar. Dat is mijn lievelingsprogramma dat daar begint. Ik wil er niets van missen. Oké?'
'Prudie!'
'Laat me met rust,' zei ze, nu weer boos. En voor de tweede maal werd een deur voor mijn neus dichtgegooid.

Als ik Prudie niet gesproken had, geloof ik dat ik het had opgegeven en naar huis was gegaan. De droom van Winterscombe bleef de hele avond bij me: ik voelde dat het huis aan me trok.
Ik wilde zeggen: 'Constance kan opvliegen' maar door Prudie veranderde dat. Misschien was Prudie – eens mijn vriendin – tegen me opgezet. Ik kende Constance, ze zou het heel subtiel doen, druppel voor druppel. Had Prudie uiteindelijk begrepen dat zij zelf gebruikt was – beschuldigde ze me er daarom van dat ik Constance had gebruikt?
Ik overdacht die beschuldiging, wist dat het niet waar was – en dat maakte me boos. Ik veronderstel dat het me ook pijn deed; ik hield nog steeds van Constance en ze had nog steeds de macht om me te kwetsen.
Twee vrouwen. Ik herinnerde me meneer Chatterjee en dacht dat hij door stom geluk gelijk had gekregen – me in ieder geval in de richting van een besluit had geduwd. Wie was Constance? Was zij de goede peettante uit mijn Newyorkse jeugd, of de slechte? Had mijn moeder, zoals Vickers had gezegd, Constance van Winterscombe verbannen – en waarom? Wat had mijn moeder over Constance geweten dat ik niet wist?
Er was een tijd dat je pappa Constance juist heel aardig vond. En ze is hem altijd aardig blijven vinden...
Een sluwe suggestie van dertig jaar geleden, maar nooit vergeten.
Ik wilde dat die stem wegging. Ik wilde dat ze allemaal weggingen maar dat wilden ze niet. Het scheen me toe dat ik een impasse had bereikt. Ik geloofde dat Constance in New York was en dat ze me vermeed. Als juffrouw Marpruder me niet hielp, was er niemand anders. Maar langzamerhand kreeg ik een idee. Ik dacht aan het graf van Bertie, aan de bloemen, dezelfde soort bloemen als die ik bij Vickers had gezien.
Ik dacht aan de jarenlange vriendschap tussen die twee. Hun geza-

menlijke aanbidding voor het altaar van stijl. Ze wisselden altijd namen uit van getalenteerde jongelui die Franse stoelen konden restaureren, gordijnen draperen, *trompe l'oeuil* schilderen – of bloemen schikken.
Ik belde ogenblikkelijk Conrad Vickers op.
Hij leek eerst op zijn hoede alsof hij meer vragen over Constance verwachtte. Toen hij ontdekte dat ik alleen de naam van zijn geweldige bloemist wilde weten, ontspande hij zich.
'Scha-at, natuurlijk! Zijn ze voor een potentiële cliënt? Zeg verder maar niets – hij heet Dominic en doet het volmaakt. Een tel, hier is het nummer... O, en als je opbelt, geef hem dan mijn naam. Hij kan wel eens een héél klein béétje moeilijk doen. Verleden jaar... nou ja, je weet hoe dat gaat. *Folie de grandeur.* Hij noemt nu namen tegen mij – onnozel, hè? O, en laat je niet afschepen door zijn vreselijke assistenten. Spreek met Dominic zelf – hij zal smelten voor je charmes. Weer een naam erbij.'

'Ja-a-a?'
De lettergrepen gaven de indruk van loomheid, belangrijkheid en beginnende kruiperigheid. Misschien was samenwerking mogelijk, zei die stem – bijvoorbeeld wanneer er een hertogin aan de lijn was of als de vrouw van de president hem persoonlijk op maandagmorgen om zeven uur uit zijn bed belde.
Ik dacht na. In mijn werk had ik vele Dominics ontmoet. Nu kon ik assertief doen of geagiteerd. Ik koos het laatste, het scheen de moeite van het proberen waard, vooral als ik mijn keurige Engelse accent gebruikte.
'Dominic? Is dat Dominic zelf? Goddank dat ik je te pakken heb – er is zo'n drámá...'
'Calmez-vous,' zei Dominic met een erbarmelijk Frans accent.
Ik gaf hem een verzonnen, prachtig klinkende dubbele naam.
'Dominic. Ik hoop dat je kunt helpen. Zie je, ik ben de nieuwe assistente – en je weet hoe mevrouw Shawcross is. Eén enkele vergissing en ik ben de ex-assistente. Ze is in alle staten over de bestelling. Je bent er toch mee bezig?'
'Scha-at!' De imitatie van Conrad Vickers was bijna volmaakt. 'Natuurlijk ben ik ermee bezig.'
'En je stuurt toch riddersporen?'
'Natúúrlijk, liefje.' Hij was nu zeker een bondgenoot. 'Ridder-sporen, de meest verrukkelijke rozen, een paar brutále viool-tjes...'
'Toch geen lelies? Weet je dat zeker, geen lelies?'

'Lélies? Voor mevrouw Shawcross?' Hij klonk geschokt. 'Zou ìk dat doen? Maar lieve kind, ze veràfschuwt ze.'
'O, goddank. Er moet een vergissing in het spel zijn. Mevrouw Shawcross dacht dat iemand het over lelies had...' Ik zweeg even.
'Nog één probleem, Dominic. Waar stuur je ze naar toe?'
'Welk adres?'
Zijn stem klonk nu of hij het niet vertrouwde. Mijn hart bonsde.
'Stuur je ze naar Fifth Avenue?'
Het werkte. Nu was het Dominics beurt om te jammeren.
'Vijfde, scha-at? Nee, Pàrk. Hetzelfde adres als vorige week, en de week daarvoor. Hier heb ik het. Zeven-vijf-zes Park Avenue, appartement vijf-nul-een. Zeg dat het goed is, anders kruisig ik die assistent van me...'
'Nee, nee. Park is correct,' zei ik haastig terwijl ik het adres opschreef. 'O, wat een opluchting. En ze komen – wanneer?'
'Om tien uur, schatje, mijn wóórd erop...'
'Dominic, je bent fantastisch. Dank je wel.'
'*Rien*, absoluut *rien*. O, tussen twee haakjes...'
'Ja?'
'Vond mevrouw Shawcross het boeket mooi dat ik voor haar gemaakt had? Ze had het zondag nodig – voor het graf van haar dochtertje. En ze belde persóónlijk. Ik kon haar tranen horen. *Un frisson*, scha-at. Ik had nooit op zo'n manier aan haar gedacht. Als een moeder. Ik wist zelfs niet dat ze kinderen had gehad...'
Het was even stil.
'Nee,' zei ik. 'Nee, Dominic. Ik ook niet.'

Constance had nooit kinderen gehad. Geen meisje – en geen jongen. Ze had me eens uitgelegd dat ze geen kinderen kon krijgen. Ik was haar dochter, zei ze dan; daar had ze altijd op gestaan.
Vond ze het gek te zeggen dat de bloemen bestemd waren voor een hond van wie ze eens veel had gehouden? Maar waarom dan zo'n uitweiding? Waarom zo'n verhaal verzinnen als geen verklaring nodig was? Ik dacht dat ik het antwoord daarop wel wist: leugens vormden een deel van Constances aard. Ze vertelde me eens een vreselijke leugen, en toen realiseerde ik het me: Constance loog omdat ze leugens heerlijk vond, ze genoot van de complicaties die je kreeg. 'Wat is een leugen?' was een van haar lievelingsuitspraken. 'Een leugen is niets, een spiegelbeeld van de waarheid.'
Ik stond voor haar appartement aan het park toen ik hieraan dacht. Het was half tien en onder mijn arm had ik een enorme doos bloemen die ik, met mijn Amerikaanse accent, bij Dominic had ge-

kocht. Een opvallende doos, met zijn naam in grote groene letters. Het leek me heel toepasselijk dat ik Constance eindelijk had gevonden door dubbelhartigheid.

Eindelijk had ik haar opgespoord. Hier had ze zich dus verstopt. Ik keek omhoog naar het gebouw. Waarschijnlijk had ze het appartement van vrienden geleend, maar zelfs dan vond ik het een vreemde keus voor Constance.

Constance had de meest eigenaardige restricties – je kon wel hier wonen, maar niet daar – en wat Park Avenue betreft was ze altijd scherp geweest. Het was saai, veilig, voorspelbaar bourgeois. 'Park,' zei ze, 'was fantasieloos.' En als Park zo saai en fatsoenlijk was, was dit gebouw dat ze had uitgezocht, verreweg het fatsoenlijkste. Helemaal geen plek voor Constance om in weg te kruipen. Maar het was tijdelijk, hield ik mezelf voor, toen ik de hal binnenkwam. Ik was nerveus. Nog een paar minuten en ik zou Constance spreken. Zou ze me verwelkomen? Me de deur uitzetten? Ik liep naar de balie.

'Ik kom van Dominic – met bloemen voor mevrouw Shawcross. Ik ben wat vroeg, geloof ik. Is het goed als ik naar boven ga?'

Ik kan nooit oneerlijk doen en ik kreeg een kleur toen ik het vroeg. Zo dadelijk werd ik weggestuurd als een bedriegster. En het verbaasde me toen de man de telefoon neerlegde en zei: 'Vijf-nul-een. Gaat u maar.'

Ik telde tot vijftig toen ik voor haar deur stond. Mijn handen trilden.

Het was niet Constance die opendeed; het was het dienstmeisje. En erger nog, het was dezelfde lilliputachtige wilde van de vorige dag. Ik had die mogelijkheid moeten voorzien, veronderstel ik. Nu wachtte ik in wanhoop tot ze me herkende.

Ik ben een meter vijfenzeventig, haar blik begon ergens halverwege, ging langzaam omhoog. Ik wachtte op een nieuwe miniatuur woede-uitbarsting, op een deur die voor mijn neus zou worden dichtgegooid. Zo ver te komen en dan alles te zien mislukken, dat was meer dan ik kon verdragen. Ik zette mijn voet tussen de deur. Ik keek omlaag toen ik het deed en toen ik opkeek, zag ik iets wonderlijks. Geen enkel teken van vijandigheid: ze glimlachte.

'Victoria, ja?' Ze giechelde hoog. 'Precies op tijd – mooi. Kom binnen, hierheen – vlug.'

Ze nam de doos met bloemen, ze verdween erachter. Toen zette ze die neer en liep snel een smalle gang door. Met een weids gebaar opende ze een deur en ging toen opzij om me door te laten.

De kamer die uitzag op de laan, was leeg. Geen Constance. In de war gebracht draaide ik me om. Een telefoon in de hal rinkelde. 'U wachten. Een ogenblik. Excuseer alstublieft.'

Het mensje verdween. Ze sloot de deur achter zich. Vanuit de hal hoorde ik lange stilten, onderbroken door muisachtig gepiep van het dienstmeisje.

Ik liep naar de kamer erachter – een slaapkamer. Niemand had zich daar verborgen, geen Constance wachtte achter de deur. De kamers verbaasden me. Ik kon me niet voorstellen dat Constance, zelfs *in extremis*, hier kon wonen.

Constance was binnenhuisarchitecte – had een obsessie wat betreft de inrichting van kamers. Alles in haar kamers, ook als ze in een hotel was, moest aan haar smaak voldoen.

Zou Constance hier ooit kunnen wonen? Ze hield van elegante kamers, van sterke, levendige, gedurfde kleuren, hardgeel, hardgroen, Pruisisch blauw of granaat, dat ze Etruskisch noemde. Die kamers moesten ingesloten ruimten zijn. En uit die kleuren en meubels die niet bij elkaar pasten maakte Constance een harmonieus geheel.

Japanse kamerschermen, Chinees porselein, gekke curiositeiten zoals antiek houten speelgoed. En overal bloemen en oude verkleurde spiegels. Hier kon Constance toch niet wonen?

Deze kamer was gebroken wit, een symfonie van crème en beige, de cocktailperiode uit de jaren twintig met een knikje naar de brutaliteit van het Bauhaus. Ik was op de verkeerde plaats beland. Toen kwam het meisje weer binnen en ontdekte ik mijn vergissing. Constance was hier bij mij in de kamer en – zoals ik had kunnen voorzien – hield ze me toch nog een keer voor de gek.

'Cadeau.' Het meisje gebaarde naar een tafel van gebleekt hout. Ze giechelde weer. 'Mevrouw Shawcross – aan telefoon. Vliegtuig belt. Moet zich haasten. Heeft cadeau voor u achtergelaten. U neemt het mee – ja?' Er lag iets op de tafel. Ik liep erheen en bekeek het. Het leek een eigenaardig cadeau. Het waren zo'n vijfentwintig schriften, schatte ik. Ouderwetse schoolschriften, allemaal even groot en met een zwarte kaft. Het bovenste had geen etiket en de rest was al even anoniem, zag ik later. De schriften waren netjes opgestapeld en met een touw bij elkaar gehouden. Voor het geval ik zou twijfelen of het voor mij was bestemd, was er een briefje bij met mijn naam. Dik wit papier, het handschrift bekend, de halen van de letters fors, het bericht kort.

Fluit en ik kom naar je toe, had Constance geschreven. *Je hebt me gezocht, liefste Victoria, hier ben ik.*

Ik nam Constances cadeau mee terug naar Winterscombe. De schriften waren nog ongeopend, het touw zat er nog om. Ik wist dat het geen zin had verder naar Constance te zoeken of mensen te bellen. In plaats daarvan had ik haar schriften: *hier ben ik*.

Toch aarzelde ik om ze te openen, ook omdat het briefje van Constance me irriteerde: *Fluit en ik kom naar je toe*. Het was een citaat, dacht ik, en heel bekend. Maar wat was het precies?

Toen ik in het huis aankwam, legde ik de schriften in de bibliotheek en vermeed de kamer. Eerst was dat gemakkelijk genoeg: Winterscombe leidde me af.

Om de boel hier op te ruimen had ik verschillende opdrachten moeten uitstellen. Geen getreuzel, hield ik mijzelf voor toen ik mijn Londense flat afsloot. Het was al september en Winterscombe was slecht onderhouden. Ik kon het niet nog een winter leeg laten staan, was mijn argument. Maar dat was niet de hele waarheid: na de jaren waarin ik het huis had vermeden riep het mij nu terug.

Je moet je herinneringen niet om de tuin leiden. Ik had gewild dat Winterscombe het huis bleef van mijn jeugd. Zelfs toen Steenie er woonde, zag ik er tegenop om erheen te gaan. Zolang ik in Amerika was, kon ik Winterscombe gemakkelijk ontlopen. Dat lukte ook toen ik terugkwam. Ik kocht een appartement in Londen hoewel ik er minder tijd doorbracht dan op hotelkamers. Als Steenie me uitnodigde (dat deed hij dikwijls in het begin) kon ik altijd zeggen dat ik het te druk had. Tot zijn laatste ziekte was ik niet meer dan drie- of viermaal in het huis geweest. Ik was bang, bang de bewijzen te zien van de veranderingen, van de tijd die voorbijging. Nu – en dat voelde ik duidelijk – riep het me.

Het was niet meer dan praktisch, want Winterscombe moest worden verkocht en voordat ik Sotheby en Christie's kon opbellen om een verkoping van de inboedel te organiseren, moest ik alles hebben doorgenomen. Ik wilde niet dat onverschillige veilingmeesters kisten en koffers overhoop haalden. Die droeve taak kwam mij toe. Dit was het verleden van mij en mijn familie, alleen ik kon beslissen wat er weg kon en wat ik moest houden.

Ik gaf mezelf één maand. Maar zodra ik er was, besefte ik dat dat niet voldoende zou zijn. Steenie had een puinhoop achtergelaten.

Toen het geluk hem in de steek liet, was hij hier gaan wonen. Veel kamers waren afgesloten en gedurende zijn laatste ziekte had ik de moed niet erin rond te snuffelen. Nu de huisbewaarder uit de portiersloge kamers en ramen kwam openen, zag ik pas wat voor chaos Steenie teweeg had gebracht.

Eerst dacht ik dat het slordigheid was maar later veranderde ik van gedachten. Ik besefte dat Steenie ergens wanhopig naar zocht, bureaus opende en de inhoud van koffers over de grond strooide. Steenie had een spoor achtergelaten dat onmogelijk te volgen was. In de oude balzaal waar Franz-Jacob en ik nog hadden gedanst, vond ik een kist kleren van mijn grootmoeder. Een andere lag, half uitgepakt in de Koninklijke Slaapkamer, een derde, vol baleinkorsetten, in de stal.

Overal lag oud speelgoed en delen van een prachtig eetservies vond ik in de servieskasten, de rest stond onder het biljart. En papieren: sporen van een verleden waar ik niets van wist. Liefdesbrieven van mijn grootvader aan mijn grootmoeder, brieven van haar zoons vanuit de loopgraven. Kindertekeningen, kranteknipsels, foto's van honden, van vrouwen met enorme hoeden, van onbekende besnorde jongemannen op een bordes of in het uniform van de Eerste Wereldoorlog, en nog veel meer.

Er waren schatten voor mij bij. Ik vond dagboeken van mijn moeder waarvan ik het bestaan niet kende. Brieven van mijn vader aan haar van voordat ik geboren was. Ik wilde ze lezen, maar wist niet of ik daar het recht toe had. Erger was dat ik kennelijk niet de eerste was die zich aan die privé-schatten had bezondigd. Steenie was me voor geweest – dat was duidelijk. Enveloppen waren opengescheurd, dagboeken ingekeken en weggesmeten. Het was alsof Steenie met steeds grotere wanhoop ergens naar aan het zoeken was geweest. Er kwam een lelijke verdenking bij me op: had mijn oom gezocht naar de schriften die nu keurig ingepakt in de bibliotheek lagen?

Overdag, als de huisbewaarders bij me waren, als de zon scheen en ik aan het werk was, kon ik gemakkelijk alle achterdocht opzij zetten, maar 's avonds, als ik alleen was, voelde ik de aanwezigheid van de schriften als een druk. Ik moest naar de bibliotheek. Ik zou ze bekijken.

Op de derde avond, toen ik nog steeds aarzelde, belde ik Wexton op.

'Wexton,' zei ik, toen we klaar waren met een gezellig praatje. 'Wexton, ik heb een citaat dat me al weken achtervolgt. Ik heb het eerder gehoord, maar kom er niet achter waar en hoe.'

'Uitstekend.' Wexton scheen het plezierig te vinden. 'Ik ben een vrij goed woordenboek. Probeer het maar.'

'*Fluit en ik kom naar je toe*. Is het een gedicht, Wexton?'

Wexton grinnikte. 'Nee, en het is ook niet volledig. "*O, fluit en ik kom naar je toe, mijn jongen*." Het is de titel van een verhaal van M.R. James – heeft niets met Henry te maken, hoor. Linguïst, godsdienstwetenschapper. Ooit van hem gehoord?'

'Vaag. Ik heb hem nooit gelezen.'
'Hij is natuurlijk al lang dood. Naast al die wetenschap schreef hij verhalen – niet gek, tussen twee haakjes. Dit is een van de griezeligste.'
'Griezeligste?'
'Het zijn spookverhalen. En heel eng. Maar ik zal het je niet vertellen – tenminste niet als je het wilt lezen en lees het niet in Winterscombe als je er 's avonds in je eentje zit.'
'En dit verhaal, Wexton? Weet je nog waarover het gaat?'
'O ja. Ik denk dat het zijn beroemdste is. Maar ik vertel je er niets van. Ik wil het niet bederven.'
'Alleen waarover het gaat, dat is voldoende.'
'Ja,' antwoordde Wexton, 'het gaat over een spookfluitje.'

Dat gaf de doorslag. Constance was geen echte lezer. Ik kan me niet herinneren dat ze ooit een boek heeft uitgelezen, het was een van de grote verschillen tussen ons. Ze was wel een groot lener van boeken, waar ze dan in bladerde. Als ze dit citaat had gekozen en misschien verwachtte dat ik het herkende, had ze het opzettelijk gedaan. Nog een grapje in het verstoppertje-spelen dat ze met me deed – of was het kat-en-muis?
Ik had langzamerhand genoeg van Constances spelletjes. Aangezien ze me haar schriften had gegeven, zou ik ze bekijken. Dan was ik ervan af en kon ik ze vergeten. Maar ik zou het doen onder mijn eigen voorwaarden. Als Constance bij me wilde spoken – en ze zou zo'n idee best aardig vinden – zou haar dat niet lukken. Ik zou haar uitbannen.

De volgende dag begon ik met de voorbereidingen. Het weer was omgeslagen en het was koud. Winterscombe voelde kil aan, met die vochtige, doordringende kou van huizen die lange tijd onbewoond zijn geweest.
Ik haalde de huisbewaarder over de oude verwarmingsketel in de kelder aan te steken, waarvan ik me vroeger voorstelde dat hij op bankbiljetten brandde. Na veel protest werkte hij. Ik ging weer naar boven. Pijpen klopten en ratelden en ik voelde de oude harteklop van mijn huis: het kwam weer tot leven.
Die avond nam ik Constances stapeltje mee naar de zitkamer. Ik stak de open haard aan. Ik sloot de oude, versleten gordijnen. Ik verzette de meubels. Er ontbrak nog wel iets maar het lamplicht was voldoende om de illusie van het verleden op te roepen. De verzakte bank, de versleten vloerkleedjes, de stoel van mijn moeder,

het schrijfbureau tussen de ramen, het krukje waar mijn vriend Franz-Jacob altijd op zat – toen alles op zijn oude plaats stond, begon het huis te spreken. Ik was bijna klaar, er ontbrak nog maar één ding.

Ik vond dat tenslotte in een kast: de vouwtafel waaraan in een ander leven een meisje dat Charlotte heette met mij had zitten kaartspelen.

Ik zette de tafel goed neer met een stoel voor mijzelf en een voor een meisje dat ik in geen dertig jaar had gezien. Toen – en ik vermoed dat ik wist dat ik het zou doen – legde ik de schriften van Constance op het groene laken. Hier was Constance mijn leven binnengetreden, hiervandaan zou ze vertrekken. *Hier ben ik.*

De kamer was stil. Ik sloot mijn ogen. Ik liet Winterscombe in mijn huid dringen. Vocht en de geur van brandend hout, leren stoelen en lange gangen, linnen en lavendel, geluk en buskruit. Toen ik mijn ogen opende, was de kamer vol mensen.

Oom Steenie gaapte en bladerde in een tijdschrift. Mijn tante Maud las een damesroman: *Een Hart op het Kruispunt*. Mijn oom Freddie zat te dommelen met de windhonden aan zijn voeten. Mijn moeder speelde Chopin en mijn vader zat naar haar te kijken, boog zich toen naar het vuur. Het hout knetterde.

Achter hen, stil maar duidelijk aanwezig, waren andere figuren: mijn derde oom die ik nooit had gekend, die in de Eerste Wereldoorlog was gesneuveld; mijn grootvader Denton, dood voordat ik geboren was; mijn Amerikaanse grootmoeder Gwen, die korte tijd na hem stierf. Ze wachtten als nederige smekelingen en omdat ze er waren, vertrouwde ik hen. Ik sneed het touwtje van het pak schriften door.

Het waren dagboeken, ik denk dat ik dat had verwacht. Ik opende het eerste om een datum te zien: 1910, en een plaats: Winterscombe. Het handschrift herkende ik niet.

Ik tuurde in verwarring naar het blad. Het had iets bekends, maar ik kon het niet thuisbrengen. Het was net buiten mijn bereik en knaagde aan mijn geheugen. Wiens handschrift was dit? Waarom zou Constance me zulke oude dagboeken sturen? Ik opende het volgende schrift: dezelfde onbekende hand. Maar het derde had een ander handschrift en dat herkende ik. Er viel een brief uit.

Die brief was het eerste en laatste epistel dat ik ooit van Constance heb ontvangen. Ik zou hem vele malen overlezen en heb hem nog steeds, de essentiële Constance.

Mijn liefste Victoria, schreef ze.
*Zit je lekker? Goed. Dan zal ik je een verhaal vertellen, al denk je
dat je het al kent.*
*Het gaat over Winterscombe, je familie, je ouders en mij. En over
een moord – is het een moord? – dus let goed op als je leest. Ik zou
het jammer vinden als je de belangrijkste aanwijzingen miste.*
*Waar zullen we beginnen? Met jouw doop en mijn verbanning? Ik
denk dat je dat graag zou willen – de kans om al die geheimen op
te lossen. Maar je moet wachten. We komen nog wel aan jouw
aandeel in het verhaal toe; om te beginnen neem ik het toneel in
beslag.*
*Je bent misschien verrast om te ontdekken dat je deze Constance
niet kent. En misschien ontdek je ook dat je die moeder en vader
niet kent – misschien shockeren we je wel een beetje. Geef me een
hand en ga mee terug met mij. Kijk eens, ik ben een kind, en het is
het jaar 1910.*
*Vanavond geeft je grootmoeder Gwen, die nog jong en mooi is (net
zo oud als jij nu, lieve Victoria) een groot feest. Vannacht passeert
de komeet van Halley. We gaan allemaal kijken, dat is het doel van
het feest. Een komeet is misschien niet het beste voorteken voor
zo'n gelegenheid, maar daar denkt ze niet aan, ze heeft andere dingen aan haar hoofd. Heb je over het feest gehoord? Vast wel. Maar
luister. Ik geef je een ongecensureerd verslag. Lees de versie van
mijn vader (ja, de eerste twee schriften zijn van hem). En lees dan
de mijne. Maar stop daar niet – niet als je me wilt inhalen! Dan
moet je doorlezen tot het eind. Er zit enorm veel ruimte tussen die
kleine dagboeken van mij!*
*Als je klaar bent met lezen, zou ik graag met je praten. Want ik mis
je, mijn klein petekind met de morele ogen! Laten we praten. Geef
me je oplossing. Die zou ik graag willen horen. Zeg me wie de
moordenaar was en wie het slachtoffer, leg me de aard van de misdaad maar uit.*
*Intussen is het 1910. Klinkt dat ver weg? Dat is het niet, hoor, in
een oogwenk is het gisteren. Kijk, hier is het huis. Hier zijn de tuinen. Daar zijn de bossen waar dat slimme vriendje Franz-Jacob
van jou bloed kon ruiken...*
*Het verleden. Het is een goed geschenk om iemand te geven, vind
je niet? En dit lijkt het juiste moment – voor jou en voor mij. Hier
is het verleden, een geschenk dat alleen ik je geven kan. Weet je hoe
het eruitziet? Als mijn spiegelhal in New York, waar je zoveel van
hield. Steeds verder terug; een spiegelbeeld met een ander erachter,
steeds verder, oneindig ver.*

Als je klaar bent met lezen, vertel me dan hoeveel vaders je ziet en hoeveel Constances.

Het was haar bedoeling me nieuwsgierig te maken en daar was ze in geslaagd. Ik begon te lezen. Ik liet Constance en haar vader mijn gids zijn – in het begin althans.
Ik herinnerde me ook waar ik was toen het jaar 1910 voor het laatst werd genoemd. Ik hoorde de sitarmuziek, rook India, rook Winterscombe. Magie – misschien. Toen ik aan het eerste schrift begon met een datum in april 1910, had ik het gevoel dat meneer Chatterjee toekeek.

Naar het Stenen Huis in de tuinen, las ik. Deze ochtend, met Gwen. De nieuwe zwarte linten in mijn zak, veilig verstopt. Eenmaal daar wilde die vervelende Boy ons laten poseren voor een foto. Wat een onnozele hals! Duivels oponthoud, een lange belichting; afdruk van overspel, welk zoete feit Boy, de stommerd, nooit vermoedt...

Ik las verder. Wat volgt is wat ik te horen kreeg niet alleen van Constance en haar vader, maar ook van andere getuigen. Ik zal het laten zien zoals ik het toen zag – als een verhaal maar ook als een puzzel waarvan de stukjes niet altijd pasten en waarvan (zoals ik soms vreesde) de belangrijkste stukjes ontbraken.
Misschien zien anderen eerder dan ik hoe alles aan elkaar paste en zijn zij slimmer dan ik om iets wat al dan niet een misdaad was, op te lossen.
Een woord van waarschuwing voor we beginnen. Wie heeft dit verhaal voornamelijk verteld? Nou, Constance. En wat is Constance? Een binnenhuisarchitecte.
Pas op voor binnenhuisarchitecten! Het is niet altijd even verstandig om hen te vertrouwen. Net als die andere fanatieke herschikkers van de werkelijkheid – fotografen of schrijvers – rangschikken ze misleiding tussen hun opdrachten. Want wat is de eerste regel uit het leerboek van de binnenhuisarchitecten, wat is de eerste techniek die ze moeten leren?
Ze moeten het oog bedriegen. Dat althans zei Constance altijd in de tijd dat ik haar leerlinge was.

DEEL TWEE

2

Een komeet en een paring

'Eddie, kom je naast me staan?'

Het jaar is 1910, de maand is april, de dag is een vrijdag, het weer is mooi. Mijn familieleden genieten van de lente in Winterscombe. Ze kunnen niet weten dat ze het eind van een tijdperk naderen, dat ze nu al balanceren op de grens van twee werelden.

Over een maand zal de koning dood zijn – Eduard VII, die eenmaal in Winterscombe heeft gelogeerd. Zijn begrafenis, die mijn grootvader zal bijwonen, wordt iets geweldigs: negen koningen rijden mee in de optocht en Edwards neef, Kaiser Wilhelm van Duitsland, krijgt de ereplaats, vlak achter de baar van zijn oom. Die koningen, de keizer, de talloze aartshertogen, vorsten en koninginnen verdelen Europa onder elkaar; velen, door geboorte of huwelijk, horen tot dezelfde familie, het nageslacht van koningin Victoria dat heerst van Groot-Brittannië tot aan de Oeral.

Mijn eigen familie met hun toekomstige eigen kleine conflicten, kan dit natuurlijk niet weten. Het is nog bij niemand opgekomen dat de verschijning van de komeet van Halley ongeluk zou kunnen voorspellen. Daar zal later wel over gesproken worden, maar alleen in een terugblik.

Nu niet. Nu is de komeet voor mijn grootmoeder Gwen een excuus voor een feest. Het feest begint over een paar uur, nu is het nog ochtend. De wereld geurt, het meer ligt er kalm bij, het licht is uitstekend om foto's te nemen.

Mijn grootmoeder Gwen zal poseren voor de camera van Boy, haar oudste zoon. Ze draait haar hoofd om en laat haar mooie, astigmatische ogen op haar minnaar, Edward Shawcross, rusten. Ze steekt haar hand naar hem uit, ze glimlacht.

'Eddie,' zegt ze. 'Eddie, kom je naast me staan?'

Gwen weet niets van kometen of sterren, zou zelfs geen sterrenbeelden als de Grote Beer of Orion herkennen. De komeet van Halley werkt echter op haar fantasie. Ze voelt dat ze weet hoe hij eruit zal zien: een grote bol licht, vlammend in de lucht. De staart kan wel driehonderd miljoen meter lang zijn heeft Eddie haar verteld (hij heeft de kranten nagekeken die het weer hebben gehoord van astronomen). Driehonderd miljoen. Gwen kijkt trots naar Eddie: hij is schrijver, hij begrijpt de poëzie van feiten.

Vanavond zal ze samen met hem naar de komeet kijken. Er zijn natuurlijk nog zo'n veertig gasten, en de bedienden kijken vanuit de moestuin, maar voor Gwen betekenen die toeschouwers niets. Ze voelt dat deze grootse avond haar en haar minnaar toebehoort. Samen zullen ze staan turen onder bescherming van de duisternis, ze zal Eddy's hand vasthouden. Dan, later...

Maar dat is pas later. Nu is het ochtend. De bedienden zijn goed getraind en alles is al weken van tevoren geregeld. Gwen heeft niets te doen en ze kan genieten van de nabijheid van Eddy, van de afwezigheid van haar echtgenoot Denton. Ze kan genieten van het feit dat ze aan het huis is ontsnapt en een eigen klein landhuis heeft op het terrein van Winterscombe, weggestopt in de tuinen. Het heet het Stenen Huis.

Daar kan ze zich ontspannen in haar *Petit Trianon*, zoals Eddy het noemt, dat ze eenvoudig en mooi heeft ingericht, volgens haar eigen smaak. Winterscombe is Dentons huis: jaren geleden heeft ze vluchtig geprobeerd er haar stempel op te drukken maar heeft dat – door Dentons geïrriteerde onverzettelijkheid – al gauw opgegeven. Het is gemakkelijker zich hier terug te trekken, waar ze haar aquarellen en haar ezel heeft, haar pers voor wilde bloemen, haar borduurzijde, de Amerikaanse boeken waar ze als kind zo van hield, en een paar meubels, eenvoudig maar goed, die vanuit Washington hierheen zijn verscheept toen haar moeder was gestorven.

Hier kan ze genieten van het licht op het meer in de verte, het bleke groen van de bomen die nu in blad komen. Eerder heeft ze Denton met Cattermole, zijn hoofdjachtopziener in de bossen zien verdwijnen, waarschijnlijk om naar de fazanten te kijken of om konijnen of duiven te schieten, mogelijk omdat Cattermole opnieuw over stropers heeft geklaagd.

Dat verknoeide het uitzicht, maar nu ze verdwenen zijn en voorlopig niet terug zullen komen, is Gwen weer op haar gemak. Ze zucht. De lucht van Winterscombe, zegt ze altijd, is niet alleen fris, maar ook heilzaam.

Haar jongste zoon Steenie van tien trekt aan haar rokken en Gwen bukt zich om hem op schoot te nemen. Eddie Shawcross is ook gekomen, hij staat achter haar. Ze snuift de rook van zijn sigaar op. Nu ze voelt dat ze een charmante groep vormen, bijna een familiegroepje van haarzelf, Steenie en haar minnaar, draait ze haar gezicht flatteus naar de camera van haar oudste zoon. Die camera is het nieuwste van het nieuwste, een dure Adams Videx, op een statief. Haar zoon Francis – die Boy wordt genoemd – buigt zich er overheen. Boy is achttien en pas van school, hij gaat naar Sandhurst voor een militaire opleiding. Gwen kan zich Boy niet volwassen voorstellen, voor haar blijft hij haar kind.

De Videx was een cadeau van Gwen en Boy is er verrukt van. De laatste maanden is fotograferen bijna een obsessie voor hem geworden – iets dat zijn vader vreselijk vindt. Denton gaf Boy op die achttiende verjaardag een bij elkaar horend paar Purdey jachtgeweren. Ze vormen een echt statussymbool, precies waar Denton van houdt. Het heeft twee jaar geduurd om de geweren te maken. Denton zelf zag toe op de details. Hij nam Boy mee om ze te bekijken en hoewel hij weet dat ze opzichtig zijn en niets voor een jongen die niet goed kan schieten, blijft Denton er trots op. Het doet Gwen plezier dat haar man jaloers is op de camera.

Boy neemt de hele dag foto's: van de familie, van de bedienden, van het huis. De afgelopen herfst maakte hij foto's in plaats van mee te gaan jagen, tot grote woede van zijn vader. Boy, die gewoonlijk bang is van Denton en diens woedeaanvallen, laat nu een nieuwe, onverwachte koppigheid zien. Hij houdt zich bij zijn foto's en geeft niet toe.

Met de zwarte cape over zijn hoofd en schouders tuurt hij door de zoeker. De compositie, het familiegroepje, is goed, en Eddie Shawcross is een huisvriend, die bijna tot het gezin hoort. Hij ziet het beeld van zijn moeder: ze is achtendertig en opvallend knap, hoewel onze smaak wat schoonheid betreft misschien veranderd is. Ze heeft zeven kinderen gebaard van wie er drie zijn gestorven, en ze heeft haar figuur behouden, volgens de smaak van die tijd: het figuur van een zandloper. Ze heeft sterke gelaatstrekken. Haar haar is donker en los opgestoken, haar uitdrukking rustig. Haar lichte ogen hebben iets dromerigs wat veel mannen sensueel vinden, en wat haar echtgenoot Denton als hij boos is, toeschrijft aan domheid.

De foto zal één minuut in beslag nemen, waarin iedereen doodstil moet blijven. Een snelle blik omlaag naar Steenie, die vol adoratie naar haar opkijkt, een snelle blik naar Eddie: alles is in orde.

Nee, alles is niet in orde. Vanuit haar ooghoek ziet Gwen iets bewegen, een pijl van zwart. Het is Eddie's dochtertje Constance.

Tot nu toe heeft Gwen de aanwezigheid van Constance kunnen vergeten. Moeilijk is dat niet, het kind zit altijd in een hoekje te mokken. Nu heeft ze zich op het laatste moment in beeld gedrongen. Ze springt naar voren, knielt aan de voeten van haar vader naast Gwens stoel en wendt haar lelijke gezichtje koppig naar de Videx. Gwen fronst.

Boy, onder zijn zwarte doek, kijkt door de zoeker. Een ogenblik geleden was de compositie volmaakt. Nu is die bedorven door Constance. Maar Boy is te beleefd om iets te zeggen, hij negeert de gewone vijandige uitdrukking op het gezicht van het kind en kijkt naar de anderen: Steenie, knap, charmant, verfijnd, Shawcross, goed verzorgd, onverschillig, een echte schrijver; zijn moeder... Boy komt van onder het doek te voorschijn.

'Mamma,' dringt hij aan. 'Mamma, je moet glimlachen.'

Gwen werpt Constance een snelle blik toe, kijkt dan weer naar Boy. Eddie Shawcross, die haar ergernis voelt, drukt zijn gehandschoende hand tegen haar schouder en zijn duim masseert – onzichtbaar voor Boy – haar nek. Gwen houdt haar hoofd weer in de juiste hoek. Leer tegen blote huid verrukkelijk. Gwen glimlacht.

Een minuut lang zoemt de camera, een minuut lang beweegt niemand.

Uit de richting van de bossen klinkt een schot. Denton, of Cattermole en weer een dood konijn, denkt Gwen. Niemand reageert op het schot – dat ver weg was – zodat de foto van Boy gelukkig niet bedorven is.

Boy komt met een rood gezicht te voorschijn.

'Zo,' zegt hij triomfantelijk, 'dat is klaar.'

Weer een schot, ditmaal nog verder weg. Steenie gaapt en glijdt van de schoot van zijn moeder. Gwen, zeker dat haar zoons het niet zien, buigt haar rug en voelt de druk van de dijen van haar minnaar tegen haar nek. Ze staat op, rekt zich uit, kijkt hem in de ogen, leest de boodschap en wendt haar blik af.

Ze draait zich om en is zo gelukkig dat ze edelmoedig kan zijn, ze voelt dat ze aardiger tegen het kind moet doen, haar erbij moet betrekken. Gwen kijkt rond, maar Constance is weg.

Later die ochtend zet Boy zijn statief bij het croquetveld: twee spelers – zijn broers Acland en Frederic. Acland wint, dat is niet zozeer zichtbaar aan de positie van de ballen, als wel aan de gezichten van de broers. Acland is een jaar jonger dan Boy, over vier maanden wordt hij achttien. Freddie is nog geen vijftien en dat ergert hem soms.

Freddie is woedend, hij fronst zijn wenkbrauwen. Zo lijkt hij sprekend op zijn vader Denton. Beiden zijn krachtig gebouwd – met brede schouders, smalle heupen, ze hebben iets van een bokser, kunnen de wereld aan. Maar die uitdrukking en houding zijn misleidend; in tegenstelling tot zijn vader, die weken-, zelfs maandenlang zijn woede kan opkroppen tot er een uitbarsting komt, laait Freddies woede op en is na een kwartier vergeten.

84

Meestal geniet Freddie van het leven. Hij stelt niet veel eisen, houdt van lekker eten – hij wordt al wat dik, ontwikkelt een goede smaak voor wijn, houdt ervan te flirten met mooie meisjes en beklaagt zijn gebrek aan kansen.

Zonnig, zegt Gwen van Freddie, haar gemakkelijkste zoon. Freddie heeft niets van de pijnlijke verlegenheid van Boy – hij praat even gezellig met een volkomen vreemde in de trein als met zijn huisgenoten. Hij is niet zo gespannen als Steenie. Freddie schijnt zonder zenuwen geboren te zijn.

Zijn beste eigenschap (beweert Gwen) is zijn éénvoud, zijn tegenwoordigheid is als een onderdompeling in de warmte van een junidag. Zo opgewekt, zo... anders dan Acland, denkt Gwen. Ze zucht en geeft toe: Acland is de moeilijkste van haar zoons, ze houdt van hem maar ze begrijpt hem niet.

Acland staat op de foto van Boy wat terzijde en houdt – in tegenstelling tot Freddie die recht in de lens kijkt – zijn hoofd wat afgewend, alsof hij het niet prettig vindt op een foto te staan. Hij is lang en mager vergeleken bij zijn broers. Zijn kleren zijn elegant, zijn houding (met de croquethamer in de hand) is bestudeerd onverschillig. Maar Boy is een subtiele fotograaf en heeft de arrogantie, de triomf in Aclands houding opgevangen. Acland heeft gewonnen en is er blij om.

Op de foto glijdt het licht langs zijn gezicht en de wind blaast zijn haar van zijn voorhoofd. Acland is rossig blond en zijn ogen hebben elk een andere kleur, het linker is bruin, het rechter heldergroen.

Toen hij klein was gaf Gwen, blij dat deze zoon op niemand in de familie leek, hem de gekste bijnamen. Ze noemde hem haar elfenkind, haar Ariël, tot Denton, woedend over zoveel sentimentaliteit, er een eind aan maakte. Gwen gaf toe, ze was meestal gehoorzaam, maar alleen op haar kamer bleef ze de troetelnaampjes gebruiken.

Acland was zo snel, zo knap, vreemd en onvoorspelbaar, fel en hartstochtelijk. Hij was vuur en lucht, dacht Gwen, hij had niets aards.

In die eerste jaren was Acland een bron van vreugde voor Gwen. Ze was trots op zijn intelligentie en ontdekte ontroerd dat hij kwetsbaar was. Acland rende overal achteraan, moest dingen te weten komen, begríjpen. Het was of hij altijd iets wilde grijpen wat buiten zijn bereik lag en dat maakte hem rusteloos. Gwen ontdekte dat ze hem dan kon kalmeren, niet met woorden of argumenten, die waren nutteloos, maar met haar aanwezigheid.

'Ach Acland,' zei ze dan, 'je kunt niet tegen de hele wereld vechten,' nam hem in haar armen en wachtte tot hij kalmeerde.

Later veranderde dat. Misschien toen Acland naar school werd gestuurd, misschien toen haar laatste zoon, Steenie, was geboren. Gwen haalt die gebeurtenissen aan als excuus, maar ze weet dat die in feite niet verklaren wat er aan de hand was. Acland ontgroeide haar. Als hij troost nodig had, zocht hij die niet meer bij zijn moeder en toen hij eenmaal twaalf was, was de breuk compleet.

Hij vertrouwde haar niet meer zoals vroeger; hij leek bang zijn emoties te verraden en hij beoordeelde mensen, dacht Gwen, op een manier die ze vreselijk vond en die haar bang maakte. Hij toonde weinig medegevoel en minachtte de zwakheid van de menselijke aard. Nee, hij keek, beoordeelde, en wees de zaak af.

Een afwijzing door Acland die toen vijftien of zestien was, betekende een onaangename ervaring. Gwen hield zich voor dat het jeugdige hoogmoed was, een bijprodukt van zijn intellect, dat het wel over zou gaan – maar Eddy Shawcross was toen al in haar leven gekomen en Aclands onverzoenlijke weigering om hem te accepteren, sneed Gwen door de ziel.

Ze kon moeilijk voor haar minnaar pleiten, hoewel ze zo nu en dan probeerde zijn sterke punten te benadrukken. Ze gaf haar zoon de boeken van Shawcross en leed in stilte wanneer Acland onbarmhartig uitlegde waarom hij ze slecht vond. Ze probeerde hen het eerste jaar tot elkaar te brengen en gaf het toen op. Ze begon te geloven dat Acland het wist, dat hij zich niet voor de gek liet houden zoals de rest van het gezin. Toen werd Gwen werkelijk bang. Acland oordeelde de wereld niet in het algemeen, zag ze, hij oordeelde haar, zijn moeder, oordeelde haar en zag – veronderstelde ze – dat ze in gebreke bleef.

Ik heb een zoon verloren, dacht Gwen soms. Dan was ze bijna in tranen, had haar armen om Acland heen willen slaan en hem alles uitleggen. Maar omdat ze bang voor hem was, deed ze het nooit. Ze wist dat ze Acland terug kon krijgen maar tegen de prijs van Shawcross. In ruil voor het vertrouwen en respect van haar zoon moest haar minnaar worden opgeofferd en dat kan Gwen niet over haar hart verkrijgen. Ze houdt van Shawcross, ze kan hem niet opgeven en haar zoon zou dat nooit begrijpen. Acland is veel te beheerst: hartstocht bestaat niet in zijn universum.

Maar Gwen heeft ongelijk, want Acland is zelf verliefd. In het afgelopen jaar is er een wereld voor hem opengegaan, maar daar spreekt hij niet over, niet met zijn moeder noch met iemand anders. Acland beschermt zijn liefde voor vreemde blikken achter een barrière van sarcasme en nonchalance.

Intussen poseert Acland voor Boy's foto. Hij zwaait zijn croquethamer, houdt die stil – hoewel hij het vreselijk vindt om stil te staan, zodat Boy's eindeloos durende foto hem ongeduldig maakt. 'Stilstaan,' beveelt Boy en de camera zoemt.

'Wat een dag! Wat een dag!' roept Acland als de foto eindelijk is genomen en hij gooit zich in zijn volle lengte op het gras.

Freddie en Boy kijken naar hem, zoals hij daar met een verrukte uitdrukking op zijn gezicht naar de hemel ligt te turen.

Freddie grinnikt. Boy die het statief in elkaar schuift, werpt Acland een afkeurende blik toe. Aclands stemmingen zijn veel te wisselend, vindt hij. Ze schommelen van de hemel naar de hel, van duisternis naar vreugde. Boy vindt die stemmingen pretentieus.

'O, in godsnaam, Acland. Moet je echt zo buitensporig doen?'

'Mis,' antwoordt Acland en kijkt zelfs niet in Boy's richting. 'Mis. Ik ben niet buitensporig. Ik ben... *standvastig.*'

Hij verkondigt het woord, misschien aan zijn broers, misschien aan de hemel, misschien aan hemzelf.

Freddies antwoord is een vriendschappelijke trap, Boy loopt slechts weg. Bij de heg kijkt hij om. Acland heeft niet bewogen, hij ligt op zijn rug en staart omhoog naar de zon, maar zijn gelaatsuitdrukking is veranderd en zijn gezicht, bleek en strak als een marmeren beeld, is ernstig.

Boy nam die dag heel wat foto's en sommige ervan kunnen ons helpen.

Hier is een van de gasten, mevrouw Heyward-West, een vroegere maîtresse van de koning. Ze stapt uit een auto, draagt een bontmantel, een enorme hoed met een voile, die ze nu afzet.

Daar vlakbij is nog een gast, Jane Conyngham – saaie Jane – zoals ze weinig vleiend bekend staat, een van de grote erfdochters van haar tijd. Jane, wier vader, die reeds lang weduwnaar is, landgoederen in Wiltshire bezit, kent de familie Cavendish vanaf haar prille jeugd. Ze is dit weekend uitgenodigd om een speciale reden. Denton wil haar laten trouwen met zijn oudste zoon Boy; die zal haar zeer binnenkort ten huwelijk vragen; Jane staat in een weinig flatteus mantelpak naast Acland en heeft haar ogen op hem gevestigd. Jane heeft een intelligent gezicht; wij zouden haar niet lelijk vinden, want onze schoonheidsnormen zijn veranderd. Ackland kijkt de andere kant op.

Dan een groep bedienden voor de bediendenvleugel, volgens rang en stand. Wat moet Boy geduldig zijn geweest. Ergens achteraan staat een meisje, Jenna Curtis.

Ze is dan zestien, en al twee jaar op Winterscombe in dienst, haar

ouders, die gestorven zijn, werkten er vóór haar. Jenna klimt gestaag op en helpt nu twee andere meisjes. Voor het feest van Gwen heeft ze echter een nieuwe rol. Jane Conynghams kamenier is ziek en Jenna moet voor haar invallen. Vandaag pakt zij de jurken van Jane uit, strijkt ze en legt ze klaar. Zij zal Jane Conyngham helpen bij het opmaken van haar haar voor het grote diner en dat doet ze met zoveel tact dat Jane – erg verlegen – haar niet vergeet en een paar jaar later haar huwelijk zal bevorderen. Een vergissing.
Jenna van zestien is een knap meisje om te zien. Wel mollig volgens moderne normen. Ze is rond, zacht als een duif, met grote, kalme, donkere ogen. Een mooi meisje, ondanks het lelijke uniform.
Mijn Jenna, dacht ik, toen ik de foto ontdekte. Ze was bijna onherkenbaar. Maar ja, de Jenna uit de schriften was dat ook. Woorden en beelden; ik legde ze naast elkaar om erover te peinzen.

Nog één foto. Wij zijn binnen. Boy fotografeert nu het interieur. Het schijnt dat hij zo zijn eigen plannen heeft, die niemand kent. Hij wil alle kamers van Winterscombe fotograferen, ze in een album plakken en aan zijn vader geven. Misschien overtuigt hij Denton dan, ziet hij dat de Videx nuttig is, want Denton is enorm trots op zijn huis.
Hij is vooral trots op de kamer waar Boy nu in staat. Zonder aarzelen noemt Denton die de 'Koninklijke Slaapkamer'. Ook de andere slaapkamers hebben namen: de Blauwe Kamer, de Rode Kamer, de Chinese Kamer, de Kamperfoelie Kamer... maar zijn vader gebruikt die namen zelden. Alleen de 'Koninklijke Slaapkamer' vermeldt hij bij iedere gelegenheid, vooral tegen gasten die voor de eerste maal op Winterscombe komen.
Het is een manier om hen eraan te herinneren dat Dentons huis koninklijk bezoek heeft ontvangen. Het verschaft Denton, patriot, monarchist en snob, een springplank naar de anekdotes waar zijn gezin zo bang voor is: hoe koning Edward hem goedgunstig complimenteerde over zijn jacht, zijn wijn, zijn uitzicht, zijn sanitaire voorzieningen, en bovenal zijn doortastendheid, die blijkt uit zijn huwelijk met een schoonheid als Gwen.
Denton spreekt over het opvallend goede humeur van de koning in Winterscombe – terwijl hij berucht is om zijn wispelturigheid. Hij vermeldt de uitnodiging van de koning te komen jagen in Sandringham, al zegt hij niet dat die uitnodiging nooit werkelijkheid is geworden.
Ondanks het gefrons van Gwen – die als Amerikaanse het ophemelen van een monarch vervelend vindt – neemt hij zijn gasten een enkele maal mee naar de kamer waar de koning geslapen heeft.

Dan loopt hij de volle kamer door, slaat op de ronde zittingen van de roodfluwelen stoelen, streelt de gedraaide zuiltjes van het hemelbed. De kamer werd nieuw ingericht voor de koning en er werden kostbare Duitse sanitaire voorzieningen aangebracht, maar het bed dat Denton zelf heeft ontworpen, blijft zijn trots en vreugde. Het is zo groot dat het in de kamer moest worden opgezet. Er is een trapje nodig om erin te stappen. De hemel is geborduurd met het koninklijke wapen en aan het voeteneind doen twee cherubijntjes gewaagde spelletjes.

Voor Denton is deze kamer een gewijde plaats. Soms gunt hij zich een ogenblik om na te denken over de geheimen van deze slaapkamer (toen de koning op bezoek was, was de koningin ziek maar zijn toenmalige maîtresse was op het feest). De kamer is in geen vijf jaar gebruikt. Tot dit weekend.

Dan zal de heiligheid verbroken worden – Gwen staat erop. Met zoveel gasten voor haar feest ter ere van de komeet en met slechts achttien slaapkamers tot haar beschikking, komt ze ruimte te kort. Voor deze ene keer, heeft ze er met de autoriteit van een gastvrouw op gestaan en Denton – woedend – is overtroefd. De Koninklijke Slaapkamer zal worden gebruikt en Gwen heeft beslist dat Eddie Shawcross er zal slapen.

Haar minnaar is in feite al maandenlang aan het zeuren dat hij in die kamer wil slapen. Shawcross heeft een levendige seksuele fantasie en Gwen weet dat hij bepaalde plannen met deze kamer heeft – hoewel hij haar er niets over wil vertellen. Die vage plannen hebben haar eigen fantasie aan het werk gezet en uiteindelijk heeft ze het risico genomen – en merkte tot haar verbazing dat Denton verslagen kon worden.

Na haar overwinning was Gwen wel wat ongerust. Ze keek haar man aan, vroeg zich af of hij niets vermoedde en of zij niet te ver was gegaan. Maar in de laatste dagen is die zorg weggeëbd. Denton is in een slecht humeur maar dat is niet ongewoon en Gwen is er bijna zeker van dat haar man niets vermoedt. Dit komt deels omdat zij en Shawcross altijd buitengewoon discreet zijn, deels omdat Denton geen fantasie heeft; voornamelijk (houdt ze zich voor) omdat het Denton niet interesseert.

Sinds de geboorte van Steenie is Denton niet meer bij haar geweest, de punctuele wekelijkse bezoeken aan haar kamer zijn gestopt. In plaats daarvan gaat Denton iedere week naar Londen waar hij er een vrouw op nahoudt, veronderstelt Gwen. Hij mag Shawcross niet en doet niets om zijn antipathie te verbergen, maar dat komt omdat hij zo'n snob is, denkt Gwen. Denton heeft iets tegen Shawcross door het standsverschil, door de school waar hij is geweest, door het feit dat hij schrijver is – een beroep waarvoor Denton diepe minachting heeft. Het zou zeker niet bij Denton opkomen dat zo'n man zijn rivaal kan zijn.

Over het geheel voelt Gwen zich dus veilig. En daarom wordt ze minder voorzichtig. Ze begint te knagen aan haar huwelijk, krijgt een hekel aan Dentons botheid. Zij is achtendertig, hij vijfenzestig en toen ze eindelijk de moed opbracht om over de slaapkamer te praten en Dentons gezicht paars van woede werd, vroeg ze zich af of ze echt haar leven lang bij haar echtgenoot moest blijven.

Maar ze durft er niets over te zeggen tegen haar minnaar. Wat is het alternatief? Echtscheiding? Dan zou ze haar kinderen, haar vrienden verliezen; ze zou geen geld hebben. Zo'n weg naar de vrijheid zou ondenkbaar zijn en Eddie Shawcross zou het niet verwelkomen, vermoedt Gwen. Zijn enige bron van inkomsten is zijn schrijven en hij vindt het al moeilijk Constance daarvan te onderhouden. Bovendien is hij niet bepaald beroemd om zijn trouw. Toen Gwen Shawcross leerde kennen had hij al de reputatie van versierder, met een speciale hang naar vrouwen uit de aristocratie. Men beweerde dat hij pas naar bed ging met iemand die de titel van gravin had en zijn vrienden vertelden schuine moppen over de manier waarop hij opklom in de maatschappij.

Daarom is Gwen nog steeds even verbaasd dat ze Shawcross heeft veroverd en dat ze hem gehouden heeft. Hun verhouding duurt nu vier jaar. Gwen wil er niet naar vragen maar ze denkt dat dit een record is – voor Shawcross. Toch heeft hij nooit toegegeven dat hij van haar houdt en Gwen voelt zich niet zeker. Echtscheiding? Nee, ze zou zoiets nooit tegen Eddie durven zeggen: het minste spoor van druk, en hij zou haar kunnen verlaten. In plaats daarvan is er kort geleden een nieuw idee bij haar opgekomen, eigenlijk voor het eerst toen ze erop stond dat Eddie in deze kamer zou slapen en Dentons gezicht paars van woede werd en hij schreeuwend de deur achter zich dichtsloeg. Het bleef als rook in haar hoofd hangen: *Wat als haar echtgenoot zou sterven*?

Gwen schaamt zich over die gedachte die niet meer weggaat. Als haar man stierf, zou ze rijk zijn, zeer rijk zelfs – en dat feit zou Eddies houding aanzienlijk kunnen veranderen. Gwen probeert zich voor te houden dat ze alleen maar nuchter is. Tenslotte is Denton veel ouder dan zij. Hij eet te veel. Hij drinkt te veel. Hij is te zwaar. Hij heeft jicht. Hij heeft een opvliegend temperament, en de doktoren hebben hem al vaak gewaarschuwd. Hij zou kunnen sterven; hij zou een beroerte kunnen krijgen...

Gwen wil niet dat hij sterft, die gedachte alleen al maakt haar bedroefd, want ondanks zijn opvliegendheid is Denton in veel opzichten een goede echtgenoot. Als hij een goed humeur heeft, is hij prettig om mee om te gaan: hij houdt van zijn zoons, is buitengewoon trots op hen, kan voorkomend zijn tegen Gwen en zij en haar man hebben over het algemeen een goed leven samen. Gwen is verstandig genoeg om in te zien dat deze evenwichtigheid bij haar past en niet zomaar overboord moet worden gegooid.

Anderzijds is er Eddie. Anderzijds zou ze vrij willen zijn... Wat betekent dat eigenlijk: 'vrij'? Vrij om bij haar minnaar te zijn, zich aan hem te geven. Die vrijheid heeft ze al. Maar vrij om blijvend bij Eddie te zijn? Eddie is haar minnaar, maar of ze hem nu als echtgenoot zou willen? Tot nu toe is alles prima geregeld geweest. Denton weet het niet, Shawcross klaagt niet en de eisen die hij aan haar stelt, zijn – hoewel intens – zeer beperkt. 'Maak geen slapende honden wakker, Gwen,' had hij eens gezegd en dat had ze nogal grof gevonden. Maar het belangrijkste is immers dat ze veilig zijn. Wist Gwen dat wel zeker? In ieder geval was ze zeker van haar oudste zoon. Boy – eerlijk, dol op zijn moeder, ontzag voor zijn vader, kon zich niet voorstellen dat een van zijn ouders overspel zou plegen. Zijn ouders hielden van elkaar en Shawcross was een aardige, vertrouwde vriend.

Nu Boy zijn statief opzet, ziet hij alleen een kamer en de foto ervan zal zijn vader wel mooi vinden. Voor Boy is het gewoon een slaapkamer. Hij bekijkt de golvingen van het bed, de gordijnen die het slaapgedeelte van de kleedkamer scheiden, verschikt de zware draperieën om meer licht te krijgen. Iemand zou zich hier kunnen verbergen en nooit worden ontdekt, denkt Boy – en vergeet het onmiddellijk weer.

Hierbinnen, waar het donkerder is, moet hij langer belichten. Twee minuten. Boy hoopt dat niemand het fotograferen zal komen storen.

'Waarom noemen ze je Boy?'

Boy kijkt geschrokken op van zijn camera. Het meisje is onhoorbaar de kamer ingekomen. Gelukkig zijn de foto's klaar en Boy, bezig met het ontmantelen van zijn spullen, heeft gedacht dat hij alleen was. Het kind staat juist binnen de deur en een antwoord schijnt haar niet te interesseren, want haar blik dwaalt door de kamer, neemt het enorme bed in zich op, de alledaagse schilderijen van Dentons Schotse landgoed, de gordijnen. Boy aarzelt.

Ze kijkt hem weer aan. 'Je bent een man. Waarom noemen ze je dan "Boy"?' Het klinkt bijna als een beschuldiging. Boy, die snel verlegen is, bloost. Hij buigt zijn hoofd en hoopt dat het kind weg zal gaan. Eigenlijk is Boy niet op Constance gesteld en daar schaamt hij zich voor, want hij heeft een warm hart en weet dat het liefdeloos van hem is. Tenslotte heeft Constance geen moeder, herinnert zich haar moeder Jessica zelfs niet, die in een Zwitsers sanatorium aan tuberculose gestorven is toen Constance pas twee was. Haar vader behandelt Constance bijna wreed. Boy die ziet hoe Shawcross zijn dochtertje uitlacht in het bijzijn van vrienden, houdt zich voor dat Constance natuurlijk pijnlijke herinneringen wakker roept, de vader aan het verlies van zijn vrouw doet denken... Maar aardig is het niet en Boy heeft het gevoel dat Constance eenzaam is. Hij moet geen hekel aan haar hebben, eerder medelijden. Zo vaak komt ze niet op Winterscombe en bij die enkele gelegenheid kan hij best een beetje vriendelijk tegen haar zijn.

Anderzijds is zo'n vriendelijkheid niet gemakkelijk. Constance heeft een afschuw van medelijden; zodra het bij Boy opkomt, schijnt het kind het te voelen en wijst het abrupt en geprikkeld af. Ze schijnt een onfeilbaar instinct te hebben voor de zwakheden van anderen en Boy weet nooit of dat opzettelijk of toevallig is. Misschien dat Constance er wel niets aan kan doen, ze heeft geen manieren omdat ze nooit leiding heeft gehad. Ze zou een gouvernante moeten hebben maar zo'n figuur ziet hij nooit in Winterscombe en misschien kan Eddie Shawcross het wel niet bekostigen.

Als er zo iemand was, denkt Boy terwijl hij naar het kleine meisje voor zich kijkt, zou ze erop staan dat er iets aan Constances uiterlijk gedaan werd. Haar haar is onverzorgd, haar gezicht, handen en nagels zijn dikwijls vuil, ze draagt goedkope, lelijke kleren. Nee, Constance verdient wat vriendelijkheid, haar onbeleefdheid is een gevolg van haar gebrek aan opvoeding. Ze is immers pas tien.

Nu wacht Constance op antwoord – weer heeft ze zijn zwakke plek getroffen – en Boy weet niet wat hij zeggen moet. Hij haat de bijnaam 'Boy', hij zou willen dat het hele gezin die naam nooit meer gebruikte. Maar dat gebeurt natuurlijk niet. Hij haalt zijn schouders op.

'Het betekent niets. Mamma noemde me zo toen ik klein was, geloof ik. Er zijn zoveel mensen met een bijnaam. Het is niet belangrijk.'

'Ik vind er niks aan. Het is dwaas.' Het kind zwijgt even. 'Ik zal je Francis noemen.'

Tot Boys verbazing glimlacht Constance tegen hem. Die lach verheldert haar gewoonlijk gespannen, ontevreden gezichtje en het schuldgevoel van Boy vermeerdert op slag. Want ook Constance heeft een bijnaam, al is ze zich er misschien niet van bewust. Haar vader praat altijd over haar als 'de albatros'. 'Waar is "de albatros" op het ogenblik?' zegt Eddie spottend tegen zijn gehoor en imiteert soms het gewicht om zijn nek van de ongeluk-brengende vogel uit *The Rhyme of the Ancient Mariner*.

Boy en zijn broers hebben een andere naam voor haar: Constance Nors. Het was Aclands idee. 'Nou, ze is altijd even nors.'

Constance Nors, de albatros. Wat onaardig. Boy beslist ogenblikkelijk dat hij er iets aan moet doen.

Hij glimlacht verlegen naar Constance en wijst op zijn Videx.

'Ik maak een foto van je als je dat leuk vindt. Het duurt niet lang.'

'Dat heb je vanmorgen al gedaan.'

Een bot antwoord, zijn uitnodiging is verworpen, zoals gewoonlijk. Maar Boy zet door.

'Ja, maar dat was met de anderen. Deze is van jou alleen.'

'Hier?' Het gezicht van het kind wordt levendiger.

'Als je dat graag wilt... Dat zou wel gaan. Het licht is alleen nogal moeilijk. Ik bedoelde eigenlijk buiten...'

'Niet buiten. Hier.'

Haar toon klinkt als een eis. Boy geeft toe. Hij zet het statief weer op en buigt zich over de camera, om die vast te schroeven.

Als hij weer opkijkt, is hij geschokt. Het kind is op het bed geklauterd en zit met zwaaiende benen, de rokken iets opgetrokken. Boy kijkt haar verslagen aan en werpt een blik naar de deur.

Het is niet alleen dat het kind op het heilige bed zit en waarschijnlijk de sprei verkreukelt, iets wat Denton zou doen brullen van woede; het is de manier waaròp ze zit. Hij ziet een paar stoffige knoopjeslaarzen die net boven de enkel eindigen. Boven de laarzen is nog net een glimp van wit katoenen kousen en een laag niet al te schone onderrokken te zien.

Constance heeft haar ongekamde zwarte haar naar achteren geschud, zodat het over haar magere schouders valt. Haar gezicht is bleek en geconcentreerd, de uitdrukking uitdagend. Terwijl Boy haar aankijkt, bijt ze eerst met haar witte tandjes in haar onderlip en likt dan haar lippen af, zodat ze helder rood afsteken tegen haar bleke huid. Boy tuurt, wendt met moeite zijn ogen af en concentreert zich op zijn Videx. Hij trekt de zwarte cape over zijn hoofd en past de zoeker aan.

Daar is het beeld van Constance Shawcross, ondersteboven maar precies in zijn blik. Hij knippert met zijn ogen. Het lijkt of er nog meer kous is te zien, minder van het vuile rokje en meer van de vuile onderrokken. Hij schraapt zijn keel en probeert met overwicht te spreken.

'Je moet stil blijven zitten. Het licht is slecht, dus het duurt lang. Draai je gezicht iets naar links.'

Het kind draait haar hoofd om met het puntige kinnetje in de lucht. Boy ziet dat ze stijf en verlegen poseert alsof ze graag wil dat de foto flatteus zal zijn. Ze is lelijk en Boy is ontroerd.

Onder zijn zwarte doek reikt hij naar de sluiter. Nog een halve seconde en het kind verandert van houding. Twee minuten; stilte en gezoem.

Boy komt vuurrood te voorschijn. Hij kijk Constance beschuldigend aan en ze staart terug. In die halve seconde heeft ze haar benen gespreid en de houding van haar hand veranderd. Haar linkerhand ligt over haar dij, de vingers gestrekt en wijzend in haar schoot. Een kouseband, een stukje van haar broek, zijn zichtbaar en het gebaar zou onschuldig kunnen zijn – nog net. Maar samen met de brutaliteit van haar blik is het het meest wulpse gebaar dat Boy ooit heeft gezien.

Tot zijn afgrijzen reageert zijn lichaam. Hij blijft achter de camera, dankbaar voor die bescherming en denkt dat hij gemeen en slecht is. Constance is tien, heeft geen moeder, ze is onschuldig...

Constance springt van het bed. Ze lijkt nu in een stralend humeur. 'Dank je, Francis,' zegt ze. 'Je geeft me wel een afdruk, hè?'

'O ja... als de foto goed is. Ik ben niet zeker van de belichting en...'

Boy kan niet liegen. Hij heeft al besloten de plaat te vernietigen hoewel hij later van gedachten verandert.

'O, alsjeblieft, Francis...'

Tot Boys consternatie rekt ze zich uit naar hem toe – Boy is meer dan een meter tachtig – en drukt een kinderlijke kus op zijn wang als hij zich bukt. Boy laat een vleugelmoer van zijn statief vallen, al beseft hij dat in zijn verwarring niet. Het ding rolt onder een bureau – waar Boy hem een paar uur later gaat zoeken. Na de kus huppelt Constance naar de deur.

'Ik zal hem aan mijn vader geven,' zegt ze met een blik over haar schouder. 'Pappa vindt hem vast leuk, denk je niet?'

'Haal de klemmen voor de dag.' Denton neemt een grote slok bordeaux. 'De wet kan opvliegen. Dit is mijn land. Zet ze maar neer – eens zien wat die bedelaars ervan zeggen! De klemmen staan te roesten in de schuur. Ze moeten die klemmen zetten – ik vertel het Cattermole nog wel. Door het bos patrouilleren, met vier of zes man als het moet. Ik zal ze! De afgelopen maand heb ik vijftig vogels verloren. Vijftig! De afgelopen nacht alleen al drie. Hoe ze erin komen, snap ik niet, maar ik kom er wel achter en dan zal het ze berouwen. Een schot hagel in de billen, het enige wat ze begrijpen, die kerels. En dan voor de magistraat. Die ouwe Dickie Peel – die is al bij de balie sinds het jaar nul. Weet hoe hij ze moet aanpakken. Maximum veroordeling, het volle gewicht van de wet.' Weer een slok. 'De gevangenis is nog te goed voor ze. Stropers? Weet je wat ik met ze zou doen als ik mijn zin kreeg? In een schip stoppen naar de koloniën – Amerika, Australië. Ben je voorgoed van ze af. Geen respect voor de eigendommen van anderen. Mijn bloed kookt...'

Denton ziet er inderdaad uit of zijn bloed de veertig graden heeft bereikt; zijn gezicht is zo paars als een overrijpe pruim. Hij kijkt woedend de gezichten langs, alsof zijn gasten aan de lunch schuldig konden zijn aan het stropen van zijn fazanten.

Hij richt zijn blik op zijn drie oudste zoons, kijkt woedend naar de zachtaardige echtgenoot van mevrouw Heyward-West, en werpt Jarvis, een vriend van Eddie Shawcross, een vernietigende blik toe. Die is op verzoek van Eddie uitgenodigd en heeft iets te maken met Kunst, niemand weet precies wat.

Jarvis draagt een cravate die misschien iets te fel is; in St. James in Londen beviel die cravate Jarvis goed, nu de blik van Denton erop gericht is, voelt hij zich minder zeker van de tint. Hij kruipt in elkaar en Dentons blik dwaalt verder tot hij ten slotte blijft rusten op de goed verzorgde gestalte van Eddie Shawcross aan Gwens linkerhand. Nu hij naar Shawcross kijkt wordt Dentons gezicht zo mogelijk nog paarser.

'Stropers. Dieven. Onderkruipers,' zegt Denton met woedende stem. Shawcross, meer gewend aan zulke uitbarstingen dan sommige andere gasten, vindt ze amusant genoeg om ze boosaardig en gedetailleerd in zijn dagboek op te tekenen en glimlacht Denton beleefd toe. Denton maakt een gorgelend geluid, een bewijs van zijn grote woede, en het verraderlijke hart van Gwen springt even op. Een beroerte? Nu, aan haar lunch, voor al haar gasten? Maar nee, het zijn slechts de resten van zijn woede na zijn inspectie van de bossen met Cattermole, de oprechte verontwaardiging van een man die nergens méér hartstochtelijk in gelooft dan in de heiligheid van het eigendom. Die woede is niet speciaal tegen Eddie Shawcross gericht.

Gwens instincten van gastvrouw komen boven. Er zijn dames aanwezig die Denton schijnt te hebben vergeten. Ze hebben al dat 'billen' moeten verdragen en het is mogelijk dat Denton, al is zijn woede voorbij, toch kan gaan vloeken.

Gwen staat op het punt om tussenbeide te komen maar Acland is haar voor.

'Een kleinigheid, vader,' zegt hij in de stilte die gevallen is. 'Alleen dat de Onafhankelijkheidsverklaring in 1776 getekend werd... dat betekent dat Amerika al lange tijd geen kolonie meer is.'

'Zo?' Denton kijkt opnieuw strijdlustig.

'Het kan lastig zijn onze misdadigers daar achter te laten. Zelfs de stropers. De Amerikanen zouden er iets op tegen kunnen hebben, denkt u niet?'

Aclands stem is buitengewoon beleefd; zijn vader zit met het hoofd tussen de schouders, als een stier die op het punt staat aan te vallen en kijkt hem achterdochtig aan. Hij voelt spot, maar laat zich bedriegen door de stem.

'Vervelend, ja. Maar wel het overwegen waard.'

Er volgt een afschuwelijke stilte, waarin Shawcross lacherig achter zijn servet zit. Mevrouw Heyward-West – charmante, tactvolle mevrouw West, denkt Gwen – komt hem te hulp. Ze zit aan Dentons rechterhand en buigt zich naar hem toe. Haar hand strijkt langs zijn arm. Ze is een goed geconserveerde, knappe vrouw.

'Amerika,' zegt ze met haar diepe stem. 'Ik ben toch zo dol op dat land. En de Amerikanen zelf – zo gastvrij, zo buitengewoon vriendelijk. Heb ik je al verteld, Denton, mijn beste, van ons laatste bezoek daar? We waren in Virginia bij vrienden die de prachtigste paarden fokken. Nu weet ik, Denton, dat je zult zeggen dat ik geen verstand van paarden heb, en je hebt gelijk; maar – moet je horen, dit zal je interesseren...'

Er is een wonder gebeurd, mevrouw Heyward-West heeft zijn volle aandacht. Dentons ietwat bolle blauwe ogen kijken haar aan. Iedereen ontspant zich, zelfs Jarvis met de lavendelkleurige cravate, en Gwen en Shawcross wisselen veelbetekenende blikken.

De lunch verloopt verder heel plezierig. Gwen heeft een goede kokkin en de maaltijd is – volgens de normen van die tijd – licht, met het oog op het komende feest ter ere van de komeet die avond. Eddie Shawcross, aan Gwens linkerhand, doet charmant tegen zijn dove buurdame. Hij heeft het over George Bernard Shaw, al heeft de buurdame nooit van Shaw gehoord.

Rechts van Gwen zit George Heyward-West, een kleine, waardige man die onberoerd is door de vroegere schandalen met betrekking tot zijn vrouw en de koning. Hij legt de ingewikkelde gang van zaken op de effectenmarkt uit aan Dentons zuster Maud, een beroemde schoonheid die zo hoog is gestegen door haar huwelijk dat Eddie beweert er duizelig van te worden. Maud, iets tè mollig, ziet Gwen voldaan, is met een Italiaanse vorst getrouwd, die niet aanwezig is. Maud beweert dat hij aan de speeltafel van Monte Carlo zit.

Maud weet zelf veel van de effectenmarkt maar is vrouw genoeg om dat niet te laten blijken. Geld, als onderwerp tijdens een lunch, is eigenlijk niet *de rigueur*, maar ze hebben er kennelijk plezier in, dus Gwen komt niet tussenbeide.

Ze droomt weg. De wijn heeft haar slaperig gemaakt, al haar gasten schijnen zich te amuseren, dus ze mag zichzelf wel iets gunnen. Veertien mensen aan tafel, al haar zoons behalve Steenie die boven in de kinderkamer is met, goddank, Constance, de albatros. Nannie heeft met nadruk te horen gekregen dat de kinderen er de hele middag moeten blijven. Steenie is zwak en moet slapen en Constance moet die afzondering maar nemen. Gwen heeft er een hekel aan dat Constance altijd rondsluipt alsof ze haar vader bespioneert, dat ze hem niet meer alleen laat als ze hem heeft gevonden. Een klit, dat kind.

Veertien aan de lunch, veertig aan het diner. Een goed menu: schildpadsoep, oesterpasteitjes en – altijd een triomf – ragoût van kreeft. Dan eenvoudiger schotels om Dentons goede humeur veilig te stellen: gebraden gans, schapebout, kapoen. Parelhoen – die heeft ze toch besteld? Eddie houdt er zo van. Ja gelukkig. Dan natuurlijk het dessert dat er altijd zo mooi uitziet – bolletjes champagnegelei in kristallen glazen, kabinetpudding en waterijs met citroen, geserveerd in pepermuntblad. Daar is Steenie zo dol op, ze moet er een paar van naar de kinderen laten brengen. Ten slotte de zoetigheid. Gwen geniet van dit deel van de maaltijd, als het tafelkleed is afgeruimd en haar tafel glinstert van de zilveren schalen: bonbons, geconfijte paarse pruimen, piramiden van gesuikerde kersen en druiven, vijgen uit de kassen, glazen met ijskoude sauternes, verrukkelijk!

Ze eten binnen, daarna gaat ze met haar gasten naar het terras om de komeet te bekijken die in een stralende gloed voorbij moet komen.

Gwen trekt dan haar bontmantel aan. Denton heeft de nieuwe jas van zeehondebont met hermelijnen kraag nog niet gezien en de rekening evenmin. Hij zal nijdig zijn, want Denton is gierig. Maar die avond is Gwen veilig. Denton is dan beslist te dronken om ergens op te letten.

Daarna terug naar het huis. Een beetje muziek, Jane Conyngham, een begaafd pianiste, heeft beloofd iets voor hen te spelen. Gwen zelf kan eventueel nog wat sentimentele ballades zingen. Laat het allemaal ontspannen blijven – *dégagé*, zou Eddie zeggen. Iedereen kan gaan doen waar hij zin in heeft. Denton zal zeker verdwijnen. Die gaat met zijn vrienden sigaren roken en grote hoeveelheden port drinken, ondanks zijn jicht. Het doet er niet toe hoe laat hij naar bed gaat, want Gwen hoeft niet naar zijn gesnurk te luisteren. En de rondneuzende Constance zal veilig liggen slapen. Haar gasten houden elkaar wel bezig en dan zullen Gwen en Eddie eindelijk alleen zijn. Ergens.

Gwen zit te dromen, haar gedachten gericht op dat heerlijke moment vóór haar en plotseling is ze ongeduldig. Ze wil Eddie, en haar verlangen naar hem is zo intens dat ze het warm krijgt. Deze ochtend in het Stenen Huis nadat de kinderen verdwenen waren, had Eddie haar hand gepakt en stopte die in de zak van zijn jasje. De hand sloot zich om iets zachts en ze haalde een lang zwartzijden lint tevoorschijn. Zwijgend keek ze ernaar en ze voelde een bekende loomheid in zich opkomen. Haar geest vloog vooruit – naar de Koninklijke Slaapkamer, of naar de open plek in het bos waar ze soms met Eddie samenkwam.

Gwen werpt een blik op Shawcross. Hij schijnt niet aan haar te denken. Integendeel, hij is geamuseerd en afstandelijk en zit over de tafel heen te praten met zijn vriend Jarvis die voor zover Gwen het begrijpt, een soort tussenpersoon is. Hij hoopt dat Denton schilderijen zal bestellen van een bevriende schilder. De schilder is goed, zegt Jarvis, in de enige onderwerpen die Denton geschikt vindt voor kunst – paarden, honden, herten.

Eddie heeft het over een galerie waar Gwen nooit van heeft gehoord. De zwarte linten zitten misschien in zijn zak, zijn donkergrijze ogen glinsteren, zijn rossige baard glanst van de pommade, zijn kleine, vrouwelijk-witte handen gebaren... 'Ik interesseer me niet voor je kladschilders,' zegt hij. 'Woorden, zinnen. De angel van de waarnemingen van de schrijver – dáár gaat het om. Alle kunst streeft naar literatuur – niet naar muziek en zeker niet naar dat geklodder en die beeldhouwwerken van jou. Als het aan mij lag, leefden we als monniken: een overvloed aan boeken en kale muren.' Terwijl Shawcross de woorden 'kale muren' uitspreekt, werpt hij een onbeschaamde blik op de wanden van de eetkamer. Ze hangen vol grote Victoriaanse schilderijen van jachttaferelen en zeeslagen, gekocht door Dentons vader.

Gwen vergeet de zwarte linten en is geconcentreerd, niet als Eddies maîtresse, maar omdat ze zich herinnert dat ze gastvrouw is. Haar ogen glijden ongerust langs de gasten. Wat is er gebeurd? Iéts. Denton ziet er weer paars en woedend uit. Acland zit naar hem te kijken, afstandelijk als altijd. Freddie probeert niet te lachen. Boy heeft een kleur van verlegenheid, Jane tuurt op haar bord en mevrouw Heyward-West, die zo gelijkmoedig is, fronst van ergernis.

Kan het de opmerking van Eddie zijn geweest? Nee – er moet al eerder iets zijn gezegd of gedaan. Gwen, verward, aarzelt en schrikt als haar echtgenoot over de tafel leunt. Zilver tinkelt tegen kristal en hij wijst met een beschuldigende vinger in de richting van de nu zwijgende Shawcross.

'U, meneer,' brult Denton. 'Ja u. U moet eens op uw manieren letten. Wilt u zo vriendelijk zijn aan uw positie hier te denken. Wilt u eraan denken dat u een gast in mijn huis bent, míjn huis, meneer...'

Vreselijk – ditmaal gaat Denton echt te ver – hij staat op. Wacht niet tot de dames zich teruggetrokken hebben, gedraagt zich zeer onbeleefd. Deuren slaan dicht. Gwen ergert zich zo dat ze het gevoel heeft dat ze flauwvalt. Er is geen excuus voor dit gedrag en plotseling is de avond geruïneerd; haar prachtige feest! Acland redt haar. Hij kijkt de tafel langs naar de verlegen gezichten. Als Eddie zich verontschuldigt, onderbreekt Acland hem minachtend. 'Maak je geen zorgen, Shawcross. Het ging niet om wat jij zei. Het verlies van zijn fazanten maakt mijn vader altijd zo woest. Ik neem aan dat hij een paar stropers is gaan wurgen. Met zijn blote handen, hè mamma?'

Er klinkt nerveus gelach en Gwen maakt van de gelegenheid gebruik om op te staan. De andere vrouwen volgen haar als ze met haar laatste waardigheid de kamer verlaat.

Een half uur later, buiten op het terras, maken de gasten plannen voor de middag. Gwen is getroost. De situatie is gered. Het zijn bijna allemaal vrienden, ze begrijpen Dentons stemmingen en eigenaardigheden. Nu hij weg is, slaat de nerveuze stemming om in vrolijkheid.

'Lieve schat, mijn broer Denton is een beest, dat zeg ik hem nog wel,' komt Maud hartelijk.

'Lieve Gwen, maak je geen zorgen,' zegt de oude dove dame en pakt haar haakwerk. Zelf heeft ze zich zestig jaar aan een tirannieke vader aangepast. Nu streelt ze Gwens hand. 'Mannen hebben nu eenmaal van die stemmingen...'

De Heyward-Wests wandelen naar het meer; Maud zegt dat ze naar Monte Carlo gaat schrijven; Boy stemt toe in een partij tennis met Jarvis, de anderen slenteren weg. Gwen en Eddie Shawcross blijven alleen achter op het terras met de oude buurdame die boven haar haakwerk in slaap valt.

Gwen zet haar parasol op en voelt haar angst verdwijnen. Ze kijkt uit over de tuin, voelt een zachte wind langs haar wangen. Het is drie uur (dit is belangrijk). Eddie streelt haar borst met de rug van zijn hand.

Gwen kijkt naar hem op, de stilte is luid en Gwen ziet de strakke uitdrukking op Eddies gezicht die maar één ding kan betekenen.

'Hoe laat komen de andere gasten?' vraagt hij.

'Niet voor vijf uur...'

'En thee?'

'Om half vijf. Voor degenen die het willen, maar ik moet er wel zijn.' Gwens stem klinkt flauw; Eddie kijkt op zijn zakhorloge, stopt zijn hand in zijn zak – *de* zak – en haalt zijn hand er weer uit.

'Wat een humeur houdt je man er op na,' zegt hij onverschillig en Gwen begrijpt dat de grofheid van haar echtgenoot de plannen van de minnaar pikanter maakt.

'Vertel me eens wat meer over die woedeaanvallen van Denton,' zegt Eddie, staat op en biedt zijn gastvrouw de arm. Ze lopen langzaam terug naar het huis en blijven bij de openslaande deuren staan.

'Mijn kamer, denk ik,' zegt Eddie terwijl zijn ogen de tuin inspecteren.

'Nu? Eddie...' Gwen aarzelt, rolt haar parasol op en loopt naar het huis.

'Mijn lieve Gwen, ben je van plan om anderhalf uur te verspillen?'

'Overschoenen!'

Boy blijft staan voor het huis en kijkt somber naar Janes voeten.

'Ik vind echt – het gras is zo vochtig – ja, je hebt echt overschoenen nodig.'

'Echt niet, Boy,' zegt Jane enigszins scherp; de niet te onderdrukken beleefdheid van Boy ergert haar.

Acland staat met een onverschillig gezicht naast hen, zwaait met zijn tennisracket, kijkt omhoog naar de lucht en wendt zijn ogen af.

'Het heeft vannacht geregend en het gras is nog nat. Je kunt kouvatten. Echt – overschoenen! Ik sta erop.'

Boys stem is koppig zoals altijd wanneer zijn beschermende neigingen worden uitgedaagd. Jane hoort de aarzeling voor bepaalde medeklinkers, een restje van het stotteren uit zijn kindertijd. Het komt terug als hij nerveus is en ook in gezelschap van Jane omdat hij zich niet op zijn gemak voelt bij haar. Het is een soort samenzwering, iedereen denkt dat Boy haar ten huwelijk zal vragen omdat zijn vader dat graag wil. Jane weet het en weet ook dat Boy er niets voor voelt, want hij houdt niet van haar. Daarom is hij overdreven voorkomend. Arme Boy, hij vindt het moeilijk zo schijnheilig te doen. Jane heeft medelijden, maar ergert zich en zucht.

'Ik heb geen overschoenen meegebracht, Boy. Zeur niet zo.'
Ze zwijgt, zich ervan bewust dat Acland naar haar staat te kijken. Zijn blik glijdt van haar gesteven tennisblouse met de matrozen-kraag naar de brede zwarte ceintuur met de zilveren gesp, de witte plooirok die tot haar enkels reikt, de keurige schoenen die haar kamenier Jenna heeft gewit en gepoederd. Deze uitrusting is nieuw, Jane heeft alles met een opgewekt gemoed besteld voor dit bezoek, evenals de groenzijden japon die ze deze avond zal dragen. Uren heeft ze naar een patroon gezocht, uren voor de spiegel staan passen, terwijl haar naaister met spelden in de mond voor haar geknield lag.

Wat de groene japon betreft voelt Jane zich wat onzeker, het is niet de kleur die zijzelf gekozen zou hebben. Maar haar tante, die haar heeft opgevoed en van wie ze veel houdt, heeft de stof gekocht en triomfantelijk uit Londen meegebracht. Zo trots, dat Jane niet durfde tegenspartelen.

Haar tante streek over de zijde. 'Het meisje verzekerde me dat het de laatste mode is. Een speciale japon voor een speciale gelegenheid.'

Ze zweeg en wisselde een veelbetekenende blik met de oude naaister en daar lag het woord tussen hen in, onuitgesproken: een huwelijksaanzoek. Eindelijk.

'Mijn agaten ketting, liefste Jane,' had haar tante gezegd en kwam met een glimmend leren doosje, net toen Jane wilde vertrekken. 'Mijn agaten ketting – een verlovingsgeschenk van William, toen ik achttien was. Liefste Jane, het zal beeldig staan bij je japon.'

Haar tante was al vijftien jaar weduwe; haar oom was voor Jane niet meer dan een besnorde herinnering, maar ze was ontroerd. Ze kuste haar tante; ze zal de ketting dragen – zoals beloofd. Niet voor Boy, wat haar tante verwacht, maar voor iemand die naar haar en haar frisse nieuwe tenniskleren staat te kijken en glimlacht.

Die blik, geamuseerd door het gedoe van Boy, maakt Jane verlegen. Ze strijkt langs haar rok, bloost, wendt haar ogen af. Toen ze in de spiegel keek, hield ze zich voor dat ze er goed uitzag, dat eenvoudige kleren haar het beste stonden. Jane voelde zelfvertrouwen door de kleren, had op een of andere vreemde irrationele manier vertrouwen in de nabije toekomst. De middag zweefde blij voor haar ogen, ze zag de trappen erheen – en daar, aan de voet van die trappen, stond Acland.

Hoe lang hield ze al van Acland? Ze weet het niet. Het enige dat ze weet is dat ze nu van hem houdt, en al zo lang ze het zich kan herinneren.

Toen ze nog kinderen waren en hun families steeds bij elkaar kwamen, hield ze misschien van hem als van een broer. Haar eigen broer Roland, die ze aanbad en die veel ouder was, vond dat Acland discipline nodig had, Acland was wild maar een goede school zou hem wel temmen.

Dat deed de goede school niet, maar Roland zag het niet meer, want hij keerde niet terug van de Boerenoorlog in Afrika. Nadat Roland stierf – was het toen? Maar Jane was toen pas elf, dus het moet later zijn geweest, misschien toen ze een jaar of vijftien, zestien was. Toen besefte ze dat haar gevoel voor Acland niet langer dat van een zuster was.

Eén gebeurtenis herinnert ze zich nog duidelijk. Het was met Fanny Arlington, wier vader landerijen had die grensden aan die van haar eigen vader. Ze had samen met Fanny een gouvernante en Fanny was lief en oppervlakkig, met krullend blond haar en ogen zo blauw als hyacinten. Ze waren op Winterscombe met Hector – Fanny's broer – en Boy en Freddie en Acland. Het was lente, de jongens klommen in een van de eiken. Zij en Fanny keken toe.

Hoger en hoger en wie moest het hoogste klimmen? Acland natuurlijk. Zes meter hoog, negen. Hector en Aclands broers gaven het op, Acland klom verder. Jane stond zwijgend te kijken maar Fanny naast haar klapte in haar handen, zuchtte en riep vermaningen met een stem die Jane nooit eerder had gehoord, tot er plotseling een bittere gedachte bij Jane opkwam. Fanny spoorde Acland aan? 'O, niet hoger!' riep ze. 'Je valt, Acland, o, ik kan het niet aanzien!' En Acland klom nog hoger waarop er een vreemde, zelfgenoegzame glimlach op Fanny's gezicht verscheen.

Deed Acland het voor Fanny? Jane was ervan overtuigd. Voor het eerst in haar leven was ze jaloers. Het sneed haar door de ziel. Even haatte ze haar vriendin vanwege haar krullen en hyacintenogen, haatte Acland die hoger klom terwille van Fanny. Acland die het niet kon schelen dat Fanny dom was.

Jane had willen roepen: 'Kijk naar mij, Acland, ik spreek Frans en heb Latijnse les, ik ben goed in wiskunde, heb belangstelling voor politiek, ik lees gedichten en filosofie, en daar gaat Fanny van gapen. Dat kan ik allemaal.' Maar het had geen zin, welke jongen of man interesseerde zich daarvoor? Met mij kun je práten, Acland, wilde ze roepen en ze liep weg, wist dat het hopeloos was, want waarom zou Acland willen praten als hij kon kijken naar roze perzikwangen en hyacintenogen?

Ik ben lelijk, dacht Jane en besefte voor het eerst haar toestand maar juist toen ze zo verbitterd was, klom Acland naar beneden.

Hij sprong de laatste meters, rolde over het gras en vloog onge-
deerd overeind.

Fanny rende naar hem toe, begon zijn jasje af te kloppen, wilde er
zeker van zijn dat hij nog heel was. Acland duwde haar – terwijl
Jane triomfantelijk toekeek – opzij.

'Hang niet zo aan me, Fanny, dat vind ik vervelend,' zei hij.

Geen poging om het standje te camoufleren. Fanny liep verslagen
weg.

Dat was lang geleden. Fanny is op haar achttiende getrouwd. Ze
heeft twee kinderen en Jane, nog steeds haar beste vriendin, is peettante van het oudste. Jane gaat er tweemaal per jaar op bezoek en
soms, als ze praten over vroeger vermoedt Jane dat Fanny wéét van
haar gevoelens voor Acland. Er wordt nooit iets gezegd, maar er is
soms een enkele verwijzing die Jane in paniek brengt. Niemand
mag die gevoelens kennen, ze praat er nooit over, zelfs niet met
haar grootste vertrouwelinge, tante Clara. Het is haar geheim, een
levend, helder, pijnlijk iets, die liefde van haar voor Acland. Jane
beschermt die moedig.

Als Acland haar liefde kon raden, zou hun vriendschap voorbij
zijn, weet Jane. Intussen – omdat Acland niets vermoedt – zijn ze
vrienden. Ze ontmoeten elkaar aanhoudend, spelen tennis, dansen
tijdens bals bij vrienden, gaan een enkele maal samen paardrijden,
wandelen – en praten. Dat vooral, en die gesprekken die Acland
waarschijnlijk ogenblikkelijk vergeet, zijn extra kostbaar voor
Jane. Jarenlang heeft ze die opgetekend in haar dagboeken tot in
het kleinste detail. Soms leest ze die over, al kent ze ze uit haar
hoofd, ze probeert hoogte te krijgen van de man van wie ze houdt.
Wat een nihilist! denkt Jane dan. Acland schijnt nergens in te geloven: hij ontkent het bestaan van een god en heeft er een pervers genoegen in om alle opvattingen die zijn familie en zijn stand heilig
zijn, te ontkennen. Patriottisme, de beschavende invloed van de
aristocratie? Acland wil er niets van weten. De heilige vrouwelijk-
heid? Het huwelijk? Hij heeft er een vernietigend oordeel over, al
heeft Jane gemerkt dat zijn sarcasme wat dit laatste betreft, niet
meer zo fel is.

Acland, bedenkt Jane, is radicaal, een vrijdenker – en dat is natuurlijk een deel van zijn aantrekkingskracht voor haar. Hij is tot
op zekere hoogte haar plaatsvervanger, onderzoekt ketterijen
waarvan Jane het bestaan kent, maar waar ze zelf voor terugdeinst.
Trouwens, ondanks al zijn nihilisme is er veel dat ze in Acland bewondert. Maar hij is volkomen loyaal, keihard wat zijn afkeer van
schijnheiligheid betreft, voorkomend tegen degenen van wie hij

houdt of die hij respecteert. Acland is nobel, houdt Jane zich voor; zijn fouten zijn groot, niet kleinzielig. Hij is ongeduldig, driftig, arrogant, dat is zeker – maar hij is heel intelligent, dus verwacht Jane enige arrogantie. Alles wat verkeerd aan hem is, kan worden verholpen; soms betrapt Jane zich erop dat ze denkt dat Acland kon worden geholpen door *de liefde van een goede vrouw.*

Die gedachte houdt ze in toom. Ze ziet Acland zoals hij in de toekomst zou kunnen zijn: rustiger, stabieler, vriendelijker, een tevreden man. *Ik zou Acland van zichzelf kunnen redden.* Het idee sluipt haar gedachten binnen. Maar ze zet het opzij. Wat Acland betreft is ze een vriendin. Anders ziet hij haar niet en het is geen situatie die gauw zal veranderen.

Ja, Acland is op haar gesteld, hij schijnt haar geest te respecteren. Maar een enkele maal vindt Jane dat onverdraaglijk.

Terwijl Boy nog zeurt over het natte gras, koude voeten en de broosheid van de vrouw, draait Jane zich om, haar gezicht het gewone onverschillige masker.

Acland wordt ongeduldig, Boy blijft onverbiddelijk. Er is een kleedkamer, zegt hij – die het hellegat wordt genoemd, daar staan talloze paren overschoenen. Een van die paren past Jane toch wel.

'In godsnaam, Boy,' zegt Acland geïrriteerd. Hij kijkt op zijn horloge. 'Gaan we tennissen of niet? We hebben de halve middag al verknoeid.'

'Ik dacht alleen...' begint Boy plechtig, maar Acland gooit zijn racket in het gras. 'Ik ga ze wel halen, als het zo nodig moet. Je bent belachelijk. En Jane wil die verdomde dingen niet eens aan.'

Acland verdwijnt het huis in. Boy verontschuldigt zich, bedenkt zich, gaat op een bank zitten maar staat weer op totdat Jane een plaats heeft.

Ze wachten vijf minuten, Jane houdt zich voor dat Boy vriendelijk is, en als hij zich zo ergerlijk gedraagt, komt dat omdat hij geen zelfvertrouwen heeft. Daarom wil hij zich bewijzen als het om kleinigheden gaat. Maar hij is eerlijk en zij is al tweeëntwintig, vernederend oud, als je haar fortuin in aanmerking neemt, om nog niet getrouwd te zijn.

Er zijn tien minuten voorbij en Boy heeft het al tweemaal over het weer gehad. Dan staat hij op.

'Wat doet Acland allemaal?' vraagt hij aan de lucht. 'Hij hoefde... o!' Uit de duisternis van de deur komt Acland te voorschijn. Het licht valt op zijn haar en hij lacht alsof hij zojuist een opmerking

104

heeft afgebroken. Achter hem, met een paar overschoenen in de hand, is Jenna.

'Eindelijk,' zegt Boy verwijtend, maar Acland negeert dat.

'Weet je wel hoeveel paren overschoenen er liggen? Minstens dertig. En ze horen geen van alle bij elkaar. De helft zit vol gaten en ik moest de maat maar raden – Jane's voeten zijn zo klein. Gelukkig kwam Jenna net langs en dus...'

'Dank je, Jenna,' zegt Jane en pakt de overschoenen aan. Ze probeert haar waardigheid te bewaren bij het aantrekken ervan. Ze staat, doet een paar stappen. De overschoenen maken een zuigend, rubberig geluid. Jane stopt, bloost van vernedering, ziet de vrolijkheid op Aclands gezicht.

'Gaan we, Boy?' vraagt ze scherp en Boy neemt haar arm. Ze zijn nog niet ver op het pad als ze merken dat Acland hen niet volgt. Hij heeft zijn racket neergegooid en heeft zich uitgestrekt op de tuinbank.

'Acland!' roept Boy, 'ga je mee? Die Jarvis wacht, we zouden toch met ons vieren spelen.'

'Ben van gedachten veranderd. Geen zin. Veel te heet voor tennis!' roept Acland onverschillig. Boy blijft staan alsof hij iets wilde zeggen.

'Eigenlijk wel zo goed. Acland serveert zo keihard,' zegt hij opgewekt. Jane knikt, luistert niet. Alle kleur is uit de middag verdwenen. Ze zet de eerstkomende uren uit haar gedachten en denkt vooruit. Thee – ze ziet Acland bij de thee. En dan deze avond, en ze draagt de groene japon met de agaten ketting.

'Heeft een geweldige hekel aan verliezen. En toont dat ook,' gaat Boy verder. 'Niet dat het vaak gebeurt.' Arm in arm lopen ze langs de sombere taxushaag, dan tussen de borders in de richting van de tennisbaan.

'Ze zijn zo mooi.' Boy gebaart naar links en rechts. 'In het juiste seizoen natuurlijk.'

Jane werpt hem een verbaasde blik toe. Boy maakt die opmerking altijd, maar wacht meestal tot ze aan het eind van de border zijn.

'Als de riddersporen uitkomen,' antwoordt Jane, zoals steeds. Ze kijkt even om.

Bomen en heesters, de grote massa van de zwarte taxushaag, alleen het dak van Winterscombe is nog te zien. Acland is onzichtbaar.

'Nou!' zegt Acland, zodra Jane en zijn broer achter de haag verdwenen zijn. 'Nou, Jenna!'

Hij pakt haar hand, trekt haar weg van de deuropening en in de zon.

Hij tilt haar beide handen op, drukt zijn eigen handpalmen er tegenaan, en blijft stil naar haar gezicht kijken. Geen van beiden beweegt, geen van beiden spreekt. Jenna is de eerste die een stap opzij doet. 'Het kan nu niet. Ik moet van alles doen. Strijken. De japon van juffrouw Conyngham – die moet ik strijken voor vanavond.'
'Hoe lang duurt dat?'
'Tien minuten. Een kwartier misschien. Tenzij hij tè gekreukt is.'
'En dan?'
'Weinig. Haar spullen klaarleggen. Dat is alles. Haar koffers heb ik vanochtend al uitgepakt.'
'Dan hebben we een uur. Bijna een uur.'
'Nee. Voor vier uur moet ik terug zijn. Ze verkleedt zich voor de thee. Ze zal, denk ik, wel om me bellen.'
'Liefste.'
Acland die steeds heeft stilgestaan, beweegt zich plotseling. Opgewonden drukt hij Jenna's handpalm tegen zijn lippen. Jenna voelt zijn drang en zijn woede – in Acland horen die twee altijd bij elkaar. Ze blijft rustig en kijkt hem in de ogen, een ernstige, stille blik. Het is de rust van Jenna waar hij van houdt, een gave die zij heeft en hij niet.
'Ogenblikken,' barst hij ten slotte uit. Hij weet dat hij beter niets kan zeggen maar hij kan zich niet beheersen. 'Dat is alles wat we hebben. Een paar ogenblikken. Een uur hier, een paar minuten daar; dat wil ik niet. Ik haat het. Alles en niets. Leugens en uitvluchten. Afschuwelijk. Ik wil...'
'Zeg het. Zeg wat je wilt.'
'Tijd. Onze tijd. Al de tijd van de wereld. Een eeuwigheid aan tijd. Nog zou het niet genoeg zijn. Ik zou sterven voor wat meer tijd...'
'Iedereen sterft zo,' zegt Jenna nuchter, 'denk ik.'
Ze slaat haar armen stijf om zijn hals. Ze kent die stormen die in Acland opwellen, ze weet ook dat ze die kan genezen – met haar lichaam. Na eerst een blik over haar schouder te hebben geworpen, trekt ze Acland tegen zich aan. Ze drukt zijn hand tegen haar borst. Ze kussen elkaar. Jenna bedoelt dat ze daarna uit elkaar gaan maar dat gebeurt niet. Het gebeurt nooit: hun aanraking maakt de behoefte alleen maar groter. Acland trekt haar de kleedkamer binnen, drukt haar tegen de mantels.
'Vlug. Hier. Het gaat hier best. Er komt niemand...' Acland maakt haar kleren los en vecht met lijfjes en onderrokken.
'Dat verdomde spul – waarom moet je zoveel kleren aan?'
'Houdt me fatsoenlijk.' Jenna begint te lachen. 'Ik ben een net meisje. Maak je niet zo druk. Kijk, het is heel gemakkelijk.'

Ze opent het lijfje zodat haar borsten te voorschijn komen.
'Fatsoenlijk? Netjes?' Ook Acland begint te lachen. De borsten voelen zwaar in zijn hand, iets vochtig. Zweet parelt tussen die borsten. Hij likt. Haar huid smaakt naar zout en ruikt naar zeep. *'Fatsoen.* Een obsceen woord. Vreselijk als je fatsoenlijk zou zijn.'
'Jack zegt het altijd.'
'Jack kan opvliegen. Jack is een alibi. Vergeet hem. Kom hier.'
'Pak me maar.'
Jenna schiet lachend weg. Acland grijpt haar en hij tilt haar met een zwaai op. Het volgende moment rollen ze over de vloer, worstelend, lachend. Ze kussen elkaar weer. Acland is de eerste die zich terugtrekt.
'Ik kan niet met je vrijen op zo'n stapel oude overschoenen. Nou ja...'
'Dat merk ik,' zegt Jenna.
'Maar ik wil het niet. Ga mee – naar het berkenbosje.'
'En de japon dan? Ik moet de japon strijken.'
'Die japon kan naar de duivel lopen.'
'Zal ik dat tegen juffrouw Conyngham zeggen?'
Jenna drukt haar mond tegen de zijne. Acland voelt haar tong, haar borsten strelen zijn handpalmen, haar ogen zijn vol licht, plagen hem.
'Ik kom. Maar eerst die japon. De onderrokken sla ik over, dat merkt ze toch niet. Tien minuten. Zo lang kun je wel wachten.'
'Nee.'
'Als ik het kan, kun jij het ook. Je moet.'
Jenna kan flink zijn en is altijd praktisch. Nu knoopt ze snel haar lijfje dicht, het gesteven schortje komt weer op zijn plaats, haar haar – dat in de war is geraakt – wordt handig opgestoken.
Acland blijft er gefascineerd naar kijken, ziet hoe ze de haarspelden tussen haar tanden houdt, ziet hoe ze haar hals buigt, het haar ronddraait, vastzet, het is in een paar seconden gebeurd. Acland vindt het heerlijk dat Jenna niet zedig doet.
De eerste maal – Acland zal die eerste maal nooit vergeten – gingen ze naar het botenhuis aan het meer. De lichamelijke begeerte en geestelijke pijn deden zijn hart bonzen, zijn lijf kloppen. Zijn geest was vol vragen en verklaringen. Hij was zestien en maagd, net als Jenna. Acland vond het van het grootste belang om Jenna uit te leggen dat hij van haar hield, eerder wilde hij haar met geen vinger aanraken. Anderzijds wilde hij haar omhelzen en helemaal niet praten. Acland stond in het botenhuis, vuurrood van emotie, heen en weer geslingerd tussen instinct, intelligentie en een kostbare opleiding die woorden altijd voorrang had gegeven.

Jenna tuurde naar het water dat in een patroon van licht en schaduw in haar gezicht weerspiegeld werd, haar mond, haar ogen schenen erin op te lossen. Ze draaide zich om en keek Acland peinzend aan. Toen begon ze zich zonder iets te zeggen uit te kleden. Ze vouwde al haar kleren keurig op een stapeltje, trok de spelden uit haar haar en bleef voor Acland staan, de eerste vrouw die hij naakt zag. Haar huid was rozig. De lijnen van haar lijf verbaasden hem. Het licht tastte langs haar dijen en borsten. Hij tuurde naar de onverwacht donkere tepels, de geheime lijnen van benen, armen, hals.

'Zullen we?' zei Jenna.

Jenna, Jenna, Jenna, denkt Acland nu, op weg naar het berkenbosje. Hij zegt het niet hardop maar de woorden klinken triomfantelijk in zijn hoofd. In de verte vliegen de roeken op uit de takken alsof ze zijn stille kreet gehoord hebben.

Ik heb mijn religie gevonden, denkt de ongelovige Acland en omdat hij geniet van paradoxen, blijft hij met het idee spelen.

Om half drie ligt Steenie te slapen en sluipt Constance die op dat moment heeft gewacht, zijn kamer binnen en blijft even naar hem kijken. Hij heeft rode wangen, zijn ademhaling is regelmatig.

Tweemaal in het verleden – eens, als baby met kroep, eens toen hij acht jaar was en roodvonk had – is Steenie bijna gestorven. Constance vraagt zich af of zijn moeder daarom zoveel van hem houdt. Maar dat kan het niet alleen zijn. Gwen houdt ook van Boy en Acland en Frederic, en die zijn sterk en gezond, hoeven 's middags nooit te rusten zoals Steenie.

Constance fronst. Als zij nu eens op het randje van de dood zweefde – zou haar vader dan van haar houden? Zou hij 's nachts naast haar bed zitten, zoals Gwen deed toen Steenie ziek was? Misschien wel, denkt Constance, al is hij een man en heeft hij het altijd druk. Druk, druk, druk – dat is het probleem. Druk met schrijven: hij mag niet gestoord worden; druk met verkleden om naar een party te gaan of om een voordracht te houden voor een literair gezelschap, zelfs druk als hij gewoon in een stoel zit omdat hij dan – vertelde hij haar eens ongeduldig – bezig is, dan denkt hij.

Ik háát het dat hij het druk heeft, denkt Constance, dat hij op Winterscombe is, waar hij het altijd even druk heeft met Gwen... Constance wringt haar handen, draait rond in een pirouette van woede. Ze zou willen stampvoeten, iets kapot gooien. Maar dat moet ze niet doen, want als Steenie wakker wordt, kan ze niet weg.

Ze loop op haar tenen naar de deur, werpt een blik in de kinderkamer. Het is veilig. Geen teken van Steenies gouvernante en de oude Nanny Temple, die minstens honderd moet zijn – ze was het kindermeisje van Denton – zit bij de haard te slapen. Constance sluipt langs haar heen de gang in, naar de achtertrap. Beneden is de ruimte voor de kamermeisjes waar hoedendozen en koffers worden uitgepakt en de japonnen van de dames worden opgehangen en geperst.

Ze kijkt daar de kamer in. Een meisje staat een van de japonnen te strijken. Constance voelt de hitte van de kachel die de strijkijzers moet warmen, ze ruikt de hete geur van vochtig katoen en linnen. Ze wringt zich langs de deur en laat het meisje schrikken, dat dan begint te lachen.

Constance kent dit kamermeisje. Ze heet Jenna en woont in het dorp bij de familie Hennessy, want ze is wees en wandelt altijd met de zoon van de timmerman, Jack Hennessy. Constance heeft hen wel samen in het dorp gezien en hun bezadigde wandelingen met belangstelling bekeken. Ze heeft ook andere afspraakjes van Jenna bespied en hoopt maar dat Jenna dat niet weet. Constance loopt verlegen naar binnen.

'De japon van juffrouw Conyngham,' zegt Jenna en wijst op de stroken zijde. Ze houdt het ijzer dicht bij haar gezicht om de warmte te testen, en strijkt dan deskundig de stroken glad. 'Ik kleed haar vanavond en doe haar haar. Alles.' Constance bekijkt Jenna minachtend. Het is waar, Jenna heeft een beeldig gezicht, lang, dik haar dat glanst en de kleur van kastanjes heeft. Haar huid is mooi en – daar stoort Constance zich vooral aan – ze heeft buitengewoon mooie ogen met de kleur van donkere hazelnoot, en een rustige, opmerkzame, plagende blik. Geen dwaas, die Jenna. Maar haar handen zijn rood van het werken en ze heeft een uitgesproken boers accent. Constance denkt graag aan haar als dom. Ze houdt van haar werk, is er zelfs trots op en Constance vindt dat zielig. Waarom zou je trots zijn als je de japon van een ander mag strijken?

'Lelijke kleur,' zegt Constance. 'Groen. Lelijk donkergroen. Groen is niet in de mode, niet in Londen.'

Het meisje kijkt haar aan. Dan zegt ze rustig: 'Ach. Hij ziet er best mooi uit volgens mij. Hij zal wel goed staan – op het platteland.'

Er kan een mild verwijt in die woorden liggen. Constance kijkt Jenna aandachtiger aan en het meisje dat niet lang boos kan zijn, lacht.

'Kijk eens.' Ze haalt met haar rode hand iets uit de zak van haar schort. 'Ik heb iets voor je bewaard. Maar niet zeggen hoe je eraan komt, hoor. En zorg dat niemand je ziet. Je hoort nu te rusten.'

Ze geeft Constance een van de *petits fours* die Gwen serveert bij de koffie. Het is een marsepeinen vrucht in chocolade, een appel die groen en roze is gekleurd met een kruidnagel als steel en angelica als bladeren.

'Denk erom dat je de kruidnagel niet opeet. Je moet je niet verslikken.'

Constance neemt het lekkers aan; ze weet dat ze Jenna hoort te bedanken maar op de een of andere manier blijven de woorden haar in de keel steken. Dat doen bedankjes altijd. Constance weet dat dit een van de redenen is waarom iedereen een hekel aan haar heeft.

Het schijnt Jenna niet te kunnen schelen, ze knikt naar Constance en strijkt verder. Ze schijnt het gauw af te willen hebben want haar handen bewegen zich snel. Constance loopt langzaam naar de deur. Ze bekijkt Jenna die maar een paar jaar ouder is dan zij, Jenna die zestien is en tevreden met haar lot, die altijd dienstbode zal blijven. Met een ongeduldige beweging holt Constance weg, de achtertrappen af en de tuin in.

Verborgen achter een heester blijft ze staan. Sommige gasten zijn buiten, ze kan hun stemmen horen. Maar niet die van haar vader. Waar is hij heengegaan na de lunch? Constance heft haar hoofd als een dier. Ze wacht, luistert en rent dan in de richting van de bossen.

Daar is ze voorzichtiger. Ze blijft staan om op adem te komen en kiest een pad. Niet een van de hoofdpaden, waarvan het ene naar het dorp leidt en het andere naar het torentje dat die domme Gwen een 'belvédère' noemt. Constance neemt een begroeid slingerpaadje naar de andere kant van het bos. Alleen de jachtopzieners gebruiken het, al nemen ze meestal de directe weg naar het dorp.

Hier is het stil, beangstigend, hier kom je vrijwel nooit iemand tegen. Constance weet echter dat ook anderen dit pad nemen, juist om die reden. Haar vader gebruikt het, Gwen Cavendish gebruikt het. Constance heeft hen bespied – o ja, ze heeft hen gezien.

Het is modderig, braamstruiken rukken aan haar rok, brandnetels prikken in haar enkels, maar Constance loopt door naar de open plek.

Ze moet voorzichtig zijn, Constance weet dat er klemmen in deze bossen liggen, en niet alleen voor dieren. Cattermole gebruikt voetangels om de stropers te vangen. Freddie heeft die dingen vol genot beschreven. Het zijn stalen klemmen met scherpe punten die zich om een been klemmen. En er zijn valkuilen met scherpe spiesen. Constance weet niet of ze Freddie moet geloven, want voetangels zijn al jaren verboden. Toch kijkt ze uit.

Iedere paar meter staat ze stil, luistert, prikt in de struiken voor haar, maar er is niets – alleen stinkende gouwe, en stilte. Constance is toch wel bang, maar op de open plek is het gras kort, het is er veilig. Ze gaat hijgend zitten. Zou Gwen komen vanmiddag? Haar vader? Het moet over drieën zijn; als ze komen, komen ze gauw.

Maar net als ze op het gras gaat liggen en koelte en vocht door haar jurk heen voelt, hoort ze het geluid. Geritsel, dan stilte, dan weer geritsel. Ze gaat geschrokken rechtop zitten, klaar om weg te rennen. Het geluid komt van achter haar, uit een braamstruik. Ze zit muisstil, luistert naar het bonzen van haar hart en realiseert zich dan hoe dwaas ze is. Geen enkel mens maakt zo weinig lawaai. Het moet een klein dier zijn.

Wanneer ze gaat kijken en de takken opzij schuift, ziet ze een konijn. Eerst begrijpt ze niet waarom hij niet wegloopt, waarom hij zo rukt en trekt. Dan ziet ze dat hij in een strik zit, een dunne metalen draad. Met iedere ruk zit de draad strakker.

Constance geeft een kreet van verslagenheid. Ze buigt zich over het konijn dat nog harder gaat rukken.

'Houd je toch stil!' roept ze luid. Ze kan de strik niet losmaken, die te strak om de nek zit. Het konijn bloedt. Ze moet de draad van de stokken losmaken en dat is moeilijk. Ze draait en duwt, maar het konijn houdt zich nu stil en Constance krijgt hoop. Het konijn weet dat ze hem helpt.

Daar! De strik is los. Ze kan het konijn van de grond tillen. Heel voorzichtig wiegt ze het dier in haar armen – het is maar een klein konijntje, heel jong – en legt het op het gras in de zon.

Ze knielt neer, streelt het grijze bont, veegt het bloed met haar onderrok weg. Het konijn ligt op zijn zij, en kijkt met één amandelvormig oog naar haar op. Ze moet de metaaldraad losmaken, buigt zich naar voren, en het konijn begint met zijn poten te trekken.

Constance is bang. De kop komt overeind, valt. De pootjes krabbelen aan de aarde. Hij plast, er rolt een druppeltje bloed uit een neusgat. Dan ligt hij stil. Constance weet onmiddellijk dat hij dood is. Ze heeft nooit eerder een dood dier gezien, maar ze weet het. Er gebeurt iets met het oog van het konijn. Het wordt dof.

Constance gaat op haar hurken zitten, ze beeft. Ze voelt pijn in haar borst. Ze kan niet slikken en zou willen schreeuwen, zou de persoon die dit deed, willen vermoorden.

Plotseling springt ze overeind, neemt een tak en draait die rond de cirkel van de open plek, slaat naar de struiken, de netels, de bramen, waar nog meer strikken zouden kunnen zijn. En dan ziet ze het. Precies rechts van het pad, verstopt door takken die ze opzij

heeft gegooid. Het is een voetangel zoals Freddie die beschreven heeft. Een metalen bek, twee stalen kaken met roestige tanden, een veer; in de zon grijnzen de kaken haar tegen.
Constance blijft stilstaan. Werkt het ding? Het moet heel oud zijn, kapot. Maar het ziet er niet kapot uit. De grond eromheen is vertrapt, alsof het apparaat er pas is neergezet, de takken erover zijn vers gesneden.
Ze blijft ernaar kijken, geboeid, maar vol afschuw. Ze zou er met een stok tegen willen slaan, zou willen weten of het werkt. De kaken grijnzen, de takken bewegen in de wind. Plotseling verliest Constance haar belangstelling. Ze denkt aan de tijd, het moet nu half vier zijn, het bos is stil; haar vader komt niet. Ze zal hem gaan zoeken.
Maar eerst moet ze het konijn begraven. Ze kan hem niet zomaar laten liggen. Ze gaat terug, streelt het bont. Arm konijntje. Ze zal een mooi graf voor hem maken.
Met haar tak krast ze in de aarde onder een kleine berk. De grond is zacht na de vele lenteregens maar toch is het moeilijk. Ze graaft met haar blote handen, ze breekt haar nagels maar na een kwartier heeft ze een kuiltje gegraven. Geconcentreerd legt ze er een bedje van kiezels in en bedekt die met gras. Het graf ziet er uitnodigend uit, een nest voor haar konijn. Ze plukt wat wilde bloemen, een viooltje, twee sleutelbloemen.
Die legt ze langs de rand en dan neemt ze voorzichtig het konijntje op, legt het in zijn graf, met een takje speenkruid tussen zijn poten om mee te nemen op zijn reis. Dan bedekt ze het lijf met plukken gras. Eerst zo dat de kop nog niet bedekt is, zodat het eruitziet als een groendonzen deken. Daar de aarde niet in de ogen van het konijn mag komen, bedekt ze ook de kop. Dan aarde, die ze aanstampt met gras en bladeren erbovenop.
Haar geheime konijn. Ze knielt en pas als ze een sliert haar uit haar gezicht strijkt, merkt ze dat ze tranen op haar wangen heeft. Lief konijn. Is het voor het konijn dat Constance, die nooit huilt, tranen heeft?

Vanaf zijn zitplaats op een van de takken van een eik kan Freddie alles prachtig overzien. Hij ziet het pad dat uit het bos naar het dorp leidt, en aan de andere kant kijkt hij over de gazons naar het huis. Zelf wordt hij niet gezien, en dat is nu juist waarom hij hier gekomen is.
Freddie leunt zo gemakkelijk mogelijk tegen de stam en haalt uit zijn zak de sigaretten die hij die ochtend uit Aclands kamer heeft

gegapt. Hij steekt er een aan, inhaleert en kucht, maar niet veel: hij gaat vooruit.

De eerste sigaret, een zelfgerolde, gebedeld van Cattermole – heeft hem vreselijk doen overgeven, tot groot plezier van Cattermole. Sindsdien heeft Freddie geoefend, een per dag, een enkele maal twee, anders merkt Acland dat zijn voorraad slinkt. Die sigaretten, van de beste Virginia tabak, bezorgen Freddie een aangename lichthoofdigheid. Het roken heeft hij tot een kunst verheven, zowel het opsteken van de sigaret, het demonische gebaren ermee als het uitdrukken ervan.

Hij heeft zijn uitvoering overgenomen van Gerald du Maurier, de toneelspeler, die hij de rol van Raffles, de gentleman-inbreker, zag spelen. Du Maurier, de man die Freddie op de hele wereld het meest bewondert, hield zijn sigaret op een bepaalde manier vast en Freddie wil dat per se imiteren. Nu heeft hij het gevoel dat het is gelukt: iets dichtgeknepen ogen, dat was het, met de sigaret in een nonchalante hoek. Hij kijkt op zijn zakhorloge – bijna drie uur – en bedenkt wat hij kan gaan doen.

Uit het dorp stijgt de dunne rookkolom van een houtvuur op. Freddie ziet vanaf zijn hoogte Cattermole en Jack Hennessy, de zoon van de timmerman, staan praten op het pad naar de bossen. Alle zoons van Hennessy werken op het landgoed en Jack gaat uit met een van de dienstmeisjes op Winterscombe, de mollige, mooie Jenna. Freddie heeft die informatie van zijn bediende, Arthur Tubbs, een magere Londense jongen met puisten. De andere bedienden mogen hem niet en Freddie is ook niet bijzonder op hem gesteld, maar Arthur is een bron van informatie, vooral wat meisjes betreft.

Arthurs informatie op dit gebied is heel wat levendiger dan alles wat hij van de jongens op school hoort. De opmerkingen over Jack en Jenna waren echter minder welkom: een paar jaar geleden, toen hij dertien was, voelde Freddie een onuitgesproken, onbeantwoorde hartstocht voor Jenna, dus toen Arthur vertelde dat Jack 'met haar ging' was hij even jaloers. Maar Freddie beseft hoe dwaas dat was. Geen liefdesverdriet om een dienstmeisje. Over een jaar zal Freddie bevredigender veroveringen maken.

Cattermole en Jack Hennessy gaan uit elkaar, Cattermole terug naar het dorp, Hennessy in de richting van de bossen. Freddie kijkt naar de tuin, waar Boy en dat verwijfde ventje, Jarvis aan het tennissen zijn geweest. Boy geeft zijn racket aan Jane Conyngham en Jane slaat de bal tegen het net. Freddie grinnikt in zichzelf. Iedereen weet waarom Jane hier vandaag is: omdat Denton en Gwen haar willen laten trouwen met hun oudste zoon waardoor Boy een landgoed van zo'n vijftigduizend are krijgt met een inkomen dat wordt geschat op vijftigduizend pond per jaar. Boy interesseert zich natuurlijk niet voor Jane en Freddie kan hem geen ongelijk geven. Hij kijkt minachtend naar Janes figuur in de verte. Lang, mager, onhandig, met steil, zandkleurig haar en een smal gezicht met sproeten. Als ze leest draagt ze een bril, en ze leest altijd. En het stomme kind kan nog geen tennisbal slaan, zelfs Jarvis wordt ongeduldig.

Freddie verveelt zich, hij heeft behoefte aan gezelschap. Zijn ogen glijden over het terras. Geen enkele afleiding – alleen de oude mevrouw Fitch-Tench die zit te slapen boven haar haakwerkje. Freddies moeder gaat net het huis binnen – Freddie ziet hoe ze haar parasol sluit – en Eddie Shawcross, een man die Freddie niet mag, slentert opzij van het huis en kijkt zo nu en dan om.

Freddie blijft turen tot Shawcross ook verdwenen is – zeker naar de bibliotheek – en klautert dan van zijn hoge zitplaats. Hij gaat Acland zoeken, al zal die wel liever alleen zijn – zo is het meestal – maar Freddie, een gezelligheidsmens, heeft behoefte aan een praatje. Bovendien moet hij Acland vertellen over de sigaretten, waarna Acland hem er misschien nog een geeft. Hij weet precies waar Acland zal zijn, bij het berkenbosje, in de belvédère. Daar gaat hij bijna iedere middag naar toe.

Freddie treft Acland inderdaad op een van de banken met een boek op schoot en als hij aankomt, schijnt Acland absoluut niet blij hem te zien. Acland is buiten adem alsof hij hard gelopen heeft en het boek – een roman van Sir Walter Scott – ligt op zijn kop. Freddie vraagt zich af of hij er iets van moet zeggen, maar dat is niet beleefd. Acland is gesloten en houdt er niet van als iemand onverhoeds naar hem kijkt. 'De ellende van dit verdomde huis is dat je er onmogelijk alleen kunt zijn,' zegt Acland dikwijls.

Freddie zinkt neer op de stenen bank en veegt zijn voorhoofd af. Hij voelt dat hij deze winter dikker is geworden en de band om zijn nieuwe plus-fours is beslist te nauw, stomme kleermakers. Hij had geen twee porties pudding moeten nemen bij de lunch. De gedachte aan de lunch brengt de scène met zijn vader weer boven en Freddie zucht.

'God, wat een dag! Eerst verlies ik van jou met croquet. Toen verveelde ik me dood met die Shawcross. Toen maakte vader die vreselijke scène. Ik wist niet wat ik moest doen. Ik had een gezicht als een biet, en ik heb in geen anderhalf jaar gebloosd. Heb je het gemerkt?'

'Eigenlijk niet.' Acland heeft zijn boek nu goed onder zijn neus.

'Verdomd pijnlijk...' Freddie oefent niet alleen roken maar ook vloeken. 'Waarom zijn we opgezadeld met zo'n vader? Nou vraag ik je – niemand die we kennen hoeft een krankzinnige aan het hoofd van een gezin te verdragen.'

'Krankzinnige?' Acland kijkt op. 'Zou je dat willen zeggen?'

'Ja,' zei Freddie stoer. 'Ik geloof dat hij stapelgek is. Altijd een even slecht humeur. Krijgt een aanval van woede om niks. Mompelt in zichzelf. Dronk pas zijn scheerwater op, dat heeft Arthur zelf gezegd.'

'Arthur is niet bepaald een betrouwbare bron.'

'Echt. En ik denk dat hij seniel wordt. Ik bedoel, dat kan toch? Hij is zo oud als Methusalem en hij kwijlt – heb je dat gezien? Als hij wijn drinkt. En kort geleden liet hij een geweldige wind. Ik was met hem aan het biljarten, hij leunde over de tafel en – boem! – daar had je het. Het leek wel of er een kanon werd afgeschoten. Toen trapte hij de hond de kamer uit, alsof die het gedaan had. En hij doet zo lelijk tegen mamma en tegen Boy. Tegen iedereen. Dat hij Boy van die vervelende geweren geeft, terwijl hij weet dat Boy een hekel heeft aan jagen, en zoals hij schiet... Zelfs Cattermole maakt zich bezorgd. Hij beheerst zijn geweer niet goed. En hij heeft Shawcross in november bijna aangeschoten. Ik weet wel dat Shawcross dat monsterlijke hoedje droeg maar dat is toch geen excuus. Je kunt iemand toch niet neerschieten omdat hij niet weet hoe hij zich moet kleden. Echt, hij is gek. En bij de lunch! Ik dacht dat hij uit elkaar zou springen. Het was natuurlijk bot van Shawcross, dat gezanik over schilderijen – persoonlijk zie ik niet wat eraan mankeert. Die hazewind is verdomd goed, levensecht, maar...'

'Het had niets met de schilderijen te maken, of met de opmerking van Shawcross.' Acland kijkt Freddie aan met een half geërgerde, half geamuseerde blik. Hij tast in zijn zak, kijkt op zijn horloge, haalt er een gouden sigarettenkoker uit.

'Je wilt er wel een, hè Freddie?'

Freddie bloost opnieuw tot zijn schrik. Hij aarzelt.

'Nou ja, één per dag, soms twee. Je hebt er vanochtend een gepikt, dus dacht ik dat je er nog wel een zou willen hebben.'

'Acland, ik...'

'Neem maar, als je wilt. Dan houd je misschien op met praten. Met wat geluk ga je misschien wel weg.'

Het is even stil. Freddie hoopt dat Acland de Maurier-houding ziet en Acland glimlacht vaag maar zegt niets. Ook hij steekt een sigaret op, inhaleert en leunt tegen de muur van de belvédère.

'Die uitbarsting was het gevolg,' zegt Acland nu, 'van een opmerking van Boy. Heb je dat niet begrepen?'

'Boy? Nee, ik luisterde naar die Jarvis. Boy praatte toch met lelijke Jane.'

'Ja. Boy is gehoorzaam. Hij praat met Jane, en Jane, die een vriendelijk hart heeft – vraagt naar zijn fotografie. Daar moet ik haar voor waarschuwen. Als Boy daar eenmaal over begint, houdt hij nooit meer op. Ten slotte had hij het zelfs over zijn foto van de Koninklijke Slaapkamer. Dat was natuurlijk onverstandig en onze vader hoorde hem. Dat is alles.'

'Was dat de reden? Maar waarom?'

'Omdat, Freddie, die kamer voor het eerst in vijf jaar wordt gebruikt vannacht. Door Shawcross. Pappa wil daar liever niet aan herinnerd worden. Hij is overgevoelig wat die kamer betreft, dat weet je.'

'En hij mag Shawcross niet.'

'Precies.'

'Hij kan hem niet uitstaan. Arthur zegt dat dat komt omdat Shawcross geen heer is.'

'En wat vind jij, Frederic?' Freddie, verbaasd over de toon, fronst.

'Ik weet het niet, hoor. Shawcross is natuurlijk een proleet. Hij doet uit de hoogte, is ijdel en heeft van die afschuwelijke witte handjes. En dan draagt hij van die vreselijke pakken.' Freddie lacht. 'Weet je nog dat onmogelijke blauwe geval met die bruine schoenen? En zijn hoeden...'

Acland begint te lachen, maar draait zich om en Freddie heeft het idee dat Acland iets voor hem verbergt.

'Natuurlijk,' zegt Acland luchthartig. 'Natuurlijk. Wat slim van je. Je hebt zeker gelijk. Die pakken. Absoluut. En zijn hoeden.' Hij zwijgt even. 'Zo Freddie. Ik ga wandelen. Alléén.'

Freddie weet wanneer zijn broer met hem spot, hij weet ook wanneer hij wordt weggestuurd. Hij werpt Acland een boze blik toe en gaat naar huis.

Als hij eenmaal uit het gezicht is, gooit Acland zijn boek neer, kijkt naar links en rechts, en rent dan naar het berkenbosje.

Jenna is er al. Zodra ze hem ziet, weet ze dat er iets aan de hand is. Aclands gezicht kan zijn emoties niet verbergen en de poging om dat wel te doen tegenover Freddie, maakt dat zijn gezicht wit van woede is, dat zijn groene ogen glinsteren.

Jenna kent die uitdrukking. Ze weet ook waar het van komt. Daar hebben ze al zo vaak over gesproken.

'O Acland! Acland!' Ze slaat haar armen om hem heen. 'Laat toch. Denk niet aan hem...'

'Denk niet?' Acland rukt zich los. 'Hoe kan dat nou? Hij is hier. Ik zit met hem aan dezelfde tafel. Doen of hij gewoon een gast is als de anderen. Doen of ik hun lachjes niet zie – zoals ze elkaar aanraken als ze denken dat niemand kijkt. Het maakt dat ik hem wil...'

'Acland...'

'Heb je op zijn handen gelet? Van die afschuwelijke witte handjes – zachte handjes. Hij is er trots op. Hij doet er vast iets op. Ze ruiken naar anjelieren. En ze gebaren maar en ik denk: *ze moet ze mooi vinden. Mijn moeder moet die handen mooi vinden.* Hoe kan ze zo blind zijn? De huisvriend. De schríjver. Ze wilde dat ik zijn boeken las. Dunne, goedkope, misselijke vodden, ik kon er wel van kotsen...'

'Toe Acland. Niet nu.'

'Ik zou hem kunnen vermoorden, weet je dat? Doden als een zieke hond.'

'Dat meen je niet.'

'O nee? Je hebt het mis. Het zou heel gemakkelijk zijn. Eén schot. Misschien dat mijn vader het voor me doet. Misschien probeerde hij het wel de afgelopen herfst, maar hij miste. Helaas.'

'Het was een ongeluk, Acland.'

'Echt? Of een waarschuwing. Dat was zes maanden geleden en hij is er nog steeds. Beledigt ons. Ruikt naar goedkope parfums. Rolt zijn tong om titels. Gebruikt ons. Minacht mijn moeder ook. Hij houdt niet van haar – hij vindt haar zelfs niet aardig. Hij praat altijd uit de hoogte tegen haar. Deze schilder, die schrijver – "O, maar mijn lieve lady Callendar, hebt u niet gelezen...?" Ik zou hem bij zijn keel kunnen grijpen om die vreselijke geaffecteerde stem niet meer te hoeven horen. Hoe kan ze ernaar luisteren?'

Jenna doet een stap achteruit. Acland trilt van woede. Die imitatie van Shawcross – Acland kan goed imiteren – was zo nauwkeurig.

'Zo moet je niet praten. Ik ken je niet als je zo praat.'

Acland antwoordt niet. Hij staat doodstil tussen de berken, hun schaduwen werpen een blauw licht op hem. Het is of hij haar niet ziet.

'Zal ik weggaan?' vraagt Jenna. 'Misschien kan ik beter gaan.' Ze draait zich om. Dat schijnt Acland eindelijk te bereiken.

'Nee, ga niet, Jenna.' Hij trekt haar ruw naar zich toe, streelt haar gezicht en begraaft zijn hoofd in haar haar.

'O god, o god, o god. Ga niet weg. Houd me vast, Jenna. Jenna, laat het verdwijnen. Laat het allemaal verdwijnen.'

'Mijn hemel. Waar is iedereen?'

De oude mevrouw Fitch-Tench wordt wakker. Recht haar gebogen rug en veegt haar reumatische ogen af met een zakdoek uit haar reticule. Dan kijkt ze de tuinen rond. Ze mag dan doof zijn, maar ze heeft uitstekende ogen, vooral in de verte kan ze goed zien. De tuinen zijn leeg.

'Ik weet het niet, mevrouw Fitch-Tench,' moppert Freddie.

'Wat was dat, lieve jongen?'

'Ik zei, ik weet het niet, mevrouw Fitch-Tench!' roept Freddie. 'Ik denk dat iedereen zich is gaan verkleden voor de thee. Het is bijna tijd.'

'Thee? Dat kan niet. We hebben net de lunch gehad.'

'Het is bijna vier uur!' schreeuwt Freddie. 'De lunch was uren geleden. U hebt geslapen.'

'Nonsens, lieve Freddie. Ik slaap nooit. Ik rustte wat. Maar als we zometeen gaan theedrinken, kan ik beter naar binnen gaan...'

Freddie helpt mevrouw Fitch-Tench overeind, helpt haar met haar reticule, parasol, handwerkje, bundeltje gedichten en sjaal. Als ze veilig binnen is, keert Freddie naar het terras terug.

Hij is uit zijn humeur, is zich schuldig bewust dat hij, ondanks eerdere voornemens, alweer honger heeft. En hij verveelt zich waardoor zijn stemming ook al niet verbetert. Hij heeft het gevoel of hij overal buiten staat. Geen spoor van zijn moeder of van de gasten. Boy is nergens te zien. Freddie heeft Acland via de zijingang het huis zien binnengaan. Alsof hij hoopte dat niemand hem zou zien. Ook zijn vader is nu terug. Freddie ving een glimp van hem op toen hij als een mannetjesolifant uit het bos kwam stampen, met een donker gezicht en schreeuwend tegen die arme oude Cattermole. Toen bonkte hij over het terras, met zijn hond Daisy op de hielen, en verdween het huis in. Hij liep vlak langs Freddie maar scheen zijn zoon absoluut niet te zien.

Krankzinnig! Freddie kijkt nijdig naar het harmonieuze uitzicht voor hem, ziet op zijn horloge dat het tien over vier is, thee over twintig minuten – en besluit naar zijn kamer te gaan om zijn handen te wassen en zijn tanden te poetsen – om alle lucht van tabak uit zijn adem te verwijderen voordat hij zijn moeder ziet. Actie en het vooruitzicht van de thee brengen hem weer in een goed humeur. Hij gaat fluitend het huis binnen en springt met twee treden tegelijk de hoofdtrap op naar de westelijke vleugel.

Het is de gewoonte bij de feesten van zijn moeder dat de geslachten streng gescheiden zijn: in de westelijke vleugel zijn de logeerkamers voor de vrijgezellen, hoewel niemand verwacht dat ze daar blijven.

Bovendien kunnen ze gemakkelijk de kamer vinden van de vrouw die ze zoeken, omdat Gwen op alle deuren naamkaartjes heeft aangebracht.

Freddie bekijkt de namen en werpt een blik op het eind van de gang waar – gescheiden van de rest van het huis door een kleine hal – de Koninklijke Slaapkamer ligt. De beste kamer van het huis, met een eigen trap naar de afdeling voor de bedienden beneden. Vannacht heeft Shawcross een leventje als een prins.

Freddies kamer ligt op de tweede verdieping, vlak boven de Koninklijke Slaapkamer. Hier slapen hij en zijn oudere broers. Fluitend bonst hij op Aclands deur, gooit die open en ziet dat de kamer leeg is. Dan bonst hij op de deur van Boy en omdat hij geen antwoord krijgt, trapt hij die vrolijk open.

Boy zit op zijn bed met het hoofd in zijn handen, hij tuurt naar de grond. Op het bed liggen naast hem zijn camera en statief.

'Thee!' roept Freddie. 'Vooruit, Boy, thee over een kwartier. Schiet op...' Freddie zwijgt, kijkt naar zijn broer. 'Heb je iets? Je ziet er zo groenig uit.'

'Ik heb geen zin in thee.' Boy kijkt Freddie aan. Hij is bleek. Een ogenblik heeft Freddie het afschuwelijke vermoeden dat hij gehuild heeft.

'Jakkes, Boy. Je ziet er zo gek uit. Ben je ziek?'

'Nee, hoor.' Boy staat op en draait zijn broer de rug toe. Hij prutst aan zijn statief. 'Het is alleen zo heet hier. Je krijgt geen lucht. Verdomme, dat rotding.'

Dit verbaast Freddie, want Boy vloekt nooit. Nu ziet hij wat die uitbarsting heeft veroorzaakt.

'Er ontbreekt een moer,' zegt hij behulpzaam. 'Een vleugelmoer van een van de poten. Dan kan hij niet goed staan...'

'Dat weet ik, Freddie.'

'Je zult het ding wel ergens hebben laten vallen. Zal ik het zoeken?'

'Nee. Ga in godsnaam weg, Freddie.' Tot Freddies verbazing draait Boy zich woedend naar hem toe. 'Ik vind mijn eigen spullen wel. Ik heb geen hulp nodig. En je hoeft me de werking van een statief niet uit te leggen.'

'Goed, goed. Wilde je alleen maar helpen. Je hoeft me niet aan te vliegen. Wat heb je eigenlijk?'

'Dat zei ik toch. Het is hier heet. Ik heb hoofdpijn. En laat me nu alsjeblieft alleen.'

Eenmaal in zijn eigen kamer begint Freddie weer te fluiten – eerst Acland in een slechte bui, nu Boy; nou, ze kunnen opvliegen met hun slechte humeur. Frederic loopt naar de wastafel om zijn tanden te poetsen, maar draait zich plotseling om.

Zag hij het al toen hij de kamer binnenkwam? Ja. Daar op zijn bed, waar Arthur zijn avondkleding heeft neergelegd. Zijn rokkostuum, gesteven wit overhemd en... Freddie tuurt. Daar, midden op het sneeuwwitte overhemd, ligt een van de marsepeinen petits fours die zijn moeder serveert bij de koffie. Hij ligt in een geplooid papieren bakje en dus heeft hij gelukkig geen vlek op het overhemd gemaakt, al is hij aan het smelten.

Freddie vindt het niet leuk. Is dat Arthurs idee van een grapje?

Hij trekt aan de bediendenbel en loopt naar de trap.

'Arthur!' brult hij. 'Wat betekent dat voor de duivel?'

Geen antwoord, geen geluid van snelle voeten. Hij wil juist de deur achter zich dichtslaan wanneer hij – heel duidelijk – een schreeuw hoort.

Hij blijft staan, geschrokken, en denkt even dat hij zich heeft vergist. Maar nee, hij hoort het opnieuw. De schreeuw van een vrouw, of een kind. Freddie luistert. De tweede schreeuw wordt gevolgd door volledige stilte. Wie het ook was – Steenie, Constance die aan het spelen zijn? – en wat er ook gebeurde, er schreeuwt niemand meer.

'Maak je klaar,' zegt Shawcross als Gwen zijn slaapkamer, de Koninklijke Slaapkamer, binnenkomt. Hij doet de deur op slot die naar de westelijke vleugel leidt en geeft haar over zijn schouder instructies.

Gwen aarzelt en – als Shawcross zich omdraait – steekt haar hand naar hem uit. Shawcross veegt die hand opzij en Gwen, met een gebrek aan zelfbeheersing waar Shawcross minachting voor heeft, jammert zacht.

'Opschieten,' voegt Shawcross eraan toe. Hij heeft slechts één reden voor die haast, heel eenvoudig. Ze hebben niet meer dan een uur en dat wil hij zo goed mogelijk gebruiken, maar Gwen verknoeit de helft ervan als hij haar haar gang laat gaan. Zonder kamenier kleedt ze zich langzaam uit, net zoals ze in alles langzaam is: langzaam in haar bewegingen, langzaam in haar denken. Grote, statige, onhandige, domme Gwen: Shawcross vraagt zich af of Gwen wel beseft dat hij zich juist door die domheid tot haar aangetrokken voelt. Hij weet dat ze gekwetst is door zijn toon.

'O, Eddie,' zegt ze en Shawcross die geen tijd wil verspillen aan idiote vragen en geruststellingen weet hoe hij Gwen zo snel mogelijk tot samenwerking kan bewegen. Hij heeft dat eerder gedaan.

Zonder enige voorbereiding wrijft hij – zijn ogen in de hare – zijn hand tegen haar borst.

Gwen verkleedt zich zeker viermaal per dag en de oesterkleurige zijde van die ochtend is vervangen door een japon van lichtblauwe crêpe de Chine. Hij voelt door het dunne materiaal de hard wordende tepels. Gwen zucht, staat tegen hem aan, haar ogen zijn groot.

Als ze zo kijkt, zo vol liefde en opwinding, veracht Shawcross haar meer dan ooit. Die uitdrukking op haar gezicht maakt hem woedend. Hij zou haar willen straffen.

Maar hij buigt het hoofd en duwt zijn tong tussen haar lippen. Gwen rilt, steekt een hand uit, maar hij trekt zich onmiddellijk terug.

'Je begeerde me – tijdens de lunch. Je dacht eraan. Je zat tegenover je echtgenoot en je wilde het. Alsof ik het niet wist. Wat ben je dan, Gwen?'

Gwen antwoordt niet. Tot zijn ergernis laat ze het hoofd hangen, al weet ze wat het antwoord is, ze hebben het vaak genoeg gerepeteerd.

Shawcross grijpt haar kin in zijn hand; zijn vingers sluiten zich op haar mond en misvormen de omtrek ervan. Het doet pijn.

'Vooruit. Antwoord me. Wat ben je dan, Gwen?'

Hij laat haar mond los. Gwen heft haar ogen naar hem op.

'Wellustig, Eddie,' zegt ze zacht. 'Het maakt me geil en slecht, als een... als een hoer.'

Shawcross geeft haar een glimlachje als beloning. Het heeft drie maanden geduurd voordat Gwen het woord over haar lippen kreeg. Ze heeft nog steeds een terugval tot ergerlijke kuisheid als het woord een paar weken niet ter sprake is gekomen. Nu is het er weer, dat is althans iets.

'En wat heeft dat voor effect op mij, Gwen?' Hij buigt zich naar haar toe. 'Je weet het. Zeg het.'

'Het... het maakt dat je mij begeert, Eddie.'

'Precies. Het maakt me ongeduldig. Schiet op en maak je klaar.'

Tot zijn opluchting maakt ze de paarlen knoopjes van haar japon los. Shawcross keert zich ogenblikkelijk af, hij weet dat er slechts twee dingen zijn die Gwen tot haast kunnen aansporen: het ene is een hartstochtelijke verklaring van zijn kant, het andere legt de nadruk op zijn mannelijke behoeften. Dat laatste is te prefereren. Het is sneller, minder vervelend, en min of meer waar, hoewel de waarheid weinig voor Shawcross betekent.

Hij heeft gewonnen. Gwen kleedt zich inderdaad uit. Shawcross duwt de gordijnen naar de alkoof opzij en loopt via de kleedkamer naar de badkamer. Daar haalt hij de zwartzijden linten uit zijn zak en trekt ze door zijn vingers. Het zijn hoedelinten en oersterk. Shawcross bekijkt ze en stopt ze weer in zijn zak. Hij zal dit keer volledig gekleed blijven, een variatie die hij eerder heeft gebruikt, zij het nog niet met Gwen.

Dat besluit windt hem op, zijn penis zwelt. Hij wast zijn handen. Handen wassen is belangrijk voor hem, hij wast ze als een chirurg voor een operatie. Driemaal met Franse zeep die naar anjelieren ruikt, driemaal wassen, driemaal spoelen. Hij boent zijn nagels. Alle seks is vies, de aantrekkingskracht ervan ligt in het vernederende. Zelfs als hij zijn vlees in hun openingen voelt, vindt hij ze walgelijk, die zachte, gevende vergaarbekkens, met hun geur van zeewier, hun natte, kleverige uitscheiding. Weten ze, vraagt Shawcross zich soms af, hoe obsceen ze eruitzien, die vrouwen, met hun dikke, melkachtige borsten, hun bleke, vlezige billen, hun lelijke, vochtige kwabben vet?

Ze schijnen het niet te weten. Voor die stommiteit, niet alleen omdat ze vies zijn, niet alleen omdat hij van hen walgt, wil Shawcross hen straffen. De manieren waarop hij dat doet, zijn eindeloos: door hen te laten wachten tot ze erom smeken, met woorden – als Shawcross hen neemt, is hij zelden stil maar geen enkel lief woord komt over zijn lippen. Bovenal kan hij hen straffen met alle wapens die zijn lijf heeft: met handen die knijpen, die slaan, met tanden die bijten, met zijn gewicht en vooral met zijn geslachtsorgaan waar hij naar kijkt als het heen en weer beweegt – als een zwaard, denkt Shawcross weinig origineel.

Hoe fatsoenlijker de vrouw, hoe hoger haar positie, hoe meer Shawcross geniet van die straffen. Gekochte vrouwen interesseren hem niet, die zijn al te vaak door andere mannen vernederd. Maar een bekende dame, een maagd, of een echtgenote die nooit een minnaar heeft gehad – zulke vrouwen zijn de overwinning waard. Als hij zulke deugdzame vrouwen leert wat ze precies zijn, hen dwingt hun behoefte aan hem te uiten, geeft hem dat een opwinding die gewone seks verre overtreft. Verleiding, zou hij zeggen als een man ernaar vroeg, is een soort morele kruistocht.

Gwen denkt natuurlijk dat ze van hem houdt. Ze gelooft waarschijnlijk ook dat hij van haar houdt en zo zijn alle excessen gerechtvaardigd. Uiteindelijk zal Shawcross zijn verachting laten blijken, zijn afkeer en oneerlijkheid uitspreken – dat is de laatste, hoogste opwinding.

Met Gwen is hij nog niet zo ver, pas over een maand of zes, denkt

Shawcross, terwijl hij zijn handen afdroogt. Het is niet zo eenvoudig als vroeger om zijn maîtresses te vervangen. Als resultaat van vroegere uitspattingen zijn diverse grote huizen – goede jachtgronden – voor hem gesloten. Voorlopig is Gwen goed genoeg, hij geniet nog steeds van haar onderwerping en door Gwen vernedert hij bovendien haar echtgenoot.

Gwen, met haar luie, domme geest èn haar botte man: een dubbele prijs. Shawcross, spelend met de zijden linten, bedenkt plotseling dat er nog een deur is naar deze suite. De deur van de kleedkamer leidt naar de diensttrappen. Hij kan die beter op slot doen.

Hij opent de deur, sluit die weer. Er zit geen sleutel in het slot, geen grendel die hij kan vastmaken. Hij blijft staan, denkt na. Het is onwaarschijnlijk dat iemand hen op deze tijd zal storen; als de bediende die hem is toegewezen voor deze avond, zou komen, klopte hij natuurlijk. Shawcross loopt naar de slaapkamer, blijft staan voor de alkoof en (voor dubbele zekerheid) trekt de zware fluwelen gordijnen ervoor.

Gwen zit te wachten op een Turkse sofa aan de voet van het Koninklijke Bed. Ze is tegenwoordig slim genoeg – dat heeft Shawcross haar wel geleerd – om zich niet volledig uit te kleden. Ze zit in haar korset, rustig en geduldig, de handen in haar schoot, als een goed opgevoed schoolmeisje. Haar japon ligt keurig opgevouwen op een stoel.

Als Shawcross binnenkomt, stralen haar ogen. Dan ziet ze dat hij nog gekleed is en er trekt een verwonderde uitdrukking over haar gezicht.

Shawcross komt vlak voor haar staan, steekt zijn handen in zijn zakken en wiegt heen en weer op zijn hielen.

'Wil je hem?' vraagt hij.

'Eddie, ik...'

'Je wilt hem, zeg dan dat je hem hebben wilt.'

'Ik wil jou, Eddie, ik houd van je.'

'Als je hem hebben wilt, moet je hem eruit halen.'

Gwen krijgt een kleur. Haar vingers – onhandige Gwen – klungelen tegen zijn kruis, maar hij wil haar niet helpen. Hij kijkt op haar neer, naar haar onnatuurlijk slanke middel, de zwellende borsten boven het korset. Daaronder is ze naakt – zoals hij haar geleerd heeft. Shawcross ziet de blauwe aderen in haar dijen, ziet een glimp van de donkere driehoek van schaamhaar. Haar buik, verborgen door stroken organdie, heeft littekens van geboorten, evenals haar bovenbenen. Hij knijpt er soms in en maakt er opmerkingen over, want Gwen schaamt zich ervoor.

'In je mond,' beveelt Shawcross als ze zijn broek opent. 'Hoofd naar achteren.' Gwen, goed getrainde Gwen, die dit vreselijk vindt, die het van Shawcross heeft geleerd, doet wat hij zegt. Het lukt nog steeds niet goed. Shawcross, handen in de zakken en spelend met de zwarte linten, wordt ongeduldig, verveelt zich. De penis verslapt in haar mond en Gwen kijkt angstig op. Niets zou hem meer bevredigen dan die stompzinnige, bange uitdrukking van haar gezicht te slaan. Maar hij houdt zich in, hij heeft zojuist een ideaal gebruik voor de zwarte linten bedacht. Hij wordt weer hard. Gwen kreunt triomfantelijk en steekt haar hand uit. Shawcross slaat die hand weg, tilt haar op, duwt haar.

'Draai je om,' zegt hij. 'Kniel.'

De gehoorzame Gwen knielt op de sofa. Shawcross bindt de linten om haar polsen en bevestigt die aan weerszijden van het bed. Gwens gezicht is tegen de vleugels van de cherubijntjes gedrukt. Wel zo goed, dan hoeft hij haar gezicht niet te zien.

Hij staat tussen haar dijen en daar Gwen niet naar hem kijken kan, speelt hij met zichzelf, zijn schone, naar anjelieren ruikende handen bewegen eerst zacht, dan sneller. Hij buigt naar voren, wrijft zich tegen haar bilspleet, beseft met genot dat ze volkomen hulpeloos is en dat hij kan doen wat hij wil. Dat gevoel van macht windt hem nog meer op, hij heeft het plan het zaad over haar rug te spuiten maar bedenkt zich. Zijn verlangen naar een gewelddaad groeit, hij wil haar pijn doen. Hij steekt zijn hand tussen haar dijen en voelt de natheid met een uitdrukking van walging op zijn gezicht. Vrouwen zijn snotterige wezens – als slakken. Hij steekt een duim in Gwens zachte opening en draait die rond. Gwen kreunt.

Tijd voor de litanie. Hij spreekt mechanisch. Hoe meer hij haar betast, hoe minder hij haar ziet. Zijn begeerte wordt dwingender maar het zijn beelden van haar echtgenoot Denton die door zijn hoofd spelen.

'Hoe groot ben ik, Gwen?'

'Heel groot.'

'Groter dan die van je man?'

'Veel groter, ja.'

'Wat zou hij doen als hij ons zag, Gwen?'

'Hij zou woedend zijn. Gekwetst. Hij zou je willen vermoorden.'

'Heeft hij dit ooit gedaan? Of dit?'

'Nooit.'

'Werd hij stijf?'

'Niet zo stijf als jij. Jij bent groot, je maakt me bang. Je – je vult me. Vul me helemaal...'

Gwen aarzelt maar Shawcross merkt het niet. Zijn lijf trilt, hij buigt zich naar voren, grijpt haar borsten en knijpt de tepels tussen zijn vingers. Maar Gwen is dom genoeg om van haar prevelement af te wijken en fluistert dat ze zoveel van hem houdt. Hij neemt een besluit, trekt terug en staat naar haar te kijken. Zijn woede wordt groter, hij ziet de zwarte linten, Gwens puilende witte vlees, ruikt de vreselijke, vochtige vrouwelijke lucht. Hij kijkt naar de plooien, twee openingen, zijn verlangen haar te verkrachten, te straffen, groeit. Stomme Gwen.

Eindelijk, geholpen door wat speeksel, duwt hij. Half erin: dit heeft hij nooit eerder gedaan. Gwen wist niet dat zoiets mogelijk was en de pijn is intens. Ze gilt. Helemaal erin, Gwen gilt weer. Shawcross, bevredigd, slaat zijn hand voor haar mond. Gwen kronkelt. Het is voorbij.

Als hij eindelijk terugtrekt – walgend van Gwen, walgend van zichzelf – weet hij dat hij een fout heeft gemaakt. Het is twintig over vier, hij heeft nog maar tien minuten om Gwen te kalmeren en te helpen met aankleden.

Met een strak gezicht maakt hij de linten los. Er is niets aan te doen, hij zal zich als een minnaar moeten gedragen. Het heeft weinig effect. Gwen beeft, haar gezicht is gezwollen van tranen, ze wil hem niet aankijken. Geen troostende leugens, geen aansporing schijnt ze te horen.

'Lieve schat, laat ik je helpen. Snel. Je haar – en je gezicht. Je moet je gezicht wassen. Gwen, het is laat. Je gasten wachten al.'

Langzaam heft Gwen haar hoofd.

'Dat had je niet moeten doen,' zegt ze toonloos. 'Dat had je niet moeten doen, Eddie. Je hebt me pijn gedaan.'

'Liefste, ik bedoelde het niet zo – het ging vanzelf. Er zijn mensen die dat doen. Ik heb je toch uitgelegd dat er zoveel dingen zijn die je niet eerder had gedaan. Dit is hetzelfde. Ik weet dat het pijn deed, maar níets is verboden, Gwen. Zelfs geen pijn – soms. De behoeften van een man zijn nu eenmaal anders dan die van een vrouw – dat weet je toch. Sta nu op – loop eens even, Gwen, probeer...'

'Het was verkéérd, Eddie. Slecht.'

Gwen bedekt haar gezicht met haar handen. Tot wanhoop en ergernis van Shawcross begint ze weer te huilen. In zo'n situatie zou hij, als hij tijd had, een koude benadering hebben geriskeerd: hij weet uit ervaring dat Gwen ogenblikkelijk in de pas gaat lopen bij de bedreiging dat ze hem beledigt. Zijn laatste wapen is altijd haar angst dat ze hem zal verliezen, maar nu durft Shawcross het niet aan. Het belangrijkste is Gwen in de kleren en uit de kamer te krijgen.

Hij zucht, pakt haar hand. Hij moet het zeggen, er is geen andere uitweg. Hij kijkt Gwen aan en zegt gekwetst en hartstochtelijk: 'Gwen, ik houd van je. En omdat ik van je houd, kan niets wat we doen, verkeerd zijn.'

Tot zijn opluchting houdt ze op met snikken. Ze kijkt hem aan. Hij heeft dit nooit eerder gezegd. Goddank dat hij iets achter de hand heeft gehouden voor noodgevallen. Gwen zal in zijn armen vallen en daarna is het gemakkelijk. Maar Gwen ontdooit niet, valt niet in zijn armen, kijkt hem lange tijd aan en zegt dan vlak, met een stem die Shawcross absoluut niet prettig vindt: 'Werkelijk, Eddie? Ik weet het niet.'

Tot zijn grote verwondering staat ze op. Draait zich om, kleedt zich aan, rustig en – voor Gwen – handig. Dertig pareltjes glippen op hun plaats, en eindelijk zijn lijfje en jabot vastgezet.

'Ik ga naar mijn kamer, Eddie. Ik zie je beneden wel.'

Shawcross vindt die stem nog steeds niet prettig, hij wordt ongerust. Gwen klinkt als een slaapwandelaarster en loopt stijf naar de deur.

Shawcross gaat snel naar haar toe en pakt haar hand. Nu is hij bang, deze nieuwe Gwen ziet eruit of ze tot alles in staat is. Ze kan zeggen dat hun verhouding voorbij is, ze kan denken aan een biecht. Shawcross, lichamelijk een lafaard, ziet beelden van Denton, met een paardezweep in de hand, voor zich. Hij omhelst Gwen hartstochtelijk.

'Liefste, zeg dat je niet boos bent, dat je niet bent veranderd ten opzichte van mij. Gwen, alsjeblieft, ik moet het je uitleggen...'

'Ik moet naar beneden.'

'Nu, ja. Maar later. Vanavond. Dan kunnen we praten. Beloof het me, schat. Zweer het. Na het diner, na de komeet – dan kunnen we alleen zijn. Dat weet je, je hebt het zelf gezegd. Ik kom naar je kamer.'

'Nee, Eddie.'

'Dan hier – nee, niet hier...' Door de uitdrukking op haar gezicht verandert Shawcross van idee. 'In de bossen. Onze eigen plek. We kunnen ieder apart wegglippen. En dan om middernacht, onder de sterren. Denk je eens in, Gwen. Liefste, zeg dat je komt. Ik wil je in mijn armen houden, naar je kijken, je aanbidden. Gwen, toe.'

Stilte. Gwen opent de deur, kijkt naar buiten, ziet dat de gang leeg is en draait zich om.

'Goed. Ik beloof het,' zegt ze en glipt de deur uit.

Eenmaal alleen slaakt Shawcross een zucht van verlichting en kijkt weer op zijn horloge. Hij moet snel naar beneden, kan moeilijk tegelijk met Gwen aankomen, zelfs niet uit verschillende richtingen. Maar eerst moet hij zich wassen.

Hij loopt naar de kleedkamer. Als hij de gordijnen voor de alkoof nadert, blijft hij even staan. Hij denkt dat hij iets hoort – een beweging.

Hij trekt de gordijnen opzij; de kamer erachter is leeg, de badkamer is leeg. Toch is er iets mis, de deur voor de bedienden staat op een kier. Hij had die toch gesloten? Zelfs als hij ernaar kijkt, beweegt de deur een fractie, alsof er een windvlaag langs is gegaan.

Heeft hij de deur niet gesloten? Shawcross maakt zich ongerust, gooit de deur open en kijkt naar buiten.

Gelijk voelt hij zich een dwaas: er is niemand, natuurlijk niet. De overloop is leeg, de trappen zijn leeg. Geen reden voor paniek.

Hij keert terug naar de badkamer, zet de kraan open, pakt de anjelierenzeep; wat pommade in zijn baard – Shawcross is trots op die keurige baard, een kam door zijn haar, een schone boord. In een paar minuten is zijn zelfvertrouwen terug. Hij is klaar.

Op het terras begint het kil te worden. Het is gaan waaien en mevrouw Fitch-Wench neemt haar thee aan met een hand in een polsmofje; twee sjaals om haar schouders en een kleed om de knieën. Eddie Shawcross komt het terras opgeslenterd met een boek onder zijn arm. Ze zijn er allemaal: Denton, Maud die de thee inschenkt – Gwen is nog niet aanwezig, de Heyward-Wests, Jarvis, die nu een meer gedekte kleur cravate draagt, Jane Conyngham, de drie oudste zoons en Steenie.

Als Shawcross nadert – *excuses, ik heb de tijd vergeten, was verdiept in mijn boek* – maakt zich een schaduw los uit een hoek en loopt Constance achter haar vader aan. Shawcross kijkt geïrriteerd op haar neer.

'O, daar ben je, kleine albatros,' zegt hij luchtig en gaat in een lege stoel zitten. 'Vlieg maar weg, dan ben je lief. Blijf niet zo om me heen hangen.'

Constance gaat een paar meter achteruit; een enkeling glimlacht om de opmerking. Shawcross accepteert een kop thee, een dienstmeisje overhandigt hem een vingerdoekje met een kanten rand, een bordje met een zilveren mes, en biedt hem sandwiches aan. Shawcross heeft geen trek en laat de conversatie langs hem heengaan. Wanneer er een pauze is, vraagt hij, opmerkelijk nonchalant, vindt hij zelf: 'En waar is lady Callendar? Heeft onze gastvrouw ons in de steek gelaten?'

'Ze rust zeker nog.'

Het is Acland die antwoordt, Maud die dat onderstreept, en Constance die hen – tot schrik van iedereen – tegenspreekt.

'Nee,' zegt ze resoluut, 'ik zag haar zo pas op de trap.'

'Mamma kwam bij me,' onderbreekt Steenie haar. 'Ze zei dat ze in slaap was gevallen en de tijd vergeten had. Nu is ze zich aan het verkleden.'

Inderdaad, Steenie schijnt gelijk te hebben, want op hetzelfde moment komt Gwen, beheerst, uitgerust, mooier dan ooit. Haar haar is pas geborsteld en vastgezet met een schildpadden speld en zilveren kammetjes in een dikke chignon, ze draagt een nieuwe japon, Brussels kant over *café au lait*-kleurige zijde, die ritselt als ze beweegt.

De mannen staan op. Gwen glimlacht en vraagt hun weer te gaan zitten. Ze neemt plaats naast Maud en accepteert een kop Chinese thee.

'Jullie moeten me niet kwalijk nemen,' zegt ze tegen de kring om haar heen. 'Ik heb eeuwen geslapen. Maar vertellen jullie me eens – hoe heb je de middag doorgebracht? Maud, heb je brieven geschreven? Ross frankeert ze wel voor je en doet ze op de post als ze klaar zijn. Mevrouw Heyward-West, hebt u het pad naar het meer gevonden? De zwanen gezien? Beeldschoon, vindt u niet? Denton, lieverd, is je slechte humeur voorbij?'

Dat laatste zegt ze op een allerliefste manier en ze neemt de hand van haar man in de hare. Ze lacht tegen hem als een koket jong meisje. Denton drukt haar hand en zegt wat nors: 'Helemaal voorbij, lieverd. Ben mijzelf weer. Maar ik moet me verontschuldigen. Hoop dat jullie me allemaal willen vergeven. Woedend – je weet hoe het is. Was over mijn toeren door die verd... fazanten.'

Er volgt gemompel van algehele vergeving. Maud lacht tegen haar broer, Boy krijgt een vuurrode kleur en Eddie Shawcross wendt zijn ogen af. Het was nooit bij hem opgekomen dat Gwen – domme Gwen – zo'n volleerde toneelspeelster was. Dat besef is niet prettig, Gwens gedrag tegenover haar echtgenoot is niet prettig.

Shawcross denkt aan de scène van een half uur geleden. Zou hij Gwen onderschat hebben? Zou ze hem opzettelijk tot die afschuwelijke, vernederende bekentenissen hebben gebracht? Zijn stemming is dikwijls beneden peil als hij met een vrouw samen is geweest, de geslachtsdaad geeft hem een bittere nasmaak. En zijn humeur wordt er niet beter op door Gwens woorden of door het feit – zoals zo vaak op Winterscombe – dat hij wordt genegeerd.

De gasten zitten geanimeerd te praten. Zoals gewoonlijk hebben ze het over wederzijdse vrienden. Zelfs Jarvis schijnt erbij betrokken te worden, Jarvis die is uitgenodigd opdat Shawcross niet de enige buitenstaander zou zijn. Shawcross bekijkt de gezichten. Hoe veracht hij deze mensen allemaal, met hun gebabbel, hun onuitputtelijke fortuin, hun kalme veronderstelling dat ze nooit een dag hoeven te werken.

Zij hebben geld. Shawcross niet. Zij zijn de mecenas en hij is degene die hun gunsten moet accepteren. Hij weet dat hij in alle opzichten superieur aan hen is, toch kijken ze op hem neer, dat voelt hij. Ze luisteren aandachtig naar zijn verhalen over het Londense literaire leven, maar hij weet dat hij hen niet echt boeit. Zij weten niet wat het is om geen geld te hebben, zijn kost bij elkaar te schrapen met het recenseren van boeken, het bijdragen van een essay. Zij hoeven niet in het stof te kruipen voor literaire redacteuren die Shawcross veracht, want hij weet dat hij het werk veel beter zou kunnen, als iemand hem zo'n baantje toeschoof. Zij hoeven niet te vechten voor een reputatie in een wereld waar talent het steeds verliest van het modieuze. Shawcross kent de waarde van zijn schrijven: hij weet hoeveel zweet er zit in zijn drie romans – novellen, eigenlijk; voor Shawcross zijn die woorden gevaarlijk, uitdagend, trillend van leven. De critici denken er anders over, maar Shawcross minacht de meeste critici – ze zijn stuk voor stuk omkoopbaar.

Maar wat begrijpen die mensen hier van de worsteling van een kunstenaar? Ze zijn zelfs niet geïnteresseerd. Misschien als hij beroemder was – maar nee, ook dan waren er nog barrières. Voor de honderdste maal beseft Shawcross verbitterd dat hij aan de verkeerde kant van de sociale en financiële scheidslijn is geboren, een lijn die nooit overschreden kan worden – alleen in bed, waar hij even geniet van zijn macht.

Shawcross voelt de bekende verbittering door zijn aderen stromen. Hij zou willen opstaan en al die vrienden van Gwen aan de kaak stellen. Hij zou hun in hun gezicht willen zeggen wat ze zijn: dégenerés, droogstoppels, parasieten.

Zijn blikken dwalen langs die zielige kring: Denton, de bedrogen echtgenoot; dikke, sullige Freddie; Boy – een goede naam – onvolwassen, linkse, saaie dwaas; zuster Maud met haar *playboy* prins en haar diamanten; Jane Conyngham – je ziet nu al dat ze een oude vrijster wordt; Acland Cavendish, de zoon die Shawcross het meest verafschuwt. Acland die intelligent, koud en neerbuigend is, Acland, de enige onder hen die nooit de moeite neemt zijn minachting te verbergen. Ja, hij zou hen aan de kaak willen stellen, maar toch is het beter dat niet te doen. Zijn tijd komt nog wel, deze standen zullen niet lang meer bestaan, en intussen hebben ze met hun landhuizen, hun zorgeloze luxe, introducties en begunstiging hun nut. O ja.

Shawcross neemt boos een hap van een komkommersandwich, kijkt rond en vangt een blik van zijn dochter Constance op. Zoals gewoonlijk zit ze naar hem te kijken. Ze zit naast Steenie op het gras een stuk cake te eten. Steenie is smetteloos in een fluwelen broek; Constance, realiseert Shawcross zich, is smerig. Haar haar zit in de war en is niet gekamd; haar jurk, met een loshangende zoom, is modderig; ze heeft haar handen niet gewassen en haar nagels zijn zwart. Hij kan zich niet langer beheersen. Als hij niet tegen de Cavendishes en hun gasten kan uitvaren, kan hij het tegen Constance doen, het kind dat hij nooit heeft gewenst, dat zijn stijl beperkt, dat een nooit eindigende uitgave is. Constance heeft wel voordelen, waarvan het voornaamste is dat ze nooit iets terug kan zeggen.

'Constance, liefje,' zijn stem is aardig en mild. Constance die die toon kent en er bang voor is, knippert met haar ogen.

'Constance, ik weet dat je graag een zigeunerin wilt zijn, schat, maar ga je nu niet een beetje te ver? We zijn hier niet onder ketellappers maar op Winterscombe, en het lijkt me een goed idee als je je eens waste en verkleedde voordat je ons met je tegenwoordigheid vereerde...'

Shawcross begon zijn toespraak onder gebabbel, aan het eind heerst er een vijver van stilte, waarin zijn woorden maximum effect hebben.

Er volgt geritsel van verlegenheid. Er zijn aanwezigen die zowel een hekel hebben aan Shawcross zelf als aan het koeioneren van zijn dochter. Shawcross die de afkeuring voelt en er een extra prikkel in vindt, zegt:

'Heb je wel eens van water en zeep gehoord, Constance? Herken je een haarborstel? Wat heb je vanmiddag gedaan, kind? Geklommen? Tunnels gegraven?' Shawcross lacht. 'Dat is het natuurlijk, aan je nagels te zien.'

'Niets.' Constance staat op en kijkt haar vader aan. 'Ik was bij Steenie.'

Ze kijkt naar Steenie terwijl ze het zegt en Steenie, die weet dat het niet waar is – toen hij wakker werd, was Constance er niet – knikt. Hij is de enige van Gwens zoons die op Constance is gesteld. Hij mag Shawcross niet – die neemt veel te veel tijd van zijn moeder in beslag. En hij heeft al lang besloten dat hij Constances bondgenoot is. Zijn steun irriteert Shawcross nog meer. Kletterend zet hij zijn bordje op tafel.

'Constance, lieg nu niet. Liegen verergert de zaak alleen maar. Ik tolereer geen onwaarheden. Ga naar je kamer en wees dan zo vriendelijk om wat water en zeep voor je persoontje te gebruiken.'

'Ik neem haar wel mee.'

Tot ieders verbazing staat Jane Conyngham op en steekt een hand uit naar Constance, die de hand negeert.

'Ik ga toch naar binnen,' zegt ze. 'Het begint te waaien. Gwen, als je me wilt verontschuldigen, ik krijg het koud.'

Het is een terechtwijzing – dat weet Shawcross onmiddellijk, en dat van een lelijke, domme erfdochter. Om de zaak nog erger te maken, is zijn hoofd zo vol woede dat er geen snedig antwoord op zijn lippen ligt. Voordat hij iets kan zeggen, is Jane weg. Met een arm om Constances schouders leidt ze haar het huis binnen.

Stilte. Mevrouw Heyward-West zegt iets over het wisselvallige lenteweer. Freddie kucht, Boy tuurt strak in de richting van de bossen. Daisy, de labrador, rolt op haar rug en biedt haar meester Denton haar buik aan.

'Thee, Eddie...?' Gwen steekt haar hand uit naar zijn kopje. Ze heeft de theepot van Maud overgenomen en troont achter de theetafel. Een zilveren blad, een zilveren theepot, zilveren suikerpot en suikertang, zilveren melkkannetje... Shawcross bekijkt die glinsterende opstelling, bedenkt dat die paar voorwerpen voldoende geld zouden opbrengen om hem een jaar lang te onderhouden. In stijl. Geen armoedig compromis meer met zijn artistieke plannen. Zijn genie zou vrij kunnen opbloeien.

'Graag.'

Hij reikt haar het kopje, werpt een blik op Denton die naast Gwen zit te dommelen in zijn stoel. Zijn grote handen met de levervlekken liggen doelloos in zijn schoot. Plotseling komt Shawcross op de gedachte – voor het eerst, vreemd genoeg – dat Gwen, als Denton zou sterven, een zeer gefortuneerde vrouw zou zijn.

'Nee. Geen suiker. Dank je.'

Een zeer rijke weduwe. Die zou kunnen hertrouwen. Met hèm. Het zou niet moeilijk zijn haar over te halen. In de veronderstelling natuurlijk, dat hij het idee van een tweede huwelijk zou kunnen verdragen, gezien de verveling, de verstikking van het eerste.

Als Denton Cavendish zou sterven... Shawcross laat die mogelijkheid door zijn hoofd dwarrelen als hij zijn kop thee van Gwen aanneemt.

Hun vingers raken elkaar niet meer – het is mogelijk dat Gwen zijn gedachten heeft geraden, of herinnert ze zich de gebeurtenissen van die middag? Haar hand beeft. Het is een moment van zwakheid, het zilveren lepeltje tinkelt tegen de kop. Shawcross merkt het echter, evenals Acland, ziet hij.

'Shawcross...' Acland buigt zich naar voren, zijn stem is beleefd. Hij vraagt iets en Shawcross heeft het onplezierige gevoel dat het antwoord bekend is. 'Je hebt het ons niet verteld. Maar heb je een prettige middag gehad? Heb je je vermaakt? Tennis? Croquet? Een wandeling door de bossen misschien? Heb je de zwanen op het meer bekeken? Je kunt toch niet de hele middag hebben zitten lezen.'

3

Een rendez-vous en een ongeluk

Uit de Dagboeken

Winterscombe, 10 april 1910
Een herinnering aan mijn moeder, de deftigheid was dun, maar
hard – je kon er doorheen zien, als door het beste porselein. Als ik
haar een kus had gegeven, bette ze haar lippen met een witte zak-
doek. Toen ik heel klein was, bad ik dat ze op een dag mijn kus niet
zou afvegen. Ik vroeg haar ernaar, maar ze zei dat kussen bacte-
riëndragers zijn.
Een herinnering aan mijn vader: als hij een boer liet, ging zijn
maag op en neer. Je zag het, de wind werd eruit gepompt. Een man
vol gas, schadelijke stoffen: een man die inwendig verrotte. Je
rook de etter toen hij stierf. Slappe lippen en grote handen, ik zie
die handen in haar japon tasten. Ik was drie toen ik hen voor het
eerst betrapte: mijn moeder hijgde.
Een herinnering aan mijn dochter: twaalf maanden oud; Jessica
lag dood te gaan in de kamer ernaast, dag en nacht hoestend zodat
ik niet kon werken. Het kind leerde midden in een hoofdstuk lo-
pen, en dat kreng van een hulp bracht haar naar binnen om het me
te laten zien. Vijf wankele stappen, toen pakte ze me bij mijn knie.
Een lelijk ding, die Constance die ik op de wereld heb gezet: gele
huid, Aziatisch haar, een semitische haakneus, boosaardige ogen.
Ik zou haar een trap willen geven.
Schrijf over haat – en de zuiverheid ervan. Vanavond – komeet.
Verwekt door toevallige elementen – zoals mijn dochter. Heet en
vol gassen – zoals mijn vader. Vreemd die associaties die je hebt. Ik
mis mijn moeder. Twaalf jaar dood en nu zeker wel verrot. Ik denk
nog iedere dag aan haar. Haar lippen bettend na iedere kus. Ze was
schoon, koud, ver. Als de maan.

'Ketellappers. Zigeuners. Gespuis. Let op mijn woorden. Die zitten erachter.'

Denton neemt een grote slok port, slikt en kijkt woedend rond. Het diner is voorbij, de vrouwen hebben zich teruggetrokken. Links en rechts van Denton zitten zijn vrienden, hij is zeker van hun sympathie – zij zijn ook landeigenaren – en hij begint weer over zijn idée fixe.

'Ik dacht dat ze vertrokken waren,' zegt sir Richard Peel – oude Dickie Peel, politierechter – en fronst. Zijn landgoed grenst aan dat van Denton, als Denton Cavendish deze maand zijn fazanten kwijtraakt, is hij de volgende keer aan de beurt.

'Vertrokken? Vertrokken?' Denton verslikt zich bijna. 'Natuurlijk moesten ze vertrekken. Maar ze zijn terug. Bij de spoorbrug. Smerig, krakkemikkig stelletje. Stelen, verspreiden ziekten. Jack, die jongen van Hennessy, zag ze vorige week in de buurt van mijn bossen, vertelde Cattermole. Je moet er iets aan doen, Peel.'

'Gemeentegrond, daar bij de brug. Een beetje moeilijk...' zegt sir Richard peinzend en Dentons neus wordt rood en trilt.

'Gemeentegrond? Wat betekent dat? Dat ze kunnen doen wat ze willen, hè? Dat ze 's nachts mijn bossen kunnen binnensluipen en mijn vogels inpikken? Dat ze in mijn dorp kunnen komen met hun smerige stropershonden vol vlooien, walgelijke beesten, vergif is nog te goed voor ze. Een ervan kreeg verleden jaar Cattermoles beste teef te pakken. Beklom haar vlak voor de kerk. Cattermole kon er niets aan doen. Heeft de hondjes natuurlijk verdronken maar die teef is niet meer dezelfde. Niet meer de hond van vroeger. Heeft haar bedorven. En ze was een van zijn beste teven. Goede neus, zachte bek en nu...'

Het droeve lot van Cattermoles hond schijnt diepe indruk op Denton te maken, zijn kin zinkt op zijn borst, zijn ogen staan glazig. Soortgelijke verhalen over zigeuners schijnt hij niet te horen. Hij schudt het hoofd en schenkt nog wat port in zijn glas.

Zijn derde glas, ziet Shawcross aan het eind van de tafel. Dronkaard, materialist. Denton, de hoorndrager, was al aangeschoten, nu is hij stomdronken. Shawcross nipt aan zijn port, die uitstekend is en bet zijn kleine mond en gepommadeerde baard met zijn servet. De aanblik van dat sneeuwwitte servet en zijn eigen schone handen met goed gemanicuurde nagels doen hem goed. De geur van zijn eau de cologne stelt hem gerust. Met een hooghartig glimlachje dwaalt zijn blik naar de gasten die dichter bij hem zitten. Links een seniele graaf, een preutse bisschop, en zijn bekende Jarvis die een buurman van Cavendish een mooie collectie Landseers wil verkopen. Niets veelbelovends.

Aan zijn rechterhand de voornaamste financier sir Montague Stern die met George Heyward-West zit te praten – natuurlijk over percentages. Achter hen een groep jongeren, waaronder Hector Arlington – het land van zijn vader grenst aan dat van de Conynghams. Ze zeggen dat Arlington, een ernstige jongeman, een goede amateur-botanicus is. Botanicus, denkt Shawcross spottend. Achter Arlington zit een stel jongens uit Eton met balkende stemmen en dan, verspreid tussen enkele angstwekkend belangrijke mannen, ziet hij Gwens drie oudste zoons: Boy, met een rood hoofd, nerveus; Freddie die warempel dronken is; Acland die bijna de gehele avond stil en in zichzelf gekeerd is.

Shawcross ziet dat Acland een geeuw onderdrukt en merkt dat hij alleen water drinkt. Hij merkt ook dat Acland schijnt te luisteren naar de man naast hem maar dat in feite niet doet. Zijn blikken glijden van het ene gezicht naar het andere en hij heeft de indruk dat niets Acland ontgaat.

Acland maakt Shawcross altijd nerveus en hij wendt zich nu af om Aclands blik te ontwijken. Shawcross heeft het gevoel – dat steeds sterker wordt – dat Acland niet alleen een hekel aan hem heeft, maar dat Acland het wéét. Hij weet van de verhouding met Gwen; hij weet, of voelt, de minachting die hij voor Gwen heeft – een minachting die Shawcross altijd dacht te verbergen. Die vraag die Acland hem stelde tijdens de thee: *Heb je je vermaakt?* Geen toeval, die vraag, maar berekend om hem van zijn stuk te brengen. God, hij kan die knul niet uitstaan... Hij steekt omstandig een sigaar aan, zich ervan bewust dat Acland naar hem kijkt. Hij schuift op zijn stoel. Bovendien is het vreselijk dat Acland hem zo ziet, een buitenstaander die niemand heeft om mee te praten. Shawcross schraapt zijn keel en onderbreekt het financiële gefluister aan zijn rechterhand.

George Heyward-West zwijgt met een verbaasde blik. De financier, sir Montague Stern is hoffelijker, betrekt Shawcross in de conversatie en binnen enkele seconden zijn ze van prolongaties overgestapt op de opera; Shawcross is op zijn gemak.

Montague Stern staat bekend als een vooraanstaand begunstiger van Covent Garden. Shawcross, die onmuzikaal is, weet niets van opera's en interesseert zich er absoluut niet voor, maar opera telt als een kunst, is althans een min of meer beschaafd onderwerp, te verkiezen boven boeren en gemopper over zigeuners en honden. Hij weet een paar aardige geestigheden over Wagner te berde te brengen – voelt hij – en bekijkt het vest van sir Montague – van geborduurde donkerrode zijde. Shawcross ontspant zich, en sir Montague, een edelmoedig man, verbetert hem niet als hij Rossini en Donizetti met elkaar verwart.

Shawcross geniet nu meer van zijn port, en wordt enigszins, en heel plezierig, dronken. Nog een paar slokken en hij kan iedereen verblinden. Van opera naar theater, van theater naar boeken.

Shawcross, die zich ervan bewust is dat Acland nog steeds naar hem kijkt, wordt steeds breedsprakeriger. Laat Acland maar proberen of er iets op hem aan te merken is. Shawcross is nu geen buitenstaander meer, hij komt uit de metropool, en de namen van bekende godheden – allemaal intieme vrienden: Wells, Shaw, Barrie – zo'n charmante kleine man, Barrie – stromen van zijn lippen.

Sir Montague luistert stil, knikt een enkele maal; een- of tweemaal schudt hij het hoofd. Shawcross merkt het niet. Hij riskeert zelfs een triomfantelijke blik in de richting van Acland. Hij is veilig op zijn rijk geschakeerde terrein, literatuur in het algemeen, en zijn eigen literaire werken in het bijzonder. Op deze hoogte kan niemand hem kleineren, bespotten, niemand aan deze tafel althans. Sir Montague? Een beschaafd man, intelligent, cultureel, ja, maar sir Montagues aandacht versterkt alleen Shawcross' gevoel van veiligheid. Want sir Montague is de enige van de aanwezige mannen die niet in een positie is om hem te kleineren. Hij kan Shawcross niet verachten vanwege zijn afkomst, zijn scholing, zijn manieren, zijn kleding. Waarom niet? Waarom voelt Shawcross dat hij degene is die neerbuigend kan zijn, die begunstiger is?

Heel eenvoudig: sir Montague is een jood. Hij is, zegt men, van lage komaf, en hoewel hij hoog gestegen is, kan hij zijn raciale en sociale oorsprong niet achter zich laten. Ze zijn zichtbaar in zijn gelaatstrekken, zijn vest, een enkele maal in zijn stem met de rijkdom van Centraal Europa, een zangerigheid die je niet in de Engelse graafschappen aantreft.

Uitstekend, wat Shawcross betreft, want natuurlijk veracht hij joden, net als hij vrouwen veracht, of arbeiders. Ieren, iedereen met een donkere huid. Nu stelt hij zich met sir Montague op tegen die droogstoppels terwijl hij, Shawcross, een aangeboren superioriteit bezit. Wat een genot. Zijn geestigheden bereiken nieuwe hoogten en hij is teleurgesteld als het portdrinken voorbij is en zijn opvoering wordt beknot.

'Beste kerel,' en hij legt een hand op de arm van sir Montague. 'U hebt het niet gelezen? Maar u zou de details zeker begrijpen. Als ik

terug ben in Londen stuur ik u een exemplaar, gesigneerd natuurlijk. Geef me uw adres; u krijgt het zo spoedig mogelijk...'
Sir Montague knikt, maakt een buitenlandse halve buiging.
'Beste kerel,' zegt hij vriendelijk en Shawcross merkt niets van ironie. 'Beste kerel. Graag.'
Als het feest in volle gang is en het uur van de komeet nadert, neemt Boy Cavendish Jane Conyngham mee naar de wapenkamer. Dat bezoek is aangemoedigd door Jane en komt voort uit wanhoop, uren geleden, toen ze tijdens het diner weer naast elkaar werden gezet en het enige onderwerp – fotografie – was uitgeput. Terwijl de ene gang op de andere volgde, dobberden hij en Jane op een zee van beleefde conversatie. Boys antwoorden waren vaag en tegen de tijd dat Jane de pudding op haar bord heen en weer schoof, waren ze gestrand op de zandbank van reizen, maar terwijl Jane die dol is op reizen en geen stap doet zonder haar Baedeker, in Florence, Rome, Venetië en Parijs is geweest, zijn Boys avonturen veel beperkter. Hij brengt de zomer door op Winterscombe, het najaar op het Schotse landgoed, de winter in Londen. Hij herinnert zich wel dat hij nog eens met zijn tante Maud naar Normandië is geweest. Hij was toen nog heel jong en werd misselijk van het voedsel.
'Pappa,' en hij bloost pijnlijk, 'houdt niet van het buitenland.'
Als de mannen na het diner de dames weer opzoeken, verbetert de situatie, want Acland neemt Boy terzijde en Jane blijft tot haar opluchting met Freddie samen. Maar Freddie wil niet aan Jane vastzitten en fronst in de richting van zijn broers, die beiden bleek zijn en een meningsverschil lijken te hebben. Dus wendt hij zich weer tot Jane, zoekt in zijn opvoeding en maakt haar een compliment over haar japon.
In feite vindt hij die niet mooi – een buitengewoon somber groen – maar hij kan oprechtheid in de opmerking leggen, want Jane ziet er goed uit. Haar magere gezicht heeft een kleur, haar haar is charmant opgemaakt in golven die haar hoge voorhoofd en haar uiteenstaande bruine ogen benadrukken. Acland heeft in het verleden beweerd dat Jane niet lelijk is, dat de intelligentie van haar afstraalt en haar een soort schoonheid verleent. Maar Acland gaat altijd tegen de draad in. Freddie zegt iets over de japon.
Jane fronst. 'Freddie, je hoeft niet beleefd te zijn. De japon is... een vergissing.'
'Neem me niet kwalijk?'
'Hij had grote plannen, die japon... die zijn niet uitgekomen.'
Jane werpt een blik op Acland als ze het zegt maar Freddie vindt de

opmerking onbegrijpelijk, een grapje zeker. Hij begrijpt haar grapjes nooit.

Er valt een pijnlijke stilte. Freddie kijkt de salon rond om hulp, vindt niemand. Zijn blik valt op Hector Arlington maar Arlington – die Jane ziet staan – loopt weg.

Freddie weet waarom: het was de bedoeling dat Arlington met Jane zou trouwen, dat verwachtte haar familie in ieder geval en haar tante ging met veel energie te werk. Arlington, een overtuigde vrijgezel volgens Acland, slaagde erin zich aan alles te onttrekken voordat roddelverhalen hem compromitteerden: Freddie betwijfelt of Boy zo gemakkelijk kan ontsnappen. Niet als zijn vader er iets aan kan doen.

Wat een lot, opgescheept te worden met een blauwkous! Volgens Acland – alweer – was Jane een plaats aangeboden om in Cambridge te gaan studeren maar weigerde toen haar oude vader ziek werd. Freddie vraagt zich af of hij ooit met fatsoen kan weggaan en weet niet of het idee van een universiteit voor een vrouw nu afschrikwekkend of gek is.

'Voelt Boy zich niet goed?' vraagt Jane plotseling. Freddie schrikt. 'Niet goed?'

'Hij is zo bleek. Ik dacht – aan het diner – dat er iets was...'

Waarschijnlijk zorgen over het huwelijksaanzoek, denkt Freddie en verbergt een glimlach. 'Het is het weer, geloof ik. Hij zei eerder al dat hij hoofdpijn had. O – en hij verloor iets van zijn statief – je weet hoe hij met die camera rondzeult. Zonder statief blijft hij niet staan. Dat zal het wel zijn.'

'Ik denk het niet. Hij moet het gevonden hebben want hij heeft foto's gemaakt bij het meer. Ik was er bij. Vlak voor het diner.'

Weer onderdrukt Freddie een glimlach. Boy had kennelijk de gelegenheid om zijn aanzoek te doen maar heeft het erbij laten zitten. 'Dan kan ik niets anders bedenken,' zegt hij beleefd. 'Maar hij komt al terug,' voegt hij er opgelucht aan toe als Boy van Acland vandaan komt. 'Wil je me excuseren?'

Hij verdwijnt zo snel mogelijk. Boy komt bij Jane zitten en begint tot haar wanhoop weer een afschuwelijk hoogdravend gesprek. Niets schijnt Boy te interesseren, geen muziek, geen boeken, geen andere gasten. Zelfs de komst van de komeet niet. Het gesprek komt op een gegeven ogenblik op het onderwerp jagen en dan op geweren. Jane zegt dat de Purdey geweren die Boy gekregen heeft, heel bijzonder moeten zijn.

'Ik zal ze je laten zien, als je wilt. Ik laat ze je nu meteen zien.' Tot verbazing van Jane staat hij op en biedt haar zijn arm. Hij loopt met snelle passen. De toegeeflijke blikken als ze de kamer verlaten, schijnt hij niet op te merken, maar Jane ziet ze. De mensen denken blijkbaar dat hij nu zijn aanzoek zal doen – ze vergissen zich.

Terwijl ze door de gangen snellen, gelooft Jane dat ze de reden van Boys haast begrijpt: er zijn heel wat plaatsen waar een conventioneel man een huwelijksaanzoek kan doen: bij een meer, bijvoorbeeld, in het maanlicht op een terras, misschien in een serre – ja, dat zou wel iets voor Boy zijn, maar een wapenkamer – dat nooit. In de wapenkamer ontdekken ze iets verbazingwekkends: het bij elkaar horende stel Purdeys is verdwenen.

Dentons wapenkamer is een waar arsenaal, dus duurt het even voordat ze die ontdekking doen. Het maakt Boy zeer nerveus. Hij legt Jane uit dat zijn vader deze wapenkamer als met de zorg voor een fetisj heeft ingericht. Er zijn slechts vier sleutels van de kamer: zijn vader heeft er een, hij zelf heeft er een, Acland heeft er kort geleden een gekregen en de laatste is van Cattermole. Andere jachtopzieners mogen er alleen komen om de geweren schoon te maken als zijn vader of Cattermole er is om op hen te letten.

Ondanks het feit dat de glazen kast open is en de Purdey geweren weg zijn, weigert Boy dat te accepteren. Hij zoekt in alle hoeken en gaten en windt zich steeds meer op.

'Pappa zal woedend zijn! Toe...' en hij pakt Jane smekend bij de arm, 'zeg er alsjeblieft niets van, tegen niemand.'

'Natuurlijk niet, Boy.' En Jane houdt haar woord. Het incident komt alleen in haar dagboeken voor, maar er wordt nooit over gesproken, evenmin als over het feit dat de geweren twee dagen later gevonden worden. Boy praat er zelfs niet over als hij getuigen moet tijdens de gerechtelijke lijkschouwing, waarin alle gebeurtenissen van die nacht in detail worden behandeld.

In de wapenkamer ziet Jane een uitdrukking van kinderlijke verslagenheid op Boys gezicht. Arme Boy, hij maakt zich niet echt zorgen over zijn vader en de geweren, maar over zijn vader en het huwelijksaanzoek.

Jane heeft medelijden met Boy, die net als zij in deze klucht gevangen zit. Ze zal tegen hem zeggen dat ze geen huwelijksaanzoek van hem wenst, en dat ze hem, als hij het toch doet, zeker zal afwijzen. Alle zinnen heeft ze al klaar in haar hoofd – maar ze worden nooit uitgesproken.

Want er luidt een gong. Die weerklinkt door de gangen. Een spookachtig geluid. Boy springt op. Maar de gong is alleen een sein voor de komeet, een sein dat de gasten zich buiten moeten verzamelen.

139

Boy schijnt het te begroeten als een nieuw uitstel. 'Opschieten,' zegt hij en Jane, wetend dat het moment verloren is, volgt hem.

Wat een mensen daar buiten op het terras, omhoogturend naar de nachtelijke hemel. Een zacht briesje, een kalme nacht, afwachten. 'Daar!'
Acland is de eerste die hem ziet, hij wijst. De mensen om hem heen dringen, rekken hun hals, vullen de wachtende minuten met het opnoemen van de sterrenbeelden: de poolster, Orion, Castor en Pollux, de Grote Beer: vannacht is de lucht helder, de sterren schitteren. Ze zien eruit, denkt Acland, als glinsterend zaad dat over de hemel is uitgeworpen door een edelmoedige, verkwistende god. Hun overvloed verblindt zijn denken. Hij loopt weg van de anderen, zodat hun conversatie hem niet hindert, zodat hij alleen kan zijn. Hij kijkt op naar de hemel en kan wel juichen. Op zo'n nacht is alles mogelijk, alle armzalige dingen van het leven, alle uitvluchten en onwaarheden zijn verbannen. Even voordat hij de komeet ziet, is er een geluksgevoel alsof hij de zwaartekracht van de aarde heeft achtergelaten en wordt meegesleept door de sterren.
Dat gevoel blijft niet, het glijdt al weg als hij een glimp van de komeet opvangt en de komeet ontnuchtert hem. Hij had verwacht dat het een teleurstelling zou zijn. Willekeurige deeltjes, gassen en stof: hij was ervan overtuigd geweest dat hij absoluut niet spectaculair zou zijn.
Zodra hij hem ziet, weet hij dat hij het mis had. De komeet boezemt ontzag in. Terwijl hij roept en wijst, sterven de gesprekken weg, de mensen op het terras zijn stil.

Eén lange baan van licht. De komeet maakt een boog, de sterren verbleken, de duisternis laait op, de grote baan is stil. Dat maakt, denkt Acland, de verschijning zo ontzagwekkend, beangstigend. Wilskracht, gloed en stilte. Bij zo'n snelheid verwacht hij lawaai, geknetter van vlammen, het geluid van een explosie, het brullen van een machine, van een vliegtuig. Acland heeft éénmaal een vliegtuig gezien.
Maar de komeet is stil als een ster. Dat is zo ontzagwekkend en ook – één moment – een gewaarwording van de toekomst. Want deze komeet komt over zesenzeventig jaar weer terug, dat is zeker. Acland rekent even. De komeet zal weer worden waargenomen in 1986; de cijfers klinken buitenissig, bizar. Dan is hij... tweeënnegentig. Zo lang blijft hij niet leven. Dat is veel te oud, te onwaarschijnlijk. Hij houdt zijn ogen op de komeet gevestigd, ziet de krul

van licht: hij weet – slechts eens in zijn leven en niet meer.
Acland ervaart heel kort zijn eigen sterfelijkheid. Het maakt hem boos en bedroefd. Zo weinig jaren en dan is het voorbij. Hij zou een enkel gewaagd, extreem iets willen doen, iets geweldigs.
Hij draait zich woedend om. Hij moet naar Jenna, nú – en het kan hem niet schelen of iemand hem ziet weglopen. *Het leven is zo kort*, denkt Acland. Hij neemt de weg naar de stallen, Jenna heeft daar met hem afgesproken. Niemand ziet hem vertrekken, alleen Jane Conyngham, die altijd op hem let.
De lucht is heerlijk in zijn longen. De vreugde keert terug. *Vannacht zou ik alles kunnen*, zegt Acland tot zichzelf en kijkt over zijn schouder.
Maar niemand die hem roept en – veel later – is er niemand die vraagt waar hij geweest is.

En de andere toeschouwers? Sommigen zijn bang. Zelfs Denton voelt zich droefgeestig worden, hij denkt aan zijn stijve gewrichten, zijn kortademigheid, de nabijheid van het kerkhof. Gwen, in haar mantel van zeehondebont en hermelijn, staat naast Shawcross zoals afgesproken en beseft hoe de werkelijkheid verwachtingen doet verschrompelen.
Ze had zich onbewolkt geluk voorgesteld, nu wordt ze heen en weer geslingerd tussen hoop en paniek. Voor de eerste maal heeft ze haar overspel onder ogen gezien. Ze zet de twijfel niet langer van zich af. Ze heeft het toegegeven. Ze houdt van Eddie, ze houdt niet van hem. Hij houdt van haar, hij houdt niet van haar. Ze is zijn maîtresse, ze is een moeder. Voor het eerst botsen die twee rollen en heeft ze een vage angst voor straf.
Ze heeft gezondigd. Als ze naar de komeet kijkt, weet ze dat dat waar is. Eddie zou lachen om dat woord, maar ditmaal zal ze niet door Eddie worden beïnvloed. Niets kan haar verontschuldigen en de schaamte erover maakt haar ziek. Ze ziet zichzelf als kind in de zitkamer, terwijl ze luistert naar haar vader die de bijbel voorleest en ze weet zeker dat zonde en vergelding bij elkaar horen.
Eddie pakt haar hand, maar die trekt ze weg. Ze wil alles weer goedmaken, deze verhouding verbreken en nooit meer in de verleiding komen. Eddie werpt een zijdelingse blik op haar maar ze merkt het niet. Ze probeert haar straf te berekenen en in een vlaag van emotionele doodsangst begrijpt ze waar die zal toeslaan.
Zij zal niet gekwetst worden. Nee, dat zou te gemakkelijk zijn. Iemand van wie ze houdt wordt getroffen, en dat verlies is haar straf.

In paniek zoekt ze tussen de gezichten naar haar kinderen, haar man. Dan loopt ze over het terras naar het huis.

'Gwen, waar ga je heen?' roept Shawcross. Gwen kijkt niet om.

'Naar Steenie,' zegt ze, 'ik moet naar Steenie.'

Steenie en Constance mochten opblijven en nu knielen ze naast elkaar voor het raam van de kinderkamer. Het raam staat wijd open en ze leunen gevaarlijk naar buiten. Steenie heeft een kleur, Constance is bleek, beiden turen naar de hemel, zien hoe het licht verdwijnt over de horizon.

Nanny Temple, het grijze haar in een vlecht op haar rug, staat achter hen. Als Gwen de kamer binnenvliegt en Steenie in haar armen neemt, is ze beledigd. De kinderkamer is háár domein.

Gwen overdekt Steenies gezicht met kussen. Ze brengt hem zelf naar bed, wil hem zijn melk geven, zijn voorhoofd voelen, de dekens tot aan zijn kin trekken. Nog wil ze blijven. Ze denkt aan de nachten toen Steenie zo ziek was en ze zeker was dat hij zou sterven als ze maar even bij hem wegging. Ze voelt weer de angst van die nachten, pas als ze er zeker van is dat Steenie slaapt, dat hij regelmatig ademt, zal ze weggaan.

In gedachten verzonken merkt ze nauwelijks dat Constance vergeten wordt, en dat Nanny Temple het kind nu pas bij het open raam weg wil halen.

Het raam gaat dicht, de gordijnen worden gesloten.

'Tijd voor het zandmannetje,' zegt Nanny energiek.

'Welterusten, Constance!' roept Gwen.

Constance, die weet dat ze niet zal slapen, laat zich naar bed brengen.

'Ik heb vandaag een konijn begraven,' zegt ze tegen Nanny die haar instopt.

'Natuurlijk, liefje.' Nanny doet het licht uit. Ze houdt niet van Constance, ze is gewend aan de leugens en negeert ze.

'Het was een klein konijntje,' voegt Constance er aan toe.

'Gauw naar dromenland.' Nanny sluit de deur.

Constance blijft doodstil in het donker liggen. Ze beweegt haar vingers. Ze neuriet, wacht en even later komt de albatros, zoals iedere avond.

Ze ziet hem langs de zoldering cirkelen, luistert naar zijn enorme vleugels. Deze albatros brengt geen ongeluk – wat zijn mensen toch dom. Deze albatros is haar raadgever, haar vriend, haar beschermer.

En hij is mooi. Iedere dag vliegt hij naar het eind van de aarde en terug. Op een dag zal hij Constance meenemen – dat heeft hij beloofd. Dan zit ze op zijn rug tussen zijn vleugels. Dan zal zij ook de wereld zien. Constance verheugt zich er op. Intussen kijkt ze en wacht. Geduldig.

Het is elf uur. De kroonluchters zijn aangestoken en de salon glinstert. Jane Conyngham speelt piano. Ze heeft een paar voorspelbare stukken gespeeld, een paar walsen, mazurka's, het soort muziek dat een dame hoort te spelen, het soort muziek waar Jane een hekel aan heeft.

Eerst zaten de mensen te luisteren, vormden een kring. Misschien dachten ze dat hun gastvrouw nog iets zou zingen met Jane aan de piano, zoals zo vaak. Gwen heeft een mooie stem en haar repertoire ontroert de toehoorders altijd. Maar vanavond verontschuldigt Gwen zich. Ze zal niet zingen.

Jane kijkt op van de piano – ze kent die ellendige mazurka uit haar hoofd – ze ziet hoe Gwen de ronde doet. Ze begint met de belangrijkste gasten, de oude graaf en zijn vrouw, die zelden in het openbaar verschijnen. Dan verder naar Dentons zuster Maud en sir Montague Stern. Ze begroet kolonels en staatslieden, en effectenmakelaars. Ze moedigt Boy en Freddie aan zich met de jonge meisjes bezig te houden. Met een glimlach manoeuvreert ze haar man en zijn vrienden naar de rook- en biljartkamer. Een woord hier, een gebaar daar – Gwen is daar goed in, merkt Jane.

De mazurka is uit. Haar pianospel zal verder alleen achtergrondmuziek zijn. Terwijl ze even rust en de andere gasten observeert, moet ze weer aan de komeet denken. Eerst heeft ze er niet naar gekeken, want ze hield haar ogen op Acland gericht die, afgetekend tegen de lucht, met gestrekte arm naar de komeet wees.

Jane buigt het hoofd over de toetsen. Ze weet dat Acland niet is teruggekeerd uit de tuin. Nu niemand op haar let, kan ze rustig aan hem denken, aan het rossige haar dat in het onaardse licht aan de hemel op een stralenkrans om zijn hoofd leek. Ze haalt zich zijn gelaatstrekken voor de geest, die haar altijd weer boeien. Acland heeft een bleke huid die zijn emoties verraadt. Als hij boos is – en dat is hij dikwijls – wordt hij bleek, als hij gelukkig of opgewonden is, kleurt zijn gezicht. Ze denkt altijd aan hem in termen van snelheid: een snelle geest, een snelle tong, een snel oordeel. Hij moet altijd verder – naar de volgende plaats, het volgende idee, de volgende persoon. Acland, denkt Jane, zou destructief kunnen zijn.

Toen ze die middag naar hem keek, had ze het gevoel of er binnen in haar iets wilds en opstandigs vocht om naar buiten te komen. Die demon is nu terug. Hij bestaat natuurlijk niet – is niet meer dan een aanvechting – maar hij zingt van een wilde wereld, buiten de veilige grenzen van Janes bestaan. Daar zou ze zulke vervelende dingen als plicht en gehoorzaamheid kunnen vergeten. Kon ze haar zieke vader en de hoop van haar tante vergeten, kon ze... vrij zijn. Jane aarzelt, legt haar handen weer op de toetsen en speelt uit het hoofd. Ditmaal iets waarvan zijzelf houdt, want deze muziek heeft geen antwoord, is niet geruststellend. De Revolutionaire Polonaise van Chopin. Géén salonstuk.

Vrij, vrij, vrij. Als ze het eind nadert, voelt ze dat er iemand achter haar staat. Een man, ze is ervan overtuigd dat het Acland is. Maar het is Boy. Hij wacht tot ze is uitgespeeld en klapt dan beleefd.

'Ik vraag me af,' zegt hij als Jane de piano sluit, 'of je niet een luchtje wilt scheppen. Misschien kunnen we naar de serre gaan.'

Jane staat op en gaat met hem mee. Ze weet wat er nu gaat gebeuren, ze wil er niet aan denken. In plaats daarvan hoort ze de muziek in haar hoofd, ziet ze de komeet en Acland die wijst, niet naar de komeet maar naar een pad, een andere weg die ze zou kunnen inslaan. Camelia's strijken langs haar arm. Boy knielt – echt, hij knielt. Hij legt een hand met een aarzelend gebaar op zijn hart.

'Juffrouw Conyngham... Jane...' begint hij.

Jane bepaalt haar gedachten tot de komeet, een stralenkrans van haar, absolute stilte, die weerklinkt als geweervuur.

'...ten huwelijk vragen.'

Boy zwijgt. Jane wacht, dan zakt de durf van even geleden weg, zoals ze al vreesde. Lange lege jaren van ongetrouwd zijn – wil ze dat dan? Want dat ligt uiteraard op haar te wachten. Meer doopfeesten om bij te wonen – van de kinderen van andere vrouwen. En als haar vader sterft, haar tante sterft en ze alleen blijft met al haar geld? Een oude vrijster – of Boy, die vrijwel zeker haar laatste kans is. Ze wendt zich tot Boy en accepteert hem – hoewel ze staat op een lange verloving. Ze wil wachten tot hij eenentwintig is.

Het gezicht van Boy betrekt, maar klaart weer op. Hij komt overeind. Zijn knieën kraken. Jane zou willen lachen. Het is allemaal zo absurd. Maar vol medelijden met hen beiden steekt ze hem haar hand toe en glimlacht.

Het is een nacht voor huwelijksaanzoeken, mogelijk een nacht voor liefde. Ook andere beloften en plannen vinden hun weg.

In de salon zit Freddie te flirten met Antoinette, een jong meisje, dat vaag familie is van tante Maud via haar huwelijk en nog vager wordt gechaperonneerd. Antoinette, een voorlijk kind van veertien, flirt terug. Freddie is trots als een pauw.

Aan de andere kant van de kamer ontdekt tante Maud, die haar beroemde saffieren draagt, dat ze veel gemeen heeft met sir Montague Stern. Terwijl ze over de opera praten, bekijkt Maud zijn vest, opzichtig en kostbaar. Het fascineert haar. Ze probeert zich te herinneren wat ze van deze man weet. Zijn naam is spreekwoordelijk in Londense kringen. Een man wiens ster snel is gestegen, een man van grote invloed, die het oor van de Eerste Minister zou hebben. Joods natuurlijk, hoewel daar alleen achter zijn rug over gesproken wordt, gewoonlijk door degenen die hem geld schuldig zijn. Hoe heet hij in werkelijkheid?

Geen Stern, daar is ze zeker van en ze heeft verhalen over hem gehoord, die ze nogal sinister vond, maar de details weet ze niet meer. Hij is een paar jaar jonger dan zij, een jaar of veertig. Een imposante man, amusant, zeer beschaafd. Het komt bij Maud op dat ze nog nooit met een jood naar bed is geweest en net nu ze dit bedenkt, accepteert ze een uitnodiging voor de loge van Stern in Covent Garden.

'Heerlijk,' prevelt Maud. 'En je vrouw. Gaat ze mee? Is ze hier?'

'Ik heb geen vrouw.' Iets in de afgemeten toon waarop hij dit zegt, doet het hart van Maud sneller kloppen.

Hij wacht net lang genoeg, vraagt dan: 'En je echtgenoot, de prins?'

'In Monte,' zegt Maud resoluut. Ze glimlachen tegen elkaar. Het is ogenblikkelijk duidelijk dat de prins niet meer meetelt, niet meer genoemd hoeft te worden. Sir Montague neemt haar arm en manoeuvreert haar naar een bediende met een zilveren blad met champagne. Ze passeren de bejaarde graaf die sir Montague formeel groet, een politicus die hem met meer warmte goedendag zegt en Eddie Shawcross die aangeschoten is en op weg is naar Gwen.

'Een buitengewoon onprettige man,' zegt Stern en kijkt in de richting van Shawcross. De opmerking – midden in een anekdote – verbaast Maud. Ze had nooit verwacht dat sir Montague zo eerlijk zou zijn.

'Gwen mag hem graag,' antwoordt ze en heeft meteen spijt van die opmerking en de manier waarop ze het zei – indiscreet. Maud, die erg op Gwen gesteld is, heeft geen illusie over een huwelijk met Denton en vindt het roerend dat Gwen probeert om haar verhouding zo gchcim te houden. Nu aarzelt ze. 'Ik bedoel dat Gwen in kunst is geïnteresseerd. In boeken. En mijn broer Denton...'

'Natuurlijk,' zegt sir Montague effen, en verandert van onderwerp.

Maud is gerustgesteld – wat misschien de bedoeling was. Al haar instincten zeggen haar dat deze man niet zal roddelen, haar on-voorzichtigheid is bij hem veilig. Toch heeft ze de indruk dat hij die informatie niet vergeet. Een seconde, als hun ogen elkaar ontmoeten, ziet ze een man met een hoofd vol geheimen – nutteloze, nuttige – die hij wegstopt voor eventualiteiten.

Een bankier, een bank, verzameling van macht – geeft dat hem die houding van uiterste beheersing? Maud is er niet zeker van, maar ze voelt een macht die erotisch is, haar pols klopt weer sneller.

Ze zwijgen. Maud kijkt sir Montague in de ogen, die donker zijn met zware oogleden. Ze wendt haar blik af.

'In welke kamer slaap je vannacht?' vraagt sir Montague en omdat hij het zonder omwegen vraagt, ondanks het feit dat ze pas een paar uur geleden aan elkaar zijn voorgesteld, antwoordt Maud even openhartig. Geen preutsheid, geen voorwendsel van schok. Sir Montague apprecieert dat.

'De eerste deur aan je linkerhand,' zegt Maud nuchter. 'Boven aan de trap naar de oostelijke vleugel.'

'Twaalf uur?' vraagt hij, met een blik op zijn horloge.

'Wat ben je ongeduldig,' zegt Maud met een hand op zijn arm. 'Half een.'

'Over een half uur,' zegt Eddie met onduidelijke stem. Hij grijpt haar hand.

'Onmogelijk. Dat is te vroeg.'

'Om twaalf uur dan. Ik glip even voor die tijd weg en wacht daar op je. Je komt toch? Je bent toch niet bang?'

Gwen trekt haar hand weg, kijkt naar rechts en naar links. Natuurlijk is ze niet bang, dat is ze nooit. Ze heeft vaker een afspraak met Eddie gehad in het bos, in het donker en – als ze al bang was, maakte die angst de opwinding alleen maar groter wanneer Eddie haar in zijn armen nam.

'Is het veilig?'

Gwen staart naar Eddie, ze begrijpt hem niet.

'Is het veilig?' herhaalt hij. 'Hoe staat het met die jachtopzieners? Je weet wel – aan de lunch – toen zei je man dat ze door de bossen zouden patrouilleren.'

Zijn bezorgdheid irriteert Gwen, het lijkt op angst, een eigenschap die ze niet verwacht van een minnaar.

'Vannacht niet. Het hele dorp is vanavond vrij. Ze hebben naar de komeet staan kijken – en er was ook nog een maaltijd voor hen. Ze zijn nu waarschijnlijk allemaal stomdronken. Dan denken ze niet aan stropers.'

Eddie drukt haar arm.

'Om twaalf uur dan,' zegt hij en loopt weg.

Gwen wendt zich tot andere gasten. Later, een kwartier voor de afgesproken tijd, gaat Eddie naar het terras en dan verdwijnt zij ook. Het feest is in volle gang. Niemand let op haar. Ze snelt de grote trap op naar haar slaapkamer. Een uur, houdt ze zich voor. Een enkel uur zullen ze haar niet missen. Ze blijft luisteren op de overloop. Uit de biljartkamer klinkt het gelach van de mannen. Ze is er zeker van dat ze er de stem van haar man uit kan opmaken. Een dronken, balkende stem.

Acland staat bij de stallen te wachten en luistert. Hij heft zijn gezicht naar de nachtelijke hemel en hoort in de verte het gezoem van stemmen.

De werkers op het buitengoed, de dorpelingen en een paar huisbedienden kijken ook naar de komeet. Zo meteen zal Jenna wegglippen om bij hem te zijn. Vijf minuten, tien – iedere minuut is er een te veel. Vlug, vlug, denkt Acland en werpt een blik op het huis. Op de bovenste verdieping schijnt licht, en daar tegen afgetekend twee figuurtjes: Steenie en Constance. Terwijl hij naar hen kijkt, verdwijnt Steenie onder geluiden van ver verwijderd protest. Constance blijft alleen. Even heeft Acland de indruk dat ze naar hem kijkt en hij trekt zich terug in de schaduw. Constance Nors, de albatros: Acland heeft een hekel aan haar. Eigenlijk weet hij dat 'hekel' het juiste woord niet is: hij is op zijn hoede voor Constance en dat maakt hem boos, want Acland is vrijwel nooit voor iemand op zijn hoede, waarom dan voor een kind van tien?

Ze steekt haar neus in andermans zaken, dat is één reden. Ze luistert aan deuren, ze sluipt rond en wanneer ze betrapt wordt – zoals Acland een paar maal heeft gedaan – is ze zo brutaal en ijskoud dat het hem verbaast.

'Maak je er een gewoonte van, Constance,' vroeg hij eens, 'om andermans brieven te lezen?' En Constance, toen negen, op heterdaad betrapt bij het neuzen in Gwens bureau, met een brief van haar vader in de hand, haalde haar schouders op en zei: 'Soms. Waarom niet? Ik wilde weten wat mijn vader te zeggen had. En hij en je moeder zullen het me niet vertellen.'

Dat bracht Acland tot zwijgen, omdat ook hij die brief graag had willen lezen. Bovendien was er iets in Constances stem wat Acland diep schokte. Dat hij achterdocht koesterde tegenover zijn moeder en Shawcross was één ding, om het bijna bevestigd te horen door een kind van negen was iets anders. Constance had er een handje

147

van – en dat had hij eerder gemerkt – anderen in haar schuld te betrekken. Terwijl ze hem met de gewone keiharde uitdrukking op haar gezicht opnam, flikkerde er iets van spot in haar ogen. Acland voelde zich besmeurd – en toen heel boos.

'Leg dat terug.' Hij pakte haar hand en schudde de brief eruit. Misschien deed hij haar pijn, haar gezicht vertrok, maar ze huilde niet. 'Nee maar, je bent boos, Acland. Je bent helemaal wit. Altijd als je boos bent.' De zwarte ogen glinsterden alsof ze het leuk vond dat ze die reactie had veroorzaakt. 'En je deed me pijn. Laat dat!'

Waarop ze omhoog reikte en – voordat Acland iets kon doen – een krab over zijn gezicht haalde. Een snelle beweging: haar nagels tegen zijn wang. Het bloedde en ze bleven elkaar staan aankijken zonder te bewegen, zonder te spreken tot Constance begon te lachen en de kamer uitliep.

Een incident waar geen van beiden meer over sprak maar Acland had het nooit vergeten, het bracht hem soms in de war want hij voelde emoties die hij niet begreep en die hij nog steeds niet kon verklaren. Op een bijzondere manier respecteert Acland Constance, ze is het tegendeel van alles wat hij bewondert, met haar bedrog en haar opvallende leugens en haar stekelige opmerkingen – en toch is ze op haar manier eerlijk.

Constance ziet te veel. Die gedachte vliegt door zijn hoofd. Het maakt dat hij zich niet op zijn gemak voelt. Er zijn dingen die Constance maar beter niet kan zien – zijn haat voor haar vader bijvoorbeeld. Als hij weer naar het huis kijkt, is Constance verdwenen, het licht uit. Hij voelt zich bevrijd, opent de deur naar de hooizolder en gaat de ladder op.

Een zoete geur van hooi, van beneden geritsel van stro als de paarden bewegen in hun box. Acland loopt naar het dakraam. De nacht is stil, de tuinen donker, het licht van de komeet verdwijnt maar er blijft nog iets van de jubelstemming in hem achter. O, laat Jenna gauw komen. Hij concentreert zich op haar, Jenna, daarbuiten in het donker. Bij haar kan hij vergeten – alles. Zelfs zijn moeder en Shawcross. Hij gooit zich neer in het hooi, ruikt het zoete stof, sluit zijn ogen, roept de delen van haar lijf op zoals een ander de kralen van een rozenkrans telt: haar haar, haar ogen, haar mond, haar hals. Als hij haar stappen op de ladder hoort, springt hij overeind en neemt haar in zijn armen.

Jenna voelt zijn woede op haar afkomen. Omdat ze de bron ervan kent, wacht ze. Dan, als Acland wat kalmer is, pakt ze zijn hand. 'Nog steeds hem?'

'Hem. Mijn moeder. Alles. Misschien wel de komeet.'

Jenna knielt. Acland kijkt haar niet aan. Hij vestigt zijn ogen op het westelijke raam, zijn lijf gespannen, zijn gezicht boos.
'Waarom de komeet?'
'Geen reden. Alle reden. Ik kon de tijd zien – glipte langs me. En niets veranderde. Deze plaats, dit huis, die man. Het maakte me – gewelddadig. Ik wilde... iets extreems doen. Iemand doden. Een kogel door mijn hoofd schieten. Het huis in brand steken – staan kijken hoe ieder schilderij, ieder meubelstuk, iedere uitvlucht, iedere leugen in vlammen opging.' Hij stopt. 'Is dat krankzinnig?'
'Ja.'
'Misschien wel. Maar zo voelde ik het. Het is nu weg – bijna. Heb ik je pijn gedaan? Het spijt me als ik je pijn heb gedaan.'
'Zal ik je alles laten vergeten?'
'Kun je dat?'
'Als je niet te vlug bent, kan ik het. Maar je moet doen wat ik zeg...'
Acland draait zich om. Hij kijkt naar haar haar, haar ogen, haar hals, haar borsten. Jenna let op zijn gezicht in de schemer van de zolder. Haar hand rust op zijn dij, ze beweegt die wat hoger. Acland zucht, leunt naar achteren: 'Ik geloof je. Ik geloof je bijna. Toon het me.'

Boven verwisselt Gwen met trillende handen haar satijnen schoenen voor leren. Ze pakt de mantel van zeehondebont – als ze haar afspraak met Eddie wil houden, terugkeren en niet gemist wil worden, moet ze vlug zijn. Met de mantel over haar arm kijkt ze naar haar beeld in de spiegel.
Wat een besluiteloosheid. Wat moet ze tegen Eddie zeggen? Wat zal ze doen? Zal ze die verhouding nu afbreken of zal ze wachten tot morgen, als ze kalmer is, en dan een besluit nemen?
Wie is die vrouw? vraagt ze aan het gespannen witte gezicht. Ondanks haar achtendertig jaar voelt Gwen zich een meisje – maar het is geen meisje dat haar aankijkt. O, laat ik toch wíjs worden, denkt Gwen. Als ze zich omdraait, hoort ze iets. Zacht kloppen op haar deur. Het moet haar kamenier zijn – en wat zal die denken als ze haar ziet met die bontmantel? Driftig probeert ze de mantel terug te hangen in de kast, maar het borduursel van haar japon blijft eraan haken. Dan gaat de deur open en komt Constance binnen.
'Het is Steenie,' zegt ze zonder omhaal van woorden. Gwen krijgt een koud, huiveringwekkend voorgevoel.
'Ik denk dat hij een nachtmerrie heeft gehad.' De ogen van Constance blijven op Gwens gezicht gevestigd. 'Hij riep uw naam en

huilde. Hij is erg warm. Ik ging naar hem toe en raakte hem aan. Misschien is het koorts.'

Constance spreekt duidelijk, haar ogen glijden nu naar de bontmantel die Gwen op het bed heeft gegooid.

'O, u ging juist uit,' zegt ze vlak alsof dat heel gewoon is. 'Het spijt me. Zal ik Nanny wakker maken?'

Gwen geeft geen antwoord. Ze denkt niet aan het eigenaardige van de situatie, want Constance is nooit eerder naar haar kamer gekomen, ze hoort zelfs niet dat Constance zich verontschuldigde en Constance verontschuldigt zich nóóit. Ze rent naar de deur.

Door de gang, de trap op naar de kinderkamers, naar Steenie, haar jongste kind, haar baby, de zoon van wie ze het meeste houdt. Haar geest stroomt over van gebeden. God, vergeef me, God vergeef me. Laat Steenie weer beter worden. Ze gooit de deur van de kinderkamer open en vliegt naar Steenies bed. Als ze naast hem knielt, mompelt hij iets, veegt over zijn neus en draait zich om. Gwen buigt zich over hem heen. Constance komt achter haar aan de kamer binnen maar Gwen stuurt haar weg.

'Ga naar je kamer, Constance,' zegt ze met afgewend gezicht. 'Ga maar weer slapen. Ik blijf bij Steenie. Hij wordt wel beter als ik hier blijf.'

Constance glipt weg, de deur gaat dicht. Gwen blijft geknield voor het bed liggen. Ze legt haar hand op zijn voorhoofd, voelt zijn pols. De oude angst keert terug: Haviland, de huisarts, die het hoofd schudt. De specialist uit Londen die haar roept en zegt dat hij eerlijk moet zijn en dat er weinig hoop is. Een van de dode baby's. Welke? Het was het kleine meisje dat in haar armen lag, geel als was, met blauwe lippen. Het reutelen van de kroep, de angst om de roodvonk toen Steenies keel zo gezwollen was dat hij zijn speeksel niet kon doorslikken. Een week tot aan de crisis. Ze had zijn lijfje ieder uur afgesponst met azijn en koel water in de hoop de temperatuur te laten dalen. En op het hoogtepunt van de koorts herkende Steenie haar niet. O, God!

Gwen rust met haar hoofd op zijn borst. Zijn voorhoofd is koel, zijn adem regelmatig. Langzaam komt ze tot rust.

Hij heeft geen koorts. Constance moet zich vergist hebben. Hij had alleen een nachtmerrie. Steenie is veilig en God is genadig.

Maar – het is 1910 en het duurt nog achttien jaar voor de penicilline wordt ontdekt. Gwen is een moeder en – als moeder – weet ze hoe wankel de scheiding is tussen leven en dood. Een haarbreedte, gemakkelijk verbroken. De meest gewone kinderziekten zijn iets om bang voor te zijn. Mazelen, bof, griep, bronchitis – zelfs een wondje dat geïnfecteerd wordt – ze kunnen allemaal dodelijk zijn. Gwen weet dat en ze weet dat ze gewaarschuwd is. Ditmaal, denkt ze en verbergt het gezicht in haar handen, ditmaal is ze gespaard. God heeft haar niet gestraft maar Hij heeft haar herinnerd aan Zijn macht. Ze vouwt haar handen.

Zwijgend berouwt ze haar verhouding met Shawcross, ze zal die verbreken – hem nooit meer zien. Vanaf vannacht zal ze het ideaal naleven dat ze sinds haar vroegste jeugd voor zich heeft gezien: ze zal een loyale vrouw, een deugdzame moeder zijn.

Tot haar verbazing is de beslissing niet pijnlijk, het is een verademing. Deze ochtend nog had ze gedacht dat de banden die haar aan Shawcross bonden nooit konden worden verbroken, vannacht zijn die banden weg.

Gwen houdt zich voor dat ze een morele keus maakt – tussen goed en kwaad, huwelijk en ontucht. Maar in haar hart voelt het als een keus tussen minnaar en zoon en dan is er natuurlijk geen twijfel mogelijk.

Gwen blijft lang in Steenies kamer en laat de vredige sfeer op zich inwerken. Dan gaat ze terug naar haar gasten.

De open haarden worden nog goed verzorgd, de bedienden gaan nog rond, maar het hoogtepunt van het feest is voorbij. De oude graaf en zijn vrouw die al hadden willen vertrekken nemen afscheid.

Dat is het teken voor de andere gasten die niet op Winterscombe blijven logeren, om op te stappen. Er is geroezemoes van bedankjes, gelukwensen, afscheid. Iedereen is opgetogen. Bedienden rennen heen en weer om mantels en hoeden en wandelstokken te halen, auto's en rijtuigen komen voorrijden. Hierna komen ook de logés Gwen goedenacht wensen.

Het zou correct zijn geweest als Denton naast Gwen had gestaan tijdens dat afscheid, maar hij is er niet en Gwen, die hieraan gewend is, maakt zich er niet bezorgd over. Denton heeft natuurlijk bijna een hele fles port gedronken en ook nog wat cognac. Waarschijnlijk is hij nog in de rook- of biljartkamer. Als ze merkt dat hij daar niet is, maakt ze zich nog niet druk. Boy komt geagiteerd naar haar toe en vertelt dat hij zijn vader al een uur aan het zoeken is en hem niet kan vinden. Hij is niet in de rookkamer, er is niemand meer aan het biljarten...

'Boy, wacht maar tot morgen,' zegt Gwen hartelijk en geeft hem een kus. 'Je vader is natuurlijk naar bed, je weet hoe die avonden hem vermoeien.'

Boy gaat niet in op haar eufemisme. Beleefd begeleidt hij Jane Conyngham naar de deur van haar kamer, beleefd wenst hij haar goedenacht en vlucht – als de deur eenmaal gesloten is – naar zijn eigen kamer. Daar kijkt hij naar zijn verzameling loden soldaatjes, zijn vogeleieren, zijn avonturenverhalen – al die bekende en geliefde totems van zijn jeugd. Hij zit met zijn kin in de hand op zijn bed in het vuur te staren: hij kan niet slapen, dat weet hij. Hij weet ook dat zijn jeugd definitief voorbij is.

Jane Conyngham belt om haar kamenier Jenna, die haar haar die avond zo flatteus heeft opgemaakt en denkt – terwijl het meisje de veters van haar korset losmaakt en haar haar borstelt als Jane eenmaal haar batisten nachtjapon heeft aangetrokken – hoe mooi het kind is.

Haar wangen blozen, haar ogen stralen. *Ik ben verloofd, ik zou er zo uit moeten zien*, denkt Jane terwijl ze in de spiegel kijkt. Ze zucht. Vijftig streken met de borstel, maar niets zal haar fijne haar er zo doen uitzien als het dikke, glanzende, kastanjebruine haar van Jenna, dat te voorschijn springt uit een mutsje dat iets scheef staat, alsof ze het zojuist gehaast heeft vastgezet.

'Heb je de komeet gezien, Jenna?' vraagt Jane als het meisje de zware zilveren borstel weglegt, de groene japon oppakt en een kniebuiging maakt.

'Ja, juffrouw Conyngham, wij – alle bedienden – hebben ernaar gekeken.'

'Mooi, vond je niet?

'Heel mooi, maar angstwekkend. Een beetje angstwekkend.'

Jane kijkt in de spiegel naar het meisje, ze antwoordt niet.

'Ik had het gevoel alsof – ik weet het eigenlijk niet. Alsof er iets op de wereld veranderde. Ik...'

Jane stopt, zo voelde ze het niet. En ze weet dat je geen gevoelens moet bespreken met een kamenier, of met wie dan ook. Ze zegt koel: 'Het zal wel verbeelding zijn. Dwaas. Maar het was een bijzondere avond, die we nooit zullen vergeten. Welterusten, Jenna.'

Beneden in de salon wensen de laatste logés hun gastvrouw goedenacht. Dan kijkt Gwen in de spiegel, strijkt haar donkere haar glad en ziet dat de beslissing die ze genomen heeft, in de rust op haar gezicht staat te lezen. Ze bevoelt de smaragden om haar hals, het verlovingsgeschenk van Denton. Ze was toen achttien, was na de dood van haar vader met haar moeder naar Engeland gekomen met die vissersvloot van Amerikaanse meisjes op zoek naar een aristocratische echtgenoot. Wat een tijd geleden: toen geloofde ze dat Denton een aristocraat was, nu weet ze dat niet meer zo zeker. Nog wat frisse lucht en een laatste blik op de sterren, denkt ze.

Er staat een man tegen de balustrade geleund. Hij tuurt uit over de tuinen. Uit de verte denkt Gwen dat het Shawcross is. Ze wil weggaan, kan haar minnaar nu niet zien, dat moet wachten tot morgen. Dan draait de figuur zich om. Het is Acland. Ze slaakt een zucht van verlichting en gaat naar hem toe. Natuurlijk was het Eddie niet, die heeft haar allang opgegeven en is met een slecht humeur naar bed gegaan. Ze slaat haar arm om de schouders van haar zoon en kust hem goedenacht.

'Maar Acland, je jasje is helemaal vochtig. Waar ben je geweest? Je moet naar binnen gaan, schat, voor je kouvat.'

'Ik ga zo, mamma.'

Acland beantwoordt haar kus niet.

Gwen loopt naar huis terug, maar kijkt nog eenmaal om. Acland staat nog steeds op dezelfde plek tegen de balustrade geleund.

'Acland, je moet naar binnen,' zegt ze nu scherper. 'Het is over één. Iedereen is weg. Wat doe je daar eigenlijk?'

'Niets, mamma,' zegt hij. En dan: 'Ik denk na.'

Het is Cattermole die ontdekt dat er een ongeluk is gebeurd. Cattermole die de volgende ochtend om half zes wakker wordt met dorst en een kater.

Hij hijst zich uit het bed waar zijn vrouw nog ligt te slapen en gaat naar de keuken beneden. Daar stookt hij de kachel op, haalt een emmer ijskoud water uit de pomp en giet de helft ervan over zijn hoofd.

De keuken is klein en al gauw warm. Hij zet water op, legt mes en vork, bord en kroes klaar en voelt zich al beter. Hij fluit als hij het spek afsnijdt en in de pan laat sissen. Dan twee eieren, een stuk brood en sterke Indiase thee. Zijn ontbijt is klaar. Cattermole is eraan gewend zelf voor zijn ontbijt te zorgen.

Daarna scheert hij zich met het laatste warme water. Het scheermes zet hij eerst aan op het leer. Boven kleedt hij zich verder aan: twee paar dikke wollen kousen, zware laarzen die van zijn vader zijn geweest en nog een paar jaar voor de boeg hebben, een broek van Harris tweed, wollen overhemd, vest van mollevel, jasje van Harris tweed – niets beter om een man warm te houden.

Beneden schenkt hij nog een kop thee in voor zijn vrouw, dat hij naast haar bed neerzet. Dan pakt hij zijn patronen, zijn wandelstok en jachtgeweer. Hij inspecteert de loop ervan en houdt hem tegen zijn elleboog. Buiten trekt de mist al op, de lucht is koel, de grond, vochtig van dauw, ruikt naar lente. De honden staan klaar. Hij laat er twee uit hun kennel, zijn twee zwarte retrievers, vader en dochter. Heel wat betere honden dan die verwende mormels van het Huis.

De honden lopen achter hem aan. Ze krijgen ieder een aai, een hand over hun vochtige snoet. Ze kijken hem vol verwachting aan. Cattermole weet dat ze zich net als hij, verheugen op een ochtend in de bossen.

Het is half zeven, laat volgens Cattermole, met een hoog fluitje gaan hij en de honden op weg. Langs het dorp, waar hij kijkt naar het huisje van de Hennessy's. Jack dronk de vorige avond veel te veel en miste een groot deel van het feest. Halverwege het diner was hij al weg. Om naar Jenna te gaan, zei zijn vrouw Rosie, maar Cattermole gelooft dat niet. Jack Hennessy was al dronken voor het eten – te dronken om met een meisje te vrijen. En hij sloeg zijn drank naar binnen op die eigenaardige manier die hij soms heeft, alsof hij zich wil verdoven.

Bij een tweesprong slaat Cattermole linksaf, dieper het bos in. Zijn wandelingen hebben hun eigen ritueel. Hij doorkruist het bos, gaat dan naar de open plek, waar hij een minuut of vijf gaat zitten roken. Daarna loopt hij terug, gaat – in deze tijd van het jaar, de fazantenhokken na, en strooit hun afgepaste hoeveelheid maïs. Als hij de open plek bereikt, is de zon al op. Hij gaat met zijn rug tegen een eik zitten, haalt zijn tabaksdoos voor de dag, pakt zijn papier en rolt een dikke, geurige sigaret.

De honden weten dat ze nu vijf minuten vrij hebben, schieten heen en weer over de open plek, snuiven en bakenen hun terrein af. Ze spelen en rollen in het natte gras, ze hebben even geen dienst.

Cattermole blijft even naar ze kijken. Hij zet zijn pet af en heft zijn gezicht naar de zon. Hij denkt aan de komeet van de afgelopen nacht. Zijn vader zag diezelfde komeet in 1834, toen hij een jongen was – waarschijnlijk vanaf dezelfde plek. Hij rookt zijn sigaret tot het laatste peukje op en begraaft hem, komt overeind en merkt dan pas dat er een raar heuveltje in het gras is, dat er de vorige dag nog niet was. Hij inspecteert het – kinderwerk zo te zien en kinderen mogen niet in dit gedeelte van het bos komen. Maar de honden beginnen te blaffen. Cattermole recht zijn rug. De honden zijn niet te zien maar wel dichtbij en ze janken. Hij kent dat soort blaffen, een hoog, herhaald jankend geluid, het geluid dat ze maken bij het vinden van een vos of een konijn.

Hij wacht, maar ze komen niet te voorschijn en het blaffen houdt aan. Verbaasd steekt Cattermole de open plek over en wil het pad aflopen dat de bossen doorkruist. Dan blijft hij doodstil staan. Hij heeft de dood al vaker gezien, weet zelfs hoe een man eruitziet als hij een schot hagel in zijn gezicht heeft gekregen – en hoewel dat dertig jaar geleden is, kan Cattermole het nog steeds niet vergeten. Maar hier is hij niet op voorbereid. Hij blijft met afgrijzen staan kijken en is plotseling bang dat hij er de schuld van zal krijgen. Hij draait zich om naar de struiken om over te geven. Hij trilt van top tot teen. Pas als hij weer rechtop staat, hoort hij gekreun. Hij draait zich om. *Lieve God, zoveel bloed en nog in leven. Onbegrijpelijk.*

'Er is een verschrikkelijk ongeluk gebeurd...'
Arthur brengt Freddie het nieuws terwijl hij de gordijnen openrukt en de kamer vult met licht en opwinding.
Freddie ontwaakt uit een diepe slaap en kijkt Arthur verward aan. 'In het bos. Vannacht. Meneer Cattermole heeft hem gevonden. Stuurde Jack Hennessy naar het huis. Ze hebben de dokter gebeld en halen hem met een brancard. Overal zit bloed, zei Jack. Niet te geloven.'
'Wie? Wie?' wil Freddie weten maar Arthur kan het hem niet vertellen. Jack Hennessy wist het niet, of zei het niet en Arthur gaat zo op in de ramp dat het hem niet kan schelen, het is voldoende dat er iets vreselijks is gebeurd, dat het huis in paniek is. Freddie gooit de dekens van zich af en hijst zich in zijn kleren.
Tot woede van Freddie verdwijnt Arthur naar de keuken voor meer nieuws, en Freddie moet zelf zijn overhemd en das zoeken. Daarmee verliest hij kostbare minuten. Hij is onhandig bezig, Arthur komt niet meer terug. Vanuit zijn raam ziet Freddie een groep mensen op de oprit voor het huis: Boy, Acland, zijn moeder, zijn tante Maud; hij ziet Ross, de butler. Dan pas beseft hij dat er iets vreselijks is gebeurd, want Ross, de onverstoorbare Ross, rent plotseling weg.
Ross wuift met zijn handen als een opgewonden gans die met de vleugels klapt. Hij schijnt het personeel in huis te willen houden, maar het lukt hem niet. Ze komen aanrennen en een van hen – Jenna – huilt.
Woedend laat Freddie zijn boord openstaan. Ook zijn das zit scheef en zijn schoenveters hangen los. Hij rent de hal door naar het bordes. Het is een waar pandemonium.
Jack Hennessy is verdwenen – om te helpen de brancard te dragen, zegt iemand. Niemand weet precies wat er aan de hand is. Freddie

kijkt van het ene gezicht naar het andere. Boy, verward, die naar zijn moeder gaat. Acland, met een bleek gezicht, apart van de anderen. Het hoofd van de kamermeisjes dat staat te huilen. Ross die vraagt om *sal volatile*. Nanny Temple die Steenie te pakken wil krijgen om hem naar binnen te brengen en Steenie die tussen de mensen door rent en loopt te gillen.

Ook zijn moeder heeft zich gehaast aangekleed, ziet Freddie. Haar haar is niet perfect opgemaakt en ze draagt geen mantel.

'Wat is er gebeurd? Wat kan er gebeurd zijn?' vraagt ze steeds. Freddie ziet dat haar ogen over het terras glijden. Ze neemt zijn aanwezigheid in zich op en ook het feit dat Boy er is, Acland er is, Steenie er is. Dan roept ze: 'Denton! Waar is Denton?'

Hoofden draaien zich om. Ross zegt dringend iets tegen een bediende, die snel naar binnen gaat. Geen spoor van lord Callendar, en nu, gewaarschuwd door het lawaai, komen nog meer gasten het bordes op: Montague Stern, in een gewatteerde kamerjas van donkerrode zijde, kennelijk onverschillig wat betreft zijn afwijkende kledij, blijft even boven aan de trappen staan. Hij wendt zich tot Acland.

'Wat is er gebeurd?'

'Een of ander ongeluk.'

Aclands stem is kort, hij lijkt verstrooid.

'Is de dokter al geroepen?'

'Hij is er geloof ik al.'

Terwijl Acland dit zegt, horen ze het geluid van een auto. Die komt vrij snel de oprit op. Hij knarst vlak voor Freddie tot stilstand, het kiezel spat op. Dokter Haviland stapt uit. Zijn gezicht is rood, hij is niet geschoren en heeft zijn hoed laag op zijn voorhoofd gedrukt. Zijn verschijning met de krokodilleleren tas, een autoriteit te midden van de chaos, doet een zucht opstijgen vanuit het groepje bedienden.

De komst van de arts is een afleiding, als hij naar Gwen en de kinderen toegaat, blijft alleen Acland apart, net als de avond tevoren voor de komst van de komeet. Jane Conyngham, die met mevrouw Heyward-West naar buiten komt, ziet Aclands hoofd, ziet hem wijzen met zijn arm, net als de avond tevoren.

Jane knijpt haar bijziende ogen half dicht. Langzamerhand kan ze de groep waar Acland naar wijst, onderscheiden. Er hangt een roze nevel in de vallei, zoals dikwijls op een voorjaarsmorgen. Uit die dunne nevel komt langzaam een groep mannen te voorschijn. Voorop gaan Cattermole en Jack Hennessy. Ze lopen langzaam en waarschuwen elkaar dat ze voorzichtig moeten zijn. Ze dragen iets,

156

komen dichterbij. Jane ziet dat vier mannen een geïmproviseerde brancard dragen. Er liggen kleden op, de bekende geruite plaids die op Winterscombe altijd worden gebruikt bij picknicks.

'O, mijn hemel,' zegt mevrouw Heyward-West zacht en zoekt Janes hand. Iedereen op het terras zwijgt en Jane weet dat men kijkt of het gezicht al dan niet is bedekt.

Jane ziet nu dat de mannen bleek zijn van de schok en dat Cattermole, die zo stoer is, een groenachtige tint heeft en beeft. Hij heeft zijn pet in de hand en draait die rond als een nerveus kind voor zijn onderwijzer. Dertig meter van het huis blijft de groep staan, alsof de mannen bang zijn. Dan verder, maar op vijf meter afstand stoppen ze definitief. Ze zweten in de frisse lucht, hun adem komt in wolken maar op een woord van Cattermole zetten ze voorzichtig hun last neer.

Er komt beweging onder de dienstmeisjes. Montague Stern houdt de adem in, Acland is gespannen, Jane tuurt. Ze zien een vorm onder de geruite kleden, een bebloed overhemd.

Gwen is de eerste die erheen loopt en Jane heeft haar nooit meer bewonderd dan op dit ogenblik, Gwen die Boys hand wegduwt en naar voren stapt. Ze knielt neer bij de stapel kleden. Cattermole heft een hand op om haar te waarschuwen maar Gwen trekt het kleed opzij.

Ze had – als iedereen – een jachtongeval verondersteld, maar geen enkel geweer had deze verwondingen teweeg kunnen brengen. Gwen staart er verward naar, de schok vertraagt haar denken. Het lijf voor haar is zo bebloed dat ze eerst geen wonden kan ontdekken, dat ze de man voor haar niet herkent. Zijn handen, armen en gezicht zijn opengescheurd, bloedfluimen komen uit zijn mond, zijn lippen zijn teruggetrokken, zodat hij lijkt te grijnzen. Zijn nagels zijn gescheurd, zijn vingertoppen zitten vol geronnen bloed, zijn handen zijn geklauwd in de rafels van zijn kleren. Die handen bewegen niet en de stank – een moment wendt Gwen haar hoofd af – is ondraaglijk.

Gwen heft in ontzetting haar hoofd op naar Cattermole. Deze aarzelt, maar dokter Haviland komt naar haar toe, zet zijn tas op de grond en slaat de kleden iets verder open. Gwen verstijft. Achter haar klinkt de gil van een van de dienstmeisjes. Het rechterbeen van de man is op verschillende plaatsen verbrijzeld. De ene voet, zonder schoen, ligt half onder het lichaam, het scheenbeen steekt uit het vlees, een splinter bot glanst.

'Mijn God,' zegt dokter Haviland zacht. Hij kijkt Cattermole aan. 'Lieve God, man, wat is er gebeurd?'

'Een klem, dokter,' antwoordt Cattermole. 'Hij moet er uren in hebben gezeten voordat ik hem vond.' Hij aarzelt. 'Hij moet volkomen in paniek zijn geraakt toen hij probeerde eruit te komen, net als een dier. Daarom zijn zijn handen... en zijn tong...' Hij spreekt nog zachter zodat Gwen hem niet kan verstaan. 'Hij heeft er lelijk op gebeten, dokter... maar hij leeft nog, dat is tenminste iets. Althans hij lééfde nog – toen we hem eruit haalden...'

Dokter Haviland keert zich met een ernstig gezicht om. Gwen heeft niet bewogen, ze knielt nog steeds met gebogen hoofd op het kiezel. De arts buigt zich naar haar toe. Hij is een vriendelijk mens en zijn eerste gedachte is dat dit geen aanblik is voor dames.

'Lady Callendar...' Hij wil haar overeind helpen, kijkt naar de butler en vraagt hem om de *sal volatile*.

'Lady Callendar, toe...' Maar Gwen beweegt zich niet en de dokter kijkt hulpeloos de zwijgende groep rond. Boy, de oudste zoon die zou moeten helpen, staat als aan de grond genageld. Uiteindelijk komt Acland naar voren. Ook hij buigt zich en drukt de arm van zijn moeder.

'Kom mee, mamma,' zegt hij zacht. 'Laat dokter Haviland zien of...'

Acland maakt de zin niet af, want hij ziet uit een ooghoek een beweging, een zwarte pijl. Hij kijkt op en ziet Constance – Constance Nors, de albatros – en ze komt aanrennen. De treden af, over het kiezel, langs Jane, langs Nanny Temple die probeert haar jurk te pakken, langs Montague Stern en Maud, die staat te huilen, langs Freddie, langs Boy...

Ze stort zich op de grond bij de brancard, schiet tussen de mannen door. Het zwarte haar vliegt om haar hoofd, de zwarte rokken wapperen en voordat Acland of wie dan ook haar kan tegenhouden werpt ze zich op de brancard en het lichaam dat er ligt. En ze schreeuwt. Het is een geluid dat Acland nooit meer vergeet, dat niemand die het heeft gehoord, vergeet, een gil, angstwekkend en primitief. Het is geen kinderlijk gebrul, het is woede en verdriet, even rauw als de kreet van een meeuw. Dan begraaft Constance haar hoofd tegen de gewonde keel, tegen de eens zo keurig verzorgde baard.

'Vader,' roept ze en schudt hem heen en weer. 'Pappa...' Absolute stilte. Het lichaam van Shawcross heeft trekkingen, zijn hoofd rolt heen en weer.

Constance kijkt beschuldigend naar de stille groep om haar heen, naar Gwen, naar Acland, naar Boy, naar Freddie, naar de dokter, naar Cattermole.

'Jullie hebben hem gedood!' roept ze naar de kring van gezichten. 'Jullie hebben mijn vader gedood!'

Acland heeft nooit zoveel haat in een stem gehoord, giftig, verkillend. Hij kijkt naar Constance en zij houdt zijn blik vast. Het witte gezicht is zonder uitdrukking, de zwarte ogen schijnen leeg en blind. Een stenen gezicht, een Medusa-gezicht, denkt Acland en dan verandert één moment de blik in haar ogen. Er flikkert iets als ze Acland aankijkt en hij weet dat ze hem ziet. In dat korte ogenblik gebeurt er iets tussen hen, een kenteken, een signaal naar een gelijkgezinde. Acland zou zich willen omdraaien maar kan het niet. Het idee dat het kind en hij enige overeenkomst hebben, vindt hij weerzinwekkend maar toch kan hij de dwang van die ogen niet verbreken. Hij blijft stil staan, achter hem beweegt niemand en eindelijk verbreekt Constance de draad van het moment. Ze staat op, zwaait heen en weer en Acland denkt dat ze flauwvalt. Maar ze herstelt zich en blijft doodstil staan, een recht, lelijk kind in een sjofele zwarte jurk. Haar ogen zijn als splinters vuursteen. Ze heft haar vuisten boven haar hoofd en herhaalt steeds luider dezelfde woorden: 'Ik hield van hem, ik hield van hem!'

Het is natuurlijk melodramatisch, houdt Acland zich voor. Melodramatisch, onbeheerst. Toch laten zijn ogen haar niet los. Hij weet echter dat dit gedrag niets met goede manieren te maken heeft en dat het – ondanks het theatrale ervan – oprecht is.

Constance eindigt met een hoge gil van verdriet. Dan zwijgt ze. Nu gebeuren er drie dingen.

In de eerste plaats komt er uit het lichaam van Shawcross een borrelend gekreun. In de tweede plaats neemt Jane Conyngham Constance bij de arm en brengt haar resoluut weg. Boven aan de treden blijft Constance staan bij sir Montague in zijn bloedrode kamerjas. Ze kijken elkaar aan, een klein kind in een zwarte jurk, een lange man in het rood, dan doet Stern een stap opzij. Nu gebeurt het derde: de laatste persoon verschijnt op het bordes. Het is Denton Cavendish, volledig gekleed. Hij beweegt zich stijf en knippert in het daglicht, typisch een man met een kater.

Acland ziet zijn vader met een hand over zijn voorhoofd strijken. Met bloeddoorlopen ogen kijkt hij verbaasd rond. Zijn lege blikken glijden over de auto van de arts, de groep onderaan de trappen, de brancard. De oude labrador, Daisy, komt naar hem toe en strijkt langs zijn benen. 'Zoete hond, zoete hond,' zegt Denton afwezig. Dan ziet hij sir Montague Stern in zijn barbaarsrode kamerjas. Dentons ogen glijden langs hem, dan verandert de uitdrukking van verwarring in regelrechte woede. 'Is er iets gebeurd?' brult

Denton in de richting van de kamerjas. Zijn toon veronderstelt dat niets behalve een wereldramp een dergelijk kledingstuk op deze plaats kan tolereren.

De absurde woorden weerklinken in de ochtendlucht. Voordat iemand kan antwoorden, heft Daisy, Dentons hond, haar kop op. Net als die geduldige waarnemer Stern, beseft zij dat er iets mis is. Misschien ruikt ze bloed, of misschien ruikt ze, net als Stern, schuld en angst. Iemand in die groep is schuldig en bang. Wat ook de reden is, Daisy's haren gaan overeind staan. Ze jankt. Denton grijpt naar zijn hoofd, geeft de hond een klap. Maar Daisy negeert haar baas en zijn kater. Ze blijft janken.

Het was duidelijk dat Shawcross zou sterven. Zelfs nu, met de moderne medische toepassingen zou dat mogelijk zijn geweest. Hij had urenlang in de klem gezeten en veel bloed verloren. Er was geen hoop voor hem, het was niet meer dan een kwestie van tijd, legde Haviland uit. Maar hoeveel tijd? Een uur? Een week? Een dag? wilde Gwen weten. De dokter antwoordde: 'Hoogstens een week, ben ik bang.'
Het dichtstbijzijnde ziekenhuis was een vijfenveertig kilometer van hen vandaan en dokter Haviland zei dat de reis Shawcross zeker het leven zou kosten. Eddie moest op Winterscombe blijven en werd dus weer teruggebracht naar de Koninklijke Slaapkamer met de cherubijntjes aan zijn voeten. Hij lag onder het koninklijke wapen en Gwen en Maud waren steeds aanwezig. Er moesten verpleegsters komen, want Shawcross moest vierentwintig uur per dag verzorgd worden. Dokter Haviland had niet verwacht dat de patiënt de eerste vierentwintig uur zou overleven maar hij deed wat er gedaan moest worden. De wonden werden met een antiseptisch middel schoongemaakt, het gebroken been kreeg een spalk. Shawcross kwam bij kennis, schreeuwde van pijn en raakte opnieuw bewusteloos. Er bleven problemen. Het been zou eigenlijk ingegipst moeten worden, maar dan was er kans op gangreen.
Hoe lang had Shawcross in die klem gelegen? Niemand wist het, maar het waren zeker uren geweest. Als de bloedtoevoer naar een van de ledematen wordt afgesneden, kan al binnen een half uur gangreen ontstaan. Haviland bevoelde Shawcross' zwarte tenen, snoof en besloot hem de pijn van het ingipsen te besparen – de man zou toch binnenkort sterven.
Afgezien daarvan waren er meer problemen. De hersenen van Shawcross hadden te weinig bloed gekregen, het zou goed zijn de patiënt met het hoofd laag en de voeten hoog te leggen. Maar de

160

bloedtoever naar het gewonde been moest in stand worden gehouden. Terwijl Haviland nadacht, herinnerde Maud – nerveus gebarend in de deuropening – aan de goede werking van vleesbouillon, terwijl Gwen – even nerveus naast het bed – de verpleegster vroeg haar wat eau-de-cologne te brengen. De vrouwen schenen het idee te hebben dat waardigheid van het grootste belang was: ze wilden Shawcross netjes in bed laten liggen, zijn schouders tegen het monogram van de linnen kussenslopen, zijn verbrijzelde been beschermd door een kooi onder gladde lakens. Toen Haviland dat zag, gaf hij het op. Laat de man maar liggen zoals ze dat graag wilden, laat hem wat bouillon drinken als dat lukt, ja, ja. En eau-de-cologne op het voorhoofd had dikwijks een kalmerend effect. Havilands tact aan het ziekbed kwam hem goed van pas: ernstig luisterde hij naar het kloppen van het hart van zijn patiënt en hij vertelde niet hoe snel en onregelmatig dat was. Professioneel bekeek hij de ogen met een kleine zaklantaarn en de afgebeten tong met een spateltje; rust en morfine werden aanbevolen. Hij gaf geen valse hoop maar zweeg over koorts en delirium. En het woord bloedvergiftiging betekende voor de dames een alternatieve term voor een terdoodveroordeling en zelfs de kalmste vrouwen konden dan hysterisch worden. Haviland was er zeker van dat Shawcross de eerste dag niet zou overleven en het verbaasde hem dat hij zich had vergist. Shawcross leefde op de tweede dag ook nog en eveneens op de ochtend van de derde dag. Maud en Gwen waren vol optimisme en valse opluchting, ontstaan door de schok en door gebrek aan slaap. Ze begonnen beiden te geloven, zag Haviland, dat Shawcross nog van zijn zware ongeluk kon genezen.
'O, dokter Haviland, hij heeft iets uit een glas gedronken vanochtend,' riep Gwen toen ze hem die derde dag begroette.
'En een lepel bouillon gisteravond,' voegde Maud er stralend aan toe. 'We vroegen ons af... misschien iets heel lichts? Wat toast? Een zachtgekookt ei?'
Ze keken hem vol verwachting aan. Haviland zei niets. Hij keek naar de patiënt, opende zijn dokterstas, ving – over het koninklijke bed heen – de blik van de ervaren verpleegster op. Hij verwonderde zich – zoals hij al zo dikwijls had gedaan – over het vermogen van de mens om zichzelf te bedriegen.
Shawcross kreeg koorts, dat was duidelijk nog voor de arts een hand op de hete droge huid had gelegd. In twee dagen was hij sterk vermagerd en de huid van zijn gezicht lag strak gespannen over de beenderen. Zijn lippen waren droog en gebarsten, zijn ogen, open en dwalend, schoten van links naar rechts. Toen Haviland zich

over hem heen boog, begon hij te rillen en de zweetdruppels stonden op zijn voorhoofd.

'Lady Callendar, kunt u ons even alleen laten terwijl we het verband verwisselen?' Hij zag dat Gwen en Maud angstige blikken wisselden maar ze liepen zonder vragen de kamer uit. Haviland sloeg de dekens terug en tilde de kooi eronder op.

De misselijk makende stank vertelde het hem nog voordat hij naar het verband keek. 'Wanneer is dit voor het laatst verwisseld?'

'Een uur geleden, dokter. Zijn temperatuur is nu eenenveertig graden, hoger dan vanochtend.'

'Delirium?'

'Vannacht was hij wat onrustig, maar hij was niet te verstaan. En vanochtend is hij niet bij kennis geweest.'

Haviland zuchtte. Met behulp van de zuster werd het verband verwisseld en kreeg de patiënt weer morfine. Toen liep Haviland met een ernstig gezicht de trap af en vroeg of hij lady Callendar en haar echtgenoot kon spreken.

In de ochtendkamer bekeek de arts de echtgenoten. Het gezicht van lady Callendar was gezwollen door gebrek aan slaap en door tranen. Haar man, die zich langzaam en stijf bewoog, scheen jaren ouder te zijn geworden. Haviland zei de paar woorden die hij in gedachten al twee dagen had gerepeteerd: het was droevig maar hij moest hun zeggen dat het nog maar een kwestie van uren was. Als de dood eenmaal was ingetreden – en hij begreep hoe pijnlijk het voor hen moest zijn om op zo'n ogenblik bij dit soort dingen stil te staan – moest de politie worden ingelicht. Er zou een lijkschouwing nodig zijn – een formaliteit, natuurlijk. Na die moeilijke woorden zweeg dokter Haviland. Lady Callendar, merkte hij, antwoordde niet. Haar man, die in elkaar gedoken bij het vuur zat, plukte aan de deken om zijn knieën als een zieke. Hij wilde de arts niet aankijken en zei alleen: 'Ik wil niet dat Cattermole de schuld krijgt. Het was een ongeluk – een ongeluk.'

Was het een ongeluk? Constance denkt van niet. Constance mag niet in de kamer van haar vader komen en heeft hem niet gezien sinds hij er werd binnengebracht. Ze is opgesloten in de kinderkamer en wordt bewaakt door Nanny Temple. Ze voelt zich een gevangene. Ze kan niet slapen en ligt nachten lang naar het plafond te turen, luisterend naar de vleugels van de albatros, die overal heenvliegt en alles ziet. De albatros vertelt haar dat het geen ongeluk was, iemand wilde dat haar vader stierf.

Maar wie? Daar zwijgt de albatros en Constance overlegt. Denton?

Cavendish? Gwen? Boy? Acland? Frederic? Iedereen had even kunnen wegglippen van het feest zoals haar vader gedaan moet hebben. En dan? Volgden ze hem? Duwden ze hem? Riepen ze? Lokten ze hem? Bedreigden ze hem, met een geweer misschien – zodat hij achteruit het pad afliep, het kreupelhout in, in dat gruwelijke geval met die grijnzende kaken? Constance houdt de adem in en luistert naar de vleugels van de albatros. Geen ongeluk, geen vergissing. Constance zag het konijntje en ze weet het. Iemand wilde haar vader kwaad doen, wilde hem vangen. Kon ze maar huilen: haar ogen branden maar de tranen komen niet. Het is bijna ochtend, ze kan het licht langs de rand van de gordijnen zien. In de tuin zijn de vogels al aan het zingen. Als het ochtend is gaat de albatros weg en is ze weer alleen.

Wanneer de kamer grijs van licht is, slaat ze de dekens weg en sluipt naar de deur. Het is nog vroeg en als ze nu heel stil is, nu haar cipier Nanny Temple zeker ligt te slapen... Ze loopt op haar blote voeten de kamer uit, door die van Steenie, door de speelkamer en dan naar de overloop. Geen geluid, haar moed stijgt. Ze zullen haar niet van hem vandaan houden, die Cavendishes die doen of ze haar niet verachten.

Niet de achtertrappen, dan zou een dienstmeisje haar kunnen zien, want die staan altijd vroeg op. De hoofdtrap is het veiligst en dan – als ze eenmaal in de hal is, met koude, blote voeten op een koude vloer, een andere gang door en nog een gang. Langs de zilverkamer, de porseleinkamer, de kamer van de huishoudster. Een doolhof van gangen en kamers en Constance kent ze allemaal. Even gevaar. In de buurt van de keukens hoort ze stemmen – maar ze slaat een hoek om en is weer veilig.

Ze duwt een deur met een groen gordijn open en staat met kloppend hart aan de andere kant. Rechts van haar is een kaal kamertje voor de bediende van de koning. Het wordt nooit gebruikt. Daar tegenover is de trap naar de Koninklijke Kleedkamer. Zou ze naar boven durven gaan? Ze weet dat het verboden is, maar dat kan haar niet schelen. Ze hebben het rècht niet haar bij haar vader weg te houden. Onhoorbaar sluipt ze de trap op. De deur is gesloten maar ze hoort voetstappen en geritsel – van de verpleegster misschien. Glas tegen metaal, fluisterende stemmen, dan is het stil. Maar haar vader is dichtbij. Constance weet het en hoewel ze niet verder durft te gaan, geeft het weten ervan haar rust. Ze zakt neer op de vloer, rolt zich op als een dier. Ze denkt zich in het hoofd van haar vader zodat hij zal weten dat zijn kleine albatros er is, dat zijn dochter van hem houdt. Ze sluit de ogen, ze slaapt.

Gwen, in de Koninklijke Slaapkamer, naast het bed, slaapt niet. Ze is de hele nacht al wakker, ziet hoe Eddies toestand achteruitgaat, ziet de uitdrukking op het gezicht van de verpleegster en weet dat het niet lang meer zal duren.

De verpleegster heeft zich teruggetrokken en Gwen is alleen met Eddie. De stilte in de kamer wordt slechts verbroken door het tikken van de klok. Het is bijna zes uur en Gwen vraagt zich af hoeveel minuten Eddie Shawcross nog heeft. Ze schaamt zich maar heeft het stadium bereikt waarin ze hoopt dat het er weinig zullen zijn. Toen ze het idee dat Eddie zou sterven had geaccepteerd, werd ze ongeduldig en ergerde zich aan het uitstel. Ze weet dat het slecht is, maar ze bidt: laat het spoedig zijn, gemakkelijk zijn, laat het snel gaan – terwille van hem. Ze bekijkt het gezicht van haar minnaar en kan zich niet voorstellen dat ze van deze man heeft gehouden.

Zijn lippen zijn gebarsten, zijn eens zo mooi gemanicuurde handen plukken aan de lakens. Gwen wendt haar ogen af van de gebroken nagels en de verbanden. In haar gedachten verschijnt plotseling het beeld van Eddie en haarzelf in deze zelfde kamer, nog maar enkele dagen geleden. Ze ziet zichzelf, haar polsen vastgebonden met een zwart hoedelint en ze krijgt een kleur van schaamte. Ze denkt aan de pijn, de geur van anjelierenzeep, de aantrekkingskracht van het verbodene. Terwijl ze probeert het beeld van zich af te zetten, beweegt Shawcross. Het zweet staat op zijn voorhoofd. Zijn ogen zijn open, ze staren, zijn lippen maken onbegrijpelijke geluiden.

Gwen wil bellen om de verpleegster. Zijn gezicht maakt haar bang en ze vindt het naar om hem aan te raken. Maar nu begint hij te praten – een stroom van woorden, soms onbegrijpelijk. Ratten. Shawcross praat over grote, zwarte ratten met uitpuilende ogen, ratten op zolder en in het riool, in – ja – vallen. Nu gorgelt hij en herhaalt de woorden en dan – komt hij overeind in zijn bed met een kracht die Gwen niet in hem vermoedde. Hij gaat van ratten over op linten. 'Zwarte linten!' schreeuwt hij en hoewel zijn stem onduidelijk is, kan ze hem verstaan. 'Stamp op hun kop. Zo hoort het...' Gwen zit verstijfd van afgrijzen. Linten, linten – o, waarom moet hij praten over linten? Ze trekt hard aan het bellekoord en dwingt zichzelf over hem heen te buigen en geruststellend te praten. 'Eddie,' zegt ze zacht, 'Eddie, liever. Je moet rusten, je moet niet praten, Eddie...'

Eddie zwijgt, hij zakt terug in de kussens. Er komen borrelende keelgeluiden, speeksel schuimt op zijn lippen. Gwen blijft angstig naar hem kijken. Is dit zijn doodssnik? Ze rukt weer aan het belle-koord en op dat moment dwalen zijn ogen niet maar kijken haar direct aan. Hij zegt helder: 'Je hebt me geroepen. In de bossen. Ik hoorde dat je me riep.'

'Nee, Eddie,' begint Gwen, doodsbang dat de verpleegster binnen-komt en het gesprek hoort. 'Nee, Eddie, je vergist je. Je hebt koorts. Stil nou.'

Maar terwijl hij spreekt, is er iets gebeurd. Het is minder dan een rilling, niets heftigs, eigenlijk niet meer dan een verstrakking van de gezichtsspieren, gevolgd door ontspanning. In dat onderdeel van een seconde is de machtigste van alle grenzen overschreden en Gwen weet het onmiddellijk, nog voordat de verpleegster Eddies keel bevoelt, zucht, op haar horloge kijkt en zegt: 'Het is voorbij.' Het is kwart over zes, het begin van een nieuwe dag. Dokter Havi-land wordt gewaarschuwd en er is nog één afschuwelijk iets, dat Gwen gelukkig niet bijwoont. Voordat de rigor mortis inzet, moet Shawcross worden gewassen en afgelegd. Om half acht, als het proces bijna klaar is en Haviland op het punt staat te vertrekken, komt er een verschrikkelijk geluid van het bed, gegorgel, een opris-ping. De arts en de beide verpleegsters draaien zich met een ruk om – een van de zusters – die weinig ervaring heeft, een Iers-katho-lieke – slaat een kruis. Het is akelig en komt niet veel voor, hoewel dokter Haviland het in gevallen van ernstige bloedvergiftiging meer heeft meegemaakt. Uit alle lichaamsopeningen weent Shawcross. Een kleverige, gelige substantie als honing, maar niet zo lekker rui-kend, komt uit zijn oren, zijn neus, zijn mond... Hij moet opnieuw gewassen en afgelegd worden, zijn nachthemd moet worden ver-wisseld, evenals de kussenslopen en lakens. De ervaren zuster stuurt met dichtgeknepen neus een boodschap naar de keukens om bloemen uit de kassen, liefst lelies.

Eindelijk, om een uur of negen, komen de andere formaliteiten. De blinden zijn overal in huis gesloten en in dit schemerige licht komt de familie Cavendish afscheid nemen. Boy, Acland, Freddie. Stee-nie wordt dit alles bespaard, aangezien hij zwakke zenuwen heeft. Constance komt als laatste binnen en staat onbeweeglijk tussen Denton en Gwen aan het voeteneind van het koninklijke bed. Ze kijkt naar de cherubijntjes en het geborduurde koninklijke wapen, naar het bed waar ze een paar dagen geleden voor Boy heeft gepo-seerd. Ze kijkt naar haar vader – ogen gesloten, linnen lakens opge-trokken tot zijn kin. Als Gwen haar naar hem toe brengt, buigt ze zich over zijn lichaam en plaatst een droge kus in de lucht naast zijn wang.

De kamer ruikt naar lelies, een bloem waar Constance de rest van haar leven een hekel aan heeft. Ze huilt niet, ze zegt niets. Ze luistert naar het geluid van vogelvleugels, want al is het nu daglicht, ze weet dat haar beschermer bij haar in de kamer is. Ze luistert. Hij komt en ze buigt het hoofd. Het zwijgen van Constance, het feit dat ze niet huilt, maakt Gwen ongerust. Ze brengt het kind naar haar kamer, zet haar in een stoel en praat zo rustig en vriendelijk mogelijk. Gwen weet dat alles wat ze tegen Constance zegt banaal is, maar ze zegt het toch. Ze vraagt zich af of ze de aanwezigheid van Constance op de trap van de kleedkamer nog moet aanroeren, maar vindt het beter van niet. Het kind is tot diepere gevoelens in staat dan ze geweten hadden, houdt Gwen zich voor. Laat de zaak maar rusten.

'Constance, je moet weten,' zegt ze ten slotte, 'dat we ons verantwoordelijk voor je voelen, liefje, en dat we om je geven. We moeten de dingen nog overdenken maar vergeet niet dat je altijd een huis hebt, hier bij ons.'

Constance heeft dit al verwacht. Ze begrijpt dat de uitnodiging voortkomt uit schuldgevoel en niet uit genegenheid, ondanks Gwens tranen.

'Ik begrijp het,' zegt ze op haar stijve manier. Dan kijkt ze Gwen aan. 'Wanneer halen ze mijn vader weg?'

Gwen schrikt van die vraag.

'Later vandaag, Constance. Vanmiddag, maar denk er niet te veel aan...'

'Als hij weg is...' Constance legt een smoezelig handje op Gwens mouw. 'Mag ik dan alleen in zijn kamer zitten? Heel even. Om afscheid te nemen.'

'Natuurlijk, Constance, dat begrijp ik.' Gwen is ontroerd door de vraag.

En later diezelfde dag, als Gwen er zeker van is dat de begrafenisondernemers vertrokken zijn, brengt zijzelf Constance naar de Koninklijke Slaapkamer. Ze steekt de lampen aan, Constance moet niet bang zijn. Ze gaat na of het bed nieuw is opgemaakt en de lelies zijn meegenomen.

'Weet je zeker dat je hier alleen wilt zijn? Zal ik bij je blijven?'

'Nee, ik blijf liever alleen,' antwoordt het kind op haar eigenaardige formele manier. 'Even maar. Een half uur. Ik wil graag aan hem denken.'

'Ik kom om vier uur terug,' zegt Gwen en laat haar alleen.

Als Constance alleen in de kamer is, kijkt ze over haar schouder naar het bed. De gordijnen zijn beangstigend, wapperen haar tegemoet. Omzichtig nadert ze het bed, steekt snel een hand uit en trekt de sprei weg. De kussens stellen haar gerust. Ze zijn schoon, er is geen indruk van een hoofd.

Constance strijkt de sprei glad en loopt dan langzaam de kamer rond, strijkt in het voorbijgaan over de meubels. Het paardehaar van een stoel prikt, de rug van een andere is van fluweel, ze strijkt een antimakassar glad. Ze loopt de kleedkamer in en dan de badkamer erachter en doet intussen de lichten aan. Ze bekijkt de grote koperen douche, kijkt naar al die wonderen van Duitse voorzieningen. Ze pikt een stukje anjelierenzeep van de wastafel en stopt het in haar zak. Dan keert ze naar de slaapkamer terug. Nu is ze doelbewust. Daar, op de toilettafel, liggen de bezittingen van haar vader uitgestald, alles uit zijn avondkostuum. Een paar geldstukken, zijn sigarenkoker, een doosje lucifers, zijn zakhorloge met ketting en een ongebruikte linnen zakdoek.

Constance pakt de zakdoek op maar die is pas gewassen en ruikt niet naar haar vader. Ze drukt hem tegen haar gezicht en legt hem dan terug. Dan pakt ze het horloge. De kast is gedeukt. Ze bekijkt de wijzerplaat, maar het horloge dat een paar dagen niet is opgewonden, staat stil. Constance houdt het horloge stijf in haar hand. Weer werpt ze een blik over haar schouder naar het bed. Het is nog steeds leeg. Met een zijwaartse krabachtige beweging loopt ze naar het schrijfbureau tussen de ramen. Het is niet op slot, maar onder een stapel brieven en proefdrukken ligt een houten schrijfcassette voor op reis. Die is op slot, zoals altijd. Het sleuteltje ervan hangt aan de horlogeketting. Constance bijt haar tong tussen haar tanden. Ze concentreert zich, past het sleuteltje in het slot en draait het om. Ze vindt een stapel brieven en rekeningen, maar bekijkt die niet. Eronder ligt een schrift met een zwarte kaft. Een soort schoolschrift, zonder etiket.

Haar handen zijn bang om het aan te raken, ze wil, maar trekt ze terug. Dan duikt ze in de cassette en pakt het schrift dat een slappe kaft heeft. Ze kan het oprollen, als een krant.

Ze rolt het zo stijf mogelijk op en stopt het diep in de zak van haar wijde zwarte rok. Is er een bobbel te zien? Nee. Hierna is ze snel. Ze doet de schrijfcassette weer op slot en sluit de la. Ze legt de horlogeketting weer op zijn plaats, maar kijkt niet in de spiegel boven de toilettafel omdat ze bang is dat ze dan het bleke gezicht van haar vader zal zien, met zijn keurige baard. Hij zou iets vreselijks kunnen doen. Hij zou haar kunnen wenken. Ze keert terug naar de stoel die Gwen voor haar heeft neergezet. Daar gaat ze gehoorzaam en rustig zitten. Ze denkt na over haar vader. Ze wil er niet aan denken waar ze hem misschien heen hebben gebracht. Het zal er zeker koud en eenzaam zijn. Zal ze nu afscheid van hem nemen? Zal ze het hardop zeggen? Constance aarzelt. Ze voelt dat haar vader vlak bij haar is. Het schijnt dwaas hem nu vaarwel te zeggen. 'Welterusten, pappa,' zegt ze met een verlegen stemmetje.

De volgende week was er, zoals dokter Haviland al had voorspeld, een soort lijkschouwing. Maar grondig was die niet. Je zou hem als 'vluchtig' kunnen beschrijven, of als 'tactvol'. De plaatselijke politie, geïntimideerd, was niet van plan om zo'n vooraanstaande plaatselijke grootgrondbezitter als lord Callendar te beledigen, wiens neef politierechter van het graafschap was en wiens beste vrienden belangrijke figuren waren bij de plaatselijke rechterlijke macht. Maar er wàs een lijkschouwing. Geen enkel lid van de familie Cavendish verscheen, ze hadden allen een geschreven getuigenis overgelegd. Hieruit bleek met vrij grote nauwkeurigheid hoe laat Shawcross het feest moest hebben verlaten. Het benadrukte dat Shawcross – een schrijver – dikwijls alleen ging wandelen. Maar verder kwam de jury niets te weten.

Cattermole verscheen wel. Hij genoot eigenlijk van die ervaring en kwam met meer feiten. Nadat hij had verklaard dat de klemmen die vroeger werden gebruikt om stropers te verjagen, in een lege schuur waren opgeslagen waar ze verroestten, ging hij door. Voordat de rechter hem kon tegenhouden herinnerde hij de jury eraan dat er al weken zigeuners in de streek waren. Het bleek dat de zigeuners waren vertrokken op de dag dat het ongeluk werd ontdekt. Aangezien hij noch zijn mannen – daar kon hij voor instaan – illegale klemmen hadden gezet, trok hij daar zijn conclusies uit. De jury zou hetzelfde kunnen doen, vond hij. Volgens hem hadden de zigeuners die klem geplaatst voor zijn jachtopzieners of voor hemzelf.

De jury bestond uit de plaatselijke bevolking, waaronder verscheidene pachters van het landgoed van Cavendish. Hun oordeel? Dood ten gevolge van een ongeluk. De zaak was gesloten.

Werd het oordeel ook geaccepteerd binnen de muren van Winterscombe? Misschien door sommigen – hoewel andere leden van het gezin er hun twijfel over hadden. De enige die zijn twijfel hardop uitsprak was sir Montague Stern. Hij sprak er op de dag na de lijkschouwing over met Maud die hem opzocht in zijn kamers in Albany in Londen.

'Dood ten gevolge van een ongeluk,' zei Stern effen. 'Handig en netjes.' Maud, die afgeleid door zijn aantrekkingskracht en door de details van zijn salon – een kamer van beheerste perfectie, vol perfecte dingen, een groot contrast met de man zelf – nam dat niet ogenblikkelijk in zich op. Toen uitte ze een kreet.

'Montague, wat bedoel je daarmee? Dat was toch de enig mogelijke uitslag! We weten allemaal dat het een ongeluk was.'

'Echt?' Stern stond voor het raam en keek naar de straat.

'Maar natuurlijk. De zigeuners...'

'Ik ben niet overtuigd door dat gepraat over zigeuners.'

Iets in de manier waarop hij het zei, bracht Maud nader. Ze keek naar Stern, die lang was, een bleke teint had en wiens gelaatstrekken het teken droegen van zijn ras. Zijn ogen vertelden haar niets. Ze hadden even goed over een diner kunnen praten in plaats van over een sterfgeval. Weer had ze het gevoel van een beheerste man die zijn macht verzweeg. Maar ze was geschokt door wat hij zei en ook opgewonden. 'Je bedoelt toch niet – als het geen ongeluk was – dan was het een...'

'Moord?' Stern haalde zijn schouders op alsof hij het woord smakeloos vond. Maud deed een stap naar hem toe, bleef toen staan.

'Belachelijk. Ondenkbaar. Voor een moord heb je een moordenaar nodig...'

'Inderdaad. Ik zou zeggen dat er... kandidaten konden zijn.'

'Belachelijk, daar luister ik niet naar. Ik denk dat je me bang wilt maken.' Ze aarzelde. 'Wie?'

Stern glimlachte. Hij stak zijn hand naar haar uit. Maud keek naar zijn slanke vingers en zijn spierwitte manchetten. Er glinsterde iets van goud aan zijn pols.

'Het is zinloos erover te speculeren. De zaak is gesloten. Maar ik houd van puzzels, dat is alles. Ik vind het leuk om ze op te lossen. Voor mijn eigen plezier.'

Maud besloot van onderwerp te veranderen en vroeg zich gejaagd af of ze zijn hand zou pakken.

'Een prachtige kamer,' begon ze onhandig, en Maud was zelden onhandig.

'Ik ben blij dat je hem goedkeurt.' Hij maakte een eigenaardige vage buiging en gebaarde nonchalant naar bepaalde schilderijen en enkele strakke porseleinen vazen op de planken. 'Ik houd van die dingen. Ik ben verzamelaar – min of meer.'

Iets in de rustige manier waarop hij het zei en iets in zijn ogen deden Maud besluiten. Ze zag hem weer in haar kamer op Winterscombe. Zonder langer aan die enge dingen te denken deed ze nog een stap naar hem toe en pakte zijn hand. Ook Stern scheen het eerdere gesprek te vergeten. Hij kwam van het raam vandaan en nam Maud welbewust in zijn armen.

De lijkschouwing was voorbij en het was tijd voor de begrafenis. Maar waar? Niet op Winterscombe. Gwen had er een balletje over opgegooid maar Denton had dat idee ogenblikkelijk getorpedeerd. Dus in Londen waar Shawcross op kamers had gewoond in Bloomsbury. Gwen regelde alles, want Shawcross scheen vrijwel geen familie te hebben. Ze probeerde het verleden glad te strijken: een verplichting aan een oude familievriend. Toen de begrafenis plaatsvond, geloofde Gwen het zelf bijna.

Er was bijna niemand tijdens de plechtigheid, al was haar gezin natuurlijk aanwezig. Gwen had voor de gelegenheid het huis in Mayfair geopend, maar waar waren die literaire vrienden over wie Eddie altijd sprak? Ze had al die beroemdheden aangeschreven, al die Titanen met wie Eddie zo vaak ging dineren, zoals hij altijd had gezegd. De kunst werd slechts vertegenwoordigd door Jarvis met de lavendelkleurige cravate, die de invitatie om mee te gaan naar Park Street afsloeg, en een jonge Amerikaan die beweerde namens een tijdschrift in New York te zijn gekomen.

Gwen, terug in Mayfair, keek het verlegen gezelschap rond. Een kil groepje. Haar gezin, Boys verloofde, Jane Conyngham, Maud en sir Montague Stern, uitgenodigd op voorstel van Maud, die een grote krans had gestuurd. Verder Constance die verkouden was en een loopneus had en een droevig kijkende student die kamers had in hetzelfde huis als Shawcross. Ten slotte was er nog een bejaarde weduwe wier naam Gwen niet verstond en die Shawcross eens aan een literair redacteur had voorgesteld.

Een magere jongeman in een groenig zwart kostuum stelde zich voor als klerk van een notariskantoor. Hij had Shawcross nooit ontmoet maar representeerde de firma.

Jane stond met de student te praten. Gwens gezin vormde een gesloten front. Montague Stern probeerde een praatje aan te knopen met de weinig toeschietelijke Constance. Gwen kon het niet langer verdragen en wenkte de klerk mee te gaan naar de bibliotheek. Hier somde de jongeman de koude feiten op. Men had er bij Shawcross op aangedrongen om na de dood van zijn vrouw een testament te maken. Constance zou erfgename zijn. Shawcross had zijn dochter echter heel weinig nagelaten. Hij stond rood bij de bank en zijn huisbaas en kleermaker eisten betaling. Het enige wat Constance erfde, zei de jongeman afkeurend, waren de boeken en persoonlijke spullen van haar vader en een berg schulden. Er was nog een probleem. Natuurlijk had men onderzoek gedaan naar de naaste familie. Zijn ouders waren dood, broers of zusters had hij niet en zijn enige nog levende familie bestond uit de zuster van zijn moeder en haar man die een winkel in Solihull hadden.

'Solihull?' Gwen wist niet precies waar het lag maar het klonk niet aantrekkelijk. Men had contact met de familie opgenomen, zei de jongeman en trok aan een slecht zittende, vergeelde boord. Hij moest het kind namens hen condoleren, maar ze konden geen verantwoordelijkheid nemen voor een kind dat ze nooit hadden gezien. *En gezien hun omstandigheden was er geen sprake van* dat ze het kind in huis zouden nemen.

Gwen was beledigd, ook door de jongeman, door zijn boord en zijn adamsappel die wiebelde als hij sprak. Ze hield niet van de manier waarop hij haar naam uitsprak, haar titel van zijn tong liet rollen. Ze hield niet van de manier waarop hij de bibliotheek met de boeken opnam.

Gwen had *hauteur* geleerd, ze gaf de jongeman een vernietigende blik. Ze schoof de onbarmhartige familieleden en de plaats waar ze woonden opzij, ze schoof de kwestie van de schulden opzij en verzekerde de jongen dat die betaald zouden worden. Ze schoof tenslotte ook de kwestie van Constance opzij. Constance zou in haar gezin worden opgenomen. Dat was vanaf het begin haar plan geweest. Meneer Shawcross was een oude, gewaardeerde familievriend geweest en al het andere – hierbij wierp ze de jongeman een koude blik toe – kwam niet ter sprake. De jongen nam haar de manier waarop ze dit alles zei nogal kwalijk, maar zei dat zijn firma buitengewoon opgelucht zou zijn. 'Natuurlijk zijn er nog de kamers in Bloomsbury. Gehuurde kamers.' Hij zweeg bij de deur. 'Die moeten worden opgeruimd. De huisbaas heeft ze nodig, deelde hij ons mee.'

Hij zei het op een onprettige manier, met een minachtende blik naar het tijgervel op de vloer. Shawcross had voor hem afgedaan, ondanks zijn adellijke vrienden had de man alleen maar schulden. Zo nam hij afscheid.

Twee dagen later – haar laatste opdracht, hield ze zich opgelucht voor – ging Gwen met Constance naar Bloomsbury. Constance stond erop met haar mee te gaan, ze moest haar eigen dingen inpakken. Dat duurde niet lang. Eén koffer zou voldoende zijn.

Het huis was groot en somber. De gezamenlijke hal rook naar boenwas en vaag naar groene kool. Gwen leunde tegen de muur, ze voelde zich moe.

Constance wilde dat ze opschoten, nam haar mee de brede trap op naar de eerste overloop en toen over een steile trap naar de tweede verdieping. Gwen had een sleutel en kwam voor het eerst de kamers binnen waar haar minnaar had gewoond. Ze waren hier nooit samen geweest en de kamers waren niet zoals ze zich die had voorgesteld. Hoewel ze wist dat Shawcross niet rijk was, had ze aan een gezellige plek vol boeken gedacht, het domein van een schrijver. Ze had boekenkasten voor zich gezien, een bureau, keurige stapels papier, licht, een gemakkelijke stoel, ruimte. Ze had zich voorgesteld hoe hij er zat te eten, een schotel bovengebracht door een bediende. Ze had gedacht dat hij zo nu en dan die beroemde vrienden van hem uitnodigde en stelde zich voor dat ze praatten over het leven en de kunst.

Niets bleef er van die beelden over. In de eerste plaats was de kamer smal, was al enige tijd geleden in tweeën gedeeld. Er waren prullige boekenplanken met talloze boeken die echter onder het stof zaten. Er stond een schrijfbureau voor een smerig raam dat nodig gezeemd moest worden en ook het bureau was goedkoop. Er stond een lelijke lamp op en het lag vol brieven, papieren, drukproeven en rekeningen. Gwen vond het onbegrijpelijk, Shawcross zag er altijd tot in de puntjes verzorgd uit.

'Er zijn alles bij elkaar drie kamers.'

Constance had haar zwarte koffertje neergezet, haar gezichtje was bleek.

'Daar is de slaapkamer van mijn vader.' Ze wees naar een deur. 'Mijn kamer is ernaast, aan de overkant van de gang. Er staan twee bedden. Mijn kindermeisje sliep bij mij op de kamer.'

Ze zei het als iets belangrijks, alsof het kindermeisje haar status gaf.

'Natuurlijk is ze al een paar jaar weg. Pappa heeft haar niet vervangen. Ik was toen ook al veel groter.' Ze hief het scherpe gezichtje naar het raam.

'Hoe vindt u het hier? Ik houd ervan. Als je uit het raam leunt, kun je het plein zien. En er is een kerk aan het eind van de straat. 's Zondags kun je de klokken horen. Sint Michael en Alle Engelen. Ik vind dat een mooie naam. Alle Engelen – dat klinkt machtig, vindt u niet?'

Gwen antwoordde niet. Ze zakte op een ongemakkelijke stoel voor een lege haard. Op de planken tegenover haar stonden een paar lege flessen en vuile wijnglazen. Ze drukte haar gehandschoende hand tegen haar voorhoofd.

'Constance, misschien is het... een beetje te vroeg om dit te doen. Het moet voor jou ook erg zijn. Misschien moeten we niet blijven, ik kan het wel regelen dat alles naar Winterscombe wordt gebracht. Dan gaan we er samen doorheen. Dat is misschien het beste.'

'Ik heb mijn kleren nodig.' Constance was koppig. 'Ik heb een paar boeken, wat dingen van mijn moeder – haar borstels. Die wil ik meenemen.'

'Natuurlijk.' Gwen probeerde tot zichzelf te komen. Ze kwam half overeind maar zonk terug in de stoel. Was ze maar nooit naar die verschrikkelijke kamers gegaan. Ze had best iemand anders kunnen sturen. Nieuwsgierigheid, hield ze zich voor, het allerergste soort van nieuwsgierigheid.

Maar eenmaal, voordat ze hem losliet, wilde ze zijn huis zien. Nu zag ze het dan.

'Blijft u maar hier,' zei Constance bezorgd. 'U ziet er moe uit. Ik kan het alleen wel af, ik weet waar alles is.' Ze rommelde tussen de papieren op het bureau, er kwam een brief op roze schrijfpapier onderuit. Toen nam ze een stapel drukproeven en drukte die in Gwens hand.

'Kijk. Dat zijn de proeven van pappa's nieuwe roman. Misschien wilt u die inkijken terwijl u wacht. Ik weet hoeveel u van zijn werk hield. Hij zou het prettig hebben gevonden als u... het las.'

Gwen was ontroerd. Ze nam de proeven aan en Constance pakte haar koffer om naar de slaapkamers te gaan.

Toen de deur eenmaal gesloten was, ging Constance snel aan het werk. Eerst naar de slaapkamer van haar vader. Ze pakte een stoel, ging erop staan en grabbelde over de stoffige bovenkant van de kast. Daar vond ze de sleutel waarmee ze het kastje naast zijn bed kon openen. Er waren twee planken. Op de bovenste stonden medicijnen, zalfjes, lotions, pillen, want haar vader was een hypochonder. Op de plank eronder lag een stapel schriften.

Ze was een beetje bang, omdat de dagboeken geheim waren, haar vader schreef er iedere avond in en als ze binnenkwam terwijl hij bezig was, sloot hij ze. De sleutel zat in zijn zak behalve wanneer hij naar Winterscombe ging, dan legde hij hem bovenop de kast. Zou hij willen dat zij ze kreeg? Constance dacht van wel. Het waren zijn speciale boeken en nu hij dood was, waren ze van zijn dochter. Ze legde de schriften netjes op de bodem van haar koffer. Haar handen waren klam en ze veegde ze af aan haar rok. Toen ging ze naar haar eigen kamer.

Ze wilde niet langer blijven dan nodig was en haalde alleen twee jurken uit de kast en stopte die zonder ze goed neer te leggen in de koffer. Een paar blouses, een paar gekreukte onderrokken, een nachtjapon, een paar knoopjesschoenen die gemaakt moest worden en een paar pantoffels.

Ze moest op de koffer gaan zitten om hem te sluiten. Toen hij dicht was, besefte ze dat ze de haarborstel had vergeten. Borstels van iemand die ze nooit had gekend. Ze liet ze maar achter. Toen ze terugkwam in de zitkamer was ze buiten adem. Haar gelige wangen hadden een kleur.

Gwen had zeker genoeg van de drukproeven, zag Constance, want ze lagen weer op het bureau. Gwen stond ernaast. Ze had die roze brief dus gezien, maar dat was half en half Constances bedoeling geweest. Waarom zou je hem verstoppen? Gwen had haar vader misschien nooit geschreven maar andere vrouwen hadden niet zulke scrupules. Haar vader had niet de moeite genomen de brief te beantwoorden en die had wekenlang tussen de troep gelegen.

De brief – slechts één bladzij – lag open. Het papier was geparfumeerd. Het grote, impulsieve vrouwelijke handschrift was al uit de verte te lezen. Gwen die – in tegenstelling tot Constance – zich niet verwaardigde om privé-brieven te lezen, was ditmaal niet in staat geweest om de inhoud van deze te vermijden. Eerst leek Gwen niet te merken dat Constance was teruggekeerd. Ze stond naast het bureau, zo geschokt dat ze zich niet kon omdraaien. Het bloed steeg naar haar hals en terwijl Constance naar haar stond te kijken, werd ook haar gezicht vuurrood. Ze knipperde met haar ogen. Ging toen waardig naar de deur en trok daar de voile voor haar gezicht. Grote, trage, statige Gwen: ze gaf bevelen aan de vrachtrijder dat, wanneer ze deze kamers leeghaalden, alle brieven en privé-correspondentie in dozen moesten worden gedaan en met de andere voorwerpen naar Winterscombe worden gebracht. Toen ze in Winterscombe aankwamen, gaf ze duidelijke aanwijzingen. Deze dozen moesten verzegeld blijven en bij de eerste gelegenheid worden verbrand.

Gwen keerde met Constance terug naar het huis in Mayfair. Constance liep stijfjes naar binnen in haar zwarte hoed en mantel, haar zwarte koffertje in de hand. Het gezin zat thee te drinken bij de open haard in de bibliotheek. Tot verbazing van Gwen stevende Constance naar binnen, nog steeds in hoed en mantel, nog steeds met het zielige koffertje in de hand en ging voor het vuur staan. Denton zat tegenover haar met een deken over zijn knieën, stomverbaasd over deze inbreuk. Zijn hand met het theekopje bleef halverwege tussen schoot en lippen steken. De vier zoons stonden op uit hun stoel. Constance keek van de een naar de ander.

'Ik heb nu mijn spullen,' zei ze, wijzend op de koffer. 'Ik wil graag dat jullie weten hoe blij ik ben om bij jullie te komen wonen. Het is heel vriendelijk om me in huis te nemen.'

Gwen stond machteloos in de deuropening. Ze had haar plannen voor Constance wel met het kind besproken en met Denton, die berustend zijn toestemming had gegeven, maar nog niet met haar zoons. Ze verwerkten het nieuws dat Constance Nors, de albatros, nu voor altijd en niet alleen voor een paar weken per jaar, bij hen zou blijven, op voorspelbare wijze. Steenie klapte in zijn handen van vreugde, zijn oudere broers konden hun verslagenheid nauwelijks verbergen. Boy kreeg een kleur als vuur en keek strak naar de grond. Freddie kreunde hoorbaar en probeerde daar een kuch van te maken. Acland die zijn antipathie meestal niet onder stoelen of banken stak, wierp Constance een koude, achterdochtige blik toe. Hij keek naar zijn moeder en zijn eigenaardige ogen ontmoetten de hare – misschien was hij boos, misschien geamuseerd. Gwen, van haar stuk gebracht, kon het onmogelijk zeggen.

Constance bekeek haar nieuwe familie kalm. Het scherpe kinnetje ging omhoog en als het voorbeeld van een plichtsgetrouw en liefhebbend kind liep ze op Denton toe. Ze ging op haar tenen staan en Denton, overdonderd en verlegen, moest zich bukken om haar kus in ontvangst te nemen. Vervolgens ging ze naar Steenie die ze omhelsde. Ze bleef even staan en liep toen plechtig op ieder van zijn broers af. Boy, Freddie, Acland: ze kregen alle drie een kus. De jongens hadden goede manieren geleerd. Omdat ze veel langer waren dan Constance, waren ze gedwongen zich te bukken om het aangeboden kusje op de wang in ontvangst te nemen.

Alleen Acland die het laatst gekust werd, zei iets. Hij zei het zacht in Constances oor toen haar gezicht naar hem was opgeheven. Eén woord slechts dat Constance alleen hoorde.

'Huichelaarster,' zei hij. Dat was alles.

Toch was Constance verrukt.

Ze deed een stap terug en haar gezicht was plotseling vol leven. Haar ogen straalden, haar lippen glimlachten. Ze beschouwde het woord, schreef ze later, als een oorlogsverklaring.

DEEL DRIE

4

Een oorlogsverklaring

'En hoe gaat het?' riep Wexton door de open deur van zijn keukentje. 'Schiet je op of ben je blijven steken?'
Ik hoorde het geluid van blikjes die geopend werden, van een broodrooster die werd aangezet. Wexton maakte iets te eten voor me uit zijn geliefde voorraad kant-en-klaar maaltijden. Zijn keukengoden waren Heinz en Campbell, hij was altijd weer even verrukt van het lekkers dat uit een blikje te voorschijn kwam. Wat zou het vanavond zijn? Ossestaartsoep met een scheutje sherry, ragoût van cornedbeef met Worcestershiresaus – of zijn lievelingsgerecht, een mengsel dat hij nog kende uit de tijd van de distributie, met ketchup en kaas? Hoe dan ook, Wexton had een vaste regel: niemand mocht komen kijken terwijl hij aan het koken was.
'Ik weet het eigenlijk niet,' riep ik terug. 'Hard lopen op dezelfde plaats, geloof ik. Gisteren is de taxateur van Sotheby geweest en vandaag kwamen de huizenmakelaars. Dus ik veronderstel dat ik wel verder kom. Maar, Wexton, er is zoveel rommel...'
'Verdomme.' Wexton uitte een kreet. Ik rook verbrande toost en hoorde hoe de broodrooster een mep kreeg. Maar ik moest vooral niet tussenbeide komen in de liefde-haatverhouding van Wexton met zijn broodrooster. Ik kwam van het raam vandaan en liep omzichtig tussen stapels kranteknipsels en boeken door. Wexton, een man die absoluut niet gewelddadig is, scheen zijn gedachten op geweld te richten want al die knipsels hielden zich bezig met alle ellende van het afgelopen jaar. De oorlog in Vietnam, de burgeroorlog in Nigeria, verhongerde kinderen met gezwollen buikjes in Biafra. De rustige, professorale kamer was volgestouwd met blijken van de onmenselijkheid van de mens.
Het uitzicht uit het raam was rustig en gaf de illusie dat de tijd kon stilstaan. Afgezien van de auto's was het een wereld die in tweehonderd jaar weinig veranderd was. De oude straatlantaarns waren er nog, de Queen Anne-huizen en huizen uit de tijd van de Georges waren met zorg gerestaureerd. Deze straat weerstond de twintigste eeuw. Ik kon nog juist de kerk aan het eind ervan zien, met de bomen bij het oude kerkhof van Hampstead. Wexton beweerde dat hij graag in de buurt van een kerkhof woonde. Daar bekeek hij de oude grafstenen en hij ging er iedere dag naar toe op wat hij zijn 'ochtendgymnastiek' noemde. Dan liep hij langs Church Row,

langs het kerkhof met de urnen en elegante graftomben, en door een doolhof van straatjes naar de top van Holly Hill, vanwaar hij afdaalde naar de dorpswinkels om vol liefde naar de blikjes bij de kruidenier te kijken.

Die dagelijkse wandeling, eens in een zondagskrant beschreven, was nu beroemd. Zijn *fans* werden erdoor aangetrokken en stonden te wachten tot de beroemde dichter te voorschijn kwam, zijn gedeukte hoed opzette, zijn gerimpeld gezicht naar de hemel hief en de ochtendlucht opsnoof. De dag tevoren was er kennelijk iemand om zijn handtekening komen vragen. Dat was voor het eerst, dat was nog nooit gebeurd.

'Heb je hem die gegeven, Wexton?'

'Het was een zij. In een lang fluwelen gewaad, met Indiase kettingen en een vredesspeld. Jazeker, ik gaf haar een handtekening. "Vriendelijke groeten, Tom Eliot." Ze was er helemaal verrukt van.'

Ik pakte het boek dat boven op een stapel lag, misschien hielden Wextons gedachten zich niet alleen met geweld maar ook met Eliot bezig, want het was een beduimeld exemplaar van *The Waste Land*. Ik legde het boek weer neer, ik had Wexton nog niet verteld hoe ik de afgelopen week op Winterscombe had doorgebracht. En ook nog niets van Constances dagboeken.

'Sardines op toost, niet-verbrande toost.'

Wexton kwam binnen met een blad. We konden met moeite ruimte maken tussen alle paperassen om het neer te zetten en balanceerden ons bord op onze knieën voor Wextons kolenvuur. De kamer was vredig en gezellig, de sardines gepeperd en lekker. Wexton wist dat ik iets achterhield, dat wist hij altijd.

'Vertel eens wat over die taxateur,' zei hij kauwend.

'Hij houdt van de Victoriaanse meubels en toen hij die William Morris-gordijnen zag, werd hij lyrisch. Hij heet Tristram.'

'Oei.'

'Dat is nog niets. De makelaar heet Gervase. Gervase Garstang-Nott.'

'Was hij ook zo lyrisch?'

'Zo te zien niet. Denkt achterover geleund. Denkt: als-het-Blenheim-was-zou-het-mij-misschien-kunnen-interesseren.'

'Zo erg?'

'Nog erger. Alleen negatief. Verkeerde datum – iedereen wil Queen Anne. Te ver van Londen. Te ver van het station. Te groot – alleen instellingen willen blijkbaar huizen met vijfentwintig slaapkamers en instellingen willen geen geld uitgeven. Iets van toenadering toen ik de bossen noemde – omdat het hout misschien iets waard zou zijn. Het liep nog beter toen we bij de grootte van het landgoed kwamen – àls men toestemming zou kunnen krijgen om er te bouwen. Volgende week komt hij weer. Hij deed of hij me een enorme gunst bewees.'

Wexton keek me scherp aan. 'Ontmoedigend?'

'Ik geloof van wel. Ik wil niet dat die bossen worden gekapt, ze zijn zo mooi. Ik wil geen huizen op alle velden, het is misschien zelfzuchtig, maar ik wil het niet. Ik had iemand willen hebben die van het huis hield. Afgezien van een excentrieke miljonair lijkt dat nogal onwaarschijnlijk. Ik weet wel dat het groot is, Wexton, ik weet dat het uit de tijd van Edward is. Ik weet dat het is vervallen. Maar ik houd ervan. Als ik denk aan alle zorg die eraan is besteed, aan alles wat er daar is gebeurd...' Ik zweeg even. 'Nou ja. Wat ik voel komt er niet op aan. Het schijnt dat andere mensen zo niet voelen. Ik ben natuurlijk afschuwelijk bevooroordeeld of misschien is er wel iets mis met me.'

'Wil je een ijsje?' vroeg Wexton. 'Het is een nieuw merk. Amerikaans. We kunnen er kersen bij doen. Kersen uit een blikje. Best lekker.'

'Ik geloof niet dat ik nog meer kan eten, Wexton. Dit was heerlijk.'

'Oké.' Hij ging weer zitten. 'Waarom vertel je me nou niet wat er echt aan de hand is?'

Ik vertelde het hem. Iets ervan tenminste. Vertelde van de chaos die Steenie had achtergelaten, van de dozen en koffers, de familiepapieren, de stapels brieven, dagboeken, fotoalbums – alles wat er aan gevaarlijke resten van het verleden over was. Maar niets over Constances dagboeken, op het laatste ogenblik hield ik me in. Wexton zou er niets voor hebben gevoeld. Hij zou hebben gezegd dat ik ze moest verbranden – en misschien was dat wel een goed advies geweest. Er stonden dingen in, vooral die uit de dagboeken van haar vader, waar ik misselijk van werd. Maar andere dingen, samen met wat ik in het huis had gevonden, maakten me nieuwsgierig. Het was als een verslaving – dat zoeken naar het verleden. Dat merkte ik al.

Misschien deed ik daarom zo stiekem – en nog wel tegenover Wexton, tegen wie ik altijd even openhartig was. Zoals een alcoholicus die de flessen verstopt, verstopte ik de aanwezigheid van die dagboeken. Dat was gemakkelijker, dan kon ik doen of ik er niet naar hoefde kijken. Toch ben ik er zeker van dat Wexton wist dat ik iets verborg, maar hij was altijd tactvol wat betreft de terughoudendheid van anderen en drong niet aan. Ik hield van Wexton en tegenover degenen van wie je houdt, is een ontwijking even erg als een leugen. Ik schaamde me.

'Ik... ik raak erdoor in de war, Wexton. Ik dacht dat ik het verleden kende en merk dat dat niet zo is. Ik herken de plaatsen maar niet de gebeurtenissen. Ze klinken heel anders, niet zoals de mensen ze in mijn herinnering vertelden. Ik herken de mensen ook niet, dat is het ergste. Tante Maud, oom Freddie – die misschien nog wel. Maar Jenna, mijn vader en moeder... ze zijn anders, Wexton, en dat doet pijn.'

'Dat had ik je kunnen voorspellen,' zei hij zacht.

'Ja, het is voorspelbaar, dat weet ik. Blijkbaar waren ze anders, blijkbaar hadden ze een leven voordat ik iets van hen wist, en ze groeiden op en veranderden...' Ik aarzelde. 'En nu heb ik het gevoel dat ik hen nooit heb gekend, alsof al mijn herinneringen vals waren. Ik denk dat dat het is. Ik wil hen terug.'

'Houd er dan mee op. Je hoeft al die dingen toch niet te lezen. Goed, je wilt er nog niet vanaf, maar je kunt de boel toch wegstoppen. Kijk er een andere keer naar. Als je ouder bent misschien...'

'Kom nou, Wexton. Ik ben bijna achtendertig. Als ik er nu niet tegen kan, wanneer dan wel? Bovendien – ik kan het niet uitleggen – maar het lijkt me het juiste ogenblik.'

'Dan is het goed. Je moet op je instinct vertrouwen. Volg je een bepaalde chronologie? Tot hoever ben je gekomen?'

'Ongeveer bij de Eerste Wereldoorlog. Vlak daarvoor. 1910... Ik ben niet zo precies, probeer alleen wat orde aan te brengen. Toen Constance op Winterscombe kwam wonen, en haar vaders dood.'

'Voor mijn tijd. Ik zat toen nog in Amerika.'

'Maar je hebt er toch over gehoord? Ik bedoel, Steenie moet erover hebben gepraat, of mijn ouders. Over Constance en haar vader en het... ongeluk dat hij had. Daar hebben ze toch wel over gepraat?'

'Ik herinner het me niet zo. Vraag het aan Freddie. Hij was er toch bij.'

'Hij is op zijn jaarlijkse expeditie. Hij dacht aan Peru, maar uiteindelijk gingen ze naar Tibet.'

Wexton lachte. De jaarlijkse reizen van mijn oom Freddie naar de verste delen van de wereld waren een bron van plezier voor hem. Hij vond ze, net als ik, indrukwekkend maar ook komisch.

'Mag ik je een voorstel doen?' Wexton keek me bedachtzaam aan.

'Natuurlijk, Wexton. Ik weet dat ik maar wat rondploeter. Zal ik ophouden?'

'Dat heb ik niet gezegd. Ik zei dat je zou kùnnen stoppen. Maar waarom kijk je niet naar de oorlogsjaren?'
'De Eerste Wereldoorlog, bedoel je?'
'Het kan een idee zijn.' Hij legde zijn vingertoppen tegen elkaar. 'Misschien zijn je problemen – het niet herkennen van mensen die je dacht te kennen – een gevolg van de generatiekloof. Je was pas negen toen die oorlog uitbrak en je bracht al die jaren in Amerika door. Maar als je in Londen was geweest tijdens de Blitz zou dat zijn sporen hebben nagelaten. Iedereen die in die oorlog heeft gevochten, het doet er niet toe van welke nationaliteit – Russisch, Engels, Amerikaans, Duits, Pools – ze hebben allemaal hetzelfde meegemaakt. Voor jou zijn ze dan moeilijk te begrijpen.'
'En de Eerste Wereldoorlog was ook zo, bedoel je?'
'Natuurlijk. Nog meer zelfs. Die heeft ons allemaal getekend. Je grootouders, je ooms, je ouders – hen vooral, denk ik. En zelfs... Constance.'
Het verbaasde me dat Wexton die naam noemde. Maar ik zag dat hij misschien gelijk had. Al die dagboeken leidden naar de oorlog. Oorlog was een van Constances lievelingswoorden, hoewel het, als zij het gebruikte, maar al te vaak niets te maken had met politieke of militaire zaken.
'Hoe moet ik tegen de oorlog aankijken, Wexton?' vroeg ik onzeker. 'Brieven van het front, bedoel je dat?'
'Niet precies,' zei Wexton zacht. Hij leek verstrooid, alsof zijn geest ver weg was. Eindelijk scheen hij zich wakker te schudden en sloeg een arm om mijn schouders. 'Je bent moe. Ik kan zien dat alles je van je stuk heeft gebracht. Luister maar niet naar mij. Ik word oud, ik zal het wel mis hebben. Op het ogenblik heb ik oorlog in mijn gedachten, daar zal het wel aan liggen...' Hij gebaarde naar de stapel krantenknipsels. 'Ik ben nooit op die plaatsen geweest. Afrika, Zuidoost-Azië. Maar daar gaat het niet om. Het terrein interesseert me niet, en ook niet de politiek. Ik schrijf niet over napalm. Dat kunnen journalisten veel beter dan ik ooit zou kunnen. Nee, dat is het niet. Ik wilde schrijven over...'
Hij bleef midden in de kamer staan. Wexton sprak zelden over zijn eigen poëzie en als hij het deed, werd hij eerst opgewonden, keurde het dan somber af. Hij leek niet op een wijze, meer op iemand die een buitengewoon onbegrijpelijk breipatroon probeert uit te leggen.
'Ik wilde schrijven... over oorlog als een geestestoestand. Dat bestaat. Ik heb het gezien. Soldaten zijn erin getraind. Maar andere mensen leren het ook en sommigen worden er misschien wel mee

geboren. Mensen die nooit een geweer in hun handen hebben gehad, die nooit aan een front zijn geweest. Het is er, wacht binnen in
ons. Bajonetten in ons hoofd. Daar wilde ik over schrijven – misschien.'
Zijn gezicht betrok en zijn rimpels vormden zich tot sombere plooi-
en.
'Ik heb het zelfs afgemaakt. Gisteren. Het eerste deel. Natuurlijk
was het niet goed. Toen ik er vanochtend naar keek, vond ik het
pijnlijk. Sinterklaasgedichten.'
'Wat heb je ermee gedaan, Wexton?' vroeg ik zacht.
'Verscheurd. Wat dacht je dan?'

Ik kende Wexton en respecteerde zijn aanwijzingen. Hij gaf zelden advies maar als hij het deed, was het verstandig. En hoe on-
verschilliger hij dan deed, hoe beter het was. Toen ik op Winterscombe naar het verleden terugkeerde, opende ik Constances dagboeken bij oom Freddies negentiende verjaardag, op de dag dat
de oorlog werd verklaard. Ik kampeerde in een hoek van de salon, in de kamers erachter waren Tristram Knollys en zijn assistenten bezig met het maken van een inventaris, lijsten van alle
schilderijen en ieder vloerkleed, ieder meubelstuk. Ook Constance
had die dag lijsten gemaakt, al zagen die er anders uit. Dit schreef
ze:

4 augustus 1914
Wat goed om een nieuw boek te beginnen, op een mooie lege blad-
zij. Zie je, pappa – ik heb precies dezelfde schriften gevonden als
die van jou. Ik was zo blij dat ik ze had. Ze moesten bij elkaar pas-
sen. Het is vandaag weer erg warm. Francis meet iedere ochtend de
temperatuur en ik help hem om een kaart bij te houden. Om acht
uur was het vijfenzeventig graden Fahrenheit, stel je voor! Ik te-
kende het aan op de grafiek. Het lijkt de Himalaya wel, al die ber-
gen en steeds hoger. Het huis is vol van het woord 'oorlog'. Dus
rende ik naar het berkenbosje om te schrijven. Het is koel onder de
bomen. Floss likt aan mijn benen. Vroeger ontmoette Acland Jen-
na hier altijd, maar nu is hij veranderd en ze zien elkaar niet meer,
nergens meer. Het interesseert me – een beetje.
Zal ik mijn lijstje maken, pappa – zoals ik je beloofde? Hier is het.
Degenen aan de linkerkant hadden een motief, aan de rechterkant
de middelen.

Denton	(jaloersheid)	Denton
Gwen	(schuldgevoel)	Cattermole
Francis	(als hij het wist)	Hennessy
Acland	(hij wist het – haat)	Acland
Jack Hennessy	(jaloersheid – niet	Francis
	op jou)	Zigeuners
Zigeuners	(een vergissing)	

Daar, helpt dat? Zeg me alsjeblieft, pappa, wat je ervan denkt.
Onderweg hierheen vonden Floss en ik een nest met eitjes van een
bastaard-nachtegaal. Ze waren even blauw als jouw ogen, pappa
en er zat geen vogel op. Floss zei dat het nest verlaten was. 'Verla-
ten' is een goed woord. Het heeft twee betekenissen. Jij zou dat
leuk vinden. Sommige woorden hebben er drie, een enkele maal
vier. Misschien maak ik daar ook wel een lijst van. Hoe vind je
dat?
Het is hier heel stil. De struiken zijn geheimzinnig. O, Floss begint
te grommen. Hij zegt: pas op, Constance. Stop nu. Er zit iemand te
kijken.

Acland bleef staan achter de belvédére. Door de bomen zag hij een
blauwe vlek. Hij aarzelde, liep toen een paar stappen naar voren.
Daar midden in het berkenbosje met haar rug tegen een zilveren
stam, zat Constance. Floss zat bij haar. Zij was een en al concentratie, het donkere hoofd gebogen.
Acland liep zachtjes verder. Ze zat te schrijven, langzaam en inge-
spannen, alsof ze met een les bezig was. Telkens brak ze af, gaf
Floss een aai en ging weer door. Ze schreef in een schrift met een
zwarte kaft.
Ze scheen erin op te gaan. Zelfs toen een takje onder zijn voet
kraakte, en de hond zijn oren spitste, keek Constance niet op. Acland was door haar gefascineerd. Hij hield ervan naar haar te kijken, vooral wanneer ze niet wist dat ze werd geobserveerd. Hij
keek in een caleidoscoop en zag de patronen veranderen en schitteren, hij hield van hun felle kleuren en gecompliceerdheid. Ieder patroon leek nieuw en nooit herhaald. Dat was natuurlijk niet zo,
maar de snelheid en schittering waarmee ze veranderden vond hij
mooi en hij wilde graag geloven dat ze oneindig waren.
Acland wist veel van caleidoscopen, hij had er als kind een gehad.
Eens, in een poging om de geheimen ervan te ontsluieren, had hij
het ding uit elkaar gehaald. Hij hield een kartonnen buis en een
handvol glinsterende deeltjes over. Maar in zijn hand vervaagden

de kleuren en alle afwisseling en tegenstelling waren verdwenen. Hij had zijn les geleerd. Constance fascineerde hem, hield hij zich voor, juist omdat hij vanaf veilige afstand naar haar keek, verder wilde hij niet gaan.

In vier jaar was Constance enorm veranderd. Het feit dat Gwen nu haar kleren uitzocht en Jenna – nu de kamenier van Constance – haar kleren en wilde haardos verzorgde, maakte natuurlijk een groot verschil. Maar de belangrijkste verandering kwam van Constance zelf: toen Acland naar haar stond te kijken, was ze bezig zichzelf uit te vinden.

Later toen ze van zichzelf een kunstwerk had gemaakt, bewonderde Acland haar nog vanwege haar uitdaging en energie, maar eigenlijk bewonderde hij haar meer toen ze jonger was, met ongepolijste randen, zoals in 1914. Constances energie – altijd formidabel – was toen bijna tastbaar, zodat Acland soms dacht dat als hij zijn hand boven haar haar hield, die zou gaan prikkelen door de statische elektriciteit.

Ze was klein, fel, wispelturig en snel. Ze kon haar gezicht net zo veranderen als een toneelspeelster, het ene ogenblik keek ze bedroefd als een clown, het volgende vorstelijk als een douairière. Haar haar, dat Jenna altijd met toewijding borstelde en probeerde te temmen, had een eigen wil. Constance was nog te jong om het op te steken, dus danste het over haar schouders en haar smalle rug; zwart, dik, weerbarstig haar. Gwen wanhoopte aan het haar, het maakte dat Constance, zelfs met haar beste salonmanieren, eruitzag als een zigeunerin, maar Constance leerde nooit zich rustig en damesachtig te gedragen. Als ze haar benen over elkaar kon slaan, zou ze het doen, en als ze op de vloer kon gaan zitten, deed ze dat en als ze kon rennen, rende ze. En altijd bewogen haar handen. Ze had kleine handen, ze gebaarden en spraken, en daar Constance even dol op glimmende sieraden was als een ekster, glinsterden die handjes met hun te vele ringen die ze zonder overleg aan haar vingers schoof. Het ergerde Gwen. Gwen bekeek ze eens en vond een kostbare, eenvoudige ring, die zij zelf aan Constance gegeven had, naast een prullig ding uit een knalbonbon.

Constance kon zulke dingen niet weerstaan, evenmin als felle kleuren. Terwijl Acland naar haar stond te kijken, bedacht hij dat hij Constance nooit gedekte kleuren had zien dragen. Ze waren fel en konden bij elkaar vloeken: vuurrood, fuchsiaroze, hardpaars, helgeel, een regenboogkleurig blauw dat de ogen pijn deed. Dat waren de kleuren waar Constance van hield en de jurken die ze Gwen aftroggelde. Als ze nieuw waren, liep ze erin te pronken, dan veranderde ze ze steeds meer tot ze nog opvallender waren. Met een stuk kant, pailletten, een blikkerende gesp op een geklede schoen. Gwen zuchtte en gaf haar haar zin. Ze zag, hoezeer ze het ook afkeurde, dat die dingen Constance goed stonden. Uit rare kralen en gekke lapjes maakte ze zichzelf: een snel, kleurig ding vol tegenstellingen. Kijk eens naar mij, zei dat kleine schepsel. Je kunt me niet temmen – moet je zien hoe ik schitter.

Die dag in het berkenbosje droeg Constance een jurk van een Pruisisch blauwe kleur. De jurk zelf was eenvoudig geweest, maar was nu versierd met een vuurrode zigzagband die om haar smalle middel en langs de al zichtbaar wordende borsten liep. Acland vroeg zich af of de aandacht die daardoor op haar figuur werd gevestigd toeval was, en besloot van niet. Constance was vele dingen maar ze was geen onschuldig meisje. Die dag was ze rustig en dat was ongewoon. Ze schreef, wachtte, schreef en aaide Floss over zijn kop. Floss, die ze van Boy had gekregen, was Constances eerste hond, een mooie driekleurige King Charles spaniël. In zijn verlangen naar genegenheid moedigde hij Constances liefkozingen onbeschaamd aan, rolde traag op zijn rug en bood Constance zijn buik om te aaien.

Acland was ontroerd toen hij dat zag. Mensen die niet weten dat ze worden gadegeslagen, zijn tot op zekere hoogte weerloos. Constances verweer was doorgaans ondoordringbaar – ze had ontdekt, vermoedde Acland, dat charme een betere barrière vormt dan de norsheid die ze als kind tentoonspreidde. Nu ze hem niet zag, niet plaagde of uitdaagde, voelde Acland zich tot haar aangetrokken. Ze zag eruit als een kind, hoewel ze bijna vijftien was, bijna een vrouw. En ze leek verdrietig en eenzaam met haar hond en haar schrift en haar potlood. Wat zou ze schrijven? Hij wilde net een stap vooruit doen, toen Constance haar schrift sloot en opkeek.

'O, Acland,' zei ze, 'je liet me schrikken.'

'Je was zo lekker bezig.' Acland strekte zich in zijn volle lengte uit op het gras, zoals zo vaak. Hij voelde de zon op zijn gezicht, richtte zich op één elleboog op en keek naar haar.

Constance had eigenaardige ogen: groot, iets scheefstaand, en hun kleur was onbepaald. Soms dacht hij dat ze donkerblauw waren, soms weer donkergroen en soms zwart. Hij zag zich er nu heel klein in weerspiegeld. Deze ogen waren niet te peilen; hoewel ze hem aankeken, schenen ze in hun duisternis leeg. Hij kwam altijd in de verleiding om dieper te kijken, om de waarheid die ze verhulden te verrassen. Zo nu en dan zou hij de vorm van haar ogen willen nagaan met zijn vinger. Ook haar lippen, al vermoedde hij dat ze er iets opsmeerde. De bovenlip was scherp afgetekend, de onderlip was zachter en sensueler. Tussen haar lippen, die even geopend waren, zag hij kleine witte tanden. Acland trok zich terug.

'Ga je niet naar Freddies picknick?'

'Is het al tijd?'

'Bijna.' Acland ging weer op het gras liggen. 'Ik was juist van plan naar huis terug te gaan.'

'Ik vermijd het huis.' Constance trok een lelijk gezicht. 'Oorlog, oorlog. Dat is alles waar iedereen het over heeft. Sir Montague zegt dat het onvermijdelijk is, tante Maud gaat ertegenin, je moeder huilt en je vader haalt zijn landkaarten weer te voorschijn. Dan praat Francis over zijn regiment... Ik vond dat ik maar beter kon ontsnappen.'

'Wat was je aan het schrijven? Je leek er helemaal in op te gaan.'

'Alleen maar mijn dagboek.' Ze duwde het schrift onder de plooien van haar rok. Acland glimlachte.

'Houd jíj er een dagboek op na? Niet te geloven. Wat schrijf je er dan in?'

'O, mijn meisjesachtige gedachten natuurlijk.' Constance wierp hem een zijdelingse blik toe. 'Over ernstige zaken. Mijn nieuwste jurk. Mijn nieuwe schoenen. Mijn dromen – die laat ik er nooit uit! Mijn toekomstige echtgenoot – daar besteed ik bladzijden aan, dat doen meisjes altijd...'

'O ja?' Acland, die er weinig van geloofde, bleef haar op zijn gemak aankijken. 'En wat nog meer?'

'O, jullie gezin. Over wat Steenie zegt. Wat Freddie voor zijn verjaardag wil hebben. Over Francis en zijn foto's. De bruiloft van Jane en hoe die opnieuw is uitgesteld... En een enkele keer schrijf ik over jou.'

'Juist. En wat schrijf je dan?'

'Even kijken. Ik schrijf over hoe je aan de gang bent. De boeken die je leest en de dingen die je erover zegt. Ik schrijf over de boeken die je bewondert en waar je niets aan vindt. En ik zeg dat je me aan Shelley doet denken – weet je dat je op hem lijkt, Acland...'

'Wat een onzin.' Acland die wist dat het onzin was, was desondanks gevleid. 'Ik wil wedden dat je nooit iets van Shelley hebt gelezen.'

'Goed dan. Misschien schrijf ik dat niet. Misschien schrijf ik... dat je veranderd bent.'

Constances stem veranderde. De plagende klank was verdwenen. Ze keek hem weer van opzij aan. Acland trok plukken gras uit de grond. Hij zei luchtig: 'O, ben ik veranderd.'

'Natuurlijk. Je hebt Oxford achter de rug. Jij hebt een veelbelovende toekomst – dat zeggen ze tenminste.'

'En jij gelooft natuurlijk wat iedereen zegt.'

'Jazeker. Ik geloof direct alle roddels die ze vertellen. Acland die een party geeft. Acland, de veelbelovende jongen van Balliol. Ook...'

'Ook wat?'

'Ik observeer voor mijzelf. Ik ga de feiten na. Natuurlijk komen mijn bevindingen niet altijd overeen met je reputatie...'

'Hoezo?'

'Ha, nu luister je, en heel gespannen! Wat zijn mannen toch een egoïsten. Jullie willen altijd weten wat wij vrouwen van jullie denken. Maar ik zal het je zeggen. Ik schrijf dat je ouder en minder heftig, dat je voorzichtiger bent geworden en dat je het leven minder bevecht.'

'Ongehoord saai, ik klink als een bankier.'

'Misschien moet ik zeggen, míj minder bevecht, want je hebt in ieder geval een wapenstilstand met me gesloten.'

'Noem je het een wapenstilstand? Een tactisch terugtrekken, meer niet. Vechten is uitputtend. Bovendien ben jij ook veranderd. Je bent minder onaangenaam dan vroeger.'

'Dank je, lieve Acland.'

'Je bent vooruitgegaan. Je geeft toch toe dat dat niet overbodig was?'

'O ja. En ik zal nog veel meer aan mijzelf schaven. Wacht maar. Ik ben een eenling als het op zelfkennis en zelfvervolmaking aankomt. En ik ben nog maar nauwelijks begonnen. Acland, je zult zien hoe ik ga poetsen en polijsten tot ik verblindend volmaakt ben.' Ze zweeg even. 'Maar daar ging het niet over. Het ging over jou en hoe je veranderd bent. Het belangrijkste was ik nog vergeten.'

'O, en dat is?'

Constance glimlachte. 'Jènna natuurlijk.'

Acland liep weg. Hij was boos op Constance en had haar een klap in haar gezicht willen geven voor haar gluren en achterbaksheid. Hij had haar willen slaan omdat ze zo vroegrijp was, omdat ze, zodra het haar uitkwam, een provocerende draai maakte van jonge vrouw naar jong meisje. Haar woorden staken hem omdat hij wist dat ze gelijk had. Als hij veranderd was, kwam dat door Jenna en het eind van hun liefdesverhouding.

Terwijl hij over zijn schouder naar Constance keek, die onbewogen tot haar dagboek was teruggekeerd, dacht hij opnieuw: *Constance weet te veel.* Niet alleen wist Constance van een verhouding die naar hij dacht, geheim was en die nu al twee jaar voorbij was. Maar Constance had meer gezien, ze had gezien dat hij was veranderd. Ten kwade, nam hij aan, omdat het eind van de verhouding zo armzalig was geweest. Toen hij naar Oxford vertrok, ging hij vol liefde en beloften, eeuwige trouw. Het had nog geen drie maanden geduurd. Jenna was, heel eenvoudig, verdwenen. Hij had haar uit het gezicht verloren achter zijn nieuwe vrienden, nieuwe intellectuele uitdagingen, een nieuwe horizon, nieuwe boeken. Toen hij naar Winterscombe terugkeerde, was hij op zijn hoede, had hij schuldgevoelens, vond hij Jenna onveranderd en toch onherkenbaar. Hij vond dat ze er lief uitzag, terwijl hij haar vroeger mooi vond. Haar rode handen, het eelt op haar vingers, ergerde hem. Het trage Wiltshire-accent, waar hij vroeger zo van had gehouden, irriteerde hem nu. Acland zat vol nieuwe ideeën, nieuwe vrienden, nieuwe boeken die hij niet met Jenna kon bespreken.

Die trouweloosheid maakte hem beschaamd, gaf hem schuldgevoelens en ondermijnde zijn verlangen naar haar. Acland ontdekte bitter dat liefde niet onsterfelijk is, zoals hij had geloofd, evenmin als fysieke begeerte, beide konden van het ene moment op het andere verdwijnen.

Jenna die de verandering in hem waarschijnlijk eerder had gezien dan hijzelf, sprak geen woord van verwijt. Berustend legde ze hem hun problemen uit in gemeenplaatsen die Acland in elkaar deden krimpen. Ze zei dat ze begreep dat het voorbij was, dat het zo het beste was, dat hem geen schuld trof – echt niet, niemand had er schuld aan.

Jenna had toen een blik in haar ogen die maakte dat Acland zich diep schaamde. Hij vond zichzelf oppervlakkig, een onverantwoordelijke snob – en toch slaakte hij in stilte een zucht van verlichting.

Ego Farrell, Aclands beste vriend, ondanks de verbazing van velen omdat ze zo verschillend waren, zei dat Acland een jongen was geweest die liefde en seks door elkaar haalde. Hij was verliefd op het idee vrouw, niet op Jenna zelf en veronderstelde droogjes dat Acland kon profiteren van de ervaring, dat de verhouding een middel was geweest om volwassen te worden. Al kon Acland dat accepteren, er bleef toch een rest van schuld en zelfverwijt hangen.

Toen hij nog in Oxford was, was het al bij hem opgekomen dat volwassen worden op een dergelijke manier tevens een verlies aan integriteit inhield. Was hij minder dan vroeger – of meer? Hij wist het niet.

In Oxford was hij een uitblinker geweest. Hij had ook geleerd die superioriteit te wantrouwen. Op het ogenblik dat zijn snelle inzicht in abstracties hem applaus bracht, op het ogenblik dat – zoals Constance zei – hem een gouden toekomst wachtte, begon hij te twijfelen. Hij zag zich als bedorven, vol zelfbedrog. *Ik heb geen wil*, zei hij tegen zichzelf en zag zich de gevangene van zijn klasse, van de luxe van zijn opvoeding. Jenna had me daarvan kunnen bevrijden, dacht hij dan, en zijn twijfel verergerde. Hij was een uitstekend sprinter – dat was in Oxford wel gebleken – maar kunnen sprinters het lang volhouden?

'Waarom zei je dat?'
Hij liep terug naar Constance en keek boos op haar neer. Constance sloot haar dagboek en haalde haar schouders op.
'Over Jenna? Omdat het waar is. Je hebt eens van haar gehouden. Jullie ontmoetten elkaar altijd hier. Ik zag een keer dat je haar kuste – o, eeuwen geleden. En ik heb haar in een herfstvakantie zien huilen. Nu hoor ik dat ze gaat trouwen met die vreselijke Jack Hennessy... dat zei ik je al. Ik verzamel feiten. Ik observeer.'
'Je bent een kleine spion. Altijd geweest.'
'Dat is zo. Nog iets om te verbeteren. Ik zal eraan denken. Dank je, Acland. En kijk niet zo boos – ben je bang dat ik zal roddelen? Dat doe ik niet, hoor. Ik ben erg discreet.'
'Vlieg op.'
Acland draaide zich om maar Constance pakte zijn hand.
'Wees niet boos. Hier – trek me overeind. Kijk me nu eens in de ogen. Zie je? Ik bedoel geen kwaad. Je vroeg of je veranderd was. Ik gaf je antwoord. Ja, en ten goede.'
Acland aarzelde. Constance stond nu overeind, en heel dichtbij. Haar haar streek langs zijn schouders. Haar gezicht was naar het zijne opgeheven.
'Ten goede?'
'Natuurlijk. Je bent harder. Daar houd ik van. Feitelijk geloof ik soms dat ik jou het aardigst vind van iedereen, nog meer dan je broers. Maar het heeft geen zin je dat te zeggen, dat geloof je toch niet. Je vindt me een huichelaarster, dat zei je tenminste een keer.'
Ze zweeg even. 'Vind je dat nog, Acland?'
Acland keek op haar neer. Haar gezicht, ernstig nu, was naar hem gekeerd. Hij zag een zweetdruppeltje op haar slaap, als een traan. Haar neus boeide hem, haar brede platte jukbeenderen boeiden hem. Het dikke haar boeide hem. Terwijl hij op dat gezicht neerkeek, kwam er een ongerijmde gedachte bij hem op. Als hij zich bukte, als hij dat weerbarstige haar zou aanraken, als hij die half

geopende lippen zou kussen, had hij het antwoord op haar vraag. Was ze huichelachtig? De smaak van haar mond zou het hem vertellen.

Hij wendde zich abrupt om en liet haar hand los. 'Ik ga terug naar huis.'

'O, wacht even. Dan ga ik met je mee.' Ze gaf hem een arm. Floss sprong achter hen aan. Ze negeerde Aclands zwijgen, babbelde over Freddie, zijn verjaardag, de picknick, het cadeau dat ze had gekocht, wat ze zouden eten, of Francis een foto zou nemen...

'Waarom noem je Boy toch zo?' vroeg Acland, nog steeds geïrriteerd door het gevoel dat ze hem te slim af was geweest. 'Waarom Francis, in godsnaam? Niemand anders noemt hem zo.'

'Hij heet zo. Waarom niet?' Constance maakte een sprongetje.

'Je doet het opzettelijk, je maakt er zo'n demonstratie van.'

'Natuurlijk. Francis vindt het leuk. Dat heb je toch wel gemerkt...' Ze liet zijn arm los en rende voor hem uit, Floss blaffend achter haar aan. Ze wilde natuurlijk dat Acland haar zou volgen, dus liep hij langzaam. Op de rand van het gazon bleef hij staan. Constance rende door zonder omkijken. Zo uit de verte was ze precies een kind, in wapperende blauwe rokken.

Op het terras zat het gezin bij elkaar en Constance schoot als een pijl uit de boog op Boy af. Boy had soms een plotselinge uitbarsting van jongensachtige uitbundigheid en Constance, dacht Acland, hield daar rekening mee. Toen Constance op hem afvloog, juichte Boy, ving haar op en draaide haar rond in een blauwe cirkel waarna hij haar weer neerzette. Het was het soort spelletje dat ooms graag doen met een klein kind. Maar Boy was geen oom van Constance, en Constance was – vond Acland – geen kind.

Hij keek boos naar het schouwspel in de verte. Boy stelde zich aan als een idioot, Constance plaagde Boy met evenveel succes als hem. Huichelaarster, zei hij in zichzelf.

Ze begonnen de picknick met een foto. Boy maakte een speciale compositie. In het midden van de achterste rij Denton en Gwen, met Freddie als eregast tussen hen in, Acland en Steenie aan weerszijden van hun ouders, aan de ene kant in evenwicht gehouden door Maud en aan de andere kant door Jane Conyngham. Er waren nog twee mannelijke gasten: Ego Farrell en James Dunbar, Boys vriend van Sandhurst en collega officier. Dunbar, een jongeman zonder enig gevoel voor humor, die een monocle droeg, was de erfgenaam van een van de grootste landgoederen in Schotland. Farrell was neergezet bij Jane, Dunbar bij Maud, de twee mannen knielden terwille van de compositie. Maud maakte Dunbars gezicht onzichtbaar met haar parasol.

Omdat Montague Stern in huis was gebleven om meer nieuws af te wachten, was het beeld compleet op Constance na. Boy werd onrustig. Maud klaagde over de zon in haar ogen. Freddie – die zijn cadeaus wilde gaan openen begon luidkeels te protesteren. Eindelijk verscheen ze, schoot naar voren en nestelde zich in het midden van de groep, voor Freddie.

Omdat Freddie lang en Constance klein was, scheen alles nu in orde. Boy verdween achter zijn zwarte doek. 'Glimlachen,' beval hij, klaar om af te drukken. Iedereen glimlachte. Freddie leunde naar voren en legde zijn handen op de schouders van Constance. Ze fluisterde iets tegen hem. Freddie lachte en Boy kwam onder zijn doek vandaan.

'Ik kan geen foto maken als jullie praten.'

'Sorry, Francis.'

Boy ging terug onder zijn doek. De foto staat nog in een van de oude albums, sepia, met ezelsoren, de enige foto die ik heb gezien van Constance te midden van mijn familie op Winterscombe. Constance heeft haar hondje Floss op schoot, ze kijkt direct in de lens, haar haar wappert naar alle kanten. Constance vond het heerlijk gefotografeerd te worden. Als je naar een foto keek, zei ze altijd, wist je wie je was.

Freddie was dol op cadeaus, omdat hij dan ook eens in het centrum van de belangstelling stond en niet moest concurreren met Steenies theater of Aclands geest. Toen Boy de picknickmand ging uitpakken, had Freddie een stapel cadeaus naast zich liggen. Het cadeau van Constance dat hij als laatste kreeg, was een uitdagende cravate van Paisley zijde. Freddie keek er wat onzeker naar.

'Wacht maar,' fluisterde Constance, 'dit is voor het publiek, je echte cadeau krijg je later.'

De woorden zetten zich vast in Freddies hoofd en hij werd onrustig.

'Constance!' riep Boy streng. 'Wil je kip of zalm?'

Hij keek op van de picknickmand met het gezicht van iemand die haar een morele keus voorlegt, tussen goed en kwaad, redding en verdoemenis.

'O, zalm denk ik, Francis,' zei Constance onverschillig.

Het was heet, de lucht was verzadigd van waterdamp, het oppervlak van het meer was rimpelloos. Freddie zat tevreden te kauwen op de gewone voorraad van een picknick op Winterscombe: meeuweëieren, gepocheerde zalm, kip in aspic die begon te smelten. Hij deelde een rosbiefsandwich met zijn vader, at aardbeien en een stuk appeltaart. Er werd op hem getoost met roze champagne. Daarna schoof Freddie zijn panamahoed over zijn ogen om even een dutje te doen.

Voor de picknick had Acland iedereen terzijde genomen en gezegd dat het onderwerp 'oorlog' taboe was verklaard omdat zijn moeder erdoor overstuur raakte. Ook al dachten ze aan niets anders, toch mocht er geen woord over worden gezegd. Freddie luisterde, half in slaap, naar het gebabbel. Steenies houtskool kraste over het papier waarop hij een schets van de familiegroep maakte. Constances woorden krasten in Freddies hoofd, als muizen achter het behang. Hij zag, terwijl hij dromerig door zijn wimpers naar haar keek, dat ze Dunbar het vuur na aan de schenen legde.

Hij was geen veelbelovend materiaal, maar Constance liet zich niet afschrikken. Ze oefende haar charmes graag op het onhandelbare, dacht Freddie, en dat met allerliefste volharding, als een pianist die toonladders oefent.

Na een poosje begon Boy, die er ook naar had zitten kijken, een spelletje met Floss. Hij gooide takjes weg en Floss vloog er achteraan. Floss was geen gehoorzame hond, als hij eenmaal een stok had, gaf hij die niet meer terug. Hij speelde ermee en ging er dan op liggen kauwen. Constance leunde naar voren en gaf Boys hand een klap.

'Francis, laat dat toch. Ik heb het je al duizendmaal gezegd. Hij gaat op de bast kauwen en dat maakt hem ziek.'

'Sorry.'

Boy scheen het scherpe standje te negeren. Constance wendde zich weer tot Dunbar en stelde hem tal van vragen als een inquisiteur.

'Zeg,' ze legde een kleine hand vol ringen op zijn mouw, 'ben je een goed soldaat? Is Boy er een? Wat maakt een man tot een goed soldaat?'

Dunbar draaide aan zijn monocle, hij keek bedremmeld, zo'n vraag was kennelijk nooit bij hem opgekomen. Hij wierp een blik op Gwen en daar ze ver van hem vandaan zat, waagde hij een antwoord.

'Ja... nou.' Hij schraapte zijn keel. 'Moed natuurlijk.'

'Ik dacht al dat je dat zou zeggen,' zei Constance pruilend. 'Je moet een beetje duidelijker zijn. Als vrouw begrijp ik die mannelijke moed niet. Die van ons is zo anders, weet je. Wat maakt een man moedig? Is het durf? Is het domheid?'

Dunbar wist niet wat hij zeggen moest. Acland, die de vraag had

194

gehoord, keek op en glimlachte en Boy, die zag dat Constance met haar rug naar hem toe zat, gooide een grotere stok naar haar hond. 'Nee, geen domheid.' Constance glimlachte innemend tegen Dunbar. 'Dat woord is helemaal verkeerd – ik bedoel gebrek aan fantasie. Ze moeten vooral niet aan al die erge dingen denken: pijn en rampen en dood. Daarom zijn ze zo sterk. Denk je ook niet?'

Toen Constance 'sterk' zei, legde ze haar handje weer op Dunbars mouw. Dunbar leek in de war. Hij speelde met zijn monocle en zuchtte luidruchtig. In feite was de opmerking tegen Acland gericht, dacht Freddie. Dunbar maakte beschermende geluidjes, hij had zich overgegeven.

Freddie moest erom lachen. Hij wist maar al te goed dat Constance Dunbar minachtte, ze noemde hem 'het tinnen soldaatje'. Hij zag Boy weer een stok naar Floss gooien, sloot toen zijn ogen en dommelde weg.

Woorden dreven naar hem toe. 'Ze zijn zo verdomd precies,' hoorde hij zijn vader gegriefd zeggen, 'wat betreft de plek waar ze kuit schieten. Je zorgt voor de beste condities en wat doet die zalm van je? Hij zwemt de rivier van Dunbar op.'

'Ik geloof, Gwen, dat ik meneer Worth liever heb. Ik zag zo'n beeldig ensemble. Montague zou er verrukt van zijn geweest.'

'Het is een volmaakt boek.'

'Kan iets ooit volmaakt zijn?'

'Vrouwen zijn het zwakke geslacht,' beweerde Constance die er niets van geloofde. 'Een vrouw kijkt op tegen een man als tegen een vader. Hij moet toch haar beschermer zijn...'

Freddie zuchtte vergenoegd en zag verwarde beelden door zijn bewustzijn drijven: zalmen in baljurken, rivieren vol boeken. Hij zag zichzelf een nieuwe vlieg pakken en hoorde zichzelf zeggen dat hij ze met die vlieg zou vangen. Hij stond in zijn lieslaarzen en had een boek aan het hengelsnoer. Constance had het de vorige dag zitten lezen, ze had het geleend van Acland...

'Floss!'

Een geschrokken kreet, zo scherp dat Freddie onmiddellijk wakker was. Zijn tante Maud was opgesprongen en wapperde ongelukkig met haar handen. Ook Acland stond op, Constance rende naar het riet in een wolk van blauwe rokken.

'Boy, het was jouw schuld,' zei Jane. 'Constance zei dat je het niet moest doen.'

'Het was maar een spelletje,' stotterde Boy.

'Een dom spelletje. Constance, is alles in orde? Wat is er gebeurd?'

Freddie stond op. Constance had het riet bereikt en pakte haar hond. Floss wriemelde in haar armen. Het duurde even eer Freddie besefte dat de hond stikte.

'Hij krijgt geen adem. Hij kan niet ademen.' Constances gezicht was wit, haar stem werd hoog van verdriet. 'Francis, ik zei je nog – nu zie je het. Er is iets in zijn keel blijven steken. O help me toch – gauw...'

Floss maakte een droog geluid, of hij kokhalsde. Er ging een rilling door zijn lijfje. Hij probeerde zich los te wringen, opende zijn bek of hij gaapte, zijn tongetje vloog heen en weer. Zijn poten krabden, toen was hij stil. Constance kreunde en ging met gebogen hoofd op haar hurken zitten en hield de hond nog steviger vast.

'Houd hem stil.'

Acland duwde Freddie opzij. Hij knielde naast Constance en greep de hals van de hond. Floss rukte met zijn kop en vocht zo fel dat Constance hem bijna liet vallen.

'Houd hem stil!'

'Ik kan het niet. Hij is bang. Floss, blijf...'

'Verdomd, Constance, houd die kop vast. Mooi zo.'

Acland duwde de keel terug. Wrong de opeengeklemde kaken uit elkaar, haakte een vinger in zijn bek, bloed en speeksel liepen over zijn hand. Een snelle beweging, toen trok hij zijn hand terug. Er lag een stokje in, niet meer dan drie centimeter. Terwijl ze ernaar keken, rilde Floss opnieuw. Hij schudde zich en scheen te merken dat hij kon ademen. Toen hapte hij naar lucht, likte zijn snuit af, maakte een heldhaftige sprong en beet Acland. Hij was weer genezen. Nu hij het zuchten van verlichting, de lieve woordjes hoorde, wist hij dat hij in het middelpunt van de belangstelling stond en hij was vol nieuwe energie. Hij zette zijn voorpoten tegen Constance op en wreef zijn neus tegen haar hand. Op dit moment, toen het duidelijk was dat er een ongeluk was voorkomen en dat Floss was gered, kwam sir Montague Stern ongezien naar de groep toe. Het duurde even voor men zijn aanwezigheid in de gaten kreeg. En nog even voor men de uitdrukking op zijn gezicht begreep. Toen draaide de groep om hem heen, bekogelde hem met vragen. Was het zeker? Hoe wist hij het?

Oorlog, oorlog, het verbannen woord was bevrijd, ondanks Gwen. Omdat het zo lang was onderdrukt, scheen het nu met nieuwe kracht van de een op de ander over te springen. Alle ogen waren op Stern gevestigd, behalve die van Freddie. Freddie bleef naar Constance kijken en dus was hij de enige die zag wat er gebeurde.

Ondanks de verschijning van Stern, ondanks het nieuws, had Constance noch Acland zich bewogen. Ze zaten geknield naar elkaar te kijken en hoewel Floss naast hen aan het snuffelen was, zagen ze niets en niemand anders. Acland zei iets wat Freddie niet verstond en het antwoord van Constance kon hij evenmin horen. Toen pakte Constance de hand van Acland die Floss gebeten had en hoewel de beet niet ernstig was, was hij zichtbaar – een rode halve maan. Constance bracht Aclands hand naar haar gezicht en drukte haar mond tegen het halve maantje van de beet. Haar haar viel voor haar ogen.

Eerst bewoog Acland zich niet, toen hief hij zijn hand tot iets boven haar hoofd, legde hem toen op haar haar. Zo bleven ze zitten, als twee figuren uit een *piéta*, blijkbaar blind en doof voor het meer, de zon, de familieleden. Die stilte in twee mensen die Freddie altijd met snelheid en beweging in verband bracht, verbaasde hem. Hij had hen willen onderbreken, maar deed het niet.

Toen Freddie op weg ging naar huis, verward en bitter, voelde hij een soort malaise, als een kater. Acland liep voor hem uit, een arm om zijn moeder geslagen die was gaan huilen. Freddie kwam achteraan in de optocht en keek boos naar de lucht.

Constance huppelde naar hem toe, met Floss aan haar hielen. Ze greep zijn arm en zag zijn nijdige blik.

'We wisten dat het zou gebeuren, Freddie. Het is al wekenlang onvermijdelijk.'

'Wat is onvermijdelijk?'

'De oorlog natuurlijk.' Ze liep sneller, het nieuws scheen haar te stimuleren. 'Er zijn altijd dingen om je op te verheugen, zelfs zo.' Ze kneep Freddie in zijn arm. 'Wees niet zo'n druiloor. Je krijgt nog een cadeau. Ik geef het je later...'

'Wanneer?' vroeg Freddie met iets dringends in zijn stem.

'O, na het eten.'

Constance schudde haar haar naar achteren en rende weg. Freddie volgde langzaam, hij dacht aan oorlog en een cadeau, oorlog en Constance. Toen en later vond hij het onmogelijk die twee van elkaar te scheiden.

'Nou, Acland, Farrell – wat gaan jullie doen? Wachten jullie op de dienstplicht of worden jullie vrijwilliger?' Die avond tijdens het eten keek Dunbar de tafel rond met een heldhaftig, door een monocle beschermd oog. Het was kennelijk een opluchting voor hem dat hij na zijn zelfbeheersing van die middag, over de oorlog kon praten.

'Ik heb nog niet besloten.' Ego Farrell wendde zijn blikken af.

'Jullie moeten je als vrijwilliger melden. Ja toch, Boy? Tenslotte is de hele jachtpartij met Kerstmis alweer voorbij.'

'Ik zou maar wat geduld oefenen,' kwam sir Montague Stern. 'Je zou wel eens wat al te optimistisch kunnen zijn, Dunbar. De oorlog kan zich langer voortslepen dan je denkt.'

'Werkelijk, meneer? Is dat het oordeel van de City?' Dunbars stem was op het randje van onbeleefd. Met 'City' bedoelde Dunbar blijkbaar geldschieters en met geldschieters bedoelde hij joden. De opmerking was bedoeld om Montague Stern aan zijn plaats te herinneren. Volgens Dunbar hoorde hij niet aan een tafel als deze. Natuurlijk kwamen bepaalde vooraanstaande joden, zoals Stern, in Londense adellijke kringen en ook wel op huiselijke party's zoals deze, al scheen Dunbar te suggereren dat het in Schotland, op zijn geboortegrond, niet zou voorkomen.

'De City?' Stern, gewend aan dit soort steken onder water, leek onbewogen. 'Nee, eigenlijk Downing Street. Vorige week.'

Stern zinspeelde vrijwel nooit op zijn contacten en nog minder zette hij mensen die hem beledigden op hun plaats. Zijn opmerking werd gevolgd door stilte. Steenie, die een hekel aan Dunbar had, giechelde. Constance die Stern bewonderde, wierp hem een goedkeurende blik toe. Dunbar kreeg een hoofd als vuur maar Maud, die aan Gwen dacht, kwam tussenbeide.

'Monty, lieverd,' zei ze luchthartig. 'Je hebt bijna altijd gelijk, maar je bent wel een echte pessimist. Ik heb een blind vertrouwen in Buitenlandse Zaken, vooral nu Acland erbij komt. De zaak wordt vast opgelost door de diplomaten. De Kaiser is, dacht ik, wel redelijk. Als hij eenmaal beseft waaraan hij begint – de Engelse vloot, denk je eens in – dan bindt hij wel in. Alles goed en wel, je kunt die dappere Belgen niet onder de voet laten lopen, maar waar gaat die stomme oorlog eigenlijk om? Om van rare landen in de Balkan, ik heb geen idee van hun namen en waar ze liggen, maar te zwijgen. En ik hoorde vorige week bij lady Cunard van iemand die het weten kan...'

Gwen, aan de andere kant van de tafel, nam de gezichten van haar zoons in zich op. Allen behalve Steenie hadden de leeftijd om te vechten. Zelfs Freddie, aan wie ze dacht als een jongen, en die pas van school was.

Gwen duwde haar bord opzij. Het ergste was dat haar huidige angsten niet konden worden uitgesproken. Dat zou laf en weinig vaderlandslievend zijn. Ze schaamde zich al omdat ze gehuild had, verdere uitingen van haar ware gevoelens zouden Denton boos maken en het was vervelend voor haar zoons.

Mijn kinderen, dacht Gwen, en toen het gesprek verder ging, maakte ze in stilte paniekerige plannen. Denton zou niet helpen, dat wist ze zeker. Denton was vóór de oorlog en zou trots zijn als zijn zoons erin vochten. Bovendien was Denton bijna zeventig, en dat was hem aan te zien. Gwen keek de tafel langs en zag hoe de handen van haar man beefden als ze het voedsel naar zijn lippen brachten. Arme Denton, alle vuur was uit hem verdwenen. Zijn woedeaanvallen kwamen nog maar zelden voor en de laatste twee jaar was Gwen erg op hem gesteld geraakt. Ze kon het niet begrijpen, maar de dood van Shawcross, dat verschrikkelijke ongeluk, had een ommekeer in het leven van haar man teweeggebracht. Daarvoor was hij driftig maar vol energie, daarna werd hij een oude man. De komst van de oorlog bracht hem weer tot leven maar Gwen wist dat het niet lang zou duren. Nee, Denton zou weer terugvallen tot het rustige bestaan dat hij er nu op na hield. Hij zou zijn dagen dommelend doorbrengen en, zoals hij de laatste tijd graag deed, over het verleden praten. Hij had een levendige herinnering aan zijn jeugd, maar steeds meer ging hij gebeurtenissen van de vorige dag vergeten. Namen ontsnapten hem, net als data en die plotselinge onvoorspelbare hiaten in zijn geheugen maakten hem niet boos, zoals ze vroeger gedaan zouden hebben, maar maakten hem eigenaardig bescheiden.

Steeds meer zocht hij zijn heil bij Gwen. 'Praat een beetje met me, Gwennie,' zei hij als ze een avond alleen waren. 'Zing eens wat.'

Het gesprek had dank zij Maud een andere wending genomen. Gwen kreeg weer moed. Gwen maakte plannen. Vrienden had ze nodig, in de politiek, in het leger. Vrienden die op haar verzoek aan de touwtjes konden trekken. Boy moest een positie bij de staf krijgen, adjudant misschien, achter het front. Acland was cum laude van Balliol gekomen, hij was geslaagd voor het zeer moeilijke examen voor de civiele dienst, hij zou gaan werken bij Buitenlandse Zaken. Ze voorspelden Acland een roemrijke toekomst – Gwen zag hem als ambassadeur. Bij Buitenlandse Zaken zou Acland vanwege het belangrijke werk dat hij er deed, buiten de militaire dienst blijven. Niet zo moeilijk bereikbaar, dacht Gwen. Freddie bleef over. Freddie, besloot ze, moest een of ander lichamelijk gebrek hebben. Ze dacht aan een zwak hart, platvoeten en toegeeflijke artsen. Door die plannen fleurde ze weer op. Ze zou onmiddellijk na tafel met haar campagne beginnen. Geen uitstel: ze begon bij Maud en Montague Stern.

Terwijl ze naar Stern keek (die die avond een van die opvallende vesten droeg, jadegroen met goudborduursel – Constance had er al een begerige blik op geworpen) – voelde Gwen even iets van jaloezie.

Met de komst van sir Montague was Mauds leven veranderd. Zonder enig schandaal te veroorzaken had Maud de Italiaanse prins uit haar leven laten verdwijnen. Ze was nu vrij van schulden, eeuwige onzekerheid en een opeenvolging van jonge maîtresses.

Nu had Maud een prachtig appartement in Londen dat Stern voor haar had gekocht en dat uitzag over Hyde Park. Maud kocht haar kleren in Parijs, werd een vooraanstaande gastvrouw. Op zo'n party in Londen voelde Gwen zich dikwijls als een boertje van buiten. Maud had Britse en Europese vorsten als gast, maharadja's en rijke Amerikanen met wie Stern zakenrelaties onderhield. Maud gaf feesten voor het Russische Ballet. Ze inviteerde Diaghilev. Ze bezocht Covent Garden waar Stern haar de verhalen van de opera's uitlegde. De schilder Augustus John had een portret van haar gemaakt. Maud triomfeerde en Gwen vond die triomfen adembenemend. Ze benijdde Maud haar wereldse successen niet. Ze hield van Maud die een vriendelijk hart en een sluwe geest had. Maar soms voelde Gwen zich wat aangeslagen. Maud was ouder dan zij, achter in de veertig. Maud had een man die wijs, betrouwbaar, zorgzaam en discreet was. Een man die jonger, energieker was. Kort en goed, Maud had een minnaar en een vriend. Gwen bracht haar dagen door met een oude man, die ze als een zoon beschermde. Soms leek het haar plezierig iemand te hebben om op te steunen, een man die haar zou kussen, die ze kon omhelzen. Maar Shawcross had haar genezen. Die dagen waren voorbij. Nu ze tweeënveertig was, had ze het gevoel dat ze de top van de heuvel was gepasseerd. In haar hart vond ze dat niet zo vreselijk. Het was wel rustgevend en ze was tevreden. Tenslotte had Maud geen kinderen. Zijzelf was moeder: dat was haar levensvervulling.

Mijn dierbare zoons, dacht Gwen. Ook Denton hoorde erbij. *Mijn dierbare gezin.*

'Verpleging.' Jane Conynghams stem verstoorde haar gedachten.

'Verpleging,' herhaalde Jane. 'Ik begin meteen met een opleiding. Een maand geleden heb ik inlichtingen ingewonnen en Guy's Hospital neemt me wel aan.'

'O, ik ga breien,' onderbrak Constance haar met een zedige blik naar Montague Stern. 'Ik kan nog wel niet breien – ik heb het nooit kunnen leren maar ik blijf m'n best doen. Bivakmutsen en wollen hemden. Vindt u dat geen goed idee, sir Montague, voor een vrouw?'

Stern, die naast haar zat, glimlachte. Hij had de spot in haar stem gehoord, misschien net als Jane, voor wie het bedoeld was.

'Een uitstekend idee,' beaamde hij. 'Maar moeilijk om je voor te stellen in jouw geval, Constance.'

'We moeten toch íets doen.' Jane bloosde. 'Ik bedoelde niet... alleen...'

Verplegen? Gwen fronste tegen Jane die ze aardig vond, maar ontactvol. Haar zoons zouden geen verpleegsters nodig hebben, had ze besloten.

Ze boog zich naar voren en raakte Sterns arm aan.

'Monty,' vroeg ze, 'zou ik na het eten even met je kunnen praten, lieverd?'

'Hoeveel langer?' vroeg Freddie wat geïrriteerd, toen van achter een scherm in Constances zitkamer het gegiechel voortduurde.

'Niet lang. Wàcht, Freddie. Steenie, sta stil. Wriemel niet zo...'

Freddie haalde z'n schouders op, hij liep geërgerd de kamer door omdat Constance erop had gestaan dat Steenie erbij zou zijn. De maaltijd was afgelopen en weer werd het cadeau van Constance uitgesteld.

Hij moest zijn ergernis echter niet laten blijken. Freddie wist dat hij voorzichtig moest zijn. Te veel protest van zijn kant, en Constance werd boos. Geen cadeau in dat geval, het aanbod werd ingetrokken, met een hoofdbeweging, of het stampen van een voet. Beter maar niet klagen, want wachten kon ook een troost zijn. Het vooruitzicht werd spannender, wat Constance natuurlijk wist. Constances lievelingswoord was wàchten.

Berustend neuriede Freddie in zichzelf, stak een sigaret op en keek nieuwsgierig rond. Een paar jaar geleden was Constance van de kinderkamer naar deze kleine kamers verhuisd. Ze maakte ogenblikkelijk van de kamers iets eigens dat Freddie fascineerde. De zitkamer was voor hem, Constance en Steenie, een soort hoofdkwartier geworden, daar trokken ze zich altijd terug als de activiteiten van de oudere gezinsleden vervelend werden. Voor Freddie was de kamer een deel van een puzzel – de sleutel tot de geheimen van Constance zelf.

Toen Constance de kamers kreeg, waren ze ingericht volgens de instructies van Gwen. Gwen die zich niet interesseerde voor binnenhuisarchitectuur, had vaag voorgesteld er frisse, vrouwelijke kamers van te maken.

De kleuren waren dus bleek met het een en ander aan snuisterijen: kanten gordijnen, kleine ornamenten, kussentjes. Maar een andere, sterkere hand was er overheen gegaan. Constance had er haar stempel op gedrukt. Het leek nu meer op de tent van een nomade in de woestijn. De stoelen waren bedekt met kleden van kleurig materiaal dat Constance van de zolder had opgediept. Het lamplicht werd gedempt door lappen fel gekleurde zijde en er brandden altijd kaarsen. Op het oude kamerscherm, waarachter Constance en Steenie nog steeds aan het samenzweren waren, had ze allerlei afbeeldingen geplakt die ze uit tijdschriften had geknipt. Voor het raam hing een grote koperen kooi met een fuchsiaroze parkiet. Eronder was het huis van de andere dieren van Steenie en Constance: een witte rat, een kom goudvissen, één ringslang die Constance van Cattermole had gekregen. Constance was dol op het dier, een onschadelijk, slaperig wezen. Ze stopte hem in haar zak, liet hem rond haar arm draaien, plaagde Maud ermee. Ze leek bijna even dol op de slang als op Floss. Soms dacht Freddie dat Constance meer van dieren dan van mensen hield.

Freddie gaapte, trok aan zijn sigaret en ging in een van Constances stoelen zitten. Ja, hij hield van deze kamer. Constance lachte er altijd om. Ze beweerde dat ze, als zij haar zin had gekregen, een kamer in zwart met zilver en rood had gehad. Freddie nam dat niet serieus, het was gewoon weer een voorbeeld van Constances behoefte aan drama. Toch maakten sommige van die kleine drama's van Constance hem bang. Er was altijd gevaar bij Constance, zou ze te ver gaan of – soms nog erger – zou ze niet ver genoeg gaan?

'Klaar!' riep Constance van achter het scherm. Wat geschuifel, gelach, toen kwamen Constance en Steenie te voorschijn. Freddie verstijfde, knipperde met zijn ogen, tuurde. Constance bekeek haar enige toeschouwer met strakke blikken.

Constance en Steenie hadden hun kleren verwisseld. Zij stond voor Freddie gekleed als een jongeman. Steenie, hoewel langer dan Constance, was heel tenger. Het stijve overhemd en de zwarte broek van zijn avondkostuum pasten haar goed. Freddie had nog nooit een vrouw in lange broek gezien en nu keek hij gefascineerd naar Constances slanke benen, smalle heupen en – toen ze voor hem ronddraaide – haar brutale, erotische billen.

Steenie naast haar knipperde met zijn wimpers. Freddie vond dat hij er afschuwelijk uitzag. Hij droeg de donkergroene jurk van Constance, die hij in de buurt van de boezem wat hobbelig had opgevuld. Hij had ringen aan zijn vingers, rouge op zijn wangen en lippen, zijn vrij lange haar was opgestoken in een knoet achterin zijn nek en op zijn neus droeg hij een rond leesbrilletje. Terwijl Freddie zo tuurde, wierp Steenie hem een geile blik toe. Hij wiegde wulps met zijn heupen. Constance keek hem afkeurend aan.

'Steenie heeft het overdreven. Zoals altijd. Ik zei dat hij geen vulling nodig had – die boezem van Jane lijkt wel een strijkplank. En al die verf op je gezicht. Heb je ooit gezien dat Jane er ook maar een vleugje van gebruikte? Echt, Steenie, je bent een afschuwelijk koninginnetje...'

'Jij hebt ook geknoeid.' Steenie was niet onder de indruk van de kritiek. 'Je lijkt helemaal niet op Boy. Boy is zwaar. Dik – laten we maar aardig blijven. In ieder geval zo'n beetje vierkant. Ik zei al dat je een kussen moest ombinden – veel overtuigender...'

'Stil, Steenie. Wacht. Nu...' Constance wendde zich met een vorstelijk gebaar tot Freddie. 'Vanavond, slechts deze ene maal, brengen we je een plechtig en historisch moment... precies zoals het gebeurde, het beroemde huwelijksaanzoek van de hoogweledelgeboren Boy Cavendish aan juffrouw Jane Conyngham, ongetrouwde dame en erfgename uit ons naburige dorp. Nu voor jouw vermaak: *De Nacht van de Grote Komeet*. We zijn in – het spijt me, maar Boy heeft niet veel fantasie – in de serre. Op Winterscombe...'

Constance wendde zich tot Steenie. Steenie vouwde zijn handen, legde ze tegen zijn borst en glimlachte besmuikt. Constance nam een andere houding aan – ze kon uitstekend imiteren – en voor Freddies verbijsterde ogen veranderde ze volkomen. Natuurlijk was ze niet lang genoeg, was ze te mager en toch was ze, al was ze een meisje, Boy. Ze had zijn stijve houding met de voeten iets uit elkaar, ze had Boys opgeblazen borst en nerveuze vierkante schouders. En ze had Boys besluiteloze gebaren. Freddie had medelijden met die broer – met zijn onhandigheid, goede bedoelingen, zijn goede hart en zijn domheid.

Constance zonk op haar knieën aan Steenies voeten en legde een hand op haar hart. Die lag als een dode vis op het gesteven overhemd. 'Juffrouw Conyngham... Jane...' begon Constance, en hoewel ze niet de diepe stem van Boy kon aannemen, trof ze zijn manier van spreken: het plechtige, zelfs de manier waarbij Boy aarzelde bij bepaalde letters... 'Ik zal, als je wilt... met je vader spreken. Maar nu heb ik de eer... ik wil om je hand vragen...'

Freddie hoorde hoe zijn broer met de woorden worstelde. Het was amusant, zo overtuigend als Constance haar rol speelde. Maar ten slotte konden Freddie en Steenie niet meer ophouden met lachen.

'O god. Hij kan toch niet... O, Boy is zo'n sukkel. Constance, weet je het zeker?' Steenie hield krampachtig zijn buik vast en lag dubbel van boosaardig plezier.

'Zijn eigen woorden. Letterlijk.' Constance schudde haar hoofd en trok de band die haar haar bij elkaar had gehouden, los.

'Arme Boy,' grinnikte Freddie nog en pakte een nieuwe sigaret. 'Geen wonder dat hij er zo'n ellende van maakte. Boy houdt niet van haar en hij kan nooit zijn gedachten verbergen. Ik zie nog de opluchting op zijn gezicht toen ze aandrong op een lange verloving.'

'Maar zij was ook opgelucht. Ze houdt evenmin van Boy als hij van haar. Ze blijven vast de volgende dertig jaar verloofd. En al die tijd kan Jane haar gebroken hart op peil houden.'

'Een gebroken hart? Jane?' Freddie keek verbaasd op.

'Kom nou, Freddie, doe niet zo suf...' Steenie knipoogde. 'Je hebt toch wel gemerkt dat Jane niet zo kuis is als ze lijkt. Jaren, ééuwen brandt haar hart voor...' En Steenie bleef plagerig zwijgen.

'Voor wie? Wie?'

'Acland natuurlijk.' Constance en Steenie begonnen tegelijk te lachen.

Die samenzweerdershouding ontnuchterde Freddie. Hij keek hen aan. Het was natuurlijk onwaarschijnlijk, maar hun zekerheid bracht hem van zijn stuk. En zoals wel vaker voelde Freddie zich buitengesloten. Het was kennelijk iets waar zij het al lang over hadden gehad, een van hun vele geheimen. En Freddie had een hekel aan die geheimen, aan het feit dat Constance en Steenie zo'n vanzelfsprekende band hadden.

'Onzin,' zei hij eindelijk. 'Jullie verzinnen maar wat. Jane in vuur en vlam voor Acland? Ik heb nog nooit zoiets stompzinnigs gehoord. Echt iets voor jullie tweeën. Jullie verzinnen maar wat. Hoe kun je dat weten?'

'Constance weet het,' zei Steenie met een lachje.

'O, Constance was erbij, vermoed ik,' begon Freddie sarcastisch. 'Constance zat toevallig in de serre toen Boy en Jane binnenkwamen en Constance zei: "Let maar niet op mij, hoor. Ga je gang en vraag haar ten huwelijk waar ik bij ben." Onzin. Jullie lagen allebei in bed. In de kinderkamer. Waar jullie hoorden.'

'Zo was het niet helemaal...' giechelde Steenie. 'Hè, Constance?'

'Niet helemaal.' Het gezicht van Constance verstrakte.

'Met andere woorden, jullie verzonnen het. Zoals ik al zei.'

'O nee, het is waar. Woord voor woord. En Constance lag niet in bed, nee toch, Constance?' Steenie gaf Constance een sluw lachje.

'Toen niet.' Constance wendde haar ogen af. Ze keek verveeld en toch had Freddie de indruk dat ze niet van dit verhoor hield en wilde dat Steenie zou ophouden.

'De waarheid is...' ging Steenie door, terwijl hij een hand in zijn japon stak en er meters vulsel uittrok. 'Constance was een vreselijke

kleine bemoeial, hè Constance. De kleine spionne van Winterscombe. Vroeger. Toen ze klein was. Nu natuurlijk niet meer.'
'O, dat zou ik niet willen zeggen.' Constance keek Steenie aan. 'Ik zie van alles, Steenie. Ook nu. Het gaat vanzelf. Ik zie dingen waarvan mensen liever niet willen dat ik ze zie. Maar dat geeft toch niet, want ik praat er nooit over, hè, Steenie?'
Constance stak haar hand uit en wreef opzettelijk over Steenies lippen. De rouge maakte een veeg op zijn wang en er volgde een gevaarlijke stilte. Steenie was de eerste die zijn ogen neersloeg.
'Nee,' zei hij toonloos. 'Je bent heel discreet, Constance. Dat vinden we juist zo fijn van je. Hahhh!' Hij gaapte overdreven. 'Wat is het al laat. Ik ga maar eens naar bed...'
Hij verdween achter het scherm en Freddie en Constance keken elkaar aan. Freddie schoof wat heen en weer, zich ervan bewust dat de sfeer in de kamer veranderd was op een manier die hij niet begreep. Hij voelde een bedreiging die hij onverklaarbaar vond.
Toch leek Constance kalm. Toen Freddie haar onzeker aankeek, blies ze hem een kusje toe. Ze knikte in de richting van de deur en haar lippen bewogen – *je cadeau*. Ogenblikkelijk begon Freddies hart te bonzen. Weer voelde hij de bekende angstige verwachting, een matheid, een waarschuwing. Constance had die invloed op hem. Hoe lang al? vroeg hij zich af, *waarom*? De deur werd voor zijn neus gesloten en Freddie, goed getraind, wachtte op de overloop. *Hoe lang al? Waarom?* Zulke bekende vragen en Freddie kon ze nog steeds niet beantwoorden.

Hoe lang al? Het begon, veronderstelde hij, kort na de dood van haar vader, wat betekende dat het al vier jaar aan de gang was. Maar het was zo geleidelijk gegaan, Freddie was er zelfs niet zeker van. Stap voor stap, centimeter voor centimeter. Freddie had soms het gevoel dat Constance hem belegerde.
'Heb je het cadeautje gevonden dat ik voor je heb neergelegd, Freddie? Dat marsepeinen appeltje. Het was speciaal voor jou, Freddie...'
'Heb je het boek gevonden, Freddie? Dat ik op je kamer had achtergelaten? Heb je gezien wat ik erin geschreven heb? Laat het vooral aan niemand zien.'
'O, Freddie, wist je waaraan ik zat te denken aan tafel? Wist je het toen je naar me keek? Ik zag je blozen...'
'Kijk, Freddie, ik heb weer een cadeautje voor je. Het ruikt naar mij. Herken je die lucht, Freddie? Is het lekker?'
Zwarte magie. Al die gebeurtenissen liepen door elkaar, onschuldig

en niet onschuldig, en Freddie wist niet meer wanneer het gebeurde. Deed Constance die dingen al toen ze een jaar of tien, elf was? Dat kon toch niet? Begon het geleidelijker dan hij het zich nu herinnerde?

Freddie voelde zich nooit zeker. Hij wist alleen dat Constance hem, als ze het wilde, in haar macht had. Ze kon hem ontbieden met het knippen van haar vingers, met haar ogen, een knikje van haar hoofd. En Freddie ging, waar Constances stemming van dat moment hem heen stuurde – naar de bossen, de kelders, eens naar de hut van de jachtopzieners, waar het rook naar opgehangen fazanten. Naar een oneindig aantal plaatsen. Eenmaal in Londen, in de slaapkamer van zijn moeder, met de deur open om het gevaarlijker te maken, terwijl zij samen voor de spiegel van zijn moeder stonden. Eenmaal op Winterscombe, in de Koninklijke Slaapkamer. Op de gekste plaatsen.

En wat deden ze daar? Nooit genoeg voor zover het Freddie betrof. Wel genoeg om hem te doen verlangen naar meer.

Ze plaagde, prikkelde hem, wond hem op. Hij kon er boos om worden maar niet lang want die woorden waren immers niet nauwkeurig. Te algemeen, te voor de hand liggend. Constance plaagde, maar niet alleen zijn lijf. Constance plaagde zijn geest, zijn fantasie en daarom had ze zoveel macht. En als ze plaagde – wat kon dat cadeau dan wel zijn? – was het magie. Zwarte magie.

'Aclands kamer,' zei Constance toen ze op de overloop stond in haar groene jurk, met haar haar als zwarte slangen over haar half ontblote schouders. 'Aclands kamer. Vlug.' Ditmaal aarzelde Freddie, hij keek op zijn horloge. Hij was bang voor Acland – zijn sarcasme, zijn boosheid, zijn scherpe tong. Het was bijna middernacht. En als Acland boven kwam? Als hij hen vond?

'Hij is beneden aan het biljarten. Aan het discussiëren over de oorlog. Wat kan het je schelen? Schiet op, Freddie. Je wilt je cadeau toch hebben?'

Freddie wilde dat inderdaad, zijn hoofd barstte bijna van de mogelijkheden. Wat kwam Acland er ook eigenlijk op aan? Snel liep hij de gang door. Van beneden hoorde hij stemmen en muziek, hij aarzelde maar snelde toen verder naar de tweede verdieping. Constance fladderde door de schaduwen voor hem. Ze waren nu boven de Koninklijke Slaapkamer, in die gang waar Freddie eens twee geheimzinnige kreten had gehoord – die hij al lang vergeten was. Zijn kamer, die van Boy, die van Acland. Constance wachtte.

'Misschien laat ik je eerst nog iets zien. Misschien, maar vlug.'
En tot Freddies verbazing opende ze de deur naar Boys kamer. Ze

deed het licht aan en glimlachte over haar schouder tegen Freddie die in de deuropening bleef staan. Naast een groot cilinderbureau, onder de planken waarop nog steeds Boys jeugdtrofeeën prijkten, vogeleieren, loden soldaatjes die hij tekende, boeken en foto's stond een houten ladenkast. Hier bewaarde Boy zijn foto's, wist Freddie.

'Je dacht dat ik onaardig tegen Boy was, hè?' Constance keek om. 'Nee, nou ja, niet precies. Je deed hem uitstekend na, maar je ging te ver. Boy mag dan onhandig zijn en langzaam maar hij is aardig, een goeie vent, hij bedoelt het goed. Hij heeft je nooit willen kwetsen.'

'O nee? Hij heeft vandaag bijna mijn hond vermoord – of heb je dat niet gemerkt? Je bent soms zo stom, Freddie, je accepteert mensen op het eerste gezicht. Omdat hij nu toevallig je broer is, kijk je tegen hem op, denk je dat hij van alles is wat hij niet is.'

'Zullen we dat maar laten zitten? Boy is mijn broer en natuurlijk geef ik om hem – ik respecteer hem. Wat dan nog? Wat doen we hier eigenlijk? Waarom verknoeien we onze tijd?'

'We verknoeien geen tijd, Freddie. Ik wil niet dat je denkt dat ik onrechtvaardig ben. Tegenover niemand. Boy is niet zo traag. Hij is een kunstenaar. Wacht maar, kijk...'

Constance haalde een sleuteltje uit haar zak en hield het omhoog. 'Hoe kom je daaraan?'

'Niet vragen. Ik heb het. Misschien heeft Boy het me wel gegeven.' Constance boog zich, opende het deurtje en trok de onderste la open. Het was een diepe la, voorin lag een stapel enveloppen en in leer gebonden albums. Met een minachtend gebaar legde Constance ze opzij. Toen stak ze haar hand er verder in en kwam te voorschijn met een dik pak in iets van wit katoen.

'Wat is dat?'

'O, een oude onderrok van mij. En daarin zitten een paar fotoafdrukken. Niet de platen, die heeft hij ergens verstopt.'

'Jouw onderrok?'

'Mijn onderrok en mijn foto's. Foto's die Boy genomen heeft en die hij niet in de salon zou laten slingeren. Kijk maar.'

Ze legde de stapel op het bed. Freddie kwam aarzelend dichterbij. Stuk voor stuk hield Constance de foto's omhoog. Het waren uitsluitend foto's van haar, genomen toen ze veel jonger was. Constance stond, zat of lag in de meest uiteenlopende kledij. Soms droeg ze een dunne, bemodderde hemdjurk, maar vaker bleek ze niet veel meer dan vodden aan te hebben. Haar haar zat in de war, haar voeten waren altijd bloot. En ze scheen altijd een eigenaardig soort *make-up* te hebben, soms met vlekken modder, soms waren haar lippen op een groteske manier geverfd, zodat ze er nu eens uitzag als een straatkind, dan weer als een prostituée. Die indruk werd nog versterkt door haar pose. Op de een of andere manier slaagde ze erin zowel misdeeld als verdorven te lijken. Soms kleefden de rafels van haar hemd aan haar magere ledematen, alsof ze nat waren, soms benadrukte een sluwe hand een verboden deel van haar anatomie. Daar de punt van een tepel, de knop van een ontluikende borst. En daar – Freddie hield de adem in – hield Constance de benen uit elkaar en ertussen was een spleet in mollig vlees, een spoor van schaamhaar te zien.

Freddie bleef naar de foto's staren en voelde zich misselijk worden. Hij walgde ervan en toch – en dat was het beschamende – wonden ze hem op.

'Het begon toen ik tien was en toen het ophield was ik bijna dertien.' Constance klonk nuchter. 'Mijn borsten gingen groeien en ik ging er te veel als een vrouw uitzien. Dat wilde Boy niet. Hij houdt van kleine meisjes. Arme kleine meisjes. Ik denk dat hij het liefst de kinderen in de Londense achterbuurten zou willen fotograferen. Misschien doet hij het wel. Maar ik moest er toen arm en vies uitzien. Boy hielp me. Hij smeerde modder op mijn gezicht, dat soort dingen. Het begon al voor mijn vader stierf. Hij nam een foto van me op de dag van dat feest voor de komeet, in de Koninklijke Slaapkamer. En een paar maanden later vroeg hij of ik weer voor hem wilde poseren. Gek hè? Ik geloof dat Boy zich er schuldig door voelde, ik moest tenminste beloven er nooit een woord over te zeggen. Dat heb ik niet gedaan – tot nu toe. Maar ik vond dat jij ze moest zien, Freddie. Dan weet je dat hij niet zo is als hij lijkt, die Boy.'

'O, mijn god.' Freddie draaide zich om. Hij twijfelde er niet aan of het waren pornografische foto's maar er lag een eigenaardige tederheid in die hem in de war bracht. 'Maar waarom, Connie? Waarom vond je dat goed?'

'Waarom niet?' Constance keek hem kalm aan. 'Ik was heel jong en er scheen niets verkeerds aan te zijn. Ik mocht Boy graag. Ik wilde hem een plezier doen. En toen ik oud genoeg was om te beseffen dat het niet normaal was, hielden we ermee op. Ik was toen ook te oud.' Ze keek Freddie doordringend aan en legde met ongewone zachtheid haar hand op de zijne.

'Het is goed, Freddie, echt. Hij deed me geen pijn. Boy heeft me nooit aangeraakt, hij deed nooit... iets. Dat had ik toch niet goed gevonden, ik zou hebben geweten dat dat verkeerd was. Niemand mag me aanraken – alleen jij een enkele keer.'

208

Freddie aarzelde. Constance keek hem recht aan, met een oprechte uitdrukking in haar ogen. Wat ze zei, vleide hem, wond hem op – en toch wist hij niet of hij haar moest geloven. Hij wist uit ervaring hoe Constance kon liegen.

'Freddie, ik heb je van je stuk gebracht, dat spijt me.' Constance stond op. Ze wikkelde de foto's weer in de onderrok en sloot ze weg in de la. Toen deed ze het licht uit en trok Freddie mee de gang op. Het was er donker en zijn ogen pasten zich langzaam aan de duisternis aan. Constance was een vage gedaante. Ze drukte zijn hand.

'Ik had het niet moeten doen. Maar ik veronderstel dat ik wilde dat je het wist.' Haar stem klonk bedroefd. 'Je zult je cadeau nu niet meer willen hebben, denk ik, laat maar. Je krijgt het wel een andere keer. Morgen of overmorgen.'

Freddie voelde zich half bedwelmd, zijn hart bonsde, hij had de bekende benauwdheid in zijn borst. Overal in zijn hoofd waren beelden: de welving van Constances kinderlijke borst die uit een vochtig hemd te voorschijn kwam, schaduwen tussen de dijen, de aanraking van een vochtige handpalm, de geur van Constances haar. Hij probeerde ertegen te vechten, maar het was nutteloos.

'Nee, nee. Ik wil nu mijn cadeau,' hoorde hij zichzelf zeggen, en ergens in de schaduwen klonk het zuchten van Constance.

'Goed, Freddie,' zei ze en opende Aclands deur.

'Let op,' had Constance gezegd, en 'wacht...'

Freddie had haar gehoorzaamd. Er brandde slechts één kaars, die Acland bij zijn bed had staan. Constance hield van de dubbelzinnigheid van kaarslicht. Aclands kamer was kaal als de cel van een monnik, Constance lag op dit kale kloosterachtige bed. Freddie stond aan het voeteneind. Op de vloer lag een stapel rokken, de groene jurk achteloos opzij gegooid, als de huid van een slang.

Bij dit licht was haar huid crèmekleurig en leek het scherpe kleine lijf te kwijnen. Langzaam rekte ze zich. In haar hand hield ze haar lievelingsslang en Freddie schrok. De slangekop bewoog heen en weer, zijn tong flikkerde. Langzaam liet ze het dier dalen tot het tussen de kleine borsten rustte, ze streelde zijn rug en zo lag hij afgetekend tegen haar huid.

Waar moest Freddie eerst naar kijken? Naar Constances zwarte haar dat over haar schouders golfde? Naar haar rode lippen, die even geopend waren zodat hij haar kleine witte tanden en haar roze tong kon zien? Naar haar borsten die hij nooit had gezien, hoewel hij ze een enkele keer had mogen aanraken? Naar haar platte, jon-

gensachtige buik, naar die mysterieuze, verleidelijke, angstwekkende driehoek van haar die er zo zacht uitzag en die hij eenmaal had
aangeraakt toen hij onder haar rokken friemelde? Toen was dat
haar stug en kroezig. Freddie keek naar al die componenten van
Constances verderfelijke magie en alles danste voor zijn ogen. Kijken was niet genoeg. Was dat kijken zijn cadeau? Dan werd de fol-
tering alleen maar erger. Freddie stak een hand uit.
'Wacht,' zei Constance scherp. 'Wacht. Kijk maar.'
Ze spreidde haar benen en haar slang bewoog. Meestal was hij lui
maar nu niet. Hij begon aan een ingewikkelde reis, kronkelde tussen haar borsten, gleed naar haar hals, nestelde zich in de holte onder haar sleutelbeenderen. Zijn tong flitste. Daarna daalde hij over
haar ribben, gleed langs haar dijen, door het schaamhaar, tot aan
haar enkel waar hij zich als een slavenarmband omheen wond.
Constances gezicht was geconcentreerd. Ze likte haar lippen af,
beet op de punt van haar tong tussen de scherpe witte tanden. Toen
begon ze zichzelf te strelen. Eerst haar borsten die ze in haar handen hield, erin kneep zodat de tepels stijf werden. Freddie die hier
wel van had gehoord maar het nooit had gezien, voelde hoe zijn lijf
eisen stelde. Daarna werden haar bewegingen zakelijker. Constance had kleine, vierkante handen – ze waren niet het mooiste aan
haar, en ze beet op haar nagels. Nu bracht ze een hand tussen haar
dijen, de andere bleef bij haar borst. De handen tussen de dijen bewoog behendig en het feit dat die zo klein was, vol goedkope ringen
en met afgebeten nagels, maakte alles nog erotischer voor Freddie.
Hij kon niet precies zien wat de hand deed en hij boog zich naar voren over het bed, dat begon te kraken. Freddie schrok, er hoefde
maar iets te gebeuren en Constance stopte.
Nu was ze echter genadig, haar ogen gingen open en de donkere
lege blik was op Freddie gevestigd alsof ze hem niet zag. Of misschien vond ze het prettig dat hij zo geconcentreerd toekeek – want
ze glimlachte.
'Doe de deur open, Freddie,' zei ze dromerig.
'Wat?'
'Doe de deur open.'
Freddie deed het. Van beneden waren de stemmen nog te horen, ze
waren ver weg maar wel verstaanbaar. 'Oorlog,' hoorde Freddie,
toen gemompel, toen weer 'oorlog'. Freddie aarzelde. Stel dat Acland boven kwam? Stel dat zijn knecht Arthur binnenkwam? Stel
dat Constances huidige gouvernante, de vinnige Fräulein Erlichmann, op het toneel verscheen? Maar afgezien van Acland was dat
onwaarschijnlijk. Arthur die lui en brutaal werd, kwam alleen als

hij werd gebeld en Fräulein Erlichmann ging vroeg naar bed. Bovendien had de angst voor ontdekking ook een andere kant, zoals Freddie had geleerd – de begeerte werd erdoor verhevigd. Hij keerde terug naar het voeteinde van het bed. Constances ogen waren open en dat bleven ze terwijl ze voorzichtig de lippen van haar seks opende.

Geen details: Freddies gedachten konden die niet bevatten. Hij zag een veeg en later toen hij probeerde zich de details voor de geest te halen, ontsnapten ze hem nog. Zacht, roze vlees, iets vochtigs. Hij kreunde.

'Laat me je aanraken, Connie, alsjeblieft. Laat me je toch aanraken. Snel – snel, er kan iemand boven komen...'

Constance duwde zijn hand weg. 'Kijk naar me,' zei ze zoals altijd en Freddie, doodsbang om ongehoorzaam te zijn, trok zijn hand terug. Hij stak hem in zijn broekzak en raakte zichzelf aan. Constances gezicht stond geconcentreerd. Haar handje bewoog steeds sneller, een vinger wreef en glinsterde. Freddie die niet begreep wat ze deed, maar wie het niets meer kon schelen, wreef zich tegen de palm van zijn eigen hand. Er gebeurde iets met Constance, zelfs de slang scheen gevaar te merken. Haar lichaam ging omhoog, de slang gleed naar haar hoofd en bleef op het kussen liggen. Constance boog de knieën, hief de dijen van het bed, haar keel boog naar achteren alsof ze kramp had. Ze rilde, schokte en lag stil. Freddie was even doodsbenauwd, hij bewoog zijn hand niet meer.

Constance opende de ogen, veegde haar vochtige hand af aan Aclands sprei. Ze maakte een spinnend, tevreden geluid, streelde de rug van haar slang, gleed met haar vinger over de donkere diamanten op zijn rug. Toen hief ze de armen, vouwde ze achter haar hoofd en keek op naar Freddie.

'Nu mag jij, Freddie,' zei ze zo liefjes als Freddie haar nog nooit had gehoord. 'Ik weet dat je het doet op je kamer, met de deur op slot. Je was nu ook bezig. Vooruit, doe het goed. Ik wil het zien. Ik wil ernaar kijken. Je mag het op mij doen als je wilt, dan maken we ook niet zo'n troep op Aclands kamer. Toe Freddie, lieve Freddie, ik wil zo graag kijken. Doe het...'

Was dat haar verjaardagscadeau? Dat hij eerst naar haar kon kijken en toen zij naar hem? Heimelijk en vrij? Om een verrukkelijke bevrediging te krijgen op een manier die hij zich nooit had kunnen voorstellen met een vrouw, op een manier die hij later smerig, verdorven en waarschijnlijk taboe vond – en daarom des te heerlijker.

211

Dat was inderdaad zijn verjaarscadeau geweest. De volgende dag was hij er minder zeker van.

Hij beschouwde de gebeurtenissen van de vorige avond wat koeler, tegen de achtergrond van de dreigende oorlog. Hij zag zijn moeder huilen toen Boy en Dunbar vertrokken om terug te keren naar hun regiment. Hij zag de andere gasten vertrekken. En aan het eind van die lange, hete, drukkende dag, toen sir Montague vertrok en ook Acland alweer naar Londen ging, bleef hij alleen achter, de enige jongeman van het gezelschap op Winterscombe. 's Avonds voelde hij een afschuwelijke zekerheid: Constances cadeau had hij gekregen voordat ze Aclands kamer binnengingen. Het was de stapel foto's van Boy geweest. Haar cadeau was de vernietiging van het beeld van zijn broer.

Freddie had het die dag moeilijk gevonden zijn broer aan te kijken. Hij had zich op een afstand gehouden toen Boy vertrok, hoewel hij wist dat er iets vreselijks kon gebeuren en dat hij hem misschien nooit meer zou zien. Toen Boy weg was, voelde Freddie zich schuldig, hij had een afkeer van zijn eigen gedrag. Hij deed koeltjes tegen Constance, vermeed haar zelfs. Ook de volgende dagen bleef hij koel tegen haar. Toen viel het hem op dat Constance, als ze die koelheid al had opgemerkt, zich er niets van scheen aan te trekken. Ze deed of er niets was gebeurd.

Freddie was er doodongelukkig van. Hij maakte zich niet langer druk over zijn broer en zijn eigen gedrag, maar over Constance. Haatte ze hem? Was ze teleurgesteld in hem? Zou ze hem ooit nog willen aankijken?

Een week. Constance wachtte een week en toen ze dacht dat Freddie was waar ze hem wilde hebben, maakte ze een afspraak. En na nog meer angst en besluiteloosheid en verlangen van Freddies kant, kreeg hij een paar nieuwe kruimels voor een afspraak toegeworpen.

Afspraak na afspraak op verborgen plaatsen, van de zomer tot in de herfst, van de herfst tot in de winter. Het was een vreemde tijd en toen Freddie er later op terugkeek, wist hij dat het geen gelukkige tijd was geweest. Overal om hem heen veranderde zijn leven, de pijlers die de structuur van zijn wereld hadden gedragen, brokkelden af. Boy had gevraagd om zijn bediende, hij was dolgelukkig dat hij in Noord-Frankrijk gelegerd werd. Acland zat in Londen bij Buitenlandse Zaken en deed werk dat, zoals Gwen benadrukte, van nationaal belang was. Naarmate de weken voorbijgingen, werden de bedienden een voor een aangestoken door de oorlogskoorts. Denton moedigde hen aan dienst te nemen in het leger, dreigde

zelfs degenen die daar niet voor voelden, te ontslaan. Arthur vertrok tot verbazing van Freddie, Jack Hennessy ging in dienst en zijn drie broers volgden hem, alle jongere huisbedienden; de chauffeur, de tuinlieden en de arbeiders op het landgoed verdwenen. Freddie zelf hielp bij het binnenbrengen van de laatste oogst van dat jaar. Verbitterd werkte hij op de velden tussen oude mannen. Oorlog, oorlog, oorlog, er werd over niets anders gepraat, het was het enige onderwerp in de kranten, en iedereen was vol hoop op een snelle overwinning. Aan de ontbijttafel werden de brieven van het front voorgelezen. Boy klonk enthousiast. Hij wachtte op een post in de frontlinie, had een middag doorgebracht met vogels kijken in de buurt van Chartres. Weinig te vrezen van deze oorlog. Freddie bracht hem in verband met het maken van voedselpakketten, opwekkende liedjes van de muziekkorpsen die de werfofficieren door de dorpen vergezelden. Hij bracht de oorlog in verband met opwinding, met een nieuw besef van nationale doelbewustheid, en – in zijn eigen geval – met frustraties en schande. Want binnen een paar weken na het uitbreken van de oorlog had Gwen hem meegenomen naar een beroemde specialist in Harley Street, die door Montague Stern was aanbevolen. De man had Freddie uitgebreid onderzocht, had zijn bloeddruk gemeten voor en na inspanning. Had bloed afgenomen, een röntgenfoto gemaakt. Het was een grondig onderzoek geweest. Aan het eind kreeg Gwen van de ernstig kijkende specialist te horen dat Freddie onmogelijk in dienst kon – en als de dienstplicht ooit zou komen, bleef Freddie daarbuiten. Frederic, verklaarde de arts, had een onregelmatigheid aan de hartkleppen. Had hij wel eens last van duizeligheid, hartkloppingen? Die had Freddie de laatste tijd zeker – maar de reden ervan kon hij niet noemen. Hij ontkende ieder gevoel van ziekte. Maar de dokter stond op zijn stuk. Frederic had een zwak hart, hij moest vermageren, geen inspannende beweging nemen, opwinding vermijden en het leger vergeten. Freddie was geschokt, zijn moeder ook. Ze verliet de spreekkamer met een bleek gezicht en kwam huilend thuis.
Alleen op zijn kamer die avond zwaaide Freddie met zijn armen, maakte wilde passen op de plaats en verwachtte dood te vallen. Er gebeurde niets. De man had heel zeker geleken, maar Freddie was niet overtuigd. Al was het ook nog zo'n goede specialist, hij kon zich toch wel vergist hebben.
Hij smeekte zijn moeder om een tweede onderzoek. Hij probeerde haar uit te leggen hoe vreselijk hij zich voelde, de enige man tussen zijn leeftijdgenoten in Eton die nog thuis bleef rondhangen. Gwen kreeg dan echter zulke huilbuien, klampte zich zo wanhopig aan

213

hem vast, dat Freddie toegaf. Hij bleef op Winterscombe, liefst op het terrein. Bezoeken aan Londen maakten hem nerveus. Freddie was lang en zwaar gebouwd, hij zag er veel ouder uit dan hij was. Iedere keer dat hij een voet op straat zette, verwachtte hij aangesproken te worden of een witte veer te krijgen ten teken van lafheid. Intussen raakte hij steeds meer geobsedeerd door Constance. Zij was zijn vertrouwelinge en troosteres. Als Freddie zich minder dan mannelijk voelde, kon Constance hem bewijzen hoe mannelijk hij wel was, op de enige manier, naar zij zei, die er op aan kwam. Constance kuste de oorlog weg en in haar armen vergat hij zijn patriottisme.

Weken gingen voorbij in een bedwelmende erectie. Freddie leerde de verrukkingen van verslaving, waarin niets belangrijker was dan hun volgend samenzijn. Constances haar, huid en ogen, haar fluisterende stem, de hete dagen, hete gedachten, schokkende beloften – dat alles bracht die zomer.

Constance experimenteerde met technieken die ze later met meer effect toepaste. Ze was een kunstenares op het gebied van seks. Ze begreep dat suggesties, beloften, wispelturigheden en uitvluchten veel verslavender werkten dan hun vervulling. Kus voor kus trok ze Freddie mee in haar draaikolk. Zijn lijf zweette naar haar, zijn geest smachtte naar haar, 's nachts verzon hij van alles, droomde van haar. Soms gaf ze veel, soms minder. Freddies dagen vlogen voorbij in een droom; zodra hij bij haar vandaan was, bedacht hij nieuwe excessen. Maar hij mocht haar niet neuken. Dit woord, dat Constance terloops en dikwijls gebruikte, weerklonk in Freddies hoofd als een kanonschot. Hij begreep niet waarom Constance, die zonder schaamte leek, die Freddie in aanraking bracht met praktijken waarvan hij nooit had gehoord, hem deze beperking oplegde. Maar op dit punt was ze onvermurwbaar, iedere variatie – maar niet neuken. Ze lachte soms: *nog niet*.

Constance hield ervan het gevaar te riskeren als een van de huisgenoten in de buurt was. Het risico dat een van de bedienden hen zou ontdekken, werkte slechts ten dele. Freddie merkte het wanneer Constance echt opgewonden raakte: wanneer zijn moeder, zijn vader of een van zijn broers in de buurt was.

Het buitensporigste voorval had plaats in Londen, in het huis in Mayfair. Het was januari 1915. Freddie had met zijn ouders, Steenie en Constance vrienden bezocht die een buitengoed aan de zuidkust hadden. Daar hoorde hij voor het eerst het beroemde kanongebulder van de batterijen aan de overkant van het Kanaal. Gwen hoorde het ook en ze kreeg een van haar aanvallen van angst en zorgzaamheid, ze moesten in Londen blijven, ze kon niet terug naar Winterscombe zonder dat ze Acland had gezien. Acland werd gebeld op zijn bureau en stemde toe zijn moeder om een uur of vijf thuis te komen opzoeken.

Het huis in Park Street had een hoge wenteltrap die vanuit de hal vier verdiepingen omhoog liep. Van boven was het mogelijk over de trapleuning te hangen en in de duizelingwekkende diepte naar de marmeren vloer van de hal beneden te kijken. Freddie, als kind gewaarschuwd voor de gevaren van die trap, was er nog steeds bang voor. Even voor vijven kwam Freddie op Constances aandringen bij haar op de schemerig verlichte overloop van de derde verdieping staan. Constance leunde tegen de balustrade en Freddie stond achter haar en drukte zich tegen haar beweeglijke billen. Hij was in een toestand van hevige opwinding, de gedachte alleen al aan Constance gaf hem in deze tijd een erectie. Zijn ene hand zat in haar jurk, die helderrood was en van achteren was losgemaakt. Zijn andere hand mocht ditmaal onder haar rok kruipen. Ze droeg geen broekje. Freddies linkerhand streelde Constances borsten, zijn rechter onderzocht die vochtige plaats. Hij was zo opgewonden dat hij zich pas bewust werd van Aclands thuiskomst toen Constance hem riep.

Acland bleef onderaan de trap staan, keek op en begroette Constance. Freddie zag hij niet, die was onzichtbaar vanuit de hal. Constance begon langdurig een praatje met Acland en maakte Freddie duidelijk dat hij niet mocht ophouden. Ze wreef zich tegen hem aan, drukte zo tegen zijn rechterhand dat hij voor het eerst de wonderbaarlijke opening vond waar hij zo lang naar had gezocht. Twee vingers glipten naar binnen. Constance beefde en terwijl ze gezellig met Acland bleef praten, draaide ze met haar heupen rond Freddies vingertoppen. Freddie was te opgewonden om te stoppen. Het feit dat hij zo bezig was, terwijl Constance rustig doorpraatte, maakte Freddie boos, wond hem op, maakte hem bang. Hij kneep en streelde haar tepels en merkte dat Constance onder haar rokken nat was. 'We hoorden de kanonnen, Acland. De wind moet in de goede richting zijn geweest want we hoorden ze duidelijk...'

Constances stem haperde en op dat moment kwam haar orgasme. Freddie voelde hoe ze even verstrakte. Hij had haar tot een climax gebracht, iets wat hij nooit eerder had gedaan. Nu zou ze hem belonen en toen de niets vermoedende Acland de hal verliet, deed ze dat ook, ze was heel precies in die dingen. Ze knoopte zijn broek los en nam zijn penis in haar hand. 'Ik wil dat je drie woorden zegt, Freddie, alleen die drie woorden. Zeg: "In je mond".'

Freddie duizelde, dat had Constance nog nooit gedaan, hij verloor alle controle over zichzelf. Het was of hij van grote hoogte in donker water dook. Hij zei de woorden en Constance deed wat er van haar verlangd werd.

Acland bleef die avond eten. Constance was zo stil dat Gwen vroeg of ze ziek was en Constance trok zich terug onder voorwendsel van vermoeidheid.

Freddie bleef nog een uur beneden terwijl zijn vader bij het vuur zat te dommelen. Hij probeerde een detectiveverhaal te lezen maar kon zich onmogelijk concentreren. Zo nu en dan hoorde hij fragmenten van het gesprek tussen zijn moeder en Acland.

'Ego heeft dienst genomen – Ego Farrell,' merkte Acland terloops op. 'Ik zag hem vandaag voor zijn vertrek.'

'Hij had verstandiger moeten zijn,' zei Gwen, haar stem hoog en gespannen. 'Ik kan me Ego niet vechtend voorstellen en het is toch niet nodig. Hij is zo stil. Ze hebben daar toch zeker mannen genoeg.'

Later haalde Gwen de meest recente brief van Boy voor den dag en las er gedeelten uit voor aan Acland. Freddie die dat al minstens vier maal had gehoord gebruikte het ogenblik om goedenacht te zeggen, hij kon alleen nog maar aan Constance denken. Hij sloop naar boven. Het Londense huis was kleiner dan Winterscombe, dus moesten ze hier voorzichtig zijn.

Constance zat aan tafel met een stapel zwarte schriften voor zich. Toen Freddie binnenkwam zag hij dat ze stijf rechtop zat, met de gesloten uitdrukking op haar gezicht die hij kende uit haar kindertijd. Zonder naar hem te kijken opende ze een van de schriften en bladerde erin.

'De dagboeken van mijn vader.' Ze stak hem het schrift toe.

Freddie zag een datum en regels in een keurig, als gedrukt, handschrift. Freddie had nooit geweten dat die dagboeken bestonden en ze interesseerden hem niet, op dat ogenblik hield hij zich met opwindender dingen bezig.

Maar Constance sprak bijna nooit over haar vader, dus als ze het nu wel deed, kon hij het niet opzijschuiven, misschien rouwde ze nog wel om hem.

'Je moet er niet naar kijken, Constance. Het brengt weer van alles boven. Probeer het liever te vergeten.' Freddie sloeg zijn arm om haar heen maar Constance duwde hem weg.

'Ze gaan over zijn vrouwen,' zei ze met toonloze stem. 'Voor het overgrote gedeelte. Een paar andere dingen, maar meestal zijn het vrouwen.'

Dit maakte Freddies nieuwsgierigheid wakker. Hij wierp een blik op het blad voor zich en trof een paar woorden die hem deden schrikken. Grote god! Hij had altijd gedacht dat Shawcross zo'n kouwe kikker was.

'Heb je ze gelezen, Connie?'

'Natuurlijk. Ik lees ze telkens. Herlees ze. Het is als een boetedoening. Ik weet eigenlijk niet waarom. Misschien zou ik willen... begrijpen.'

'Laten we er straks maar naar kijken, Connie.'

Freddie liet zijn hand onder haar rok glijden. Hij voelde de bovenkant van haar kous, een stevige dij. Geen woorden, hoe schokkend ook, konden wedijveren met Constances huid, haar agressieve lijf, met de manier waarop ze hem prikkelde door haar benen te spreiden en ze dan plotseling te sluiten.

'Later Connie, toe.'

'Niet later. Nú. Ik wil dat je dit leest. Jij hebt er ook mee te maken. Kijk, hier, op deze bladzij. Daar begint het.'

'Waar begint wat?' Freddie ging een paar stappen achteruit. Hoewel hij het niet begreep, was er iets in Constances gezicht dat hem bang maakte. Hij herinnerde zich dat ze ook zo had gekeken in Boys kamer, toen ze hem de foto's had laten zien. Hij begon te twijfelen. Constance zuchtte. Ze zei mat: 'Lees nou maar, Freddie.'

Freddie aarzelde nog, maar zijn nieuwsgierigheid was te groot. Hij begon bovenaan de bladzij te lezen:

...had het niet meer gedaan sinds de dood van haar man – dat zei ze althans. Ik rekende intussen. Hoogstens twintig minuten. Ze had een fijne mond – leverkleurig met dikke lippen. Maar ik moest die trein halen.

Ik duwde haar tegen de muur van de slaapkamer maar haar billen bevielen me niet, te groot en te slap, ik houd van kleinere. Ik zocht liever haar mond. Die man van haar moet ruim van opvatting zijn geweest, want ze wist er alles van. Ze vloog op me af en maakte me zeker twee centimeter langer. Ze gromde en zuchtte en mijn hele lengte was binnen die zuigende lippen, terwijl haar tong met me speelde. In jaren niet zoiets goeds gehad. Het oude wijf slikte alles in en likte haar lippen af. Nu was het haar beurt, zei ze brutaal en ik liet haar even bedelen. Als haar vrienden haar hadden kunnen zien... Ik verliet haar onbevredigd, nam zelfs niet de tijd om me te wassen en haalde de trein op het nippertje. Ik voelde me vies, dacht dat ik haar rook. In de trein kalmeerde ik. Variatie! Nu ik ongewassen was...

Freddie was aan het eind van de bladzij gekomen. Hij keek op naar Constance. Ze zei vlak: 'Sla de bladzij om.' Freddie gehoorzaamde.

...bedacht ik nieuwe mogelijkheden. Alles zat mee. De trein was op tijd en mijn andere albatros wachtte, alleen in haar boudoir. Toen het kamermeisje de deur uit was, pakte ik haar. Ik had haar op de grond, op handen en voeten met dat dikke achterste in de lucht – ze snakte ernaar. Ik ramde als een gek en had steeds het beeld van het andere wijf voor ogen. Ik was bang dat ik het niet tot een goed eind zou brengen, maar het lukte me. Toen moest ze aan me ruiken. Ze probeerde het heerlijk te vinden, maar vond het pijnlijk en dat gaf me het grootste genoegen. Ik waste me als altijd met uitstekende anjelierenzeep, maar ik wilde niet dat zij zich waste. Ze moest beneden in haar blauwe stoel zitten, met die pummel van een echtgenoot lui uitgezakt naast haar op de rode bank. Met haar andere gasten, de theetafel met porseleinen kopjes en een zilveren theepot bij haar stoel en haar billen waar mijn sperma uit drupte. Ik krijg haar wel getraind, geloof ik. Zou haar man die seks ruiken? Ik hoopte het bijna.
Ik was charmant, spraakzaam, bracht hem in een verschrikkelijk humeur. Om zes uur ging ik me verkleden voor het diner. Tweemaal binnen een paar uur was wel redelijk, hoewel ik het toen ik jonger was, gemakkelijk had kunnen overtreffen. Een goed vuur in de kamer, een glas whisky in de hand. O Shawcross, zeg ik tegen mijzelf terwijl ik dit opschrijf – de beloning van overspel is zoet – even zoet als die van vergelding.

Freddie was aan het eind van de bladzij gekomen. De woorden dansten voor zijn ogen, een blauwe stoel, een rode bank. Hij wilde nooit meer naar die vuiligheid kijken, hield hij zich voor. Al las hij in feite de eerstvolgende weken de dagboeken telkens over.
'Een blauwe stoel?'
'Een blauwe stoel.'
'Mijn andere albatros? Wat betekent dat?'
'Je weet wat het betekent. Net als ik.'
'Ik weet het niet. Ik weet het niet.' Freddie schudde Constance door elkaar. 'Jij moet het zeggen. Hij is jóuw vader.'
Constance rukte zich los. Zonder iets te zeggen pakte ze het schrift weer op, bladerde even terug en wees op het opschrift.
Winterscombe, las Freddie. *3 oktober 1906.*
'Het begon dat jaar. In de zomer. En is jarenlang doorgegaan.

Hier staat het allemaal in. Hij noemt je moeder dikwijls "de andere albatros".'
'Vier jaar?'
'O ja, vier jaar. Tot aan de dag waarop hij stierf.'
Plotseling veranderde Constances gezicht. Ze sloot haar ogen, ze huiverde, hield haar armen om haar borst geklemd. Ze wiegde voor- en achteruit, als in een extase van verdriet. Freddie, die net in een woedende aanklacht tegen Shawcross had willen uitvaren, werd er bang van. Hij staarde naar Constance wier mond vertrok in geluidloos huilen. Toen, ondanks zijn tegenzin om haar aan te raken, deed hij een stap naar haar toe.
'Connie, niet doen... Alsjeblieft niet. Je maakt me bang. Wacht. Denk na. Misschien zijn het allemaal leugens. Het kan niet waar zijn. Mijn moeder – het kan niet, Connie. Kom toch tot jezelf. Kijk me aan...'
'Nee,' riep Constance. Ze sloeg naar hem. 'Het is waar. Allemaal. Ik weet het. Ik heb naar de data gekeken. Ik zag hen samen...'
'Je zag hen? Dat kan niet.'
'Jawel. Toevallig. Een paar maal in de bossen. Ze ontmoetten elkaar in het bos. Ik zag hen daar en rende weg. En een keer op de trap – toen ze de trap afkwamen, dat herinner ik me nog...'
Freddie begon te huilen. De tranen stroomden over zijn wangen, hoewel hij in geen jaren meer had gehuild. Hij zag zijn moeder in de tuin als ze hem riep, zag hoe ze de slaapkamer binnenkwam om hem een nachtkus te geven, zag zijn moeder telkens anders en altijd dezelfde, zacht, vriendelijk, vroom, een beetje bijziend waarmee hij haar altijd plaagde, en nu – dat gevoel van haar aanraking, de kalmte van haar huid, de zekerheid van haar liefdevolle zorg – weggevaagd door een ander beeld, grof en grotesk.
'Connie, alsjeblieft...' Hij tastte naar haar hand. 'Kijk, ik huil ook. Het is...'
'Raak me niet aan, Freddie.' Constance liep achteruit tot aan de muur, nog verder tot in een hoek van de kamer. Daar bleef ze ineengedoken zitten en toen Freddie dichterbij kwam, zonk ze op haar knieën.
'Ik wil doodgaan,' zei ze met een zachte, toonloze stem. 'Ja. Dat is het. Ik wil dood.'

5

Een liefdesverklaring

Uit de dagboeken

Parkstreet, 10 januari, 1915

Een herinnering aan mijn vader. Hij schreef altijd op katerns van wit papier die hij zelf opensneed met een zilveren mes. Hij schreef met inkt. Zijn inktpot was van glas, met een koperen dekseltje. De pennen die hij gebruikte, krasten. Hij schreef of het gedrukt was, alle letters volmaakt gevormd, de regels recht over de bladzij, als soldaten in rangorde.
Zijn handschrift was gemakkelijk te duiden, mijn vader minder gemakkelijk.
De pommade die hij voor zijn baard gebruikte rook naar citroen.
De zeep waarvan hij het meeste hield rook naar anjelieren.
Soms kauwde hij cachous, zodat zijn adem naar kruidnagelen rook.
Zijn sigaren kwamen van Cuba.
Hij trok twee maal per dag een schoon overhemd aan, als een echte heer.
Hij poetste zijn eigen schoenen en spuwde op de punten om ze te laten glimmen.
Ik hield het meest van zijn blauwe kostuum – het maakte zijn ogen blauw.
Eens mocht ik helpen om zijn jasje te stomen. Er gebeurde een ongeluk want de stoom verbrandde mijn hand.
Zijn stem was melodieus. Op Winterscombe lette hij goed op zijn accent, thuis minder. Op Winterscombe klonk hij soms geaffecteerd. Acland vond dat hij geaffecteerd was. En ordinair. Ik hoorde Acland hem eens imiteren.
Hij was klein. Zijn boeken waren kort.
Als hij niet was gestorven, zou hij van me hebben gehouden.
Constance hoort zijn pen krassen. Ze hoort geritsel met het kindermeisje. Ze ruikt de anjelieren en de citroenen en de kruidnagelen. Ze ziet het blauwe kostuum en de gouden dasspeld en de bruine schoenen. Ze ziet zijn handen die wit zijn als lelies. Een lelieblanke man. Constance ziet haar vader. Dat kan ze. Hij is heel dichtbij. Hij zit aan zijn zwarte bureau op zijn zwarte stoel met zijn witte

papier. Nee, hij is nog dichterbij. Hij kan niet dichter bij haar zijn. Hij zegt dat hij van haar houdt, maar dat zegt hij enkel wanneer ze alleen zijn.
Dan.
Mijn hoofd barst. Ik begrijp het niet. Ik blijf vragen. Ik zeg – wie heeft die klem daar neergezet. Ik zeg – wie heeft je geduwd, pappa. Hij antwoordt nooit. Ik begrijp niet waarom hij nooit antwoordt. Waar is hij?

Toen ik tot zover in Constances dagboeken was gekomen, kon ik zien dat ze ziek was. Het was niet alleen wàt ze schreef, het was het handschrift zelf. Dat werd steeds kleiner en moeilijker te ontcijferen. De letters die aldoor gelijkmatig waren geweest, helden eerst naar rechts en dan naar links. Ik zag lijsten, reeksen lijsten. Die had Constance al eerder gemaakt maar nu schenen ze de baas te spelen. Lijsten van kleuren, vormen, woorden, namen, rivieren, veldslagen. Het was of Constance, die een geestelijke instorting voelde aankomen, alles op alles zette om orde te scheppen.

Het was onmogelijk geen medelijden met haar te hebben, wat ze Freddie ook mocht hebben aangedaan. Ze was getuige geweest van de afschuwelijke verwondingen van haar vader, had de fout gemaakt zijn dagboeken te lezen. Nu ze vijf jaar na zijn dood de uitgestelde gevolgen van het trauma van zich af probeerde te zetten met al die lijsten, was het of ik een klein kind zag dat gewapend met een stok, de aanval van een vlammenwerper wilde afwenden.

Toch verbaasde het me dat die instorting zo lang op zich had laten wachten, het verbaasde me ook dat Constance in alle jaren dat ik bij haar had gewoond, nooit iets over die ziekte had gezegd. Ze had me nooit een aanwijzing gegeven dat haar jeugd niet gelukkig was geweest. Ze had van haar vader gehouden, had van mijn familie gehouden – en van het ongeluk dat haar leven in tweeën spleet, sprak ze zelden. Nu vroeg ik me af of ze me ergens tegen had beschermd? Die gedachte gaf me een vervelend gevoel. Als Constance me in het verleden had willen beschermen, en nu besloten had een verborgen waarheid te onthullen, had die waarheid iets te maken met de dood van haar vader, met de mogelijkheid van een moord. Constance kwam er keer op keer op terug. Telkens kwam ze met andere theorieën betreffende methode en motief en waar en wanneer wie op de dag voor zijn dood was geweest. Haar laatste lijst met verdachten was kort: het waren alleen leden van mijn familie.

Als het alleen Constance was geweest die verdachtmakingen had geuit, zou ik ze gemakkelijker van me af hebben kunnen zetten, vooral toen ik haar overspannen toestand uit die dagboeken voelde. Maar het was niet alleen Constance, er waren zinspelingen van andere, koelere getuigen. Als Constance me had beschermd tegen de waarheid over de dood van Shawcross, leek het dat anderen die me even na stonden, dat ook hadden gedaan.

Er waren duistere opmerkingen in een brief van mijn tante Maud aan grootvader Denton. Boy schreef vanaf het front aan Acland en had het over de verdwenen Purdey jachtgeweren op een voor mij onbegrijpelijke manier. Uiteindelijk vond ik tussen Steenies tekeningen en papieren een brief die hij was begonnen aan Wexton maar nooit had verstuurd. Hij was gedateerd in het jaar van mijn doop.

Ik weet wat je zei, schreef Steenie, maar hoe meer ik erover nadenk, mijn lieve Wexton, hoe meer ik ervan overtuigd ben dat we het mis hebben gehad. Veel te Grand Guignol! Sorry, Wexton, maar we zijn niet goed genoeg om voor Holmes en Watson te spelen. Het is misschien saai, maar ik denk dat de lijkschouwing het bij het rechte eind had: een ongeluk.

Dat dacht ik ook. Ik wilde het denken. Waarom had Wexton er nooit iets over gezegd? Ik wilde het uitvinden, maar in ieder geval had hij het mis gehad. Twijfel is als een ziekte en de twijfel van Constance had de anderen geïnfecteerd. Ook een overspannen fantasie moest aan Constances ziekte hebben bijgedragen. Toen ze eenmaal genezen was, hield dat alles wel weer op.

Hoe en wanneer was ze genezen? vroeg ik me af toen ik die avond naar bed ging. De volgende dag zou ik het wel ontdekken, zo niet in haar dagboek, dan wel ergens anders. Toen ik in slaap viel, had ik een vaag idee dat iemand over haar ziekte had gesproken, maar ik wist niet meer wie.

De volgende dag had ik geen gelegenheid om tot het verleden terug te keren, het heden kwam tussenbeide in de vorm van een geruit kostuum, à la de prins van Wales, een modieus overhemd, Gucci schoenen met kwastjes en dat alles uit Londen gekomen in een lage, dramatische sportauto. Het was het vierde bezoek in acht dagen van de makelaar, meneer Garstang-Nott, een jaar of veertig oud, met een meer dan knap uiterlijk. Hij had nog steeds zijn *sangfroid*, maar zo nu en dan toonde hij een sprankje interesse: voor het huis, hoop ik, hoewel het moeilijk uit te maken was.

Bij zijn eerste bezoek was hij pessimistisch geweest. Bij zijn tweede – langere – werd hij breedsprakeriger. Hij vertelde dat zijn vader met die van mij en met mijn oom Freddie in Eton was geweest en hij deed Freddie zijn groeten. Bij het derde bezoek – nog langer – vertelde hij dat mijn cliënte Dolly Dorset zijn tante was. Hij bewonderde het werk dat ik in haar huis had uitgevoerd, vooral haar rode salon.

De geflatteerde foto's van Winterscombe waren genomen, de maten en details van de kamers waren klaar. Ieder bijgebouw was gespecificeerd, de aanleg van de tuin, het terrein, de landbouwgrond – nu verhuurd – was opgetekend. Het enige wat er tijdens zijn vierde bezoek te doen viel, was het doornemen van het concept van de verkoopdetails. Ik verwachtte dat het niet langer dan een uur zou duren. Twee uur en een glas sherry later bleef Garstang-Nott nog steeds hangen. Hij vertelde me dat hij heel misschien een potentiële koper had. Een miljonair, scheen het, maar in dit geval een excentrieke man. De betrokkene – hij had nog niet de vrijheid om zijn naam te noemen – wilde in het bijzonder een landgoed in Wiltshire. Een gróót landgoed met een zekere status. De man was een *nouveau riche* en had zijn fortuin gemaakt in de jaren zestig, een van die carrières op het gebied van projectontwikkeling. Er moest ruimte zijn om cliënten te ontvangen, er moesten stallen en land zijn en hij zou het prettig vinden als er een plek voor een helihaven was. Het leek te mooi om waar te zijn.

'U bedoelt dat hij geïnteresseerd was, dat hij niet wilde afbreken of opnieuw gaan bouwen?'

'Absoluut niet. Hij heeft iets in Spanje, en nog een huis in Zwitserland. Maar dit is zijn eerste Engelse landhuis. Hij wil iets deftigs.'

'Geen Queen Anne?'

'Om je de waarheid te zeggen geloof ik niet dat hij het verschil kent.'

We waren nu buitenshuis op weg naar de dramatische Aston-Martin. Hij streelde de motorkap. 'Reed honderdzeventig op weg hierheen. Ik veronderstel dat u vanavond niet vrij bent om mee te gaan dineren. Dan bespreken we het.'

'De Aston?'

Hij glimlachte wat zuur. 'Nee. Het huis. Ligt voor de hand.'

'Het spijt me, maar ik heb een afspraak.'

'Een andere keer misschien.' Hij zweeg even. 'We zien elkaar nog wel.'

'Die potentiële koper – u stuurt hem de details?'

'Die sturen we. Zien of hij toehapt. Maar ik weet het niet.'

Ik had het gevoel dat hij hoopvoller geweest zou zijn als ik mee was gaan dineren. Nu stapte hij in de auto en vloog de oprit af in een regen van kiezel. Ik keerde terug naar het huis waar alleen ik van scheen te houden en ging door met Constances dagboeken. Bladzijden met lijsten, toen een paar lege bladzijden, gevolgd door een bladzij met alleen *Floss*.

Toen wist ik het weer: waar ik was geweest en met wie, de enige keer dat de ziekte van Constance ter sprake was gekomen. Dertig jaar geleden. Mijn ouders waren pas gestorven en ik wachtte op de inscheping naar Amerika. Ongeveer een week voor mijn vertrek ging ik naar Londen om thee te drinken bij mijn oom Freddie. Hij moet al zijn moed bijeen geraapt hebben, denk ik, want bij die gelegenheid begon hij over het verboden onderwerp van mijn peettante. Toen was ik teleurgesteld over zijn onthullingen, nu, na dertig jaar, zie ik dat ik het mis had. Wat Freddie me die dag vertelde, en wat hij me níet vertelde, was interessant genoeg.

'Ik denk,' begon hij, 'ik denk dat je iets van Constance zult willen weten.'
We dronken thee in het huurhuis van oom Freddie: groot, met afbladderend wit stucco. Het keek uit over het kanalengebied van Londen, dat bekend staat als klein Venetië. Het is nu een chique wijk, maar toen nog niet. Ik was er nooit eerder geweest en het eerste wat oom Freddie deed toen ik binnenkwam, was zich verontschuldigen voor de rommel. Maar ik hield van de kamer. Die was vol overblijfselen van oom Freddies verleden. Hij beschreef zichzelf graag als een rollende steen – die uitdrukking paste bij hem, want hij was heel dik geworden. Hij had een koperen tafel uit India, er waren lakschermen uit Japan, maskers uit Peru, poppen uit Bali.
Voordat hij over Constance begon, sprak hij tot mijn opluchting aan één stuk door. Ik denk nu dat hij nerveus was. Hij vertelde dat hij postzakken had gevlogen in Zuid-Amerika, dat hij encyclopedieën had verkocht in Chicago. Ik hoorde over de dierentuin in Berlijn, waar hij voor de beren had gezorgd en over de nachtclub die hij kort geleden had gehad, en die nu ter ziele was. En dan zijn hobby's: zijn postzegels, de tijd van de kruiswoordpuzzels, van de Ierse windhonden, dat was allemaal voorbij. Nu had hij iets nieuws: *detectiveromans*. Daar was hij al mee bezig geweest toen Franz-Jacob en ik zijn honden uitlieten. Hij had altijd van detectives gehouden en dacht dat hij, als hij ze kon lezen, ze ook wel zou kunnen schrijven. Hierin vond hij uiteindelijk zijn *métier* en na de oorlog was hij een geslaagd schrijver in detectiveromans. Maar in die tijd was hij nog bezig met het verfijnen van zijn methodes, die hij me wilde uitleggen.
'Drie moorden, Victoria,' zei hij vertrouwelijk. 'Er moeten er minstens drie zijn. Ik heb er een, of twee, geprobeerd, maar het worden er drie.'
Hij stond bij zijn bureau en scharrelde tussen zijn papieren. Toen begon hij zonder enige overgang, alsof het ene onderwerp vanzelfsprekend tot het andere leidde, over Constance.
Ik zie nu dat oom Freddie het een moeilijk onderwerp gevonden moet hebben en ik denk dat hij aan de wijsheid van Steenies plan moet hebben getwijfeld. Maar Steenie had over hem heen gelopen. Waarschijnlijk voelde hij zich schuldig, maakte hij zich zorgen.

Maar hij had zijn geheugen zo goed getraind, dat het niet te veel opspeelde en het beeld dat hij van Constance schilderde, was droevig.

'Weet je,' zei hij, 'ik denk vaak dat je peettante eenzaam moet zijn.'

'Eenzaam, oom Freddie?'

'Ja... nou ja, in sommige opzichten heeft ze een droevig leven. Haar huwelijk. Ik geloof niet dat dat geslaagd was...'

Ik zat doodstil. Een huwelijk?

Oom Freddie scheen in gedachten verdiept, maar eindelijk waagde ik de geweldige vraag. Was mijn peettante gescheiden?

'O nee, hemel nee.' Freddie, die de opvatting van mijn moeder over dat onderwerp kende, schudde heftig het hoofd. 'Maar er waren moeilijkheden. Dat kan gebeuren. Je peettante leeft nu alleen...'

'Is haar man dood?'

'Ja, eh, dat weet ik niet zeker. Misschien. Hij was heel, heel rijk – en... en je peettante heeft nooit kinderen gehad. Ze had eenmaal een baby, geloof ik. Maar die verloor ze. Dat maakte haar natuurlijk bedroefd...'

'Heeft ze om een andere gebeden, oom Freddie? Dat deed mamma.'

'Nou ja, ik kan niet precies... Constance is niet erg religieus.' Hij vrolijkte weer op. 'Misschien wel. Je kunt niet weten. En nu krijgt ze jou om voor te zorgen, dus...'

Hij zweeg. Misschien had Constance wel gebeden toen ik ook aan het bidden was en dan waren van ons beiden de gebeden beantwoord. Het maakte me bang en mogelijk zag oom Freddie dat, want hij ging op iets anders over.

'Ze is dol op dieren,' zei hij als een goochelaar die een konijntje uit zijn hoed haalt. 'Nu ik eraan denk – zij en Steenie hadden een hele menagerie. Een kaketoe, goudvissen, een schildpad. Ze had zelfs nog eens een ringslang...'

Hij zweeg en schoof heen en weer, stak de Tiffany lamp aan.

'Houdt ze van katten, oom Freddie?' drong ik aan toen hij bleef zwijgen.

'Katten?' Hij vermande zich. 'Geen katten, voor zover ik het me kan herinneren. Honden. Ze had een hele reeks honden. De eerste was een King Charles spaniël – wat was ze dol op die hond. Hij heette Floss.'

Weer zweeg hij. Ik wachtte en toen hij niet verder ging, drong ik aan. Ik wilde weten wat er met Floss was gebeurd.

'Ja, Floss kwam nogal naar aan zijn eind. En je peettante was helemaal overstuur. Ze hield van hem, zie je – en naderhand, nou ja... ze had zoveel verdriet dat het haar ziek maakte. Ernstig ziek...'
'Zoals mazelen? Of roodvonk? Oom Steenie heeft dat gehad, vertelde hij.'
'Nee, niet zoiets. Sommige mensen zeiden dat het niet alleen Floss was. De doktoren, weet je. En je tante Maud. Maar nu ik terugkijk... Ja, Floss was haar beste vriend. Het begon allemaal op een dag in het park...'
Oom Freddie vertelde me toen het verhaal van Floss, dat inderdaad heel droevig was. Het toonde mijn peettante in een bijzonder sympathiek licht.
'En hoe werd ze weer beter? Kocht iemand een nieuwe hond voor haar?'
'Nee, nee. Het was Acland. Hij... hij had een lang gesprek met haar – en legde haar alles uit. Daarna was ze weer helemaal goed. In feite kreeg ze toen pas haar kans...'
Hij zweeg en keek of hij spijt had van wat hij zojuist had gezegd. Op dat moment kwam mevrouw O'Brien, zijn hulp, die ons ook al thee had gebracht, de kamer binnen. Ze was heel anders dan de bedienden op Winterscombe. Ze droeg pantoffels en een gebloemd schort. Nu schuifelde ze naar ons toe. Oom Freddie stond op. Hij scheen blij met de onderbreking.
'Jezus, Maria en Jozef – moet je jullie nou eens zien, zo in het donker.' De Tiffany lamp telde blijkbaar niet mee, want ze deed het bovenlicht aan.
In die gloed verdwenen de magische kleuren – en mijn peettante Constance verdween mee. Freddie praatte verder niet meer over haar.

Dertig jaar later deden anderen het wel. Toen ik eenmaal rondkeek, waren er nogal wat blijken van Constances ziekte en niet iedereen was het erover eens dat Floss de oorzaak was. Jane Conyngham bijvoorbeeld – die te hulp was geroepen – als verpleegster en vriendin – om de familiebijeenkomst over deze zaak in het voorjaar van 1915 bij te wonen, was voorzichtig.
De symptomen van Constance, schreef ze. *Weigering om te eten, snelle lichamelijke achteruitgang, slaapstoornissen, geen menstruatie. Kan dat alleen worden veroorzaakt door het verlies van een hond? Ik geloof dat de problemen van Constance veel dieper liggen. Maar haar laatste symptomen kunnen niet in gemengd gezelschap worden besproken, die zijn te pijnlijk. En ik werd overstemd*

door Maud, die een duidelijke diagnose had: angst voor de oorlog,
verergerd door de gebeurtenis in het park...

'De gebeurtenis in het park!' riep Maud in Gwens salon in Park Street tijdens die spoedbijeenkomst. 'Neem me niet kwalijk, Jane, je medische kennis is natuurlijk groter maar ik heb het gevoel dat je de zaak te gecompliceerd maakt. Het is volkomen duidelijk...'
'Nee, Jane heeft gelijk.' Steenie, die op de vensterbank had gezeten, sprong overeind. 'Het is niet alleen maar Floss, er is meer. In ieder geval komt de oorzaak er niet opaan. Ze wordt steeds zieker. Ze wil zelfs tegen mij niets meer zeggen, draait alleen haar gezicht naar de muur. En ze ziet er zo verschrikkelijk uit. Echt, vel over been. En dan die afschuwelijke zweren op haar huid...'
'Steenie, dat is genoeg. Je maakt je moeder overstuur. We weten het allemaal. Zelfs geen mus kan leven van wat zij naar binnen krijgt. Bouillon, wat droge toost – Gwen, we moeten een manier vinden om haar te laten eten.'
'We hebben het geprobeerd, Maud. Steenie heeft zo zijn best gedaan, heeft gisteren drie uur bij haar gezeten. Ze zei geen woord.'
'Ik geef de doktoren de schuld. Die laatste man was een doorgehaalde idioot. Om te praten over wegkwijnen! Die uitdrukking is verdwenen met mijn grootmoeder. Volgens mij is de oorlog de schuld. Die gebeurtenis in het park ook, maar voornamelijk de oorlog. We maken ons allemaal bezorgd – over onze vrienden, vooral over Boy. En Constance maakt zich ook zorgen – ze was altijd al zo op Boy gesteld, weet je wel. Ze schreef hem ellenlange brieven. Ik heb er zelf nog eens een voor haar op de bus gedaan – voor haar ziekte, natuurlijk. Nu...'
'Constance schrijft aan Boy?' Acland sprak nu voor het eerst.
'Natuurlijk, waarom niet?'
'Ik heb nooit gemerkt dat ze meer schreef dan een briefkaartje.'
'Dat bewijst mijn gelijk. Ze schreef Boy omdàt ze zich zorgen over hem maakte. Ik geloof dat ik de spijker op de kop heb getikt. Angst om Boy – nou, dat verklaart alles. Waar of niet? Acland? Freddie?'
Acland maakte een geërgerd gebaar, maar zei niets. Freddie tuurde naar de muur. Het noemen van Boy herinnerde hem aan de foto's. Hij voelde zich misselijk. Maud met haar retorische vragen ging door.
'Gwennie, schat, kijk niet zo bedroefd. Luister naar me. Ik denk dat we de mening van iemand anders nodig hebben. Die laatste kerel had een gezicht als een kerkhof! Nee, we moeten een homeo-

paat hebben. Maud Cunard heeft een uitstekende man aanbevolen, een Pool, geloof ik, of een Hongaar. In ieder geval was haar ischias een-twee-drie genezen. Moeten we hem er niet bij halen, Jane? Montague?'

Montague zat de krant te lezen. Nu keek hij rustig op.

'Misschien wel, liefje. Je kunt het allicht proberen.' Hij vouwde zijn krant dubbel. 'Kunt gij geen troost verschaffen aan een zieke geest?'

'Een zieke geest?' Maud gaf een gilletje.

'Het is maar een citaat.' Hij keerde terug naar zijn krant.

'Niet direct toepasselijk,' zei Maud gevat. 'Er is niets met Constances geest. En ik moet zeggen,' en ze keek streng de kamer rond, 'dat ik al die moderne ideeën niet vertrouw. Weense artsen? Ik geloof dat ze willen dat je je dromen opschrijft. Wat een onzin. Volgens mij zijn het kwakzalvers, allemaal. Een vriendin van Gertrude Arlington had het grootste vertrouwen in een van die kerels. Ze ging er driemaal per week naar toe – voor twaalf guineas per keer, stel je voor – en lag daar op een divan te praten! Ik heb nooit zoiets stoms gehoord. Als je dat nodig hebt, kan het ook voor niets. Je gaat gewoon theedrinken bij een vriendin en...'

Acland stond op. 'Zullen we ons bij het onderwerp houden?'

'Daar houd ik me bij, Acland. Ik dwaal nooit af...'

'Ik zou graag willen weten wat die nieuwe dokter zei, mamma.'

'De nieuwe dokter?' Gwen tuurde naar haar handen. 'Het was heel erg. Hij was zo streng. Hij zei... nou ja, hij zei dat als er aan het eind van de week nog geen verbetering was, er agressievere maatregelen moesten worden genomen. Als we haar niet kunnen overhalen om te eten – echt te eten – moeten we haar dwingen. Dan brengt hij een nieuwe verpleegster mee en wordt ze gedwongen gevoed.'

Er volgde een stilte. Toen stampte Steenie met zijn voet.

'Gedwongen eten? Walgelijk. Dat doen ze toch niet!'

'Natuurlijk niet.' Maud stond op. 'Dat zal Gwen nooit goed vinden. Denkt die man soms dat ons huis een gevangenis is?'

'Maud, hij zei dat het misschien moest. Als ze weigert om te eten, is dat de enige manier. Anders zou ze dood kunnen gaan – dat zei hij.'

'Dat kunt u niet doen, mamma – alstublieft.' Steenie was bijna in tranen. 'Dat mogen ze Constance niet aandoen. Het is verschrikkelijk. Ik heb erover gelezen. Je wordt vastgebonden en dan schuiven ze een slang in je keel. Ze nemen een trechter en...'

'Steenie, toe! Zo is het genoeg.' Maud keek hem woedend aan. 'We hoeven echt geen details te horen. Gwen, we moeten kalm zijn. Je bent nu over je toeren. Je denkt niet helder meer. Monty, heb je mijn vlugzout? Dank je. Laten we er nu eens verstandig over praten. Ik bel die homeopaat. Dat is het eerste wat ik zal doen. En vanavond kan Steenie haar misschien haar lievelingsschotel brengen... Misschien kan Freddie een poosje bij haar gaan zitten. En Acland – Acland, jij gaat bijna nooit naar haar toe. Ze zouden over gewone, gezellige dingen kunnen praten. Dan weet ik zeker – Freddie, waar ga je heen?'

Freddie, die het niet langer kon verdragen, was opgestaan. 'Ik moet er even uit. Een frisse neus halen.'

Acland stond ook op. 'Ik ga met je mee,' zei hij.

'Lopen of met de auto?' vroeg Acland op de trap.

'O, met de auto.'

'Met de jouwe of de mijne?'

'Met die van jou. Die gaat sneller.'

'Rond Londen, of naar buiten?'

'O God, naar buiten.'

'Vind ik ook,' zei Acland. 'Het huis uit, de stad uit. Schiet op, Freddie.'

In het straatje achter het huis, waar Denton eens zijn koetspaarden had, waren nu garages. In de eerste stond Dentons Rolls, in de tweede het cadeau dat Freddie voor zijn achttiende verjaardag had gehad, in de derde, enorm en prachtig, een beest van een auto: Aclands nieuwe aankoop: een rode Hispano-Suiza Alfonso. Freddie streek vol eerbied over de motorkap.

'Hoe snel?'

'Op de rechte weg zo'n negentig kilometer, misschien wel honderd. Zullen we het proberen?'

'Hè ja.'

Acland slingerde de motor aan die uit volle borst begon te brullen. Freddie keek naar zijn broer, naar zijn gesloten gezicht. Acland zag er ellendig uit. Toen ze het straatje hadden gehad, wachtte hij bij het kruispunt van Park Lane. 'Waar gaan we heen, Acland?'

'Zo snel mogelijk Londen uit. Doet er niet toe waar. Ergens. Goed?'

Hij gaf gas en reed naar het zuiden. Ergens aan de overkant van de rivier – Freddie had geen idee waar, want zijn kennis van Londen was beperkt tot Mayfair en de straten rond Hyde Park – ging Acland langzamer rijden.

'Ego is dood. Zijn moeder heeft vorige week een telegram gekregen.'

230

'O.' Freddie aarzelde. 'Wat erg, Acland.'

'Het kan gebeuren.'

'Is het dat, Acland? Ik wist dat je iets had. Ik zag het aan je gezicht.'

Acland gaf weer gas. Ze hadden nu de voorsteden bereikt, Freddie zag open land voor zich liggen.

'Ja, dat. En nog meer. Constance, bijvoorbeeld – vermoed ik. De oorlog. Alles. Ik houd het thuis niet meer uit, dat is het. Het is of er een sfeer van bederf hangt.' Hij ging over in een andere versnelling, de motor bromde en de wind floot in Freddies oren.

'Laat maar zitten. Laten we niet praten. Alleen rijden – snel.'

Ze reden tot in Kent, dacht Freddie, toen hij zag dat de huizen plaats maakten voor velden, de velden voor boomgaarden. Ze reden, en ze dachten.

Freddie dacht eerst aan Ego Farrell. Hij had hem een aardige vent gevonden maar hem weinig ontmoet – Farrell die zo stil leek, helemaal geen vriend voor Acland. Hij vroeg zich af hoe Farrell gesneuveld was, of hij was doodgeschoten, of het een bajonet was geweest, of een mijn of een granaat. Hij probeerde zich de oorlog voor te stellen, hoe het zou zijn, als die dokter tenminste niet gelogen had, als je naar de frontlinie moest, en de loopgraven en de modder. Freddie had zulke verhalen over de toestand in Frankrijk gehoord, hoewel Boy, als hij met verlof thuis was, heel weinig vertelde. Ook de andere officieren die Freddie in Londen ontmoette waren terughoudend. Hij las de kranten, de statistieken, maar de kranten schenen zich te concentreren op overwinningen: zelfs een terugtocht klonk als iets ordelijks, een tactiek.

Ze gebruikten nu gas – de Duitsers gebruikten gas, en Freddie had gehoord over de vreselijke verwondingen die mosterdgas veroorzaakte – maar toch bleef zijn idee van de oorlog onwerkelijk en vaag. Freddie hield zich voor dat dat kwam omdat hij een lafaard was. Een dubbele lafaard: een lafaard omdat hij zijn moeder niet trotseerde en in het leger ging, en een lafaard wat betreft Constance. Hij was de enige die wist wat er met haar aan de hand was. Hij wist dat het niet alleen om het incident in het park ging, zoals de rest van het gezin beweerde. Constances ziekte, haar zichtbare achteruitgang, werd veroorzaakt door haar vader en vooral door zijn dagboeken. Constance stierf aan het verleden, geloofde Freddie, en hij was te laf om het te zeggen. Hij kende die gedachten nu wel, iedere dag tolden ze rond door zijn hoofd in een lelijke warrige kluwen die hem hoofdpijn bezorgde en misselijk maakte. De dagboeken en Constance en de dingen die ze gedaan hadden, precies zoals ze in de dagboeken van Shawcross stonden – Freddie zag dat nu wel in. En zijn moeder. Freddie merkte, dat hij de aanraking van zijn moeder niet meer kon verdragen, dat hij het vermeed met haar te praten, dat hij zich onttrok aan een terloopse kus. Dat waren de dingen die hem ziek maakten, die Constance ziek maakten. Niet alleen de oorlog of wat er in het park was gebeurd, al droeg dat er misschien toe bij. Het verleden had hen vergiftigd, dacht hij, toen de auto de top van een heuvel had bereikt en naar beneden schoot. Nu had Constance een besluit genomen. Omdat ze het verleden niet kwijt kon raken, omdat er geen braakmiddel of vergif tegen was, dwong Constance zich tot sterven. Ze zou doorzetten en over een paar weken lukte het. Hij had nooit aan haar wilskracht getwijfeld.

'Was het Floss? Was het die geschiedenis in het park?'
Acland had de auto gestopt, ergens aan de kant van de weg, en nu liep hij met Freddie over een landweggetje langs een vallei tussen de schoonheid van de late lente: groene velden, schapen met pasgeboren lammeren, de geur van brandend hout uit een schoorsteen in de verte. Freddie aarzelde.
'Het schéén toen te beginnen,' zei hij omzichtig.
'Mogelijk, maar ik zou zeggen dat het al eerder begon. Het werd toen erger, dat is alles.'
'Maar ze huilde, Acland. Maud had gelijk. Ik had haar nog nooit zien huilen.'
'Ja. Ze huilde.' Acland bleef staan. Hij leunde tegen een hek, zijn ogen op de rivier in de verte. Maar Freddie zag alleen de ruimte van Hyde Park zo'n twee maanden geleden. Ze waren bij Maud gaan theedrinken, in het mooie huis dat Stern voor haar had gekocht, dat uitkeek over Hyde Park en de Serpentine. Zijn moeder was er, en Jane Conyngham, Steenie, Acland en Constance zelf.
Constance had Floss meegebracht. Het was een van de eerste mooie dagen van het jaar en iedereen leek in een vrolijke stemming. Gwen las hardop een brief van Boy voor, Maud vergastte hen op de laatste schandalen. Floss bedelde om lekkers op zo'n charmante manier dat niemand hem kon weerstaan.
Freddie, die het hondje cake voerde, voelde een nieuw, plezierig optimisme: toen Maud een wandeling door het park voorstelde, gaf Freddie zijn moeder een arm. Dit was voor het eerst in weken; zijn moeder keek naar hem op, ze zei niets maar glimlachte, en Freddie die wist hoe eenvoudig het was haar gelukkig te maken,

glimlachte ook. Hij hield van zijn moeder, wat er ook in het verleden gebeurd was. Hij hield van haar. Hij was uit de draaikolk.

Ze liepen door het park en bleven staan om een groep ruiters te bewonderen die over het ruiterpad langs de Serpentine draafden. Ze keken naar de roeiboten en de kinderen die aan het spelen waren. 'Wat lijkt de oorlog ver weg op zo'n dag,' zei Maud en Constance die een spelletje met Steenie deed, maakte Floss los van de lijn. Ze lachten om Floss die heen en weer rende, een gat groef en in het gras rolde. Steenie klom in een boom en scheurde zijn jasje. Maar toen ze terugliepen en bijna de hekken hadden bereikt, gebeurde het ongeluk.

De paarden en ruiters waar ze eerder naar hadden staan kijken, maakten nog een ronde door het park. Floss was achtergebleven om aan bomen te snuffelen. Toen de paarden hem bereikten, keek hij op, zag Constance aan de overkant van het ruiterpad en rende blaffend en kwispelstaartend naar haar toe.

Freddie betwijfelde het of de ruiters hem zagen. Het ene ogenblik rende hij naar Constance, het volgende raakte hij tussen de paardehoeven. Ze gooiden hem in de lucht, een bundeltje bont. Zwart, wit en bruin – het was of hij uit eigen wil een buiteling maakte. Zijn nieuwe prestatie – daar had hij er zoveel van. Hij was dood – zijn nek gebroken, zei Acland later – voor hij de grond raakte.

'Ze droeg hem de hele weg naar huis,' zei Freddie nu. 'Ze wilde hem niet loslaten. Weet je nog? Ze huilde. Ze maakte van die vreselijke snikkende geluiden. Ze zat met hem op haar schoot en streelde hem.'

Hij wendde zijn ogen af. Nog zag hij het moment duidelijk voor zich. Constance, in een paarse jurk, die Floss stijf vasthield, en de consternatie omdat niemand haar kon overhalen hem los te laten. 'Constance, kom mee,' zei Acland ten slotte, toen het avond werd. 'We gaan naar de tuin en daar begraven we hem.'

Constance scheen dit te accepteren. Freddie en Steenie gingen mee en aan het eind van de tuin, onder een sering die in knop zat, groeven Acland en Steenie het graf.

'Ik wil niet dat hij in die kale aarde ligt,' zei Constance toen ze klaar waren, 'ik wil niet dat er aarde in zijn ogen komt.'

Ze keek en klonk als een slaapwandelaarster. Ze legde Floss voorzichtig neer en aaide hem. Ze trok plukken gras uit de grond. Freddie die het ondraaglijk vond, wilde haar tegenhouden maar Acland pakte zijn arm.

'Laat haar.'

Constance vulde het graf met gras. Toen legde ze Floss erop. Maar tot Freddies schrik zakte ze op de grond. Ze tilde de kop van Floss op, streelde zijn snoet en maakte een vreselijk hoog, scherp geluid in haar keel. 'Toe Floss, ga niet dood. Ik weet dat je kunt ademen. Ik houd zo van je, lik mijn hand, Floss...'

'Constance, kom mee, ik zal je naar binnen brengen.' Acland knielde neer. Hij sloeg een arm om Constances middel en probeerde haar op te tillen, maar Constance duwde hem weg.

'Nee. Nee. Ik wil niet weg. Ik moet hem vasthouden...'

Acland tilde haar op. Constance vocht, trapte, trok aan zijn haar, wriemelde als een aal, haar gezicht vol strepen van tranen en modder. Acland pakte haar steviger beet. Zijn zachtmoedigheid verbaasde Freddie. Plotseling hield Constance zich stil. Ze bleef stijf in Aclands armen liggen toen hij haar het huis binnendroeg. Gwen bracht haar naar bed. De volgende dag bleef ze in bed en de dag daarna ook. Na die tijd kwam ze haar bed niet meer uit, dronk wat water maar at vrijwel niets. Eerst wilde ze alleen maar niet eten en toen – als om zichzelf nog strenger te straffen – sprak ze ook niet meer.

De laatste maal dat Freddie haar stem hoorde, was een week ervoor geweest. Freddie had haar magere pols gepakt, hij was hevig geagiteerd. Het was voor het eerst dat hij zich realiseerde dat Constance misschien niet meer beter werd.

'Constance, ik ga die dagboeken verbranden,' barstte hij uit. 'Zij hebben dit gedaan. Het was niet alleen maar Floss, hè? Het is hun schuld. Ik haat ze. O, Connie, alsjeblieft, houd hiermee op. Of was het mijn schuld? Was het wat we gedaan hebben? Alsjeblieft Connie, ik wil dat je beter wordt.'

'Dat zou ik ook wel willen,' zei Connie met een flauw glimlachje. Toen wendde ze haar gezicht af en de volgende keer dat Freddie bij haar kwam, zei ze niets.

Hij had toen al ontdekt dat haar bureautje op slot was en hij had de moed of het doorzettingsvermogen niet het slot open te breken en de dagboeken te pakken.

'Praat ze tegen jou?' vroeg hij nu. 'Tegen mij zegt ze geen woord. Misschien kan ze wel niet meer praten. Ik weet zelfs niet of ze nog wel kan zien. Acland, ze gaat dood.'

'Dat weet ik.'

Acland keek neer op Freddie. Freddie zag het haar van zijn broer, een helm van glanzend goud, hij zag de ogen van zijn broer, het ene oog van een lichter groen dan het andere. Het was niet gemakkelijk om tegen Acland te liegen. De drang om te spreken was groot,

maar zelfs nu nog aarzelde hij. Acland legde een hand op zijn arm.
'Vertel het me,' zei hij.
'Ik weet niet waar ik moet beginnen.'
'Begin bij het begin,' zei Acland en wendde zijn ogen af. Als de ideale biechtvader tuurde hij over de velden.
'Ja,' begon Freddie, 'het begon – het begon werkelijk – lang geleden. Ik ging naar boven naar mijn kamer.'
'Op Winterscombe?'
'Ja. Arthur had mijn avondkostuum klaargelegd. Er lag een snoepje op. Nee, geen snoepje, een van die *petits fours* die mamma altijd bestelt. Het was een appeltje van marsepein en...'
'Wanneer was dat?'
'Op de avond van de komeet, de nacht dat Shawcross stierf.'
'O, tóen. De nacht van het ongeluk.'
Iets in de stem van Acland deed Freddie schrikken.
'Waarom zeg je dat? Bedoel je dat je denkt dat het geen ongeluk was?'
'Het komt er niet op aan. Hier, neem een sigaret.'
Hij stak er voor hen beiden een op, zag dat Freddie verder wilde gaan en draaide zich weer om.
'Een marsepeinen appeltje,' zei hij. 'Ga door.'

'Steeds maar door.'
'Tot ze ziek werd?'
'Nee, daarvoor al. Nadat ze me de dagboeken had laten zien. Toen hield het op. Het is de schuld van de dagboeken, daar ben ik zeker van. Ze hebben bezit van haar genomen – als bacteriën. Toen namen ze mij in bezit. Begrijp je?'
'Ja, ik snap het.'
Freddie had lang gepraat. De hemel was eerst roze, toen grijs geworden, de velden in de verte waren nu onduidelijk, de schapen nauwelijks zichtbaar. Acland stond stil en hoewel Freddie in de schemer zijn gezicht niet kon zien, voelde hij de groeiende spanning in zijn broer.
'We gaan terug.' Hij pakte Freddies arm.
'Nu? Ik wil niet terug. Ik houd het er niet uit, Acland. Kunnen we hier niet blijven – tot later? Misschien kunnen we ergens iets drinken.'
'Nee, we gaan terug. Schiet op.'
Acland ging hem voor over het pad. Freddie struikelde in een poging hem bij te houden. Zijn schoenen gleden uit over het natte, modderige gras.

'Blijf van haar vandaan.'

Ze hadden de auto bereikt. Acland bleef staan.

'Freddie, blijf van haar vandaan. Ik zal niet zeggen dat je dit moet vergeten – kennelijk kun je zoiets als dit niet vergeten. Maar probeer ervan weg te komen. Probeer het je niet te laten raken.'

'Het is niet alleen Constance, niet alleen die afschuwelijke vader van haar – en de smerige dingen die hij schreef. Het is alles!' Freddie zakte tegen de auto. 'De oorlog, mamma. Die dokter naar wie ik toe moest. Ik denk dat hij gelogen heeft, Acland...'

'Waarom zou hij dat doen?'

'Ik denk dat mamma hem heeft overgehaald. Ze is als de dood dat ik in dienst ga.'

'Ik ben ervan overtuigd dat je het mis hebt.'

'Misschien. Misschien. Maar ik voel me zo nutteloos. Boy vecht. Jij hebt belangrijk werk.'

'Belangrijk werk? Dan heb je het mis.'

'Wel waar. Waarom klink je zo bitter. Zelfs Stern zei dat het van vitaal belang was. Ik zit maar thuis. Ik ga uit met Steenies vrienden – die allemaal jonger zijn dan ik. En die doen iets. Schilderen. Schrijven. Fotograferen. Dat is beter dan niets. Ik ben nutteloos.'

Freddies stem brak. Hij snoot luidruchtig zijn neus en vouwde zijn zakdoek met veel gebaren weer op. Acland sloeg een arm om zijn schouders. Hij boog zijn gezicht naar Freddie toe. Aclands ogen leken niet streng, al had hij het gevoel dat Acland boos was.

'Zoek iets. Er moet iets zijn waardoor je je nuttig voelt. Freddie, je hoeft niet te vechten. Niet iedereen moet vechten.' Hij opende het portier. 'Ik zal eens met Jane praten. Zoek haar op in het ziekenhuis. Ze kan je vast helpen. Ze hebben er mensen nodig: portiers, helpers, chauffeurs...'

'Chauffeurs?'

'Voor de ambulances. Kom, stap in.'

Acland slingerde de motor aan, gaf gas. De auto trilde, begon te brullen. Acland draaide hem met de neus naar Londen en gaf plankgas. Freddie had op de heenweg gedacht dat ze hard reden, op de terugweg ging het nog veel sneller. Een hoek schoot op hen af, toen een andere. De auto vrat de kilometers. Freddie tuurde voor zich uit in de vallende duisternis, heggen kwamen dichterbij. Hij vroeg Acland langzamer te rijden maar de wind nam zijn woorden mee over zijn schouder. Hij hield zich met twee handen aan zijn zitplaats vast, drukte zijn voeten op de vloer. De banden gierden. Een bocht versperde hun de weg, Freddie sloot de ogen. Hij was er zeker van dat hij zou sterven. Als het niet bij deze bocht was, dan bij de volgende. Een plotselinge botsing. Hij opende zijn ogen pas weer toen ze de voorsteden bereikten en Acland vaart moest minderen. De banden gierden toen ze het straatje achter hun huis binnenreden... Acland was de auto al uit en op weg naar huis voordat Freddie wist dat hij veilig was.

'Je bent boos.' Hij holde achter Acland aan en greep zijn mouw.

'Ja.' Acland bleef staan, keek naar de lucht en ademde diep.

'Op mij?'

'Nee, op haar. Om wat ze je heeft aangedaan – en om wat ze zichzelf wil aandoen. Ik ga nu naar haar toe. Dan kan ze zien... hoe boos ik ben.'

'Nu? Acland, dat kun je niet doen.'

'O jawel. Iedereen is uit. Ze zijn met Stern naar de opera. Er is niemand thuis – alleen Jenna en de verpleegster.'

'Acland, toe, doe het niet. Ze is ziek.'

'Dacht je dat ik dat niet wist?' Acland duwde Freddie opzij. 'Je hebt me zojuist verteld... hoe ziek ze is.'

Misschien had Constance liggen slapen of was ze in die toestand van versuffing die vaak voorkwam wanneer de tijd voorbijging zonder dat ze het merkte. In ieder geval hoorde ze Acland niet binnenkomen of op de rechte stoel bij haar bed gaan zitten. Toen ze haar ogen opende, duurde het even voor ze hem opmerkte. Ze keek naar de ramen; ze hield van de hemel erachter, de bewegende wolken. Ze hield van de geluiden op straat. Maar de laatste dagen waren die geluiden veraf en gedempt en het licht – dat veranderde ook. Het was niet langer helder, het raam scheen verder weg dan eerst, zelfs de gordijnen waren onduidelijk. Ze moest zich concentreren om de omtrek van de ramen of van de meubels in de kamer te zien. Het was bij haar opgekomen – gisteren? eergisteren? – dat ze blind werd, dat was toch wel een belangrijke ontwikkeling, dat ze blind werd? Maar de gedachte verdween, dreef weg. *Misschien ga ik nu dood*, dacht ze een uur later, of een dag later en even had ze dat idee groot en helder voor ogen, alsof ze in de zon staarde, toen keerde de duisternis weer terug. Die was vredig.

Die avond, die veelbetekenende avond, opende ze haar ogen. Ze wendde ze naar de kant van de ramen en zag... viooltjes. Niet de vorm van de bloemen maar hun kleur en hun geur. Ze zag de kleuren, van bleek, doorzichtig grijs via lavendel naar donkerpaars. Die aanblik, die geur – van vocht en aarde, waren zo verrukkelijk dat ze een kreet slaakte, en het geluid krulde van haar vandaan, als metaal en rook.

'Voel maar.'

Toen Acland sprak – en ze wist ogenblikkelijk dat het Acland was – scheen zijn stem haar zeer luid toe, zo luid dat ze er zeker van was dat ze droomde. Maar hij zei het weer, dus misschien was het geen droom. Toen – wat duurde dat lang, alsof ze de wereld zag ronddraaien – bewoog ze haar hoofd op het kussen en zag hem, verderaf, dichterbij, zijn magere gezicht strak op haar gevestigd. Hij hield iets in zijn handen, hij sloeg een arm om haar schouders en hief haar op. Het waren viooltjes, een heel bosje. Acland had ze uit een vaas op de toilettafel gehaald, maar dat wist Constance niet. Het verbaasde haar dat ze er waren, dat ze niet blind was. Ze wilde ze aanraken, maar haar hand was te zwaar om op te tillen.

'Ruik maar. Kijk.'

Acland hield de bloemen bij haar gezicht zodat de blaadjes haar huid raakten. Ze zag dat iedere bloem een oog had dat haar aankeek. De geur van aarde was overweldigend. Acland greep haar bij de pols.

'Het is tijd voor je Veronal, maar die geef ik je niet. Drink dit liever, het is gewoon water. Langzaam.'

Hij hield het glas aan haar lippen en omdat haar mond zo onhandig deed, morste ze. Acland depte het niet weg, zoals de verpleegster of Jenna deed. Hij zette het glas neer en keek haar aan.

Misschien was het het gevolg van het water of van de kou op haar huid, maar Constance merkte dat ze hem kon zien. Ze zag hoe zijn haar krulde tegen zijn voorhoofd, ze zag de dunne hoge neusbrug, zijn bleke gezicht. Ze zag dat zijn ogen haar opnamen met een strenge blik.

'Kun je me zien?'

Constance knikte.

'Wat voor kleur heeft mijn jasje?'

'Zwart.'

Het duurde lang voordat ze het woord had uitgesproken. Toen ze dacht dat ze het eindelijk gezegd had, wist ze niet meer of het waar was. Acland knikte, stond op en kwam terug met een handspiegel.

'Ga zitten.'

Weer tilde hij haar op en zette haar tegen de kussens. Toen deed hij iets verbazingwekkends. Hij hield de spiegel voor haar gezicht, hoewel spiegels verboden waren, al weken. Jenna had een sjaal voor de grote spiegel gehangen.

'Kijk. Kun je zien? Kijk naar jezelf, Constance.'

Constance keek. Eerst was het oppervlak van de spiegel mistig, als de binnenkant van een schelp, maar ze wilde Acland gehoorzamen, dus staarde ze, en staarde weer. Ze knipperde met haar ogen. Toen zag ze een gezicht.

Dat gezicht schokte haar, ze kende het niet. Het was askleurig, de beenderen waren scherp afgetekend, er waren zweren om de mond, de ogen waren ingezonken, met donkere kringen. Ze bekeek het gezicht onzeker en haar handen bewogen zoals ze nu deden, vanzelf, heen en weer, met plukkende bewegingen over de koelte van de lakens.

Acland legde de spiegel neer en pakte een van die handen. Die hield hij voor haar gezicht, met de pols tussen zijn vingers.

'Zie je hoe mager je bent? Je polsen lijken wel luciferhoutjes. Ik zou ze zo kunnen breken.'

Het scheen Acland boos te maken, dus bekeek Constance haar polsen. Ze veronderstelde dat ze er vreselijk uitzagen, lelijk en benig. Zo waren ze gisteren toch nog niet? Ze fronste en merkte dat ze niet alleen haar polsen zag, maar ook haar handen en Aclands handen en het frisse witte linnen van de lakens, en de sprei die rood was, en de stoel waar Acland op zat, die van een zwart soort hout was en bewerkt.

'Ik wil je uit dat bed.'

Acland trok de dekens weg. 'Ik weet wel dat je niet kunt lopen, dat hoeft ook niet. Ik til je op.'

De plotselinge beweging maakte haar duizelig. De kamer tolde rond en Constance voelde hoe haar handen in het rond grepen.

Hij nam haar mee naar het raam. Toen ze het bereikten, slaakte Constance even een kreet, want het was open. Hij nam haar mee naar het ijzeren balkonnetje. Die lucht! Ze voelde het lichte ervan, die haar longen vulde en haar geest helderder maakte. Ze keek om zich heen: de vormen van huizen en wolken, het gesuis van het verkeer, de hemel stortte op haar neer.

'Het regent.'

'Ja, het regent hard, misschien gaat het onweren. Je voelt het in de lucht. Voel je de regen? Voel je die op je gezicht?'

'Ja,' antwoordde Constance.

Ze liet haar hoofd weer tegen Aclands schouder vallen. Ze liet de regen haar huid schoonwassen. Ze sloot haar ogen, voelde het prikken van de regendruppels op haar wangen, haar mond. Eerst genoot ze ervan. Toen drong de regen door haar nachtjapon, die kil tegen haar huid lag.

'Breng me weer binnen,' hoorde ze zichzelf zeggen. Haar stem verbaasde haar, die klonk als haar oude stem, alleen een beetje gebarsten. Acland bewoog zich niet, dus herhaalde ze haar vraag. 'Breng me binnen, Acland.'

'Nee.' Op dat moment begreep Constance dat hij boos was – bozer dan ze hem ooit had gezien.

'Kun je horen wat ik zeg, Constance? Begrijp je het?'

'Ja,' begon Constance, maar voor ze verder iets kon zeggen, rammelde Acland haar zo door elkaar dat ze dacht dat al haar botten bewogen.

'Luister dan en herinner je wat ik zeg. Je vermoordt jezelf. Je schijnt te verwachten dat iedereen om je heen staat en je je gang laat gaan. Ik doe dat niet – hoor je? Dus je moet kiezen – nu. Of je gaat naar binnen en begint te leven of ik laat je gewoon los. Ik sta hier tegen de balustrade en laat je los. Dat is veel sneller en minder pijnlijk dan jezelf doodhongeren. Op deze manier is het in een tel gebeurd. Twaalf meter naar beneden. Je zult niets voelen. Beslis nu maar. Wat wil je?'

Onder het spreken liep Acland verder en Constance voelde het ijzer van de balustrade tegen haar voeten. Ze keek omlaag, zag de straat beneden, eerst op en neer gaand, toen duidelijk. Minstens twaalf meter.

'Dat doe je niet.'

'Misschien niet. Misschien ben ik daar niet hard genoeg voor, al zou ik het graag willen. Goed, je moet zelf maar kiezen. Ik zet je op de grond. De balustrade is laag, als je je een klein beetje naar voren buigt, val je er overheen. Daar.'

Acland zette haar neer. De tegels waren koud onder haar voeten. Haar knieën knikten.

'Houd je vast aan de balkonrand. Zo. Je kunt het best. Laat me los.'

Acland trok haar handen van zijn jasje.

Constance zwaaide tegen de balkonrand, probeerde die te grijpen, miste en slaagde er toen in. Acland stond achter haar. Was hij dichtbij – of was hij weggelopen? Toen hij sprak, klonk zijn stem uit de verte. Constance keek omlaag, de straat wenkte.

'Beslis nu.'

Hij was ver weg. Constance hoorde zijn stem nauwelijks. Ze kon toch springen en misschien had Acland gelijk en wilde ze dat werkelijk. Ze hoefde alleen maar even voorover te buigen. Dan was het gedaan met de zwarte schriften, de zwarte dromen, de zwarte wormen die in die dromen aan haar hart knaagden. Gemakkelijk!

Constance boog het hoofd. Ze keek neer op de straat, die nog wenkte maar met minder aantrekkingskracht dan eerst. Hoe zou het voelen, hoe zou ze eruitzien, verbrijzeld op dat trottoir, als een eierschaal. Alles voorbij. Het was misschien gemakkelijk zo naar de dood te glijden, maar om erin te springen was iets heel anders. Ze hief haar gezicht naar de regen, ze snoof de stadslucht op. Ze snoof aan de toekomst – er was toch nog toekomst mogelijk. Als ze kon sterven omdat ze dat wilde, kon ze ook leven omdat ze dat wilde, jaren in de toekomst. Ze zag dat de toekomst ook kon wenken, want hij was geheim en onbekend en daarom bezaaid met alle mogelijke heerlijkheden. Loslaten of doorgaan. Speculeer erop en ga door: ze kon die woorden duidelijk horen. Toen, precies op het moment dat ze vond dat ze een goed advies had gekregen, gleden haar handen van de balkonrand, de straat vloog op haar af met een snelheid die haar hoofd deed suizen. Ze dacht dat ze riep. Aclands armen waren om haar heen. Hij was veel dichterbij dan ze dacht. In de verte weerlichtte het. Onweer. Acland draaide haar naar zich toe en bekeek haar gezicht. Hij keek verwonderd, alsof er iets met hem gebeurde dat hij niet verwelkomde of begreep. Hij keek of hij een onzichtbare klap had gehad. Er trok een uitdrukking van afkeer over zijn gezicht, zijn lippen klemden zich geërgerd op elkaar. Met een kalme, vermoeide stem zei hij: 'Constance. Kom mee naar binnen.'

'Ik kan niet veranderen,' zei Constance later die avond tegen hem. Ze had iets gegeten. Ze voelde zich als nieuw. Sterker. 'Ik kan niet helemaal veranderen, dat weet je, Acland?' Acland had haar hand vastgehouden.
'Ik heb je niet gevraagd om te veranderen. Je bent die je bent.' Hij zweeg even. 'Was het Floss? Was het het ongeluk?'
'Nee, dat niet alleen. Nee.'
'Freddie dan? De dagboeken van je vader?'
'Heb je met Freddie gesproken?'
'Ja. Vanavond.'
'Vertelde hij je wat ik gedaan heb? Wat we gedaan hebben?'
'Sommige dingen. Ik veronderstel dat hij iets heeft overgeslagen.'
'Ik verontschuldig me niet. Ik vraag niet om vergeving.' Constance begon snel te spreken, haar handen bewogen heen en weer. 'Nu weet je wat voor iemand ik ben. Je kent me op mijn slechtst. Ik denk dat het geen verrassing voor je was. Ik denk dat het gewoon alles bevestigde wat je ooit had gedacht. Je hebt me nooit gemogen, Acland.'
'Ik had inderdaad een geweldige hekel aan je.'
'Mooi – je had dus gelijk. Daar zullen we niet over twisten. Ik heb vaak een hekel aan mijzelf. Ik haat mijzelf dikwijls.'
'Heb je jezelf daarom gestraft?'

'Gestraft?' Zijn toon stak haar, wat wellicht de bedoeling was.

'Je was van plan te sterven. Je had je erop gespitst. Dat lijkt op een soort straf.'

'Misschien was het dat wel. Misschien...' begon Constance weer, nu langzamer. 'Ik vond mijzelf niet aardig, ik vond dat ik mensen kwetste. Ik kan het niet uitleggen en ik ben niet altijd zo. Soms heb ik het gevoel dat ik goed zou kunnen zijn – in ieder geval beter – maar dan gebeurt er iets. Ik verander en moet kwaad doen. Mijn vader zei altijd...'

'Wat zei je vader?'

'Niets, het komt er niet op aan.'

'Je moet je vader vergeten. Je moet... hem uit je gedachten snijden.'

'Ik ben de dochter van mijn vader.' Constances handen schoven heen en weer over de lakens. Het leek of ze koorts had. Acland legde zijn hand tegen haar voorhoofd, dat inderdaad heet aanvoelde. Bij zijn aanraking sloot ze de ogen. Ze moet rusten, dacht Acland, ze moet slapen. Hij liep de kamer op en neer. Na een poosje, toen Constances ademhaling regelmatig werd, liep Acland naar het raam. Hij wilde eigenlijk niet weg.

Freddies verslag had hem geschokt, al probeerde hij het te verbergen. Ook was hij geschokt door wat Freddie volgens hem had weggelaten. Acland merkte dat juist die hiaten hem bezighielden. Hij probeerde zich te concentreren op wat Freddie hem had verteld, op de dagboeken die Shawcross had bijgehouden, het feit dat Constance en Freddie ze hadden gelezen en Freddie wist van de liefdesverhouding van zijn moeder, het feit dat Constance op de een of andere manier zijn broer had verleid.

'Ze wilde altijd naar plaatsen waar wij betrapt konden worden,' zei Freddie, 'de studeerkamer van je vader en zo. We gingen zelfs een keer naar jouw kamer.'

'Mijn kamer?'

'Naar ieders kamer, behalve naar die van onszelf. En dan raakte ze mij aan en ik raakte haar aan. Je weet wel, Acland.'

Acland stond voor het raam en keek naar het voorbijtrekkende onweer. Mijn kamer, dacht hij.

Constance sliep nog, ze had een kleur, haar haar lag verward op het kussen. Ze was nog een kind, maar Acland wist dat dat niet waar was. Ze was nooit een kind geweest, zelfs niet toen hij haar leerde kennen. Haar ogen waren uitdagend, waakzaam, alsof ze verwachtte te worden gekwetst. Ze was van haar jeugd beroofd. Acland liep naar het bed. Constance riep, ze droomde, ze worstelde met de lakens. Ze trok aan de linten van haar nachtjapon. Weer riep ze. Haar ogen waren gesloten en haar adem kwam snel. Ze had de lakens opzij getrapt, haar nachtjapon omhoog getrokken. Ze lag erbij alsof een man met haar aan het vrijen was geweest, haar armen uitgespreid, haar haar verward. Eén been was bedekt, het andere bloot. Hij zag haar dij, het donkere schaamhaar door de dunne nachtjapon heen. Haar linkerborst was bloot. Dat dit kind borsten had ondanks haar magerte maakte dat Acland de nachtjapon over haar heen wilde trekken. Constance bewoog. Haar hand sloot zich over de zijne.

'Streel me,' zei ze met gesloten ogen. 'O ja, streel me.'

Hij voelde haar borst tegen zijn hand, voelde de punt van haar tepel. Constance rilde. Acland trok zijn hand terug. Ze opende haar ogen en duwde haar haar weg. Haar ogen waren groot en leeg. Toen wist ze alles weer.

'O Acland. Jij bent het. Ik had zo'n nare droom. Afschuwelijk. Houd mijn hand vast. Alsjeblieft. Nu voel ik me weer beter. Ga niet weg, Acland. Praat een beetje met me.'

'Waar zullen we over praten?'

Acland was op zijn hoede, aarzelde maar ging toch bij haar bed zitten.

'Het doet er niet toe. Ik wil gewoon je stem graag horen. Waar is iedereen?'

'Naar de opera, met Stern. Ze komen zo terug. De verpleegster, Jenna. Als je hen nodig hebt...'

'Nee. Die verpleegster is zo streng. En Jenna zeurt zo. Wat heb ik lang geslapen. Is ze al met Hennessy getrouwd?'

'Nog niet. Rust nu maar, Constance. Hennessy zit in Frankrijk – in het leger, weet je wel? Ze zullen na de oorlog wel trouwen.'

'Laten we niet over hen praten. Ik haat Hennessy. Altijd al. Hij maakte kevers dood, trok hun pootjes uit, sloot ze op in een doos. Hij liet het me eens zien toen ik nog klein was...'

'Constance, vergeet Hennessy nu maar.'

'Hij is achterlijk – een beetje. Dat zegt Cattermole. Maar ik geloof het niet. Ik geloof dat hij slim is. Slim en gemeen. Zo enorm. Vindt Jenna hem knap, denk je? Dat is hij misschien wel. Een soort eik. Maar hij vermoordde kevers. En vlinders. En spinnen. En mijn vader. Ik dacht altijd...'

'Constance, houd op. Je moet niet praten. Je hebt koorts. Blijf liggen.'

'Heb ik koorts? Heb ik een heet voorhoofd?'

Ze worstelde tegen de kussens. Acland, die bang werd, vroeg zich af of hij de verpleegster niet moest roepen. Haar voorhoofd was droog en warm.

'Zie je? Geen koorts. Helemaal niet.'

Ze zakte terug in de kussens en bleef hem aankijken.

'Nu geloof ik dat niet, maar toen was ik nog jonger. Nu vraag ik me alleen af wie die Purdey geweren heeft meegenomen.'

'Wat?'

'Die geweren van Francis. Ze waren weg. Francis vertelde het me. Hij kan natuurlijk gelogen hebben, hij kan ze ook zelf hebben weggenomen.'

'Constance, ik ga de zuster halen.'

'Weet jij dan niets van die geweren, Acland? Ik dacht van wel. Of je vader misschien. Laat de zuster maar. Ik moet je iets vreselijks vertellen.'

'Constance.'

'Mijn vader en jouw moeder waren minnaars. Jarenlang. Zelfs Francis ontdekte het ten slotte. Hij zag hen op die bewuste dag. Je moeder, die de kamer van mijn vader binnenging. Francis had iets verloren. Wat ook weer? Iets wat hij nodig had voor zijn fototoestel, dat was het! Hij ging terug en zij deed juist de deur van de Koninklijke Slaapkamer achter zich dicht. Francis moest erom huilen.'

'Blijf nu stil liggen.'

'En Freddie. Allebei huilden ze tranen met tuiten. Heb jij gehuild, Acland? Maar jij wist het al, dat was ik vergeten. Mijn hoofd doet zo'n pijn. Houd mijn hand vast, Acland. Heel stevig. Zie je, ik ben weer kalm...'

'Constance, je moet het vergeten. Het is al vijf jaar geleden.'

'Acland, wil je me iets vertellen? Eén ding? Die nacht – dat hij stierf, waar was jij toen, Acland?'

'Ik zal wel op het feest zijn geweest.'

'Maar later. Francis zei dat hij je zocht, omdat hij niet kon slapen. Hij wilde met je praten en kon je niet vinden. Je was niet op je kamer...'

'Zegt Boy dat?'

'Hij zei het een keer.'

'Hij had me niet kunnen vinden. Ik was met... iemand anders.'

'Met Jenna?'

'Ja. Zullen we het hier maar bij laten?'

'De hele nacht?'

'Ja. Het werd al dag toen ik wegging. Ik ben niet naar bed geweest.'

Constance zuchtte diep, alle spanning en angst trokken weg uit haar gezicht. Ze zakte weer in de kussens.

'Zie je? Nu heb ik weer rust. Ik wist dat je dat kon. Ik was zo bang.'

'Constance.'

'Nee echt, ik had het gevoel of ik een zware last op mijn schouders had. Nu is die weg. Jij hebt me genezen, Acland. Tweemaal. Eerst op het balkon en nu hier. Dat vergeet ik nooit meer – mijn leven lang niet.' Ze zweeg en pakte zijn hand weer.

'Blijf nog wat. Praat met me over gewone dingen. Dan val ik wel in slaap. Vertel me over je werk. Waar je heengaat. Je vrienden. Ga niet weg.'

Acland aarzelde. Zijn instinct zei hem de verpleegster te halen en de kamer uit te gaan, maar Constance hield hem vast. Hij wilde weg maar ook niet. Hij keek de kamer rond en merkte dat die hem kalmeerde. De stilte van de ziekenkamer, de warmte van het vuur, het rood van de sprei. Constance bleef hem rustig aankijken. Een vreemde avond, dacht hij, een avond buiten de tijd, apart van de rest van zijn leven.

'Goed dan. Mijn werk. Buitengewoon saai. Papieren. Ik lees rapporten en schrijf rapporten. Ik stel nota's op, woon vergaderingen bij. Ik ben toegewezen aan de Servische afdeling, en hoe meer ik over de gebeurtenissen daar te weten kom, hoe minder ik ervan begrijp. Ik heb twee houten bladen, een aan de rechterkant van mijn bureau, een aan de linkerkant, en aan het eind van de dag moet ik alles wat links lag, rechts hebben neergelegd. Dat is mijn werk. Iedere dag.'

'Neem je ook besluiten?'

'Besluiten? De eerste tien jaar nog niet. Nee, ik doe aanbevelingen – die dan genegeerd worden.'

'Je houdt er niet van?'

'Nee, ik houd er niet van.'

'Wat zou je het liefst willen doen?'

'Wist ik dat maar. Ik heb nooit geleerd om iets te doen. Alleen om Grieks en Latijn en filosofie te studeren. En nu leer ik een soort plaats in de wereld in te nemen, een belangrijke plaats, neem ik aan. Dat verwachten ze. Maar het interesseert me niet zo.'

'Waarom niet?'

'Omdat het zo voorspelbaar is, veronderstel ik. Kijk nu eens naar ons. Boy komt terug uit de oorlog. Op een dag erft hij Winterscombe. Ze vinden wel een geschikte baan voor Freddie, net zoals ze er een voor mij hebben gevonden. Steenie ontsnapt misschien – maar verder?' Acland zweeg.

Het verbaasde hem dat hij dat allemaal zei. Hij had er nooit met iemand over gesproken, zelfs niet met zijn vriend Ego Farrell. Acland keek neer op zijn handen, smal en bleek, met een zachte huid: de handen van een heer.

'Ik heb de wil niet.' Dit verbaasde hem, want het was zijn gewoonte niet zijn zwakheden op te biechten. 'We kregen allemaal te veel, misschien is het dat. Te veel, te snel, te gemakkelijk. We leerden nooit om te vechten.'

'Je zou kunnen vechten.' Ze pakte zijn handen. 'Dat zou je kunnen, Acland. Je zou overal heen kunnen, alles doen wat je wilde. Kijk maar naar mij. Ik zie het in je ogen. Ik herken het. Ik herkende het altijd al...'

'Constance, je bent moe.'

'Doe niet zo beschermend. Je hebt het in je, net als ik. We lijken op elkaar. Je bent niet goedig en zwak, evenmin als ik. Je bent geen echte christen, Acland.' Ze lachte. 'Je bent net als ik. Een heiden.'

'Onzin.' Acland lachte ook, telde af op zijn vingers: 'Gedoopt. Kerk van Engeland. Bevestigd. Eton en Balliol. Zoon van een rechtse Toryland-edelman. De fantasie in mijn familie is al jaren geleden uitgestorven. Zodra ze rijk werden. Over een paar jaar, Constance – ik weet niet precies wanneer – kijk je me in de ogen en weet je wat je dan ziet? Zelfgenoegzaamheid. Het *sang-froid* van de Engelsman. Dat heb ik dan vervolmaakt, want er zijn drie generaties nodig om zover te komen – misschien wel tien...'

'Je liegt.' Constance hield haar ogen op zijn gezicht gevestigd. 'Je liegt – en je laat iets weg. Wat? Er is iets, hè, wat je me niet hebt verteld.'

'Ik heb dienst genomen.' Hij trok zijn handen weg. Er volgde een stilte.

'O ja?' zei Constance ten slotte. 'Wanneer?'

'Drie dagen geleden.'

'Welk regiment?'

'De *Gloucester Rifles*.'

'Ego Farrells regiment?'

'Ja. Ego is dood.'

'O.' Constance ademde diep. 'En jij wilt hem vervangen?'

'Tot op zekere hoogte. Ik heb het gevoel dat ik hem iets verschuldigd ben. Niemand weet het nog. Ik zal het vanavond zeggen, of morgen. In ieder geval word ik eerst getraind. Ik moet leren doden. Ze sturen me naar een officiers-trainingskamp.'

'Doe de gordijnen eens open, Acland.'

'Je moet nu gaan rusten.'

'Zo dadelijk. Maar blijf nog vijf minuten. Het regent weer, geloof ik. Ik hoor de regen. Doe de gordijnen open, alleen om te kijken.'
Acland aarzelde, toen deed hij wat ze vroeg.
'Doe de lamp ook even uit. Kijk, er is een maan.'
Acland draaide zich om. Hij keek door de schaduwen van de kamer naar de maan die bijna vol was en naar de wolken die er voor langs vlogen. Terwijl hij zo tuurde zag hij niet alleen de maan en de wolken maar ook gedachten, mogelijkheden, fantasieën: Ze schoten vormloos door zijn hoofd: de glimp van een maan, een ziek meisje dat per se had willen sterven.
Hij bleef stil naar het raam staan kijken, maar was zich steeds bewust van Constances nabijheid. Hij voelde haar hand een paar centimeter van de zijne, alsof hij die aanraakte, haar hand, haar huid, haar ogen. Op hetzelfde moment keken ze elkaar aan.
'Acland, wil je me vasthouden? Even maar. Wil je?'
Constance hief haar armen. Acland boog zich.
Het was een vreemde omhelzing, hoewel hij zich niet bewust was dat hij bewoog. Het ene ogenblik stond hij stil naast het bed, het volgende voelde hij de magerte van Constance tegen zich aan. Hij kon ieder bot in haar ribbenkast voelen, de harde knobbels van haar wervels tellen. Hij voelde de warmte van haar gezicht tegen zijn hals. Haar haar, slap door de ziekte, voelde vochtig, wat vettig tegen zijn huid. Hij hield een lok van dat haar tussen zijn vingers, zoals hij eens eerder had gedaan, maar ditmaal drukte hij die tegen zijn lippen. Constance was de eerste die zich terugtrok. Haar handen grepen hem beet, zodat hij gedwongen was haar aan te kijken. Haar stem klonk emotioneel.
'Geen verklaringen. Geen repercussies of beloften. Alleen dit. Alleen deze ene keer, dit ene samenzijn. Ik heb altijd geweten dat het bestond. Jij wist het ook – die dag bij het meer, toen wist je het. Wist je het echt? Nee, geef geen antwoord.' Ze drukte een magere hand tegen zijn lippen. 'Geen antwoord. Ik wil geen antwoord en geen vragen. Alleen dit. Dit heb ik nodig – om me kracht te geven.'
Ze brak af. Ze streek over zijn haar, toen over zijn gezicht, zijn ogen. Ze bedekte zijn ogen met haar hand en toen ze die weghaalde, zag Acland dat ze glimlachte.
'Later zul je zeggen dat het mijn ziekte was. Dat is best voor later. Maar nu moet je het niet geloven. Ik wil niet dat je het nu gelooft. Ik heb geen koorts, ik ben nooit kalmer geweest. Ga maar – over een minuut – maar eerst moet je me iets beloven.'
'Wat beloven?'
'Beloof me dat je niet doodgaat.'

'Het is nogal moeilijk... iemand zoiets te beloven.'
'Lach niet. Ik meen het. Ik wil dat je het zweert. Leg je hand tegen de mijne. Zo. Beloof het nu.'
'Waarom?'
'Omdat ik wil weten dat je leeft. Dat je er bent. Zelfs als we elkaar nooit meer zien. Hoeveel tijd er ook voorbijgaat, hoe we ook veranderen, ik wil weten dat je er bent, ergens. Het is belangrijk. Beloof het.'
'Goed. Ik beloof het.'

Hij liep naar de deur. Een eigenaardige belofte, een vreemde band. Net als eerder had Acland het gevoel of hij een of andere onzichtbare scheidslijn was gepasseerd, een tijd uit de tijd, door een spiegel was gestapt.
Hij opende de deur. Constance had de ogen gesloten, haar ademhaling was regelmatig. Hij wenste haar welterusten maar kreeg geen antwoord. Hij bleef even onzeker staan. Een klok tikte.
Op de overloop kwam hij langs de kamer van de verpleegster. De deur stond half open en ze zat te slapen in haar stoel. Hij liep verder, naar het trappenhuis, en keek omlaag. Onder aan de trappen wachtte de gewone wereld, een gezin dat terugkeerde van de opera, de verklaring dat hij dienst had genomen. Hij zou beneden op hen moeten wachten maar voelde er niet voor de schaduwen van de overloop te verlaten. Hij was er nog niet klaar voor, voelde zich als een duiker die diep in de oceaan was geweest en moest wachten tot hij weer normale lucht kon inademen. Hij voelde een vage geestelijke en lichamelijke behoefte. Even later begreep hij dat het de behoefte was aan een vrouw. Hij keerde terug en liep zacht naar Jenna's kamer. Ook haar deur stond op een kier. Ze zat met haar rug naar hem toe, aan een tafel te schrijven. De gang was vol gefluister.
Heb je met haar geslapen, Freddie?
Nee, dat wilde ze niet. Alles, maar dat niet.
Alles? Ze hield van de aanraking. Ze wilde kijken. Soms...
Soms wat?
Ze houdt van de duisternis. Ze houdt van spiegels. Ze gebruikt woorden...
Wat voor woorden?
Die woorden. Woorden die vrouwen niet gebruiken. Ze leerde ze uit de dagboeken...
Ik begrijp het niet. Verzin je het soms?
Nee. O, ze zal alles doen wat je maar verzinnen kunt. Ze maakt me bang.

248

Acland opende zijn ogen. Hij keek de verlichte kamer binnen. De pen kraste over het papier. De lucht was vol van Constance. Ze achtervolgde hem de gang in, ze wenkte hem. Een tafel, een stoel, een bed, een vrouw. Constance wachtte daar. Hij rook haar haar en haar huid. Hij kon zijn hand tussen haar dijen brengen. Hij kon haar borsten strelen. Met haar kleine hand, vol goedkope ringen, raakte ze hem aan zoals een vrouw zou doen. Haar hand streek langs zijn dij, ze maakte zijn penis stijf. Dat deed Constance – bij iemand anders. Hij duwde de deur open. Jenna schrok, draaide zich om, schoof haar stoel achteruit.

'Wat is er? Heeft ze weer koorts? Ik kom al...'

Acland sloot de deur. 'Constance slaapt. Ik kwam voor jou.'

Jenna verstrakte.

'Ik zat aan Jack te schrijven. Ik ben hem een brief schuldig. Wat is er?'

'Niets. Er is niets.'

'Je ziet zo bleek.'

'Ik ben bij Constance geweest. Ik ga in dienst. Dat wilde ik je vertellen. Ik denk dat ik je wilde vertellen...'

'Sst.' Jenna kwam naar hem toe. 'Zachtjes. Anders hoort de zuster ons.'

Haar lippen bewogen. Ze zei iets en Acland kon een paar woorden verstaan, maar hoe dichter ze naderde, des te verder weg scheen ze te zijn. Ze leek klein, een figuur op een perron, terwijl hij rende om een stoomtrein te halen, een trein voor troepentransporten. Naar de oorlog. De kamer was ook klein, alle details waren scherp, vol betekenis en toch zonder betekenis, alsof hij ernaar keek door het verkeerde eind van een telescoop. Een stoel, een tafel, een bed en een vrouw. De vrouw begon hem te strelen en hij wilde seks, dat was de manier om weer adem te krijgen. Constance, seks, oorlog. Zo was de volgorde.

'Kijk me aan, Acland.' Ze had zijn hand gepakt. 'Ik weet waarom je bent gekomen. Het kan. Als je wilt kan het.'

Ze fluisterde en trok hem naar het bed. Maar *ze wilde naar plaatsen waar we betrapt konden worden. Jouw kamer, Acland.*

Acland draaide zich om en opende de deur. Hij liet die op een kier staan. Jenna's ogen waren groot. Toen ze fluisterend protesteerde, legde hij een vinger op haar mond. De kamer zuchtte een toestemming. Het was goed.

Terwijl hij naar het bed liep en naar een vrouw – die misschien had gehuild – dacht Acland: *Jouw beurt om toe te kijken, Constance. Ik zal je laten zien hoe je neukt.*

De volgende dag of de volgende week – er was geen datum – schreef Constance dit in haar dagboek:
Drie feiten:
1) *De avond dat Acland in mijn kamer kwam, vertelde hij me één leugen. Een grote leugen. Interessant.*
2) *Hij ging van mij naar Jenna. Dat is best. Ik mag haar graag. Ze kan mijn plaatsvervangster zijn.*
3) *Hij gaat naar de oorlog. Toen Gwen het hoorde, viel ze flauw.*

Gwen huilde, vleide, smeekte. Acland was onvermurwbaar, zijn besluit stond vast. Gwen gaf toe, ze had nooit lang weerstand kunnen bieden.
Toen Acland eenmaal naar het trainingskamp was vertrokken, deed Gwen alles om zijn overleven te bewerkstelligen. Ze had al technieken geleerd door Boys afwezigheid, nu verdubbelde ze die. Ze geloofde dat het lot van haar zoons van haar afhankelijk was, ze kon hen tegen wonden beschermen zoals ze hen vroeger, als kind, had beschermd tegen ziekte. Het vereiste concentratie, als ze het maar druk genoeg had, als ze dapper genoeg was, als ze aanhoudend aan haar zoons en hun veiligheid dacht, zou haar liefde de kracht van een amulet hebben. Geen kogels, mijnen en granaten konden door dat onzichtbare schild heen dringen. Ze werd nog bijgeloviger dan vroeger. Ze wilde geen groene kleur in huis of in haar klerenkast. Ze had een afschuw van nummer dertien, zelfs op een passerende omnibus. Ze liep met een boog om alle ladders heen. Ze had amuletten en herinneringen aan de jongens op haar kamer: iedere dag riep ze de kracht ervan op, bad erboven. Een lok haar, van toen ze nog baby's waren, tekeningen die ze als kind voor haar hadden gemaakt, blauw satijnen babyschoentjes, brieven die haar zoons nu stuurden van het front. Gwen geloofde in de kracht van die levenloze dingen, ze voelde ze kloppen als ze ze aanraakte.
Ze deed het heimelijk – Denton zou het boos terzijde hebben geschoven. Ze was sentimenteel. Ze was ook eenzaam. De angst die niet uitgesproken kon worden, verergerde dat. Gwen wist het maar er was in het begin niemand tot wie ze zich kon wenden. Maud, wier belangstelling voor de oorlog kwam en ging, werd in beslag genomen door het ene feest na het andere. Denton zat hele dagen te dommelen bij het vuur. Freddie, die een baan had gekregen via Jane Conyngham, was chauffeur op een ambulance in Hampstead, en ook Steenie leidde een eigen leven. Hij bracht vrienden mee naar huis: Conrad Vickers, een zogenaamde fotograaf, een zekere Basil Hallam, met de juiste achtergrond, maar toneelspeler, een rare,

houterige beer van een vent, een Amerikaan, bekend als Wexton. Gwen wist niet wat ze van die vrienden denken moest. Het waren zulke bohémiens en met de mogelijke uitzondering van Wexton schenen ze zich er niet van bewust dat het oorlog was.

Gwens eenzaamheid duurde echter niet lang, ze vond een nieuwe vertrouwelinge – en dat was Constance. Het proces verliep geleidelijk. Constance genas van haar geheimzinnige ziekte die even abrupt was geëindigd als hij begon. Gwen genoot van haar herstel. De lege weken kenden overwinningen: Constance kwam voor het eerst weer beneden, maakte haar eerste wandeling in het park, at weer samen met de rest van het gezin.

Er ontstond een nieuwe vriendschap tussen hen. Toen de weken voorbijgingen, ontdekte Gwen nog iets. Constance was allerplezierigst gezelschap.

Er schenen geen littekens te zijn, geen teken dat de ziekte vermoeidheid of neerslachtigheid had veroorzaakt. Integendeel, Constance had een nieuwe, gretige levenslust. Gwen ontdekte dat Constance genezende krachten bezat. Altijd wanneer ze zich bedroefd of angstig voelde, kon Constance haar troosten. En ze was natuurlijk amusant – dat was een onderdeel ervan. Ze hield van roddelen, luisterde aandachtig naar alle verhalen over de Londense grote wereld die Gwen uit de tweede hand van Maud kreeg. Ze vond het heerlijk om over vrouwelijke dingen te babbelen: hoeden, handschoenen, japonnen. Ze ging graag met Gwen winkelen, eerst kort, later langer en avontuurlijker. Als ze dan van die expedities terugkeerden, dronken ze thee in een van de chique tearooms, waar ze hun buit bespraken.

Gwen had nooit een dochter gehad en deze onschuldige pretjes waren nieuw voor haar. Voor het eerst accepteerde ze Constance. Haar voorzichtigheid van vroeger was verdwenen. 'Constance,' zei ze soms, 'wat zou ik zonder jou moeten beginnen?'

Bovendien kon Constance zich aanpassen. Ze was niet altijd een bron van vrolijkheid. Haar intuïtie was subtiel, ze wist wanneer Gwen opgefleurd wilde worden en wanneer ze rustig wilde praten. Constance bracht Gwen aan het praten. Ze moedigde haar aan tot zachte nostalgie. Gwen, bij het vuur op zo'n rustige middag toen de herfst in de winter overging, stortte haar hart uit bij Constance. Ze beschreef haar eigen jeugd in Washington D.C., beschreef haar ouders en broers en zusters. Details die ze had vergeten, kwamen weer boven. Het rijtuig dat haar vader had, de tocht langs de rivier om bij familie in Maryland op bezoek te gaan, het zondagse bijbellezen van haar vader. Gwens gezin had nooit belangstelling voor die verhalen gehad, maar Constance wel. Ze zat geconcentreerd te luisteren en zei: 'O, Amerika, wat zou ik daar graag heengaan.' Gwen, aangemoedigd, vertelde over haar kennismaking met Denton, over Winterscombe en de geboorte van de kinderen. De jaren met Shawcross sloeg ze over, en Constance zinspeelde er nooit op. Gwen vulde ook iets van Mauds achtergrond in. Ze beschreef de Italiaanse prins, het leven van Maud in Monte Carlo. Toen ze bij sir Montague Stern was beland, zweeg ze. Geen onderwerp voor een meisje. Constance moest erom lachen.

'O, u hoeft niet zo fijngevoelig te zijn. Ik ben geen kind meer. Ik weet dat tante Maud de minnares van Stern is. Waarom ook niet? Hij is jonger dan Maud, maar zo knap en zo edelmoedig...'

Gwen was eerst geschokt. Het woord 'minnaar' kwam onverwacht. Ze had liever een fatsoenlijker term gehoord – *beschermer* misschien. Maar Gwen was niet zo bezadigd, ze had gevoel voor humor en Constance keek haar geamuseerd, wat samenzweerderig aan... De tijden veranderen. Gwen kwam in de verleiding om verder te gaan.

'Hij is natuurlijk een jood. Ik heb niet zulke vooroordelen wat dat betreft, geloof ik. Maar anderen wel. Dat maakt het moeilijk voor Maud, denk ik. Zelfs Denton, weet je...'

'Denton? En hij nodigt hem zo dikwijls uit!'

'Dat weet ik. En ik vind het ook een beetje vreemd, maar je kunt nu eenmaal niet altijd van Denton op aan. En natuurlijk heeft Stern machtige connecties...'

De tegenstand was gebroken. Gwen en Constance hadden een interessant gesprek over Maud, Stern en de geruchten over Stern. Het gebrek aan positieve informatie, zijn discretie, zijn edelmoedigheid en zijn rijkdom. Aan het eind van het gesprek, waar beiden van hadden genoten, zuchtte Constance. Ze drukte Gwens hand.

'Weet u,' zei ze, 'u zou meer moeten uitgaan. Ik voel me schuldig. Ik zou niet willen dat u thuisbleef om mij. Ik ben weer sterk genoeg. We zouden ook samen kunnen uitgaan...'

Gwen was erdoor geroerd. 'Ik veronderstel dat we nu zouden kunnen...' begon ze wat weemoedig.

'Maar natuurlijk! Het zou ons allebei goed doen!' Constance sprong op. 'Laten we morgen beginnen!'

Zo begon Constances entrée in de grote wereld. De eerste stap was een thee bij Maud, de volgende dag.

Er volgde een uiterst drukke, plezierige periode die een maand of negen duurde. Het begon in het najaar van 1915, toen Acland nog in het trainingskamp zat en duurde voort ook toen Acland al naar Frankrijk was vertrokken.

Gwen had korte uitstapjes gemaakt in de glinsterende wereld van Maud, maar was altijd op de achtergrond gebleven, bang dat ze niet briljant genoeg was om te worden geaccepteerd. Nu, aangemoedigd door Constance, ontdekte Gwen dat alles veel gemakkelijker ging dan ze het zich had voorgesteld.

Veel van de andere vrouwen waren ook Amerikaansen, onder wie Mauds grote vriendin en vroegere rivale, lady Cunard. Deze vrouwen namen Gwen en Constance in hun midden op en met grote energie werden ze meegesleept in een nooit eindigende stroom van activiteiten. Er waren lunches, soirées, soupers, bals, er waren comités voor het inzamelen van geld voor de vrouwen van soldaten, voor exclusieve particuliere verplegingseenheden die vrouwen met een titel uitzonden naar Frankrijk om daar in de verpleging te gaan. Gwen werd gevraagd zitting te nemen en ze moest een tegenstribbelende Denton overhalen om cheques uit te schrijven voor elke liefdadigheid.

Haar agenda stond plotseling vol afspraken en bovendien moest haar garderobe radicaal worden gereviseerd.

'Nee Gwen, je kunt die japon onmogelijk nog een keer dragen,' vond Maud, blij een nieuwe bondgenote te hebben. 'En Constance heeft niets dat geschikt is. We moeten boodschappen gaan doen, onmiddellijk.'

Naarmate de maanden voorbijgingen, werden ook de expedities langs de winkels veelvuldiger. Onder Mauds leiding ontdekte Gwen wat luxe betekende.

'Zijde, Gwen, op de huid, het enige goede,' en Gwen die op katoen was overgegaan na Dentons verzoek om zuinigheid, was al gauw bekeerd.

Het was verslavend, maar kostbaar. Als ze in een geparfumeerde salon nieuwe modellen bewonderden, werd Gwen weleens bezorgd. Maar Maud schoof dat opzij. 'Onzin Gwen, Denton is een oude gierigaard. Het enige wat hij begrijpt is sparen. En je hoeft je niet ongerust te maken. Ze sturen de rekening pas maanden later...'

Krediet. Niet moeilijk te krijgen. De plaatsen waar Gwen afstand deed van het geld van haar echtgenoot waren discreet. De kosten van een japon, een met de hand geborduurde onderrok van shantoeng zijde – zoiets vulgairs als de prijs werd niet genoemd en het leek Gwen onbeleefd om ernaar te informeren. En had ze niet altijd, op haar vage manier, aangenomen dat het Cavendish fortuin onuitputtelijk was? Daar kwam toch geen deuk in door dit soort aankopen. Japonnen... een paar sieraden. Dat betekende niets.

Er was nog een dimensie aan al deze activiteiten en dat was de gedaanteverwisseling die ze in Constance hadden teweeggebracht. Constance, zei Maud op haar scherpe, maar goedbedoelde manier, had een instinct voor luxe. Ze genoot ervan en was een intelligente leerlinge.

'Nee, mijn lieve Constance, ik weet dat je van kleurige dingen houdt en ze staan je, maar dat groen is tè hard. Kijk, dìt...' En Maud hield een lap zijde op die tweemaal zo duur was. 'Dit ìs het. Voel maar.'

En Constance zag het. Ze ging die verfijning begrijpen, al hield ze haar dramatische smaak, ze zag dat mode te vergelijken was met een masker. Maud ontdekte, zoals Gwen voor haar, dat het prettig was om een ander iets te leren, te zien hoe snel een leerling iets in zich opnam. Op een dag, begin januari 1916, nam Maud Gwen terzijde. Het was een van Mauds thee-middagen en Constance was erg in trek. De twee oudere vrouwen bekeken haar met trots.

'Weet je, Gwen,' begon Maud peinzend. 'Constance heeft mogelijkheden. Er zijn problemen – geen familie, geen geld – maar dat komt er niet meer zoveel op aan als vroeger. Zie je hoe amusant ze is? Altijd snel en levendig. Ze heeft charme, Gwen. Misschien is ze niet direct mooi, maar ze heeft iets bijzonders, vind je niet? De mensen mogen haar graag. Zelfs moeilijke mensen. Maud Cunard was in het begin heel stijf – maar ze is bekeerd. Ze ziet Constance als een áánwinst. Constance heeft zo'n energie, Gwen. Ze brengt een feest op gang. Vrouwen zijn op haar gesteld en, wat belangrijker is, mannen ook. Ze vinden haar boeiend. Ik denk dat Constance een goed huwelijk kan sluiten als we ons erop concentreren.'

'Huwelijk?' Gwen schrok. Maud zei droog:

'Lieve Gwen, je denkt soms zo traag. In mei wordt ze zeventien. Jij was achttien toen je trouwde en ik ook. We moeten vooruitkijken. Ik had het er kort geleden met Monty over. En zijn massa's kandidaten, zelfs een titel is mogelijk als we het slim spelen. Ze is zo'n beetje je geadopteerde dochter. En als het geen titel wordt, dan gèld.'

'Geld?'

'Denk toch eens na, Gwen. Waarom zou ze geen geld trouwen? Daar is meer dan genoeg van. Monty heeft bendes vrienden in de City, mannen die zich hebben opgewerkt en nu naar de juiste vrouw zoeken. Ze zijn natuurlijk veel ouder dan Constance, maar heeft verschil in leeftijd ooit iets betekend als het op liefde aankomt? Je hoeft maar naar Denton en jezelf te kijken. Of een Amerikaan? Monty heeft ontelbare zakelijke contacten, die Gus Alexander bijvoorbeeld. Hij moet wat worden bijgeschaafd, dus Constance is precies wat hij nodig heeft. En de Russen. Ik ben dòl op Russen – zulke romantische manieren. Zwierig. Constance zou het prachtig vinden. Maud Cunard heeft op het ogenblik iemand, een of andere onuitsprekelijke prins. Donker, slechte adem – maar daar kun je vast iets aan doen. En dan...'

'Maud, houd op. Ik kan je niet bijhouden,' lachte Gwen.

'Je moet me bijhouden,' zei Maud doortastend. 'Het is altijd belangrijk om plannen te maken. En ik laat je niet achteraan sukkelen, Gwen, ik waarschuw je. Smeed het ijzer als het heet is. De schoonheid van een vrouw beklijft niet en Constance is nu een nouveauté. Daar moet je gebruik van maken, Gwen! Weet je wat je moet doen? Je moet Constance lanceren. Zeg het tegen Denton. Een bal, van de zomer – op Winterscombe.'

'Ik weet het niet. Denton kan er iets op tegen hebben. Een bal is duur...'

'Onzin. Mijn broer is een onnozele dwaas. En hij wil Constance toch niet voor de rest van haar leven onderhouden. Laat het hem zien als een investering – die goede dividend kan afwerpen. En als jij hem niet kunt overtuigen, laat ik Monty met hem praten. Monty haalt hem wel over de streep.'

Het besluit was genomen: Constance werd gelanceerd tijdens een zomers bal.

Montague Stern ging met Denton lunchen in diens club, de Corinthian, waar Stern korte tijd later ook lid van werd. Denton begon zelf over het idee en voordat Gwen wist wat er gebeurde, was de organisatie al op gang. Ze zouden de balzaal openen. Hoe lang was het geleden dat die voor het laatst was gebruikt? Er kwam een grote tent op het gazon en er moesten duizend besluiten worden genomen, die niet allemaal even eenvoudig waren, zoals Gwen in het begin naïef had gedacht. Toen Gwen aarzelde, nam Maud de leiding over en alles werd kostbaarder. Het orkest dat Gwen wilde huren, was niet goed genoeg, het moest iets van dit jaar zijn. Dit gold zeker voor de leveranciers. Maar het ergste was de gastenlijst. Wie stonden erop en wie niet? Gwen werd belegerd, Steenie stond erop dat geen van zijn vrienden werd buitengesloten, Freddie kwam met nieuwe voorstellen, Mauds ideeën veranderden dagelijks, afhankelijk van wie ze de vorige dag had ontmoet.

Alleen Constance was rustig en bescheiden, kennelijk tevreden dat Gwen en Maud alles regelden. Het was of Constance ergens op wachtte, plannen maakte, vol vertrouwen dat alles haar in de schoot geworpen zou worden.

Niet meer dan natuurlijk, hield Gwen zich voor, hoewel ze die concentratie in Constance eigenaardig vond. Constance verheugde zich op het bal, dat was het. En ze was nerveus door al die grootse plannen. Gwen was geroerd door dat blijk van onzekerheid in Constance, daardoor voelde ze zich nog meer voor haar.

Het bal zou plaatsvinden in juni, de uitnodigingen werden in maart verstuurd. Gwens enthousiasme voor haar nieuwe taak en het gevoel van geluk dat ermee gepaard ging, wankelde slechts eenmaal toen – in april 1916 – Acland voor een vierdaags verlof uit Frankrijk thuiskwam.

Gwen, overgelukkig dat hij vier dagen naar Londen kwam, verwachtte geen moeilijkheden. Boy was de afgelopen achttien maanden tweemaal thuis geweest en hoewel hij weigerde over de oorlog te praten, was Gwen opgefleurd door zijn gedrag. Hij had zo vrolijk geleken – meer dan ze zich kon herinneren. Geen oude sombere buien, geen teken van opwinding, ze had hem geen enkele maal horen stotteren. Boy stond erop aan alles deel te nemen, ook wanneer Gwen een enkele keer liever met hem thuis was gebleven. Boy wilde niet praten. Hij wilde uitgaan. Hij had een nieuwe klank in zijn stem, vol zelfvertrouwen. Hij was hartelijk en speels. Een enkele maal vond Gwen zijn gedrag overtrokken en Boy had een nieuwe gewoonte om met zijn hoofd te schudden alsof hij water in zijn oren had, die ze zorgwekkend vond. Maar Boy schoof haar zorgen opzij, het kwam gewoon doordat Londen zo stil was vergeleken met het front en het aanhoudende lawaai van de kanonnen. Dat was de enige gelegenheid waarbij hij de oorlog noemde, en hij veranderde ogenblikkelijk van onderwerp. Toen hij naar Frankrijk terug moest, was Gwen gerustgesteld. Boy was gezond en sterk en in een goede stemming, haar gebeden waren verhoord.

Ze nam daarom aan dat het bezoek van Acland net zo zou verlopen, Acland zou uit willen gaan om – zoals Boy het uitdrukte – 'de verloren tijd in te halen', maar dat bleek niet zo te zijn. Acland kwam als een ander mens uit Frankrijk terug. Hij was magerder dan Gwen zich herinnerde en hij was altijd al mager geweest. Hij was ook stiller en was niet van plan, zei hij wat kortaf tegen Gwen, om ergens heen te gaan en mensen te ontmoeten. Hij had maar vier dagen en in die tijd bleef hij liever thuis.

Hij bleef inderdaad thuis en Gwen bleef bij hem. Maar ze vond Acland uiterst moeilijk om mee te praten. Misschien had hij spijt van de korzeligheid die hij had getoond toen hij thuiskwam, want hij scheen een poging te doen, stelde alle juiste vragen, ging de familieleden een voor een langs: hoe ging het met vader, met Steenie, Freddie...? Hij zweeg. Met Constance? De moeilijkheid was dat het wel een litanie leek. Er was niets van zijn vroegere levendigheid. Hij luisterde beleefd naar haar antwoorden, stelde vervolgens een andere vraag, alsof hij in gedachten een lijst afwerkte. Maar Gwen had het gevoel dat hij niet luisterde.

Die verandering in haar zoon maakte Gwen nerveus. Ze had het idee dat ze hem op de een of andere manier in de kou liet staan. De oorlog – ze moest vragen over de oorlog maar wist geen manier te bedenken om haar vragen in de juiste vorm te gieten, en Aclands ontwijkende antwoorden, wanneer zijn vader erover begon, waren niet bemoedigend.

In plaats daarvan – en dat was ze zich bewust – praatte ze als ze alleen waren, over de domste en oppervlakkigste dingen, vooral over het komende bal van Constance. Het werd steeds erger, ze merkte dat ze niet kon stoppen.

'Ik dacht – ik heb bijna besloten, Acland – dit brokaat – wat vind jíj?'

Het was de avond voor Aclands vertrek. Denton dommelde in zijn stoel. Steenie, Freddie en Constance waren naar de opera met Maud en Montague Stern. Nu Gwen het stuk brokaat bekeek, vond ze het kleurloos.

'En de stijl,' ging ze verder, 'dat is echt moeilijk. Ik wil er niet *passée* in uitzien. Maud heeft deze tekening voor me uitgeknipt. De nieuwe, nauwe mode. Ik wist niet precies...'

Ze zweeg. Acland had beleefd eerst naar de lap brokaat gekeken en toen naar de schets die ze hem toestak. Gwen had het gevoel dat hij geen van beide zag. Ze keek naar zijn gezicht en trof er – voordat hij tijd had zijn gelaatstrekken te beheersen – een uitdrukking die haar door het hart sneed. Misschien was het eenzaamheid, samen met woede. Hij keek naar de schets alsof hij een put zag waarin iets onvoorstelbaar afschuwelijks rondkroop.

'Acland, het spijt me.' Gwen liet het stuk brokaat vallen.

'Alstublieft geen verontschuldigingen. Ik begrijp het wel.' Hij liep naar het raam en stond met zijn rug naar haar toe.

'Vertel me over die japon. Dat wil ik graag. Vertel me over die van Maud en van Constance en hoe de balzaal wordt versierd. Wie er allemaal komen en wie niet... dat soort dingen.'

'Ze zijn zo onbelangrijk, Acland, dat weet ik wel.'

'Misschien wel en misschien dat ik ze daarom graag wil horen.'

Dus begon Gwen en zag dat Acland luisterde, dat hij kalmer werd. Even later kwam hij naast haar zitten, leunde tegen de kussens en sloot zijn ogen.

Gwen bekeek het bleke gezicht. Met al haar moed stak ze haar hand uit en streelde zijn haar. Acland duwde haar hand niet weg en toen ze voelde dat ze hem toch tot rust kon brengen, begon ze weer te praten. Eerst over de komende feesten, toen over herinneringen uit het verleden, over de zomers toen Acland nog een kind was. Ze was weer terug in de kinderkamer met deze jongen, haar Ariel, want Steenie was nog niet geboren en ze had de man die Edward Shawcross heette nog niet ontmoet.

'Zo noemde ik je, Acland,' zei ze zacht met een voorzichtige blik naar Denton die nog zat te slapen bij het vuur.

'Het kwam door je ogen. En ook omdat je zo verschilde van Boy en Freddie. Herinner je je dat nog, Acland? Je was nog heel jong.'

'Herinner ik me wat?'

'De namen die ik je toen gaf. Onnozele namen. Ze maakten je vader woedend. Maar dat kon me niet schelen. Jij vond ze leuk. We begrepen elkaar goed.'

'Ik geloof dat ik het nog wel weet, ja.'

'Je was altijd zo rusteloos, Acland. Alsof je altijd iets wilde bereiken en het niet haalde – en dan werd je heel boos. Boos op jezelf. Als dat gebeurde, nam ik je op schoot en praatten we wat, net als nu...'

Gwen praatte zachtjes verder. Acland hield de ogen gesloten, luisterde naar haar woorden en probeerde zich te concentreren op de kinderkamer, op die verdwenen zomers. Als hij zich maar voldoende concentreerde, zou het beeld misschien verdwijnen. Maar het lukte niet, het beeld bleef bestaan, zoals het er al een paar weken was. Het was niet eens zo verschrikkelijk, er waren er, veronderstelde hij, die erger waren, maar toch bleven die niet zo hangen. Nu zag hij het weer: een deel van een man, geen voet of hand, zelfs niet de handen die verstijfd van rigor mortis door de klonters modder omhoog staken en die uit de verte op boomtakken leken. Nee, geen hand, een kaakbeen – afgekloven door de ratten. Het gebit nog intact, hij kon de zwarte vullingen tellen. *Geef ons eens een kusje, schat.* Een van de mannen bij hem had het opgepikt en bewoog de kaak zodat deze op een gebroken mond leek die sprak. *Eén kusje maar, schat...* De man lachte, gooide het kaakbeen weg, het stonk. Acland opende zijn ogen en ging rechtop zitten. 'Waar is Constance?'

'Constance?' Gwen, haar herinneringen onderbroken, keek hem

verbaasd aan. 'Dat heb ik je toch gezegd. Ze is naar de opera met Steenie en Freddie.'

'Welke opera?'

'Verdi, geloof ik. Was het *Rigoletto* niet?'

'Vindt u het erg als ik uitga?' Acland gaf zijn moeder een kus. 'Ik wil even een wandelingetje maken...'

'Een wandelingetje, Acland? In Londen?'

'Even maar. Misschien ga ik naar de club.' Acland liep al naar de deur. Maar bij het noemen van de club leefde Gwen op. 'O, je wilt toch nog wel een paar mensen zien? Ik ben zo blij, lieverd.' Ze stond op en pakte zijn hand. 'Heeft het geholpen schat – zo stil te zitten en een beetje te babbelen? Ik geloof het wel, je ziet er weer beter uit.'

Ze wilde hem een kus geven, maar hield plotseling zijn gezicht tussen haar handen en keek hem in de ogen.

'Acland, weet je dat ik van je houd? Weet je dat ik heel veel van je houd?'

'Ik houd ook van u. Heel veel,' antwoordde Acland stijfjes. Het was jaren geleden dat hij dat voor het laatst tegen haar had gezegd en Gwens zorgen verdwenen.

Toen hij de kamer uit was, had hij een duidelijk beeld voor ogen. Een klein anoniem hotel naast het Charing Cross station dat mede-officieren enkele malen hadden genoemd. Hij was er nooit geweest maar zag tot in details de kamer die hij er kon huren. Per uur, hadden zijn vrienden gezegd en geen vragen als de man in uniform was.

Acland was niet in uniform maar ook nu vroegen ze niet veel. Hij tekende met een valse naam voor hem en Jenna, ze kregen een sleutel en gingen de trap op naar de kamer. Het was zoals hij had verwacht.

Het was allemaal gemakkelijk gegaan: een woord met Jenna op een achtertrap, een aanraking, een blik, een ontmoeting in een straatje dichtbij, een taxi, het tekenen van een gastenboek, een sleutel.

Terwijl hij dit deed, wist Acland zeker dat zijn moeder bij hem het beeld van de man en het kaakbeen niet kon verdrijven maar dat een andere vrouw het wel kon. Constance had het in een oogwenk doen verdwijnen als hij met haar alleen had kunnen zijn, maar hij had het idee dat ze hem vermeed. 'Houd je je belofte?' Ze had zijn hand gegrepen toen zij als laatsten gingen ontbijten.

'Zo goed mogelijk. Ik dacht dat je het misschien vergeten was.'

'Doe niet zo gek.' Ze leek boos en boorde haar nagels in zijn handpalm. 'Ik vergeet het nooit, wat ik ook doe of jij ook doet. Nooit.' Toen was ze weggegaan en vanavond zat ze in de opera in Sterns loge. Stern zelf had deze laatste vier dagen Acland in stilte een dienst bewezen. Op Aclands verzoek had hij hem voorgesteld aan een advocaat, een zekere Solomons, die een miezerig kantoor had aan de rand van de City.

De beste die er is, ondanks de uiterlijke schijn, had Stern gezegd, en Acland verwachtte dat Stern een goed beoordelaar was. Hij kon moeilijk naar de firma van zijn vader gaan voor een zaak als deze. Acland had namelijk een testament gemaakt, dat nu getekend was, mede door getuigen. Geen indrukwekkend testament, dacht hij toen hij het overlas, maar het beste dat hij bedenken kon daar zijn familiekapitaal vaststond tot zijn vijfentwintigste – als hij ooit vijfentwintig zou worden. Zijn auto ging naar Freddie, zijn kleren en andere bezittingen naar zijn broers, zijn boeken naar Constance omdat ze die soms leende, al betwijfelde hij of ze ze ooit las, en al het geld dat tot zijn beschikking stond, ongeveer tweeduizend pond, ging naar Jenna, die het misschien op een dag nodig had.

Het zou haar een inkomen geven, had Solomons gezegd, van zo'n honderdvijftig pond per jaar, geen geweldig bedrag, maar voldoende. In de zak van zijn colbert had Acland een kaart met Solomons' adres en voordat ze deze kamer verlieten – en ze bleven niet lang – moest hij die aan Jenna geven en het uitleggen. Dat ergerde hem, de kamer ergerde hem. Nu hij er was, vroeg hij zich af waarom hij had gedacht dat het hem goed zou doen.

Hij gebruikte Jenna en vond het verraad, aan Jenna en aan zichzelf. Het feit dat ze het accepteerde dat hij bij haar kwam met maar één doel, maakte geen verschil. Ik moet hier weg, dacht Acland vermoeid. Maar hij kon zelfs geen afkeer meer van zichzelf hebben. Zonder iets tegen Jenna te zeggen, begon hij zich uit te kleden. Hij lag op het ingezakte bed, op de goedkope dekens. Jenna kleedde zich langzaam uit, dacht misschien dat hij naar haar keek, maar hij zag haar nauwelijks. Ik ben de gevangene van de oorlog, dacht hij. Als hij er met iemand over had kunnen praten, met Jenna bijvoorbeeld, had hij het vage idee dat hij vrij kon worden. Maar hij weigerde erover te praten, het zou zijn of hij de ander opzettelijk besmette met een ziekte.

'Ze sturen me naar het gebied rond Amiens, zo gaat het gerucht tenminste,' zei hij. 'Amiens?' Jenna deed haar onderrok uit. 'Waar is dat?'

'Verder naar het noorden dan ik eerst was. Gewoon een plaats, aan de Somme.'

Jenna antwoordde niet en kwam, toen ze naakt was, naast hem op het bed zitten. Ze begon hem te strelen. Ze wilde op een nieuwe, meer brutale manier met hem vrijen en al hield Acland er niet van, het had wel effect.

Hij wendde zijn ogen af, dacht aan de bordelen in Frankrijk, de queues van mannen – officieren in de ene queue, manschappen in de andere. Binnen waren dunne tussenschotten, soms niet meer dan een gordijn. Je hoorde het zuchten en grommen van de soldaten. De vrouwen zagen er nors en toch gretig uit, ze verspilden geen tijd aan voorspel. Zo verdienden ze meer.

'Geen kus,' had een van de meisjes tegen hem gezegd, ze had weerbarstig zwart haar en het licht maakte dat ze op Constance leek. 'Niet neuken.'

Ze maakte een vuist rond zijn penis en trok eraan in het donker, ze was heel efficiënt. Hij was in een oogwenk klaar. Het werkte – net zoals dit werkte. Jenna liet haar lichaam op het zijne zakken, ze bewoog boven hem, steeg en daalde. Haar ogen waren gesloten, haar gezicht straalde van verrukking. Het was toch een soort genot. Toen het voorbij was, stond Jenna op en waste zich in een hoek van de kamer. Vanuit een verre plaats, de plaats van waar hij naar haar keek, vroeg hij: 'Het is toch in orde?'

'Natuurlijk. Ik tel de dagen altijd.'

'Ik wilde dat het niet zo was. Het spijt me, Jenna.'

'Niet doen. We zijn geen kinderen meer. We nemen wat we kunnen en geven wat we kunnen.'

Ze aarzelde en Acland zag hoe haar gezicht veranderde. Even was hij bang dat ze hem in haar armen wilde nemen – maar misschien zag ze hoe hij zich instinctief terugtrok, want ze zei alleen:

'Ik houd nog steeds van je. Ik wilde dat het wegging, maar dat doet het niet. Ik weet dat je niet van mij houdt. Ik weet dat je nooit naar me terugkomt. Dus heb ik tenminste dit. Het is dit of niets.'

Ze pakte haar onderrok. 'Het gaat toch niet veel langer zo, hè?'

'Misschien niet. Misschien maar beter van niet.'

'Was dit dan de laatste keer?' Ze stelde de vraag als een kind, terwijl ze, nog steeds naakt, voor hem stond met de onderrok voor zich.

'Ik denk van wel, ja.'

'Ja. Wacht – laat ik je helpen met je overhemd.'

Geen smeekbeden, geen beschuldigingen. Acland voelde zich waardeloos, maar ook opgelucht.

Toen ze aangekleed waren, draaide Jenna zich om en keek de lelijke kamer rond, achter het raam floot een trein. Acland pakte Solomons' kaartje en gaf het haar. Hij legde haar uit dat, als er iets met hem gebeurde, zij onmiddellijk naar Solomons moest gaan, hij zou overal voor zorgen.

'Ik heb nooit geld van je willen hebben.' Jenna tuurde naar het stukje karton.

'Dat weet ik Jenna. Maar toch...' en hij maakte een onhandig gebaar. 'Ik kan je niets anders geven.'

'Dat geloof ik niet.' Voor het eerst klonk er hartstocht in haar stem. 'Mij niet, maar er zijn anderen. Ik herinner me jou, Acland, zoals je vroeger was. Toen we gelukkig waren...'

'Toen was alles eenvoudiger. Ik schijn de gave verloren te hebben.' Hij glimlachte. Jenna, die gewend was geraakt aan zijn onverschilligheid, merkte dat ze die glimlach niet kon verdragen.

'Pas op,' zei ze bij de deur. 'Ik ga nu. We kunnen beter apart weggaan.'

Apart ja. Acland bleef nog even luisteren naar de treinen. Hij was niet genezen maar had dat eigenlijk ook niet verwacht – de opluchting door seks was altijd tijdelijk. Hij rookte nog een sigaret en vertrok.

Even over elf bereikte hij Park Street – het gezelschap zou nu wel thuis zijn van de opera. Dat waren ze niet. Ze hadden opgebeld dat ze gingen souperen bij Maud.

Terwijl ze in de taxi's stapten die Stern had laten roepen, neuriede Steenie, die *Rigoletto* nooit eerder had gezien maar de beroemde aria's kende, *La Donna è mobile* – die melodieuze verheerlijking van de ontrouw. Steenie begon zelfs mee te fluiten. Op de achterbank zaten, platgedrukt door de zware gestalte van Freddie, Jane en Constance. Naast het stoeltje van Steenie zat Wexton, een grote, lompe man van wonderbaarlijke mildheid. Zijn ellebogen staken uit en hij verontschuldigde zich voor zijn knieën.

Wexton droeg een geleende uitgaanscape en een geleende inschuifbare hoge hoed. Het mechanisme ervan fascineerde hem. Hij opende en sloot de hoed, draaide hem rond. Steenie zat met een geluksgevoel naar hem te kijken. Hij was verliefd op Wexton en vermoedde dat Wexton misschien verliefd op hem was. Freddie en Jane praatten over de opera. Jane had het over de tenor die de rol van de hertog had gezongen en de bariton die de rol had van de bochel Rigoletto, de hofnar. Freddie die een opera meestal vermeed, zei dat zelfs hij ervan had genoten, vooral van de bloeddorstige laatste akte.

'Als Rigoletto denkt dat de hertog dood in die zak zit en dan ziet

dat het zijn dochter is. Dat was best goed. O, en die vervloeking...'
'*La maledizione?*'
'In het Italiaans klinkt het veel beter. Dat was fantastisch.'
'O ja, en vlak daarna, als de moordenaar naar Rigoletto toekomt om hem zijn diensten aan te bieden. De muziek is voor gedempte solo's, cello en dubbele bas, geloof ik. En dan die pizzicato violen. Het is...' Jane zweeg. Freddie keek haar met een lege blik aan. Ze glimlachte maar verborg die achter een verdedigend gebaar.
'Wat is het?' Wexton leunde naar voren.
'O, het effect is... dat is alles. Pracht effect.'
Wexton zei niets. Hij opende en sloot zijn hoge hoed. Steenie bleef fluiten. Constance die steeds naar buiten had zitten kijken en nog niets had gezegd, ging rechtop zitten.
'Hè, hou op, Steenie. Ik krijg er wat van. We zijn er. Mauds taxi is vlak achter ons. Vooruit.'
Mauds postopera-soupers waren altijd informeel. Zij en Stern gingen de anderen voor naar de eetkamer, de jongere gasten volgden. Er waren geen bedienden. Maud gebaarde vaag naar een dressoir waar verschillende schotels stonden. Wexton die altijd honger had, keek ernaar. Tot Steenies plezier weigerde hij de kaviaar, maar nam wel van de roereieren. Maud, die wist dat Jane bij zulke gelegenheden meestal werd genegeerd, concentreerde haar aandacht op haar. Ze vroeg Jane naar haar werk in Guy's Hospital, niet dat het haar zo interesseerde, Maud vond ziekenhuizen deprimerend, maar omdat ze wist dat ze zo Jane's verlegenheid kon doorbreken. Als goede gastvrouw luisterde ze geanimeerd naar Jane zonder de andere gasten uit het oog te verliezen.
Zo zag ze hoe Steenie naar die jonge Amerikaan, Wexton, keek en besloot dat ze er maar beter niets over moest zeggen tegen Gwen. Ze zag hoe Freddie van de ene groep naar de andere drentelde. Ze zag hoe Stern, haar minnaar, een poging deed een gesprek aan te knopen met een weinig toeschietelijke Constance. Hij stond voor de open haard en was in avondkleding. Maud dacht vol warmte hoe knap hij was, hoe gedistingeerd. Zijn rust, zijn concentratie – ze hield ervan. Nu luisterde hij met schijnbare aandacht naar het figuurtje naast hem. Constance speelde met haar roerei en antwoordde nors. Toen scheen iets wat Stern zei, haar aandacht te trekken. Ze zette haar bord neer en sprak snel. Maud, nieuwsgierig, liet Jane aan Freddie over en hoorde nog net het eind van een opmerking van Constance.
'...ik was bang,' hoorde ze. 'De storm was vreselijk. En toen aan het eind, als hij zijn dochter vindt in die zwarte zak, wilde ik weten

wat hij zou doen. Ik had kunnen huilen toen het gordijn zakte. Hij hield zoveel van haar. Ik denk dat hij in de rivier sprong met zijn zak. Ja, dat deed hij, toen het afgelopen was.'

Ze schudde zich en keek Stern op een kinderlijke manier aan.

'Ik ben blij dat ik gegaan ben. Is dit nu Verdi's beste opera?' Het naïeve van de vraag scheen Stern aardig te vinden. Hij keek naar Maud en trok haar naar hen toe.

'Is dit nu zijn beste opera? Wat zeg jij ervan, Maud?'

'Ik houd ervan, maar nog meer van de *Trovatore*. Monty prefereert natuurlijk Wagner. We moeten je eens meenemen, Constance. De *Tannhäuser* misschien. Die zul je zeker mooi vinden. *De Ring*...'

Niet lang daarna vertrokken de gasten tot opluchting van Maud, want ze was moe. Stern bleef nog staan peinzen bij het haardvuur en Maud – die hield van het eind van de avond als zij en Stern alleen waren – ging zitten. De stilte gaf haar een plezierig gevoel. Maud haalde voor hen allebei een glas wijn. Stern stak een sigaar op.

'Wat is Constance toch een mallerd,' begon Maud, want ze hield ervan nog even na te praten en wilde het gesprek op Steenie brengen. 'Eigenaardig. Soms is ze zo'n kind – en dan weer...' Ze zuchtte. 'Ze is nu volwassen en krijgt haar bal. Ik denk dat dat wel een succes zal zijn. We moeten een echtgenoot voor haar zoeken, Monty.'

'Nu gelijk? Een-twee-drie?' glimlachte Stern.

'Nou ja, zo gauw mogelijk. Je hebt beloofd erover te denken. Wat vind je van die Rus –?'

'Van lady Cunard? Nee, die niet. Die heeft schulden – teert op andersmans zak, heb ik gehoord.'

'Echt?' Maud keek op. 'En die Amerikaan – Gus Alexander? Die vind je aardig, dat heb je zelf gezegd. En hij stuurde Constance tweehonderd rode rozen.'

'Heeft hij dat gedaan?'

'Zou hij niet bij haar passen?' Maud fronste. 'Ik zie niet in waarom niet. Absoluut zonder pretenties. Wie anders?'

'Lieve kind...' Stern boog zich naar voren en gaf haar een kus op het voorhoofd. 'Ik kan geen enkele geschikte kandidaat bedenken. Er is een grens aan het aantal mannen dat een kindvrouwtje wil hebben. De verantwoording is te groot. Vooral voor iemand van dat type. Constance wordt een echte hartenbreekster en zo iemand wens ik niet voor mijn vrienden – zelfs niet op jouw verzoek. Ik weet dat je van koppelen houdt, maar dat kun je beter alleen doen.

Nu moet ik je in de steek laten, ben ik bang, het is al laat en ik moet nog werken.'

'O Monty, blijf je niet?'

'Lieve schat, ik zou niets prettiger vinden, dat weet je. Maar ik moet morgenochtend op het Ministerie van Oorlog zijn en heb daarna een bestuursvergadering. Morgen?'

'Goed. Morgen.' Maud die wist dat ze niet moest klagen, kuste hem goedenacht. Toen hij weg was, rende ze naar het raam om hem na te kijken. Hij liep in de richting van de kamers die hij nog in Albany had. Maud zag vol liefde hoe hij langzaam, zonder hoed, verderging en een- of tweemaal naar de nachtelijke hemel keek. Dat was ongewoon. Stern liep niet langzaam, maar afgemeten en zijn gang gaf zijn doelbewustheid weer. Hij liep altijd als een man wiens dagen van afspraken aan elkaar hingen maar hij keek zelden op zijn horloge, en maakte nooit de indruk dat hij haast had. De afspraken konden wachten, leken zijn stappen te zeggen. Ze konden wachten omdat de uitkomst bij hem berustte.

Zo liep hij gewoonlijk. Maar nu niet. Deze nacht scheen hij in gedachten verzonken, scheen hij onzeker van zijn weg te zijn. Het trof Maud en ze keek hem aandachtig na. Ze zag dat hij de hoek bereikte waar hij meestal een taxi nam. Hij stond er een poosje, een lange, eenzame, in het zwart geklede figuur, met het licht van de gaslantaarns op zijn blote hoofd. Er passeerden enkele lege taxi's maar Stern hield er geen enkele aan. Eenmaal draaide hij zich driftig om en Maud dacht verheugd dat hij van gedachten was veranderd en naar haar terugkeerde. Maar nee, Stern deed een paar passen, bleef weer onder een lantaarn staan, keek weer omhoog naar de lucht. Ze kon even het bleke ovaal van zijn gezicht onderscheiden. Toen boog hij zijn hoofd en draaide zich om. Zonder aarzelen, alsof hij een besluit genomen had, ging hij in de richting van Albany. Maud keek hem na tot hij uit het gezicht was verdwenen.

Maud wist niet wat ze denken moest: ze had haar minnaar gezien van een afstand, vanuit het raam, zoals ze naar een vreemde zou kijken, en het had haar getroffen hoe kwetsbaar hij eruitzag. Een man die verliefd is, had Maud kunnen zeggen als ze naar een vreemde had gekeken, een man verbaasd door een woord of gebaar van zijn geliefde. Die gedachte – mijn tante Maud was zelfs toen nog onverbeterlijk romantisch – gaf haar een *frisson* van genot. Maar even later wendde ze zich af met een glimlach over zoveel dwaasheid.

Stern, hoewel een ervaren minnaar, was geen man om zich door zijn gevoelens te laten meeslepen. Hij verraadde zijn gevoelens zelfs niet in de slaapkamer, laat staan op straat bij Hyde Park Corner. Maud wist dat ze zich graag wilde inbeelden dat Stern daar aan haar stond te denken maar wist ook dat dat zeer onwaarschijnlijk was. Zijn gedachten zouden zich zeker niet met haar bezighouden – met geen enkele vrouw trouwens en als ze Stern dat plotselinge vermoeden vertelde, zou hij het ongeduldig opzij schuiven. Als hij niet bij haar was, beweerde hij altijd, waren zijn gedachten met zijn zaken bezig.

Maud bedacht dat ze geen droomster was en was geneigd hem te geloven. Wat kon dan de reden zijn voor Sterns eigenaardige gedrag? Een probleem met zijn munitiefabriek? Een rimpeling in zijn goed georganiseerde bankzaken? Of – en nu begon Maud angstig te worden – kon Stern aan zijn uitstaande leningen denken – en aan één lening in het bijzonder?

Die lening, aan een lid van haar eigen familie, maakte Maud steeds ongeruster. Ze zag de dag al komen waarop de lening moest worden afgeschreven of ingevorderd – en wat zou dan de reactie van haar minnaar zijn?

Stern zei altijd dat het lenen van geld puur zakelijk was, de identiteit van de schuldenaar kwam er niet op aan. Als Stern dat principe uitlegde, kon hij ijskoud zijn. Maud vond hem dan angstwekkend en opwindend. Bij zulke gelegenheden voelde ze macht, zelfs een zekere roofzucht. Ze kon het niet goedkeuren maar vond het wel erotisch.

Dat bracht haar in de war, omdat twee van haar opvattingen botsten. Ze was opgevoed met het idee dat alle schulden moeten worden afbetaald, maar ze vond ook dat de schuldeiser genade moest tonen. Om een schuld afgelost te willen zien, desnoods door het ruineren van de schuldenaar, vond Maud vulgair, het deed haar denken aan handel, het was het gedrag van een winkelier, niet van een heer.

Wat deze schuld betrof had Maud altijd op een vage manier aangenomen dat hij op den duur wel betaald zou worden. Als de schuldenaar in ernstige moeilijkheden zou komen – wat onwaarschijnlijk leek – kwam zijzelf wel tussenbeide. Ze zou pleiten voor de schuldenaar, waarop Montague de schuld zou kwijtschelden, natuurlijk zou hij dat doen – iedere andere handelwijze was onvoorstelbaar.

Nu ze er zeker van was dat ze de reden voor Sterns eigenaardige verstrooidheid kende, wilde ze hem er zo snel mogelijk naar vragen. Als Stern zich zorgen maakte, moest de zaak van groot belang zijn. Dan konden ze er beter over praten – nu, ogenblikkelijk.

Maud kon nooit wachten, ze telefoneerde naar Sterns kamer in Albany. Er kwam geen antwoord. Ze wachtte een kwartier, belde toen weer. Nog steeds geen antwoord. Het was onbegrijpelijk! Maud zag al een ongeluk, zag haar minnaar door straatrovers in elkaar geslagen. Ze belde telkens weer. Om twee uur 's nachts kreeg ze Stern aan de lijn.

Hij klonk kortaf en scheen het vervelend te vinden dat ze belde, scheen het nog erger te vinden toen Maud over al haar zorgen begon. Die lening aan haar broer had geen haast, zei hij. Hij had andere dingen aan zijn hoofd.

'Maar waar ben je gewéést, Monty?' begon Maud.

'Gewoon, over straat gelopen.'

'Om déze tijd? Monty, waarom?'

'Ik wilde nadenken. Er was iets dat ik moest oplossen.'

'Wat voor iets? Monty, maak je je zorgen?'

'Absoluut niet. De zaak is opgelost.'

'Ben je tot een besluit gekomen?'

'Ja, ik ben tot een besluit gekomen.'

'Monty...'

'Het is laat. Welterusten, Maud.'

Diezelfde ochtend ging Acland terug naar Frankrijk. Hij zag het gezin maar kort. Zowel Freddie als Steenie hadden zich verslapen. Zijn moeder was vroeg opgestaan, zijn vader ook. Hun afscheid nam wat tijd, de andere waren vluchtiger. Freddie verscheen met een schuldig gezicht, hij wreef de slaap nog uit zijn ogen. Een minuut of vijf later, toen ze nog een half uur hadden, kwam Steenie aanzetten in een uitgesproken fatterig kostuum. Hij bleef staande ontbijten en neuriede *La donna è mobile*. Constance verscheen pas toen ze met elkaar in de hal stonden.

Ze rende de trap af met los, ongeborsteld haar en losse manchetten, klaagde dat Jenna zo vergeetachtig werd, ze had zelfs geen knoopje aan haar mouw gezet. Het werd tijd dat Acland vertrok. Hij stond besluiteloos in uniform bij de deur, zijn tassen aan zijn voeten, zijn pet onder de arm. Buiten stond de Rolls van zijn vader te wachten.

Een stevige handdruk van zijn vader, een minder stevige handdruk van Freddie. Een kus van Steenie, een lange, betraande omhelzing van zijn moeder. Constance kwam achteraan. Pas op het laatste moment gaf ze hem een afscheidskus: twee snelle, onverschillige kussen, een op iedere wang. Ze herinnerde hem niet aan zijn belofte. Eerst kwetste het Acland, toen ergerde het hem. Constance volgde hem naar buiten.

'Jammer dat je mijn bal moet missen!' riep ze toen hij in de auto stapte.

Ze wuifde hem na, een snel terloops gebaar.

'O, ik haat afscheidnemen,' zei ze plotseling fel en rende naar binnen.

De Rolls kwam in beweging, de grote motor fluisterde. De zilverkleurige motorkap wees de weg naar het station, naar het troepenschip, naar de loopgraven. Acland leunde in de kussens, zag de straten voorbijglijden.

Zo, boos op Constance – en vermoedend dat het haar bedoeling was geweest hem boos te maken – keerde Acland naar Frankrijk terug.

6

Engagementen

Uit de dagboeken

Winterscombe, 12 juni 1916

Er woedde een oorlog in me, geen grote oorlog, zoals die in Europa, een kleintje. Nu is het voorbij. Ik ben beter. Dit komt door:

mijn konijn
mijn hond
mijn Acland
mijzelf

Omdat ik beter ben, schrijf ik het geheim op. Ik doe het nu, voordat ik naar beneden ga, naar het bal. Ik wil dat mijn papier het heeft. Ik wil het niet langer in mijn hoofd bewaren. Luister papier. Jij kunt het onthouden. Ik kan het vergeten.
Eens, toen ik vijf jaar was, maakte ik mijn vader heel boos. Het was nacht en hij kwam mijn kamer binnen. Het kindermeisje was weg. Geen loon meer, zei hij – maar hij miste haar, denk ik.
Hij had wijn bij zich en terwijl hij die dronk, vertelde hij me het verhaal van zijn nieuwe boek. Dat had hij nooit eerder gedaan. Ik luisterde heel aandachtig. Ik voelde me trots, zo groot. De held was heel fijn, hij was pappa, dat kon ik zo zeggen! Ik dacht dat hij blij zou zijn dat ik het had gezien maar hij werd woedend. Hij gooide zijn wijnglas tegen de muur, overal was wijn en glas. De hele kamer was er rood van.
Hij zei dat ik dom was en hij wilde me straffen. Hij zei dat ik slecht was en hij zou al die slechtheid uit me slaan.
Hij legde me over de knie. Hij trok mijn nachtjapon omhoog. Hij maakte me bloot en toen sloeg hij me.
Ik weet niet hoeveel slagen. Het kunnen er vijf zijn geweest, het kunnen er twintig zijn geweest. Er gebeurde iets, toen hij me sloeg. Hij stopte. Hij streelde me. Toen deed hij iets slechts. Ik wist dat het slecht was. Dat had het kindermeisje me gezegd. Je moet daar beneden nergens aankomen, je moet daar niet kijken, maar pappa deed het wel. Hij zei: Kijk, ik kan je openmaken, als een beursje. Zie je hoe klein je bent? Daar is een heel klein plekje. Hij stak een

van zijn blanke vingers op en zei: Kijk, die gaat naar binnen.

Het deed pijn. Ik huilde. Pappa hield me dicht tegen zich aan. Hij zei dat we heel intiem waren, dat hij zoveel van me hield en omdat hij van me hield, zou hij me een geheimpje laten zien.

Hij knoopte zijn broek los. Hij zei: Kijk. Daar, opgerold tussen zijn dijen lag dat rare ding, als een zweterig wit slangetje. Ik was bang om het aan te raken, maar pappa lachte. Hij zei dat hij voor me zou toveren. Hij legde mijn hand erop. Het klopte, het leefde. Streel het, zei pappa. Streel het en dan zul je zien, Constance, dat je het kunt laten groeien.

Doe maar net of het een poesje is. Streel maar zachtjes over het bont. Dat deed ik, en het werd groter, net als hij had gezegd. Het sprong naar me toe. Ik zei: Kijk, pappa, je hebt een nieuw bot ge-kregen. En toen ik dat zei, lachte hij weer en kuste me. Gewoonlijk hield pappa niet van een kus op de mond, vanwege de bacillen, maar die nacht was het anders. Hij kuste me, toen zei hij dat er iets was dat hij heel graag wilde. Ik kon het hem geven. Hij hield zijn nieuwe bot in zijn hand. Hij spuugde erop. Hij zei – dat hij het in me kon duwen. Dat grote ding. Ik wist dat het nooit zou passen – en dat deed het ook niet. Het maakte dat ik ging bloeden – maar pappa was niet boos. Hij waste me. Toen mocht ik op zijn schoot zitten. Hij gaf me een glas met wat wijn. Het glas was net een vin-gerhoed. De wijn was als mijn bloed.

Huil niet, zei pappa, wees maar niet bang. Dit is ons geheim. We kunnen het nog eens proberen. De eerste maal dat hij het deed, was het zondag. Ik hoorde de kerkklokken luiden. Aan het eind van onze straat was de Sint Michael en Alle Engelen. Als je uit het raam leunde, kon je die bijna zien. Al die engelen. Ditmaal gebruikte hij zalf. Die moest ik erop smeren tot hij glibberig was. Toen ging hij helemaal naar binnen en pappa uitte een geweldige kreet. Hij deed me pijn en ik dacht dat het hem ook pijn deed, omdat hij schudde en ik zag dat zijn ogen me haatten. Hij sloot zijn ogen en toen het voorbij was, wilde hij me niet aankijken.

Daarna was het altijd op zondag. Soms zei hij: streel mijn slang. Soms zei hij: streel het poesje. Soms zei hij slechte woorden, korte woorden. Eens zette hij me op zijn schoot en stopte hem er op die manier in. Eén keer zei hij dat ik zijn kleine meisje was. Eens deed hij nog iets maar dat wil ik niet opschrijven, het maakte me misse-lijk. Zijn ogen haatten me. Hij zei altijd dat hij van me hield, maar zijn ogen haatten me altijd.

Nadat hij Gwen had leren kennen, dat was het volgende jaar, stop-te het. Ik was blij en ik was bedroefd. Toen het gestopt was, zei hij

270

nooit meer dat hij van me hield. Toen het gestopt was, noemde hij me de albatros, wat hij nooit eerder had gedaan en dan lachte hij me uit. Ik zei: toe pappa, noem me niet zo wanneer andere mensen het kunnen horen. En hij beloofde ermee op te houden – maar hij deed het niet, hij deed het de volgende dag weer.

Kleine albatros. Het maakte me heel eenzaam. Daar. Zo was het. Daar is het, het grootste geheim van allemaal. Ik heb het aan het papier gegeven en het papier kan beslissen of hij van me hield of dat hij loog.

Nu sluit ik het boek en begin aan een nieuw.

Ik sluit die Constance, ik sluit dat leven af.

Ik ga dansen. Nu ben ik klaar om te dansen. Ik draag mijn nieuwe japon. Ik ga een echtgenoot uitkiezen. Van nu af aan zal ik heel voorzichtig zijn. Ik wil niet weer een albatros worden – voor niemand.

Zo kwam Constance de trap van Winterscombe af om te dansen. Daar staat ze op de bovenste trede. De muziek zet in, stijgt omhoog met de lucht. Ze draagt haar baljapon, wit en versierd met pailletten. Haar vingers zijn vol ringetjes gepropt. Haar haar is voor het eerst opgestoken. Haar ooghoeken staan iets schuin omhoog. Ze heeft parels om haar hals, een cadeau van Maud. Diep in zee bij de parels ligt mijn vader, denkt Constance. Ze blijft stil staan. De muziek klinkt. Haar mondhoeken trekken omlaag, het gezicht van een verwaarloosd kind, van een droevig clowntje. Ze verzamelt haar wil. Ze heeft een inktvlek op haar vinger. Constance wacht tot ze voelt dat ze genezen is. Ze wacht tot ze zich vrij voelt.

Ik geloof dat het geen verschil had gemaakt als Constance haar vader nog dieper in de oceaan had kunnen wegstoppen. Shawcross kon niet verdrinken, niet in het onbewuste van zijn dochter. Vroeger of later kwam hij weer boven. Constance, die nooit van het onbewuste had gehoord, dacht dat ze haar vader in een boek kon stoppen, dat ze hem kon vangen met woorden, hem verdrinken in paragrafen, dat ze dat boek en dat leven kon dichtslaan. Maar geen van ons heeft herinneringen in de hand – ze beheersen ons.

We zijn gemaakt door ons geheugen: al die beelden, die details en episodes die we meeslepen in ons hoofd en die we het verleden noemen – die maken wat we zijn. We mogen proberen ze onder de duim te houden – zoals Constance deed en ik ook – door hier een beeld uit te zoeken en daar een gebeurtenis waardoor we ons verleden tot geordende, begrijpelijke verhalen maken – we zijn, denk ik, allemaal romanschrijvers als het om ons eigen leven gaat. Maar het verleden heeft een eigen bestaan, soms welwillend, soms boosaardig en juist als we denken dat we er een vorm aan hebben gegeven die ons uitkomt, verandert het van gedaante. En als we het negeren – of, beter gezegd, onderdrukken – wat doet het dan? Dan stuurt het ondermijnende boodschappen, een beeld, een gebeurtenis die we veilig vergeten waanden. Hé, zegt het geheugen: en dit dan? Weet je dat nog?

Dat is mij overkomen. Acht jaar lang had ik geprobeerd het geluk te vergeten. Dat was heel moeilijk geweest en op Winterscombe ontdekte ik dat het me niet was gelukt. Hoeveel moeilijker moest het niet zijn voor Constance, die trachtte mishandelingen te vergeten.

Toen ik dat bepaalde gedeelte van haar dagboek had gelezen, wilde ik niet verder gaan en sloot het schrift, net als zij. Ik liep Winterscombe door. Ik ging de balzaal binnen waar Constance aan de volgende fase van haar leven begon. Ik liep naar de voet van de trap en keek naar boven. Het was gewoon een balzaal, het was gewoon een trap. Niets wat aan het verleden deed denken. De vitaliteit en gewelddadigheden van vroegere gebeurtenissen hadden er toch een duidelijk stempel op moeten drukken, de lucht had hier anders moeten zijn, zodat zelfs iemand die niets van het huis afwist, iets had kunnen voelen – wat? Een kilte, een concentratie van moleculen – die dingen die mensen beschrijven als ze het over een spookhuis hebben. Maar zelfs ik, die toch alles wist, voelde niets. De balzaal, de trap, ze bleven levenloos.

Ik keerde terug tot de dagboeken die dat niet waren, terug naar de foto's van Constance die die avond waren genomen. Ik dacht aan haar zoals ze daar boven aan de trap stond. En ik was bang omdat ik tot op zekere hoogte wist wat er verder gebeurde.

Ik wist dat Constance die avond inderdaad een man koos, ik wist wie die man was en ik wist iets van de gebeurtenissen die erop volgden. Toch waren veel van de dingen die ik toen meende te weten, onjuist. Constances huwelijk was, net als haar kindertijd, vol geheimen. Toen keek ik naar Constance daar boven aan de trap en dacht: *ze staat op het punt haar grootste fout te maken*. Ik dacht dat Constance wanhopig had geprobeerd zich van haar vader te bevrijden – en ik was er zeker van dat het was mislukt.

Shawcross was ontsnapt uit het dagboek nog voordat Constance haar kamer uit was: in Constances herinnering leefde hij verder. Hij stond daar naast haar op de trap, ging met haar mee naar de balzaal, mee haar toekomst in. Constance was er misschien zeker van dat zijzelf haar echtgenoot had uitgezocht, maar ik was het daar niet mee eens. Haar keus veroorzaakte een geweldige opschudding, het was een keus die overal de vingerafdrukken van haar vader op had staan. Er moest wel een echtgenoot komen. Want wat waren de alternatieven? Constance zag dat ze de gevangene was van haar tijd en maatschappij. Vrouwen van de stand waarin zij opgroeide werkten niet, vrouwen van haar eigen stand deden dat wel en het was deprimerend werk. Constance was niet van plan haar dagen te verspillen als gouvernante of gezelschapsdame. Of als secretaresse, of een soort bediende op een kantoor? Nooit. Verplegen? Dat verwierp ze onmiddellijk. Alleen de oorlog maakt de verpleging tot een beroep dat sociaal aanvaardbaar is en zelfs deze oorlog kon niet eeuwig duren. Nee, het moest een huwelijk worden dat haar zou bevrijden van de banden met de familie Cavendish en hun liefdadigheid. Een huwelijk, dat Constance, nog heel jong, in verband bracht met vrijheid. Trouwen. Maar met wie?

Toen ze de trap af kwam had ze een duidelijk maar abstract beeld in haar hoofd van de man die ze nodig had. Hij moest kennelijk rijk zijn, met goede connecties, als het kon met een titel, en ongetrouwd, omdat dat eenvoudiger was. De juiste man, had ze besloten, moest zich al bewezen hebben. Constance was veel te ongeduldig om te gaan leven, om genoegen te nemen met een man die nog bezig was de ladder te beklimmen. Hij hoefde niet knap te zijn – knappe mannen waren dikwijls ijdel en dat vond ze saai. Ze wilde graag dat hij intelligent was, of hij aardig was kwam er minder op aan. Natuurlijk, als ze een man kon vinden die zijn uiterlijk mee had èn geestig was, met een fortuin èn een positie, was het huwelijk waarschijnlijk nog aangenamer. Constance mocht dan een man willen hebben, maar ze had geen zin zich te vervelen.

Toen Constance die lijst voor zichzelf opstelde, dacht ze aan Acland. Hij paste in iedere categorie. Maar dit idee verwierp ze bijna onmiddellijk. Ze had Acland weggesloten in een apart hoekje van haar geest. Ze respecteerde hem te veel om hem als materiaal voor een echtgenoot te zien. Een echtgenoot was een middel tot een doel. Acland was... zichzelf. Ze dacht het liefst aan Acland als een verleiding die altijd buiten haar bereik moest blijven. Zo bleef hij uniek. Dus stopte Constance Acland met zijn glanzende haar in een lakdoosje ergens in haar hoofd. Ze deed de doos op slot en gooide de sleutel weg, tot een paar jaar later toen ze besloot hem weer te openen. In die doos zaten, samen met Acland, het onmogelijke, de excessen, de muziek – de chaos van het leven. Daar was Acland veilig. Hij kon nooit gewoon worden. Dus Acland werd geschrapt. Constance moest dus een andere kandidaat zoeken.

Toen ze de voet van de trap bereikte, dacht ze dat ze geen favoriet had, dat ze volkomen onbevangen was. In haar hart wist ze waarschijnlijk dat dat niet waar was, maar Constance wilde dat niet toegeven, ze vond dat de mogelijkheden haar duizelig maakten.

Ze was natuurlijk arrogant. Ik geloof niet dat het bij haar opkwam dat de man die ze koos, haar zou afwijzen. Maar schoonheid geeft zelfvertrouwen en Constance was heel mooi die avond.

Daar staat ze dan, aan de voet van de trap terwijl de muziek om haar heen klinkt. Ze neemt haar witte japon in haar gehandschoende hand en loopt naar de balzaal waar ik een jaar of twintig later met Franz-Jacob met zijn bruine schoenen zal dansen. Ze nadert de balzaal. De roze gordijnen zijn niet gescheurd, het orkest speelt op de juiste plaats, de kroonluchters zijn aangestoken en alles schittert. Ze draagt dansschoentjes maar de hakken zijn iets te smal, dus vindt ze het moeilijk goed te balanceren. Ze ziet eruit als een vrouw en loopt als een kind.

Ze wordt begroet door Gwen die haar een kus geeft. Door sir Montague Stern die zich op zijn vreemde buitenlandse manier over haar hand buigt. Door Maud, die zegt hoe mooi ze eruit ziet en die haar meeneemt, vol trots over haar protégée. De conventie eist dat ze de eerste dans maakt met een trage Denton. Ze danst de volgende met Freddie. Aan het eind van de dans is ze stralend. Als hij haar van de vloer leidt, blijft ze staan en grijpt zijn arm. 'O Freddie. De toekomst, wat verlang ik daarnaar. En ik hoor hem nu. Luister maar...' Ze zwijgt en heft haar hoofd. Freddie is verblind door het lieftallige in haar gezicht. Hij stottert iets maar Constance onderbreekt hem.

'O Freddie, wil je me vergeven voor alles wat ik deed, wat ik was? Ik weet dat ik je pijn heb gedaan en ik zweer dat ik nooit meer iemand zal kwetsen. Nooit. Ik ben zo gelukkig vanavond. Ik kan het niet hebben dat je verdrietig kijkt. Jij, en Francis, en Acland en Steenie – jullie zijn de beste broers ter wereld. Ik houd van jullie allemaal evenveel. Ik zal máken dat je gelukkig wordt. Kijk, ik stop wat geluk in je hand, in je palm. Hou het stijf vast. Zo. Het verleden is helemaal weg en we hoeven er nooit meer aan te denken. Zie je wat ik je heb gegeven? Morgen. Zomaar, in de palm van je hand. Ga nu maar dansen, Freddie,' glimlacht ze. '*Met iemand anders.*'

Freddie deed wat ze hem vroeg. Hij danste een polka, een foxtrot, een wals en genoot van die dansen. Hij moest genezen van Constance, hoewel hij wist dat hij nog niet helemaal zover was. Tot op zekere hoogte, dacht hij. Toen hij op een van de vergulde stoeltjes bij Jane Conyngham kwam zitten, was hij blij Constance kwijt te raken. Ze ging hem te snel. Ze maakte overal een rommeltje van en Freddie had liever dat de dingen – het leven, veronderstelde hij – wat langzamer en vooral eenvoudiger, gingen.

Freddie ging zitten, buiten adem van de wals. Hij veegde zijn voorhoofd af en begroette Jane. Hij keek vol verwachting de dansvloer rond naar de vrouwen. Niet dat hij graag verliefd wilde worden – dat gaf veel te veel drukte – maar hij zou graag een heel gewoon meisje willen vinden met wie hij eens naar een theater kon gaan, zodat hij niet altijd achter Steenie aan hoefde te sjouwen. Geen van de meisjes kon zijn ogen vasthouden, want zijn ogen gingen op een irritante manier terug naar het levendige figuurtje van Constance. Ze had geen enkele dans uitgezeten, iets wat Freddie vervelend vond, hoewel hij wist hoe dwaas hij was. Haar danspartners ergerden hem. Dus dwong hij zich een andere kant op te kijken en wendde zich opgelucht tot Jane. Hij was op haar gesteld geraakt, want ze was aardig, verstandig en je kon gemakkelijk met haar praten. Freddie, die door zijn werk met de ambulance kennismaakte met aspecten van het leven waartegen hij altijd beschermd was geweest, begon iets van haar moeilijke werk te begrijpen. Hij vond het dan ook niet prettig dat Jane zijn aandacht weer op de dansvloer richtte en – erger nog – op Constance.

'Wie danst er nu met Constance, Freddie?' vroeg ze.

Freddie wendde zijn blik met een ruk af: 'Geen idee,' zei hij geïrriteerd, 'een van die toegewijde knullen.'

'Is het die Amerikaan over wie Maud het had? Gus je-weet-wel?'

'Ik kan het niet zien. Als hij diamanten knopen aan zijn overhemd heeft zo groot als duiveëieren zal hij het wel zijn.'

'Ze zijn wel groot. En ze schitteren,' zei Jane droog.

'Dan is hij het. Kan hij dansen?'

'Niet zo best, het lijkt wel of hij laarzen draagt.'

'Dan is hij het zeker. Ik kan de man niet uitstaan. Hij praat alleen maar over geld. Hoeveel hij heeft verdiend. En hij denkt dat hij verliefd is op Constance. Weet je hoeveel rozen hij haar pas heeft gestuurd? Tweehonderd. Rode rozen. In een monsterlijke gouden mand. Zoiets als Stern zou kiezen.'

'En was ze er blij mee?'

'Natuurlijk. Constance is dol op extravagante gebaren. Ze zegt dat de mensen wat meer vulgair moesten zijn.'

'Vindt ze dat? Weet je, Freddie, soms denk ik dat Constance een beetje gelijk heeft.'

'Gelijk? Hoe kan ze gelijk hebben?'

'O, ik weet het niet.' Jane fronste. 'We maken al die regels en de meeste zijn willekeurig en dwaas. Je moet je mes op een bepaalde manier vasthouden. Of je mag niet praten over bepaalde dingen – zoals geld. Waarom niet? Waarom ben je niet als die Gus Alexander en zeg je wat je denkt?'

'En doperwtjes van je mes eten als je dat doet?'

'Er zijn erger misdaden, Freddie. Als ik in het ziekenhuis ben...'

Jane maakte haar zin niet af en Freddie drong niet aan. Ze keek uit over de balzaal, over de vele kasbloemen, de kroonluchters, die de atmosfeer helder maakten als glas. Ze zag de balzaal, ze zag ook het ziekenhuis.

De overgang van de ene wereld naar de andere was abrupt. Jane vond het moeilijk. Ze vond dat ze die twee werelden moest kunnen scheiden maar het werd bijna onmogelijk. Het feit dat ze dat niet langer kon, maakte haar bang. Ze geloofde dat het kwam omdat ze overwerkt was, maar soms vond ze het bijna krankzinnig.

Die ochtend in het ziekenhuis had ze de wond van een kleine jongen behandeld. Hij heette Tom. Tom sliep in een kinderbed op de vrouwenzaal omdat het ziekenhuis altijd overvol was. Tom had onder andere Engelse ziekte, zoals de meeste kinderen en veel van de vrouwen. Hij kwam uit Oost-Londen en leed aan ondervoeding. Ook had hij een zieke nier die de vorige dag was behandeld, zodat hij nu een keurig rond gaatje had als de wond van een geweerkogel. Jane wilde dat de jongen bleef leven. Dat wilde ze zo hartstochtelijk voor alle kinderen op de zaal dat ze er bang van werd, want het was dan nog moeilijker als de kinderen stierven.

Tom zou blijven leven, daarvan was ze overtuigd. Terwijl Jane op dat belachelijke vergulde stoeltje zat, wenste ze dat ze in het ziekenhuis was gebleven. Toch was ze ook blij er even uit te zijn, want in het ziekenhuis moest ze liegen. Dat had ze daar geleerd, het was nodig. Boven ieder bed op de vrouwenzaal stond een cijfer – de vrouwen waren bekend onder cijfers, geen namen. Naast dat cijfer stond de fatale diagnose: carcinoma. Soms van de maag, of de longen, of de huid, maar altijd carcinoma – het was tenslotte ook een zaal voor kankergevallen. Dat wisten de vrouwen niet. De meesten van hen waren analfabeet en konden hun eigen kaart niet lezen. Als ze het al konden, werden ze bedrogen door de Latijnse term.

'Het is toch geen kanker, liefje?' vroegen ze altijd, vroeg of later. 'Natuurlijk niet,' antwoordde Jane dan op haar nieuwe, heldere, goed getrainde toon. 'We zullen de kussens even opschudden, dan ligt u lekkerder.'

De zaalzuster zei dat dat het enige was dat ze konden doen. Eens had Jane de zaalzuster geloofd, nu wist ze het niet meer zo zeker. Ze had graag Freddies mening willen horen en ze had Freddie willen vertellen dat het ziekenhuis niet uit haar gedachten verdween maar haar overal achtervolgde.

Maar dat was ongemanierd. Alweer die etiquette. Bovendien was het niet eerlijk. Ze had de indruk dat Freddie ongelukkig was en dit was háár probleem.

Dus begon Jane iets over het ziekenhuis te zeggen maar beëindigde haar zin niet. Ze boog zich naar voren, haar kin op haar handen. Net als Constance veranderde ze. Ze was mager, haar handen waren rood en ruw van het werk in het ziekenhuis, omdat ze als vrijwilligster het laagste werk moest doen, zoals schrobben met carbol. Het was typerend dat ze haar handen dikwijls voor haar gezicht hield, als om zich te verbergen. Ze had nog steeds geen zelfvertrouwen, dus als ze iets wilde zeggen, begon ze doortastend genoeg maar halverwege de zin ontzonk haar de moed, en raffelde ze de laatste woorden af. Ze vluchtte in veilige gemeenplaatsen en omdat ze intelligent was en een hekel had aan haar verlegen ontwijkende woorden – brak ze de zin af. Mannen vonden haar vermoeiend.

Ze had een smal gezicht met fijne beenderen, het hoge voorhoofd van een kind en ogen die je aankeken. Ze vond die ogen – lichtbruin met donkerder vlekjes – niet langer het beste van haar gezicht, maar ze bekeek zichzelf eigenlijk nooit goed. En nog iets. Ze had haar haar afgeknipt. Dit was gedurfd in 1916 maar dat kon Jane niet schelen. Ze knipte het zelf omdat ze het praktisch vond in haar werk en vond het korte haar prettig. Het stond haar goed, haar gezicht was dikwijls gespannen maar het nieuwe haar had een eigen karakter. Het omlijstte haar gezicht en lag glad als een helm om haar hoofd, met de kleur van gepoetst koper. Dat haar was assertief. Jane zelf begon zich te handhaven en als ze dat deed, had ze soms een eigenaardig gevoel alsof haar haar de weg wees, nu het was afgeknipt had het nieuwe autoriteit. Misschien dat zij zelf op een dag ook autoriteit zou hebben, dacht Jane. Maar alles ging nu nog aarzelend, zelfs met Freddie. Dus begon ze over het ziekenhuis en verborg toen haar mond achter haar hand zonder de zin af te maken. In plaats daarvan richtte ze Freddies aandacht op het minder moeilijke – dacht ze – onderwerp van Constance en de mooie japon die ze droeg.

Freddie keek, Constance zocht net een nieuwe danspartner uit de groep jongelui. Haar snelle kleine handen gebaarden in de lucht, haar haar – opgestoken en vastgezet met glinsterende kammen – zag er mooi maar riskant uit, alsof het ieder ogenblik over haar schouders omlaag kon vallen. Ze wendde zich van de ene man tot de andere, een witte handschoen tegen een zwarte schouder – Constance die van het flirten een ballet maakte.

Freddie stond op. Dit was geen ballet dat hij graag wilde zien. Hij liet Jane achter bij Hector Arlington – met verlof, in uniform – en ging op zoek naar champagne. Omdat de oorlog steeds voortduurde, was er gebrek aan mannelijk personeel en uiteindelijk kreeg hij zijn champagne van Jenna. Ze was bleek, ziek en uitgeput, het duurde zelfs even voordat Freddie haar herkende. Het maakte hem extra gedeprimeerd. Ze had er zo lief uitgezien en was nu zoveel ouder: leeftijd, tijd, verandering. Daar ging het geluk van Constance. Hij stond onder de orkestbak en dronk veel te snel zijn glas champagne leeg.

'Wie is dat?' vroeg Denton knorrig. Hij tuurde naar de dansvloer.
'Waar, liefste?'
'Daar, Gwennie, daar! Dansend met Hector Arlington. Wie is dat?'
'Dat is Jane, de verloofde van Boy. Jane Conyngham,' antwoordde Gwen met nadruk omdat Denton keek of hij nooit van Jane had gehoord.
'Monsterlijk zoals ze eruitziet.' Denton kneep zijn ogen half dicht. 'Wat heeft ze voor de duivel met haar haar gedaan? Is ze gescalpeerd?'
'Ze heeft het afgeknipt, liefste. Dat is het nieuwste, geloof ik. Het staat haar goed, vind ik. Niet zo streng. Ze ziet er jaren jonger uit.'
'Lelijke jurk.' Denton luisterde niet. 'Absoluut afgrijselijk. Geel, hè? Een zieke kleur. Je moet eens met haar praten, Gwennie.'
'Jane is niet zo geïnteresseerd in kleren, schat. Nooit geweest. Maar ik vind het een mooie japon. De kleur staat haar goed. Natuurlijk is ze erg mager. Maar ze heeft een goed hart, Denton, een goed hart.'
'Een goed hart en een goed fortuin,' grinnikte Denton.
Gwen wierp hem een achterdochtige blik toe. Denton scheen zich Jane uitstekend te herinneren en even vermoedde Gwen dat hij dat steeds had gedaan. Gwen vond het geheugen van haar man – of het gebrek eraan – een steeds groter raadsel. Voor kleine dingen, data, namen, bepaalde woorden – scheen Dentons geheugen uitgesproken slecht. Als hij iets of iemand beschreef, kon hij het juiste woord onmogelijk vinden. 'Hij is...' begon hij dan en zijn ogen draaiden rond, zijn handen gebaarden krampachtig.
'Lang?' hielp Gwen dan geduldig. 'Groot? Goed gebouwd? Stevig? Dik?' Echt, ze had een woordenboek nodig. 'Met brede schouders? Als een reus?' Dit in antwoord op Denton wiens gezicht paars werd en die met zijn rechterhand een groot standbeeld aanduidde.
'Lang,' eindigde ze dan. 'Dat bedoel je natuurlijk. Lang, zoals jij en de jongens, dat is het toch, Denton?'
'Behaard,' kon Denton dan uitbrengen met een boosaardige glans in zijn ogen. Het woord dat Denton ten slotte vond, had niets met zijn gebaren te maken. Bij zulke gelegenheden dacht Gwen dat hij haar plaagde en het kon haar irriteren. Waren al die vergeetachtigheden soms een zaak van perversiteit? Het was toch vreemd dat hij Jane niet herkende en het volgende ogenblik haar fortuin te berde bracht. Gwen zuchtte, stelde zichzelf gerust. Het probleem was natuurlijk echt. Dentons hoofd was een onvolmaakte geleider geworden, dat was alles.

'Ben je moe, Denton?' vroeg ze en boog zich naar hem toe op de moederlijke manier die nu een tweede natuur was geworden. 'Het wordt al laat. Niemand vindt het erg als je je terugtrekt.'

'Niet moe. Absoluut niet. Ik geniet,' antwoordde Denton duidelijk. Hij keek neer op zijn cognacglas dat leeg was en dat van Gwen niet meer gevuld had mogen worden.

'Niet zeker van sommige van die mensen.' Hij nam de zaal in zich op. 'Vrouw, daar in de verte – die met al die verf op haar gezicht als een...'

'Denton!'

'Meid, ziet eruit als een meid. Wat dacht je dat ik ging zeggen? En die kerel die ze bij zich heeft! Wie heeft hem uitgenodigd? En die daar dan? Die daar zo aan het opscheppen is in de hoek. Lang haar. Met van dat walgelijke rode spul op zijn gezicht. Hoort aan het front te zitten, dat zou hem wat verstand bijbrengen...'

Gwen hief haar nieuwe lorgnet op en tuurde naar de jongeman. Hij stond met zijn rug naar haar toe en praatte geanimeerd met Freddie en nog wat jongelui. Bijvoorbeeld Conrad Vickers, de zogenaamde fotograaf en die lange, logge jongen die iedereen Wexton noemde, en aan de rand van de groep de toneelspeler Basil Hallam. Gwen voelde nog steeds niet veel voor deze vrienden. Vickers scheen wel buitengewoon opgewonden te zijn. De jongeman die door Denton van opscheppen was beschuldigd, stond nog steeds met zijn rug naar haar toe, maar Freddie was in een ernstig gesprek met Wexton gewikkeld. Jane beweerde dat Wexton op het punt stond met een ambulanceteam naar Frankrijk te gaan. Net toen Gwen dacht dat ze op haar hoede moest zijn – het laatste wat ze voor Freddie wenste was Wexton te evenaren, het rijden op een ambulance in Hampstead was best maar aan het front was het iets anders – draaide de drukke jongeman zich om. Gwen zag dat het Steenie was.

'Zie je wat ik bedoel?' Denton gebaarde met een hand vol levervlekken in zijn richting. 'Verf. Helemaal volgesmeerd. Om te braken!'

'Denton, liefste. Doe niet zo mal. Het is Steenie. Dat had je kunnen zien als je je bril had opgezet. Hij heeft alleen een kleur, dat is alles. Het is hier warm, en hij heeft gedanst.'

'En dan nog wat...' Dentons blikken dwaalden door de zaal. 'Kijk nou eens naar Maud. Veel te jeugdig gekleed voor zo'n oud mens. Hangt maar aan zijn arm – die kerel – hoe heet hij ook alweer? De Israëliet.'

'Denton, tóe. Maud kan je misschien horen...'

'Verdomd goed als dat zo was. Bracht haar misschien tot inkeer.

Wat denkt ze in godsnaam dat ze doet? Ze is een Engelse – verdomme, ze is míjn zuster. Eerst trouwt ze met zo'n Italiaan en nu dit. Een – geldschieter. Hoe komt zo'n man nou aan een titel?'

'Ik denk op dezelfde manier als jouw vader aan de zijne,' zei Gwen scherp. 'Hij zal die titel wel gekocht hebben.'

'Belachelijk. Als het aan mij lag...'

'Rustig nou maar, Denton. Je weet wat de dokter heeft gezegd.'

Gwen wenkte een van de oudere bedienden en keek toe terwijl Dentons glas met cognac werd gevuld. Veel was het niet, want de man had zijn orders, maar het was voldoende. Denton kwam tot rust. Zijn boosheid verdween en even later scheen hij Maud en sir Montague te zijn vergeten.

Die uitbarstingen ten opzichte van Stern kwamen de laatste tijd vaker voor en, samen met kleine toespelingen en ontwijkingen van Maud, vond Gwen ze dikwijls zorgwekkend. Een paar maal was het bij haar opgekomen dat Denton geld had geleend van Stern, zoals meer van hun vrienden. Het was bekend dat die openstond voor dure gewoonten en dwaasheden. De Arlingtons bijvoorbeeld, had Maud in strikt vertrouwen verteld. Hector, geadviseerd door zijn moeder, de formidabele Gertrud, had zich tot Stern gewend. Het was natuurlijk tijdelijk en had te maken met successierechten. Zelfs Richard Peel, Dentons oude vriend en vreselijk conservatief, had met Stern te maken gehad. Hij was er heel open over: 'Kan de kerel niet in mijn huis hebben,' had hij tegen Gwen gezegd. 'Ik weet dat hij hier komt, maar ik kan het niet. Levenslange gewoonten. En het belangrijkste is dat hij het begrijpt. Dringt nooit aan. Tactvolle kerel voor een jood.'

Was Stern op een soortgelijke manier van nut geweest voor Denton? De laatste weken beschouwde Gwen dat als een mogelijkheid, ook nu, terwijl ze naar Stern en Maud keek, die zachtjes samen stonden te praten. Het was vroeger nooit bij Gwen opgekomen dat Denton financiële adviezen of steun nodig had. Ze leefden heel eenvoudig, maar drie huizen, Winterscombe, Londen en het jachthuis in de Hooglanden, waar Denton in augustus en september heenging. Ze hielden geen grootse ontvangsten, het aantal bedienden was sterk verminderd door de oorlog. Nee, het was onbegrijpelijk dat Denton zou moeten lenen. Hij vroeg natuurlijk advies aan Stern voor investeringen.

Toch waren er gekke dingen. Denton was altijd erg zuinig, zodat ze bang was hem de rekeningen van haar laatste japonnen te laten zien. Maar hij gaf zijn zoons altijd kostbare cadeaus en had ook de voorbereidingen voor dit bal aangemoedigd. Aan de andere kant was er de onbegrijpelijke wens – al jaren geleden geuit – dat Boy een erfgename moest trouwen. Gwen was min of meer beledigd, het klonk zo geldzuchtig.

'Bed,' zei Denton plotseling. Hij stond op. 'Naar bed, ik word te oud voor dit soort dingen, Gwennie.'

'Onzin, Denton...' Maud was naar hen toegekomen met Montague Stern. Ze boog zich voorover om haar broer een kus te geven. 'Je kunt je nu niet terugtrekken – je hebt maar één keer gedanst. Maak nog even een rondje met mij, een kleintje...'

'Veel te oud. Te stijf,' gromde Denton. Hij reikte naar zijn wandelstok die hij niet nodig had, dacht Gwen, maar waarmee hij graag zwaaide. Denton vond het plezierig de zieke man te spelen. Hij ging rechtop staan. Op dat moment kwam Constance bij hem staan, haar zilverwitte japon glinsterde.

'Onzin, pappa,' zei ze met een innemende glimlach. 'Toe, het is zo'n heerlijke avond. Wilt u me niet nog één dans geven voordat u naar boven gaat?'

Denton die het nooit erg scheen te vinden als Constance hem 'pappa' noemde, beantwoordde haar glimlach op een dwaze manier, vond Gwen. Hij beefde een beetje en rolde met zijn ogen.

'Het gaat niet, het gaat niet, ben ik bang. Zelfs niet voor jou, liefje. Ik zou graag nog een keer met de *belle* van het bal willen dansen, maar niet nu. Te oud. Jichtige voet. Maar misschien wil Stern het voor me waarnemen.'

Waarop hij sir Montagues arm stevig beetpakte en hem met wonderbaarlijke kracht naar voren duwde. Constance scheen het leuk te vinden. Stern was even van zijn stuk gebracht. Misschien nam hij de manier waarop Denton hem aanpakte, kwalijk, misschien voelde hij er niets voor met Constance te dansen, in ieder geval beheerste hij zich al gauw.

'Constance. Ik ben een onvolmaakte plaatsvervanger maar ik wil je graag van dienst zijn.'

'O, dat zal wel,' antwoordde Constance luchthartig en liet zich naar de dansvloer leiden. Ze zag er klein en frêle uit in Sterns armen. Maud keek welwillend toe, want beiden waren uitstekende dansers.

Het was een Weense wals.

'Hoe dans je het liefst, Constance?' vroeg Stern na één rondje. Ze dansten elegant maar vrij langzaam. 'We doen het keurig, maar we zijn wat achter bij het ritme, lijkt me.'

'O, ik dans graag snèl,' antwoordde Constance, 'ik vind het heerlijk te worden meegesleept.'

Stern glimlachte. Zijn linkerhand hield de hare steviger vast en ze voelde iets meer druk van zijn rechter tegen haar rug. Hun tempo werd sneller. De eerste maal concentreerde Constance zich op de danspassen, bij de tweede ronde concentreerde ze zich op Stern. Ze had zichzelf beloofd een echtgenoot uit te kiezen, maar het bal was bijna voorbij en ze had nog geen keus gemaakt. Toen ze aan de derde dans begonnen, realiseerde ze zich dat ze misschien al vóór deze avond haar keus had gemaakt.

Constance hield ervan bespiegelingen te houden en ze had al eerder aan Stern gedacht. Lang geleden, toen ze de eettafel had rondgekeken en begreep dat Dentons plaats was ingenomen door Stern die de onofficiële patriarch van het gezin was geworden. Gwen wendde zich tot Stern als ze raad nodig had en Stern, een buitenstaander, net als zij, overheerste de familie. Constance wist toen niet dat Denton zich tot Stern had gewend om advies – dat ontdekte ze later. Ze wist niet dat ook Acland zijn raad had gevraagd. Zulke feiten kwamen er niet op aan, Constances intuïtie was scherp, en ze rook de geur van macht.

Ze bereikten een hoek van de balzaal en draaiden rond. Constance keek Stern peinzend aan. Ze dacht aan Gwens opmerkingen over deze man. Ze herinnerde zich een gebeurtenis toen ze aan het eind van een middag winkelen met Maud, werd meegenomen naar Stern die op hen wachtte in een galerie. Hij kocht net een schilderij. Constance had geen oog voor schilderijen, geen oor voor muziek en literatuur interesseerde haar niet. Maar ze leerde snel, zoals Maud zei. Ze keek naar de schilderijen aan de wanden van de galerie, die er voor haar allemaal hetzelfde uitzagen, ze vond ze alleen maar saai. Een schilderij moest voor Constance groot zijn, met mensen erop.

Sterns smaak was kennelijk anders. De schilderijen waren niet zo groot, en stuk voor stuk landschappen. Ze kon echter eerbied even snel ruiken als macht. De man die Stern langs de schilderijen leidde, was respectvol, dat zag ze onmiddellijk, maar niet onderdanig, hij had eerbied voor Sterns oordeel, niet voor zijn bankrekening.

Stern liep langzaam. Beige, bruin, terracotta. Constance was nooit in Frankrijk geweest, had nooit van Cézanne gehoord, ze keek naar de beelden en probeerde er iets in te zien. Ze had zin om te gapen.

Eindelijk stopte Stern bij een schilderij. 'Ah,' zei hij. 'Maar dìt...' 'O ja.' Ook de assistent van de galerie was blijven staan. Hij zuchtte, net als Stern. Eerbied! Constance tuurde aandachtig naar het schilderij. Het kon een berg zijn en er waren wat vormen die misschien bomen voorstelden, maar over het geheel genomen was het een abstracte zaak. Ze vond het niet mooi. Maar Stern kocht het. De verkoper feliciteerde hem. Constance, die snel op de prijslijst keek die ze bij binnenkomst had gekregen, zag dat de schilderijen niet duur waren maar dat dat wat Stern had uitgezocht, de hoogste prijs had. Goede dingen waren altijd kostbaar, had Maud haar geleerd, dus herzag Constance ogenblikkelijk haar mening over het ding. Ze herzag ook haar mening over Stern. Hij had niet naar de prijslijst gekeken maar het beste uitgezocht. En zij, Constance, was blind. Een mysterie – en dat trok Constance aan. Er waren gebieden die Stern begreep en zij niet. Ze ving er soms een glimp van op wanneer hij wijn uitkoos, of boeken besprak met Acland en Jane, of de familie meenam naar de opera.

Dan concentreerde hij zich op de muziek. Hij hoorde iets in de opeenvolgende noten dat zij niet hoorde. Het was ondraaglijk. Ze moest onmiddellijk tot die geheimen worden toegelaten. Eens had ze in de pauze iets gevraagd – de verkeerde vraag. Het ging om *Die Zauberflöte* en hij had haar het verhaal uitgelegd. Constance vond het belachelijk maar was verstandig genoeg om dat voor zich te houden. Toch was Stern geïrriteerd. Later had ze het nog eens geprobeerd. Toen ze naar *Rigoletto* gingen. Ze had Stern gevraagd naar Verdi, wilde tonen dat ze zijn leerlinge kon zijn. Hij haar leraar?

Toen de wals afgelopen was, besloot ze dat Stern veel meer kon zijn: haar echtgenoot. Hij vervulde immers al haar wensen en het schokte haar dat ze zo blind was geweest. Hij was ongetrouwd – Constance dacht geen moment aan Maud – hij had autoriteit, was rijk, was geestig. Zijn uiterlijk was opvallend, zijn geslotenheid trok haar aan. Natuurlijk was hij oud genoeg om haar vader te zijn maar leeftijd betekende niets. Het mooiste was echter dat ze hem niet kende. Hij hoorde al zes jaar tot hun familiekring maar ze had nooit over zijn innerlijk nagedacht. Hij was nog steeds een beleefde, ondefinieerbare vreemde.

Constance aarzelde niet meer. 'Nee, nog één dans. Je danst zo goed,' zei ze toen Stern haar meenam van de dansvloer. Het scheen Stern te verbazen.

'Toe, niemand mag me vanavond iets weigeren.' Stern keek of hij dat gemakkelijk zou kunnen, maar hij gaf toe. Hij nam haar arm in de zijne en ging terug om te dansen.

Constance concentreerde zich. Ze geloofde onvoorwaardelijk in gedachtenoverdracht. Als zij zich iets voorstelde, dacht Stern wat later aan hetzelfde.

Ze wachtte even, toen struikelde ze - heel overtuigend. Ze drukte zich dichter tegen hem aan en haar gehandschoende hand streek langs zijn hals. Ze zweeg opzettelijk, pas toen ze dacht dat het juiste moment gekomen was, maakte ze een opmerking waarbij ze Stern een dodelijke blik toewierp. Langzaam draaide ze haar hoofd zodat hij tijd had haar gezicht in zich op te nemen, haar provocerende lippen te zien voordat hij de provocatie in haar ogen opmerkte.

Het was misschien ijdelheid, maar Constances houding ten opzichte van haar uiterlijk was praktisch. Het was een wapen dat ze toevallig bezat. Haar huid was rimpelloos, ze had dik, weerbarstig haar. Haar neus was symmetrisch - een nuttig geschenk. God - als er een God bestond, wat ze betwijfelde - had haar sprekende ogen van een wisselende kleur gegeven. Als ze die gaven niet had gehad, zou het haar ook gelukt zijn. Maar ze hadden een direct effect op mannen en ze was van plan ze volledig in te zetten. Eén ding had ze zelf geperfectioneerd: de sprekende blik. Dus liet ze haar ogen op Stern rusten, concentreerde zich om haar gedachten op hem over te brengen. Ze dacht aan gefluister, aan seks. Ze dacht aan de machtige Stern als minnaar. Ze zag die fantasieën als de pijlen van de heilige Sebastiaan. Tot haar grote vreugde keek hij haar aan, tot haar grote schrik wendde hij zijn ogen weer af.

Constance was hevig geschokt. Zijn blik sprak van verveling, al wist hij dat snel te camoufleren. Hij deed zijn plicht, danste met een familievriendinnetje, een kind, uit beleefdheid. Wat zij had gefantaseerd betekende niets. Constance was vernietigd.

Ze beëindigde de dans met een uitdrukking van geduldige concentratie. Zo'n uitdrukking betekende niet veel goeds.

Na de dans bracht Stern haar naar haar volgende partner en ging terug naar Maud. Even later vertrokken ze.

Constance keek hen na zoals een kat naar een muis kijkt. Stern was natuurlijk geen gemakkelijke prooi maar dat trok haar juist aan. Ze was het kind van haar vader: het gemakkelijk bereikbare betekende niet veel. Natuurlijk had haar vader haar nòg iets nagelaten wat haar haar levenlang bleef beïnvloeden. Het enige dat Constance niet kon verdragen van een man was onverschilligheid - zelfs bedekt.

'Denk je ooit over liefde?'

Steenie stelde die vraag aan Wexton toen ze een paar dagen na Constances bal een galerie in Chelsea hadden bekeken waar Steenie een tentoonstelling van zijn schilderijen wilde houden. Ze zaten in een soort tea-room – met stoom op de ruiten, druk, burgerlijk, met diensters in nette zwart-witte uniformen – waar Wexton het meest van hield. Steenie, nerveus, weigerde iets te eten. Wexton had na lang overleg gekozen voor een roombroodje.

Wexton gaf Steenie geen antwoord. Hij keek hem omzichtig aan en prikte met een kleine vork in zijn broodje.

'Is het de bedoeling dat je dit gebruikt?' Hij hield het vorkje omhoog.

'Dat hoeft niet,' piepte Steenie. Met een hoge stem stelde hij de vraag opnieuw. 'Denk je ooit over liefde?'

Het klonk belachelijk. Steenie kreeg een kleur.

'Soms.' Wexton weifelde. 'Er zijn zoveel soorten liefde.'

'Echt?' piepte Steenie die dacht dat er maar één soort was.

'Kinderen houden van hun ouders, ouders van hun kinderen. Je kunt houden van een vriend. Een man kan houden van een vrouw of van verschillende vrouwen. Hij kan verliefd zijn. Liefhebben. Mogelijkheden genoeg.'

Steenie interesseerde zich niet voor die mogelijkheden en door de verwijzing naar mannen die van vrouwen hielden, kwam er een vreselijke gedachte bij hem op. Had hij zich in Wexton vergist?

Hij vestigde zijn ogen op Wextons gezicht. Het was een bijzonder gezicht dat zijn leven weerspiegelde, met een uitdrukking van zachtmoedige, wat verwonderde melancholie. Wexton, die er veel ouder uitzag, was even in de twintig maar Steenie vond hem de meest wijze en vriendelijkste man die hij ooit had ontmoet. Als hij nu ging zeggen wat hij ging zeggen – en dat zou hij doen, ze hadden de Rubicon bereikt – kon hij niet tegelijkertijd Wexton aankijken. Hij was te bang. In plaats daarvan keek hij naar een vrouw met een belachelijke hoed waar een fazanteveer uitstak.

'Maar ook,' begon hij en zijn stem bereikte de hoge c, dus schraapte hij zijn keel nog eens. 'Maar ook kan een man... van een andere man houden.'

'O ja.' Wexton nam nog een hap van zijn broodje. 'Heel lekker,' zei hij.

Steenie wist dat hij nu doodging. Hij had hoogstens nog één minuut te leven. Zijn hart klopte niet meer. Zijn hoofd bonsde. Zijn longen weigerden te ademen. Zijn oren waren verstopt. Er was iets met zijn ogen. Zelfs de fazantenveer was nu onzichtbaar. Dertig seconden. Twintig. Tien.

'Ik houd bijvoorbeeld van jou,' zei Wexton met een redelijke stem.

'O, mijn god.'

'Ik was niet van plan geweest iets te zeggen. Maar ik ben van gedachten veranderd.'

'Ik heb een hartaanval. O zeker. Kijk, Wexton, mijn handen beven.'

'Is dat een symptoom – van een hartaanval?'

'Ik weet het niet.'

'Ik ook niet, maar ik denk van niet.'

'Misschien is het geluk.' Steenies stem keerde terug tot normaal. Hij riskeerde een blik in Wextons ogen. 'Geweldig, plotseling... geluk.' Hij zweeg even. 'Ook een soort hartaanval. Omdat ik van je hou, natuurlijk. Ik hou waanzinnig veel van je, Wexton. Volkomen.'

Hij nam Wextons handen in de zijne en keek in Wextons droefgeestige ogen.

'Ik weet wat je denkt,' zei hij snel. 'Je denkt dat ik me aanstel. Dat ik lichtzinnig ben. Leeghoofdig, idioot. Oppervlakkig. Dat denk je toch?'

'Nee.'

'Zo ben ik niet echt. Ik weet dat ik zo klink, maar dat is voor het grootste deel camouflage. Niet helemaal, ik overdrijf – dat weet ik. Maar woorden benaderen de dingen alleen maar. Je zou net zo goed... Wat zei je?'

'Ik zei "nee".'

'O god, zou je het nog eens willen zeggen?'

'Nee,' herhaalde Wexton bereidwillig. Hij had zijn roombroodje verorberd. Hij dronk zijn thee, schonk nog meer in, voor Steenie, voor hemzelf.

'Wexton, die thee is veel te sterk. Ik weet zeker dat ze niet zulke thee drinken in Virginia. Een lepel kan erin blijven staan. Het is walgelijk.'

'Ik hou ervan.'

'Ik zal altijd van je houden.' Steenie greep Wextons handen steviger in de zijne. Ze trokken al enige aandacht van de omringende tafeltjes. 'Ik zal voor eeuwig en altijd van je houden, Wexton. Al het andere is ondenkbaar. O, je gelooft me niet, dat zie ik.'

'Laten we maar afwachten.'

'Nee, absoluut niet. Je moet me geloven, nú.'

'Nu, op dit moment?' Wexton schonk hem een trieste, maar welwillende glimlach.

'Nu, op dit moment.'

'Oké, ik geloof je nu. Zullen we naar de kassa gaan?'

'De kassa?'

'De rekening.'
'Mag ik mee naar je flat?'
'Best.'
'Lees je me dan een paar van je gedichten voor?'
'Hmm, hmm.'
'Wil je me nog eens zeggen dat je van me houdt?'
'Nee.'
'Waarom niet?'
'Ik heb het één keer gezegd. Eenmaal is genoeg.'
'Maar misschien moet ik wel worden gerustgesteld.'
'Dat is dan jammer.'

Buiten op straat maakte Steenie een paar huppelpasjes. De zon scheen. Het was druk. Het had Steenie niet veel kunnen schelen als het hard geregend had, maar toch was het mooie weer prettig. De elementen stonden aan zijn kant. Ze wisten dat hij verliefd was.

'Denk je,' begon hij omzichtig, hield op met zijn gehuppel en pakte Wextons arm. 'Denk je dat andere mensen net zo verliefd zijn als wij? Ik weet zeker van niet. Niemand anders kan toch zo gelukkig zijn, denk je?'

'Dat zou ik niet willen zeggen,' begon Wexton nadenkend. 'We hebben de wereldvoorraad niet opgekocht. Ik neem aan dat er nog iets over is.'

'Onzin. Voor wie dan?'

Wexton dacht even na. 'Bendes mensen. Je vader en moeder, bijvoorbeeld. Ze houden van elkaar op hun manier. Je tante Maud en die man Stern – zij is dol op hem...'

'Tante Maud? Die is zo hard als een bikkel. Die kan op niemand dol zijn.'

'En Jane...'

'Jane? Je bent gek.'

'Ze is toch verloofd?'

'O, ja. Maar ze houdt niet van Boy. Dat merk je zo als je hen samen ziet. Ze vindt hem heel aardig, ja. En vroeger was ze idolaat van Acland...'

'Acland?' vroeg Wexton geïnteresseerd.

'Maar dat was eeuwen geleden. Het zal wel gesleten zijn. Het enige waar ze nu aan denkt is aan ziekenhuizen.' Steenie maakte nog een sprongetje. Hij wierp Wexton een triomfantelijke blik toe. 'Zie je wel? Je hebt het helemaal mis. Er is geen enkele serieuze kandidaat. Wie had je nog meer in gedachten? Freddie? Arme Freddie – hij weet nooit wat hij wil.'

'Nee, Freddie niet.'

'Wie dan? Geef het maar toe – je hebt het helemaal mis.'

'Al die mensen hier.' Wexton wuifde vaag naar de voorbijgangers. 'Ieder van hen. Op welke tijd dan ook. Zo is het nu eenmaal.'

'Die?' Steenie zette de mensen die voorbijkwamen met een groots gebaar van zich af. 'Die tellen niet mee. Die kennen we niet.'

'Goed, dan geef ik het op.'

'Wij alleen?'

'Zoals je wilt.'

'Ik wìst het wel,' zei Steenie met een zucht van geluk.

Ze liepen zwijgend verder tot ze in Wextons straat kwamen. Toen zei Steenie: 'Natuurlijk zijn we iemand vergeten. We hebben Constance niet genoemd.'

'Dat is waar.'

'Per slot van rekening zit iedereen te wachten tot Constance verliefd wordt. Daar werd dat bal voor gegeven. Gek dat we niet aan haar dachten.'

'Het is niet zo gek, omdat we ons geen van beiden kunnen voorstellen...'

'Dat Constance van iemand houdt?'

'Ja. Ze denkt misschien van wel, probeert zich ervan te overtuigen.'

'Ze zou wel kunnen háten, geloof ik,' zei Steenie, 'dat kan ik me wel indenken. Een angstwekkende gedachte.'

'Ze is helemaal angstwekkend.'

'Vind je?' Steenie bleef staan. 'Dat denk ik eigenlijk ook. Tot op zekere hoogte. Al die energie. Behalve – ik ben erg op haar gesteld, Wexton. Altijd geweest. Ze heeft een ellendige jeugd gehad. Haar vader was een absolute verschrikking. Afschuwelijk tegen haar. Tegen iedereen trouwens. En toen ging hij op zo'n bloedige manier dood. Heb ik je dat ooit verteld?'

'Nee.'

'Dat doe ik misschien nog wel eens als ik me sterk genoeg voel. Het was op Winterscombe. Iedereen zei dat het een ongeluk was maar...'

'Jij dacht van niet?'

'Ik weet het niet. Ik was nog heel jong. Maar er was iets... raars. Het voelde niet goed. In ieder geval wil ik er nu niet aan denken. Zeker vandaag niet. Hoe kwamen we hier eigenlijk op?'

'Door Constance.'

'O ja, Constance. En de liefde. Ik denk dat ze graag zou willen liefhebben, Wexton, heel graag. Ik dènk dat ze hield van haar vader, bijvoorbeeld, zo deed ze tenminste. Weet je hoe hij haar noemde?

"Mijn kleine albatros". Kun je het je voorstellen? Hij was zó gemeen. Hij was ook schrijver.'

'Dank je.'

Wexton had zijn huis bereikt. Hij zocht in al zijn zakken naar zijn sleutels. Steenie, die keek of de straat leeg was, gaf hem een kus.

'O god, dat bedoelde ik niet. Hij was trouwens geen echte schrijver. Hij schreef geen gedichten, alleen van die afschuwelijke romannetjes. Je zou ze verschrikkelijk vinden. Zelfs Constance vond ze vreselijk. Ze wist geloof ik, dat ze niet goed waren en kon dat niet verdragen. Weet je wat ik haar eens zag doen?'

'Nee. Wat?'

'Ze knipte ze kapot. Een van zijn romans. Ze zat op de vloer van haar kamer en knipte alle bladzijden in stukken met een nagelschaartje. Alleen de omslag bleef over. Het duurde eeuwen. Toen stopte ze de snippers in een zak en de zak in haar bureautje. Het was heel eng. En ze huilde. Het was niet lang na zijn dood en ze had verdriet – ze deed toen heel eigenaardig. Na een jaar of twee was ze eroverheen.'

'Ha, ik heb hem.' Wexton haalde zijn sleutel te voorschijn. Hij keek er verwijtend naar, alsof het ding zich had verstopt. Steenie was opgewonden maar ook nerveus. Dit was voor het eerst dat hij Wextons flat zou zien. Hij hoopte dat hij niet tekort zou schieten en ging voorzichtig de trap op en kwam in een kleine hal en toen in een plezierige kamer vol boeken.

'Het is hier nogal een troep, ben ik bang...'

Wexton keek verontschuldigend om zich heen. Er waren boeken op planken, boeken op tafels, boeken op stoelen, boeken op de vloer. Wexton liep naar een gasstel en zette water op. 'We kunnen koffie drinken, thee drinken, wat je wilt.'

'Dat zou fijn zijn.'

'Allebei?'

'Wat je maar wilt.'

'Goed.' Wexton scheen nog te aarzelen. Hij zei met de ketel in zijn hand: 'Nog één ding. Ik wil niet nog eens over haar beginnen, ik vergeet haar liever. Maar voor ik dat doe – op Winterscombe – op dat bal...'

'Ja?' Steenie die een sigaret in een pijpje stak, wachtte. Hij keek Wexton aan, die er niet voor voelde verder te praten. Steenie zuchtte. 'O, Wexton, ik ben niet blind, evenmin als jij. Ik wist dat je het had gezien. En ik weet precies wat je gaat zeggen.'

'Constance en Stern.' Wexton fronste. 'Toen ze samen dansten. Aan het eind. Dacht je niet...'

'O ja, zeer zeker. Mijn ogen stonden op steeltjes. En absoluut niemand die het merkte, behalve jij en ik. En het was zó duidelijk.'
Het was even stil. 'Zij, dacht je?' vroeg Steenie toen. 'Of hij?'
'Zij, zeer zeker. Van hem ben ik minder overtuigd. Waarschijnlijk niet. Hij keek nogal ongeduldig.'
'Dat was juist zo interessant.' Steenie drukte zijn sigaret uit. 'Stern is nooit ongeduldig. Als je hem aan de dood voorstelde, zou hij er niet warm of koud van worden. Maar die avond was hij uit zijn humeur. Ik zag hem toen hij vertrok, liep tegen hem op in de vestiaire. Hij zag me niet eens. Hij leek wel een donderwolk – nee, ijs! Beangstigend! Het volgende ogenblik was hij terug bij tante Maud, een en al charme. Dat is hij meestal. En een tikkeltje koelbloedig. Dus misschien heb ik me alles maar verbeeld.'
'Misschien.' Wexton schudde aan zijn ketel. 'In ieder geval interessant.'
'Het is *tot op zekere hoogte* interessant,' antwoordde Steenie met een nieuwe doortastende stem. Hij aarzelde, deed een stapje en kreeg een kleur.
'Tot op zekere hoogte?' Wexton zette de ketel neer.
'Wexton... denk je dat je je armen om me heen zou kunnen slaan?' Steenie werd nog roder. Zijn stem werd hoger en hij kwam dichterbij.
'Eén arm maar, Wexton. Om mee te beginnen. Eén arm is genoeg.'
'En de koffie dan?'
'De koffie kan opvliegen.'
'Je bent nog heel jong, Steenie. Ik...'
'O, in godsnaam, Wexton. Ik moet ergens beginnen. Ik wil het nu. Met jou. Ik houd van je, Wexton. Als je niet nu direct je armen om me heen slaat, doe ik iets vreselijks. Dan ga ik huilen of ik krijg weer een hartaanval.'
'Nou ja, ik denk dat we dat niet graag zouden willen.' Wexton stond te schuifelen. Hij gaf Steenie zijn welwillende glimlach, trok aan zijn haar. Toen, met een treurige blik, zoals altijd wanneer hij gelukkig was, strekte hij zijn armen uit. Steenie rende erin.

'Dus, Gwen, moeten ze verkopen. Alles en alles. Het huis, het landgoed. Alles. Is het niet treurig? Trágisch – als je bedenkt dat er driehonderd jaar lang Arlingtons hebben gewoond.'
Het was eind juni, drie weken na Constances bal. Maud troonde achter de theekopjes en het spirituskomfoor in haar Londense salon. Het was een van haar uitgebreide theemiddagen. Er werden meer gasten verwacht maar zij en Gwen hadden – zoals ze gewoon

waren – een paar minuten van gezellige intimiteit. En ook roddel – Maud had altijd verhalen.

Aan de andere kant van de kamer stond een stel jonge gasten: Constance, Steenie, Freddie en Conrad Vickers, de jonge fotograaf. Wexton, die trainde voor zijn rijden met een ambulance, was er niet.

Naast de opvallende figuur van Vickers die zijn haar nog een stuk langer droeg dan Steenie, zat een stijve rij jonge officieren met verlof. Enkele van die mannen schenen aanstoot te nemen aan Vickers – dat was ook wel te verwachten. Anderen staarden met peinzende verrukking naar Constance. Wat Maud betrof kon die groep wel voor zichzelf zorgen. Zij en Gwen hadden belangrijke dingen te bespreken.

'Ik kan het niet geloven,' zei Gwen met een bevrediging gevende schok in haar stem. 'De Arlingtons? Dat is vast een vergissing. Wie vertelde dat?'

'Mijn hemel, dat herinner ik me niet. Jane? Hun land grenst aan dat van haar, dus... Maar nee, natuurlijk niet, Jane is altijd de laatste die iets hoort. Iemand bij Maud Cunard misschien gisteravond – maar daar was het zo druk... Maar het komt er niet op aan, het is zo. Monty vertelde het me vanochtend. Weet je, Gwennie...' en Maud boog zich vertrouwelijk naar haar toe, 'Gertrude Arlington was gedwongen om te lenen. Ik geloof dat Monty haar nog geholpen heeft. Maar hij heeft haar jaren geleden al gewaarschuwd en nu zijn de prijzen van land zo gedaald, dus durft ze niet meer te lenen. En bovendien...' Maud ratelde door, zweeg toen plotseling, maar kon zich toch niet beheersen. 'Je weet dat die arme Gertrude pas twee jaar geleden haar man heeft verloren. De successierechten hebben hen de das om gedaan, maar zij en Hector wisten nog wel het hoofd boven water te houden. Toen heeft Hector dienst genomen – ik zei altijd al dat dat nooit een soldaat zou worden, maar in ieder geval was hij onvermurwbaar, net als Acland, en nu...'

'Hij is dood? Hector Arlington dood?' onderbrak Gwen haar. 'Onmogelijk. Hij was met verlof, hij was op het bal. Ik heb hem vorige week nog gezien. Ik herinner me dat hij met Jane danste omdat Denton een opmerking had over haar haar en haar japon.'

'Hij ging twee dagen later weg, Gwennie. Ik dacht dat je het gehoord had.' Maud aarzelde. Ze had er niet over moeten beginnen. In ieder geval moest ze de details tot een minimum beperken. Ze moest niet zeggen dat hij was doodgeschoten door een sluipschutter en dat hij gelegerd was aan de Somme, in hetzelfde regiment als

Boy en Acland. 'Hij was meteen dood, geen pijn. Maar voor Gertrude – dat is de láatste klap. Je enige zoon... En ze was zo dol op Hector, en dan alweer die successierechten, na twee jaar. Dat socialistische gedoe, dat kan niet goed zijn. Zo onmenselijk, ongevoelig. Driehonderd jaar uitgewist. Als dit zo doorgaat, zijn we nergens meer. Zelfs Monty is het met me eens...'

'Hector.' Gwen zette haar kopje neer. Haar ogen stonden star.

'Toe, Gwen...' zei Maud waarschuwend. 'Toe Gwen, je hebt het me beloofd. Ik had het je niet moeten zeggen maar ik dacht dat je het wist.'

'Hij stotterde.'

'Wie? Hector? Nee.'

'Ja, een beetje. Als kind. Net als Boy. Hij was zo'n ernstige jongen. De anderen plaagden hem dikwijls.'

'Gwen...'

'Sorry, Maud.' Gwens ogen stonden vol tranen. Ze probeerde haar kopje te pakken maar haar hand beefde zo, dat het niet lukte.

Maud nam Gwens hand in de hare. 'Liefste Gwennie, ik weet dat het verdrietig is, en ik ben ook bedroefd. Maar dat was niet het enige dat ik je moest vertellen. Ik heb ook nog goed nieuws, dat heb ik voor het laatst bewaard. Huil nu niet. Je wilt toch niet dat Freddie en Steenie het zien. Even diep ademen, zo. Monty zegt – en hij heeft het van de beste autoriteiten – dat het bijna voorbij is. De oorlog! Al die ellende. Echt, hoogstens nog een paar maanden, zegt Monty. De generaals zijn ervan overtuigd, zelfs die ellendige pessimisten van het ministerie van oorlog. Met Kerstmis. Gwennie – stel je voor – dan is alles misschien voorbij.'

Maud sprak snel, zich nauwelijks bewust dat ze de onzin in een oogwenk had bedacht, want Stern had haar absoluut niet zo'n verzekering gegeven. Integendeel, zijn voorspellingen waren somber geweest. Maar dat interesseerde Maud op dat moment niet, de woorden tuimelden eruit. En ze werd beloond toen ze weer een spoor van hoop in Gwens ogen zag.

'O Maud, weet je het zeker? Weet Monty het zeker?'

'Lieve schat, ik beloof het je. Hij is nu op het ministerie en zei dat hij op de terugweg langs zou komen. Dan kun je het hem zelf vragen. Sinds hij in munitie doet, hoort hij alles – en dan, hij en die afgrijselijke Lloyd George zijn als dàt...' Maud hield twee gekruiste vingers op. 'Stel je voor Gwen, met Kerstmis. We zouden naar Winterscombe kunnen gaan met ons allen. Gewoon voor een familiefeest, net als vroeger. Dan zijn we samen met Oud en Nieuw, we kunnen drinken op 1917, op de vrede...'

'Dood aan de Kaiser?' Gwen lachte flauwtjes, want dit was de laatste tijd Mauds lievelingstoost.

'Dood aan de Kaiser. Nou en of,' zei Maud geestdriftig. 'Ik heb hem altijd een absoluut vulgair mannetje gevonden.'

Dood aan de Kaiser, hoorde Constance boven het monotone gedreun van Conrad Vickers, die in aanbidding naast haar stond. Ze keek naar de andere kant van de kamer en zag Maud met een felle blik haar kopje optillen, alsof ze het op Russische wijze op de grond zou smijten. Stom mens, dacht ze terwijl ze jaloers toekeek hoe Maud een stel nieuwe gasten begroette. Maud was absoluut niet dom, integendeel, ze was slim, al was haar manier van spreken misleidend. Dat wist Constance, maar die middag had ze geen vriendelijke gevoelens voor Maud over, voor niemand trouwens. Ze voelde zich gespannen en zenuwachtig. Dat was deels te wijten aan twee verschillende dingen die haar energie versnipperden. Constance hield daar niet van. Ze wilde haar geest richten op één zaak tegelijk, dan was ze helder en kon zich daarop concentreren. Vandaag was ze ook gekomen voor één doel, ze zou Montague Stern zien en zou zich zo gedragen dat zijn onverschilligheid als hij naar haar keek, voor altijd zou verdwijnen.

Maar nu was er al een half uur voorbij en in die tijd had ze moeten luisteren naar de zinloze opmerkingen van Conrad Vickers. Constance begon te geloven dat alles haar tegenzat, dat hij misschien niet kwam. Waarop haar gedachten, tot haar grote woede, afdwaalden naar iets heel anders, naar haar kamenier Jenna. Jenna voelde zich niet goed. Constance wist dat eigenlijk al weken maar de opwinding van het bal en de nasleep ervan, haar plannen voor Montague Stern, hadden haar afgeleid. Toen Jenna deze middag kwam om haar te kleden voor de thee, zag ze er zo slecht uit dat Constance het niet kon negeren. Jenna's tevreden uitdrukking was verdwenen, haar ogen waren gezwollen, alsof ze niet sliep of te veel huilde en ze was stil en verstrooid.

Constance, gealarmeerd door die verandering, keek naar haar. Ze wist veel meer van Jenna dan het meisje kon vermoeden, maar het was een kwelling voor Constance te bedenken dat er geheimen waren waar ze buiten stond. Jenna schreef bijvoorbeeld nog steeds aan Acland en moest ook antwoord krijgen, dat wist Constance. Ze had Jenna gevolgd toen die naar het postkantoor bij Charing Cross Station ging. Daar postte ze een brief en haalde er een van de poste restante. Zulke brieven konden slechts van één mens afkomstig zijn, dacht Constance, openlijke brieven werden thuis bezorgd.

Toen ze dat ontdekt had, wilde ze meer weten. Waarom schreef Jenna en waarom antwoordde Acland? Was hun liefdesverhouding voorbij, zoals ze had gedacht en Acland had bevestigd? Waarom schreven ze elkaar dan? Als Constance daaraan dacht, was ze een en al nieuwsgierigheid. Een- of tweemaal was de verleiding zo groot dat ze bijna bezweek. Jenna moest de brieven ergens bewaren en misschien dat Constance ze kon vinden. Maar iets hield haar tegen. Ze stelde zich Aclands verachting voor – de kamer van een bediende binnensluipen. Nee, dat kon ze niet doen. Wat word ik moralistisch, dacht ze en keek naar de deur om te zien of Stern nog niet kwam.

Nee. Conrad Vickers bleef maar praten over zijn vervelende foto's, en hoe gedurfd die wel waren. 'Dus legde ik Constance op een doodsbaar,' zei hij en wierp een bewonderende blik in haar richting. Constance wist dat die blik niets te betekenen had, Victor was immuun voor vrouwelijke charmes. 'Toen – dat was het *pièce de résistance* – legde ik een witte roos in haar handen. Ik had liever een lelie gehad, maar Constance heeft een hekel aan lelies. Maar die roos zag er goed uit. Ze leek op Julia op de graftombe. Nee, heel wat gevaarlijker dan Julia. Dat goddelijke adelaarsprofiel van je, Constance, lieverd! Het was werkelijk adembenemend.'

'Ik begrijp niet waarom je zou willen dat Constance eruitziet als een lijk,' zei een van de jonge officieren met een kille blik naar Vickers.

'O nee,' piepte hij. 'Connie was juist zo magnifiek levend – zoals altijd. Ik neem geen kiekjes om op de piano te zetten. Het gaat erom dat je een uitspraak doet – de essèntie van Constance. Daar ging het me om. Geen gelijkenis, iedere idioot kan dat.'

'Ja, maar waarom moest ze er dood uitzien?' De jonge officier die waarschijnlijk meer ervaring had op het gebied van sterfelijkheid dan Vickers, liet zich niet in een hoek drukken.

'Niet dood – dodelijk. Een *femme fatale*!' zei Vickers triomfantelijk, want hij vond niets heerlijker dan het voor de hand liggende aan de nette burgers uit te leggen. '*La Belle Dame sans Merci*, zo zie ik Constance. Misschien...' Hij zweeg indrukwekkend. 'Misschien ken je het gedicht niet?'

'Ik heb het gelezen. Iedereen heeft het gelezen. Je zou het naast de foto kunnen afdrukken – voor het geval iemand de betekenis ontgaat.'

'Lieve schatten!' Vickers zuchtte diep. 'Ik zou het niet kunnen. Niet willen. Ik heb gewoon een àfschuw van het voor de hand liggende.'

Constance liep weg van het geruzie. Ze keek op een met juwelen bezet horloge dat aan haar jasje was bevestigd – bijna vier uur, zou Montague Stern nooit komen? – en dwong zich de salon waar ze was, goed te bekijken.

Die salon kon haar helpen, dacht ze. Maud maakte er aanspraak op, maar Constance betwijfelde dat. Stern had in ieder geval voor alles betaald, had misschien dingen uitgezocht. In deze kamer en deze voorwerpen zou de sleutel kunnen liggen naar de man die ze wilde hebben.

De salon was al op een bepaalde manier beroemd. De moderniteit, het eclecticisme, was al in verscheidene tijdschriften geprezen en Constance had dat gezien. Het was misschien niet Constances smaak, want het was een kamer die te kaal was – die allereerst opviel door gebrek aan snuisterijen. Sommige vrienden van Gwen zouden de kamer vulgair hebben gevonden, want met typisch Engels snobisme vonden ze dat een kamer er een beetje armoedig uit moest zien, dat alles wat te volmaakt of te kostbaar was, zichzelf als *nouveau riche* etaleerde. Misschien was de kamer iets te kostbaar, maar dat vond Constance niet erg. Ze keek rond, luisterde naar de geheime boodschappen en ze begreep dat de persoon die deze kamer had ontworpen een paradox was, een asceet die zich geen mooie dingen kon ontzeggen.

Want mooie en zeldzame dingen lagen overal uitgestald met de zorg die paste bij een museum: *sang-de-boeuf* porselein op een Franse commode, een tapijt even gecompliceerd en mooi als een bloementuin. En dan de schilderijen. Die schilderijen, waar Constance vroeger niet van hield, spraken haar nu aan. Terwijl ze ernaar keek, was ze ervan overtuigd dat Maud de voorwerpen hier niet had uitgezocht. Maud pochte op de schilderijen maar zou ze nooit begrijpen. Nee, dit was Sterns kamer, hij had alles betaald, hij had alles gekozen en verzameld. Stern, de verzamelaar van mooie dingen.

En ik heb hem gekozen, zei Constance in zichzelf. Op het moment dat ze dacht dat ze hem kon begrijpen, dat ze hem kon bewerken – op dat moment kwam Stern binnen. Een van zijn vluchtige bezoeken – hoewel Stern altijd de indruk gaf dat hij alle tijd van de wereld had. Hij begroette Maud en de twintig gasten. Hij leek verrukt hen te zien. En zodra hij het idee had dat ze weer met elkaar bezig waren, trok hij zich terug, zoals zo vaak, aan de andere kant van de kamer.

Constance wachtte het juiste ogenblik af. Ze had hun treffen tot in detail uitgedacht en er was tijd voor nodig. Dus hield ze zich op de achtergrond toen Maud het gezelschap als geheel uitlegde dat hij die middag op het ministerie van oorlog was geweest en niet lang kon blijven omdat hij 's avonds naar Downing Street moest. Constance zag Stern huiveren. Hij was vrijwel altijd bescheiden wat zijn macht betrof en hield niet van die mallige opschepperij, dacht Constance. Ze keek toe hoe hij zich handig losmaakte uit de groep. Ze merkte de zucht van verlichting toen hij een stoel zocht met zijn rug naar de rest van de kamer. Ze zag hoe hij een krant oppakte.

Geen van de andere gasten scheen dat vreemd te vinden. Ze waren goed door Maud opgevoed. Stern was een belangrijk man en ze accepteerden dat hij gewichtiger zaken aan zijn hoofd had. Bovendien konden ze zonder hem gemakkelijker roddelen. Als het om schandalen en vermoedens ging, lieten Sterns goede manieren hem soms in de steek. Stern stond bekend als een bron van informatie maar die informatie was natuurlijk gefilterd door Maud. Dit hielp Sterns reputatie van geheimhouding. Die reputatie werd door Maud streng bewaakt. Ze roddelde, maar zeer zorgvuldig. Geen flaters. Daar Maud zoveel vertelde hadden de mensen de neiging om zelf ook met verhalen te komen. Constance twijfelde er niet aan dat die werden overgebracht aan Stern, wanneer Maud met hem alleen was.

Ze nam Stern kritisch op en vroeg zich af of hij echt van Maud hield of dat ze alleen maar nuttig voor hem was. Ze wist het niet en was daarom dubbel voorzichtig. Constance zag al vanuit de verte de verveling in iemands ogen – en wat vond Stern het vervelendst? De vleitaal van vrouwen – dat had ze al opgemerkt. Ze had besloten dat de meeste vrouwen voor Stern niet meer dan horzels waren. Wat hem interesseerde was macht, en de meeste vrouwen hadden geen macht. Dus schoof hij hen charmant en beleefd opzij. Ze had haar les geleerd, die avond op het bal: bij Stern was het nutteloos zo te flirten als jonge meisjes gewoonlijk deden.

Er was een andere strategie vereist. Die stond voor haar al vast, en het was te laat om terug te gaan. Constance werd kalm. Tijd om voor het eerst toe te slaan. Ze wachtte nog een paar seconden, maakte zich toen los van de kring jongelui en stond op. Haar mooiste japon, uitgezocht voor de gelegenheid: zijde in de kleur van *violets de Parme*, een eenvoudig zwart lint strak om haar hals. Aan haar vingers één ring: een zwarte opaal die Maud haar had gegeven, al had de bijgelovige Gwen geprobeerd haar over te halen die niet te dragen. Constance keek naar de ring, een bliksemflits gevangen in git. Ze hield van het onvoorspelbare van opaal, ze was niet bijgelovig en zou het nooit zijn.

Zo nu en dan geloofde ze wel in geluk, maar ze had meer vertrouwen in wilskracht. Je moest vastbesloten zijn, daar ging het om, ze voelde dat ze dan alles kon doen. Ze liep de kamer door, zag Sterns rug en plotseling kwam er een herinnering bij haar boven. De dag dat ze haar vader op de brancard naar Winterscombe brachten. Een zwarte dag, alles was zwart. Iemand nam haar arm en hielp haar de treden van het bordes op, maar haar weg werd versperd door deze man, door een of ander kledingstuk. Dat herinnerde ze zich niet, alleen de kleur. Die was rood. Het bloed van haar vader was ook rood. Halverwege de kamer bleef ze staan. Maud, die opkeek, maakte een of andere opmerking tegen haar. Constance antwoordde verstrooid. Toen, met verachting voor haar aarzeling, nam ze haar voorbedachte plaats in achter Sterns stoel.

'Hoe oud ben je?' vroeg Constance.
Ze viel met de deur in huis, zoals ze van plan was geweest. Het enige dat er gebeurde, was dat Stern zich omdraaide, opstond, haar begroette – 'O, Constance, lieve kind' – en een stoel voor haar pakte. Hij ging weer zitten en legde met tegenzin zijn krant neer. Hij had haar geen aandacht geschonken, maar nu wel.
'Hoe oud?' Hij aarzelde en gebaarde even met zijn hand. 'Constance, ik ben te oud voor woorden. Ik ben negenendertig.'
Constance die bij Gwen te rade was gegaan en wist dat hij drieënveertig was, was erdoor bemoedigd. Ze keek hem recht aan.
'O, dan ben je te jong. Daar was ik al bang voor.'
'Te jong? Constance, je vleit me. Ik vind mezelf een ouwe sok, vooral in het gezelschap van zo'n allerliefste jonge vrouw als jij. Te jong voor wat?'
'Je moet me niet plagen. Ik vis niet naar complimentjes. Ik heb er een reden voor, want ik vroeg me af of je mijn moeder soms gekend had. Jessica Mendl voor haar huwelijk. Ze was een jodin.'
Dit was een van haar troeven en op het moment dat ze die speelde, wist ze dat ze zijn aandacht had. In de eerste plaats was die informatie onverwacht en bovendien sprak ze over een onderwerp dat gewoonlijk gemeden werd. Stern was geen praktizerend jood, maar had nooit een geheim van zijn jood-zijn gemaakt. Zijn ras werd echter niet besproken in zijn bijzijn. Tot Constances vreugde fronste hij zijn wenkbrauwen.
'Het spijt me, Constance, ik begrijp je niet.'
'Het is heel eenvoudig.' Constance boog zich naar hem toe. 'Mijn

moeder was een Oostenrijkse. Haar familie woonde in Wenen, geloof ik. Ze kwam naar Londen voor een schildersopleiding aan de Slade en daar ontmoette ze mijn vader. Ze trouwde. Natuurlijk was mijn familie geschokt. Ze had bij een neef in Londen gewoond, maar die wilde haar niet meer in zijn huis ontvangen. En ze heeft haar ouders nooit meer gezien.' Constance zweeg even.

'Ik werd een jaar na hun huwelijk geboren en niet lang daarna is mijn moeder gestorven, maar dat zul je wel weten. Het is misschien gek, maar ik zou zo graag iets meer over haar willen weten.'

Een indirecte verwijzing naar het droeve feit dat ze wees was. Maar ze zorgde ervoor het niet te overdrijven, want Stern was niet sentimenteel.

'Weet je dat zeker?' Hij keek haar ongelovig aan. 'Ik heb altijd aangenomen... ik heb in ieder geval nooit gehoord...'

'O, niemand weet het,' antwoordde Constance snel. 'Zelfs Gwen niet. Mijn moeder stierf lang voordat mijn vader op Winterscombe kwam en hij heeft het vast nooit over haar gehad. Misschien schaamde hij zich.' Constance, nu zeker van Sterns aandacht, sloeg de ogen neer. 'De vrouw die me verzorgde toen ik klein was, heeft het me verteld. Ze had voor mijn moeder gezorgd voordat die naar het sanatorium ging. Ze had een hekel aan me en ik aan haar. Ik denk dat ze het zei om me te kwetsen. Maar ik was trots.'

'Trots?' Stern wierp haar een scherpe blik toe, alsof hij haar niet vertrouwde.

'Ja. Trots.' Constance keek hem aan. 'Ik zou het vreselijk vinden een Engelse te zijn. De Engelsen zijn zo zelfgenoegzaam, zo blij met hun bekrompenheid. Dat is hun eerste godsdienst. Ik heb me altijd een buitenstaander gevoeld – en ben er blij om. Voel jij dat nooit? Maar nee – natuurlijk niet. Neem me niet kwalijk, dat was zowel dom als onbeleefd.'

Het was even stil. Stern keek naar zijn handen. Toen hij Constance weer aankeek, werd ze onzeker door zijn uitdrukking. Even leek het of Stern wist wat ze van plan was, of haar trucjes hem boos maakten. Hij scheen te aarzelen en Constance wachtte op een scherpe terechtwijzing. Maar toen hij sprak, was hij heel rustig.

'Lieve kind, je bent intelligent. Doe niet of je dom bent. Kijk eens naar al die mensen.' Hij gebaarde achter zich. 'En kijk dan naar mij. Ik ben alles wat die mensen verafschuwen en wantrouwen. Ik word alleen getolereerd omdat ik zo nu en dan van nut ben en ik ben niet arm. Als ik mijn bekwaamheden ter beschikking stel, doe ik dat omdat ik het wil. Als zij willen denken dat ik het alleen uit financiële motieven doe, kan me dat niet schelen. Hun mening is me volkomen onverschillig. Ik kan er mee door, Constance, en meer niet. Dat weet je vast wel. En ik ken geen Mendls in Wenen. Misschien ben ik te jong, zoals je zei. Maar waarschijnlijk bewogen zij en haar familieleden zich in betere kringen. De mensen bij wie ik opgroeide, stuurden hun dochters niet naar de Slade. Ik ben een Whitechapel jood, Constance. Mijn vader was kleermaker. Ik kan je niet helpen.'

Constance zweeg. Sterns woorden maakten dat ze zich klein voelde, misschien was dat zijn bedoeling geweest. Maar ze moest niet meer over haar moeder praten, ze had zich immers altijd het kind van haar vader gevoeld? Constance besloot snel tot een andere tactiek.

'Deze mensen?' Ze keek om naar de salon. 'Maar toch niet allemaal? Je bedoelt Maud er toch zeker niet mee.'

Ze stond op. De verwijzing naar Maud was gedurfd van een meisje. Het was onbeleefd, veronderstelde een verwijt. En ze legde de nadruk op een ander aspect van Sterns leven waarover nooit gesproken werd: zijn seksuele verhouding met een vrouw die Constance 'tante Maud' noemde. Ze sprak nu niet tot Stern als de familievriend of de jood, maar de man. Ze likte langs haar lippen en beet erop zodat ze roder werden.

Een oude truc. Stern had zich waarschijnlijk beledigd gevoeld maar nu keek hij Constance aandachtig aan. Hij scheen het amusant te vinden.

Constance ontmoette zijn ogen en nam hem goed op: de mooi gevormde schedel, de geschoren, olijfkleurige kin, het rossige haar, de dicht bij elkaar staande ogen, de mond, die ze sensueel vond, en de sterke neus.

Ze hield van die neus en van dat gezicht. Ze hield van de luxe en het uitbundige van zijn kleren – zoveel leuker dan de saaie, conventionele kledij van de Engelsen die aanwezig waren. Ze vond het prettig dat hij als zoon van een kleermaker was geboren en zelf zijn carrière had opgebouwd, dat was zij immers ook van plan?

Ze hield eigenlijk van alles aan hem: zijn intelligentie, het exotische, de geur van sigarerook die in zijn colbert was blijven hangen. Ze hield van zijn stem en de boosheid die ze eerder in zijn ogen had gezien, ze hield van het feit dat hij evenmin als zij tot die kleingeestige wereld hoorde waarin ze moesten functioneren.

Maar het meest hield ze van zijn belangstelling voor haar – een seksuele taxatie die hem scheen te amuseren. Hij glimlachte. En dat was goed, de beste liefdesverhoudingen werden toch gekleurd door humor? Constance beantwoordde zijn blik: haar opzet was niet langer alleen een uitdaging – het had iets amusants.

300

'Ik vind je heel aardig,' zei ze plotseling, en ze meende het. 'Ik vind je – geweldig. Deze kamer ook. En de schilderijen – vooral de schilderijen. Die heb jij toch gekozen? Ik heb nooit zulke schilderijen gezien. Kun je me niet rondleiden?'
'Die hier? Of de andere? Er hangen er een paar op de trap en in de hal. Maar de beste hangen boven in de bibliotheek.'
'Natuurlijk de beste eerst,' antwoordde Constance.
'Heeft het beste je voorkeur?'
'Dat ben ik juist aan het leren.' Constance nam zijn arm.
'Lieve Maud,' zei Stern toen Maud opkeek op het moment dat ze naar de deur liepen. 'Constance moet worden opgevoed in zaken van kunst. Mag ik haar de Cézannes laten zien?'
'Natuurlijk, Monty.' En Maud keerde terug naar het gesprek met Gwen. Alle aanwezige dames gingen toen al op in de buitenissige liefdesgeschiedenis van lady Cunard.

In de bibliotheek keek sir Montague Constance aandachtig aan.
'Wil je echt die Cézannes bekijken?'
'Nee.'
'Dat dacht ik al. Ik begrijp, Constance, dat ik je onderschat heb.'
'Niet onderschat. Je hebt nooit naar me gekeken. En nu wel.'
'Vertelde je me daarom over je moeder? Om te maken dat ik je zag?'
'Ja.'
'En waarom zou je willen dat ik... naar je keek?'
'Omdat ik van plan ben met je te trouwen. Voornamelijk daarom.'
Stern lachte. 'Heb je niet gehoord dat ik een verstokt vrijgezel ben?'
'O jawel. Maar dat was voordat je mij ontmoette.'
'Je bent heel direct, nogal ongewoon voor een vrouw. En precies. Je zei "voornamelijk". Was er soms nog een reden waarom ik naar je moest kijken?'
'Natuurlijk. Ik zou met je naar bed willen.'
'Nu?'
'We zouden vast een begin kunnen maken.'
'En mijn positie hier – en de jouwe – en de mensen beneden?'
'Die kunnen me geen barst schelen – en jou ook niet.'
'En je reputatie, Constance? Daar moet je ook aan denken.'
'Mijn reputatie is bij jou veilig. Je bent een heer.'
'Een heer zou je zeer zeker de deur uitzetten met een tactvol standje en op zijn ergst met een pak slaag.'
'Maar jij bent een bijzonder soort heer. Als ik had gedacht dat je me als een kind zou behandelen, was ik hier niet gekomen.'

In de stilte die volgde, keken ze elkaar nogal wantrouwend aan. In de verte werd geklopt, er klonken geluiden van bedienden, zachte stemmen. Stern noch Constance merkten er iets van, ze bleven elkaar aankijken.

Toen deed Stern een stap naar voren. Hij nam Constances kin in zijn hand en draaide haar gezicht naar links en naar rechts, alsof hij een schilder was en zij zijn model. Constance was plotseling geagiteerd. 'Zeg me wat je ziet,' zei ze heftig.

'Ik zie...' antwoordde Stern langzaam, 'een vrouw. Niet een mooie vrouw in de gewone betekenis van het woord. Je hebt een interessant gezicht, het gezicht van iemand die de regels wil herschrijven. Ik zie... een zeer jonge vrouw, en dat schrikt me een beetje af, want ik wantrouw jonge vrouwen en ben geen verleider van kleine meisjes. Wel een intelligente vrouw, een roofdier...'

'Ben ik lelijk?'

'Nee, Constance, dat ben je niet.'

'Mijn vader zei altijd dat ik lelijk was.'

'Je vader had ongelijk... Je bent... opvallend. Waarschijnlijk zonder beginselen, en zeer zeker verleidelijk. Provocerend, maar dat weet je wel, en dus denk ik – na enig overleg – ja.'

Stern boog het hoofd en kuste haar op de lippen. Misschien dat de kus minder lang was bedoeld, maar in ieder geval werd die bedoeling niet uitgevoerd. De kus werd een omhelzing, en de intensiteit ervan deed beiden schrikken.

Ze maakten zich los, keken elkaar aan, toen sloeg Constance haar armen om Sterns hals, Stern zijn armen om haar middel. Constance die opgewonden leek, opende haar lippen, ze kreunde even, van genot of verdriet. Ze legde zijn hand tegen haar borsten en drukte toen haar lijf tegen hem aan, voelde hem hard worden en uitte een triomfantelijke kreet.

Toen ze eindelijk uit elkaar gingen, hadden beiden hun kalmte verloren. Constances ogen glinsterden, ze had een kleur. Toen begon ze te lachen.

'Je had dit toch niet verwacht, hè?'

'Ik had het niet verwacht.' Zijn ogen lachten. 'Waarom? En jij, Constance?'

'Nee, hoe kon dat ook? Ik vermoedde – maar ik had me kunnen vergissen. Het had iets kunnen zijn dat ik weer zou vergeten.'

'En dat was het niet?'

'Absoluut niet. Het was... verslavend.'

'Gevaarlijk, zou ik zeggen. Ik moet even mijn hersens zijn kwijtgeraakt.'

Maar voordat hij haar weer in zijn armen kon nemen, klonk een discreet kuchje, de deur ging open en Mauds bejaarde butler kwam binnen.

Het was iets voor een farce, dacht Constance. Ze liep achteruit en begon met bewonderenswaardige tegenwoordigheid van geest te praten. Ze prees de Cézannes en vroeg of ze nu de schilderijen in de hal mocht bekijken. Toen zag ze de uitdrukking op het gezicht van de butler. Hij was niet achterdochtig of geschokt. Eerst dacht Constance dat dat aan zijn training te danken was, maar even later merkte ze iets anders: het gezicht van de man was asgrauw. In zijn hand, die trilde, hield hij een zilveren presenteerblad met een telegram.

'Het is voor lady Callendar, meneer.' De man keek op naar Stern. 'De jongen had het naar Park Street gebracht en ze stuurden hem hierheen. Ik wist niet zeker, meneer, of ik het haar direct moest brengen en dacht dat ik het beter eerst aan u kon vragen. Onder de omstandigheden wilt u misschien liever eerst met lady Callendar spreken.'

De stem van de man stierf weg. Stern en Constance staarden naar het blad en naar de onmiskenbaar militaire envelop. Ze kenden die enveloppen en de betekenis ervan, zoals iedereen. Het was stil. Toen zei Stern kalm: 'Het is goed dat je het zo hebt gedaan. Constance, we moeten terug naar de anderen. Ik zal met Gwen praten, maar er moet iemand bij haar zijn. Maud. En Freddie. Ja, Freddie zeker...'

Constance deed wat haar gezegd werd. Ze zag Stern de salon binnengaan. Ze zag hoe Gwens gezicht opklaarde, hoe haar glimlach aarzelde. Ze hoorde de converstatie in die hoek wegsterven. Ze zag de ruk waarmee Maud haar hoofd hief, de waarschuwing in Sterns ogen opving. Gwen stond op. De nieuwe spanning in de kamer deelde zich mee aan Freddie en Steenie. Ze volgden hun moeder, Maud en Stern de kamer uit. De deur werd achter hen gesloten. Er klonk nerveus gefluister van de gasten, toen stilte. *Het kan slechts één van de twee zijn*, klonk het duidelijk in Constances hoofd. *Het is Boy, of Acland.*

Ze draaide zich om en ging voor een van de lage ramen staan die op het park uitkeken. Het was mooi weer en er waren veel mensen in het park. Constance zag iemand met pakjes, een vrouw in een voor het weer ongeschikte bontmantel, ze zag een kind met een hoepel. Ze zag de dingen, de onbekenden, met die helderheid die voortkomt uit shock. Ze hield haar hand tegen het koude raam. Achter haar begonnen de gasten weer te praten, ze hoorden hun veronderstellingen en omdat ze wist dat zelfs degenen die veel medegevoel hadden, in stilte leedvermaak zouden voelen bij een ramp, wilde ze op hen afvliegen, tegen hen schreeuwen zoals ze had gedaan op het ogenblik dat ze haar vader naar Winterscombe brachten toen ze nog een kind was.

Maar ze kon onmogelijk langer rustig blijven staan. Ze liep de kamer uit, tuurde angstig naar de gesloten deur aan het eind van de hal. Ze hoorde gemompel van stemmen, toen daardoor heen het geluid van een lange kreet. Constance wilde naar binnen vliegen – weten wat er was gebeurd, maar toen ze de deur bereikte en hoorde huilen, trok ze zich weer terug.

Ze was buitengesloten. Zelfs nu, zelfs op een ogenblik als dit bleef ze een buitenstaander. Kwam niemand naar buiten? Dacht niemand eraan dat zij het ook moest weten? Vol woede en angst draaide ze zich om. Na lange tijd ging de deur van de kamer open en kwam Montague Stern naar buiten. Hij keek naar Constances gespannen lichaam en gebogen hoofd en sloot de deur zacht achter zich. Hij liep naar Constance toe, en legde een hand op haar arm. Constance klampte zich aan hem vast.

'Wie? Wie? Zeg het. Ik moet het weten!'

'Het is Acland,' zei hij zacht. Zijn ogen lieten haar gezicht niet los. 'Ik ben bang dat het Acland is. Hij wordt vermist, waarschijnlijk gesneuveld.'

Stern had tranen verwacht maar was niet voorbereid op haar reactie. De kleur op haar gezicht kwam en ging, ze uitte een scherpe kreet en liep van hem vandaan. 'Verdomme, verdomme, verdomme! Hij heeft het me beloofd. Rotvent om dood te gaan...'

De heftigheid van haar woorden verbaasde Stern. Hij antwoordde niet, maar bleef naar haar staan kijken. Hij zag hoe haar ogen vol tranen stonden, die ze boos opzij veegde. Hij zag hoe haar mond vertrok van pijn. Die dingen interesseerden hem. Hij lette als altijd op de reacties van anderen en borg die in zijn geheugen.

Zelfs in haar woede en verdriet zag Constance hoe koel hij haar opnam. Haar gezicht verstrakte en ze sprong op hem af.

'Kijk niet zo naar me! Je mag niet zo naar me kijken!'

Stern bewoog zich niet terwijl Constances kleine vuisten tegen zijn borst en armen beukten. Toen de kracht ervan verminderde, pakte hij met een plotselinge beweging haar polsen en hield die stevig vast, al wrong en worstelde ze in een soort machteloze woede. Het scheen haar nog bozer te maken tot ze, kennelijk zonder reden, rustig werd. Hij liet haar los, keek over zijn schouder naar de gesloten deur, hoorde het snikken van Gwen. Toen kwam hij weer naar Constance toe. 'Huil maar,' zei hij en nam haar in zijn armen.

In een droeve optocht verlieten ze Mauds huis. Steenie en Freddie ondersteunden Gwen die nauwelijks kon lopen. Maud liep zenuwachtig naast haar en Constance er achteraan. Op de trap had Stern haar een papiertje in de hand gestopt.

Toen ze het later openvouwde, zag ze dat het zijn adres in Albany was. Hij had het altijd aangehouden terwille van Mauds reputatie. Constance was er nooit geweest. Onder het adres stond: *Iedere willekeurige middag om drie uur*. Ze keek er lang naar, gooide het toen in een hoek.

Ik ga niet, dacht ze bij zichzelf. Ik ga niet. Maar die avond redde ze het stukje papier. Het had – en dat verbaasde haar niet – geen adressering en geen ondertekening.

7

Huwelijken

Uit de dagboeken

Park Street, 3 juli 1916

*De afgelopen nacht droomde ik van Acland. Hij stond op uit de rij-
en van de doden en bleef bij me, de hele nacht. Hij was gekomen
om me vaarwel te zeggen – hij kwam niet meer terug.
Ik was niet bang. Ik vertelde hem alles. Ik biechtte op dat ik op
Jenna's kamer was geweest en al haar brieven had gelezen – zelfs
dat. Acland begreep het, hij wist dat ik het nooit zou hebben gedaan als hij niet gestorven was. Hij zei dat dat alles nu voorbij was.
Hij toonde me waarom en hoe hij zijn belofte had gebroken. Hij
stierf aan een steek van een bajonet, hij toonde me de wond onder
zijn hart. Ik mocht mijn hand erop leggen.
Meer dan duizend mannen stierven op die dag, vertelde hij. Wat
betekende één dood tussen zovele? Kijk, zei Acland – en hij toonde
me de plaats waar hij stierf. Het was geen plaats, maar kaal voor
zover het oog kon zien. Er was geen gras, er waren geen struiken,
geen bomen, geen hoop. Ik werd bang maar ik herkende het. Ik
dacht dat ik er was geweest.
Acland zei dat dat wel waar kon zijn. Hij zei dat het een plaats was
die we allemaal kenden, die binnen ieder van ons lag te wachten.
Daarna spraken we niet meer over de dood. Hij maakte alle knopen los, een voor een. Toen de dag aanbrak, begon ik te huilen. Ik
wist dat hij me zou verlaten. Acland nam een lok van zijn haar, fijn
en rood als goud, en wond dat om mijn ringvinger. Hij maakte me
tot zijn bruid. We waren immers altijd één geweest. We waren gehouwen uit dezelfde steen, gesmeed uit hetzelfde metaal. We stonden elkaar nader dan tweelingen, dan vader en dochter. Het had
geen eind en geen begin. Het was majesteitelijk!
Kijk, zei Acland weer. Ik draaide mijn hoofd om en zag de wereld
in alle zekerheid en helderheid. In mijn droom waren geen twijfels.
De wereld die Acland me gaf, was de hemel, van het kleinste insekt
tot aan de sterren. Ik zag de symmetrie ervan. Maar toen ik omkeek, was hij weg. Het was zondag.
Iedere willekeurige middag om drie uur. Er is een minder leven dat
geleefd moet worden en Acland weet het. Hij begrijpt het. Kijk,*

dood, de afgelopen nacht was mijn bruiloft. Ik heb de ring van blond haar nog rond het bot.

Zal ik gaan, zal ik niet gaan? Iedere willekeurige middag om drie uur?

Acland begrijpt het, maar hierover zwijgt hij. Hij wil me geen raad geven. Acland, help me alsjeblieft. Ik ben nog jong en soms is mijn hoofd niet zo helder als het zou moeten zijn. Ik weet dat je kwam om afscheid te nemen, maar wanneer het de juiste tijd is – indien het de juiste tijd is – wil je het me dan zeggen?

Jenna wist waar de pijn zat, het was een specifieke pijn, tussen haar maag en haar hart, even herkenbaar als indigestie. Ze had er haar hand op kunnen leggen en zeggen: 'Kijk, daar zit het. Daar zit mijn verdriet.'

Die middag toen Gwen en Constance bij Maud op bezoek waren en het telegram werd gebracht, zat Jenna alleen in haar zolderkamer een brief te schrijven. Ze schreef aan Acland en het was de moeilijkste brief die ze ooit had opgesteld, omdat ze moest zeggen dat ze een kind verwachtte.

Er moest toch een eenvoudige manier zijn om het uit te leggen, maar ze was al een paar maal opnieuw begonnen omdat de woorden niet goed waren. Ze was nu drie maanden zwanger en kon het niet langer uitstellen.

Toch wilde de brief niet worden geschreven. De zinnen liepen door elkaar, ze maakte vlekken.

Ze wilde dat Acland begreep dat, al had ze geweten dat er kans op was toen ze meeging naar dat hotel bij Charing Cross, ze het had gedaan omdat ze wist dat ze hem had verloren en ze een deel van hem wilde bewaren dat haar nooit kon worden afgenomen. Ze wilde ook dat hij wist dat ze in geen geval een huwelijk verwachtte. Als ze die twee dingen schreef, was het genoeg.

Maar haar gedachten vlogen alle kanten op. Ze begon sommen te maken, ze dacht aan haar spaargeld over een periode van twaalf jaar: zeventig pond. Ze berekende hoe lang die som een vrouw en een kind kon onderhouden – een vrouw die, als de zwangerschap zichtbaar werd, dakloos en werkeloos zou zijn.

En dan die ochtendmisselijkheid – daar wilde ze ook over schrijven. En over haar rokken, waarvan ze de band om haar middel al had uitgelegd. Ze wilde schrijven over de kamer in het hotel met die trieste bruine wanden, de doffe blik in Aclands ogen toen hij op bed naar haar lag te kijken. Het waren geen belangrijke dingen maar ze doken telkens weer op. Het papier was goedkoop, de punten van de pen bleven af en toe hangen. In de kamer was het heet. Toen de brief klaar was, schreef ze met veel zorg de geheimzinnige getallen van Aclands adres. Ze had graag de naam van een dorp willen schrijven, die cijfers maakten haar bang, ze kon zich gemakkelijk vergissen. Ze speldde de brief vast in haar schortzak. Dat deed ze altijd, uit angst dat ze hem zou verliezen. Toen sloop ze de achtertrap af, als de huishoudster haar niet zag, kon ze even ontsnappen om de brief te posten.

Het duurde nog een half uur eer Constance thuiskwam, maar het was minder rustig dan anders. Deuren gingen open en dicht, er klonken stemmen. Jenna ging naar de keuken, en daar begreep ze dat ze de brief nooit zou verzenden, want Acland was dood.

Het duurde even voor het haar duidelijk was. Toen ze de keuken binnenkwam, was alles in rep en roer. Aan de lange tafel zaten de kokkin – die nog geen maand in Park Street in dienst was – en Stanley, een van de oudste huisbedienden die Jenna van kind af aan had gekend. Naast de tafel stonden de kamermeisjes met grote ogen te kijken en tussen hen in stond de boodschappenjongen die Maud in dienst had, op een stoel omdat hij zo klein was. Toen Jenna de deur sloot, scheen hij zojuist een indrukwekkende rede te hebben gehouden. De nieuwe kokkin had haar schort over haar gezicht en haar grijze haar gegooid. Maar toen de jongen was uitgesproken, trok ze dat naar beneden en nam de leiding. Ook zij hield een redevoering.

'Laat die jongen toch gaan zitten. Haal een stoel voor hem, hier, tussen mij en Stanley. Polly, haal een glas melk voor het joch. Hij heeft ook een schok gehad, net als wij allemaal. Misschien een glaasje keukencognac, Lizzie. Neem jij er ook een, Stanley? Ik moet het middageten nog klaarmaken en ik beef zo, ik kan nooit de pasteitjes in orde krijgen. Daar heb je een lichte hand voor nodig. Zo, drink dat maar op en begin dan opnieuw. Lizzie was er daarnet niet en Jenna evenmin. Een telegram, zo maar, midden in een theemiddag. Denk je dat hij is opgeblazen? Mijn zoon Albert zit er ook en hij zegt dat ze helemaal in kleine stukjes zijn als ze zijn opgeblazen, je weet niet waar de ene man eindigt en de ander begint. Ze pakken ze op als dat kan, maar het zijn niet meer dan stukken vlees. Net als een lamsbout, zegt die jongen van mij. Je weet niet of het je gezworen vijand of je beste vriend is. "Dat is toch niet christelijk," zeg ik en hij zegt, "God helpe me, maar zo is het."'

Jenna hoorde dit, maar kon het niet in zich opnemen. Ze hoorde geluiden die haar aan de zee deden denken, hoewel ze nooit de zee had gezien. Uit het gegons kwam een naam, maar ze wilde er niet naar luisteren.

De boodschappenjongen, opgeknapt door zijn glas melk en wetend dat zijn moment van glorie kort zou zijn, begon opnieuw. Hij maakte er iets moois van en toen hij de aandacht van de meisjes zag, kwam hij met een scène die hij niet had bijgewoond.

'Lady Callendar,' hoorde Jenna, 'gaf een vreselijke gil en boog zich dubbel alsof iemand haar gestompt had. Dan zegt ze: "Acland, mijn lieve Acland" en de joodse meneer, hij neemt haar hand en zegt dat ze dapper moet zijn. Hij zegt dat hij voor zijn land is gesneuveld en als hij dat zegt, veegt ze haar ogen af en...'

Jenna bleef niet luisteren, maar ging terug naar haar kamer. Ze wilde de brief verbranden maar besloot uiteindelijk die te bewaren. Ze legde hem in de doos waar ze al Aclands brieven had. Ze telde de brieven. Acland schreef niet dikwijls. Het waren er twaalf.

Ze wachtte drie weken. In die tijd was ze heel rustig en systematisch, even stil als ik haar jaren later kende. Als ze een blouse voor Constance streek, gleed het ijzer vijfentwintig maal over de stof, niet meer, niet minder. Ze borstelde Constances haar precies vijftig maal. Kleren moesten op een bepaalde manier worden opgevouwen. Ze hing de japonnen in de kast naar functie en kleur. Ik denk dat Jenna was als een kind, dat de straatstenen telt om de barsten te vermijden. Als ze de kleine dingen kon ordenen, kwamen de grote dingen ook terecht, dan kon het onrecht van Aclands dood worden rechtgezet. Ze geloofde dat, als ze maar hard werkte en de kasten altijd in orde waren, Acland zou terugkomen. Ik denk dat Jenna haar leven lang op zijn onmogelijke terugkeer wachtte.

Ze legde haar rokken nog een paar centimeter uit. Ze was iedere ochtend om dezelfde tijd misselijk. Maar toen de misselijkheid drie weken later ophield, wist ze dat de verandering van haar figuur binnenkort zichtbaar zou zijn en ze schreef aan meneer Solomons. Ze maakte – zoals ze Acland beloofd had – een afspraak voor de volgende week. Jenna was bang voor rechtsgeleerden. Ze kende het verschil niet tussen een advocaat en een notaris. Ze dacht dat meneer Solomons een pruik en toga zou dragen. Ze trok haar beste jurk aan en stopte haar handschoenen en ze wist dat meneer Solomons zou denken dat ze hebzuchtig was.

In feite was hij heel wat minder angstwekkend dan ze zich had voorgesteld. Ze was een uur bij hem. Hij droeg geen pruik. Maar er was een probleem, legde hij uit. Ja, er was een uitstekend testament, dat had hij zelf opgesteld. Maar een testament moet bewezen worden en daar is een overlijdenscertificaat voor nodig. Een telegram was helaas niet voldoende. Dit was een probleem dat tegenwoordig vaak voorkwam en het was heel tragisch. Er moest overleg worden gevoerd met de Militaire Autoriteiten en al zag hij niet in dat de zaak niet zou worden opgelost, het kon wel lang duren.

'Hoe lang?' vroeg Jenna, toen ze het eindelijk begreep. Ze wilde het liever niet vragen – het klonk alweer zo hebzuchtig – maar ze moest wel. Hoe lang kon je leven op zeventig pond? En waar? Ze kon meneer Solomons niets vertellen over de baby, want al droeg hij dan geen pruik, hij was rechtsgeleerde en een man. Toch bracht haar angstige bezorgdheid haar weer in de war. Kerstmis, dacht hij. Dat was tegen de tijd dat haar baby kwam.

'Tegen Kerstmis?' vroeg ze zonder het te willen.

'Hemel nee.' Hij keek haar eigenaardig aan. 'De wet is een voorzichtig beest – heel traag. In het normale geval zou ik denken aan twaalf maanden. In een geval als dit langer. Anderhalf jaar. Misschien wel twee.'

Jenna liep naar huis. Zo bespaarde ze op de busrit. Ze liep automatisch, de ene voet voor de andere. Acland was dood. Zeventig pond betekende niets voor een werkeloos dienstmeisje met een onecht kind.

Terug op haar zolderkamertje deed ze haar beste japon uit en schreef een brief aan Jack Hennessy. Eén bladzij, geen inktvlekken. Het kostte haar geen moeite de brief te schrijven, het was veel gemakkelijker dan die aan Acland. Dat kwam omdat hij alleen maar leugens bevatte.

Jack Hennessy's regiment werd nieuw geformeerd, iets wat vaak voorkwam omdat de verliezen aan de Somme alleen al zo zwaar waren. Hij zat in Yorkshire en stuurde haar per kerende post een antwoord: een brief vol doorhalingen, maar hij antwoordde zoals Jenna had gehoopt. Hij zou haar niet in de steek laten. Ze zouden trouwen. De brief stond ook vol regelingen, waar Jenna zich nogal over verbaasde. Ze had verwarring en verwijten verwacht. Ze kon in huis komen bij Arthurs moeder. Ze herinnerde zich Arthur Tubbs toch nog wel? Hij was nu korporaal en werkte bij de bevoorrading. Vroeger was hij Freddies bediende geweest. Als vrouw van een soldaat ontving Jenna zeventien shilling per week, mevrouw Tubbs kreeg daar zes van en Jenna moest de kamer delen met de oudste dochter van de Tubbs, Florrie. Hij had een trouwring en kon verlof krijgen voor de bruiloft maar het moest snel geregeld worden voor hij terugging naar Frankrijk. Er was een speciale vergunning voor nodig. Het vlekkerige epistel eindigde zoals al Hennessy's brieven. *Je bent mijn eigen lieve Jen. Met alle liefs.*

Jenna keek lange tijd naar het biljet van vijf pond. Ze las de brief nog eens over en nog eens. Wat haar verbaasde, was de verwijzing naar Tubbs. Ze waren dan wel in hetzelfde regiment maar het was nooit bij haar opgekomen dat ze vrienden konden zijn. Dat maakte de brief zo vreemd.

Ze wist niet wat ze moest doen, naar welke kerk ze moest gaan, hoe ze een speciale vergunning moest aanvragen. Jack Hennessy had niets gezegd.

Toen ze eenmaal wist dat ze hulp nodig had, ging ze weer systematisch te werk. Lady Callendar lag in bed met neergelaten rolluiken. Ze dacht aan de huishoudster, ze dacht aan Constance. Ze dacht aan Jane Conyngham die verpleegster was en vroeger altijd zo aardig deed. Ze schreef aan Jane en maakte een afspraak om haar in het ziekenhuis te ontmoeten. Op weg erheen nam ze deze keer de omnibus en zat in de zon op het bovendek. Ze herlas de brief van Jack Hennessy. Niet de verwijzing naar Tubbs was vreemd, maar iets anders: geen verwijt, geen vragen, geen enkele opmerking over de baby.

Een week later kwam Jane Conyngham naar Constance met een *fait accompli*. Jane zelf had Jenna met een huurrijtuig naar mevrouw Tubbs gebracht, die in een huisje achter het Waterloo station woonde. Het huwelijk was geregeld en zou de volgende dag plaatsvinden in een kerk waarmee Jane liefdadige banden had. Jenna verwachtte Hennessy's kind, dat tegen Kerstmis zou worden geboren. Als Jenna eenmaal getrouwd was, kon Constance haar opzoeken. Gwen had erin toegestemd, omdat Jenna altijd zo trouw was en zich zo onberispelijk had gedragen. Jane hoopte dat Constance haar zo nu en dan zou opzoeken, omdat Jane had besloten om naar Frankrijk te gaan.

Constance luisterde zwijgend naar die lange uitleg. Jane verklaarde de dingen kort en duidelijk, onderbrak haar zinnen niet en ook toen ze over de baby sprak, was er geen aarzeling en ze bloosde niet. Ze sprak – hoewel Constance dat niet besefte – op de nieuwe manier die ze in het ziekenhuis leerde: kordaat en beknopt. Ze legde nadruk op de liefde tussen Jenna en Hennessy en deed niets om haar gedrag te veroordelen – iets wat Constance ten zeerste verbaasde – ze scheen het zelfs begrijpelijk te vinden dat Jenna zich in deze tijd van oorlog zo gedroeg.

Jane had een reden voor die nieuwe zienswijze. Ze begreep Jenna omdat ze niet van haar verschilde. Toen Jane het nieuws van Aclands dood had gehoord – Freddie had het haar in het ziekenhuis gebracht – dacht ze aan twee dingen. Toen Freddie zei dat hij slecht nieuws bracht, hoorde Jane in haar hoofd een duidelijke stem die zei: 'Laat het Boy zijn. Niet Acland.' Later, toen ze die avond in het keurige zusterhuis naar bed ging, wist ze dat ze zonder aarzelen met Acland naar bed zou zijn gegaan als hij dat gewild had. Maar hij had haar nooit benaderd en dat vond ze vreselijk.

De gedachte aan Boy maakte dat Jane zich schaamde, de tweede niet. Daar lag de zorgvuldig opgebouwde moraliteit van haar leven in stukken aan haar voeten. Ze kon ze vertrappen tot fijn stof. Weg. Dat alles had ze niet meer nodig. Ze was verpleegster, had van Acland gehouden. Ze had haar haar afgeknipt, had eigen normen en omdat ze die zelf had opgesteld uit wat haar hart en haar inlevingsvermogen haar ingaven, hadden ze autoriteit. Nee, ze kon Jenna niet veroordelen – ze bewonderde Jenna zelfs: liefde moest je kunnen geven als het mogelijk was, want de tijd was zo kort.

Dus sprak Jane met Constance op haar nieuwe manier. Haar handen lagen rustig in haar schoot, haar ogen dwaalden niet af. Constance luisterde. Ze wist natuurlijk niet hoe het kwam dat Jane zo sprak, zag wel dat ze Jane in het verleden had onderschat en voelde een nieuw, voorzichtig respect voor haar. Maar ze was ook boos omdat Jane bedrogen was – Constance, de kleine spionne, wist dat de baby niet van Hennessy was. Ze was boos omdat Jenna die van Acland had gehouden, genoegen nam met een man als Hennessy. Ze was boos op Hennessy die de brancard met haar vader naar Winterscombe had gedragen, die zo groot en bedreigend was – ze had hem altijd gehaat. Ze was boos omdat Jane, die toch van Acland had gehouden en misschien nog wel van hem hield, zo kalm kon zijn. Ze was boos op de zon die bleef schijnen, op het verkeer in de stad dat doorging.

Terwijl Constance naar Jane luisterde, groeide haar woede. Ze hield zich voor dat niemand van hen Acland verdiende, dat zij de enige was die werkelijk om hem rouwde zodat de pijn uit haar vingertoppen sprong.

Constance was bang voor die woedeaanvallen. Ze kon ze beter beheersen dan vroeger maar niet altijd voldoende. Het was als een vorm van epilepsie: ze trok en schudde en bewoog. Haar handen wilden niet stil blijven, ze hoorde haar hielen trappelen, proefde gal.

Ik alleen begrijp hem, ik alleen was hem waardig, riep ze in haar woede en egoïsme, en omdat ze het opstandige niet beheersen kon, gedroeg ze zich uitermate slecht. Ze gedroeg zich op een manier die Jane nooit zou vergeten.

De uitleg over Jenna was voorbij. Jane zat met Constance in de salon, het was stil in huis. Toen kwam Boy de kamer binnen. Hij had een week rouwverlof gekregen en moest de volgende dag terug naar Frankrijk. Hij was in uniform, in zijn handen had hij een groot zwart, in leer gebonden album. Er stond in gouden letters Aclands naam op, met de data van zijn geboorte en zijn dood. De condoleantiebrieven die Gwen en Denton hadden ontvangen, werden er ingeplakt. Aclands ouders wilden een aandenken aan hem samenstellen – en zulke boeken waren destijds heel gewoon. Boy, die net bij Gwen vandaan kwam, had beloofd de laatste brieven erbij te plakken. Hij had die ook in zijn handen, een stapel zwart gerande enveloppen.

Toen Boy binnenkwam, stond Constance op. Ze vroeg hoe laat het was, want haar horloge liep altijd achter. Toen ze hoorde dat het bijna drie uur was, liep ze naar de deur. Boy groette haar niet, hij bekeek haar, dacht Jane, met een arme-zondaarsgezicht, het hoofd gebogen. Zonder waarschuwing sprong Constance op hem af. Tot schrik van Jane rukte ze het album uit zijn handen en smeet het op de grond. De band liet los, de zwart gerande brieven vlogen in het rond. Constances gezicht was als was, ze had twee vuurrode vlekken op haar gezicht. 'O, waarom moeten jullie zoiets lezen? Ik haat het. Het is morbide. Dit hele huis is morbide. Je kunt hier niet ademen en Acland zou het even erg hebben gevonden als ik. Laat liggen, Francis.'

Boy had zich over de gevallen brieven gebogen. Toen Constance zijn naam noemde, kromp hij in elkaar, hij bleef gebogen staan met uitgestrekte hand.

'O, in godsnaam, denk je dat die vrome brieven je broer terugbrengen? Ik heb ze gelezen, ik weet het. Niemand schrijft over Acland zoals hij was. Hij is saai en verstandig en eervol, zoals ze schrijven – zo had hij moeten zijn, denken ze, maar zo was hij niet! Die brieven zijn leugens! Ik kan hier niet ademen. Ik ga uit!'

Ze sloeg de deur achter zich dicht. Boy streek met zijn hand over zijn gezicht alsof Constance hem had geslagen. Toen pakte hij de brieven op.

'De rug is gebroken,' zei hij.

'Boy, ze bedoelde het niet zo.' Jane kwam hem helpen. 'Ze is overstuur. Ze heeft ook verdriet, op haar manier.'

'Ik kan proberen het te lijmen, maar ik weet niet of het zal houden. Het zal mamma pijn doen. Ze heeft het speciaal besteld.'

'Laat nu maar. Het is zulk mooi weer. Laten we naar het park gaan. Dat doet ons allebei goed. Ik hoef nog niet terug naar het ziekenhuis...'

'Goed.' Boy streek met zijn vinger over de rug van het album en trok het verscheurde leer naar voren, toen naar achteren.

'Je kunt het niet maken.' Hij schudde het hoofd – zijn nieuwe tic die Jane ergerde – alsof er water in zijn oor zat. Hij legde het album neer.

'Het was gemeen wat ze deed. Ik vind haar verschrikkelijk als ze zo is...'

314

'Boy...'

'Ja. Zoals je zegt. Het is mooi weer. Misschien een wandeling door het park.' Dus die middag in juli – een tijd van het jaar waarin de familie Cavendish anders Londen zou hebben ontweken – liep Constance de ene kant op, Jane met Boy de andere.

Het was erg heet en benauwd in de stad. Constance liep naar Albany. Eerst deed ze of ze naar Smythsons ging om postpapier voor Gwen te halen, zoals ze had beloofd. Toen deed ze of ze de etalages van de Burlington Arcade moest bekijken en dat deed ze dan ook, al zag ze er niets van. Toen liep ze onverschillig met haar handtasje en het pakje zwaaiend aan haar pols, naar Albany. Ze keek op naar dat discrete, begeerlijke gebouw en vroeg zich af op welke verdieping Montague Stern zijn kamers had. Of hij er nog steeds was om half vier. Ze kon toch naar binnen gaan. Ze kon informeren. Ze kon een briefje achterlaten. Misschien dat dat van een dame niet werd verwacht, maar zij was geen dame. Voorzichtigheid? Reputatie? Die interesseerde haar niet. Ze kon naar binnen gaan. Ze kon hier blijven.

Constance had Montague Stern nog een paar maal gezien sinds die dag bij Maud, want hij kwam minstens driemaal per week in Park Street op bezoek. Als ze elkaar zagen, gaf Stern geen teken dat hij zich herinnerde wat er was geweest. De omhelzing – zijn briefje – alsof ze nooit waren gebeurd.

Het kwam bij Constance op dat hij de zaak uit zijn gedachten had gezet, maar misschien was hij alleen discreet. Of hij wilde haar nieuwsgierigheid en ijdelheid prikkelen.

Bezoek of geen bezoek? Hij liet kennelijk de beslissing aan haar over. Constance zwaaide met haar tasje, nam de stenen, de ramen in zich op. Ze zou geen boodschap afgeven. Uitdagend draaide ze zich om en liep weg.

Het was nu frisser en ze liep snel door. Terug naar Park Street en Gwen, naar een huis waar ze niet kon ademen. Haar thuis. Toen ze daar eenmaal was, kreeg ze spijt. Ze haalde lijm, karton, wat verf van Steenie en ging het album van Acland repareren. Ze lijmde de rug vast, verstevigde de randen met karton. Ze smeerde verf op de hoeken zodat de kale plekken niet meer zo zichtbaar waren. Het album was zwaar en de spanning op de rug aanzienlijk, maar Constance dacht dat hij het wel zou houden. Ze was handig en had het werk goed gedaan.

In het park gingen ze naar de Serpentine. Er stond een briesje. Het licht was zacht. Boy leidde haar naar een bank in de schaduw van een plataan. Boy leek somber en verstrooid, had geen zin om te praten, maar Jane vond dat niet erg. Het gaf haar tijd om zich voor te bereiden.

Ze had Boy veel willen uitleggen. Ze had willen vertellen waarom ze haar haar had afgeknipt en hoe haar dat een gevoel van dapperheid gaf. Ze had hem willen vertellen van Tom, de jongen die genezen was en naar huis was teruggekeerd. Ze had hem willen laten begrijpen wat het voor haar betekende verpleegster te zijn en hoe ze daarom haar leven ging veranderen.

Ze had een stuk klei in haar handen dat zijzelf vorm kon geven – ze wilde niet langer door anderen worden gevormd. Ze keek naar Boy toen ze dit dacht en zag dat hij fronste, misschien was hij aan het dagdromen. Maar ze had nog hoogstens een half uur en moest nu tot de zaak komen.

'Boy.' Ze schraapte haar keel, haar handen in haar schoot bewogen, ze kneep ze dicht.

'Boy, ik heb je hier mee naar toe genomen om je iets te vragen. Ik wilde je vragen onze verloving te beëindigen.'

Zo, dat was gezegd. Boy keek haar met lege ogen aan.

'Beëindigen?'

'Ik vind dat we er een eind aan moeten maken. Je weet dat we er nooit aan hadden moeten beginnen. Luister, Boy, we moeten eerlijk tegen elkaar zijn. We mogen elkaar graag, dacht ik, maar we houden niet van elkaar. Het was allemaal voor ons geregeld.' Jane ademde diep. 'Jij deed het om je vader een plezier te doen. Ik deed het... omdat ik bang was een oude vrijster te worden. Dat is de waarheid, Boy, bedenk toch eens hoe dom we zijn geweest. Het ging maar door, uitgesteld tot je van Sandhurst kwam, uitgesteld omdat mijn vader stierf, een derde maal uitgesteld omdat het oorlog was. We kunnen wel eeuwig blijven uitstellen, maar dat maakt ons alleen maar ongelukkig. Dus alsjeblieft, Boy, kunnen we er geen eind aan maken en gewoon vrienden zijn? Als de oorlog over is weet ik zeker dat je iemand zult ontmoeten van wie je echt kunt houden. Laten we toch eerlijk zijn.'

'Je wilt niet met me trouwen?' Boy keek haar eigenaardig aan, vond Jane.

'Nee, Boy. En jij wilt ook niet met mij trouwen.'

'Weet je dat zeker?'

'Absoluut. Dit is geen opwelling.'

'Goed.' Boy zuchtte. 'Als je het op die manier zegt, heb ik geen keus.'

De bereidwilligheid waarmee Boy dit zei, verbaasde Jane. Ze wist dat Boy koppig was en had meer tegenstand verwacht. Zijn woorden misten ook een zekere beleefdheid en dat was vreemd, want hij had uitstekende manieren. Hij keek haar doordringend aan, zijn ogen ergens op haar neus gevestigd. Jane kreeg het idee dat hij haar absoluut niet zag, dat hij door haar heen keek. Wat hij zag, scheen gemengde gevoelens op te roepen: Boy keek angstig, voldaan en ook wat zelfingenomen. Jane verwachtte dat hij een paar conventionele opmerkingen zou maken, over blijvende vriendschap en waardering. Ze wachtte. Maar Boy zei geen van die soort dingen, alleen dat het moeilijk zou zijn het aan zijn vader uit te leggen.

'Vind je dat de mensen het moeten weten? Nu al? Morgen ga ik naar Frankrijk terug.'

Jane had dit verwacht en ze hield stand. Zij zou het Gwen vertellen, Boy moest naar zijn vader gaan, nu meteen, dezelfde avond. Alleen dan kon Jane naar het huis blijven komen zonder schijnheiligheid of wanbegrip.

'Pappa zal woedend zijn.' Boy schudde zijn hoofd, trok aan zijn oor.

'In het begin misschien. Maar dat duurt zeker niet lang. Hij accepteert het heus wel. Je kunt hem toch niet je leven laten regelen, Boy.'

'Het is alleen dat hij er zo op gebrand was. Altijd al.'

'Dat weet ik. Vanwege de landgoederen, denk ik. Hij had ze graag als één willen zien.' Ze aarzelde, legde toen haar hand op zijn arm. 'Boy – als het helpt – zeg dan dat dat toch niet zou gebeuren. Ik heb besloten – bijna – om te verkopen.'

'Verkopen?' vroeg Boy verbaasd.

'Zie je niet in waarom?' Jane greep zijn arm steviger beet, ze kreeg een kleur. 'Ik heb er zo lang over nagedacht. Waarom zou ik aan dat grote huis en al dat land blijven hangen? Ik wil niet gaan boeren – daar weet ik niets van. Weet je dat het land, zelfs nu met die lage prijzen, heel veel waard is? Denk eens, Boy, wat ik met dat geld kan doen. Er zijn zo veel organisaties die schreeuwen om geld. Ik zou het aan een kliniek kunnen geven, bijvoorbeeld. De prijs van twee velden zou al genoeg zijn. Drie velden en je had een voorraad medicijnen. Sommige mensen die ik verpleeg hebben ziekten die al jaren te genezen zijn. Ze hebben Engelse ziekte, die genezen kan worden met het juiste voedsel. Of ze krijgen tuberculose omdat hun huizen zo koud en vochtig zijn. Natuurlijk kun je hun longen niet genezen, maar de kou en het vocht wel...'

Dit was Janes visioen. Het deed haar woorden over elkaar rollen en haar ogen stralen. Ze sprak met een opwinding die ze niet verbergen kon. Het duurde dan ook even voordat ze merkte dat Boy haar met enige afkeer bekeek. Jane brak af. Haar hand gleed naar haar mond.

'Nee maar. Wat ben jij opgewonden. Een beetje langzamer, wil je?'

'Langzamer? Waarom langzamer?'

'In de eerste plaats ben je een vrouw. Vrouwen hebben gewoonlijk geen goed zakelijk inzicht. Ze zijn er niet voor opgeleid. En het is een grote stap. Een heel grote stap. Bovendien hield je vader van het huis...'

'Boy, mijn vader is dood.'

'Je moet praktisch zijn. Klinieken, medicijnen – ik heb er niets op tegen. Maar jij dan? Wil je niet investeren? Je moet toch iets hebben om van te leven...'

'Als ik een oude vrijster ben, bedoel je?'

'Nee, natuurlijk niet. Ik bedoelde... nou ja, dat je praktisch moet zijn. Om advies vragen – degelijk advies, financieel advies...'

Mannelijk advies, dacht Jane.

'Ik heb de zaak met Montague Stern besproken. Heel in het algemeen. Hij raadde me aan te wachten. Maar hij zag geen reden om het op den duur niet te verkopen. Hij wist zeker dat ik een goede koper kon vinden en voor een meer dan redelijke prijs...'

'O, als je met Stern hebt gepraat.' Boy klonk geërgerd. 'Als je het advies van die man accepteert...' Hij stond op.

'Is er iets verkeerds aan zijn advies?'

Boy haalde zijn schouders op. 'Er gaan geruchten... Altijd al. Je kunt zijn ras niet negeren. Zullen we teruggaan?'

Hij stak zijn arm uit. Jane stond op en nam die arm, wat haar boos op haarzelf maakte. Ze gingen terug naar het pad. Boy zei niets meer, hij was weer in zichzelf gekeerd, beschermd door zijn uniform, mannelijk, mogelijk bang, mogelijk somber.

'Was het hier?'

De plotselinge vraag deed Jane schrikken. 'Wat was hier?'

'Dat ongeluk met Constances hond. Floss. Weet je nog? Was het hier?'

'Ja. Daar. Het ging heel vlug.'

'Altijd.'

Boy draaide zich om en liep verder.

'Waarom vraag je dat, Boy?'

'Och, ik weet het niet.' Hij trok aan zijn oor. 'Ik had haar het hondje gegeven. Ze schreef me erover. En toen werd ze ziek. Geen reden. Ik wilde het me graag kunnen voorstellen, dat is alles.'

Boy was in de oorlog dapper genoeg, maar hij was bang voor zijn vader. Hij vertelde hem van de verbroken verloving, maar stelde het uit tot de volgende ochtend. Dan kon hij vertrekken zodra hij het had gezegd. Geen tijd voor woede. Hij moest de trein naar de haven aan het Kanaal halen. Hij keek naar zijn vader in diens studeerkamer. Denton zat bij het vuur, met een plaid over zijn knieën. Hij scheen het vervelend te vinden om te worden gestoord, want hij schreef aan generaals en brigadiers.

Al die mannen aan wie Denton dagelijks schreef, waren oud. Ze hadden gevochten in veldslagen die nu in geschiedenisboekjes stonden. De een had gevochten op de Krim, de ander had een arm verloren bij Sebastopol, weer een ander was een geduchte vijand geweest aan de grens van India. Ze waren tijdgenoten van zijn vader, die zich de pracht van hun uniformen herinnerde; toen hij een kleine jongen was en zij de helden van het leger. Hij dacht dat ze nog steeds invloed hadden, dat een van hen inlichtingen kon inwinnen op het hoogste niveau en hem kon verzekeren dat het een vergissing was geweest: een verkeerd telegram naar het verkeerde gezin over de verkeerde man. Het was een vergissing, zijn zoon leefde nog.

Sommige van die oude heren antwoordden met hoffelijke brieven. Het speet hen maar ze konden niets voor hem doen. Denton streepte hun namen door en ging over naar een andere lijst, nu met brigadiers.

Boy bleef met een gevoel van wanhoop naar die brieven kijken. Hij had de oorlog meegemaakt. Hij had gezien dat er niets van mannen overbleef en wist maar al te goed wat er waarschijnlijk met Acland was gebeurd. Het was vreselijk dat zijn vader zichzelf zo voor de gek hield en hij was woedend op Jane die hem dwong zijn vader nog een slag toe te brengen – juist nu, maar hij had het beloofd, dus kwam hij met het bericht.

Boy ontdekte dat Denton de werkelijkheid niet accepteerde, het was evenmin waar als de dood van Acland.

'Een ruzietje tussen verloofden,' verkondigde hij. 'Niets om je druk over te maken. Jullie komen wel weer tot elkaar.'

Het klonk als een voorspelling, of zelfs als een bevel. Boy zweette. 'Nee, pappa,' antwoordde hij zo flink als hij kon. 'We hebben geen ruzie gemaakt. We blijven vrienden. Maar we kunnen niet meer terug.'

'Tijd voor je vertrek.' Zijn vader nam zijn pen weer op. 'Geef me dat vloeipapier even aan.'

Boy wist dat hij kon gaan en verliet de kamer. Hij liep de wit met zwarte tegels van de hal op en neer, keek naar de duizelingwekkende hoogte van het trappenhuis, langs de vier verdiepingen naar het gelige raam erboven.

Hij voelde zich duizelig. Zijn bagage lag in de hal, de Rolls van zijn vader stond buiten te wachten om hem naar het station te brengen, hij had afscheid genomen van zijn moeder en van Freddie. Freddie was al vertrokken omdat hij ambulancedienst had. Boy had nog een leren doosje in zijn zak met Janes verlovingsring die ze hem de vorige middag had teruggegeven.

Boy speelde ermee, schudde zijn hoofd en trok aan zijn oor. Wat moest hij met die ring doen? Meenemen of hier laten? Hij kon niet besluiten. Toen hij op en neer liep, nam hij heen de witte tegels, terug de zwarte. Steenie kwam de trap af gevlogen.

'Waar is Constance?' vroeg Boy. Nu wist hij waarom hij zo op en neer liep, de woorden moesten worden uitgesproken. Steenie was druk bezig, pakte brieven, een wandelstok, handschoenen. Hij keek Boy eigenaardig aan.

'Connie? Die is uit.'

'Uit?' Boy was gegriefd. Zijn terugkeer naar de oorlog verdiende toch wel meer dan een lege hal en een broer die met andere dingen bezig was.

'Maar Boy, je hebt een geheugen als een zeef! Connie heeft aan het ontbijt toch al afscheid van je genomen.' Steenie speelde met zijn handschoenen, trok ze aan, schoof het soepele gele leer aan zijn vingers.

'Ik moet haar spreken. Waar is ze naar toe?'

'Zijn ze niet gòddelijk? Ik heb ze gisteren pas gekocht. Boy, ik moet rennen. Geen lang afscheid – dat vind ik vreselijk.'

Steenie aarzelde. Boy dacht dat Steenie, ondanks dat gedoe met zijn handschoenen, verlegen was. Ze keken elkaar aan. Steenie gooide de das over zijn schouder en liep naar de deur. Hij had een manier van lopen die Boy wantrouwde, het leek meer op glijden met de heupen naar voren. Plotseling keerde hij terug en legde zijn geel gehandschoende hand op Boys arm.

'Boy, ik zal aan je denken. En ik schrijf. Je weet dat ik àltijd schrijf, hè? En zul je goed op jezelf passen?'

Boy wist niet wat hij moest doen. Hij was ontroerd. Steenie schreef hem inderdaad lange brieven, amusant en vol tekeningen. Boy die ze telkens herlas in de loopgraven, had gemerkt dat ze hem rust gaven. Hij zou zijn broer willen omhelzen, maar schudde hem alleen de hand, met betraande ogen.

Steenie vocht altijd tegen emoties. Hij trok zich terug, maakte een paar terloopse opmerkingen over het weer, de wachtende auto, een galerie. Steenie schaamde zich ervoor. Boy stond op een witte tegel, op een zwarte. Hij zag zichzelf en zijn broer vanuit de verte, twee figuren op een schaakbord. Hij kon niet zeggen wat hij voelde, omdat dat niet mannelijk was; Steenie kon niet zeggen wat hij voelde omdat hij het gesproken woord wantrouwde. Zoals hij tegen Wexton had gezegd die het daar niet mee eens was.

'Wat zijn we toch idioot,' zei Steenie. Hij rende naar Boy toe en gaf hem een kus.

Steenie had parfum gebruikt en Boy trok zich terug.

'Ik geef Connie wel een boodschap als je wilt,' zei Steenie berouwvol.

'Nee, het was niet belangrijk.' Boy bekeek het etiket op zijn bagage, alsof het een geheime boodschap bevatte. 'Waar is ze eigenlijk?'

'Ze is naar de bruiloft van Jenna, Boy – dat weet je toch.'

Steenie stond op het punt in tranen uit te barsten. Dan stroomden de tranen, maakten vlekken van mascara, strepen in de rijstpoeder op zijn wangen. Hij wantrouwde tranen net zozeer als woorden, hij huilde te gemakkelijk.

Maar het was altijd mogelijk dat hij zijn broer niet zou terugzien. Hij rende naar de voordeur en riep een laatste vaarwel over zijn schouder.

'Het was vreselijk,' zei hij enige tijd later tegen Wexton. 'Boy kan niet zeggen wat hij voelt en ik ook niet. Wat ontbreekt er aan ons, Wexton? Ik houd echt van hem, hoor.'

Wexton glimlachte. 'Ik veronderstel dat hij dat gemerkt heeft.'

Het huwelijk had plaats in een kerk, Jane geloofde niet in een bureau van de burgerlijke stand. De kerk lag ten zuiden van de rivier, in Victoriaans-gothische stijl, een eiland omringd door achterbuurten. Het was koud in de kerk, even koud als liefdadigheid, vond Constance. Een Engelse zomer was onbetrouwbaar, het was stormachtig.

Er waren maar weinig mensen in de kerk. Aan de kant van de bruid zaten Jane en Constance naast elkaar op de voorste bank. Constance bladerde in het gebedenboek, Jane lag geknield en zou waarschijnlijk wel bidden. Aan de andere kant van het middenpad zaten de genodigden van de bruidegom. De familie van Hennessy was niet aanwezig, ze werden vertegenwoordigd door de familie Tubbs. Er waren een grote vrouw, met een verweerd maar vriendelijk gezicht, en meisjes van verschillende leeftijden die jongere zusjes van Arthur Tubbs moesten zijn. Het waren er vijf: de jongste was een jaar of vier, de oudste was vijftien. Dat was Florrie met wie Jenna haar kamer deelde. Florrie werkte in de buurt, ze was inpakster van granaten in een van sir Montague Sterns munitiefabrieken. Florrie was mager, met een gelige huidskleur. Ze droeg knoopjesschoenen die een paar maten te groot leken. Het jongste kind droeg wollen polsmofjes. Ze keken allemaal even opgewonden en hadden een boeketje op hun serge kleren gespeld. Constance snoof, ze rook armoede.

Die geur kwam niet alleen van de familie Tubbs, maar van de kerk zelf, die eruitzag of ze alles deed om iets te lijken onder nijpende omstandigheden. Vroeger hadden hier misschien meer kapitaalkrachtige families de diensten bijgewoond, er waren heiligen en drakendoders uitgebeeld in glas-in-lood om hun naam en vrome daden in ere te houden. Constance hoorde hun geesten: die kooplieden met hun vrouwen – hun baarden streken langs haar wang.

De straten daarbuiten stonken. De huizen zagen er hopeloos uit, tegen elkaar gepropt. De kinderen renden blootsvoets door de vieze stegen en maakten speelgoed van afval. De straten schokten Constance die vrijwel nooit verder kwam dan het park. Ook de kerk was beledigd door de achteruitgang van de buurt. Ze draaide de straat haar rug toe. Ze rook naar wierook maar ook naar dweilemmers. Jane had voor bloemen gezorgd, die aan weerszijden van het altaar stonden. Dahlia's met grote, puntige bladen en stijve stelen in oranje, rood en hardgeel en zonder smaak in vazen gezet. Constance zat er vol haat naar te kijken.

Hennessy en Tubbs hadden hun best gedaan. Ze waren met de nachttrein uit Yorkshire gekomen en moesten in de namiddag weer terug. Hennessy droeg een soldatenuniform, Tubbs dat van een korporaal. Hennessy zag er piekfijn uit. Zijn kaki jasje spande over de spieren van zijn rug, de neuzen van zijn soldatenlaarzen glommen als spiegels. Hennessy was een massieve man, Tubbs was iel, zijn haar, met een scheiding in het midden, werd op zijn plaats gehouden door vet. Er was nog wat acne te zien.

Van de twee was Tubbs de meest nerveuze. Hij speelde met een beginnend snorretje, draaide zijn nek heen en terug, knipoogde naar zijn moeder en zusjes, schuifelde. Tubbs zou het helemaal maken, al wist Constance dat natuurlijk niet. Zijn inzicht in bevoorrading zou beter worden, hij zou de zwarte markt leren kennen, en de poëzie van vraag en aanbod. Na de oorlog zou Tubbs de ladder beklimmen, Hennessy niet. Cokes en de verwarmingsketel die bankbiljetten vrat, lagen te wachten op Hennessy die feodale instincten had. Maar als bruidegom was hij indrukwekkend. Geen spoor van zenuwen. Hij stond stram en rechtop, draaide zich geen enkele maal om. Constance keek naar de bewegingloze rug. Hij ving vlinders die hij in lucifersdoosjes stopte, hij had haar eens een vliegend hert laten zien en de tor een poot uitgetrokken zodat hij in cirkels liep. Zo had Hennessy indertijd Constance Nors, de albatros, beziggehouden.

Het astmatische orgel deed een nieuwe aanval om de komst van de bruid aan te kondigen, maar nog steeds draaide Hennessy zich niet om.

Jenna droeg grijs, geen wit – Jane had de japon betaald. Hij was van een zachte stof en aan de voorkant geplooid om haar veranderde figuur te camoufleren. Ze kwam het middenpad af aan de arm van een oude man, waarschijnlijk ook een lid van de familie Tubbs, want toen hij hen passeerde, knipoogde hij tegen hen. Jenna hield haar kin omhoog, ze keek rechts noch links en droeg, zag Constance, een boeket viooltjes. Viooltjes waren goedkoop en gemakkelijk te krijgen, je zag ze op iedere straathoek. Dat boeket was dus voorspelbaar. Toch maakten zij Constance nog bozer. De geesten in de kerk schuifelden en fluisterden over de viooltjes die naar vochtige aarde roken.

Constances woede zong. Ze wist dat ze die snel de kop in moest drukken, nu, maar dat wilde ze niet, ze wilde zich laten gaan. Ze voelde bliksem in haar vingertoppen, haar haar brandde, ze proefde rook, haar hielen stampten. Aclands baby werd weggegeven.

Eén persoon ontbrak bij die gelegenheid en dat was Acland zelf. Constance wachtte tot hij zich bij de andere geesten zou voegen. Ze wachtte tot hij die verschrikkelijke ceremonie zou stoppen. Toen hij niet kwam – natuurlijk niet, hij was slechts eenmaal naar haar toegekomen om afscheid te nemen – kwam haar woede helemaal in opstand. Hij maakte een chaos van de kerk, trok de tegels uit de vloer en smeet ze door de lucht. Hij floot en brulde zijn revolutie, maakte barricades van de banken en verbrandde het altaar.

Constance keek omhoog, hoger, hoger. Tot boven het gewelf van het schip, boven de bogen van het dak. Een donkere plaats, vol woorden en gefluister: rondtollend in wilde energie. Ze streken langs haar huid. Constance uitte een zachte kreet, ze wilde niet langer blijven. Het was te slecht, te gemeen. Doe het gebedenboek dicht. Trap het kussen om te knielen weg. Tik met je schoenen op de ingelegde vloer. Door de zijbeuk, langs de monumenten, langs het doopvont. De deur naar buiten was zwaar. De hengsels piepten. Constance stond buiten op de trappen. Londen huilde. Ze hief haar gezicht naar de tranen. Ze ademde diep. Ze proefde zout en roet. Ze bleef doodstil, dat was nodig om de woede te laten verminderen.

Die wilde niet weg. Hij was als een demon, die zich aan haar vastklampte. Hij hechtte zich aan haar aderen, bonsde met zijn vuisten op haar hoofd en gaf haar hoofdpijn. Hij bonsde tegen haar longen. Ze kon willen dat hij vertrok, dat had ze eerder gedaan. Ze sloot de ogen en concentreerde zich. Ze maakte de lelijke demon tot een bundel, een boosaardig ding, klein en sluw dat niet gepakt wilde worden. Maar ze trok hem los, tentakel voor tentakel. Ze voelde hem als een klomp. Het was als een geboorte, het kwijtraken van dat monster. Maar hij bleef steken. 'Ga weg, ga weg,' zei Constance hardop. Hij was weg. Ze kon weer ademen. Ze sloeg de armen om haar lichaam, ze begon weer te zien. Ze voelde zich puur, als een lege beurs, ze genoot van die leegte. Licht als een veer, ze zou kunnen vliegen.

Ze bleef stil staan. Er kwam geen geluid door de zware kerkdeur. Ze liep heen en weer op de trappen alsof ze probeerde tot een besluit te komen. Heen en weer. Toen stopte ze. Kennelijk was het besluit genomen.

Ze rende de trappen van de kerk af. Acland had haar gezegd om te gaan, dus snelde ze over de natte trottoirs. Acland moedigde haar aan. De stenen glansden. Een hoek om en ze was bij een brug. Ze keek omlaag naar het stromen van de Theems. Een grijze rivier die dag, diep, een getijrivier. Verderop was een landingsplaats. Het water was vol boten. Constance keek omlaag naar de rivier gedurende een nauwkeurig bepaalde tijd: zeventien minuten, een voor ieder jaar van haar leven. Stop of ga door.

Er kwam een taxi voorbij, het lukte Constance, die er nooit een had aangehouden, deze aan te houden. Hij rook naar haarolie en tabak. Er lag een krant die iemand had achtergelaten, vol nieuws over de oorlog.

Ze ging achterin zitten zonder de chauffeur een adres te geven, maar boog zich toen naar voren en tikte op de glazen afscheiding. Toen de chauffeur die terugduwde, vroeg ze hem haar naar Albany te rijden, hoewel ze heel goed wist dat het nog ochtend was, en voorlopig nog geen drie uur.

Toen ze de slaapkamer binnenkwamen die Jenna met Flossie deelde, waren zij en Hennessy voor het eerst en het laatst die dag alleen. Hennessy zei drie dingen. Ze maakten haar bang.

Hij zei: 'Deze ene keer?' Hij greep haar plotseling beet en schudde haar zo hard door elkaar dat haar tanden klapperden. Jenna antwoordde niet. Hennessy scheen dat niet te merken. Hij zei het tweede.

'Je hebt het meer gedaan. Het was niet de eerste keer. Je bent een viezerik. Een vieze meid.'

Hij hapte naar lucht. Hij zei het derde: 'Ik weet het. Ik heb die klem voor hem gezet. Toen ik hoorde dat hij dood was, dankte ik God. Ik hoop dat de ratten aan hem knagen.'

Hij sprak heel snel, de woorden waren nat en heet als zijn ogen, en het kostte hem inspanning ze uit zijn mond te krijgen. Ze leken hem pijn en genot te geven. Jenna vond dat hij eruitzag als een man die seks had.

Ze wist dat ze voorzichtig moest zijn, dus was ze voorzichtig met haar woorden. Ze liep bij hem vandaan en ging – omdat er geen stoel was – op het bed zitten. Haar kind bewoog. Ze beschouwde de woorden, haalde ze uit elkaar, bracht ze weer samen. Ze konden niet betekenen wat ze dacht, het moest iets anders zijn. Een val.

Jack Hennessy liep het kamertje op en neer. De zoldering helde en hij moest zijn hoofd telkens buigen maar scheen het nauwelijks te merken. Op en neer, op en neer. De kamervloer bestond uit houten planken met een kokosloper in het midden. Hij ijsbeerde over die baan als een dier in zijn kooi. Hij keek haar niet aan, en liep met de handen in zijn zakken.

Jenna had een sinaasappel in de hand. Ze keek ernaar. Ze concentreerde haar ogen en haar geest erop, in de hoop dat de sinaasappel de woorden zou doen verdwijnen. Mevrouw Tubbs had de sinaasappel gegeven, het was een verkwisting maar mevrouw Tubbs zei dat de kinderen er zo van hielden. Ze kregen altijd een sinaasappel met Kerstmis, verjaardagen en bruiloften. Er was ook een bruiloftsmaal, ronde pasteitjes met vlees, paling, zure mosselen en een cake met custard en vruchtjes, stout voor de mannen en een druppeltje jenever voor de dames. Jenna had één pasteitje en een hapje van de taart gegeten. Ze had ook een mossel gepakt, die was zuur en rubberachtig. De cake was mierzoet en deed pijn aan haar tanden. Mevrouw Tubbs was aardig. Ze wist dat er iets mis was met de bruiloft en zei: 'Kom Arthur, laat die duifjes nu maar alleen. Ze hebben genoeg van je verhalen.' Jenna was erdoor geroerd. Ze wist dat ze er niet als een verliefd duifje uitzag en niemand kon Hennessy, met zijn enorme gestalte, een vogel noemen. Ze waren gehoorzaam naar boven gegaan en Jenna had de kostbare sinaasappel meegenomen. Hij was in zilverpapier gewikkeld en toen ze het papier verwijderde en haar nagel tegen de schil duwde, spoot het sap eruit. Het kleefde aan haar vingers. Het rook scherp.

Ze kende Hennessy natuurlijk absoluut niet. Dat wist ze zodra ze de kerk binnenkwam. Hij was in alle opzichten bekend, ze kende iedere haar van zijn hoofd. Ze kende zijn stem, ze kende de bedachtzaamheid van zijn handen. Zijn ogen hadden niets verrassends, en toch was hij een vreemde. Ze stond op het punt te trouwen met een man die ze vanaf haar geboorte kende, iemand die ze nooit in haar leven had ontmoet. Toen aarzelde ze bijna, maar het kind trapte. Ze was doorgegaan.

Jenna was acht toen haar moeder stierf en mevrouw Hennessy, die alleen vier zoons had en dolgraag een dochter wilde hebben, had haar in huis genomen. De andere drie zoons, even groot als Jack, waren luidruchtig. Hij niet. Hij stond aan de rand, aan de rand van de kamer, de rand van de groep. Als hij binnen was, zat hij altijd bij een deur, en als hij buiten was, bleef hij dralen, dan – zonder verklaring – liep hij weg van de anderen. Hij liep graag alleen. Hij at ook liever alleen en dronk alleen, al werd hier nooit over gesproken. Hij kon er twee dagen op uittrekken om te fuiven – en kwam terug, en zat weer aan de rand van de kamer. Hij feestte en kwam nors thuis. Hij was traag. Er waren mensen in het dorp die zeiden dat hij achterlijk was. Dan tikten ze vol betekenis op hun voorhoofd. Achterlijk, maar hij deed geen kwaad en was een harde werker.
Hij kon helemaal alleen grote bomen vellen, kon acht uur achter elkaar in de zagerij bezig zijn. Hij vond het prettig om hout te schuren, dat deed hij vol aandacht, hij schuurde tot het oppervlak als van zijde was. Hij had een luchtje – als de zoete geur van stout, van vochtige kaki, van zweet. Jenna dacht dat hij misschien wist dat hij dat had want hij waste zich voortdurend, iedere ochtend en iedere avond als hij van zijn werk terugkwam. Zijn broers mochten lui zijn, Hennessy niet.
Wassen was een ritueel, zijn moeder moest water koken en het stomend naar de bijkeuken brengen. Hennessy kleedde zich dan tot het middel uit. Hij stopte zijn hoofd in het water, zeepte zijn zware armen en schouders in, zijn borst, zijn rug. Hij boende zijn oksels, rook eraan. Hij morste water over de vloer, die van aarde was, en liet een modderige troep voor zijn moeder achter. Als hij te voorschijn kwam, stoer, gespierd, glimmend, gaf zijn moeder hem een schoon overhemd. Hij stond dan bij de deur van de achterkamer en knoopte het langzaam dicht. Zijn moeder maakte snelle gebaren, streek een mouw glad, streek over een onzichtbare kreukel. Jenna zat bij het vuur naar hem te kijken. Ze dacht dat Hennessy dat

prettig vond. Ze dacht dat zijn moeder gekwetst was als mensen zeiden dat haar oudste zoon achterlijk was. Ze dacht dat zijn moeder bang voor hem was.

Een boom van een man, een man van weinig woorden. Toen Jenna klein was, fascineerde hij haar, ze begreep niet dat zo'n grote man zo zacht kon zijn. Hij was altijd zacht tegen haar. Hij ging met haar wandelen. Hij plukte bloemen voor haar en kende hun namen: pinksterbloem, rode guichelheil.

Wandelingen maken en samen wandelen. Dat was een belangrijk verschil. Zij en Jack Hennessy waren vanzelf van het een in het ander overgegaan. Ze bewonderde zijn terughoudendheid, hij werd geplaagd door zijn broers, die beweerden dat hij verliefd op haar was. Hennessy negeerde het en dat bewonderde ze ook. Hennessy had waardigheid. Hij verklaarde haar zijn liefde éénmaal toen ze veertien was, en daarna nooit meer. Uit zijn gewone, sombere zwijgzaamheid kwam een fontein van woorden, woorden die welsprekend waren. Hij zei dat ze hem in de palm van haar hand hield, dat ze dat altijd had gedaan en dat het altijd zo zou blijven. Hij zei dat hij de grond kuste waarop ze liep. Hij zei dat hij haar zijn hart gaf. Hij zei dat hij voor haar wilde sterven. Hij zei: 'Je bent van mij, Jenna, dat heb ik altijd geweten.'

Zijn ogen verzwolgen haar. Ze waren hongerig en ongerust. Ze smeekten haar, bevalen haar. Ze wist dat er mensen waren die hem uitlachten. Ze had medelijden met hem. Hij sloeg een arm om haar middel. Het was de enige maal dat hij haar ooit had aangeraakt, hij zei dat ze anders was dan andere meisjes, dat ze fatsoenlijk was, daarom – maar toch vond Jenna het raar. Ze had verwacht dat hij haar zou kussen.

Ze zou waarschijnlijk toch met hem getrouwd zijn – er was iets in Jenna dat niet wilde vechten, een deel dat zich vastklampte aan het bekende, aan mevrouw Hennessy en haar huis, aan de gezelligheid van de broers. Daarin zou ze zich zeker hebben geschikt. Toen ontmoette ze toevallig Acland.

Hierna was Hennessy haar alibi. Ze wist dat ze gebruik van hem maakte, maar hield zich voor dat ze nauwgezet was. Ze was aardig tegen hem, praatte met hem, lachte hem nooit uit. Ze hoefde niet te liegen maar liet dingen weg. Hennessy vroeg nooit of ze van hem hield, hij scheen dat als vaststaand aan te nemen. Het bestond en had gewicht in zijn ogen, als een noodlot. Soms maakte het Jenna opstandig. Ze had een hekel aan die vanzelfsprekendheid. Ze zou zich eruit willen bevrijden. Ze deed het nooit. Ze liet Hennessy in zijn veronderstelling – zo was het veiliger, had ze een beter alibi.

Hennessy kon niet gekwetst worden door wat hij niet wist, hield Jenna zich voor. Maar natuurlijk was dat een uitvlucht, waardoor ze zich schuldig voelde. Die schuld maakte het tot op zekere hoogte nog erger – want dan was ze extra lief tegen hem.

En nu was ze met hem getrouwd. Ze had een baby in haar buik en een ring aan haar vinger, en een sinaasappel in haar hand. Hennessy liep nog steeds op en neer.

Jenna bestudeerde de sinaasappel. Ze streek het zilverpapier glad. Ze haalde de drie verklaringen van Hennessy uit elkaar en bracht ze weer samen. Ze maakten haar angstig. De vreemde die ze had getrouwd, was een heftige man. Hij was niet zo achterlijk of zo traag. Hij wist het.

'Was het alleen die ene keer?'

Hennessy vroeg het opnieuw. De woorden kwamen op Jenna af uit de stilte en het kraken van de vloerplanken, ze schrok op. Ze hoorden niet bij de andere woorden, maar gaven Jenna hoop. Ze zag vlak voor zijn gezicht de mogelijkheid van een leugen. Ze had een leugen klaar. Ze had die geoefend. Ze wist de woorden uit haar hoofd.

Hennessy kwam op het bed naast haar zitten. De veren zakten omlaag onder zijn gewicht. Hij zat rechtop en staarde voor zich uit. Hij scheen te wachten op de leugen, dus begon Jenna ermee. Ze had die zo waar mogelijk gemaakt – heel nauwgezet. Er was een soldaat, ze had een vrije avond. Ze dronk te veel, het was... alleen die ene keer.

Een soldaat – dat was in ieder geval waar. Jenna vond het niet gemakkelijk te liegen. Ze wist dat het een aanvechtbaar verhaal was en dus, om het een betere grond te geven, herhaalde ze de leugen, éénmaal, tweemaal. Gewoon een soldaat, gewoon een fout, alleen die ene keer. Het duurde even voordat ze besefte dat ergens in die warwinkel van woorden Hennessy begon te huilen. Hij probeerde te stoppen en toen dat niet werkte, ademde hij een paar maal diep, zodat hij huiverde. Hij wreef met zijn knokkels in zijn ogen als een kind. Jenna was geschokt.

'Jack, Jack, trek het je niet zo aan. Ik schaam me zo,' zei ze. Ze schoof naar hem toe en legde onhandig een arm om zijn hals. Dit scheen Hennessy te kalmeren. Hij nam haar hand en keek ernaar.

'Ik had die val gezet. Had je dat geraden? Ik zette het ding voor hem.' De woorden rolden eruit, hij bleef naar haar hand turen.

'Wat voor val, Jack?' Jenna was doodsbang.

'Dat weet je wel. Hij werd niet gebruikt. Hij lag helemaal verroest

in een van de schuren – maar hij werkte. Ik had hem geprobeerd.
Ik dacht... ik weet niet wat ik dacht. Ik zag hem er al in. Ik zag dat
heel duidelijk, met die mooie kleren van hem, helemaal gescheurd.
Dat wilde ik. Maar misschien wilde ik het ook niet, want ik zette
hem op de verkeerde plaats, ving de verkeerde man. Ik zette het
ding bij de open plek. Als ik hem er echt mee had willen vangen,
zou ik hem hebben neergezet waar jij met hem samenkwam.'
'Ik met hem samenkwam?'
'Ja, in het berkenbosje. Daar had ik de val dan moeten neerzetten.
Dat was ik ook van plan, geloof ik. Maar ik deed het niet. Ik had
hem erin kunnen duwen – gemakkelijk. Niet meer dan het plat
slaan van een vlieg. Of het doodmaken van een konijn – zo eenvoudig. Hij was lang, maar mager. Een heer. Niet veel kracht. Ik had
het kunnen doen, ik wilde het ook. Ik haatte hem, Jenna.'
Hij had haar polsen beetgepakt. De sinaasappel viel uit haar hand.
Jenna zag het ding over de grond rollen. Toen ze sprak, was ze er
trots op dat haar stem vast was.
'Wie weet dit, Jack?'
'Niemand. Alleen jij. Meneer Cattermole – ik denk dat hij het kon
raden. Er zijn niet veel mannen die dat zware ding alleen konden
verplaatsen. Misschien deed hij of hij gek was. Maar hij zei in ieder
geval niets. Hij kon ook niet weten waarom. Alleen jij weet het. O,
ik was geen kwaad van plan, niet de volgende dag. Ik keek naar die
komeet. Ik zag jou wegsluipen. Ik dronk veel. Ik herinner me die
nacht niet meer. Maar ik ging de volgende ochtend meteen terug, ik
had de val willen weghalen. Maar toen was het te laat. Die man zat
erin. Meneer Cattermole was er. De honden stonden te blaffen. Hij
stuurde me naar het huis.'
Hij boog zijn hoofd. Hij opende Jenna's hand en keek naar de lijnen in haar handpalm, raakte ze aan met een eeltige vinger.
'Ik zag het.' Hij sloot haar vingers over de zijne. 'Ik zag jou en
hem. Dat had je niet moeten doen, Jen. Niet toen ik van je hield
zoals ik deed. Dus... vertel me nu eens...' Hij hief zijn hoofd op en
keek haar in de ogen.
'Lieg niet. Zweer. Leg je hand op je buik. Op die bult. Op zijn
hoofd. En zweer daarbij. Is het zijn kind? Ja?'
Jenna legde haar hand op haar buik. Haar baby bewoog. Jack
Hennessy's hand was tot een vuist gebald. Zijn ogen waren heet en
vochtig. Ze sloegen haar. Ze kon zien hoe hij haar zou slaan. Eén
vuist op haar buik. Een enkele klap zou genoeg zijn.
'Nee Jack, het is zijn kind niet.' Ze was weer trots op haar stem.
Geen aarzeling. 'Dat was over. Al jaren geleden. Ik zeg je de waar-

heid. Het was een soldaat. Ik kwam hem tegen in het park. Hij nam me mee naar een hotel bij Charing Cross. Ik weet eigenlijk niet waarom ik dat deed. We namen een kamer voor een uur. Dat kan tegenwoordig. Als de man in uniform is, doen ze een oogje dicht.'

'Had je gedronken?'

'Ja. Hij kocht het. Een glas... gin, met water. Ik was gelijk van de kaart.'

'Zou je het anders niet – niet zonder dat drankje?'

'Nee, Jack.'

'Ging het vlug?'

'Heel vlug.'

'Ik raak nooit vrouwen aan.' Hij ontspande zijn vuist. 'Andere mannen wel. Tubbs ook. Ze staan ervoor in de rij. Ze zijn ziek. Dat zei ik tegen Tubbs, maar hij wil niet luisteren.' Hij zweeg, schraapte zijn keel. 'Ik heb mijzelf bewaard voor jou, Jen. Altijd gedaan...'

'Jack...'

'Het komt allemaal goed. Ik had tijd om erover te denken toen je geschreven had. Eerst zag ik het niet zo. Maar nu wel. En hij is tenslotte dood. Als de oorlog voorbij is – dan komt alles in orde. We gaan terug naar het dorp, wij tweeën, zoals ik altijd had gedacht, en...'

'Wij drieën, Jack.'

'Je kent dat huisje? Bij de rivier? Daar heb ik altijd het oog op gehad. Dat kunnen we vast wel krijgen. Na de oorlog. Mijn vader wordt oud. Over een paar jaar kan ik eerste timmerman zijn. We kunnen iets leuks van dat huisje maken. Er is een stukje tuin – ruimte voor aardappelen, bonen, uien. Er woont al jarenlang niemand meer. Ik heb het altijd leuk gevonden. Er is zoveel rust. Ik ging er naar toe om te denken. Meestal over jou. Dat wist je wel, hè? Je wist altijd dat je me in de palm van je hand had.'

Hennessy nam haar linkerhand in de zijne. Aan de ringvinger zat nu haar trouwring. Ze wist welk huisje hij bedoelde, aan de rivier, eenzaam, half ingestort, in geen jaren bewoond. 's Zomers koud en vochtig, 's winters stond de weg er naar toe onder water. Het was een vreselijk huisje. Ongezond. Geen plek om een baby groot te brengen.

'De ring van mijn grootmoeder.' Hennessy's stem klonk schor. 'Die heb ik van haar vinger gehaald toen ze stierf. Ik heb hem bewaard. Acht jaar.'

Ze had zo'n hekel aan zijn grootmoeder gehad. Een gebogen

vrouw met openingen tussen haar tanden. Als ze Jenna zag, kneep ze altijd in haar wangen.

'Is dat dan geregeld?' Hennessy zuchtte. 'Ik wil alles geregeld hebben voor ik terugga. Dan kan ik plannen maken. Je moet iets hebben waarvoor je plannen kunt maken als je daar in de loopgraven zit. Te wachten. Houdt je op de been. Dus wil ik er graag zeker van zijn...'

'Zeker?'

'Mijn plannen... Dat huisje, dat stukje tuin.'

Jenna schoof heen en weer onder zijn blik. Ze had niet vooruit gedacht, zei ze tegen zichzelf. Ze was zo systematisch geweest maar had er geen ogenblik over gedacht waar ze konden gaan wonen.

'Vind je het leuk daar? In dat huisje?'

'O ja. Ja, Jack. Ik herinner het me niet zo goed maar... het is vlak bij de rivier en in de winter...'

Ze zweeg. Hennessy's ogen waren veranderd. Het was er, toen weer verdwenen, iets hards en triomfantelijks. Hij wist hoe vreselijk ze die plek vond. Maar hij verborg het. De volgende seconde had hij zijn ogen neergeslagen. Hij wilde niet dat ze dat genot nog eens zou zien. Zijn gezicht was gespannen en Jenna dacht dat hij zou kunnen huilen of lachen. Ze was bang voor die gloed van vreugde. Die maakte haar angstiger dan alles wat hij had gezegd. Haar gedachten schoten heen en weer, probeerden weg te rennen. O, wat heb ik gedaan, wat heb ik gedaan? dacht ze. Ze was doodsbenauwd dat hij haar zou aanraken. Hij was een knappe man maar ze vond alles aan hem weerzinwekkend, zijn huid, zijn haar, zijn ogen.

'Voordat ik ga. Voordat ik vertrek...'

Jenna dacht dat hij haar nu zou aanraken en een hand op haar zou leggen. Hij zou haar kunnen strelen. Ze trok zich terug. Maar hij raakte haar niet aan. Hij keek zelfs niet naar haar, maar naar zijn handen, die op zijn kaki dijen lagen, vierkante, bekwame handen. Mooie handen.

'Voordat ik ga, Jenna. Zeg het nog eens. Was het in Londen?'

'Ja, Jack.'

'Wist je hoe hij heette?'

'Alleen zijn voornaam. Het was... Henry, geloof ik.'

'Hij kocht jenever voor je?'

'Ja. Ja. Met water.'

'Een hotel bij Charing Cross?'

'Ja... klein. Een bruine kamer. Je kon de treinen horen fluiten.'

'Ging het vlug?'

'Ja, heel vlug.'
Steeds opnieuw. Hij vroeg, hoorde de antwoorden en vroeg nog eens.

Om vier uur klopte mevrouw Tubbs aan de deur en toen ze te voorschijn kwamen, deed ze of ze verlegen was. Ze stond met Jenna aan de deur om hen na te wuiven. Hennessy en Tubbs liepen snel weg. Hun armen zwaaiden.
Toen ze uit het gezicht waren, sloot mevrouw Tubbs de deur. Ze gingen naar de achterkamer. Mevrouw Tubbs deed het gaslicht aan. Het licht maakte Jenna's gezicht blauw met donkere schaduwen. Mevrouw Tubbs keek haar lang aan. Het doen alsof was voorbij.
'Wat het ook is, liefje,' zei ze, 'ik hoop dat je zo slim was het voor jezelf te houden. Vertel hèm maar niks.' Ze gaf een ruk met haar hoofd naar de deur. Mevrouw Tubbs hield van haar zoon maar had over het algemeen geen hoge dunk van mannen. Ze maakte zich druk over Jenna. Florrie moest een kop thee voor haar halen. Ze probeerde haar te verleiden met taart – ze moest nu eten voor twee! Ze haalde de laatste sinaasappel, en gaf Jenna en Florrie er ieder de helft van. Jenna schudde het hoofd.
'Ook goed, hoor.' Mevrouw Tubbs legde een zakdoek op haar schoot en nam zelf de halve sinaasappel. Maar toen ze het laatste stuk in haar mond stopte, riep ze plotseling: 'Heremetijd!' Jenna had haar trouwring afgedaan en legde die nu omzichtig op een haardsteen. Ze pakte de pook. Ze sloeg de ring met de pook, hard, ervan overtuigd dat hij kapot zou gaan. Maar de ring sprong op en kwam op het haardkleedje terecht. Florrie en mevrouw Tubbs zaten ernaar te kijken.
'Ik haat die ring. Hij is van zijn grootmoeder en haar haatte ik ook,' zei Jenna rustig. Mevrouw Tubbs stond op, pakte de ring en stopte die in haar zak. Ze keek Jenna aan en gaf haar een knipoog.
'Achttien karaats. Dat zie ik aan de kleur, weet je? Die is zeker een guinea waard. Een guinea is twee zakken kool. Twee zakken kool is goed voor een week. Beleen hem, liefje. Je kunt hem later altijd opvragen. Of je zegt dat je hem verloren hebt. Dat gelooft hij vast wel.'
Mevrouw Tubbs snoof. Ze was heel direct en daarom – ondanks het feit dat Jenna pas was getrouwd – tikte ze tegen haar voorhoofd.
'Traag,' zei ze. 'Een knappe jongen, maar niet al te slim.'
'U hebt het mis,' zei Jenna, stond op, en haalde de ring uit de zak

van mevrouw Tubbs. Ze stak hem weer aan haar vinger en zag hem wenken.

'Nee maar, Constance. Dat is interessant. Een mysterie opgelost.' Stern zweeg. Hij liep naar het raam. 'Hoe heb je dat ontdekt?'
'Vanmorgen. Ik ga eens in de week bij haar op bezoek sinds ze getrouwd is. Ik ben altijd heel plichtsgetrouw. Arme Jenna. Ze ziet eruit of ze ziek is. Ik bracht haar beeldige babykleertjes. Ze knapte helemaal af.'
Constance die ongeveer een kwartier daarvoor bij Stern in zijn kamers in Albany was aangekomen, trok een lange glinsterende pen uit haar zwarte hoed. Ze gooide de hoed op een stoel. Schudde het hoofd en haar haar, dat losjes was opgestoken, viel over haar schouders. Zo zag Stern haar het liefst.
Ze keek naar Stern die haar onthullingen over Hennessy op zijn gewone onbewogen manier had opgenomen. Hij tuurde uit het raam. Constance had het idee dat ze de kaarten van het archief in zijn hoofd hoorde bewegen. Stern hield ervan om nieuws te krijgen, dat wist Constance maar ze was voorzichtig met het toedienen van de informatie. Dit wel maar dat niet.
'Zie je, Jenna had een minnaar – dat is alweer jaren geleden...'
'Een minnaar?' Stern keek om. 'En wie was dat?'
'O niemand van belang – een man uit het dorp. Gesneuveld in de oorlog, geloof ik, zoals iedereen. Maar het schijnt dat Hennessy jaloers was. Hevig jaloers. Hij wist waar ze elkaar ontmoetten en zette een val...'
'En ving de verkeerde man?' Stern fronste. 'Je zult wel ontdaan zijn geweest toen je dat hoorde.'
'Tot op zekere hoogte.' Constance liep rusteloos de kamer rond. Dat deed ze dikwijls als ze bij Stern in zijn kamers in Albany op bezoek kwam. Ze kwam er nu al drie maanden. Achter een elegant tafeltje bleef ze staan.
'Het is al zo lang geleden. De omstandigheden doen er niet toe wanneer de gevolgen hetzelfde zijn. Het is nu te laat om nog iets te beginnen – ik heb Jenna gerustgesteld. Ik had toch al mijn vermoedens. Jaren geleden – door dingen die Cattermole zei. In ieder geval kunnen we de zaak beter laten rusten. Ik koester geen wraakgevoelens tegen Hennessy. Ik had geen tijd om aan mijzelf te denken, ik maakte me bezorgd over Jenna – en over het kind. Er is niemand die iets voor haar kan doen nu Jane naar Frankrijk gaat om daar te verplegen – en ze zag er zo betrokken en mager uit. Ik was bang dat...'

'Je verbaast me, Constance. Ik had nooit vermoed dat jij zo'n lief-dadige instelling had.'

'O, dank u meneer, voor dat inzicht in mijn karakter.' Constance wierp Stern een aanmatigende blik toe. 'Ik heb nog wel ergens een hart, hoor – het is nogal hard, maar het klopt – maar ja, ik kan niet verwachten dat een man de band tussen meesteres en kamenier be-grijpt. En aangezien je van nature niet sentimenteel bent, maak je je niet bezorgd over baby's.'

Stern keek haar koel aan. Constance liep verder en ging achter een stoel staan. Ze nam een jade figuurtje op, een zeer verfijnd din-getje.

'Bovendien,' ging ze bedachtzaam verder, 'heb ik vandaag iets in-teressants over mijzelf ontdekt, daarom vertel ik je dit verhaal. Weet je waarom ik Hennessy zo edelmoedig vergeef, Montague? Omdat ik jaloezie begrijp. O ja! Die is bij me binnen geslopen, denk ik – ja, zelfs bij mij. En dat is iets wat ik nooit had verwacht.' Ze zweeg. Stern drong niet aan. Constance fronste geïrriteerd. Hij had haar hand gekust toen ze binnenkwam, maar afgezien van die formele begroeting had hij haar niet aangeraakt. Hij liet haar wachten. Zo'n beheerste man. Constance speelde met het jade fi-guurtje tussen haar vingers.

'Montague,' begon ze weer, 'een jaloerse vraag. Ben ik de eerste jonge vrouw die hier bij je op bezoek komt of is dat een gewoonte van je?'

'Ben ik Maud ontrouw? Wil je dat vragen?' Stern vouwde zijn ar-men.

'Ik weet dat je Maud niet helemaal trouw bent,' zei Constance met een donkere blik. 'Dat heb ik deze maanden geleerd. Maar ik vroeg me af of ik een precedent volgde. En ik merk dat ik dat niet prettig zou vinden.'

Stern zuchtte. Hij klonk ongeduldig.

'Constance, ik ben Maud trouw geweest, zoals jij dat noemt, zo'n vijf, zes jaar – met een enkel klein uitstapje. Ik houd me niet met amourettes op, daar heb ik eigenlijk verachting voor. Het is geen gewoonte van me Maud te bedriegen en ik vind het niet prettig dat nu te doen...'

'Maar je doet het?'

'Ja.'

'En ik – ben ik ook zo'n klein uitstapje?' vroeg ze met haar zwerf-hondenblik.

'Jij, lieve kind, bent meer iets van een wereldreis. Dat weet je wel...'

'O, je speelt dus niet alleen maar met me?' Constance zuchtte. 'Dat zou kunnen. Soms denk ik van wel. Ik kom hier – altijd buitengewoon omzichtig met alibi's, zodat niemand iets vermoedt. Mijn hart bonst als ik door de straat loop. En toch beteken ik misschien niet meer voor je dan een spelletje. Dan zie ik je als een kat met scherpe klauwen, Montague, en ik ben het muisje. Een speeltje voor je. Je wacht alleen om toe te slaan.'

'Wat een weinig overtuigende beschrijving.' Stern glimlachte ontwijkend. 'Zo denk ik helemaal niet aan je en ik weet zeker dat je dat weet...'

'Ja, jij zegt het, maar is het waar? Ik kijk naar je en ik zie niets, geen greintje genegenheid in je ogen. Je staat met je armen over elkaar, bekijkt me en wacht. Ik weet nooit wat je denkt.'

'Ben ik zo weinig demonstratief?' vroeg Stern droogjes. 'Je verbaast me, Constance. Ik dacht dat ik je toch wel eens een aanwijzing had gegeven.'

'Lust is iets dat geen man kan verbergen – zelfs jij niet. In een omhelzing is het effect duidelijk genoeg. Dus dat provoceer ik.'

'Daar moet je niet zo min over praten. Veel vrouwen, met kennelijk een boel charme, laten me volkomen koud.'

'O ja.' Constance gooide haar hoofd naar achteren. 'In dat geval...'

'Terwijl jij – nee, draai je nu niet om, Constance. Terwijl jij me provoceert, zoals je zegt. In veel opzichten. En niet alleen lichamelijk.'

'Is dat zo?' Constance, die al naar de deur was gehuppeld, keek om.

'Natuurlijk. Mijn lieve Constance, ik heb het grootste respect voor je intelligentie en je wilskracht. Ik bewonder de omwegen van je benadering. En bovenal bewonder ik je manier van flirten. Heel charmant en vindingrijk.'

'Ik haat je, Montague.'

'Een enkele keer vind ik dat je het te veel rekt – dat zou het saai kunnen maken. Houd je hier nu mee op en kom je bij me?'

Constance aarzelde. Er hing spanning in de kamer, zoals altijd als ze elkaar ontmoetten, een spanning deels seksueel, deels strijdlustig. Ze werd tot Stern aangetrokken met een kracht die ze soms angstwekkend vond. Ze wilde niet dat Stern zag hoe groot die aantrekkingskracht was – en dus flirtte ze, zoals hij zei om hem te ontwijken. Tegenstand! Constance vond die momenten verrukkelijk. Dan rilde ze, alsof ze de aanraking van Sterns koele handen al op haar huid voelde.

Die verwachting werd getemperd door voorzichtigheid. Ze zou gelukkiger zijn geweest als ze Sterns gedachten beter kon lezen. Hij had iets in zijn ogen dat haar op haar hoede deed zijn. Het was of hij iets wist, dat hij voor haar verborgen hield en die wetenschap gaf hem overwicht in hun machtsstrijd.

Als Constance soms zo door de kamer liep, had ze het gevoel dat ze aan een koord zat. Dat koord had Stern stevig in handen. Het ergerde haar en ze was er wel eens bang voor. Nu ze hem ongehoorzaam was en de klank van zijn stem negeerde, bleef ze staan. Ze keek op het horloge dat ze op haar zwarte rouwjapon had gespeld en zei dat het al laat was, dat haar horloge achterliep, dat ze eigenlijk naar huis moest.

'Constance,' zei Stern en schoof alle pretenties opzij. Hij stak zijn hand naar haar uit. 'Kom hier.'

Hij legde een hand tegen haar hals, schoof het haar van haar schouders en streek het uit haar gezicht. Bij de aanraking van zijn hand uitte Constance een verstikte kreet, alsof hij haar geslagen had.

Ze draaide in zijn armen, drukte zich tegen hem aan. Toen ze hem aanraakte, trok Stern, altijd voorzichtig zelfs als hij opgewonden was, haar weg van het raam. Hij legde zijn hand op haar borst, gleed met zijn vingers langzaam heen en weer over haar tepel. Hij keek haar in het gezicht toen ze haar opwinding niet kon verbergen. Hij kuste haar. Hun tongen raakten elkaar. Er waren nu vijf minuten van de toegestane tijd voorbij. Constance beefde. Haar onderlip was gezwollen, er zat een sneetje in – tijdens zijn omhelzing had Stern voor bloed gezorgd. Hij pakte zijn zakdoek, schoon wit linnen, wond hem om zijn vinger en drukte die tegen de kapotte lip. Toen hij zijn hand weghaalde, keken zij allebei naar het bloedvlekje.

'Je maakt me aan het bloeden,' zei Constance. Ze keek Stern aan en Stern was ditmaal niet zo beheerst.

'Ongetwijfeld zul je mij ook laten bloeden.' Hij draaide zich om. 'Als je voldoende tijd hebt. En de juiste omstandigheden.'

'Montague...'

'Kijk, ik heb een cadeautje voor je.'

Stern negeerde de uitdrukking op Constances gezicht en de toon waarop ze zijn naam uitsprak, een toon waar ze spijt van had, omdat ze zich te veel blootgaf. Hij haalde iets uit zijn zak – Constance kon niet precies zien wat het was, maar het glinsterde – en deed het om haar pols.

Het was een armband: een armband die Constance een jaar of

veertien later als doopgeschenk zou geven. Het was een vernuftig, prachtig, ingewikkeld ding, deze armband – een opgerolde slang van goud en robijnen. Hij draaide om haar arm en de zwarte stof van haar mouw, eenmaal, tweemaal, driemaal. De platte kop van de slang, met de gevorkte juwelen tong, rustte op de basis van haar handpalm, precies boven de pols. Stern hief haar hand om zijn cadeau te bekijken.

'Hij zal beter staan,' zei hij ten slotte, 'op de blote huid.'

Constance uitte een kreet. Ze trok haar hand weg.

'Ik kan hem niet dragen, dat weet je toch. Hij is veel te mooi. Te kostbaar. Hij valt iedereen op. Zelfs Gwen zou het merken. Ze zouden vragen hoe ik eraan kwam.'

'Dat geeft niet.' Stern haalde de schouders op. 'Houd hem hier. Draag hem wanneer je bij me bent. Zolang. En dan...'

'Geef je om me?' Constance maakte zich van hem los. 'Geef je om me? Ik geef wel om jou, heb ik gemerkt. Een beetje. Meer dan waar ik op had gerekend. Dan ik mezelf had beloofd. Ik beloofde mezelf dat ik zo vrij als een vogel zou zijn – en nu – nu ben ik niet zo vrij. Ik zeg niet dat je mijn hart kunt breken. Dat kan geen man. Maar je doet dingen...'

Ze stopte. Haar gezicht verstrakte, haar ogen waren zwart en boos. Stern, die aan die vreemde uitbarstingen gewend was, zei niets. Hij bleef haar aankijken, want ze morrelde aan de sluiting van de armband alsof ze hem van haar pols kon trekken en hem door de kamer kon smijten. De sluiting was klein en het lukte haar niet. Ze schreeuwde van woede. Stern pakte kalm haar hand en maakte de sluiting los.

'Zie je? Je kunt hem al dan niet dragen. Het was eenvoudig een cadeau.'

'Het is niet eenvoudig een cadeau! Niets wat jij geeft, is eenvoudig.'

'Het spijt me dat je hem niet mooi vindt. Ik dacht dat je er blij mee zou zijn.'

Stern draaide zich om. Hij legde de armband op tafel. Hij liep de kamer rond, verzette een voorwerp hier, een voorwerp daar. Constances hart bonsde. Ze had te veel gezegd: stom! Ze moest zich beter leren beheersen. Ze keek toe hoe Stern een vaas opnam en die met aandacht bestudeerde. Ze hield zich voor dat Stern een verzamelaar was, hij hield ervan mooie dingen om zich heen te hebben, hij wilde ze bezitten. *Mij zal hij nooit bezitten!*

Toch trok het idee het bezit van deze man te zijn, haar aan, ook al kwam ze ertegen in opstand. Bezit. Ze huiverde. Stern zette de vaas weer neer en keek om naar Constance. Zijn gezicht had een uitdrukking van onmiskenbaar ongenoegen. Constance vond dat ongenoegen opwindend. Ze begreep er de reden niet van, ze wist alleen dat het er was. De bedreiging van zijn boosheid was als een aanslag op haar lichaam, het gaf haar een scherpe, heimelijke opwinding. Ze beantwoordde zijn blik met een kindergezichtje, geïntimideerd, maar wel brutaal.

'Wat een uitdrukking!' pruilde ze en liet haar hoofd hangen. 'Nu heb ik je beledigd. Ik ben onbeleefd en onaardig geweest en heb je gevoelens gekwetst. Alleen heb jij geen gevoelens die gekwetst kunnen worden. Echt, Montague, ik meende het niet. Het spijt me. Straf me maar zoals je wilt.'

'Ik wens je absoluut niet te straffen.' Zijn stem was koud.

'Weet je het zeker, Montague? Je kijkt alsof je me... een pak slaag zou willen geven.'

'O ja? Ik ben niet gewend om vrouwen te slaan.' Hij was kortaf.

'Wat dan? Ik weet dat ik je boos heb gemaakt.'

'Absoluut niet. Ik wilde alleen praktisch zijn. Ik wilde plannen bespreken.'

'Plannen?'

'Plannen. Ik ben systematisch, Constance en je moet nu eenmaal plannen maken. We kunnen niet op deze manier doorgaan. Uitvluchten. Alibi's. Bedrog. Het heeft lang genoeg geduurd.'

'Ik zie niet in waarom. Ik heb een hekel aan plannen. Ze leggen je vast.'

'Je hebt me eens ten huwelijk gevraagd. Een huwelijk zou je als een plan kunnen beschrijven.'

Sterns stem was opzettelijk beleefd. Constance, die onverschillig wilde lijken, nu alles aan haar gespannen was, liep weg.

'Huwelijk? Heb ik misschien gezegd,' zei ze luchtig. 'Maanden geleden. Er is intussen zoveel gebeurd. Acland is dood. Ik ben in de rouw. Ik ben naar je toegekomen, dat is zo, maar...'

'Was dat soms ook een leugen, dat voorstel om te trouwen?'

Constance bleef staan.

'Ook een leugen?'

'Nou, je loog tegen me over je moeder, Constance. Ik vroeg me alleen maar af wat je nog meer gelogen kon hebben.' Hij kwam naar haar toe. 'Mijn lieve Constance, als je liegt – en zeker als je tegen mij liegt – doe het dan zo dat ik het niet kan nagaan. Kom niet met overbodige details – dat is altijd een fout als je liegt.' Hij zweeg even. 'Er is nooit een Jessica Mendl als student ingeschreven geweest aan de Slade en ik betwijfel het eigenlijk of er ooit een Jessica

Mendl heeft bestaan. Heb je zelf die achternaam bedacht? Uit een boek gehaald?'
Er viel een stilte. Stern was nu dichtbij. Ze keken elkaar aan. Toen begon Constance te glimlachen. 'Uit een boek. Van Acland.'
'En de echte Jessica – was zij joods?'
'Misschien wel. Ze was de secretaresse van mijn vader toen hij nog een secretaresse kon betalen. Hij trouwde met haar toen ze een kind verwachtte. Hij gaf natuurlijk niets om haar. Als ze een jodin was, was ze niet praktizerend – maar jij ook niet.'
Ze zei het nogal scherp. Stern was het meest op Constance gesteld als ze terugvocht en boog het hoofd om te zeggen dat ze gelijk had.
'Maar waarom loog je tegen me?'
'Waarom? Om te maken dat je naar me keek. Dat weet je al.'
'Dacht je er niet aan dat ik navraag kon doen? Dat je betrapt kon worden?'
'Daar dacht ik toen niet aan. Ik onderschatte je, Montague. Het kwam niet bij me op,' zei ze langzaam. 'Dat had wel gemoeten. En wat het betrappen betreft, daar ben ik blij om. Ik heb nooit beweerd dat ik een deugdzame vrouw was, ik vind het prettiger als je me kent zoals ik ben.'
'O, ik ook.' Stern pakte haar hand. Ditmaal trok Constance hem niet weg. 'Ik vind dat prettiger, op één voorwaarde. Het zou beter zijn voor ons beiden als je niet meer tegen me loog. Spelletjes doen, graag, maar niet met mij. En als we getrouwd zijn...'
'Getrouwd? Gaan we trouwen?'
'Zeker. Laat dat voor na ons huwelijk een gelofte zijn. Stem je daarin toe? Geen leugens. Verder vraag ik niets van je. Ik vraag niet om liefdesverklaringen...'
Stern zweeg. Toen Constance niet antwoordde, fronste hij en ging toen zeer formeel en, volgens Constance, in voorbereide zinnen verder. 'Ik zal je zelfs niet vragen me trouw te zijn. Ik ben ouder dan jij en vind seksuele trouw maar van betrekkelijke waarde. De andere vormen van trouw zijn belangrijker voor me. Dus – geen leugens tussen ons. Ons contract nu, ons contract dan. Is dat afgesproken?'
Stern keek ernstig en sprak zo overdacht dat Constance het gevoel had dat het zijn bedoeling was dat ze het altijd zou onthouden. Het bracht haar een golf van opwinding, maar ook een zekere behoedzaamheid. Omdat ze niet wist of Stern haar op deze manier ten huwelijk vroeg, koos ze een luchthartig, flirterig antwoord.
'Je brengt het wel heel koel, Montague. Maar ik stem ermee in. Daar! Je hebt mijn hand en woord erop.' Ze zuchtte, legde een

kleine hand op haar hart. 'Maar ik vind wel dat je, nu jij aan de beurt bent om met een huwelijksvoorstel te komen, dat wel met wat meer hartstocht mag doen. We zijn hier niet in de City. Je kunt toch wel een klein beetje emotie tonen. Vooruit, Montague – kom je niet met een verklaring?'

'Goed.' Stern scheen het grappig te vinden. 'Een waarachtige verklaring volgens ons contract.' Hij bleef even nadenken. 'Ik houd niet van je, Constance, maar ik voel meer voor je dan ik ooit voor een vrouw heb gedaan. Ik ben erg op je gesteld, ondanks je leugens – of misschien wel daardoor. Ik geloof dat we elkaar aankunnen.' Toen vervolgde hij, minder gespannen. 'Ik geloof ook dat jij een aanwinst voor me kan zijn, zoals ik voor jou. Ik denk dat onze... fusie stormachtig kan zijn, maar ook voldoening kan geven. En het dividend – dat zou groot zijn. Zo, is dat genoeg? Is die verklaring voldoende voor een man uit de City? Ik ben wat verstrooid.'

Stern was intussen naar haar toegekomen. Toen hij het had over een aanwinst, maakte hij haar jasje los. Toen hij bij stormachtig was gekomen, was Constances blouse losgeknoopt. Toen hij dividend bereikte, nam hij haar borst in een koele hand. Hij verloor zijn zelfbeheersing en Constance die ervan genoot als hij nog vocht tegen die zwakheid, nam zijn hand en drukte die tegen haar bonzende hart. Ze kuste hem op de mond. Trok zich toen terug met ogen, stralend van opwinding.

'Weet je wat ik denk?' Ze keek naar hem op. 'Ik denk dat we zo machtig en zo rijk en zo vrij kunnen zijn, dat de wereld aan onze voeten ligt. We konden de wereld verachten, of oppakken – onoverwinnelijk konden we zijn!'

Nu werd ze praktisch. Ze trok haar jasje uit, toen haar blouse. Na die gewone voorbereidingen draaide ze zich om en keek hem ondeugend aan.

'Het zal heel moeilijk zijn. Ik hoop dat je het voor elkaar krijgt, Als de mensen het ontdekken. Als Maud het ontdekt, Denton. Gwen. Ik ben nog niet volwassen. Er komen scènes van. O, Montague, het wordt een natuurramp!'

'Je zou daar vast van genieten, Constance. En ik misschien ook wel. Maar je hebt het toevallig bij het verkeerde eind. Even kijken, waar? Daar...'

Stern had zich weer in de hand. Hij nam haar mee naar een Franse leunstoel, in een hoek van de kamer. De stoel was met rood bekleed en stond tegenover een spiegel. Constance kon zich niet herinneren of die stoel er altijd had gestaan of dat die er speciaal voor haar was neergezet.

Ze keek vol verwachting naar Stern, die bepaalde voorbereidingen trof.

Hij legde haar haar op de manier die hij het liefste zag, de lokken over haar blote schouders. Hij drapeerde de zwarte rok zo dat het rood van de stoel nog zichtbaar was en haar dijen bloot waren. Toen nam hij de verguisde slangenarmband en deed die om haar pols. Ditmaal stribbelde Constance niet tegen. Hij stak inderdaad mooi af tegen haar huid.

'Zeg wat je zo van me vindt,' zei Constance tegen hun beeld in de spiegel. Dat zei ze dikwijls tegen hem.

Stern keek ernaar met een ernstig gezicht. 'Onkuis,' zei hij toen. Constance, die graag nog onkuiser wilde zijn, trok een lelijk gezicht.

'Wanneer?' vroeg ze, want Stern hield haar tegen.

'O, als we getrouwd zijn.' Stern wendde zich af. 'Je kunt je maagdelijkheid maar eenmaal verliezen en dat kun je beter doen met een zeker ritueel. En ik heb je al gezegd – hoewel ik ervan overtuigd ben dat je dat al wist – dat het seksuele repertoire beperkt is. Het is een grote fout de variaties al te gauw af te werken. Dus vandaag, nu we weinig tijd hebben, dacht ik...'

'Raak me aan.' Constance pakte zijn hand en trok die omlaag. 'Praat met me, praat met me als je me aanraakt. Daar houd ik van. Vertel me wat er zal gebeuren. Waarom het gemakkelijk zal gaan. Een man van jouw leeftijd, de minnaar van mijn tante, met een meisje jong genoeg om zijn dochter te zijn. Komen er geen scènes, geen woedende uitbarstingen?'

Stern kwam achter haar stoel staan. Hun ogen vonden elkaar in de spiegel.

'Er komen wel een paar twistgesprekken. En zeker ook veel boosheid. Dat is nu eenmaal onvermijdelijk. Maar ik denk dat niemand ons een strobreed in de weg zal leggen, Constance.'

'Maud?'

'Ik zorg wel voor Maud.'

'En Denton? Denton zal het nooit goedvinden.'

'Denton is je vader niet. Hij stemt in ieder geval toe.'

'Streel me, toe. O god, ja, zo. Denton? Dat is onmogelijk. Waarom?'

'Waarom? In de eerste plaats omdat Boy niet langer met Jane zal trouwen. In de tweede plaats omdat Denton me een heleboel geld schuldig is.'

De manier waarop hij 'geld' uitsprak, maakte het woord seksueel geladen. Ze zwegen en keken elkaar aan.

'Een heleboel?' Constance leunde haar hoofd tegen Sterns dijen, ze wreef het zachtjes heen en weer. Misschien was het haar gebaar, misschien de hebzucht in haar stem, maar Stern gaf zijn beheerste houding op.

'O, heel veel,' zei hij afgemeten.

'Vlug nu,' zei Constance.

Stern verschoof de stoel een fractie van een centimeter. Boven de zwarte zijde van haar kousen waren Constances benen heel wit. Ze vestigde haar ogen op de spiegel. Ze keek naar zijn aanraking en zijn mond. Toen Stern zich tussen haar dijen boog, streelde ze zijn hoofd. Ze begon te praten. Een staccato stroom van pikante woorden. Constance hield van woorden, vooral van zulke, ze hield van hun zoete schokeffect. Praten en kijken, de meest betrouwbare prikkel van alles, ze hadden haar nooit in de steek gelaten.

Een paar weken later ontving ze de onvermijdelijke brief van Maud. Ze ging alleen, op Mauds verzoek. Ze wachtte in Mauds salon. Ze streek over de meubels. Ik vrees dat ze eerst keek naar de schilderijen en die toen telde.

Het was de eerste maal dat ze Maud zag nadat Stern een bezoek aan Denton had gebracht en toestemming voor de verloving had gekregen. Tot ergernis van Constance weigerde Stern iets te zeggen over zijn gesprek met Maud. Zijn geheimhouding was absoluut. Ook van Gwen had ze weinig gehoord over Mauds reactie, hoewel ze haar erover had uitgevraagd. Maar Gwen ging nog steeds op in haar verdriet om Acland. Ze kwam wel voldoende tot zichzelf om bij Constance te pleiten. Die verloving was ondenkbaar. Maar tegenover de onbegrijpelijke starheid van haar man en Constances verzekering dat ze haar hart moest volgen, had Gwen toegegeven. En omdat ze Constance niet kon overhalen, vermeed ze haar. Dus nu Constance op Maud stond te wachten – en mijn oudtante liet er enige tijd overheen gaan – was ze buitengewoon nieuwsgierig. Ze vroeg zich af hoe Maud zich zou gedragen. In tranen? Vol verwijten? Hoopte ze misschien dat ze Constance nog kon overtuigen?

Constance leerde zich voor te bereiden op alle belangrijke scènes in haar leven zoals een toneelspeelster op een nieuwe rol. Voor deze gelegenheid had ze een mooi toespraakje bedacht maar toen mijn oudtante eindelijk binnenkwam, was Constance van haar stuk gebracht. Maud kwam de salon op haar gewone manier binnen, efficiënt en in een goed humeur. Ze begon niet aan ruzies of verwijten. Ze pleitte niet voor zichzelf.

Constance wachtte even en vuurde toen haar verhaal af. Ze herin-

nerde Maud eraan hoeveel ze haar verschuldigd was, hoe vriendelijk Maud in het verleden altijd voor haar was geweest. Ze maakte
het duidelijk dat ze daardoor lange tijd tegen haar gevoelens had
gevochten, ze had willen negeren, maar dat ze, toen ze besefte wat
hij voor haar voelde, er niet meer tegenop kon. Zo ging ze nog even
door. Maud luisterde tot het einde. Als Constance een paar maal
voelde dat Maud haar spottend aankeek, liet ze dat niet merken.
En toen ze klaar was, bleef Maud zwijgen. De beide vrouwen stonden nog steeds.
'Je hebt geen enkele maal het woord "liefde" genoemd,' zei Maud
peinzend. Ze keek uit het raam. 'Wat gek. Montague noemde het
ook niet.'
Dit ergerde Constance. Ze had het idee dat Stern het woord 'liefde'
had moeten gebruiken om zijn argumenten kracht bij te zetten
voor Maud, ook al gebruikte hij het woord nooit tegen haar. Ze
fronste.
'Ik wil je verder niet kwetsen,' begon ze.
Maud onderbrak haar met een handgebaar. 'Constance, toe, houd
me niet voor een idioot. Je bent volkomen onverschillig voor de
pijn die je veroorzaakt, daar ben ik me echt wel van bewust. Ik geloof zelfs dat het nog verder gaat. Je hebt een talent voor boosaardigheid, geloof ik. In ieder geval...' Ze keerde zich weer met een
peinzende blik naar Constance.
'Ik heb je niet gevraagd hier te komen om van gedachten te wisse-
len. Ik wens evenmin naar je vrome praatjes te luisteren, dus be-
spaar je de moeite.' Ze wachtte even. 'Ik heb je hier gevraagd om je
iets te zeggen.'
'En wat is dat, tante Maud?'
'Je bent mijn nichtje niet, dus vermijd die naam liever.'
'Wat is het dan?'
'Je kent Montague niet.'
Maud liep naar de deur. Constance staarde naar haar rug. Ze trok
een gezicht.
'Het ligt voor de hand dat ik hem beter zal leren kennen.'
'Mogelijk. Nu ken je hem niet.'
'U wel?'
Maud draaide zich om. Constance had een brutale klank in haar
stem, ze hoopte misschien Maud boos te maken, omdat ze haar
zelfbeheersing steeds ergerlijker vond. In ieder geval faalde ze.
Maud bleef haar zwijgend aankijken. Mauds uitdrukking kon wor-
den gezien als minachtend, als medelijdend.
'Ja,' zei ze na een korte stilte. 'Ik ken hem zo goed als je hem kunt

kennen. Ik wil je niet meer ontmoeten, Constance, dus wil ik je voor je vertrek een waarschuwing geven. Niet dat je ernaar luistert natuurlijk.'

'Een waarschuwing? Hemel – wat dramatisch!' Constance lachte. 'Krijg ik nu een vreselijk geheim te horen, in dat geval moet u...'

'Geen geheimen, Constance, niets spannends.'

Maud liep verder naar de deur. Het was duidelijk dat het gesprek voorbij was.

'Alleen één klein ding. Een vulgaire uitdrukking die wel zegt waar het op staat. Door het kiezen van Montague – en ik ben ervan overtuigd, Constance, dat jij hem hebt uitgezocht en niet andersom – heb je er niet op gelet dat je ogen groter zijn dan je maag.'

'Echt?' Constance wierp haar hoofd in de nek. 'Ik heb een sterke maag.'

'Die zul je nodig hebben,' antwoordde Maud, ging de kamer uit en deed de deur achter zich dicht.

8

Onderweg

Wexton belde me op om me te zeggen dat hij op de vlucht was. Ditmaal voor een biograaf, of liever gezegd, een *would-be* biograaf, een jonge Amerikaanse academicus, wiens vasthoudendheid Wexton deed rillen.

'Hij zit achter me aan,' zei hij met een lugubere klank in zijn stem. 'Hij wil mensen interviewen. Hij is in Virginia geweest, in Yale, zelfs in Frankrijk. En nu is hij in Hampstead. Probeert me te vleien. Wanneer dat niet werkt, komt hij met dreigementen...'

'Dreigementen, Wexton?'

'O, je weet wel. Dat hij in ieder geval publiceert. Dat hij er zeker van is dat ik de gelegenheid verwelkom om fouten recht te zetten. Ik ken dat soort. Ik wil naar Winterscombe om te ontsnappen.'

Wexton arriveerde een dag later. Hij had twee enorme, loodzware koffers bij zich, maar de inhoud wilde hij niet vertellen. 'Wacht maar,' zei hij, 'mijn probleem. Geen pyjama's en een tandenborstel, dat kan ik je wel zeggen.'

Ik was blij hem te zien. Zo langzamerhand besefte ik dat het verkeerd was zo alleen aan een tocht in het verleden te beginnen. Mijn volgende opdracht was uitgesteld door de ziekte van mijn cliënt en tien dagen in mijn Londens kantoor hadden, zoals ik had gehoopt, de banden met het verleden niet verbroken. Winterscombe, de dagboeken van Constance, wenkten me.

Toen Wexton verscheen, die dan ook duidelijk aanwezig, en zo verstandig en geruststellend is, ging ik al die paperassen en dat verleden zien als een val. Ik was niet langer zeker van mijn eigen beoordeling en mijn hoofd werd langzamerhand overstelpt met vragen. Op die vragen gaven de doden stoffige antwoorden, waarvan ik wist dat ze slechts een deel vertelden. Wat Constance betreft, al haar antwoorden brachten nieuwe vragen en dubbelzinnigheden. Ik voelde me gevangen in Constances spiegelhal, met die bedrieglijke weerkaatsing. Ik zag en zag half, en ik was bang dat ik er nooit meer uit zou komen. Ja, ik was blij om Wexton te zien.

Op de dag dat hij kwam, vertelde ik hem van Constances dagboeken en de manier waarop ik die gekregen had. Ik nam hem mee naar de salon en verwachtte ontsteltenis. De kamer maakte mij ellendig. Het was er rommelig, alles opgestapeld, een waterval van papieren. Hij zag eruit als een obsessie, maar Wexton zou me genezen, hij zou zeggen dat ik moest stoppen.

Tot mijn verbazing deed hij dat niet. Hij hobbelde wat heen en weer en pikte hier een brief op, daar een foto.

'Mensen kunnen al die rommel niet weerstaan,' zei hij.

'Dit huis is héél slecht. Niets is er ooit weggegooid. Ik veronderstel dat er geen tijd voor was toen mijn ouders stierven en de oorlog uitbrak. In ieder geval geen tijd om te ordenen. Alles werd gewoon in dozen en kisten gestopt. Tegenwoordig schrijft bijna niemand meer brieven, maar mijn familie hield er nooit mee op. En dagboeken. Wie houdt er tegenwoordig nog een dagboek bij?'

'Staatslieden, politici,' antwoordde Wexton somber. 'Maar die zijn anders. Oefeningen in zelfrechtvaardiging, met een oog op het nageslacht.'

'Ik kan me niet herinneren wanneer ik voor het laatst een brief geschreven heb, behalve zakenbrieven dan...'

Ik zweeg, ik herinnerde me één brief, heel voorzichtig gesteld, om het feit te vermijden dat ik nog liefhad en hoopte.

'Dat verandert nooit,' ging Wexton door. 'Mensen vinden het heerlijk zichzelf te beschrijven. We zitten nu alleen tussen de methoden in. Over vijftig jaar rommelen mensen niet meer in stapels papieren en dagboeken. Dan zijn er films en video's in plaats van fotoalbums. Computers! Stel je voor. Je zet jezelf op de computer, dat kunnen mensen niet weerstaan. Afscheid vanuit het graf. En vergeet niet dat er niet veel mensen zijn die de waarheid vertellen.'

'Denk je van niet?'

Wexton haalde zijn schouders op. 'Zie je Constance al op de computer?'

'Plaag me niet, Wexton. Zo eenvoudig is het niet. Dit is mijn familie. Mijn ouders, mijn verleden. En ik weet niet wat waar en niet waar is.'

Ik bracht Wexton op de hoogte. Ik legde hem uit dat Constance ervan overtuigd scheen te zijn dat haar vader was vermoord en dat mijn familieleden de verdachten waren. Ik vertelde over haar jeugd, hoe ze tijdens het bal een echtgenoot had uitgezocht.

'Constance, Constance,' zei hij. 'Wat ontzettend veel over Constance. Waar zijn de anderen? Wat zijn die? Omstanders? Speerdragers?'

'Nee, ik weet dat dat niet zo was. Maar ik kan ze niet vinden. Constance neemt alle ruimte in beslag. Kijk...'

Ik hield hem het zwarte schrift voor waar ik uit gelezen had. Toen Wexton zijn hoofd schudde, zei ik: 'Goed dan. Dit is 1916, oktober

1916. Ik lees je er iets uit voor. Dan zie je misschien wat ik bedoel.'
'1916? Dan is ze dus nog niet getrouwd?'
'Nee, ze is nog niet getrouwd.'
'En het is voor...'
'Ja, lang daarvoor. Dat is 1917.'
Ik las Wexton het volgende stukje voor. Zoals dikwijls was het in de vorm van een brief. Meer dan een dagboek was het een eenzijdige dialoog – tussen Constance en een man van wie ze wist dat hij dood was.

Arme Jenna, ik heb haar vandaag opgezocht, Acland, terwille van je baby. Hoop je niet dat Hennessy gauw zal sneuvelen? Ik wel. Ik hoop dat een Duitser hem in zijn vizier krijgt. Terwille van Jenna en van mij. Acland, als je kunt, geleid dan de kogel, wil je? Netjes. Tussen de ogen, denk ik.

Wat nog meer. Montague is een echte duivel, maar dat wist je al. Vandaag las ik hem mijn laatste brief van Jane voor, met mijn Jane-stem. Niet erg aardig, maar heel grappig. Weet je waarom ze naar Frankrijk is gegaan? Om op de plaats te zijn waar jij stierf. Maar daar vindt ze je niet. Je bent ergens anders en ik alleen weet waar. Je bent van mij, niet van haar – wij hebben onze afspraak, weet je nog? Kom nog eenmaal vannacht.

'Zie je?' Ik sloot het schrift. Wexton zei niets. 'Het is zo pervers. Dat schrijven aan een dode. *Montague is een echte duivel.* Wat betekent dat? Ik heb Stern ontmoet. Constance beweert dat hij nooit van haar heeft gehouden, maar dat deed hij wel. Hij hield heel veel van haar.'

'Zei hij dat?'

'Gek genoeg wel. Het was niet lang voor zijn dood. Misschien wist hij dat hij stervende was en was dat de reden. Hij vertelde me een verhaal...'

Ik keek in de verte. Ik zag Stern in de rust van zijn kamer in New York, waar hij me vertelde hoe zijn huwelijk met Constance was gestrand. En hij gaf me advies – advies dat ik niet aannam.

'Een verhaal?'

'Een episode. Ik vond het droevig – bitter misschien. Maar hij sprak niet verbitterd. Hij zag het als een liefdesgeschiedenis. Hij gebruikte het woord niet. Maar toen het uit was, keek hij neer op die mooie handen van hem. Hij zei: "Zie je, ik hield van mijn vrouw."'

Het was even stil. 'Ja,' zei Wexton toen, 'dat heb ik altijd gedacht. Steenie zei altijd dat hij koud was. Ik dacht eerder aan het tegenovergestelde. Telkens als ik hem ontmoette op Winterscombe...

dan keek hij steeds naar Constance. En zijn hele gezicht veranderde. Het was of je de deur van een gloeiende oven zag opengaan. Het verbrandde je gezicht. Al die kracht, al die gevoelens die beheerst werden. Een blik in het inferno, dat huwelijk, dacht ik altijd. Mensen maken hun eigen hel. Hield Constance van hem, denk je?'

'Ze beweert van niet. En hij doet van alles om te ontkennen dat hij van haar houdt – dat zegt ze althans. Nog zoiets dat ik niet begrijp.'

'Wat precies?'

'Liefde. Deze brieven, deze dagboeken – allemaal vol liefde. Hoe meer ik het woord zie, hoe achterdochtiger ik word. Iedereen gebruikt het. Ze stelen het allemaal en ze bedoelen er allemaal iets anders mee. Wie heeft er nu gelijk? Steenie? Jane? Constance? Of jij, Wexton? Jij staat er ook in.'

'Ja, dat weet ik.' Wexton leek verward. Hij sloeg verstrooid op zijn zakken en fronste tegen het vuur.

'Jane? Waarom noem je haar zo?'

'Om wat er met mij is gebeurd, Wexton. Dat bedoel ik. Zo denk ik aan haar omdat ik te veel Constance heb gelezen, dat weet ik.'

'Je eigen moeder?'

'Ja,' ik draaide me boos om. 'Ik was pas acht toen ze stierf, Wexton.'

'Dan nog. Je herinnert je toch nog wel iets van haar.'

'Ik wéét het niet meer, Wexton. Soms, als ik haar dagboeken lees, denk ik van wel. Dan ga ik terug naar die van Constance, en dan glipt zij weer weg. Ze is Jane weer. De erfgename. De verpleegster. Een goed hart, maar geen fantasie. Een leven vol goede werken.'

'Dat wil ik niet laten gebeuren.'

Ik zag dat Wexton aangedaan was. Hij liep boos de kamer op en neer.

'Het is niet juist. Dat gebeurt – met mensen als je moeder. De goeden worden uitgevlakt. De slechten krijgen de beste dialogen. Terwijl je peettante rondhuppelde in de Londense salons, was er een oorlog aan de gang. Ik zei je toch al dat je naar de oorlog moest kijken. Daar was je moeder. Ze zat er middenin. Ze was verpleegster. Ze dééd wat. Wat heeft Constance ooit gedaan? Rondknoeien met mannen, alles zetten op het vangen van een rijke echtgenoot...'

'Wexton!'

'Oké. Maar het is verkeerd. Je moet je niet aan Constance houden. Zij staat altijd in het middelpunt, maar dat verbaast me niet. Zo was ze.'

Ik had wel ingebonden, want ik wist dat Wexton gelijk had. Zijn uitbarsting was fel voor een man die zo gematigd was, behalve op het gebied van de literatuur.

Ik keerde terug naar de dagboeken van mijn moeder. Ik volgde haar tot in de oorlog. Ik volgde haar tot in Frankrijk. Ik las uitsluitend haar verhaal en luisterde naar die stillere, heel andere stem. Ik geloof dat ze toen voor het eerst bij me terugkeerde en ik zag haar als de vrouw die ik me herinnerde. Ze kwam eindelijk voor het voetlicht.

Wexton wist, geloof ik, dat ik veranderd was en bezig was een oneerlijk vooroordeel recht te zetten. Hij verontschuldigde zich voor zijn uitbarsting. Hij zei dat Constance niet zo oppervlakkig ééndimensionaal was als hij had beweerd. 'Ik heb het overdreven,' zei hij.

Op een middag, na een wandeling langs het meer, zaten we bij de open haard thee te drinken. Wexton rookte een van Steenies Russische sigaretten.

En toen vertelde Wexton me over de oorlog en over mijn moeder.

'Weet je,' zei hij en strekte zijn lange benen uit, 'je moeder ging ongeveer een maand later naar Frankrijk dan ik. Ze was altijd op haar hoede en moeilijk te bereiken. We ontmoetten elkaar in Sainte-Hilaire, de stad bestaat nog steeds. Ik ben er na de oorlog nog een keer geweest. Schrijft zij erover?'

'Jullie ontmoeting? Ja.'

'Ik herinner het me nog heel goed. Het was de ergste winter van de oorlog. Het heeft me aangestoken – dat praten over het verleden. Zo was het...'

Even buiten Sainte-Hilaire is een kaap die uitsteekt in het Kanaal. Die werd *Pointe Sublime* genoemd. Die winter was hij zeker niet subliem. Het was er koud met een snijdende wind. Het uitzicht over zee werd belemmerd door wolken. Jane negeerde dat. Ze zette de kraag van haar mantel op en boog haar hoofd. Ze sjouwde over het smalle pad door de duinen. Ze wilde naar het eind van de kaap lopen en dan weer terug.

Laat in de middag. Het begon te motregenen. Ze proefde zout op haar lippen. Toen ze het eind van de kaap bereikte, keek ze om en zag de cafés waar de lampen werden aangestoken. Ergens speelde een accordeon.

Naast de cafés waren de hospitalen, vroegere hotels. Daar werkte Jane. Ze had de hele nacht en ochtend dienst gehad. Ze keek naar de olieachtige golven van het Kanaal. Rechts en links waren de duinen met prikkeldraad versperd. De verdediging op het strand beneden was zwaar versterkt, daar kwam je niet doorheen.

Ze zocht de beschutting van de duinen. De wind blies door het gladde haar dat in haar gezicht woei. Ze hoorde de kanonnen. Zware artillerie, meer dan dertig kilometer verderop. Waar was de oorlog? Altijd daar, in de verte, waar de kanonnen bulderden. En waar was Jane? Altijd aan de rand, had ze besloten. Ze was er dichtbij maar niet dichtbij genoeg.

In theorie wist ze waar de oorlog was. De oorlog was een slang van zo'n negenhonderd kilometer. De kop was in België, de staart bij de Zwitserse grens. En de rug slingerde heen en weer en zat vol loopgraven. Het was een slaperige slang, veranderde wel eens van positie maar niet veel. En hij werd goed gevoed met een dagelijks rantsoen mannen.

Als ze de oorlog op de kaart bekeek, geloofde ze het niet. Ze geloofde iets veel ergers. De oorlog was overal en nergens. Ze geloofde dat ze al een glimp van de oorlog had opgevangen lang voordat die was verklaard en dat hij ook na de wapenstilstand zou doorgaan. Dat maakte haar bang, omdat ze geloofde dat de oorlog in haarzelf woedde. Ze had hem binnengelaten. Hij was er en misschien kon ze er nooit meer van loskomen.

Jane vond dat idee onredelijk, dwaas. Het was onevenwichtig om zo te denken en Jane hield zich voor dat dat kwam omdat ze moe was. Omdat ze slecht at. Omdat haar patiënten stierven en vreselijke wonden hadden. Het was iets waar alle verpleegsters zich tegen moesten wapenen. Ze moest gewoon doorgaan. Ze had trouwens een afspraak met Boy die die avond door Sainte-Hilaire kwam op weg naar Engeland. Hij had haar voor het eerst na het verbreken van hun verloving geschreven. Jane had de brief in haar zak. Het was geen mededeelzame brief en zoals alles van Boy, ondoorzichtig. Hij begon altijd met 'Mijn liefste Jane', en eindigde even voorspelbaar met 'Alle liefs, Boy'.

Jane zou de afspraak houden al had ze er niet veel zin in. Nu draaide ze zich om om terug te gaan en zag dat ze niet alleen was. Nog geen zes meter van haar vandaan zat een jongeman. Hij zat in een kuil en zag er verwaaid uit. Zijn haar stond omhoog in eigenaardige plukjes. Hij had een hele verzameling aan dassen, truien en jasjes om de schouders geslagen. Daar overheen droeg hij een overjas. Op zijn knieën lag een schrift.

Wat hij schreef, leek hem niet te voldoen. Het ene ogenblik schreef hij iets op, het volgende kraste hij het door. Hij fronste tegen zijn schrift en tegen de zee, alsof die er de schuld van waren. Wexton, de Amerikaanse dichter, Steenies vriend. Ze had hem de vorige dag voor het hospitaal ontmoet en voelde er niets voor hem vandaag weer te zien. Ze had niets tegen Wexton, als ze hem tegenkwam scheen hij een aardige vent te zijn, maar ze was liever alleen. Heimelijk liep ze door.

'Hallo!' riep Wexton, zo luid dat ze niet kon doen alsof ze niets had gehoord. Jane bleef staan.

'Hallo,' hij maakte een uitnodigend gebaar. 'Kom bij me zitten. Heb je honger? Zin in een sandwich?'

'Ik stond op het punt terug te gaan.'

Jane naderde de vierkante cape waarop Wexton zat. Ze keek naar hem, maar haar lichaam was naar het pad gedraaid. Klaar om te vluchten.

'Ik ook,' zei Wexton opgewekt. Hij klopte op de cape. 'Kom even zitten. Ik loop met je mee terug als je het goedvindt. Maar eet eerst een van die sandwiches. Je krijgt altijd honger van de zeelucht. Van gedichten ook. Hier – dit is kaas, Franse kaas, maar wel lekker als je eraan gewend bent.'

Hij stak haar een homp stokbrood toe en veegde het zand eraf. Jane beet erin. Kaas met mosterd en iets van augurk. Ze hield er eigenlijk niet van, maar de sandwich smaakte uitstekend.

'Hier is koffie.' Wexton schroefde de fles open. 'Ik heb er wat cognac in gedaan. Het is goedkope cognac, maar het geeft je weer wat moed.'

Jane proefde een slok uit de dop die als beker kon worden gebruikt.

'Lekker?' vroeg Wexton bezorgd.

'Heerlijk.'

'Coffeïne en cognac, daar kan niets tegenop. Of whisky, maar dat is er niet.' Dat scheen hij jammer te vinden, want hij keek treurig uit over de zee. Hij had kennelijk geen verdere behoefte aan conversatie. Een enkele maal schreef hij nijdig een paar woorden op die hij dan weer doorstreepte.

Jane had zich altijd voorgesteld dat het schrijven van gedichten iets geheims en verhevens was en ze voelde zich gevleid dat Wexton naast haar zou blijven schrijven. Ze nam een slok koffie, wierp een blik op zijn schrift waar ze een reeks onleesbare woorden zag. Ze voelde zich ontspannen. De sandwich was lekker, de koffie was lekker. Wexton schreef een gedicht. Hij stelde geen eisen aan haar. Na een minuut of tien vroeg ze: 'Waar gaat het gedicht over?'

Tot haar opluchting scheen Wexton niet beledigd. Hij zoog op het uiteinde van zijn potlood en prikte met de punt in zijn dikke wangen. Hij was vijfentwintig maar leek Jane veel ouder toe. Toen hij geboren werd, zag hij er al als vijfenveertig uit, zei hij altijd tegen mij en zo bleef hij, of hij nu vijfentwintig was of zestig. Jane keek naar zijn zware wangen, de rimpels in zijn voorhoofd, ze vond hem groot en ruig als een beer, al had hij ook wel iets van een hamster. 'Het gaat over Steenie en mij,' zei hij wat onzeker. 'En de oorlog, geloof ik. Ik ging naar Frankrijk om de oorlog te zoeken, zie je. En nu ik hier ben, ontdek ik dat die ergens anders is. Het is of je probeert op de punt van een regenboog te staan. Ik denk dat jij hetzelfde voelt.'

Die opmerking was bijna verontschuldigend, het was een vraag, maar omzichtig, als van een man die hoopt dat hij zijn bagage tussen de Gevonden Voorwerpen kan terugvinden.

'Daar,' ging hij door voordat Jane kon antwoorden. Hij wees in de richting van het gebulder. 'Ik denk dat de oorlog daar is. Maar ze stuurden me vorige week naar het front en zelfs toen... Weet je wat ik denk? Ik denk dat het om het wachten gaat. Het wacht jaren, misschien totdat we allemaal thuis, in ieder geval ergens anders zijn. Dan komt het te voorschijn. Als een duveltje uit een doosje. Daar ben ik. Dit is de oorlog. Ken je me nog?' Hij keek naar Jane. 'Daar verheug ik me niet op.'

'Nee, ik ook niet.'

Jane tekende met een vinger in het zand. Ze keek en zag dat ze de letters van Aclands naam had geschreven. Ze veegde ze snel uit.

'Weet je wat ik bedoel? Ik hoop het. Ik hoop dat iemand het begrijpt. Ik kan toch niet de enige zijn.'

Hij keek haar smekend aan. Jane dronk de laatste koffie. De wind blies het haar in haar ogen, zodat het opwaaide, een puntige koperen kroon.

'Nee, jij bent de enige niet.' Haar stem klonk vast. 'Ik weet precies wat je bedoelt.'

Zo begon Jane een vriendschap die de rest van haar leven zou duren. Toen ze daar bij Wexton op de kaap zat, was ze twee maanden in Frankrijk. De tijd kon gemeten worden. Dag voor dag. Week na week. Ze tekende die aan in haar dagboeken. Ze besteedde één bladzij aan iedere dag. Soms liep die over de toegestane bladzij heen. Soms schreef ze niets. Op een van de bladzijden vond ze een paar weken later dat ze een enkele zin had geschreven en die driemaal achter elkaar. Ze herinnerde er zich niets van, maar het stond er. Het woord was: ONDERWEG.

Ze bleef onderweg, waar ze ook gestationeerd werd, tot ze één bepaalde plaats bereikte. Die plaats was een groot geallieerd kamp, ongeveer dertig kilometer van Sainte-Hilaire. Het kamp heette Etaples. Het was de laatste plaats waarvan ze wist dat Acland er geweest was. Hij had zijn laatste achtenveertig uur verlof daar doorgebracht en was toen verderop ingezet – ze wist niet waar. Toen was hij gesneuveld.

Lang voordat ze uit Londen vertrok had ze al alles gedaan om Etaples te bereiken. Om daar een plaats te krijgen had ze de ene brief na de andere geschreven. Als iemand al wist waar Acland gesneuveld was, was het midden in het oorlogsterrein. Daar kon ze niet naar toe. Acland had geen graf. Dus ging ze naar Etaples. Soms vond ze het ongezond van zichzelf, maar ze hield zich voor dat ze, als ze daar eenmaal was, Acland zou kunnen loslaten. Ze wist dat het niet de hele waarheid was, want in haar hart geloofde ze dat ze daar zijn dood zou begrijpen. Dat ze hem zou vinden.

'Etaples?'

Een jonge vrouw met een zeer beschaafd Engels accent, precies als dat van Jane. Ze droeg hetzelfde uniform van de vrijwilligershulp. Ze stond naast Jane in een keuken in het souterrain onder het militaire hospitaal in Boulogne. Jane was de vorige avond aangekomen na een lange overtocht omdat het Kanaal vol mijnen lag. Het was haar eerste dag in Frankrijk.

'Waarom daar? De ene plek is net als de andere. Waar je ook heengaat, er is verwarring. O, en mensen die sterven. Dat ook.' Ze gaf Jane een mes.

Ze stonden naast elkaar aan een lange houten tafel. Het was vijf uur 's morgens en nog donker. De adem van de jonge vrouw maakte wolkjes van stoom in de lucht. Voor hen lagen stukken vlees die rundvlees moesten verbeelden, maar verdacht veel op paardevlees leken. Jane moest het vet van het vlees afsnijden, het vlees voor patiënten en staf, het vet voor de munitiefabrieken. Om granaten in te vetten.

Jane keek naar het vlees. Het was bedorven. Het vet was groen. De stank van verrotting was verschrikkelijk, Jane werd er misselijk van. 'Ze laten je heus niet verplegen,' ging de jonge vrouw door. Ze haalde met de punt van haar mes een made uit het vlees. 'De Rode-Kruiszusters kunnen engelen zijn voor de mannen, maar voor ons zijn het echte krengen. Ze hebben geen tijd voor vrijwilligsters. Je boft al als je een beddepan mag legen. Niet dat ik het ze kwalijk neem. We zijn geen van allen getraind.' Ze gebaarde naar de andere vrijwilligsters. 'Ik ging met de eerste boot.'

353

'Maar ik heb verpleegervaring. Ik heb twee jaar in een ziekenhuis op de chirurgische afdeling gewerkt.'

'Probeer het ze te vertellen. Ze luisteren niet.'

De vrouw streek met een vette hand een lok haar weg en stak haar mes in het vlees. Er klonk een zuigend geluid en het vet liet los.

'Ik hoor hier zelfs niet te zijn,' zei Jane. 'Ik hoor in Etaples te zitten. Dat heb ik tegen de directrice gezegd. Tegen de hoofdzuster...'

'Stonden ze lang genoeg stil om naar je te luisteren? Goed gedaan, hoor.'

'Ik heb brieven uit Londen. Daar staat in dat ik naar Etaples ga.'

'Brieven uit Londen!' De vrouw klonk ongeduldig. 'Die zijn geen cent waard. Niet als je eenmaal hier zit. Als je aankomt, is er geen mens die je verwacht. Niemand weet waarom je er bent. Weet je wat er de vorige maand met mij is gebeurd? Ze stuurden me met medicijnen naar het front. Het bleken de verkeerde medicijnen te zijn. Kinine. Die hadden naar Scutari gemoeten, maar de etiketten waren verwisseld. Ik bleef één nacht over.' Ze gaf Jane een zijdelingse blik. 'Ik was blij om terug te gaan. Laf, misschien, maar ik had er niet kunnen blijven. Denk er maar eens over na.'

'Waarom had je niet kunnen blijven?'

Jane keek haar buurvrouw aan. Haar gezicht had de uitdrukking aangenomen die Jane had gezien op dat van Boy en van Acland. Een volkomen afgesloten zijn, misschien met iets van minachting. De jonge vrouw haalde de schouders op. Jane besefte dat ze haar had geïrriteerd.

'De stank. De karkassen hier zijn tenminste niet van mensen. Weet je hoe iemand eruitziet na een gasaanval?'

'Nee, maar...'

'Het brandt de ogen uit. Ze smelten. Weet je hoe iemand eruitziet als hij een granaatkartets in zijn buik heeft gekregen? Wanneer de man naast hem op een mijn is gestapt? Hadden ze zoiets ook op die chirurgische afdeling?'

'Nee.' Janes handen bewogen. Ze wilde haar gezicht verbergen maar ze dwong ze om stil te zijn. 'Nee, maar de mensen daar lagen ook te sterven. Ik zag vreselijke dingen...'

'Vreselijke dingen?' klonk het beschuldigend.

'Het was een kankerzaal.'

'Kanker komt van God.' De vrouw wendde zich af. 'Hij vond geen bommen of gas of bajonetten uit. Mensen wel. Ik denk dat dat het verschil is. Misschien. Ik weet het niet meer. Maar je kunt er beter niet over praten.' Ze zweeg abrupt. 'We kennen elkaar. Jij herkende mij blijkbaar niet. Je bent Jane Conyngham, de verloofde van

Boy Cavendish, hè? We hebben elkaar jaren geleden in Oxford ontmoet, op een feestje van Acland. Een picknick. We gingen punteren op de rivier. Ik herkende je meteen.'

De rivier. De Isis. Een van de kanalen achter Balliol. Ze hoorde het klotsen van het water tegen de boot, de wilgetakken streken langs haar gezicht. Acland lag in de kussens. Het kwam zelden voor dat Acland zo rustig was.

'Acland is dood,' zei ze in de stilte van de keuken. Een mes schraapte.

'Dat wist ik niet,' zuchtte de jonge vrouw. 'Mijn broer ging al in de eerste zes maanden en daarna... Het spijt me dat ik zo onaardig was. Dat kwam door de manier waarop je sprak – over Etaples en zoals ik me jou herinnerde. Het klikte niet. Maar je bent kennelijk veranderd. Dat doen we allemaal. Luister Jane. Mag ik je een raad geven? Vergeet Etaples even. Spreek nog eens met de directrice en leg het uit van het ziekenhuis. Sta erop dat je wilt verplegen. In Treport – dat zou je kunnen noemen. Daar zijn drie hospitalen. Ik ben er een week geweest. Ze komen verpleegsters te kort. De directrice daar is veel jonger – niet zo iemand van de oude garde. Als je dan nog naar Etaples wilt, kan zij het misschien regelen. Maar je moet één ding niet vergeten.'

'Wat niet vergeten?' De naam van de jonge vrouw was weer bovengekomen. Venetia. Ze was familie van Mauds grote vriendin, lady Cunard.

'Je bent onderweg. Dat zijn we allemaal. Niet hier – niet daar. Onderweg. Tot de oorlog voorbij is.' Ze draaide zich weer om naar de tafel en pakte haar mes op. 'Dan is het anders, veronderstel ik.'

'En dus ging ik naar Le Treport.'

Jane hief haar gezicht naar de wind. Wexton naast haar, schreef iets.

'En daarna?' Hij keek niet op.

'Zoveel plaatsen. Ze lieten me nergens lang blijven. Naar het binnenland. Toen naar Trois Eglises. Dat lag vlak bij het front. De kanonnen bulderden luidruchtig. Toen weer naar Sainte-Hilaire. Uiteindelijk mocht ik verplegen. Maar ik voel me net een pakketje. Onderweg. Precies zoals ze zei.'

'Heb je nooit het gevoel gehad dat je aangekomen was?'

'Nee, alleen dat ik langstrok. Als ik Etaples zou bereiken, zoals ik van plan was, misschien dat ik dan het gevoel zou hebben dat ik was aangekomen. Misschien is dat ook zelfbedrog.'

'Waarom Etaples?' Wexton keek op. 'Dat zei je niet, waarom juist daar?'

Jane aarzelde. Ze sprak er nooit over – met niemand.

'Vanwege Acland,' hoorde ze zichzelf zeggen. 'Hij was er juist voor zijn dood.'

Ze zou de woorden ogenblikkelijk willen inslikken. Ze had de indruk dat ze weerklonken, zichzelf herhaalden in de wind en de motregen.

'Acland?' vroeg Wexton.

'Ja, Acland.' Jane stond doelbewust op. Ze was druk bezig met het vastmaken van de ceintuur van haar jas en het opzetten van haar kraag. 'Ik was erg op hem gesteld. Kijk, het wordt donker. Ik moet terug...'

Wexton had geen commentaar. Hij pakte zijn spullen en wond de ontelbare sjaals om zijn nek. De lucht werd donker. Hij haalde een kleine zaklantaarn uit zijn zak. Ze liep onhandig naast hem over het smalle pad.

De zaklantaarn flikkerde. 'Het klinkt of je je schaamt,' zei Wexton. 'Heb je daar een reden voor? Ik bedoel, waarom zou je niet op hem gesteld zijn?'

'Ik was met zijn broer verloofd, bijvoorbeeld.'

'Wàs verloofd?' Wexton klonk geïnteresseerd maar opzettelijk vaag.

'Ja, ik heb het uitgemaakt. Heeft Steenie je dat niet verteld? Nadat Acland stierf. Het leek me verstandig.'

De wind sloeg tegen haar ogen. Ze traanden. Ze huilde niet – hoewel ze soms merkte dat ze zomaar huilde. Nu niet. Nu was het de wind. Ze hadden bijna de promenade bereikt. De lichten van het café waren vlakbij.

'Waarom?' Wexton bleef staan. Hij schudde met de zaklantaarn, de batterij was leeg. Het licht ging aan en uit. 'Waarom?'

'Ik hield niet van Boy.' Jane ging sneller lopen. Ze kon hem wel slaan omdat hij zo aandrong.

'En je hield wel van Acland?'

Jane bleef staan. Ze draaide zich om.

'Dat zei ik niet...'

'Nee. Je zei "gesteld op". Maar dat is zwak. Liefde is veel beter. Dat kan het althans zijn. Zou het moeten zijn als mensen het niet zo misbruikten.' Hij keek berouwvol naar Jane. 'Het spijt me. Ik ben over de Engelse streep gestapt. Dat doe ik – zegt Steenie. Hij zegt dat ik een vulgaire Amerikaan ben. Ik leer het wel, denk ik. Om geen vragen te stellen. Om Engels te zijn. Aan de andere kant wil ik het misschien wel niet. Hoor je die accordeon? Daar houd ik van. Ik ga soms naar dat café als ik geen dienst heb. Ze maken daar een omelet met aardappelen die heel lekker is. Misschien dat ik het zelf ook ga proberen. Ik houd van koken – heeft Steenie je dat wel eens verteld? Ik leer het mijzelf.'

Hij had haar arm genomen. Jane hield die arm krampachtig vast. Ze kwamen bij de trappen. Jane stapte naar boven als een marionet. Ze keek Wexton niet aan. Ze wilde hem niet aankijken. Ze was uit haar humeur – hij, met zijn amerikanisme, met zijn vragen. Steenie had gelijk. Hij was over de schreef gegaan. Net toen ze dat dacht, bereikten ze de promenade. Er brandden gaslantaarns en ze bleven staan in een plas blauwachtig licht. Jane keek neer op haar voeten in de stevige hospitaalschoenen. Ze keek naar de kring om hen heen, het licht, en de schaduwen erachter. Ze zag zichzelf op een eilandje, geïsoleerd door haar Engelse opvoeding. Haar cirkel. Wexton was inderdaad over de schreef gegaan. Hij stond nu in dezelfde plas licht als zij. Zij keek naar zijn voeten die zo groot waren. Naar zijn zware schoenen met gebroken en aan elkaar geknoopte veters.

'Jij moet je niet verontschuldigen, dat moet ik doen. Waarom altijd doen alsof? Ik denk dat ik dat als kind heb geleerd en er steeds mee door ben gegaan. Ik zeg nooit wat ik denk, ik kan het niet. Het is zo'n verspilling van tijd en met het beetje tijd dat we hebben, moeten we niet zo omgaan. Je hebt gelijk. "Gesteld op" is een zwak woord. Ik hield van Acland. Al jaren. Ik heb het hem nooit gezegd, en nu is hij dood. Ik weet wat je denkt. Als je weggaat, lach je me uit...'

'Waarom zou ik dat doen?'

'Kijk dan naar me!' Janes stem werd luider. Boos pakte ze Wextons jas beet. Ze dwong hem zich om te draaien, zodat het licht van de straatlantaarn in haar gezicht scheen. Ze beefde. 'Ik zie er gewoon uit. Niets sterks en definitiefs, zoals wanneer je lelijk bent. Gewoon. Saai. Onzichtbaar. Ik was onzichtbaar voor Acland. Dat wist ik en toch hield ik van hem. Jaren en jaren – op zo'n domme, verlegen manier. Ik veracht mezelf. Had hij het maar geweten. Het had hem waarschijnlijk niets kunnen schelen, hij zou het alleen pijnlijk hebben gevonden. Voor jou is het ook pijnlijk. Voor mij ook. Toch wilde ik dat hij het geweten had, dat ik de moed had gehad het hem te vertellen.'

Ze maakte een half verstikt geluid in haar keel. Ze veegde haar neus en wangen af met de rug van haar hand. Toen ving ze Wextons blik op en moest half lachen en half huilen. Wexton gaf haar zijn zakdoek.

'Het spijt me.' Ze ademde luidruchtig. 'Ik moet terug. Ik weet niet waarom ik daarover begon. Toen ik eenmaal begon, kon ik niet meer ophouden. Ik heb het nooit eerder gezegd. Ik ben moe, ik heb de hele nacht dienst gehad. Daar zal het wel aan liggen.'

'Ik vind het niet erg. Nee – houd die zakdoek maar.' Wexton keek of hij iets wilde zeggen en morrelde aan zijn zaklantaarn. 'Heb je zin in een kop chocola?' Hij wuifde met zijn hand in de richting van het café waar de accordeon aan het spelen was. 'Je hoeft nog niet terug. Kom mee.'

Ze zaten aan een rond tafeltje voor een beslagen raam. Het was er heet. Wexton keek naar de grote ronde kolenkachel in de hoek. Omzichtig trok hij zijn overjas en een van zijn dassen uit. Hij bestelde twee koppen chocolademelk. Jane roerde er geconcentreerd in. Ze staarde naar het tafelblad. Haar gezicht was rood en vlekkerig. Ze kon nauwelijks geloven dat ze dat allemaal had gezegd. De warmte, Wextons zwijgen, de condens op de ramen: ze was blij dat ze het had gedaan.

'Ik heb vanavond een afspraak met Boy,' zei ze eindelijk.

'O ja? Je moet hem mee hier naar toe nemen.' Wexton scheen verstrooid. Hij tekende in de condens op de ruit, eerst een vogel, toen een man, een boot.

'Ik schreef over liefde,' zei hij plotseling. 'Toen ik jou zag. Er deugde niets van. Eigenlijk nooit. Ik probeer het. Maar de woorden zijn niet goed.'

Hij haalde het schrift uit zijn zak en opende het bij een bladzij vol woorden en doorhalingen. Hij scheurde het blad eruit, verkreukte het in zijn hand, liep naar de kachel en stopte het blad erin. Toen kwam hij weer terug. Jane dacht dat ze op de proef werd gesteld.

'Over liefde?' vroeg ze aarzelend. 'Ik dacht dat het over Steenie ging.'

'Dat is ook zo. Ik houd van Steenie.'

Wexton zette zijn ellebogen op tafel, zijn droefgeestige kin rustte op zijn handen. Hij keek haar aan.

'Wist je het?'

'Nee, ik hoor het nu pas.'

'Ik dacht dat je het misschien had gemerkt.' Maar Jane wist dat hij dat nooit had gedacht.

'In Londen. Ik vond het zo vanzelfsprekend. Toen kwam ik hier. Ik dacht dat ik het misschien zou begrijpen als ik wegging. Ik ben eerder verliefd geweest, maar nooit zo. Het deed pijn. Het is hier eigenlijk nog erger. Ik probeer erover te schrijven en ik kan het niet. Ik probeer te schrijven over de oorlog en ik kan het niet. Hoe meer ik kijk, hoe minder ik begrijp.' Hij zweeg plotseling. 'O, ik heb je geschokt,' zei hij toen.

Jane keek neer op haar handen. Ze had een hoofd als vuur. Ja, Wexton had gelijk, ze was geschokt. Maar het was 1916, ze was achtentwintig. Ze was pas seksueel voorgelicht toen ze achttien was en pas toen ze ver in de twintig was, had ze van de mogelijkheid van homoseksuele liefde gehoord. En dan werd er nog altijd over gesproken in termen van onnatuurlijke verlangens en van nog onnatuurlijker handelingen. Seks betekende voor Jane naslagboeken. Ze las erover in de ziekenhuisbibliotheek, boeken snel op de plank teruggezet, ze bekeek de tekeningen, maar heimelijk. Jane was zowel onschuldig als vooringenomen. Dus bloosde ze.

Ze wist echter ook dat ze werd uitgedaagd. De bekentenis van Wexton was opzettelijk. Misschien beantwoordde hij het compliment dat zij hem had gemaakt toen ze haar hart uitstortte. Ze kon doen of ze het verkeerd begreep, of hij sprak over het soort mannenvriendschap dat haar dode broer had bezongen, hoewel ze wist dat hij het daar niet over had. Ze kon natuurlijk gewoon weggaan. Wexton zou haar dan zeker niet volgen en ze betwijfelde of ze hem ooit nog zou zien. Afbeeldingen dansten door haar hoofd. Ze probeerde die in verband te brengen met Wexton en Steenie. Ze keek Wexton in de ogen. Hij wachtte.

'Houdt Steenie ook van jou?' De vraag sprong eruit voor ze kon denken. Wexton dacht na.

'Hij zegt van wel. Ik geloof ook dat het waar is – voor een poosje.'

'Het blijft niet, bedoel je?'

'Nee, ik verwacht van niet.'

'Schrijft hij?'

'Hij schreef eerst iedere dag. Nu schrijft hij... minder.'

'Houd je nog steeds van hem – evenveel als eerst?'

'Meer, geloof ik. Het is niet verstandelijk. Ik weet hoe Steenie is. Maar het groeit. Je kunt het niet tegenhouden. Afwezigheid misschien wel.'

'En je – je wordt nooit verliefd op een vrouw?'

'Nee.' Hij zweeg even beleefd. 'Jij?'

Janes huid voelde als glas, het bloed vloog naar haar gezicht. Ze wendde haar ogen af en keek het café rond. Ze zag het als een foto. De tafeltjes, twee bejaarde Fransen in blauwe overalls met baretten. De *curé* van de plaats die naar het hospitaal kwam voor het laatste oliesel. Hij herkende haar en hief zijn glas. Jane was plotseling opgetogen. Wexton leerde haar en haar geest was snel. Er waren nog een paar scherven van haar vroegere moraliteit over en als ze die nu kon vertrappen... Ze leunde over de tafel.

'Wexton...'

'Ja?'

'Ik ben niet geschokt. Eerst wel maar nu... is het over.'

Wexton tekende weer in de condens op het raam. Hij tekende nog een figuurtje in een boot en voegde er wat zee aan toe, drie golvende lijnen. Hij scheen niet verbaasd over wat ze zei. Ze gingen naar buiten en liepen met stevige passen arm in arm naar het hospitaal.

'Je hebt vannacht dienst.'

Ze stonden voor het hospitaal. Wextons opmerking was geen vraag.

'Je zit bij de ambulancedienst,' zei Wexton.

'O ja? Ik dacht...'

'Je bent toegewezen aan mijn ambulance.'

'De jouwe?'

'Dat heb ik geregeld.'

'Dát heb jij geregeld?' Jane keek hem met grote ogen aan. 'Wanneer?'

'Vanochtend.'

'Hoe?'

'Ik heb een van de zusters omgekocht. Ze heeft geruild.'

'Je hebt haar omgekocht?'

'Ja, met een reep chocola. Ik kreeg gisteren een voedselpakket van thuis.' Hij lachte. 'Het is dertig kilometer heen en dertig terug. Ik dacht dat we dan konden praten. Bovendien had ik een voorgevoel.'

'Een voorgevoel?'

'Ik dacht dat ik je best aardig kon vinden, dat we vrienden konden zijn.'

Wexton wond een van de dassen steviger om zijn nek en haalde een belachelijke wollen bivakmuts uit zijn zak die hij opzette. Toen hief hij zijn hand ten afscheid en liep in de richting van zijn kosthuis. Hij floot, geen deuntje maar wel opgewekt. Jane keek hem na. Zijn batterij werkte weer en het licht kwam terug. Wexton slaakte een kreet van vreugde.

'Hoe was het met Boy? Heb je de omelet geprobeerd? Verdomme!' Wexton trok aan zijn stuur. Het was geen gemakkelijke tocht. De ambulance had massieve banden die geen greep hadden op de weg die alleen was bedoeld voor boerenkarren en paarden, niet voor militaire voertuigen. Het was december en de laatste paar weken had het aanhoudend geregend. Het oppervlak van de weg bestond uit natte modder en de ambulance glibberde en sprong er overheen. Er waren ook diepe sporen waarin het soms mogelijk was te blijven rijden, als een trein op de rails. Zo nu en dan veranderden de sporen in diepe kuilen die vol water en zachte modder stonden. Het was moeilijk ze te vermijden. Wextons ambulance was de eerste van een konvooi en ze hadden geen licht.

De autoriteiten hadden bevolen dat de carbidlantaarns pas tien kilometer voorbij Sainte-Hilaire mochten worden aangestoken en tien kilometer voor het station moesten worden uitgedaan. Er was een Duitse luchtaanval geweest. Een paar maanden geleden had een Duitse tweedekker bommen in de buurt van de weg gegooid maar had gemist. Wexton had niet veel respect voor de tweedekkers, voor de autoriteiten evenmin trouwens, en toen ze vijf kilometer gereden hadden, stopte hij om de lantaarns aan te steken. Jane klom eruit om hem te helpen en zakte tot haar kuiten in de modder. Het regende weer en het was gaan waaien. Toen de lampen eenmaal brandden, flakkerden ze en het licht scheen nog geen twee meter voor hen uit. Achter in de ambulance zat onder een dak van zeildoek een groep Rode-Kruisverpleegsters uit Lancashire te zingen. Zij hadden een dak, maar de voorkant van de ambulance niet, en de voorruit was laag, de ruitewissers bleven telkens steken en de modder spatte hoog op. Jane droeg twee stel wollen ondergoed, drie truien over haar jurk, een jasje, een mantel, twee sjaals, twee paar wanten en nog was ze verstijfd van de kou.

Wexton reed nogal grillig en vloekte veel. Hij vloekte op de modder, de vastzittende ruitewissers, de carbidlantaarns, de diepe kuilen.

Maar toen de Lancashire verpleegsters 'Tipperary' zongen, zette Wexton in met een warme bariton. De ambulance kwam in een karrespoor terecht. Halverwege de tocht bood Wexton Jane haar eerste sigaret aan. Ze moest ervan hoesten. Verderop beschreef hij Virginia. Weer verder besprak hij een boek dat de *Buddenbrooks* heette. Na nog een kilometer vertelde hij dat hij leerde breien en nog even verder hadden ze het over treinen, waar Wexton een zwak voor had. Zo hotsten ze van boeken naar recepten, van zijn familie – Wexton kwam uit een gezin van acht – naar dat van haar – Jane had slechts één broer gehad. Jane genoot. Ze was verstijfd van de kou en al haar botten deden pijn van het hotsen van de wielen. Haar natte haar viel ijskoud in haar gezicht. Haar keel was rauw van de rook van haar sigaret maar desondanks genoot ze. Het was of Wexton haar meenam in een ballon die gevoed werd door zijn nooit aflatende welwillendheid, en haar een wereld liet zien die vol gebeurtenissen was. Vlak bij het station ging hij plotseling op Boy over.

'Ja, we hadden een omelet,' antwoordde ze. En toen, omdat Wexton niet verder vroeg, vertelde ze hem wat er gebeurd was.

Sinds ze hem het laatst had gezien, had Boy promotie gemaakt. Hij was de oorlog begonnen als luitenant, toen ze hun verloving verbrak was hij kapitein. Nu was hij majoor. Dit was niet ongewoon. De levensverwachting van een gardeofficier was een half jaar en er waren geen mannen genoeg. Boy zei met een lachje dat hij minstens tot brigadier zou opklimmen.

Jane geloofde het niet, ze wist dat Boy het evenmin geloofde. Hij maakte haar treuriger als hij probeerde grapjes te maken. Ze zaten aan hetzelfde tafeltje waaraan ze de vorige dag met Wexton had gezeten. En ze namen, zoals Wexton had aangeraden, een aardappel-omelet.

Boy at er maar de helft van. Hij bestelde kip, nam één hap en legde toen zijn vork neer. Hij dronk anderhalve fles wijn, zag Jane.

Jane probeerde van alles. Ze wist dat hij de laatste weken in een bomvrije schuilplaats had gezeten, in de eerste loopgraven van het front, in een niemandsland onder het vuur van een Duits machine-geweer in een bunker. Die werd ten slotte veroverd. Ze kende de details niet, wist niet dat Boy het Militaire Kruis zou krijgen voor die episode, wist niet dat er van de twintig mannen van zijn peloton slechts drie terugkeerden, wist niet dat Boy zesenvijftig uur lang onder constant geweervuur in anderhalve meter water had gestaan. Maar je vroeg mannen die op Golgotha waren geweest niet hoe de topografie daar was.

Ze had niet verwacht dat de conversatie vlot zou verlopen. Dat was ook niet zo, het ging met horten en stoten. Ze hadden het over zijn vader en moeder, Freddies werk op de ambulance, Steenies komende schilderijententoonstelling en het verbazingwekkende nieuws van Constances verloving met Montague Stern. Jane zag die gebeurtenissen uit de verte, eens waren ze geweldig geweest, nu waren ze onbelangrijk.

Misschien vond Boy dat ook want hij sprak er heel afstandelijk over. Hij knipperde met zijn ogen. Zijn handen maakten krampachtige bewegingen.

Pas toen Jane ten einde raad een opmerking maakte over fotografie, merkte ze dat er iets ernstig mis was. Op het ogenblik dat ze het woord camera noemde, nam Boys gezicht een koppige uitdrukking aan.

'Ik heb mijn Videx weggedaan.'

'Weggedaan, Boy? Heb je hem verkocht?'

'Kapotgeslagen. Ik maak geen foto's meer. Ik heb alle foto's die ik in Frankrijk heb gemaakt, verbrand. De platen gebroken. Als ik thuiskom' – en hij nam een grote slok wijn – 'vernietig ik al mijn foto's daar ook. Ik haat ze. Ze vertellen leugens. Weet je wat het enige is dat je kunt fotograferen? Een stok in de zon. Een stok en zijn schaduw. Ja.'

Jane was geschokt. Het was of ze een overtuigde katholiek zijn geloof hoorde afzweren. Het was heiligschennis. Ze keek hem aandachtig aan.

De oorlog had zijn gezicht veranderd. Als je de uitdrukking in zijn ogen negeerde, zou je denken dat hij van vakantie terugkwam. Hij was gebruind, en de ronde kinderlijke contouren van zijn gezicht die hem altijd jonger hadden doen lijken dan hij was, waren harder en flinker geworden. De oorlog maakte een knappe man van Boy – dat was een ironie, zijn ogen logenstraften de nieuwe autoriteit van die gelaatstrekken. Boy leek op een acteur die zijn rol is vergeten. Hij wilde iets zeggen, maar moest zich er kennelijk eerst toe zetten. Toen schraapte hij zijn keel, schudde het onzichtbare water uit zijn oren. Hij wendde zijn hoofd naar links en sprak een palm in een pot aan. Hij was gekomen, zei hij, om over Constance te praten. Hij begon algemeen en werd welsprekend, alsof hij zijn woorden geoefend had. Hij legde Jane omstandig uit dat de meeste mensen – zijzelf inbegrepen – Constance niet begrepen. Hij wel. Constance was een kind, en kwetsbaar.

Jane was het er niet mee eens. Ze beschouwde Constances verloving als een schandelijk verraad aan Maud. Dat zei ze niet, want Boy gaf haar geen kans. Hij was niet geïnteresseerd in Janes mening, en kon niet meer stoppen.

'Dat huwelijk van Constance,' zei hij, 'mag niet doorgaan.'

Boy zei dat het gedrag van zijn vader onbegrijpelijk was. Hij zei dat Mauds gedrag onbegrijpelijk was, evenals dat van Stern, van Freddie, van Steenie, zelfs het gedrag van zijn moeder. Het gedrag van Constance kon hij verklaren. Het was, vertelde hij de palm in de hoek, een kreet om hulp.

Boy scheen een obstakel te bereiken. Hij begon te stotteren, en veel erger dan het ooit was geweest. Boys tong bleef steken bij de letter 'C'. Hierdoor kon hij Constances naam moeilijk uitspreken.

Toen hij de palm eenmaal had verteld dat Constance hulp wilde hebben, wendden zijn angstige ogen zich weer tot Jane. Hij legde haar uit waarom hij deze avond hier was voordat hij naar Engeland vertrok. Hoewel hij en Jane niet langer verloofd waren, vond hij het correct dat zij als eerste van zijn plannen hoorde. In Engeland zou hij zorgen dat het huwelijk niet doorging. Dat was het eerste. Dan zou hij Constance ten huwelijk vragen.

'Ze moet het hebben verwacht, zie je.' Boy boog zich over de tafel. 'Ze moet het hebben verwacht zodra wij onze verloving hadden verbroken. Toen ik het niet vroeg, deed ze dit. Begrijp je?' Hij spreidde zijn handen en gaf Jane een warme glimlach. 'Een kreet om hulp. Ze weet dat ik van haar houd, natuurlijk.'

Jane begon Wexton dit alles te vertellen toen ze het station naderden waar ze de gewonden van de veldhospitalen moesten afhalen. De trein was te laat en ze stonden op het koude donkere perron te huiveren. Het verhaal had haar in de war gebracht. Ze kon het niet als een samenhangend geheel vertellen en vloog heen en weer tussen de gebeurtenissen in het café en die in het verleden. Er zaten gaten in een geschiedenis die Jane altijd als ongecompliceerd had beschouwd en die gaten maakten haar ongelukkig. Ze zag dat ze Boy nooit begrepen had, ze had altijd gedacht dat hij eenvoudig en oprecht was, maar deze Boy kende ze niet. Plotseling was het verleden vol vragen. Ze gaf zichzelf de schuld. Ze was blind geweest. In beslag genomen door haar liefde voor Acland was het nooit bij haar opgekomen dat Boy ook een geheim leven kon hebben.

Ze liep het perron op en neer, gebarend met haar handen.

'Blind! Blind!' riep ze zodat de Lancashire verpleegsters haar vreemd aankeken. 'Ik had het moeten zien. Ik heb zo'n hekel aan mijzelf.'

Wexton luisterde. Hij zei niets. Hij had een strofe van een gedicht in zijn hoofd, terwijl Jane sprak begon het vorm aan te nemen. Hij stond stil, gehuld in zijn jas en zijn dassen. Hij hield de handvatten van zijn brancard stevig vast. Het canvas van de brancard was nat en er vormde zich een ijslaagje op. Hij voelde ook ijs op zijn bovenlip. Terwijl hij langs de rails in de richting tuurde vanwaar de trein moest komen, luisterde hij naar Jane, naar zijn gedicht, en ook naar iets anders. Hij hoorde het dreunen van een machine, hij dacht, maar wist het niet zeker, dat het de locomotief van de hospitaaltrein was.

Vanuit het verleden was Jane in de toekomst beland. Ze probeerde de uitdrukking op Boys gezicht uit te leggen, de zachtmoedige verbijstering, de onovertuigende hoop. Het maakte haar nerveus. Ze had langer met Boy moeten praten. Toen ze afscheid nam, had ze het gevoel van een ramp.

Op dat moment trof Wextons grote hand haar pal in de rug en ontnam haar de adem. 'Liggen!' riep hij. Ze viel plat op het natte perron en schaafde haar wang. Hun lichamen waren een warreling van natte wol, van canvas, van dassen. De handvatten van de brancard sloegen tegen haar hoofd. Er klonk gedonder, toen was het licht. Wextons elleboog prikte in haar wervels. Hij duwde haar gezicht tegen de grond. Jane vocht, hief haar hoofd. Wexton was krankzinnig. Het perron was krankzinnig. Wat zwart was geweest, was licht. De rand van het perron was afgebeten en vol rook. Vlammen vlogen omhoog langs de palen van de stationsoverkapping.

Iemand gilde. Een Rode-Kruisverpleegster vloog voorbij, haar kap een en al vlam. Haar haar brandde. Jane wist dat ze moest opstaan en iets doen maar Wexton liet haar niet los. Als ze haar hoofd optilde, duwde hij het neer. Ze vocht met hem, timmerde tegen zijn handen. Maar Wexton was te sterk voor haar en dat was gelukkig want op dat moment liet de piloot van de Zeppelin zijn tweede bom vallen. Hij was eigenlijk van zijn baan afgeweken. Maar met een precisie die toen zeldzaam was, trof hij niet alleen het station maar ook de locomotief van de aankomende trein. Die hief zich op en gooide zich opzij. Er barstte heet ijzer en hete stoom uit. Kolen vlogen door de lucht. De achterste wagons schoten naar voren en botsten en kwamen scheef te staan. Een ijzeren slang in fragmenten gehakt: fragmenten die naar rechts en naar links wegschoten, de vierde beklom de derde. Er viel een stilte, toen gezoem als van vliegen, toen een schreeuw.

Wexton had haar gered. Dat besefte Jane toen ze haar hoofd optilde, toen Wexton, die beefde, haar overeind hielp. Bijna een meter van haar vandaan was een metalen staaf, deel van de trein of een rail. De wagons brandden. De gewonden daarbinnen verbrandden mee. Die aanblik, die stank, zouden Jane en Wexton nooit beschrijven, hoewel Jane, toen ik een kind was, wel vertelde hoe haar vriend Wexton haar leven had gered. Er was meer dat ze er uit gelaten had, maar wat Wexton me nu, na al die jaren vertelde.

Aan het eind van de nacht, toen het licht begon te worden, ging Jane terug naar de trein, naar de laatste wagon die minder beschadigd was dan die vooraan. Alle mannen waren er uitgehaald op een na. Die man, wiens been een paar dagen geleden gebroken was onder het wiel van het onderstel van een kanon, was zichtbaar door de gebroken deur. Hij lag onder een stapel verbogen metaal. Ze dachten dat hij dood was. De wagon begon te branden toen Jane naderde. Het laatste glas van de wagon sprong uit elkaar. Jane boog haar hoofd, klom van het perron en toen over de rails. Ze

greep het wiel van de wagon en hees zich op. Wexton wilde haar tegenhouden maar Jane hield zich vast aan het verwrongen metaal
van de deur. Het was of ze ijs pakte, haar handpalmen schroeiden.
Maar ze bracht de man naar buiten.

Wexton hielp haar, samen met een van de Lancashire zusters. De
rook verblindde hen. Maar de man werd op een brancard gelegd en
naar Wextons ambulance gebracht. Daar, met een gezicht zwart
van de rook en verbrande handen die snel waren verbonden, probeerde mijn moeder iets aan de wonden van de man te doen. Hij
kwam bij bewustzijn, maar heel kort: ongeveer drie kilometer van
Sainte-Hilaire wendde hij zijn gezicht af en stierf.

De man bleek een van de broers Hennessy te zijn en was de eerste
van het gezin die stierf. Twee broers zouden hem volgen, een tijdens de gevechten om Arras, een bij de heuvels van Messines. Jack
was de enige overlevende van de vier zoons die eens het lichaam
van Edward Shawcross op een geïmproviseerde brancard naar
Winterscombe hadden gedragen en Jack Hennessy, dat vertelde hij
me tenminste toen ik een kind was, had nooit de poging van mijn
moeder om zijn broer te redden, vergeten.

Als hij in de kelder cokes schepte, vertelde hij me oorlogsverhalen.
Hoe en waar hij zijn linkerarm had verloren, zodat zijn ambitie om
eerste timmerman te worden, in rook opging. Hij vertelde me hoe
zijn broers waren gesneuveld en ondanks het feit dat hij het niet
had bijgewoond, gaf hij me een verslag van de heldhaftigheid van
mijn moeder. Was het waar? Wexton zegt van wel, mijn moeder
beweerde dat Hennessy overdreef en maakt er in haar dagboeken
geen melding van. Constance in haar dagboek echter wel. De ironie
ervan vond ze vermakelijk.

*Dus is er een Hennessy gestorven – geholpen door Jane. De ver-
keerde Hennessy, helaas, Acland. Maar in ieder geval hebben we
het beiden geprobeerd.*

Boy stond in de regen onderaan de trappen naar de Corinthian
Club in Pall Mall en keek omhoog naar de grijze, indrukwekkende
façade. Hij had er een afspraak met sir Montague Stern. Het was
avond, twee dagen voor Constances bruiloft.

Hij had de hele dag gevast, vond dat hij voor deze – een allesover-
heersende ontmoeting – op de juiste manier voorbereid moest zijn.
Hij moest op zijn hoede zijn, niet luisteren naar het gebulder van
de kanonnen aan de overkant van het Kanaal. Hij moest de rol van
zijn vader overnemen. Hij moest zich gedragen als een officier en
een heer: een degelijk, voorspelbaar pad. Hij was vol vertrouwen.

Hij was in uniform, een bewuste keus. Hij had een gordel met dienstpistool om zijn middel. Zijn pet voelde als een helm. Hij keek naar de treden en liep met ferme pas naar boven.

Het lag voor de hand dat Boy de Corinthian had gekozen. Zijn vader en grootvader waren beiden lid geweest en Boy was het op zijn eenentwintigste geworden. Hij hield niet van de club maar vond dat hij er rechten had op een manier die Stern zeker niet kende. Het was een mysterie voor Boy dat zo'n man lid had kunnen worden en hij verwachtte dat Stern er niet op zijn gemak zou zijn.

Eerst ging alles goed. De portier noemde hem onmiddellijk bij naam en rang ondanks het feit dat Boy er in geen jaren was geweest. Zijn jas werd aangenomen, zijn pet, zijn rottinkje. Een paar oude heren keken op toen hij langskwam en gaven hem een knikje. De zoon van zijn vader.

Boy voelde zich alleen veilig als hij een rol speelde. Zijn zelfvertrouwen groeide. Maar toen hij de rooksalon binnenkwam, ontdekte hij Stern. Stern stond met zijn rug naar de open haard, met links van hem een bejaarde hertog en rechts de minister van buitenlandse zaken. Ze schenen zijn woorden in te drinken. Boy werd woedend.

En toen ging alles verkeerd. Stern begroette hem met warmte, stak zijn hand uit, en Boy voelde zich gedwongen die aan te nemen. De twee heren trokken zich discreet terug. Voordat Boy wist wat er gebeurd was, zat hij in een leren fauteuil bij de open haard en het was Stern, niet hij, die whisky bestelde. Stern reikte naar zijn sigarenkoker.

Boy richtte zijn ogen eerst op Sterns vest, dat hij monsterlijk vond, opzichtig. Het colbert was te nieuw, evenals de handgemaakte schoenen. Net als zijn vader en grootvader verachtte Boy nieuwe schoenen. Als die eenmaal waren gemaakt, droeg je ze voor de rest van je leven. Als nieuwe schoenen onvermijdelijk waren, moesten ze minstens een jaar lang door een bediende worden bewerkt eer ze gedragen konden worden.

Sterns kostuum etaleerde geld, iets onvergeeflijks. Het gladde haar, rossig als van een vos, was goed geknipt maar een fractie te lang. Zijn manchetten waren te wit, zijn manchetknopen te groot. Hij bood Boy een havana aan en Boy, die deze had aangenomen, had het gevoel of hij zijn vingers brandde. Toch was hij er blij om. Hij had nog even tijd om na te denken. Hij had gerepeteerd wat hij wilde zeggen maar was zich er nu van bewust dat hij op het puntje van zijn stoel zat. Hij schoof achteruit, sloeg zijn benen over elkaar en rechtte zijn schouders. Hij probeerde Stern aan te kijken met de blik die hij van plan was, die hij gebruikte voor zijn manschappen als hij hen aansprak voor een gevecht, direct, zonder angst, met een aangeboren superioriteit. Hij trok zijn schouders naar achteren, maar kon niet beginnen. Zijn hoofd voelde verward. Hij nam een slok whisky. Een van Sterns goed geschoeide voeten tikte. Ergens achter in zijn hoofd hoorde Boy de echo van kanonnen. Voorzichtig zette hij zijn glas neer. Zijn hand beefde en hij hoopte dat Stern het niet had gezien. Hij begon te zweten. Het was warm in de salon. Plotseling was hij bang dat hij zou gaan stotteren als hij iets zei, dat was ook een paar maal gebeurd voor zijn manschappen, als hij slecht had geslapen, als de gebeurtenissen van de dag ervoor buitengewoon verschrikkelijk waren geweest. Maar als dit in Frankrijk gebeurde, had hij zijn sergeant om hem te helpen. Deze Mackay had altijd naast hem gestaan tot – drie weken geleden – de granaat uit een geweer bewees dat zijn sergeant toch niet onverwoestbaar was. Bloed in de lucht, rook in de lucht. Boy wuifde met zijn hand voor zijn gezicht, als om de sigarerook te verdrijven. Hij wachtte tot het heden zich weer deed gelden – zoals altijd. Hij trok aan zijn oor. Het kanongebulder verstomde. Stern keek op zijn horloge. Boy boog zich naar voren. Helder en beknopt: een officier en een heer. 'Dit huwelijk,' zei hij met een stem die te luid was. Het kon hem niet schelen. 'Ik ben gekomen om te zeggen dat het huwelijk niet doorgaat.'

Boy was toen twee dagen in Engeland. Hij had steeds tussen Londen – waar hij Maud had gezien – en Winterscombe – waar de bruiloft was – heen en weer gereisd. De woorden die hij tegen Stern bezigde: 'Dit huwelijk gaat niet door', had hij al vele malen geuit... Tegen zijn vader, tegen zijn moeder, tegen Maud, tegen Freddie en tegen Steenie. Gwen huilde. Zijn vader zei kortaf dat hij zich met zijn eigen zaken moest bemoeien. Ook Freddie begreep het niet. Maud zei dat als Montague ergens op stond, hij niet te bewegen was, en hij stond op dit huwelijk. Steenie had hem aangeraden het op te geven. 'Boy, je kunt net zo goed proberen een lawine tegen te houden met een plumeau. Vergeet het, en vergeet het nu.'
Boy had al die opmerkingen genegeerd. Hij achtervolgde Constance die hij pas laat die middag bij het meer trof. Een grauwe dag, vorst in de lucht, het gras krakend onder hun voeten, een laagje ijs op het meer. Vanuit de bleekheid van de lucht kwam de glinsterende Constance.
Ze droeg een nieuwe mantel, onmogelijk duur, dat zag Boy wel. Er was een capuchon bij, gevoerd met wit vossebont. Toen Constance

zich omdraaide om hem te begroeten, stond er een bevroren stralenkrans van vossebont en ijskristallen om haar gezicht. Zwart haar, een helderrode mond, wolkjes stoom toen ze zijn naam riep. Ze nam zijn hand tussen haar zachte leren handschoenen. Ze ging op haar tenen staan.

'Francis, daar ben je!' En ze gaf hem een kus op zijn wang. Ze danste om hem heen en liet het hondje zien dat ze bij zich had. Het was een kleine kees, sneeuwwit en absurd. Boy had hem met één enkele trap kunnen doden. Zodra het dier Boy zag, ontblootte het zijn tanden. Constance gaf hem een standje en maakte zijn lijn van vuurrood leer vast aan een halsband van rijnstenen.

'Mijn verlovingsgeschenk van Montague!' Constance streelde de vacht. 'Heb je ooit zo'n gek beest gezien? Of een meer vulgaire halsband? Enig, hè!'

Boy had zich nooit groter en trager gevoeld. Hij volgde Constance en de hond over de gazons. Zijn voeten lieten grote stappen na in de rijp. Hij legde het uit – daar was hij zeker van, hij wist zelfs dat hij haar ten huwelijk had gevraagd zoals hij van plan was geweest. Constance druppelde uit zijn handen, het was of hij probeerde water beet te pakken.

Toen ze bij het terras waren, kuste ze hem nog eens op zijn wang. 'Weet je nog? Lieve Francis, natuurlijk weet ik het nog. Ik houd ook heel veel van je. Heb ik altijd gedaan en zal ik altijd doen. Je bent mijn speciale beschermengel en mijn broer. O, ik ben zo blij dat je verlof hebt gekregen voor de bruiloft. Ik zou het vreselijk hebben gevonden als jij er niet bij was. Herinner je je het ringetje dat je me nog eens hebt gegeven? Met een blauwe steen. Die draag ik dan – blauw voor geluk, weet je. Maar om mijn hals, anders wordt Montague jaloers.' Ze huiverde. 'Koud, vind je niet? Laten we even rennen! En dansen! O, ik ben zó gelukkig!'

Ze rende met hem, van hem vandaan. Een klein figuurtje met de belachelijke hond die achter haar holde. Daarna was het haar gelukt niet meer met hem alleen te zijn, daar was hij zeker van. Nu bleef hem – waar hij vanaf het begin bang voor was geweest – alleen Stern over. Constance, een vrouw, eigenlijk nog een kind, kon niet tegen Stern op, dat had hij geweten.

'Gaat niet door?' Sterns gezicht verscheen weer voor zijn ogen. Hij keek naar Boy met afstandelijk en wereldwijs plezier. 'De bruiloft is overmorgen. Beste kerel, ik ga vanavond naar Winterscombe. Ik had gedacht dat we samen zouden reizen. Zijn er moeilijkheden, Boy?'

'Je bent geen geschikte echtgenoot voor Constance.'

Er stond iets vreselijks te gebeuren. Boy had er absoluut geen voorgevoel van. De woorden stroomden en hij stotterde geen enkele maal.

'Afgezien van de kwestie van leeftijd en uw... "vriendschap" met mijn tante...'

'Afgezien daarvan?' Een flauwe glimlach. 'Boy, je verbaast me.'

'Afgezien van uw ras, de verschillen in achtergrond...'

Woorden als een van de nieuwe tanks. Hij zag ze bezig in de modder. Ten slotte stelde hij Stern voor het enige eervolle te doen en het huwelijk af te zeggen. Hij deed een beroep op zijn instincten van *gentleman*, waarbij hij het duidelijk maakte dat Stern die niet had. Stern nipte aan zijn whisky, trok aan zijn sigaar.

'Onmogelijk, ben ik bang.'

Dat was alles. Geen woord over liefde, geen rechtvaardiging. Boy kreeg het warm. De kanonnen bulderden en Boy werd bang. Hij rook zijn mislukking en daarom begon hij aan zijn laatste aanval die hij in reserve had gehouden.

Hij begon over Hector Arlington. Boy begreep geldzaken niet zo goed als hij gewild had maar hier had hij een goed idee van. Zijn stem werd luid.

'Hector en ik zaten in hetzelfde regiment. We waren oude vrienden. Hij vertelde me wat u zijn moeder had aangeraden. Voordat hij stierf...'

'O ja, heel tragisch. Het speet me buitengewoon toen ik het hoorde.'

'U hebt hen uitgezogen. U bent schijnheilig. U hebt een fortuin verdiend aan deze oorlog en nu zit u hier en zegt dat het u spijt – terwijl het uw fout is dat de Arlingtons te gronde zijn gegaan. U hebt mijn vader – u hebt zijn huis gebruikt. Als Hector was blijven leven...'

'Als Hector Arlington was blijven leven, hadden er slechts voor één persoon successierechten betaald moeten worden. Dan zou de situatie aanzienlijk anders zijn geweest, Boy...'

'Lieg niet tegen me.' Boy was vuurrood geworden. Hij kon zijn handen niet stil houden. De kanonnen bulderden nog harder, zodat de minister achter hem opkeek.

'Het is niet alleen Arlington. Uw eerste partners – die u in de bank hebben opgenomen. Wat is er met hen gebeurd? Een van hen sneed zich de keel door – en waarom? Omdat u hem gebroken had. O, u zegt dat dat oude geruchten zijn maar ze zijn toevallig waar. Ik heb mensen gevraagd, met Maud gepraat. Ik...' Boys ogen werden groot. 'O, dat is het! Dat realiseer ik me nu pas! Daarom heeft mijn vader het toegestaan. Hij is u geld schuldig en dit huwelijk is een vorm van terugbetaling.' Boy nam een slok whisky om te kalmeren. Hij werd trots op zichzelf. Zijn vader zou ook zo hebben gesproken. 'Ik veronderstel dat dat de zaak vereenvoudigt. We kunnen het behandelen als een financiële transactie. Hoeveel om je af te kopen, Stern? Er is kennelijk een prijs. Noem hem.'

Stern nam tijd om te antwoorden. Hij deed niet beledigd en dat stelde Boy teleur.

'Vreemd genoeg...' Stern keek in de verte. Hij klonk ironisch. 'Ondanks het feit dat ik een jood ben, is er geen prijs. Ik ben... niet geneigd om me te laten afkopen, zoals jij het noemt.'

Hij keek op zijn polshorloge toen hij dat zei alsof Boy hem niet langer interesseerde. Toen haalde hij met een elegante hand een envelop uit het borstzakje van zijn colbert en legde die op zijn knie. Hij wachtte.

'Ik zal het tegen Constance zeggen,' barstte Boy uit. 'En niet alleen tegen Constance. Ik zal... ik zal... de waarheid bekend maken. Ik zal...'

Hij zocht wanhopig naar iets wat deze man kon ontmaskeren, waaruit bleek dat hij een geldschieter en profiteur was.

'Boy.' Stern keek hem kalm aan. 'Ik geloof dat je over je toeren bent. Daar zijn ongetwijfeld redenen voor. Zou het niet beter zijn als we deze conversatie vergaten en jij vertrok?'

'Dat doe ik niet.' Boy keek koppig. Hij zag Constance van hem weg dansen. 'Dat doe ik niet. U mag Constances leven niet ruïneren. Als het moet, sta ik op in de kerk en vertel alles. Dat u jaren lang de minnaar van mijn tante bent geweest. Dat u oud genoeg bent om haar vader te zijn. Constance houdt niet van u. Ze kan niet...'

Hij zweeg. Zonder een woord had Stern de envelop op zijn schoot gelegd.

Boy tuurde ernaar. Een vierkante envelop, niet geadresseerd, open. Daarin zat iets stevigs. Zijn handen beefden toen hij de flap opende.

Een foto. Hij hoefde die niet uit de envelop te halen, een enkele blik was voldoende. Een van zijn eigen foto's, een van de geheimen van zijn leven: een jong meisje. Onschuld en ervaring. Haar jurk was nat.

'Hoe komt u eraan?'

De zin haperde maar Stern beantwoordde de vraag niet, er was geen antwoord nodig: van Constance zelf. Van Constance die hij zoveel cadeautjes had gegeven, een kanten kraag, een ketting met

371

kralen van amber, de ring met de blauwe steen, de hopeloze bewijzen van zijn toewijding en – omdat ze erom vroeg en ze vroeg zo
weinig – het sleuteltje van zijn kast.
'Ik heb haar nooit pijn gedaan. Heb haar nooit aangeraakt. Ik geef
u mijn woord.'
De pijn was groot, maar hij moest zich rechtvaardigen, zelfs tegenover Stern.
'Ik zocht naar haar. In mijn foto's. Ik wilde haar vastleggen.'
Het was de beste verklaring die hij kon geven voor iets wat hij zag
als een speurtocht, nooit als een perversie. Maar Constance was
geen vlinder die je kon vastspelden. Ze weerstond categorieën, net
als foto's. De opmerking, waar Boy meteen spijt van had, zette
Stern aan het denken.
'Ik begrijp het. Ik geloof je. Toch...'
Er flikkerde iets in Sterns ogen – begrip, misschien zelfs iets van
meeleven. Toen verstrakte zijn gezicht en hij stak de envelop weer
weg. Boy kwam moeilijk overeind. De grond onder hem bewoog.
Niemand keek op.
Hij raakte in verwarring en zeilde zonder Stern te groeten naar de
deur. Hij had dronken kunnen zijn, zo onvast stond hij op zijn benen.
Toen Boy vertrokken was, belde Stern vanuit de club naar Constance. Hij wist dat ze op zijn telefoontje wachtte.
'Heb je het gedaan?'
Haar stem kwam en ging en had een klank die op angst of opwinding wees.
'Ja, het was onvermijdelijk, ben ik bang.'
Hij gaf haar een kort verslag maar Constance wilde ieder detail horen. Hoe had Boy eruitgezien? Wat had hij gezegd? Was hij gekwetst?
'Je kunt nauwelijks verwachten dat hij er gelukkig uitzag,' zei
Stern kort.
'Huilde hij? Ik heb hem vast aan het huilen gebracht. O, Montague...'
'We praten morgen verder.'
Stern keerde terug naar de rooksalon en zette zijn stoel met de rug
naar de aanwezigen zodat hij niet gestoord zou worden. Hij haalde
de foto weer te voorschijn. Stern had medelijden met Boy, die hij
altijd had gemogen.

Constance wilde dat haar bruiloft vol snelheid was. Ze wilde dat
het een dans was, alles vrolijk. Geen tijd om te denken, geen frag-

menten. Ze had het middenpad van de kerk in Winterscombe willen afrennen, maar Denton was zo langzaam en buiten adem. Ze voelde zich licht als de koude lucht die haar optilde uit de auto met zijn witte linten, die haar langs het kerkhof dreef, langs de grafstenen blinkend van harde witte sneeuw. Ze danste de kerk door op haar satijnen schoentjes, blij met de koude vloer.

Schoentjes die speciaal uit Parijs waren gekomen, de oorlog betekende voor Montague Stern geen grenzen en hinderpalen. Gwen bestelde alles. Stern betaalde. Schoentjes, witte kousen van de fijnste zijde, opgehouden door iets te nauwe blauwe kousebanden. En de japon! Vijftienmaal passen bij Worth, *mousseline de soie*, Brussels kant. Een lange sleep die achter haar uitwaaierde, iets prachtigs, met kristallen bloemen en sterren! Een heel smal middel, ingeregen en weer ingeregen, waarbij haar nieuwe kamenier de veters van haar witte corselet aantrok – *trekken, nog meer*! had Constance geroepen – eenenveertig centimeter, veertigeneenhalf, veertig. De spanwijdte van Montagues handen, dat had ze bereikt. Ze kon nauwelijks ademen, maar op deze dag had ze zoiets gewoons als zuurstof niet nodig. Zijzelf was lucht, onoverwinnelijk.

Er waren diamanten om haar polsen en in haar oren, diamanten lagen als tranen op haar sluier. De diamanten waren een cadeau van Montague. Ze waren haar insigne, de talisman van haar durf.

Constance die naar links en rechts keek toen ze het middenpad afliep, had een gevoel van triomf. Wat kwam het er op aan dat de gemeente kleiner en minder voornaam was dan ze had gewenst? Sommige van degenen die uitgenodigd waren kwamen niet, vanwege Maud. Het kon Constance niet schelen, ze zochten haar later wel op. Ze kon hen voor zich winnen, zij en Montague.

Lady Cunard was gekomen – ondanks Maud. Een vrouw die de verschijning van een nieuwe ster aan het firmament voelde. Dan Gus Alexander, die haar ooit een mand met tweehonderd rode rozen had gestuurd. Conrad Vickers, die – nu Boy het weigerde – de trouwfoto's zou maken. Hij flirtte met Steenie. Drie leden van het kabinet, zonder hun vrouwen. Financiers. Landadel uit de buurt. Het was genoeg – deze bruiloft was pas het begin.

In de familiebank zag ze Gwen, met gebogen hoofd, Freddie, Boy in gala-uniform, Steenie die haar hondje op schoot had. De hond moest erbij zijn, had Constance gewild, tot consternatie van de dominee. Arm hondje, ze moest hem thuis laten als ze op de huwelijksreis gingen. Nog twintig passen, nog tien. Het altaar stond vol witte bloemen, geen lelies.

Daar stond Stern, die zich eindelijk omdraaide. Een kritische blik, een ongewoon somber kostuum. Maar wat sprak Montague de belofte langzaam. Constance keek hem ongeduldig aan. Waarom zo gewichtig? Als ooit iemand atheïst was, was Montague het wel. 'Om te hebben en te houden, vanaf deze dag.' Constance hield niet van die woorden en weigerde te luisteren. Ze haatte beloften. Acland had haar beloofd niet te sterven, beloften waren lucht, mensen hielden ze nooit.

Toen hij de ring aan haar vinger schoof, voelde ze zich nerveus, maar bij de volgende seconde voelde ze grote zekerheid. Het was bijna afgelopen.

Snel, snel. Sterns hand bereikte de hare. Ze was een getrouwde vrouw. Lady Stern. Het lag hard en duidelijk op haar tong.

Toen was het tijd om de bruid te kussen. Stern nam haar in zijn armen zoals ze wist dat hij zou doen, met ijselijke vormelijkheid. Ze sloeg haar armen om zijn hals. Sterns ogen ontmoetten de hare achter de bescherming van haar sluier. Ze waren koel, waakzaam. Toen hij zijn lippen op de hare drukte, schoof Constance snel haar tong ertussen.

'Zo, tegenstander,' mompelde ze in zijn oor, en legde haar wang tegen de zijne. Het was een nieuwe uitdrukking tussen hen.

'Zo, vrouw,' zei hij eigenaardig nadrukkelijk.

Ze wendden zich om. Constance huiverde. Het orgel speelde Bach.

De bruiloftsfoto's, de lunch. De foto's die Vickers' carrière inluidden waren beeldschoon. Constance heeft ze nog.

Het menu was gekozen door Constance – voor het eerst mocht ze haar voorkeur laten gelden: zeldzaam, duur en klein. Een vingerhoed kaviaar, kwarteleieren in zilveren mandjes, truffels als kogeltjes met mergsaus...

Constance at weinig. Ze wilde verder. Een enkel glas van Dentons roze champagne, een snippertje *foie gras*. De enige die minder at, was Boy.

Er zou na de lunch gedanst worden, ook dat had Constance verordonneerd. De huwelijksreis ging naar Dentons Schotse landgoed en de reis erheen was lang. Om één uur stond Constance van tafel op, om half twee was ze klaar. Ze ontsloeg de nieuwe kamenier die langzaam was vergeleken bij Jenna. Ze bekeek zich in de spiegel en draaide in het rond.

Toch geen mantel van hermelijn. Constance had aan hermelijn gedacht tot ze hoorde dat dit een soort wezel was. Dus zorgde Stern voor een mantel van sabelbont. Een crèmekleurig reiskostuum van zijde en kasjmier. Het zou koud zijn in Schotland. Dat interesseerde Constance niet. Ze zou met evenveel genoegen naar Noorwegen zijn gegaan – hoe kouder, hoe beter. Ook als het geen oorlog, geen winter was geweest, zou ze het idee van Frankrijk of Italië hebben verworpen. Ze wilde het extreme.

Een crèmekleurig reiskostuum, bijpassende zachte glacé laarzen tot aan de knie. Een tien centimeter brede kraag van parels, die koningin Mary in de mode had gebracht. Een hoed met een voile, die haar gezicht half verborg.

Afscheid van de gasten, de familie. Gus Alexander nodigde hen uit in zijn huis in New York. Een kleine, onaanzienlijke advocaat, Solomons. Lady Cunard. Conrad Vickers, Denton, Gwen, Freddie, Boy, Steenie. Boy leek dronken. Dat was hij niet, maar hij was de kluts kwijt. Toen Constance hem op de wang kuste, stopte hij een briefje in haar hand. Dit ergerde Constance en ze deed het, ongelezen, in haar handtas.

Ze vloog naar Steenie die ze omhelsde. Nam haar hondje in de armen en gaf Steenie nog een paar laatste instructies.

Met de grote auto naar Londen, met de nachttrein noordwaarts. Ze zou haar bruiloftsnacht in de trein doorbrengen. Constance lachte van verrukking. Ze kuste haar echtgenoot eerst kuis, toen, naarmate de trein aan snelheid won, hartstochtelijk. Stern beantwoordde haar kus, maar leek verstrooid. Dit irriteerde Constance. Ze trok zich terug. Stern zei niets en Constance legde haar wang tegen het koude glas van het raam.

In hun coupés van de nachttrein dronken ze champagne en kregen oesters.

'Ze ruiken naar seks,' zei Constance en dronk de schelp leeg.

Toen de trein eenmaal floot en schokte, en de wielen ritmisch begonnen te draaien, ging Constance de coupés verkennen. Wat waren ze knap gemaakt en wat een luxe. Ze was kinderlijk verrukt over de kastjes, het tafeltje dat een porseleinen wastafel verborg. Het was even praktisch en gezellig als een kapiteinshut. Toen inspecteerde ze haar bed met de gesteven witte kussenslopen. De dekens waren geruit. Maar geruite plaids herinnerden haar aan het ongeluk van haar vader. Dus ging ze door de vouwdeuren naar de andere coupé en zag dat die ook een bed had, en dezelfde inrichting.

'Twee bedden,' zei ze lachend tegen Stern. 'Zullen we eerst in het ene en dan in het andere gaan liggen? Het is zo'n lange reis...'

'Dat zouden we kunnen doen.' Stern stond bij de deur naar haar te kijken.

'Weet je wat ik wil...' Constance maakte het parelsnoer los.

'Zeg het maar.'

'Ik zou op mijn bontmantel willen liggen.'

'En?'

'Misschien met mijn kousen aan. En mijn kousebanden. En mijn ondeugende Franse schoenen. Ja. En jij zou me kunnen strelen, terwijl ik mijn laarzen aan heb.'

Stern trok zijn colbert uit. 'Laat me dan maar eens zien hoe je eruitziet, Constance, op je sabelbont.'

Constance gooide de mantel over de ruiten van de deken. Toen deed ze een poging om zich uit te kleden.

'Ik ben hopeloos zonder kamenier, Montague, je zult me moeten helpen.'

Ze bood Stern haar smalle rug. Zijn koele handen gleden langs haar hals, begonnen toen aan de haken en oogjes. Constance bleef bewegingloos. Ze luisterde naar Sterns ademhaling die gelijkmatig was.

Toen alles los was, liet Stern de jurk van haar schouders glijden zodat deze op haar enkels viel. Constance schopte hem opzij. Ze leunde met haar rug tegen hem aan binnen de cirkel van zijn armen. Ze greep zijn handen en trok die omlaag om te laten zien dat ze haar middel konden omspannen.

'Streel me,' zei Constance. Ze zag hoe de gemanicuurde handen van Stern over haar huid bewogen. Ze beet op haar lip. Ze drukte zijn hand tegen zich aan. De trein reed nu sneller. Sterns hand was droog en rook vaag naar zeep maar niet naar anjelieren. Dat bracht haar even in de war.

Nu trok Constance zijn hand naar haar borst. Ze sloot haar ogen. De trein schommelde. Ze kreunde even. Ze wist dat ze dit zou doen en leunde dicht tegen hem aan. Ze voelde zijn penis tegen haar rug. Keek hij naar haar? Constance dacht dat Stern altijd op haar lette. Ze boog haar hoofd. Hij kuste haar hals en ze voelde zijn mond tegen haar wervels. Handig maakte Stern haar haar los en daarna de veters van haar korset. De baleinen hadden vuurrode vlekken op haar ribben gemaakt. Ze wreef erover. Toen glipte ze uit Sterns armen, zilverig en handig als een vis. Ze wierp zich op haar bontmantel en keek op naar Stern, die zijn dasspeld losmaakte. Ze zag hoe hij zijn das, jasje en vest over een stoel hing. Constance deed een roze lampje uit.

'Laat het aan,' zei Stern, 'ik wil naar je kijken.'

Stern keek op haar neer en kwam toen naast haar zitten op het smalle bed. Het was de eerste maal dat Stern haar naakt zag. Con-

stance had een snellere reactie verwacht. Ze lag heel stil, telde de seconden. Stern bleef kijken, streek toen zachtjes vanaf het kuiltje in haar hals naar beneden, naar het zwarte haar tussen haar dijen.
'Je hebt een prachtige huid.'
Hij haalde zijn hand weg. Constance wist niet of hij haar naaktheid mooi vond of dat die hem teleurstelde. Ze had zijn gezicht nooit zo gesloten gezien.
'Zullen we praten – een poosje?'
Dat voorstel, zo vreemd gedaan met iets van aarzeling, verbaasde Constance. Ze dacht even aan het idee van Stern als verlegen bruidegom maar verwierp dat dadelijk. Ze ging rechtop zitten, sloeg haar armen om zijn hals.
'Praten? Nu? Montague – we zijn man en vrouw.'
'Ik neem aan dat echtgenoten een enkele maal met elkaar mogen praten?'
'Een enkele maal. Maar op hun bruiloftsnacht? Zijn er dan geen zaken die voorrang hebben?'
'Er is geen voorrang meer. We hebben tenslotte de hele rest van ons leven.' Hij zweeg even. 'Begrijp je de betekenis van het woord "bekennen" zoals het in de bijbel wordt gebruikt?'
'Natuurlijk,' lachte Constance. 'Adam bekende Eva. Het betekent "neuken". Ik ben geen kind meer, Montague.'
Het woord 'neuken' scheen hem te ergeren. Hij fronste. Constance, die een beringde hand op zijn dij wilde leggen, trok die terug.
'En dus? "Bekennen" – ik begrijp de betekenis – wat maakt dat voor verschil?'
'Precies wat ik dacht – voordat we elkaar op die manier kennen, moeten we het ook op andere manieren doen. Je weet heel weinig over me, Constance, en in bepaalde opzichten weet ik heel weinig over jou.'
'Montague, hoe kun je dat zeggen? Je kent me door en door. Alles wat belangrijk aan me is, heb ik je verteld of heb je zelf gezien. Kijk dan – daar ben ik, helemaal naakt voor mijn echtgenoot.'
Toen ze dat zei, leunde Constance zo naar achteren dat het zwarte haar uitwaaierde over het kussen. Ze vouwde haar handen achter haar hoofd, een houding die haar borsten op hun voordeligst deden uitkomen. Ze wachtte tot Stern dat eigenaardige verlangen om te praten vergat.
De houding had geen effect. Sterns gezicht verstrakte.
'Goed. Als jij wenst te geloven dat je aard zo doorzichtig voor me is, moet je dat doen. Maar dat is niet het geval. En er zijn bepaalde dingen die ik je wilde vertellen – over mijzelf.'

Er volgde een stilte. Constances hart bonsde. Ze keek haar man aandachtiger aan. Er scheen een worsteling te zijn tussen zijn zwijgen en spreken, tussen zijn onthulling en terughoudendheid. Een geheim! Ze kreeg een geheim te horen – iets, en dat wist ze plotseling zeker, wat Stern aan niemand had verteld. Zou het gaan over geld, een duistere gebeurtenis in zijn jonge jaren, een gebeurtenis die zijn snelle carrière verklaarde – of ging het om een vrouw? Constance was een en al aandacht.

'Ik heb dit nooit aan iemand verteld,' begon Stern langzaam. 'Ik zal het ook nooit meer vertellen. Maar jij bent nu mijn vrouw – en ik vind dat je het moet weten. Het betreft mijn kindertijd.'

Stern vertelde Constance toen een verhaal over een kindertijd met veel liefde, maar met grote armoede. Als jongen, een vroom kind van vrome ouders, had Stern de *yarmulka* gedragen. Zolang hij maar in de jodenbuurt van Whitechapel bleef, was hij veilig, het was minder veilig als hij zich verder waagde. Daar gooiden gojimjongens stenen naar joden, bepaalde straten waren beschermd, andere niet.

Toen hij op een avond terugkeerde van een boodschap voor zijn vader, die hem buiten de joodse buurt had gebracht, werd hij in een hoek geduwd door een troep gojimjongens. Hij was alleen, negen jaar. De jongens waren ouder en sterker en ze waren met hun achten. Hij had een lap wol bij zich, dure stof voor een speciale bestelling, stof die zijn vader niet zou kunnen vervangen. Ze pakten hem die af, sneden erin met messen, gooiden hem in de goot. Daarna had een jongen nog een idee. Ze rukten zijn *yarmulka* van zijn hoofd. Eén jongen spuugde erop, een ander urineerde erop, een derde stopte hem in Sterns mond. Ze trapten hem, stompten hem en braken zijn neus. Eindelijk verveelde het hen en toen lieten ze hem met rust. Toen hij thuiskwam, begon zijn moeder te huilen. Zijn vader, die klein en niet gezond was, pakte een stok en ging weg om de jongens te zoeken, maar hij vond hen niet. Kort daarna kreeg hij longontsteking en stierf. Zijn moeder bleef achter met zes kinderen – Stern was de oudste – en geen middelen van bestaan. Stern ging van school om zijn oom te helpen die ook kleermaker was. Op zijn dertiende werd hij loopjongen bij een handelsbank in de City, waar hij vijf shilling per week verdiende.

'En zo begon ik zaken te doen,' zei hij.

Er volgde een stilte. Constance wachtte tot haar man verder ging. Dat was toch niet het hele verhaal? Waar bleef de onthulling? Dit had ze wel zo'n beetje kunnen raden. Na een poosje, toen Stern nog steeds zweeg, ging ze rechtop zitten en liet het laken van haar borsten glijden. Ze legde haar hand op de zijne. 'Ik luister,' zei ze, 'vertel me nu de rest.'

'De rest?' Stern wendde zich naar haar om met nietsziende ogen. 'Er is geen rest. Dat wilde ik je vertellen.'

'Is dat alles? Maar Montague, ik begrijp het niet. Ik wist wel dat er iets dergelijks met je gebeurd moest zijn. Er zijn vooroordelen, gemene vooroordelen en...'

'Iets dergelijks?' Stern stond op. Hij keek op haar neer. Constance uitte een zwakke kreet, ze probeerde haar armen om zijn middel te slaan.

'Montague, kijk me niet zo aan! Je begrijpt me niet. Het is een afschuwelijk verhaal – dat zie ik. Maar toch heb ik het gevoel dat er méér is, dat je iets hebt weggelaten. Vertel het me alsjeblieft. Ik zal het begrijpen – wat het ook is.'

'Er is verder niets.'

'Liefste Montague, je kunt het me echt vertellen. Ik ben je vrouw. Je bent achter die jongens aangegaan – je wist wie het waren. Je hebt gewacht en hebt, jaren later misschien, wraak genomen. O!' Ze huiverde, haar ogen glinsterden. 'Ik heb gelijk, ik zie het aan je gezicht. Je deed iets heel slechts. Wat was het? Heb je een van hen vermoord, Montague? Als ik nu naar je kijk, geloof ik dat je zou kunnen doden. Heb je dat gedaan?'

Stern maakte zijn handen los en deed een stap achteruit. Zijn gezicht had zo'n koude uitdrukking dat Constance zweeg.

'Ik kende die jongens niet. Ik heb geen van hen ooit nog gezien. Je fantasie is veel te dramatisch. Je mist de clou, liefje.'

'Mist de clou?' Constance was gepikeerd door zijn toon. 'Nou ja, ik ben natuurlijk heel langzaam. Vandaag is mijn trouwdag en ik verwachtte niet dat ik op mijn bruiloftsnacht meegenomen zou worden naar Whitechapel. Maar als dat dan moet, kun je het me beter uitleggen. Wat is de clou?'

Het was stil. Montague scheen te worstelen met zichzelf. 'Je bent zo mooi. Je huid, je haar, je ogen...' Constance rook de overwinning.

'Ik dacht dat je me lelijk vond, Montague, daarom deed ik zo dom. Ik...'

'Je bent niet lelijk. Ik heb je nog nooit zo mooi gezien.'

Hij legde zijn hand licht tegen haar keel en tilde het haar van haar gezicht. Constance dacht dat hij aarzelde – Stern, die nooit aarzelde – toen liep hij achteruit.

'Ik ben eens zo gewond – daar gaat het om. Mijn denken was gewond en sommigen zullen zeggen, ook mijn hart. Ik wilde dat je dat wist. Als je mijn karakter wilt begrijpen, zou dit je kunnen helpen. Die verwonding is heel nuttig voor me geweest. Ik heb er mijn voordeel mee gedaan.'

Hij zweeg. Constance zag voor het eerst dat ze een grote fout kon hebben gemaakt. Zijn toon was zo beleefd dat ze er koud van werd.

'Altijd als ik op het punt sta mij gehaast ergens in te storten of iets te zeggen waar ik later spijt van kan hebben – en dat overkomt zelfs mij wel eens... herinner ik me die episode. Die houdt me tegen. Dat is een groot voordeel, zowel in zaken, als, merk ik nu, bij mijn vrouw. Welterusten, Constance.'

Hij opende de deur naar het compartiment ernaast. Constance sprong op.

'Montague, wat doe je?' Ze greep zijn arm. 'Ik begrijp het niet. Wat houdt je tegen? Wat wil je niet zeggen?'

'Niets, lieve kind. Ga maar naar bed.'

'Ik móet het weten! Je móet het me vertellen. Wat had je willen zeggen?'

'Niets van belang. Vergeet het maar, dat doe je vast wel.'

'Montague...'

'Liefje, ik houd er niet van met je te vrijen in een trein – dat is het, denk ik. Het is een lange reis en ik vind dat we beter kunnen gaan slapen.'

Hij sloot de tussendeur. Constance hoorde de grendel verschuiven. Ze kreeg het koud, ze rilde. Haar naaktheid leek dwaas, ze wikkelde zich in haar bontmantel. Toch bleef ze stil staan luisteren.

Ze dacht dat ze boven het lawaai van de wielen water hoorde lopen, het geritsel van kleren of lakens hoorde. Ze tuurde gespannen naar de streep licht onder Sterns deur. Even later ging het licht uit.

Als ze nu op de deur tikte, of zijn naam riep, zou hij zeker terugkomen – bijna zeker. Maar ze veranderde van gedachten en deed een stap achteruit.

Smeken, op haar bruiloftsnacht? Nooit. Woedend ijsbeerde ze door de kleine ruimte. Ze dacht na over wat haar man had gezegd, peuterde zijn woorden uit hun verband zoals een kind een nieuw stuk speelgoed uit elkaar haalt. Toch bleef die boosheid van haar man een mysterie, wat had ze dan gezegd?

Na een half uur was ze ervan overtuigd dat ze de oplossing had gevonden. Hij had slechts de halve waarheid verteld en de rest was gewelddadig. Stern had zich gewroken en op een dag zou ze hem dat geheim ontfutselen. Ze moest en zou het weten! Dat was de geheime macht van haar echtgenoot: dat vermogen tot geweld dat hij voor de wereld verborgen hield. Onder die beleefde, beheerste man van de wereld lag een roofdier. O, het was gevaarlijk die man boos te maken – hij had zelfs het vermogen in zich te doden.

Dat idee vond Constance opwindend, ook lichamelijk. Haar huid prikte. Haar tepels waren harde punten tegen de zijden voering van haar bontmantel. Ze stak haar hand tussen haar benen en leunde tegen de deur die haar van haar man scheidde. Ze gleed heen en weer met haar vinger. Om te vrijen met een moordenaar, zodat hij zichzelf en al zijn geheimen in haar uitstortte, overweldigd te worden door de bloeddorst van zulke seks. Wie verlangt naar tederheid – als je zoiets kunt hebben – een tocht door de gloeiende corridor naar de meest duistere plek? Constance kreunde, een heet, kort moment van ondergang, de 'kleine dood' noemden dichters dat volgens Acland.

Nu waren woede en uitdaging weg. Ze wilde niet meer op de deur kloppen. Laat hem maar slapen, ze kon wachten. Ze had geen slaap, ze had liever slapeloosheid dan nachtmerries. Haar dromen waren dikwijls afschuwelijk, dus bracht ze de tijd door met het uitpakken van haar weekendkoffertje. Haar haarborstels met CS – dezelfde initialen als vroeger. Ze stopte de geruite dekens weg, zodat ze er niet meer naar hoefde te kijken. Toen viel haar oog op haar handtasje en ze dacht aan wat Boy haar in de hand had gestopt. Ze haalde het briefje te voorschijn. Ze gaapte. Ze trok de envelop open met een nagel die niet langer afgebeten was, daar had ze zichzelf van genezen. Verwijten, dacht ze, wat saai. Ze opende de brief.

Hij was niet langer dan een bladzij. Constance las hem eenmaal, tweemaal, toen een derde maal. En omdat de brief maakte dat ze het koud kreeg, dat haar handen gevoelloos werden, dat haar lichaam begon te beven, duwde ze de brief terug in haar tas en stopte die weg.

Ze wilde er niet naar kijken. Ze trok haar nachtjapon aan en kroop tussen de lakens. De brief achtervolgde haar in bed en ze kon er niet van slapen.

Hoe laat was het? Na middernacht. Er was niets dat ze kon doen.

Waar waren ze? Zo nu en dan stond de trein stil. Telkens als ze stopten kroop Constance uit bed, duwde het stijve gordijn opzij en keek naar buiten. Maar de stations waren te donker. Birmingham? Manchester? Newcastle? Ze had geen idee van hun route en dat maakte haar bang. Ze reisden naar het noorden. Ze zaten in het donker. Ze gingen steeds sneller nu ze, voor deze ene keer, alleen maar zou willen stoppen.

Het duurde niet lang voor de bruiloftsgasten vertrokken. Om drie uur waren de laatsten weg. Alleen Conrad Vickers was er nog, al zou hij niet lang meer blijven. Steenie werd onrustig nu de gasten waren verdwenen. Ook Steenies huisgenoten schenen het gevoel te hebben dat ze niet langer pasten in het huis. Ze bleven nog een tijd bij de open haard zitten en probeerden een gesprek op gang te houden. Steenie had het gevoel of met Constance alle leven uit huis verdwenen was.

Het gesprek ebde weg. Zijn vader viel in slaap. Freddie bladerde in een tijdschrift over paarden en keek somber naar advertenties over jachtkledij. Gwen zat alleen voor het raam en staarde naar het meer. Haar haar was grijs, zag Steenie nu, grijzer dan hem ooit was opgevallen. Hij wist dat ze niet naar het meer keek maar naar haar dode zoon Acland.

Aan de andere kant van de kamer, op de chaise-longue waar Maud zo dol op was, zat Boy. Hij zat kaarsrecht met zijn handen op zijn knieën en maakte krakende geluiden met zijn vingers. Het leek of hij wachtte op een bevel om de loopgraaf uit te komen en aan te vallen.

Als Wexton bij hem was geweest zou Steenie die anticlimax van zijn familie niet zo erg hebben gevonden. Maar Wexton was er niet – alleen Vickers die zulke knappe foto's maakte, die zijn haar nog langer durfde dragen dan Steenie. Steenie wist eigenlijk niet of hij Vickers wel mocht, al probeerde hij hem in bepaalde opzichten te evenaren – in zijn kleding bijvoorbeeld. Bovendien flirtte Vickers met hem, daar hoefde hij niet aan te twijfelen, en Steenie was erdoor gevleid. Wexton was al zo lang weg. Vickers scheen zich niet veel van de stilte aan te trekken. Hij was een echte babbelkous en zat nu na te kaarten over de bruiloft. Alle gasten kwamen aan bod. Terwijl Steenie zijn kleren bewonderde, liep Vickers de gastenlijst door. Hij kwam bij Constance. Hij had het over haar japon, haar sluier, haar verbazingwekkende diamanten. Hij belandde bij Stern en vond het heel bijzonder dat de man zich voor deze ene keer had aangepast aan een beschaafde smaak. Geen kleurig vest – al was hij ertoe in staat geweest.

'Wat een terughoudendheid,' lachte Vickers. Hij legde een hand op Steenies knie. 'Wat denk je, bekeert hij zich of komt het door Constance?'

'O, ik denk van niet.' Steenie keek naar Vickers' hand. De druk ervan was niet onplezierig. 'Connie adoreert hem zoals hij is, ze vindt het juist dapper dat hij zo principieel vulgair is. Ze zegt dat hij het expres doet.'

'Nee toch!' Vickers was verrukt over die onthulling. 'Vertel eens wat meer. Ik snak ernaar dat huwelijk te begrijpen. Echt,' en hij liet zijn stem dalen, 'ik vind hem wel een priezeltje sinister. Ik zal je de geruchten die ik over hem heb gehoord maar niet vertellen. Mijn zuster zei...'

Hij praatte erover door terwijl Steenie half luisterde en probeerde aan Wexton te denken. Hij probeerde zich Wextons gezicht voor de geest te halen. Toen dat niet lukte, keek hij naar Boy – en schrok.

Boy zat nog steeds rechtop op de *chaise-longue*, zijn ogen nog steeds in de verte starend. Zijn gezicht was zonder uitdrukking. Een enkele maal schudde hij zijn hoofd heen en weer. Steenie zag zijn lippen bewegen: woorden, zinnen, Boy praatte kennelijk in zichzelf. Naderhand wist Steenie niet of hij een wandeling had voorgesteld uit bezorgdheid voor Boy of uit een verlangen om aan Vickers te ontsnappen. Hij kon Wexton toch niet bedriegen en hij kon evenmin zijn broer tegen de lucht laten praten. Steenie stond op en keek naar het keeshondje van Constance dat beledigd lag opgerold op de bank naast Vickers. Hij kreeg een ingeving.

'Ik moet Connies hond nog uitlaten. Boy – Vickers – gaan jullie mee?'

Vickers wierp vol afgrijzen zijn handen in de lucht. 'Wandelen? In die vieze natte modder? Die afschuwelijke frisse lucht? Trouwens, ik ben laat...'

Boy had niet gereageerd. Hij bleef in de ruimte staren. Steenie dacht dat Boy hem niet had gehoord. Gehaast duwde hij Vickers naar buiten. Vickers logeerde bij vrienden in de buurt. Hij nodigde Steenie uit voor héél gauw, maar toen hij bij zijn auto stond, keek hij om naar het huis.

'Ik moet zeggen dat Boy ontzettend ráár doet, vind je niet? Wat is er?'

Steenie kreeg een hoofd als vuur. 'Het is... de oorlog. Frankrijk, weet je. Acland was net zo. Over een paar dagen is hij weer in orde...'

Vickers leek niet overtuigd. Hij kuste Steenies wit met roze wang. 'Wat ellendig. Lieverd, vergeet het niet, als je je al te somber voelt, als je wilt praten, dan kom je maar. Ik ben er in ieder geval.'

Steenie ging met tegenzin terug naar het huis. Halverwege de treden van het bordes wenste hij dat hij met Vickers was meegegaan.

Maar bovenaan zag hij Boy die weer opgeknapt scheen te zijn. Hij ademde diep.

'Een wandeling!' riep hij tegen een van de zuilen van het bordes. 'Reuzegoed idee. Net wat we nodig hebben. Even de hond laten rennen, hè?'

Hij wierp Constances hondje die tegen een zuil stond te plassen, een blik van intense antipathie toe.

'Ik ga me even verkleden,' zei hij tegen de hemel. 'Ik zie je zo dadelijk.'

Een kwartier later was hij terug. Steenie had zijn Londense overjas aangetrokken, met zijn Londense das en handschoenen en droeg Londense schoenen. Boy daarentegen had zijn oudste tweed kleren aan, jachtkousen en stevige sportschoenen. Hij had een van de Purdeys onder zijn arm en het hondje liep achter hem aan. Steenie vond hem er belachelijk uitzien.

'We gaan korhoenders schieten. We nemen alleen een klein hondje mee voor een wandelingetje langs het meer...'

'Het meer? Ik dacht dat we naar het bos zouden gaan – een paar konijnen schieten. Het is een mooie dag.'

'Echt, Boy, als je denkt dat dat beest wild kan ophalen...'

Ze gingen op weg. Boy floot. De lucht was zuiver en scherp. Het hondje liep achter hen aan. Tot zijn verbazing voelde Steenie dat hij weer in een goede stemming kwam. Misschien de volgende dag naar Vickers...

Hij ging in de pas lopen met zijn broer. Ook Boy was opgewekt, een soort nostalgische opgewektheid. Ze klommen altijd in die boom, wees hij. Acland beweerde dat je vanaf de top de eeuwigheid kon zien. Echt iets voor Acland. O, en daar was zo'n goede plek om te vissen. Toen ze het bos bereikten, bleven die herinneringen doorgaan. Ja, daar hadden de vier broers nog eens een kamp opgeslagen. Daar was de boom waar ze hun initialen in hadden gekerfd: 1905. De laatste zomer zonder Edward Shawcross. Boy liep door en Steenie rende achter hem aan: 'Niet dat pad, Boy, dat pad neem ik niet.'

'Wat?' Boys gezicht was weer zonder uitdrukking.

'Niet die kant op. Dat gaat naar de open plek, waar... het ongeluk was. Ik ga er nooit naar toe – voor geen goud.'

'Best.' Boy keek om zich heen en ging toen op een omgevallen boomstam zitten. Hij haalde een pijp te voorschijn, toen lucifers, toen zijn tabakszak. Het irriteerde Steenie. Zo'n ceremonieel! Al die lucifers, dat peinzende trekken aan die pijp. Om gek van te worden! Boy hield er echter niet van zich bij dat ritueel te moeten haasten dus ging Steenie naast hem zitten met een sigaret, terwijl hij keek hoe Constances hondje tussen de bladeren snuffelde. Hij keek op zijn horloge.

'Boy, zo dadelijk is het donker. We kunnen beter teruggaan.'

Het was Boy bijna gelukt zijn tabak te laten branden. De tabak gloeide.

'Ik heb hem gedood, weet je,' zei hij rustig. 'Ik doodde Shawcross. Ik heb het Constance ook verteld. Ik heb haar een briefje gegeven. Ze moet het weten, nu ze getrouwd is. Denk je dat ze het al gelezen heeft?'

Steenie werd heel stil. Hij keek naar de hond en bedacht wat hij doen moest. Hij legde een hand op de arm van zijn broer. 'Boy,' zei hij schor, 'laten we nu maar teruggaan. Je ziet er afschuwelijk moe uit. Misschien voel je je niet helemaal goed. Heb je hoofdpijn?'

'Hoofdpijn? Nee. Ik voel me best. Waarom zou ik me niet goed voelen? Dit is een trouwdag. Natuurlijk voel ik me goed.'

Steenie slikte nerveus. Boy was krankzinnig. Hij zat hier naast zijn broer aan de rand van het bos en zijn broer was krankzinnig. Het was de oorlog. Dat deed de oorlog de mensen aan. Hij had er eens met Wexton over gesproken. Zo'n toestand heette 'oorlogsmoeheid'. Wexton zou zeker iets verstandigs doen. Hij zou... gewoon gezellig tegen Boy zijn.

Steenie sprong op.

'Hemel, wat een kou. Ik ben bevroren. Kom Boy, ik kan hier geen seconde blijven zitten, laten we teruggaan.'

Boy bewoog zich niet. Hij trok aan zijn pijp en tuurde naar het hondje dat zich had zitten krabben en nu lag te slapen op een hoop bladeren.

'Ik heb hem niet in die val geduwd,' ging Boy verder, alsof er geen onderbreking was geweest. 'Constance moet dat niet denken. Ik wist niet dat het ding er lag. Maar mamma ging naar zijn kamer en hij had dat niet moeten doen. Het was heel verkeerd. Het kwetste pappa. Eigenlijk had pappa hem moeten doden, maar dat zou hij nooit doen. En ik was de oudste...' Boy keek Steenie aan met een angstige blik alsof hij wachtte tot Steenie zou zeggen dat het goed was geweest. Steenie knielde neer. Hij pakte Boys handen.

'Natuurlijk, Boy, ik begrijp het. Maar daar moet je nu niet aan denken. Neem mijn arm, dan gaan we naar huis...'

'Ik had het erover met Acland. Dat deed ik eerst. Ik dacht dat ik er eerst met hem over praten moest. Hij – ik herinner me niet meer precies wat hij zei. Misschien dat Acland aan de Purdeys dacht – of was ik het? Wat gek dat ik het niet meer weet. Het zijn de kanonnen. Het lawaai stopt nooit.'

Hij schudde zijn hoofd. Hij trok aan zijn oor. Steenie begon te huilen.

'Kom alsjeblieft terug, Boy. Praat er toch niet meer over. Boy, het is niet waar. Het is de oorlog, de oorlog maakt dat je zo denkt...'

'De oorlog? Welke oorlog?'

'Boy, dat weet je toch, Frankrijk, België – de loopgraven. Kom terug...'

'O, die oorlog. Ik dacht dat je de andere bedoelde.' Boy stond op en klopte zijn pijp uit tegen een boomstronk. Hij stopte de pijp in zijn zak. Zijn gezicht klaarde op. 'In ieder geval heb ik Constance alles uitgelegd. Nu voel ik me beter. Ik vertelde haar waarom alles mis was gegaan. Ik had hem willen doodschieten, dat zou snel zijn geweest, een goede dood. Maar het probleem was...'

Hij dempte zijn stem. 'Haar vader was een lafaard. Dat vertelde ik Constance niet. Hij... hij knapte af. Hij begon te huilen, te smeken. Hij... liet zijn urine lopen. Dat overkomt sommige mannen, hoor. Ik heb het zelf gezien. Ze zijn bang om dood te gaan. En ze schreeuwen. Shawcross schreeuwde. Hij probeerde weg te lopen – zo is het gegaan, dat was fout. Hij had geen goede opleiding gehad, zie je. Je moet je heel stil houden. Diep ademen, dan beven je handen niet. Je ziet de dood recht in de ogen – terwille van je manschappen, begrijp je. En je moet hard roepen. Sergeant Mackay zegt dat dat het beste is.' Boy pakte Steenies arm en fluisterde: *'Hard roepen, meneer. Roep zodat hun darmen bevriezen, harder, meneer. Zo moet het. Laten ze zich maar onderpoepen. Rottige Kraut-kerels.'* Boy glimlachte. 'Ik keur zijn taal natuurlijk niet goed, maar zo praat hij. Het werkt. Maar Shawcross wist dat niet. Dus rende hij het mijnenveld in.'

Boy zweeg. Hij nam het Purdey geweer onder zijn arm. Hij floot naar het hondje. Hij nam Steenies arm en liep naar het pad.

'Ik heb mijn foto's vernietigd. Alleen die in de onderste la. Dat heb ik ook aan Constance geschreven. Waarom denk je dat ze met die vent is getrouwd? Waarom zou ze zoiets doen?'

Ze bereikten het berkenbosje. Steenies gezicht was nat. Hij moest zijn neus snuiten maar durfde niet. Doorlopen, dacht hij. Ze konden de lichten van het huis al zien. Boy scheen te wachten op antwoord.

'Ik denk dat ze hem aardig vindt,' zei Steenie met een opgewekte, kalme stem. 'Misschien houdt ze wel van hem, wie weet...'

'O nee, ik geloof van niet.' Boy bleef staan. Hij schudde zijn hoofd. 'Ik denk dat je het mis hebt. Nee, ze houdt van mij. Dat was altijd al zo. Ik ben haar speciale broer, haar beschermer. Dat heeft ze zelf gezegd.'

'O ja, natuurlijk, dat was ik vergeten.' Steenie aarzelde. Op het terras zag hij nog juist Freddie heen en weer lopen. Steenie wuifde wanhopig met zijn armen maar Freddie keek de verkeerde kant op. Steenie vroeg zich af of hij Freddie zou roepen. Maar dan schrok Boy misschien.

Boy tuurde nu naar de bomen van het berkenbosje. 'Freddies verjaardag,' zei hij. 'We hadden een picknick, weet je nog? Het was toch hier, hè? Ja – ik zat daar, en Constance zat achter me, onder die bomen.'

'Ja, dat is zo. En we hadden champagne, roze champagne.' Steenie kneep even in Boys arm. Hij ging een paar stappen opzij en wuifde weer, maar Freddie zag hem nog steeds niet. 'Ik weet het – kijk Boy, daar is Freddie. Zal ik hem even halen? Dan kunnen we met elkaar over die picknick praten, over Freddies cadeaus en zo. Vind je dat leuk, Boy?'

'Goed idee. Haal hem maar. Ik wacht hier even. Steek nog een pijp op.'

Boy ging onder een boom zitten. De keeshond, die zich verveelde, ging ook zitten. Een wit hoopje bont, dat uitkeek over het meer. Steenie deed nog een paar stappen, toen keek hij om. Boy had zijn tabakszak gepakt, hij begon zijn pijp te stoppen.

Steenie rende. Hij maaide met zijn armen, hij was half verblind door tranen. Wat hàd Freddie? Hij wuifde weer, riskeerde een zachte schreeuw. Freddie keek op. Steenie rende verder, gleed uit met zijn Londense schoenen. 'Freddie – in godsnaam!' Freddie wandelde naar hem toe. Steenie struikelde, verloor zijn das, liet zijn handschoenen vallen, wuifde weer. Eindelijk scheen Freddie dat teken van wanhoop te begrijpen. Hij begon ook te rennen. Steenie botste tegen hem op. Hij hijgde zo dat hij nauwelijks kon spreken. 'Freddie... o, Freddie, kom – gauw!'

'Wat is er voor de duivel? Steenie, kalmeer een beetje!'

'Boy. Freddie, toe, het is verschrikkelijk. Hij zit daar, waarschijnlijk met zichzelf te praten. Hij is krankzinnig. Kom mee – ik leg het je later wel uit. Hij praat maar door. Hij zegt van die krankzinnige dingen...'

'Waar is hij?'

'Daar, bij het berkenbosje. Hij zit een pijp te roken. Ik dacht dat ik het huis nooit zou bereiken. Hij ging maar door – Freddie, al dat krankzinnigs. Hij denkt dat hij Shawcross...'

'Wat?' Freddie die de heuvel afrende, bleef staan.
'Echt. Het is de oorlog, Freddie. Hij weet niet wat hij zegt. Wat is er?'
Steenie, rennend om Freddie in te halen, zag diens gezicht.
'O, mijn god,' zei Freddie.
Steenie zag het nu ook. Het lag onder hen: een tableau, Boy, het geweer en Constances hondje. De hond, een wit vlekje, zat nog op dezelfde plaats. Boy niet. Hij stond een meter of vier van het dier vandaan en had zijn geweer opgeheven, het was duidelijk dat hij de hond in zijn vizier had.
'Hij schiet hem dood, Freddie. Doe iets – snel – roep hem, zwaai!'
Freddie opende zijn mond maar er kwam geen geluid uit. Samen konden ze een zwakke kreet produceren. Ze renden verder, bleven staan. Ze hoorden de schreeuw.

Het was een geweldige schreeuw die door de lucht knalde, de bomen deed buigen. Alle kraaien vlogen op uit de boomtakken en wervelden boven de bossen in een paniek van zwarte rook. Boy hief zijn hoofd, keek de vogels na. Hij had Constance beloofd dat hij voor haar zou schreeuwen en nu had hij het gedaan: de schreeuw van de bajonetaanval, die hij haar beloofd had, de schreeuw die het bloed van de vijand moest doen stollen, de schreeuw die zo luid was dat hij gehoord kon worden in Londen, in een trein die noordwaarts ging.
Weer legde hij aan op de hond. De domme hond nam er geen notitie van.
Boy begon te beven. Dat beven was niet altijd beheersbaar, zelfs niet na zo'n schreeuw. Boy fronste, zag toen zijn broers die aan kwamen rennen.
'Ga weg!' riep Boy, hij moest eerst de hond doodschieten. Zijn broers gingen niet weg. Ze bleven rennen en met hun armen zwaaien. Boy keerde hun de rug toe. Hij liep naar waar Constance had gezeten op de dag van de picknick. Nu negeerde hij de hond, maar keek naar de wortels van de berken, die voren in de grond maakten. Hij sloeg op de zakken van zijn jasje, waar hij brieven had: een voor Constance, een voor zijn moeder.
Hij hoopte dat hij alles goed had uitgelegd. Hij wist dat hij er geen troep van moest maken – dat deden mensen wel eens, met de meest afschuwelijke gevolgen. Hij wilde zijn kaak niet wegschieten of het geweer laten glippen zodat hij een darmwond kreeg: daar zou zijn moeder heel ontdaan over zijn. Wat hij wilde doen – en hij wist dat hij dat duidelijk had uitgelegd – was zijn hersenen uit zijn schedel

laten springen met één zeker, keurig schot zodat er niets over was. Het was natuurlijk mogelijk dat hij, als hij terugkeerde naar de loopgraven, zo door de Duitsers werd gedood, maar daar kon hij er niet op rekenen, en hier wel.

Zijn moeder zou het begrijpen. Boy boog zich naar voren. Hij zette de geweerkolf zo dat deze stevig in de voor bleef staan. Hij streek over het zilverbeslag met de woorden die zijn vader jaren geleden had uitgekozen.Hij opende zijn mond, zodat de punt van de lopen tussen zijn tanden en het dak van zijn mond klemden.

Het hondje van Constance jankte even. Zijn broers zouden wel dichtbij zijn, ze riepen nu niet meer. Hij hoorde hen eigenlijk niet te laten toekijken. Vergeet die hond maar, hij moest snel zijn.

Het geweer smaakte naar ijzer en olie. Hij kokhalsde toen hij zijn tong omlaag drukte. Steenie en Freddie, een meter of vijftien van hem vandaan, zagen dat. Freddie deed een stap naar voren. Hij hief zijn hand op. Steenie kon niet bewegen. Maar Boy stond in een onhandige positie, het geweer kon ieder ogenblik gaan glijden, het was moeilijk de haan naar beneden te halen. Boy was altijd zo'n slechte schutter geweest. *Dit gebeurt niet echt*, zei een stem in Steenies hoofd. Hij wachtte tot Boy het geweer liet vallen en rechtop ging staan. Hij rukt aan de haan, dat doet hij altijd, dacht Steenie. Hij opende zijn mond om Boy te roepen. Er kwam geen geluid uit. Hij zag de spieren van het gezicht van zijn broer bewegen en ook hij kon niets zeggen. Toen kregen zij beiden hetzelfde idee, ze zagen het in elkaars ogen. Tegelijkertijd wendden ze zich tot Boy, met de naam die hem altijd tot de orde riep: 'Francis...'

Ze zeiden het tegelijk. Hun toon was precies goed, rustig, verstandig, vast.

Boy scheen te luisteren. Het woord hing in de lucht. Steenie kon het nog horen, bijna zien, toen Boy – goed getraind, hoewel geen goed schutter – de haan overhaalde. Het verjaarsgeweer ging af.

9

Onbekende soldaten

Uit de dagboeken van mijn moeder

Algemeen Ziekenhuis 1, Sainte-Hilaire, 21 maart 1917

Zes dagen geleden verloor ik een patiënt en nu vanavond stierf de Canadees. Hij heette William Barkham. Zijn familie kwam uit Devonshire, maar ze gingen boeren in Saskatchewan, in Fort Qu'Appelle. Het is zo'n klein plaatsje dat hun adres uit een nummer bestaat. Ik heb zijn moeder geschreven. Ik wist dat hij zou sterven: hij had een loopgravenvoet en de doktoren amputeerden die slecht. Ze hadden de wond dichtgeschroeid met pek en hij lag drie dagen in het veldhospitaal. De gangreen was al te ver gevorderd toen hij hier kwam. Ik wist dat er geen hoop was.

Hij praatte nog een uur met me voor hij stierf. Hij vertelde van hun boerderij. Ze verbouwden tarwe en hadden twee koeien en wat kippen. De boerderij lag bij een meer en als hij 's winters vroeg opstond om de koeien te melken, liep hij naar het meer om de zon te zien opgaan. Zijn vader leerde hem er schaatsenrijden en als man schaatste hij er met zijn meisje. Maar ik geloof dat hij niet echt een man was. Gisteren werd hij negentien. Iedere ochtend, als hij klaar was met melken, bakte zijn moeder pannekoeken met spek op de plaat. Toen hij stierf, noemde hij haar naam. Hij wilde haar iets vertellen, hij greep mijn hand en ik zag de woorden in zijn ogen maar hij kon ze niet uitspreken. Hij had veel pijn.

Het maakte me zo boos. Ik wilde een wonder. Ik wilde mijn hand op hem leggen en het leven terug voelen komen. Ik bad – er gebeurde niets. Er zijn geen wonderen meer en God luistert niet naar mijn gebeden. Misschien is er geen God en moest ik hier komen om dat te leren. Ik geloof dat ik dat liever heb dan het geloof in de God die ik hier iedere dag zie, een God die een enige zoon, een jongen van negentien, de rug toekeert, een God die niemand redt en nooit tussenbeide komt. Hij zou toch wel eens een teken kunnen geven – is dat zoveel gevraagd? Eén opstanding maar.

Ik kon niet huilen toen ze me vertelden van Boy. Maar vannacht huilde ik om William Barkham. Tranen zijn zinloos. Ze geven geen troost aan de stervenden. Tranen zijn een soort bevrediging. Sommige zusters nemen er laudanum voor, dat doe ik niet. Wexton zegt dat je op den duur een plaats bereikt die niet achter de tranen ligt, maar erin. Misschien heeft hij gelijk. Ik wacht nog steeds.

Gisteren bracht Wexton me een cadeautje in het hospitaal. Het was een haggis, worst van de lever en longen van een schaap en hij had hem gekregen van een Schot. We kookten hem in een ketel en deelden hem met de zaalzusters. Ieder één plak. Ik heb aan Wexton mijn leven te danken en ik moet hem bovendien danken voor het feit dat hij het zo geregeld heeft dat ik mijn doel kan bereiken: volgende week komt de overplaatsing en maandag gaan we naar Etaples.

'Zei ik je niet dat ik het voor elkaar kon krijgen?'

Ze stonden buiten het station, de trein die hen had gebracht, stoomde alweer weg in de verte. Het was druk: een paar verpleegsters, Franse en Belgische soldaten, een oude vrouw in het zwart met een mand kippen. Daar in de verte lag Etaples, haar bestemming, net zoals Wexton had gezegd.

Een enorm kamp, als een stadje, met rijen nissenhutten, velden met kakikleurige tenten, een exercitieveld. Als Jane haar ogen half sloot, kon ze nog juist wat mannen zien die aan het exerceren waren. Het uitzicht werd Jane ontnomen door een grote vrouw. Ze was zeker een meter tachtig, met de schouders van een man en een boezem als de boeg van een oorlogsschip. De vrouw droeg een onbekend uniform: een overjas met ceintuur, een jasje en een das. Haar pothoed was laag over haar voorhoofd getrokken en ze had kort haar. Kennelijk herkende ze hen, want ze kwam op Wexton af. 'Wexton!' blafte ze.

Wexton sprong op, liet de twee koffers vallen en liep stralend naar haar toe.

'Winnie!' Hij negeerde de uitgestoken hand en kuste haar op beide wangen. De reuzin kreeg een kleur. 'Winnie, je komt ons afhalen, wat aardig van je. Dit is Jane Conyngham. Jane, dit is Winnie, weet je wel. Winnie is een WAAC.[1]

'Hoe maak je het?' Winnie nam haar hand in een pijnlijke greep. 'Ik zit bij de administratie. Feitelijk heb ik het geregeld. Geef me haar koffer, Wexton. Hemel, is dat alles? Hij is zo licht als een veer.'

'Winnie is een vrouw met invloed,' verklaarde Wexton trots. 'Pas maar op voor haar. Hoe gaat het ermee, Winnie?'

'Uitstekend. Prettig je weer te zien, Wexton. Prettig kennis met je te maken, Jane. Wil je zo worden genoemd of bij je achternaam? Ik noem je maar Conyngham. Eens kijken hoe het gaat. Je mag mij Winnie noemen. Dat doet iedereen. Ik ben het hoofd van het Basisdepot Twee van het regiment en heb de rang van officier, maar dat zeggen ze niet omdat de mannen dat niet leuk vinden. Ik werk voor kolonel Hunter-Coote. Een schatje. Hij eet uit mijn hand. Als je problemen hebt met de directrice kom je maar naar mij toe. We hebben al vaker ruzie gehad. Kom, we gaan. Het is bijna twee kilometer, dus dat is niet veel meer dan tien minuten.'

Ze ging snel op weg. Wexton en Jane keken elkaar aan.

'Is ze niet geweldig. Ik ben dol op haar. Etaples was mijn eerste

[1] WAAC: Women's Army Auxiliary Corps, zoiets als de Milva. (vert.)

392

post. Winnie nam me onder haar hoede en ik wist dat ze het in orde zou brengen als ik haar schreef. Winnie kan alles naar haar hand zetten...'

'Ik heb nooit eerder iemand van haar korps ontmoet,' zei Jane hijgend in haar poging het tempo bij te houden.

'Het is natuurlijk een nieuw korps. Maar Winnie is niet zomaar een WAAC, ze dirigeert de oorlog. Volgens mij. Volgens haarzelf ook.'

'Ze is heel...' Jane vond het moeilijk een goed woord te bedenken.

'Engels? Ja, hè? Wat vind je van haar stem?'

De stem was inderdaad formidabel, met de klank van de Engelse jachtgronden, plus de toon van een excercitieterrein.

'Luid. Ik zou willen zeggen... bevelend.'

'Belachelijk.' Wexton keek haar verrukt aan. 'Belachelijk en geweldig. Ik houd ook van haar snor. Eigenlijk houd ik van alles aan haar.'

Winnie voor hen bleef plotseling staan op een heuveltje.

'Een beetje opgewekt kijken, jullie. Ik ben de reisgids. Dus let op, Conyngham, anders verdwaal je. Rechts achter ons ligt het station...'

'Dat wisten we al zo'n beetje, Winnie. We stapten daar uit de trein.'

'Geen praatjes van jou, Wexton.' Winnie wierp hem een amicale blik toe. Ze wees: 'Daar is het dorp, vol Fransen. Pas voor hen op, Conyngham. Stel oude schuinsmarcheerders en ze eten allemaal knoflook. Daar is het kamp – voornamelijk Tommies, een paar Australiërs en een paar van de Kiwi-infanterie. Er gaan geruchten dat we misschíen Amerikanen krijgen, als ze komen. Kolonel Hunter-Coote zegt van wel. We wachten nog steeds en mijn meisjes zijn héél ongeduldig. Dat is het hospitaal, dat grote grijze gebouw achteraan. En de plaats voor de ambulances is er vlak achter, dus Wexton zit lekker dichtbij.' Ze glimlachte veelzeggend. 'En dat gebouw vlak achter het excercitieveld is mijn depot, daar kun je me altijd vinden. Jullie hebben allebei een pas nodig voor het kamp, maar dat is geregeld. En dàt...' en ze wees met een dikke vinger, en met trots in haar stem, 'dat hutje is onze YWCA [Young Women's Christian Association]. Ik zei tegen Hunter-Coote dat mijn meisjes een plek moesten hebben om 's avonds naar toe te gaan. "Cootie" – ik noem hem Cootie – "mijn meisjes hebben een huis ver van hun thuis nodig. Jullie hebben de mess." Dus nu hebben we koppen en schotels, niet van die tinnen kroezen. Alles van de beste kwaliteit. Contact met mannen toegestaan.' Ze keek Jane streng aan. 'Dat wilden mijn meisjes, dus ik hoop dat je er geen bezwaar

tegen hebt, Conyngham. Tussen twee haakjes, er is ook een piano.'
'O, wat fijn.'
'We hebben avonden dat er gezongen wordt en dan een kop chocola. Zo, verder. Kom, Wexton, waar tuur je zo naar?'
'Dat.'
Wexton tuurde in de richting van de rivier beneden. Het dorp Etaples lag tussen de rivier en vrijwel loodrecht omhoog rijzende heuvels. De rivier liep door de heuvels naar zee.
'Dat?' Winnie volgde met tegenzin de richting van zijn ogen. 'Dat is de rivier, de Canche en daar, Conyngham, bij die daken, dat is Le Touquet. Mooie stranden. We gaan er 's zondags wel eens zwemmen. Heb je een badpak meegebracht, Conyngham? Anders vraag ik er een aan bij het magazijn.'
'Ik bedoelde de rivier niet, Winnie. Wat is dat?'
'Waar die mannen aan het graven zijn?' Winnie had nog steeds geen zin naar de juiste plaats te kijken. 'Dat is een uitbreiding van de loopgraven. In geval van een luchtaanval. Is een- of tweemaal gebeurd.' Winnie klonk minachtend. 'Niet veel schade, maar je moet vooruit denken. Over een week lopen de loopgraven van het kamp naar de grotten.'
'Grotten?' Jane draaide zich om.
'Daar. In die steile heuvels achter het dorp. De best mogelijke bescherming. Het was in feite Cooties idee. Evacueren via de loopgraven naar die grotten. Hij heeft het weken geleden al voorgesteld, maar natuurlijk verdomden ze het iets te doen. Ambtenarij, zoals altijd.'
'Ik bedoel die loopgraven niet, Winnie. En de grotten evenmin. Daar weet ik alles van.' Wexton keek haar nu recht aan. 'Ik bedoel dat jacht.'
'Welk jacht?' Winnie klonk geïrriteerd.
'Er is er maar een. Dat grote daar. Het lag er eerst niet.'
'Evacuatiejacht,' snoof Winnie. 'Voor de top, voor als de geallieerden Noord-Frankrijk moeten ontruimen.'
'Evacuatie?' vroeg Jane zacht.
'Niks dan onzin. Gewoon alarm in Whitehall. Zullen we verder gaan?'
Ze liep door, Wexton en Jane keken elkaar aan.
'Het is alleen een voorzorgsmaatregel, Wexton.' Jane keek om naar het jacht. Het was groot en statig. Voor het eerst kwam het bij haar op dat de geallieerden de oorlog konden verliezen. Ze liep snel door en Winnie, die voorop ging, keek zo nu en dan om. Ze scheen haar goede humeur weer terug te hebben, want telkens knikte ze goedkeurend naar hen.

'Waarom kijkt ze zo naar ons, Wexton?' vroeg Jane.
'Ze denkt dat jij mijn vriendin bent.' Wexton klonk onverschillig.
'Ze denkt wat?'
'Dat heb ik niet zo direct gezegd maar ze kwam gewoon tot die conclusie. Toen ik schreef, wilde ik haar niet teleurstellen en jij wilde hier toch zo graag naar toe. Ik geloof niet dat ze het weet van mij en dat ze er iets van zou begrijpen als ik het haar uitlegde. Ze heeft zo'n beschermd leven geleid... en ze is romantisch. Bovendien is ze verliefd.'
'Winnie?'
'Op Cootie. Heb je dat niet begrepen? En hij op haar. Daarom wilde ze niet naar dat jacht kijken en er niet over praten.'
'Waarom niet?'
'Omdat in het ergste geval Cootie op dat jacht zit en Winnie niet. Hunter-Coote is een VIP. Winnie, die feitelijk de leiding heeft, niet.'
Jane bleef nog eenmaal staan. Ze hadden het kamp bijna bereikt. Mannen in Australisch uniform legden golfijzeren platen over de loopgraven die ze zojuist hadden gegraven. Etaples. Hier was Acland geweest. Misschien had hij wel gestaan waar zij nu stond.
'Dus, als er iets gebeurt... waar is Winnie dan?'
Wexton glimlachte ironisch.
'Winnie? In de grotten, denk ik. Samen met jou en mij en alle anderen.'

Toen Wexton en mijn moeder in Etaples aankwamen, was het eind maart 1917, het begin van de lente na de meest afschuwelijke winter van de hele Eerste Wereldoorlog. Kort nadat ze er waren, verklaarde Amerika Duitsland de oorlog. Niet lang daarna namen de Canadese troepen, waaronder de overlevenden van William Barkhams regiment, de heuvelrug van Vimy. De derde slag van Yperen en Passchendaele lag nog vier maanden voor ons.
Vreselijke gevechten in een jaar dat het keerpunt van de oorlog betekende. Ik groeide op met die namen. Ik hoorde ze mompelen wanneer Wexton of Winnie, die intussen met kolonel Hunter-Coote was getrouwd, Winterscombe bezocht. Het duurde jaren voordat ik begreep dat die mooie, geheimzinnige buitenlandse namen met oorlogshandelingen te maken hadden. Ik dacht aan het Passie Dal en stelde me een vallei voor als Winterscombe, waar de rivier de Passie doorheen stroomde.
Wexton en mijn moeder bleven slechts één maand in Etaples. Daar beëindigde Wexton zijn gedichtenbundel *Granaten*, die hij opdroeg

aan Steenie. Het was daarvandaan dat hij Steenie schreef, de ene brief na de andere aan iemand van wie hij hield maar die hij al had verloren. De brieven bleven in Steenies hoofd hangen. Een halve eeuw later, toen hij op sterven lag op Winterscombe, wachtte hij soms op een dag dat Wexton er niet was en las ze me dan voor.

'Kijk toch eens,' zei hij dan aan het eind van de brief, 'wat ik verloren heb. Wat ik heb weggegooid. Doe dat nooit, Victoria.'

Twee brieven in het bijzonder hadden indruk op Steenie gemaakt. Eén ging over de grotten van Etaples en wat daar gebeurde. De andere – eerder geschreven – ging over een dag in april toen Wexton en mijn moeder met Winnie en kolonel Hunter-Coote naar het strand van Le Touquet gingen – of zoals ze het toen noemden, naar *Paris-Plage*. Het was zondag. Ze gingen per trein en lunchten buiten op het *terrasse fleurie* van Café Belvédère. Wexton zat aan een rond tafeltje onder een gestreept zonnescherm en keek uit over de zee. Het was de eerste warme dag van de lente. De zee glinsterde. Naast hem zat kolonel Hunter-Coote en tegenover hen, in burgerkleding en met een hoed die haar ogen beschermde, zat Jane. De lucht was vol stofgoud. Wexton had het gevoel dat hij per ongeluk in een schilderij van een Franse impressionist was terechtgekomen, en dat de *joie de vivre* die hij voelde, niet van hemzelf was, maar van Renoir. De oorlog was ver.

Onder hen, op het strand, bereidde Winnie zich met een groep van haar 'meisjes' voor om te gaan zwemmen. Ze moesten eerst worden opgewarmd, want de zon was dan wel warm maar het water zou ijzig zijn. Ze speelden met een grote gestreepte strandbal. Winnie, enorm in een zwartwollen badpak dat van haar nek tot haar knieën reikte, leidde het spel.

'Springen, Clissold!' hoorde hij haar bevelende stem. 'Niet zo. Hoger!'

Kolonel Hunter-Coote, een kleine, keurige man met vogelachtige botten, die naast Winnie op een bezorgde mus leek, keek trots toe. Pas toen de kelner naderde, draaide hij zich om. Hij probeerde Jane voor het gebak te interesseren. 'Neem een van die cake-achtige dingen waar Winnie zo van houdt. Zal ik voor je kiezen? Die kan ik je echt aanraden. *Oui, garçon. Deux* – eh *pâtisseries, s'il vous plaît*. Nee, niet die cake. *Merci beaucoup*!'

Jane ving Wextons blik op en glimlachte. Zijzelf sprak vloeiend Frans zoals Wexton wist, dat van Hunter-Coote was niet om aan te horen. Het was nooit bij hem opgekomen dat Jane misschien Frans sprak en zij en Wexton waren zeker niet van plan hem te desillusioneren.

Jane had haar gebakje en accepteerde een sigaret van Wexton bij de koffie. Een enkele maal rookte ze, iets dat ze een jaar geleden nog afschuwelijk zou hebben gevonden. Ze tuurde dromerig over de zee en zag er heel vredig uit. Ze was veranderd, vond Wexton. Toen hij haar voor het eerst ontmoette, was ze gespannen, vol opgekropte energie, zoals hij bij niemand had meegemaakt. En dat interesseerde hem. Nu waren die nerveuze hebbelijkheden vrijwel verdwenen. Dat interesseerde hem ook. Hij was bijzonder op Jane gesteld, mocht haar al toen hij haar in Londen leerde kennen. Hij vond haar... goed. Althans ze probeerde goed te zijn. Niet veel mensen kon dat iets schelen.

Jane had haar strohoed afgezet en keek in de richting van de boulevard. Een streep zonlicht die van onder het zonnescherm op haar haar viel, maakte het rood als esdoornbladeren in het najaar, de bleke huid tegen het vlammende haar was opvallend. Over haar jukbeenderen en neusbrug lagen wat sproeten. Ze vestigden de aandacht op haar ogen, waarvan de schoonheid niet zozeer in de vorm lag als wel in de rustige uitdrukking.

Jane bezat een eigenschap die pas merkbaar werd als ze verpleegde. Ze sprak niet langer zo snel en onbewogen als ze in Guy's Hospital in Londen had geleerd, dat was niet nodig. Ze kon een hand op iemands arm leggen en Wexton zag dan een geheimzinnig proces van overdracht plaatsvinden. Er ging energie van Jane uit. Die energie kalmeerde, het leek dan ook een verkeerd woord voor iets dat zo sereen was. Jane gaf... genade. Die term, een overblijfsel van zijn gereformeerde opvoeding, ergerde hem een beetje. Hij boog zich naar voren om te zien wat haar was opgevallen op de boulevard. Niet Winnie en haar meisjes – die kregen alle aandacht van kolonel Hunter-Coote, want Winnie maakte zich op om te gaan zwemmen. Jane keek naar een langzamerhand bekende optocht.

Op de promenade beneden hen waren Rode-Kruisverpleegsters die rolstoelen voortduwden. Ze zetten de stoelen in een keurige rij, zodat de mannen over zee konden uitkijken en de zonnewarmte op hun gezicht voelen. De zusters legden rode dekens over hun knieën en lieten hen toen alleen.

Men veronderstelde dat zulke uitstapjes de genezing bevorderden van deze patiënten wier wonden niet zichtbaar waren. De namen die men eraan gaf, waren eufemistisch: oorlogsmoeheid, neurasthenie. Ze zaten in een bepaalde vleugel van het hospitaal en werden door de meest ervaren zusters verpleegd. Ook daar gingen ze naar buiten, iemand had kennelijk het idee dat zon en frisse lucht geneesmiddelen waren. Wexton, die meer van deze patiënten naar zijn ambulance had gedragen, twijfelde eraan. Lichamelijke verwondingen konden meestal worden genezen, maar hij dacht dat zelfs de tijd de beschadiging van hun geest niet kon genezen.

Het was pijnlijk voor de omgeving, de aanblik van die mannen. Ze werden naar Etaples gebracht en als de artsen er eenmaal zeker van waren dat ze niet simuleerden, gingen ze terug naar Engeland. Daar werden ze verpleegd in bepaalde afgelegen ziekenhuizen om rust te krijgen. Dat was de officiële verklaring. Wexton twijfelde ook daaraan. Hij dacht dat de betrokken instanties hen liever wilden verbergen, zulke mannen brachten niet alleen verlegenheid – ze vormden een beschuldiging: die mannen die het onzegbare hadden gezien, die langzamerhand krankzinnig waren gemaakt. Wexton geloofde eigenlijk dat dit de enige mannen waren wier geest nog gezond was. Jane zat gespannen naar hen te kijken en toen ze zich eindelijk omdraaide, dacht Wexton dat haar ogen schitterden van tranen, tot hij besefte dat het woede was. Maar kolonel Hunter-Coote stond op en liep met Jane en Wexton naar de rand van het terras. Daar keken ze neer op het strand. Hunter-Coote juichte.

'Ga door, Winnie. Goed zo!' Hij wendde zich tot Jane en Wexton en zijn bruine ogen waren vol liefde. 'Is zij geen meer dan opmerkelijke vrouw? Ze is nergens bang voor. Absoluut voor niets.'

In de verte was de figuur van Winnie te zien. Ze sloeg met haar armen. Een brutale golf spatte over haar gezicht, ze stond tot haar oksels in het water. Toen wierp ze zich in de volgende golf. Winnie zwom, met op elkaar geklemde kaken, haar kin op het water. Het duurde even voor Wexton besefte dat ze zwom als een hond. Jane merkte het op hetzelfde moment. Ze begon te lachen. Ze keek niet meer naar de promenade en de rolstoelen.

Aan het eind van de middag liepen ze terug naar het station, Winnie en Hunter-Coote voorop, Jane en Wexton achter hen. De zon was warm, de weg stoffig. Wexton floot. Jane bleef staan, zette haar hoed af en hief haar gezicht naar de zon.

'Misschien is het slecht...' Ze nam Wextons arm. 'Maar ik ben gelukkig.'

'Acland?'

'Ja, ik kan hem voelen. Net zoals ik hoopte. Ik weet dat hij dood is, maar toch voel ik hem. Denk je dat ik het me verbeeld, Wexton?'

'Nee.' Wextons gezicht met de vele rimpels stond treurig. 'Steenie was dichtbij, dat wist ik. Nu niet meer, dat weet ik ook. Je kunt het niet uitleggen. Misschien is het een zesde zintuig, of een achtste, een tiende.'

'Wat ellendig, Wexton.' Jane pakte zijn arm. 'Was het Conrad Vickers?'

'Vickers was beschikbaar toen Boy stierf en ik niet. Steenie had iets vreselijks meegemaakt. Hij moest iemand hebben om mee te praten...'

'Maar dat was het niet alleen?'

'Ik geloof van niet. Het zou toch zijn gebeurd. Steenie is heel jong. Snel te beïnvloeden. Hij houdt van...'

'Modieuze dingen?'

'Zoiets. En ik lees en schrijf altijd maar, nogal saai voor hem.'

Jane antwoordde niet. Wexton keek naar de witte weg voor hen, naar de bloemen, naar het treintje dat het station voor hen binnen pufte. Janes hand lag op zijn arm en hij voelde energie uit die hand stromen. De dag was zo heerlijk, de hemel diepblauw met kleine witte wolken. Hij voelde de volmaaktheid van het moment. Hij zou niets willen veranderen – niet de wolkjes, niet de grassprieten, zelfs niet de trouweloosheid van Steenie. De wetenschap daarvan was een deel van deze dag en de pijn gaf scherpte aan de schoonheid om hem heen. Een gedicht, aan de rand van zijn bewustzijn.

'Het is goed met mij,' zei hij ten slotte, 'en met Steenie. Hij heeft een eigen studio. Hij houdt binnenkort een tentoonstelling van zijn schilderijen.'

'Zijn ze goed, die schilderijen van Steenie?' vroeg Jane.

'Sommige ervan, ja.'

Jane bleef even staan en snoof de lucht op. 'Ik geloof in God – vandaag. Gisteren niet, vandaag wel. Dat verwachtte ik niet. Ik voel de oorlog vandaag niet, misschien dat dat het is. Het komt er ook niet op aan.'

Ze nam zijn arm weer. 'Vergeet mijn godsdienst. Vertel me die van jou. Vertel me over woorden, Wexton.'

'Een gedicht, bedoel je?'

'Ja, een gedicht.'

'Goed.' Hij begon een sonnet, een dat hij uit zijn hoofd kende, een dat paste bij de dag en de wandeling, en de witte weg en het stationnetje.

Veertien regels. Toen hij aan het eind gekomen was, hadden ze het perron bereikt. Winnie was lastig, de trein had twee coupés te weinig. 'Zeg me eens even,' zei ze tegen een oude conducteur. 'Moeten we soms in de bagagenetten gaan zitten? Schàndelijk. Geen plaats voor mijn meisjes...'

Later diezelfde april had mijn oom Steenie inderdaad zijn eerste schilderijententoonstelling. Het zou ook zijn laatste zijn, hoewel Steenie dat toen nog niet wist natuurlijk. Het was sociaal en kritisch geen succes, en in later jaren vond Steenie het fijn om zo nu en dan aan dat moment van triomf te denken. Maar Steenie was geen dwaas, die triomf was tevens een gelegenheid voor zelfontdekking geweest. 'Ik ontdekte dat ik een knoeier was,' zei hij dan.

De omstandigheden rond die tentoonstelling waren gedenkwaardig. Het was aan het eind van de oorlog, drie maanden na de dood van Boy en op de dag van de vernissage gebeurde het vreemdste dat ooit in onze familiegeschiedenis was voorgevallen. Het nieuws bereikte Steenie later die avond – maar ook daarvoor was het volgens Constance en Steenie een belangrijke dag. 'Een dag van afrekening,' zei Constance.

Constance en Steenie hadden die dag samen doorgebracht, zoals dikwijls sinds de zes weken dat ze terug was van haar huwelijksreis. Die ochtend had ze Jenna en haar baby bezocht, een zoon, die met Kerstmis was geboren en die Edgar heette. Steenie vond haar aandacht voor het kind vreemd en als ze praatte over zijn groene ogen en zijn kalmte, vermoedde hij onoprechtheid.

Constance wilde Jenna en kind van de Cavendishes overnemen. Volgens haar voelde Jenna er niet voor na de oorlog met Hennessy samen te leven. Ze was de beste kamenier die Constance ooit had gehad – en Jenna en haar kind konden toch bij lady Stern en haar echtgenoot intrekken. Er waren een paar kleine problemen. In de eerste plaats hadden zij en Stern geen vaste woonplaats. Wel bekeken ze huizen in Londen en op het platteland, maar al was geld geen bezwaar, toch schenen ze niets te kunnen vinden dat hen beiden aantrok. Constance werd eigenaardig ontwijkend over dat onderwerp. In feite had Steenie de indruk dat Constance iets achterhield maar wat het was, kon hij niet uit haar loskrijgen. In die tussentijd huurden ze huizen in Londen, het ene nog magnifieker dan het andere.

Afgezien van deze moeilijkheid waren er meer problemen betreffende Jenna. In de eerste plaats was Jenna zelf tegen het idee gekant. 'Ze is alleen maar bang voor Hennessy!' riep Constance. 'Maar daar zorg ik wel voor.' Montague Stern was er echter ook op tegen.

Steenie vond dat vreemd. Wat kon het Stern schelen of zijn vrouw nu de ene of de andere kamenier had? Wat voor verschil maakte een baby in een huishouden dat natuurlijk groot zou zijn? Constance verklaarde die tegenstand niet, ze zei alleen dat Stern vond dat ze zich veel te druk maakte om de baby, maar ze zou hem wel overhalen. Steenie, die het in stilte met Stern eens was, dacht niet dat Constances echtgenoot een man was die je kon 'overhalen'.

De vele bezoeken van Constance aan Jenna en haar baby schenen haar altijd in een peinzende en weinig mededeelzame stemming te brengen. De dag van Steenies vernissage was geen uitzondering. Maar hij trof haar steeds vaker in zo'n stemming, ook als ze niet bij Jenna was geweest. Dan zat ze voor zich uit te turen als hij haar iets vertelde en hoorde geen woord van wat hij zei. Ze was veranderd sinds haar terugkeer van de huwelijksreis, ze was kalmer, nadenkender. Zelfs haar bewegingen waren minder snel. Haar schoonheid had het uitdagende verloren en had nu iets rustigs dat er vroeger aan ontbrak. Steenie vroeg zich een paar maal af of ze een kind verwachtte en toen daar niets van bleek, nam hij aan dat haar man die verandering had bewerkstelligd – en dat maakte Steenie nieuwsgierig. Hij zou dolgraag meer over Constances huwelijksleven willen weten, over haar houding tegenover haar man, over de omstandigheden van de huwelijksreis. Maar toen hij vroeg hoe het in Schotland was geweest, kreeg hij een eigenaardig antwoord. Het telegram met het nieuws van Boys dood – een jachtongeval was de officiële versie – lag op Constance en haar nieuwe echtgenoot te wachten toen ze in Dentons jachthuis aankwamen.

'Dus mijn huwelijk begon met een dood,' zei Constance en veranderde van onderwerp. Indertijd was Steenie daar blij om. Hij wilde niet aan de dood van Boy herinnerd worden. De afgelopen drie maanden had hij ontdekt hoe genadeloos een herinnering kan zijn. Hoe hard Steenie ook probeerde te onderdrukken wat hij en Freddie hadden meegemaakt, toch bleef het beeld hem bij. Het drong door tot in zijn dromen. En al had hij de afgelopen maanden ook nog zo hard gelopen, hij werd er steeds door ingehaald. *Nu begrijp ik wat de Grieken met de Furiën bedoelden*, schreef hij in een brief aan Wexton die hij nooit verzond. Hij postte de brief niet omdat hij nog enig zelfrespect had, hij wist dat hij er nu geen recht op had op Wexton terug te vallen, hij was te veel verstrikt in zijn nieuwe liefdesaffaire met Conrad Vickers. *Ik ben je ontrouw geworden, Wexton*, schreef hij in een andere emotionele brief en voegde er als postscriptum aan toe: *Erger nog, ik ben mijzelf ontrouw geworden*.

Dus waren op de avond van de vernissage zowel Constance als Steenie uiterst gespannen. Ze hadden de middag in de galerie doorgebracht, Constance aan de telefoon om er zeker van te zijn dat iedereen op Steenies ambitieuze gastenlijst ook werkelijk zou komen. Steenie keek of zijn schilderijen zo voordelig mogelijk waren opgehangen. Dat was zo. De belichting kon niet beter zijn. Het werk van de lijstenmaker was voortreffelijk. De oppervlakkige verfijning van zijn schilderijen, hun aantrekkelijke kleuren, zijn eigen gave voor lijnenspel – dat alles was Steenie duidelijk. Maar helaas was de oppervlakkigheid ervan dat ook. Ze waren decoratief, charmant, zoetig. Hoe kon hij ooit hebben geloofd dat ze goed waren? Je kon ze vergelijken met een dieet van snoepjes. Steenie dacht aan Boy. Hij dacht aan wat er met Boys hoofd was gebeurd. Hij keek weer naar zijn schilderijen. 'Glucose en rozenwater.' Hij vluchtte.

Hij keerde met Constance terug naar de nieuwe studio. Steenie, zoals altijd vechtend met zijn emoties, wilde niet over Boy beginnen en deed of zijn groenachtige gelaatskleur, zijn trillende handen, aan nervositeit te wijten waren. De vernissage. De party. De gastenlijst.

'Het wordt afgrijselijk,' zei Steenie. 'Er komt niemand en niemand koopt iets. Ze sluipen allemaal weg onder beleefde kreten. Ik word misselijk.'

'Doe niet zo suf, Steenie,' zei Constance en tuurde in de verte. Toen, alsof het haar speet dat ze zo verstrooid was, werd ze vriendelijker. 'Drink toch wat. Waar is de champagne die ik gestuurd heb?'

'In het bad om koel te blijven.'

'Maak dan een fles open.'

Terwijl Steenie met de champagne bezig was, sloop Constance door de kamer, verzette hier een stoel, verschikte daar een stapel kussens die goed zouden uitkomen in een harem. Dit was voor het eerst, zou Steenie later zeggen, dat hij de obsessie van Constance voor kamers opmerkte. Het kwam niet bij hem op dat ze een kamer wilde ordenen omdat andere aspecten van haar leven in wanorde waren, het enige dat Steenie zag was dat Constance, sinds drie maanden echtgenote, zéker was – over alles.

Steenie was dat niet. Zijn besluiten wisselden even snel als zijn stemmingen. Hij voelde dat hij zijn leven niet onder controle had, laat staan de details van zijn omgeving. Het ene moment dacht hij aan Boy, het volgende aan Wexton, hij kon zweren dat hij Conrad Vickers nooit meer wilde zien om een uur later naar hem toe te vliegen. Alles was in beweging – terwijl Constance een niet aflatende vasthoudendheid toonde. Dit was de enige goede stof voor de gordijnen, die bank was ondenkbaar, deze perfect. Het resultaat was een studio in verschillende stijlen, dramatisch, onconventioneel. Steenie voelde zich er niet op zijn gemak. Het was de kamer van Constance, niet van hem. Dit kon hij haar niet zeggen, dan zou ze beledigd zijn. Bovendien was het dwaas. Tenslotte werd de studio door iedereen bewonderd. Conrad Vickers had met zijn hoge stem gezegd dat hij eenvoudigweg niet op zijn nieuwe flat kon beginnen tenzij Constance hem raad gaf. Ook lady Cunard, die conventioneel was, maar gevoel had voor nieuwe dingen, vond dat Constance haar echt móest helpen bij haar nieuwe buitenhuis. Constances toekomstige carrière was toen al aan de gang.

Steenie overhandigde Constance een glas champagne, maar ze liet het staan. Steenie dronk het zijne snel leeg, schonk er toen nog een in. Constance fronste tegen de bloemen. Het waren grote, sterk geurende witte lelies – dure lelies, ze hadden zijn toelage voor een week opgebruikt.

Er was nog een reden waarom hij de kamer niet prettig vond, bijna alles was door Constance betaald, dat betekende dus dat het geld van Stern afkomstig was. Ze kocht dingen die Steenie zich nooit zou kunnen veroorloven omdat zijn vader nogal gierig was geweest toen het huis ter sprake kwam, vond Steenie. Tegenstribbelend had Denton het geld voor de huur opgehoest en hij weigerde botweg meer te geven. Maar Constance, wuivend met haar chequeboek, had het heft in handen genomen. Steenie vond dat ze wel heel snel had geleerd geld van haar man uit te geven. Hij had er iets over gezegd, en Constance had hem een lelijke blik toegeworpen.

'Man en vrouw zijn één. Ook één bankrekening, vergeet dat niet, Steenie.'

Zonder Constance zou de studio vol staan met afdankertjes uit het huis van zijn ouders. Dan was hij omringd geweest door herinneringen. Daar had Constance hem voor behoed. Toch voelde Steenie dat hij gemanipuleerd was, dat hij zich had gecompromitteerd. Dat voelde hij al diezelfde avond, want op de gastenlijst voor zijn vernissage prijkten natuurlijk Constance en haar man, en dus werd tante Maud buitengesloten. Toen Maud het hoorde van een pijnlijk verlegen Steenie, had ze waardig gereageerd en – voelde Steenie – met prachtige onverschilligheid. Ze zei dat ze het helemaal begreep, ze kwam wel op een latere datum naar de tentoonstelling kijken. Wilde Steenie misschien voor haar dat kleine schilderij achterhouden, daar was ze altijd zo op gesteld geweest. Steenie had erin toegestemd: het bewuste schilderij was nu het enige met een rode stip om aan te duiden dat het al verkocht was. Toen Steenie ernaar keek, verachtte hij zichzelf.

Hij dronk zijn tweede glas champagne, aarzelde, nam toen een derde.

'Lady Cunard komt toch?' piepte hij.

'Natuurlijk komt ze, Steenie. Dat zei ik toch. Ze heeft het beloofd.'

'En Stern – denk je dat hij zich vrij kan maken?'

'Montague? O, die komt wel. We hebben hier afgesproken. Hij heeft eerst een bespreking, geloof ik.'

Haar toon was onverschillig, zoals dikwijls wanneer ze het over haar man had. Steenie, die die toon kende en wist dat Constance er haar gevoelens achter verborg, keek haar aandachtig aan. Haar gezicht verraadde niets.

'Ik zou graag willen weten hoe hij erover denkt. Maar als hij geen tijd heeft, begrijp ik het wel. Ik weet hoe druk hij het heeft.'

'Druk? O, maar hij heeft het altijd druk. Hij kan heel goed organiseren. De hele dag bijeenkomsten en toch heeft hij zijn huwelijk aan zijn programma aangepast. Dat kan hij goed.'

'Aan zijn programma aangepast?'

'Natuurlijk.' Constance glimlachte eigenaardig. 'Hij komt iedere avond om precies dezelfde tijd thuis. Zes uur. Half zeven op zijn laatst. Ik kan de klok erop gelijk zetten. Ik wacht boven op hem – of beneden. En weet je wat we dan doen, Steenie? Dan gaan we naar bed.'

Steenie schrok. Het was niets voor Constance om zo openhartig te zijn en hij vluchtte nu nerveus in een vrij goede imitatie van Conrad Vickers.

'Néé! Constance, schat – íedere avond – altijd om dezelfde tijd?'

'Iedere avond. Altijd om dezelfde tijd. Ook wel op andere tijden, maar van Downing Street naar bed. Van de oorlog naar zijn vrouw. Heel vreemd, vind ik. Zeg nu eens, zou je zoiets van hem hebben verwacht?'

'Van Stern? Nee, eigenlijk niet. Hij lijkt altijd zo beheerst.'

'Dat weet ik.' Constance huiverde even. Ze scheen even te aarzelen. Steenie viel neer op de bank die Constance had uitgekozen en waar Stern voor had betaald. Hij nam een artistieke houding aan.

'Lieverd!' Hij wierp zijn handen omhoog. 'En het is altijd hetzelfde? Ik had me afgevraagd... is hij... ik bedoel... als je...?'

'Ik ga niet uit de school klappen en ben echt niet van plan mijn huwelijksgeheimen aan jou te vertellen, Steenie.'

'Je wilt zeggen dat er geheimen zijn?'

'Misschien. Montague is...'

'De meest ongelooflijke minnaar,' giechelde Steenie. 'De droom van iedere vrouw: heerszuchtig, dominerend – ik kan het me voorstellen. O, Connie, schat, ik word gewoon jaloers.'

404

'Ik zou van hem kunnen houden, Steenie.'

Constance zette haar champagneglas neer. Steenie keek stomverbaasd.

'Wàt zei je?'

'Ik zei dat ik van hem zou kunnen houden. Ik kom... heel erg in de buurt. Dat had ik nooit verwacht. Aárdig vinden, ja. Bewonderen, zelfs respecteren – dat verwachtte ik allemaal. Maar geen liefde. Ik had niet op liefde gerekend. Ik dacht altijd... laat maar zitten wat ik dacht. Ik heb het waarschijnlijk toch mis. Het gaat wel over – ik ben pas getrouwd.'

Steenie kreeg spijt van de champagne die hij had gedronken. Die benevelde zijn geest en vertraagde zijn reacties – net nu hij zich wilde concentreren. Even vergat hij dat hij Conrad Vickers was.

'Connie, ik begrijp het niet. Je klinkt zo gebelgd. Hij is je man. Waarom zou je niet van hem houden?'

'Omdat ik van níemand wil houden.' Ze wendde zich nijdig tot Steenie. 'Is dat zo moeilijk te begrijpen? Ik vertrouw liefde niet. Ik geloof er niet in. Het maakt je zwak, afhankelijk – een stomme marionet terwijl een ander aan de touwtjes trekt. De meeste vrouwen kunnen natuurlijk niet wachten. Liefde, liefde, liefde – ze denken nergens anders aan. Het is bij hen een ziekte. Nou, ik wil die ziekte niet krijgen. Ik heb nog liever malaria, tyfus, tuberculose – weet ik veel...'

'Connie...'

'Het is waar. Ik wil liever dat mijn longen verrotten dan mijn geest – en dat gebeurt wanneer je van iemand houdt. Dan verdwijnt de geest, verdwijnt het denken. Het zèlf verdwijnt, dat heb ik vaak genoeg gezien.'

'Connie, houd op.' Haar opmerkingen kwamen veel te dicht bij hem. Hij ging staan. 'Je windt jezelf op voor niets. Je meent er de helft niet van.'

'O, jawel,' antwoordde Constance iets kalmer. 'Ik heb het goed overdacht. Mijn man houdt niet van me, zie je. Hij was zelfs niet verliefd op me. Dat heeft hij heel duidelijk gemaakt. Hij heeft het voor me uitgespeld.'

'Connie, doe niet zo gek.' Steenie bleef vol consternatie naar haar kijken. 'Als Stern dat heeft gezegd, hoeft hij het nog niet te hebben gemeend. Hij speelt een spelletje. Conrad doet dat met mij. Stern wil alleen dat je er niet te zeker van bent dat je een overwinning hebt behaald. Je bent een vrouw en vrouwen vervelen zich bij mannen die gemakkelijk te krijgen zijn – jij zeker. Als Stern zich aan je voeten wierp en wegkwijnde van liefde, zou je dat vreselijk vinden – dat weet je best.'

'Misschien. Ik zou hem, denk ik minder respecteren, kunnen denken dat hij geen mensenkennis had. Ik ben het niet waard dat iemand van me houdt – dat weet ik. Maar ik zou het misschien wel prettig gevonden hebben, deze keer.'

'Belachelijk.' Steenie keek haar verbaasd aan. 'Je weet dat het niet waar is. Er zijn zoveel mensen die van je houden. Ik houd van je, en denk eens aan al die mannen die achter je aanliepen voor je getrouwd was...'

'Maar die kenden mij niet.'

'Stern kent je toch.'

'Nee.' Constance schudde het hoofd. 'Hij zou het graag willen, denk ik. Ik maak hem nieuwsgierig, als een van die moeilijke Chinese puzzels. Hij zou me uit elkaar willen halen en dan weer in elkaar zetten – en meteen daarna zou dan al zijn belangstelling verdwenen zijn. Dus ben ik heel voorzichtig. Het zou toch erg zijn als hij wist wat ik voelde? Ik zal het hem nooit zeggen, Steenie. Al zijn we vijftig jaar getrouwd. Hij mag nooit zeker van me zijn, mag nooit weten of ik van hem houd of niet. Liefdespolitiek, zie je. Ik wil een machtsevenwicht bewaren.'

'Absurd. Zo kun je toch niet leven? En waarom? Als je van iemand houdt, moet je hem toch vertrouwen, dan kun je het toch zeggen? Waarom moet je er een stomme oorlog van maken. Wexton zei altijd...' Steenie kreeg een kleur. 'In ieder geval is het alleen maar ongerechtvaardigde trots die maakt dat je zulke dingen zegt...'

'Nee, het is ervaring.'

'Hoezo, ervaring?'

'Omdat ik van mijn vader hield. Heel erg veel, Steenie. Ik vertelde hem altijd... hoeveel ik van hem hield. Je herinnert je vast het resultaat nog wel.' Ze haalde berustend haar schouders op. 'Hij haatte me. Hij had een hekel aan me. Hoe meer hij zag dat ik van hem hield, hoe erger het werd. Zo'n fout maak ik nooit meer. Eenmaal is genoeg.'

Nadat ze dit had gezegd – zonder een zweem van verbittering – stapte ze weg. Steenie aarzelde. De laatste over wie hij zou willen praten, was Shawcross.

'Connie,' begon hij onhandig, na een pijnlijke stilte. 'Ben je ongelukkig? Maakt je huwelijk je ongelukkig – wil je dat zeggen?'

Constance scheen het een vreemde vraag te vinden.

'Ongelukkig? Nee, waarom? Ik ben blij dat ik met Montague getrouwd ben. Ik verander door hem – ik begin een nieuw leven – ik denk dat ik je gewoon wilde zeggen...' Ze brak af. 'Jij bent mijn enige vriend, Steenie.'

Nooit was Constance zo dicht genaderd tot het toegeven van een zwakheid. Hij was ontroerd, bloosde, aarzelde, vloog toen naar haar toe en kuste haar.

'En jij van mij. Jij bent ook míjn beste vriend. O, Connie, ik zit zo in de knoop. Al die zenuwen – het is niet alleen de party en de invitaties...'

'Dat weet ik.'

'Het is Wexton, zie je. Ik mis hem ontzettend. En Conrad vindt het leuk me jaloers te maken. Ik kan niet meer met Freddie praten. Mamma gaat nooit uit, ze komt zelfs niet hier. En vader is zo oud en krakkemikkig. Hij zeurt maar over geld. Ik weet dat het door Boy komt. Dat heeft hen gebroken. Als we praten is het net of we om een mijnenveld heen lopen. We kunnen de naam van Acland niet noemen, we kunnen die van Boy ook niet noemen. Iedereen doet of het een jachtongeval was en niemand gelooft dat natuurlijk. Zelfs Freddie doet alsof. Ik vertelde hem al dat vreselijks wat Boy zei maar hij wil niet luisteren. Hij zegt dat zijn zenuwen in de war waren door de oorlog en ik wéét dat hij gelijk heeft. Toch blijf ik maar vragen. Ik denk: wat als...'

Constance zat hem aandachtig aan te kijken, ze tuurde nu niet meer in de verte. Ze luisterde geconcentreerd. Toen Steenie weer ging zitten, kwam ze naar hem toe en pakte zijn hand. Ze aarzelde.

'Steenie, vertel me eens. Dat "wat-als" van jou – bedoel je daarmee wat Boy tegen je zei over de dood van mijn vader?'

'Ik veronderstel van wel. Zie je, ik weet dat hij zoiets niet zou doen, al die dingen die hij vertelde. Ik weet dat hij van de kaart was. Maar hij was zo definitief. Hij bleef maar doorgaan op die afschuwelijke toon. Zoals hij de geweren pakte. Zoals hij het met Acland besprak. En dan denk ik... er móet iets zijn gebeurd. Hij kon het toch niet allemaal verzinnen?'

'Ik begrijp het wel. In dat briefje aan mij was hij ook zo definitief.'

Het was even stil. Toen vertelde Constance iets dat voor Steenie van het grootste belang was. Het gaf hem een gevoel van opluchting, van bevrijding, al had het niet dat effect op mij toen ik het las.

'Steenie,' begon ze vermoeid. 'Ik wil eigenlijk niet over die nacht praten maar ik moet je iets vertellen – ook over Boy – waardoor er een eind aan al je twijfel komt. Als je er zeker van kon zijn dat het alleen de oorlog was toen Boy zo zat te praten – zou dat helpen?'

'Ja. Ik hield van Boy en ik kan zo'n zenuwinzinking door de oorlog tenminste begrijpen. Maar ik kan niet verdragen dat Boy een moordenaar is.'

'Hij was geen moordenaar, Steenie. Als je je Boy herinnert zoals hij was, zou je dat toch weten. Maar hij kon ook niet betrokken zijn bij de dood van mijn vader. Het was volkomen onmogelijk en hij wist dat ik dat wist.'

'Waarom? Ik zie niet in...'

'O, Steenie.' Constance drukte zijn hand. 'In die nacht van de komeet was ik bij Boy, we waren de hele nacht samen.'

Steenies ouders woonden de vernissage niet bij maar dat had niemand in de gaten. De receptie begon om zeven uur en om half acht was het zo druk dat de mensen tot op straat stonden. Toen Steenie de gastenlijst had opgesteld met Constance en Conrad Vickers, was hij bang geweest voor een soort sociale apartheid, met de belangrijke, kapitaalkrachtige vrienden aan de ene kant van de kamer, en de armere, meer artistieke aan de andere kant. Tot Steenies verbazing en vreugde werden de sociale barrières neergehaald door de grote hoeveelheden drank. Conrad Vickers en Steenie liepen van de ene groep naar de andere en als Steenie iets meer aandacht schonk aan mogelijke kopers, strooide zijn vriend Vickers zonder onderscheid overal met zijn 'scha-at'. Er verschenen steeds meer rode stippen en er waren dus mensen die zijn werk niet als glucose met rozenwater beschouwden.

Montague die voorzichtig aan de kant bleef staan, was de man die ermee begon. Hij kwam stipt op tijd en reserveerde onmiddellijk drie schilderijen. En waar Stern voorging, volgden anderen. Constance die haar man een half uur later ontdekte, gaf hem een kus.

'Dat was lief, Montague, ik weet dat ze niet bepaald jouw smaak zijn.'

'Ik mag Steenie graag, misschien wen ik nog wel aan zijn schilderijen. En hij schijnt op het moment te genieten. Hij ziet er gelukkiger uit dan hij in weken heeft gedaan.'

Constance wierp haar man een zijdelingse blik toe. 'Dat ligt deels aan mij. Hij heeft zich zorgen gemaakt over Boy zoals je weet. En ik kon hem iets vertellen dat hem geruststelde. Ik moet het jou ook vertellen. Als we kunnen ontsnappen. Ik had dat eerder moeten doen. Als dit voorbij is, kunnen we dan naar huis en als een oud getrouwd paar een beetje praten?'

'Ik zou niets liever willen, schatje. Maar nu moet je nog wat rondlopen. Het is misschien een goed idee om lady Cunard uit de klauwen van die saloncommunist te redden.'

Constance voelde er niet veel voor deze man, een beroemd beeldhouwer, aan te pakken. De laatste maal had hij haar eerst onderhouden over Marx en toen over vrije liefde – volgens Constance een *contradictio in terminis*. Maar hij sprak steeds luider en dronk veel te veel en lady Cunard zag eruit of ze in de val zat van zijn argumenten en zijn omvang. Constance deed haar plicht. Lady Cunard verdween snel. De beeldhouwer gaf Constance een stekelige kus. 'Mijn muse! Waar had je je verstopt? Hoe was de huwelijksreis?'

Constance stapte achteruit en voor ze het wist, zei ze hetzelfde als tegen Steenie. 'O, mijn huwelijksreis begon met een dood.'

Die huwelijksreis. Stern en Constance waren eindelijk in Dentons jachthuis aangekomen na een lange, inspannende tocht, want het dichtstbijzijnde station was er ongeveer honderdveertig kilometer vandaan. 'Jachthuis' was een misleidende naam, het huis dat Stern later zou kopen was een enorm namaakkasteel dat Dentons vader had laten bouwen. De weg erheen, smal en met karresporen, slingerde door een pas in de omliggende bergen naar de kust en een onzichtbare zee. Het huis zelf, in een afgelegen dal, was van bloedrode zandsteen. Ze zagen het toen ze de pas uitkwamen. Stern vroeg de chauffeur te stoppen, hij stapte de auto uit en bleef even met zijn gezicht in de wind staan kijken. Constance weigerde naar buiten te komen. Ze rilde en trok de reisdekens over zich heen. Ze keken naar het westen, de zon ging juist onder en achter de rode massa van het huis stond de hemel in brand. Constance wendde haar ogen af. Ze was hier eerder geweest maar alleen in de zomermaanden, de sombere pracht van de winter maakte haar bang. Was dit het extreme dat ze had gezocht? Je kon de hand van God zien in het landschap. Zelfs de bomen waren armzalig en onvolgroeid en krompen ineen voor het geweld van de elementen. De bergen waren als scherpe tanden tegen de lucht, de kale rotsen braken overal om haar heen uit de grond. Een wilde, verlaten en dodelijke schoonheid, dacht Constance en rilde opnieuw. Waarom waren ze hierheen gegaan?

Toen ze het huis binnenkwamen, werden ze begroet door de beheerder en door een telegram. Constance die niets tegen Stern had gezegd over het briefje dat Boy haar gegeven had, wist wat er in het telegram stond. Ze zakte neer in een stoel in de enorme gewelfde hal. Haar ogen namen de ruimte van de zaal op, de ramen die een meter of zeven hoog waren, de grote open haard waar anderhalve meter lange boomstammen in brandden. Haar kleine voeten rustten op een tijgervel, de glazen ogen van dode herten keken van de muren op haar neer. Ze hield haar handtasje stijf vast, omdat ze voelde dat haar man die alles zag, door het tasje heen keek en zelfs de brief van Boy kon lezen. Stern deed niet ongerust toen hij het telegram opende en onder het lezen veranderde de uitdrukking op zijn gezicht niet. Opkijkend zei hij, volkomen kalm: 'Boy is dood, een jachtongeval. Ik zal naar Winterscombe bellen.' Het duurde lang voordat hij verbinding kreeg en toen die er was, beheerste hij de situatie met zijn gebruikelijke onverstoorbaarheid. Hij zei dat hij geschokt was, bood zijn condoléances aan en was volkomen bereid om, als dat nodig mocht zijn, de huwelijksreis af te breken. Maar met het oog op het late uur leek het hem beter de volgende ochtend een beslissing te nemen.

'Ik geloof niet dat het een... ongeluk was,' zei Constance kleintjes. 'Ik veronderstel van niet onder deze omstandigheden,' antwoordde Stern.

Hij zei verder niets. De kwestie van de zelfmoord werd niet besproken, er werd niets gezegd over eventuele schuld van hem of zijn vrouw, niets over de foto die hij Boy had laten zien. Constance vond zijn beheersing angstwekkend, maar spannend. Een man vol geheimhouding, bekend met de dood. Wat zou die echtgenoot van haar doen als ze boven in de slaapkamer waren? Wat hij daar deed was teleurstellend. Met koele beleefdheid geleidde Stern haar naar haar kamer, riep haar kamenier, zei dat hij begreep dat ze wel uitgeput en geschokt zou zijn en liet haar alleen om bij te komen.

Constance wilde niet rusten. Ze bracht een slapeloze nacht door. De wind gierde, deed de grote deuren en ramen ratelen. De volgende dag kwam Stern haar kamer binnen en trok de gordijnen open. Het licht was hel en wit.

'Het heeft vannacht gesneeuwd. Een dikke laag. Ik ben bang dat we onmogelijk terug kunnen naar Winterscombe, Constance. We zijn... afgesneden.' Inderdaad, ze waren volkomen geïsoleerd, ontdekte Constance. De enige weg naar het huis was onbegaanbaar. Je kon er niet in of uit. De telefoon werkte niet. Het leek of haar man er blij om was, dacht Constance, hij genoot van die gedwongen opsluiting. Constance niet. Ondanks de enorme vuren had ze het altijd koud. De kamers en corridors echoden. Het uitzicht uit het raam was een en al eenzaamheid.

'Wat zie je, Constance?' vroeg Stern een dag of vijf later toen de sneeuw er nog lag maar de storm was gaan liggen. Ze zaten in de grote hal, Stern bij het vuur, Constance opgerold op een brede vensterbank.

Ze drukte haar gezicht tegen het glas, duwde haar nagels in haar handpalmen. Vijf nachten had ze alleen geslapen. Zonder verklaring.

'Wat ik kan zien, Montague? Nou, duizenden vierkante meters sneeuw. Hetzelfde uitzicht, uit ieder raam.'

De volgende dag gaf Stern opdracht aan de beheerder. Zijn vrouw, zei hij, vond dat ze opgesloten was. Werkers van het landgoed kwamen een pad door de sneeuw graven. Toen het klaar was, nam Stern Constance mee naar de deur. Lachend liet hij haar het pad zien dat voor haar was gemaakt. Een glinsterend pad, precies breed genoeg voor twee mensen om naast elkaar te lopen, dat van de deur recht naar een balustrade leidde. Die balustrade gaf de grens aan van Gwens weinig succesvolle pogingen om een tuin aan te leggen. Het veld eronder daalde af naar een punt dat uitzicht bood over de wildernis van de Hooglanden. Constance keek naar het pad, naar de heldere wolkeloze hemel, naar de zon. De lucht was ijzig fris, met iets van zout erin. Het geglinster was verleidelijk.

'Zie je?' glimlachte Stern. 'Vrijheid.'

De eerstvolgende drie dagen maakten ze 's morgens en 's middags een wandelingetje. Arm in arm en naast elkaar liepen ze langzaam van het huis naar de wildernis en van de wildernis terug naar huis. 'Als een beetje lichaamsbeweging op de binnenplaats van een gevangenis, vind je niet?' zei Stern een keer toen ze heen en weer liepen. Hij wierp een blik op Constance alsof hij het een goede opmerking vond, alsof er een geheime betekenis was die ze zou moeten begrijpen.

'Een beetje,' antwoordde Constance en hield zijn hand stijf vast. Een geruststellende handdruk, ze besliste dat de opmerking niets bijzonders had.

'Zullen we naar de wildernis lopen?' vroeg Stern op dezelfde ironische, geamuseerde toon. Soms zei Constance tegen zichzelf dat ze, als ze bij de balustrade waren gekomen, zou spreken. Het kon toch niet zo moeilijk zijn hem te vragen waarom hij haar steeds alleen liet slapen.

Een dag, twee dagen, drie dagen, ze deed het nooit. De woorden bleven in haar keel steken, zoals het vroeger met bedankjes ging.

Op de middag van de derde dag vond ze dat de woorden moesten worden uitgesproken. Geen aarzeling meer. Zodra ze bij de balustrade waren, zou ze ze zeggen. Nog honderd passen, Stern richtte zich naar haar korte stappen. Ze balde haar gehandschoende handen, keek naar het uitzicht en zweeg.

Zo'n majesteitelijk uitzicht, een wereld waarin de mens niets betekende. Alle kleur was verdwenen: het laagveen, de hei, de uitlopers van rotsen, alles was onzichtbaar. Sneeuw boven sneeuw. In de verte de witte bergen, onder hen het vlakke zwarte water van het *loch*. Dit *loch* zag er dodelijk en afwijzend uit. Omdat het door de bergen beschermd was tegen de wind, was het oppervlak zonder enige rimpeling. Heel in de verte zag ze het punt waar het water van het *loch* in zee uitmondde. Het werd begrensd door twee hoge zwarte rotsen die een smal kanaal vormden waar het water doorheen wervelde. Een gevaarlijk stuk, berucht vanwege de stroom. Constance, die niet kon zwemmen en bang voor water was, had er altijd een hekel aan gehad.

'Hoe diep is het daar?' had ze eens aan Acland gevraagd toen ze nog een kind was. Acland had de schouders opgehaald.

'God mag het weten. Diep. Honderd... tweehonderd vadem.'

Nee, ze kon niets zeggen. Het *loch* verbood het haar. Met een gevoel van angst en wanhoop keek Constance naar haar echtgenoot op.

Hij tuurde over het landschap en weer zag ze op zijn gezicht een uitdrukking van verrukking. Stern was niet bang voor deze plek zoals zij – hij genoot ervan. Terwijl ze naar hem keek dacht ze dat hij in een stilzwijgend gevecht was gewikkeld met die woeste, verlaten wereld, alsof hij die gevaarlijke schoonheid uitdaagde. Hij scheen haar aanwezigheid te zijn vergeten. Constance voelde zich vernederd. Maar nu ze zijn profiel zag en zijn gezicht, strak en bleek tegen de hemel afgetekend, voelde ze voor het eerst dat ze haar man niet kende. Stern, de Macchiavelli, Stern de oppermachtige met invloed in clubs, ministeries en salons – zo had ze zich hem altijd voorgesteld en ze had het mis gehad. *Vandaag zag ik Montague's ziel*, schreef ze in haar dagboek. *Het was op die vreselijke prachtige plek, bij dat meer, in die bergen.* Toen Stern bleef zwijgen en haar aanwezigheid nog steeds vergat, legde ze een hand op zijn arm. Ze had hem willen zeggen wat ze in zijn gezicht had gezien, maar de juiste woorden kwamen niet. Ze zei alleen dat het haar verbaasde dat hij het hier zo mooi vond. Als iemand had gevraagd wat dan wel bij hem paste, had ze het tegenovergestelde van deze plek genoemd.

'Een klassiek huis in een klassiek park,' zei ze. 'Een beetje streng, en dat al generaties lang door mensen was getemd, dat zou ik hebben gekozen.'

'Daar houd ik ook van,' zei Stern verstrooid. 'Maar dìt is het. Ik was nooit eerder in Schotland geweest.' Hij zweeg en bleef uitkijken over de sneeuw. Heel in de verte dreef een vogel – een adelaar, met enorme uitgestrekte vleugels mee met de luchtstroom.

'Zullen we dit nemen?' Stern wendde zich zo plotseling tot Constance dat ze schrok. Zijn gezicht was zonder masker, zonder terughoudendheid. Voor het eerst zag ze het zoals het was, vol van duistere opwinding.

'Zullen we?' Hij gebaarde naar het landschap voor hem, trok met een wijde armzwaai rotsen, bergen, water, zee naar zich toe.

'Als je wilt, Constance, kan het van ons zijn, leggen we er beslag op.'

'Dit hier?'

Stern bood haar dit alles aan en nog meer. Wat een roekeloosheid! Heel even zong de lucht in haar longen en werd ze, als die adelaar, meegevoerd op de luchtstroom. Daar lag de wereld aan haar voeten, één woord en het was van hen – geen enkel woord, want haar man boog zich naar haar toe en ze hoefde alleen zijn mond maar te kussen, dan was ze vrij. Ze keek in zijn ogen, reikte omhoog naar zijn kus, ze voelde zijn arm om haar middel. Op het allerlaatste moment huiverde ze, was ze bang, trok zich terug. Ze maakte een hopeloos gebaar met haar handen, kleine leren handschoenen tegen de elementen. Ze keek naar de kring van bergen, naar het water van het *loch* beneden. Dacht ze aan haar vader? Misschien.

Veel te hoog in het noorden, dacht ze. Te koud. Ze wendde zich met een schouderophalen af, met een pruilmondje dat ze niet kon onderdrukken. 'Dit hier? Wel leuk in augustus – als je beesten wilt doodschieten. Maar in de winter?'

Ze zweeg, vol afschuw over wat ze had gezegd. Toen ze Stern aankeek, was het licht uit zijn gezicht verdwenen. Nog één kans, zou ze willen roepen. Eén kans! Maar in plaats daarvan zei ze: 'Waarom vroeg je dat?'

'Zomaar.' Stern wendde zich af. 'Zullen we teruggaan?'

'Montague...'

'Je hebt het koud. We praten er nog wel over,' zei hij kortaf.

Constance voelde hoe die stem haar verdorde. Nog honderd passen. Bij de deur bleef ze staan. Als ze nu naar binnen ging, als ze nu niet sprak, kwam aan alles een eind. Maar hoe? Ze boog zich en pakte een handvol sneeuw, perste die tot een bal tussen haar vingers.

'Vanavond aan tafel,' zei Stern onverschillig, 'praten we er wel over.'

Hij opende de deur. Constance bewoog zich niet. Ze geloofde hem niet, dit was toch niet iets waarover je praten kon. 'Montague...'

'Ja, liefje?'

'Heb je je nooit opgesloten gevoeld? Weggestopt – zodat je niet kunt ademen, zodat de lucht als een gevangenis is, en je alleen maar tralies aanraakt?' Ze zweeg. Stern keek haar belangstellend aan.

'Ja,' begon hij voorzichtig. 'Dat heb ik wel gevoeld. De meeste mensen hebben...'

'Je zou me eruit kunnen laten,' riep Constance en greep zijn hand. 'O, soms voel ik dat je dat kunt. Als ik maar iets meer durfde. Ik denk – dat ik dan echt vrij zou zijn. En jij ook. We zouden elkaar kunnen bevrijden, Montague.' Ze hief haar gezicht naar het zijne. 'Begrijp je me? Denk je dat ik gelijk heb?'

Stern keek naar haar opgeheven gezicht dat hem smeekte. Zijn eigen uitdrukking werd vriendelijker. Hij trok haar naar zich toe, kuste haar voorhoofd en volgde op een tedere, treurige manier, de lijnen van haar gezicht.

'Daarom ben ik juist met je getrouwd. Heb je dat niet beseft?'

'Als we naar Londen teruggaan, Constance,' begon hij na de maaltijd die avond, 'moeten we besluiten waar we gaan wonen. Heb je een voorkeur?'

'Ergens in Londen. En ook iets buiten, denk ik.' Constance sprak omzichtig, ze wist dat Stern er een bedoeling mee had. 'En na de oorlog zou ik willen reizen. Ik zit liever niet zo vreselijk vast.'

'Dat weet ik.'

Stern keek naar zijn wijnglas en schoof het heen en weer over de donkere geboende tafel. Er stond een monsterlijk grote piramide van fruit tussen hen in, een *pièce de milieu* en twee rijen zilveren kandelaars, sommige bijna zeventig centimeter hoog. Constance keek met een gevoel van wanhoop de kamer rond. Massieve stoelen, grote banieren met versleten heraldische emblemen, enorme mauve schilderijen van Schotse dalen. Alles in dit huis is te groot, dacht Constance. Zelfs de stoelen maken een dwerg van me.

'Ik zou Winterscombe binnen een jaar kunnen hebben – als we dat willen. Het huis is een pand voor mijn leningen. En die kan ik ieder ogenblik opvragen, ik denk niet dat ze ooit betaald kunnen worden.' Constance staarde hem aan. 'Ik kan Winterscombe krijgen,' ging hij door, 'maar niet alleen Winterscombe. Wist je dat het landgoed van de Arlingtons van mij is?'

'Nee, Montague.'

'Ik heb het na de dood van Hector Arlington gekocht. En het huis van Richard Peel, weet je wel, die oude vriend van Denton, die graag financiële adviezen van een jood wilde hebben maar hem niet aan zijn tafel wilde zien? Hij is de afgelopen herfst gestorven. Ik kocht zijn landgoed van de executeuren. Hij had geen kinderen.'

'Van de Arlingtons en van Peel en dan nog Winterscombe? Die liggen alle drie naast elkaar.'

'Ja. En dan kan ik Jane Conynghams land ook nog kopen. Ze vertelde me dat ze het niet wilde houden.'

'En haar land grenst aan Winterscombe. Je zou van die vier landgoederen één kunnen maken.' Constance keek Stern aandachtig aan.

'Dat zou ik kunnen doen. En dit hier kan ik er misschien bij nemen. Ik houd van deze plek. We zouden vier huizen hebben om uit te kiezen. Winterscombe is mijn smaak niet, maar misschien wel die van jou. Janes huis is heel mooi en dat van Peel nog mooier. We zouden er kunnen gaan kijken. En als je er niets voor voelt, kunnen we bouwen.' Hij maakte een geringschattend gebaar. 'Huizen interesseren me niet zo. Ik heb er een paar gehad. Dan voel ik me verplicht om er dingen in te stoppen en als ze vol zijn, vervelen ze me.'

'Bedoel je dat het je om het land gaat?'

'Ja, ik veronderstel van wel.'

'Waarom, Montague?'

'Ik houd van ruimte.' Stern stond op. 'Als jongen droomde ik van ruimte. Ik groeide op in een huis dat maar drie kamers had. Je kon er nooit alleen zijn. Maar je houdt er niet van over Whitechapel te praten, herinner ik me.'

Stern liep naar het raam en schoof de zware gordijnen opzij. Hij keek naar buiten. Het was volle maan. De sterren waren als ijs in de duisternis. Ze keek naar de beelden die ze vormden. Ze keek naar haar bord.

'Is dat de enige reden, Montague, die liefde van je voor land?'

'Niet de enige. Ik heb altijd – en dat verbaast je misschien – iets willen hebben dat ik kon doorgeven. Je zei een keer dat het onderwerp kinderen me niet interesseerde. Je had het mis. Ik zou graag een zoon willen hebben. Misschien heb ik dynastieke neigingen.' Hij zweeg even. 'Ik heb al jaren een steeds terugkerende droom. In die droom zie ik mijn zoon heel duidelijk. Zijn gezicht, zijn haar. We lopen samen over onze landerijen. En onder het lopen weten we dat ze bijna grenzeloos zijn. Soms staan we in het midden en dan zeg ik tegen hem: "Dit is voor jou. Neem het maar."' Hij brak af. 'Mijn zoon is natuurlijk anders dan ik. Vrijer dan ik ooit ben geweest. Maar daar hoef jij je niet mee bezig te houden. Het is een droom.'

'Ik zou gedacht hebben dat het me wel bezig moet houden,' zei ze zacht.

'Maar natuurlijk. Ik wilde je niet kleineren.'

'Ben je altijd alleen met je zoon in die dromen, Montague?'

'Ja.'

'Ik ben er nooit bij – zelfs nu niet?'

'Tot nu toe niet, maar dat zal vast wel veranderen. Mijn hoofd heeft misschien tijd nodig om zich aan te passen aan ons huwelijk.'

'Ik ben blij dat ik hier ben,' zei Constance die steeds op haar bord keek.

Stern nam Constances hand en boog zich naar voren om haar een kus te geven. 'Wat een bedroefd gezichtje,' en hij tilde haar gezicht op. 'Waarom? Heb ik je ongelukkig gemaakt?'

'Een beetje.'

'Zeg me dan waarom, want dat was niet mijn bedoeling.'

'Ik weet het niet. Misschien wil ik niet op Winterscombe wonen. Of in de buurt van Winterscombe. Het doet me te veel aan het verleden denken. Aan mijn vader...'

'Dan vergeten we dat idee en bouwen ons kleine rijk ergens anders. Denk er maar over na en eventueel veranderen we van plan. Ik geloof niet dat het alleen maar Winterscombe is. Is er iets anders?'

'Ik denk van wel. Ik... Vind je me aardig, Montague?'

'Wat een vraag van een vrouw aan haar man. Natuurlijk vind ik je aardig.' Hij fronste. 'Misschien druk ik me niet goed uit. Ik ben nu eenmaal indirect. Ik heb geprobeerd je te laten zien...' Hij zweeg.

'Zou je – bijna van me kunnen houden, Montague?' Constance stak plotseling haar hand uit. 'Ik denk dat het al genoeg zou zijn als je bijna van me kon houden.'

'Zal ik je iets vertellen?' Stern trok zijn handen terug. 'Dat is misschien een antwoord op je vraag. Ik interesseerde me al heel lang voor je. Wil je weten wanneer je me voor het eerst opviel?'

'Ja.'

'Toen we naar de opera gingen, naar *Rigoletto*. We stonden in de salon van Maud en je vertelde me wat je dacht dat er in de opera gebeurde toen het doek gevallen was.'

'Toen?'

'Ik vermoed van wel. Dat leugentje over je moeder en haar ras – dat was helemaal niet nodig geweest. Ik wist dat ik met je zou trouwen, al een paar maanden voordat jij me ten huwelijk vroeg.'

'Dat geloof ik niet. Je houdt me voor de gek!' Constance sprong op.

'Zoals je wilt.' Stern haalde zijn schouders op. 'Ik wil je helemaal niet voor de gek houden, ik zeg je alleen wat ik dacht. Dat we zouden trouwen, dat we kinderen konden hebben – na een poosje.'

'Maar je was toen nog bij Maud.'

'Toen al.'

'Je nam gewoon een beslissing – zo koeltjes?'

'Ik voelde me niet koel, hoewel je dan het beste je beslissingen kunt nemen. Maar ik stel me voor dat jij je aanval ook heel koel berekende. We zijn hetzelfde soort mensen. Als je me een beetje leerde vertrouwen...'

'Vertrouw je mij?'

'Ik probeer het.'

'En ik hoef niet op Winterscombe te wonen?'

'Nee. Ik zal nooit proberen je iets te laten doen wat je niet wilt.' Hij zweeg even. 'Ik had het idee – maar kennelijk had ik het mis – dat je aan het huis gehecht was.'

'Aan het huis? Nee.'

'Aan iemand die er woont misschien?'

'Nee. Nu niet.'

'Aan Acland, bijvoorbeeld?'

'Waarom Acland? Waarom zeg je dat?'

'Zomaar – een indruk die ik had.'

'O, Acland en ik waren oude vijanden. Ik denk niet meer aan hem. Acland is dood. Ik heb nu een nieuwe tegenstander, Montague. Kijk – ik draag zijn ring aan mijn vinger.'

'Je draagt een heleboel ringen aan je vingers.' Stern bekeek de kleine hand die Constance hem voorhield.

'Maar één die iets betekent.'

'Is dat waar?'

'Natuurlijk. Ik ben nu een echtgenote. Ik ben – bijna een echtgenote.'

'Zullen we dat compleet maken?'

Dat was Sterns antwoord. Het is daar dat Constances verslag van die nacht en van haar huwelijksreis, afbreekt. Er is een hiaat, een halve lege bladzij. Dan de volgende zinnen, bijna onleesbaar geschreven.

Montague was zo lief, zo geduldig en zacht. Geen spelletjes nu, geen woorden. Het lukte me niet erg. Ik bloedde. Ik wachtte. Ik dacht dat hij zou zeggen dat ik mager was, dat ik onhandig was, maar dat deed hij niet. Ik dacht dat zijn ogen me zouden haten maar dat was niet zo. Ik denk dat dit me in de war bracht. Ik deed iets verschrikkelijks, want ik riep jouw naam, pappa – driemaal. Sindsdien lukt het beter. Montague vraagt nooit iets. Hij is altijd even attent. Als hij me aanraakt, heb ik het gevoel of ik dood ben. Hij kan me niet wakker maken. Ik wil wil wil wakker worden. We moeten blijven proberen, we kunnen niet stoppen. Als ik naast hem sta, moet ik hem aanraken. Ik moet het hem vertellen. Ik ben bang om het hem te vertellen. Al die geheime verhalen, die kleine doosjes. Zal ik ze allemaal openmaken, of alleen een paar ervan?

'Vertel het me dan, Constance,' zei Stern.

Het was nog steeds de avond van Steenies vernissage, Constance en haar man waren teruggekeerd naar hun laatste weelderige huurhuis. Het was tien uur en het telefoongesprek dat hun leven zou veranderen, was nog een uur van hen vandaan. Stern zat bij het vuur en Constance ijsbeerde met een strak, geconcentreerd gezicht door de kamer. Aangezien ze overdreven vormelijk was wat dit soort dingen betreft, was ze nu in halve rouw voor Boy – een jurk in de laatste mode van lavendelkleurige stof. Een compromis tussen chic en verdriet. Maar in haar handen hield ze een prachtige sjaal in felle kleuren en onder het op en neer lopen wond ze die om haar vingers.

Ze begon haar verklaring met te zeggen dat ze Steenie er eerder die avond al over had verteld, maar omdat ze hem niet wilde kwetsen, had ze hem een gekuiste versie gegeven.

'En ik krijg het ongecensureerd?' vroeg Stern droog.

'Ja,' antwoordde ze. 'Maar ook als je boos bent, moet je me niet in de rede vallen. Ik zie nu wel dat je alles weten moet. Ik had het je eerder moeten vertellen. Boy vond het fijn om me te fotograferen – dat weet je. Maar wat niemand weet, is dat Boy me ook aanraakte.'

Daarop vertelde Constance haar man het volgende verhaal. Aangezien de enige andere getuige van het verhaal dood is, zullen we nooit weten hoeveel ervan waar was en hoeveel ze verzon. Misschien is er iets van waar. Constance was geen gewone leugenaarster en ze gebruikte dikwijls fictie zoals een verhalenverteller doet, om een diepere waarheid over te brengen.

Eén ding is zeker. Constance was niet zo onschuldig als ze zich voordeed. Weet je hoe ze poseerde voor Boy in de Koninklijke Slaapkamer? Weet je nog van Freddie? De verborgen verleider was niet Boy. Als ze zich al beschreef als slachtoffer zou het accuraat zijn geweest als Constance Stern de geschiedenis van haar vader had verteld, maar een slachtoffer van Boy? Dat geloof ik niet. De vraag is alleen: geloofde Stern haar?

Het begon met praten, vertelde Constance. Dat ontwikkelde zich tot een reeks spelletjes. Het eerste spelletje had vaste regels. Boy was de vader en Constance de dochter. Ze moest Boy 'pappa' noemen en als ze bij hem op zijn kamer kwam, moest ze al haar kinderlijke vergrijpen opbiechten. Soms vergaf hij haar en kreeg ze een kus. Soms vond de nieuwe vader dat de misdaad ernstig was.

'O Constance, niet opletten in de kerk – dat is heel erg.' En dan zei hij: 'Constance, ik zal je moeten straffen.' Er was maar één straf. Boy legde haar over de knie en gaf haar een paar harde petsen. Als dat gebeurde, veranderde er iets in Boy. Zijn ogen werden glazig, hij begon te stotteren en hij kreeg een erectie. Constance wist toen nog niet wat een erectie was, maar als Boy haar over zijn knieën legde, voelde ze soms iets tegen haar ribbenkast bewegen. Boy leek zich dan te schamen, na zo'n pak slaag keek hij haar nooit aan.

Kort hierna verzon Boy een nieuw spelletje, een soort verstoppertje, maar ze moesten zich beiden verstoppen in Boys grote klerenkast. Het was precies een kamertje, Boy kon er rechtop in staan. Boy trok de deuren dicht en ze moesten absoluut stil zijn. Constance was zo stil als een muis. Ze zat tegen zijn tweed jasje en uniformen gedrukt. Maar Boy ademde altijd heel zwaar. Er was geen licht, ze kon geen hand voor ogen zien. Ze bad in stilte dat ze er weer uit mocht, ze kon daarbinnen niet ademen.

Op een dag fluisterde Boy dat ze elkaars hand moesten vasthouden in het donker, omdat hij wist dat ze bang was. Hij hield haar hand vast en geleidde die zo dat ze hem aanraakte. Daar was dat vreemde ding weer, even hard als eerst, het maakte een bult in zijn broek, maar Boy vormde haar hand tot een kommetje zodat het er overheen paste. Hij bewoog tegen haar hand en kreunde plotseling, er ging een rilling door hem heen. Meteen liet hij haar hand los. Later gaf hij haar een kus en zei dat het hun geheim was, ze konden dit spelletje doen omdat Boy haar pappa en haar broer was en van haar hield. Later kwam Boy met variaties. Op een dag knoopte hij haar jurk los, knielde en streelde haar enkels. Op de derde dag voelde ze dat dat bultige ding uit zijn broek stak. Ze voelde het rechtop staan in het donker als een stok. Het was warm en vochtig en Boy zei dat ze het moest strelen maar zodra ze het aanraakte, rilde Boy. Ze was erdoor gefascineerd maar ook bang. Ze wist niet of hij het ding te voorschijn haalde omdat hij van haar hield of omdat het een straf was. Later werd Boy brutaler. Soms haalde hij het ding te voorschijn als hij een foto van haar maakte. Voordat hij haar fotografeerde, ging hij tegenover haar zitten met het ding in zijn hand. Hij keek nooit naar haar gezicht als hij dat deed, hij keek naar de spleet tussen haar dijen. Constance had een hekel aan dat deel van haar lichaam, haar eigen geheime plek, maar Boy tuurde ernaar terwijl hij zichzelf streelde. Soms kreunde hij en naderhand waste hij zich altijd, met zeep die naar anjelieren rook.

Op het laatst kwam Boy met nog een variatie. Het werd altijd gespeeld in dezelfde houding. Boy ging zitten en Constance zat schrijlings op zijn schoot. Eenmaal kuste hij haar op de mond, maar toen niet meer. Hij hield niet van een kus op de mond. Hij hield zijn handen om haar middel, tilde haar op en liet haar weer dalen. Als ze de grot bereikten – hij had het altijd over de 'grot' vertrok zijn gezicht. Het spelletje deed Constance pijn en Boy ook, omdat hij eruitzag als iemand die gewond was. Ze begreep niet wat hij er leuk aan vond en Boy legde het haar nooit uit.

Naderhand hielp hij haar bij het aankleden. Hij was altijd heel lief en zacht. Soms gaf hij haar een kus of een cadeautje. Eens was dat een ring met een blauwe steen, en een andere maal toonde hij haar, onder een kleedje, een driekleurige spaniel die lag te slapen. Na zo'n cadeautje ging ze zijn kamer uit. Ze moest oppassen dat niemand haar zag en dat ging altijd goed, tot de laatste keer. Het was een warme zomerdag, de oorlog was pas uitgebroken, en Boy was met verlof. Toen werd ze betrapt door Acland die boven aan de trap stond. Hij keek haar aan. Constance wist dat hij binnenin haar kon kijken. Hij zei niets maar ging naar Boys kamer en ze hoorde hun boze stemmen. Er moest toen iets zijn gebeurd, niemand legde het uit, maar de bezoeken stopten. Geen foto's, geen verstoppertje.

Acland had haar gered en Constance was hem dankbaar. Maar toen was ze al geen kind meer, ze wist dat de spelletjes verkeerd waren. Ze gaf Boy niet direct de schuld – ze dacht dat hij echt van haar hield – maar toch was het een zonde en soms hoopte ze dat Acland hem had gestraft.

Dat was haar geheim, zei Constance, keerde terug naar haar man en wond de felgekleurde sjaal om haar hand. Ze voelde zich beschaamd, besmeurd.

'Zie je?' zei ze. Ze beefde. 'Dat is me aangedaan. Ik kan het niet altijd vergeten. Het heeft me een cirkel van lucht gemaakt, een niets. Ik kan niet zijn als andere vrouwen. Boy sloot me op in die kast van hem en ik zit er nog steeds gevangen, zonder lucht om te ademen. Het heeft Boy gedood, en nu doodt het mij. Zelfs nu. Jij bent de enige die me kan bevrijden.'

Constance begon te huilen: een van haar plotselinge emotionele stormen. Ze bedekte haar gezicht met haar handen. Stern die aldoor stil was blijven zitten, stond op. Hij ging niet direct naar zijn vrouw toe maar liep de kamer op en neer. Toen Constance hem aankeek, zag ze dat zijn gezicht wit van woede was.

'Maar goed dat hij zelfmoord heeft gepleegd,' zei Stern. 'Anders had ik dat werk voor hem gedaan.' Constance twijfelde er geen moment aan. Het was geen opschepperij, hij sprak koud en beslist.

Zoals ze een- of tweemaal in Schotland had meegemaakt, ving ze een glimp op van iets extreems in haar man, een bereidheid om de grenzen te overschrijden. En net als toen vond ze het opwindend. Constance voelde zich aangetrokken tot iemand die zich door zijn heftige emoties liet meeslepen tot voorbij de grenzen van beschaafd gedrag. Ze vond het daar prachtig, een roversgebied – en ze vond het nog mooier als ze wist dat zij dat overschrijden van de grens had geprovoceerd. Stern, haar wreker, dodelijker dan zulke fictieve wezens uit een boek of toneelstuk, bevredigender ook, want dit drama was echt. Ze droogde haar tranen. Stern kwam naar haar toe.

'Boy heeft me zijn woord gegeven. Die dag in de club. Hij zei dat hij je nooit had aangeraakt.'

'Wat verwachtte je dan?' riep Constance. 'Het was niet erg waarschijnlijk dat hij het zou bekennen, en dan nog wel aan jou.'

'Maar de manier waarop hij het zei. Ik had begrepen...'

'Geloof hem dan!' Constance begon weer te huilen. 'Dat doen mannen altijd. Ze vertrouwen het woord van een man altijd meer dan dat van een vrouw.'

'Nee, nee. Zo zit dat niet, Constance. Natuurlijk twijfel ik niet aan je. Niemand zou zoiets zeggen, tenzij...' Stern trok haar naar zich toe, streelde haar haar, kuste haar voorhoofd. 'Constance,' begon hij zachter, 'ik wilde dat je me dit eerder had verteld. Dan zou ik me heel anders hebben gedragen. Als ik het geweten had, zou ik... Constance, wanneer is het begonnen?'

'Op de nacht dat mijn vader stierf.' Constance klampte zich vast aan haar man. Hij streelde haar haar niet meer maar zij sloeg haar armen stijf om hem heen. 'Daardoor voel ik me nog schuldiger – zie je? Mijn vader lag daarbuiten dood te gaan en ik wist er niets van. Ik was binnen en ik was de hele nacht bij Boy. Vanaf het eind van de party tot bijna vijf uur 's morgens. We zaten in zijn kamer te praten. Toen was het nog niet meer dan dat. En dat heb ik vanavond aan Steenie verteld. De andere, latere dingen niet. Alleen dat we zaten te praten. Ik wilde dat Steenie begreep dat alles wat Boy tegen hem had gezegd, uit leugens bestond. Boy heeft mijn vader niet vermoord.'

Constance zweeg. Sterns hand lag op haar schouder en ze voelde een nieuwe spanning in zijn lichaam en – toen ze opkeek – ook in zijn gezicht.

Hij trok zich terug, zijn boosheid verdwenen. Hij keek haar aandachtig aan. Een klok in de kamer tikte.

'Het was Boy niet?' Hij fronste.

Toen trok hij haar naast zich op een bank, zei: 'Constance, vertel op.'

Iets uitleggen aan haar echtgenoot, zou Constance later schrijven, kon moeilijk zijn. Het was of je een reeks gebeurtenissen moest uitleggen aan een advocaat tijdens een kruisverhoor. Terwijl ze vertelde, kwam Stern zo nu en dan met een vraag. Constance ging begrijpen dat al die details werden vergeleken met de informatie die hij al had.

'Zie je,' zei Constance, 'Boy had die dag al een foto van me gemaakt, de eerste van mij alleen. In de Koninklijke Slaapkamer. Ik had nooit op Boy gelet maar die dag zag ik dat hij aardig tegen me deed. Steenie en ik mochten opblijven om naar de komeet te kijken. Nanny bracht me naar bed, maar ik kon niet slapen. In die tijd liep ik altijd te spioneren – dat heb ik je verteld – maar toen wilde ik alleen maar zien hoe het met het feest ging. Ik kroop in mijn nachtjapon naar beneden en verstopte me in de serre, achter een hele rij camelia's; vandaar kon je de salon zien.'

'En zo was je getuige van het beroemde huwelijksaanzoek?'

'Ja, Jane speelde piano en de muziek maakte me slaperig. Toen hield het pianospel op en kwamen Jane en Boy binnen, maar dat verhaal ken je. Steenie en ik maakten er zelfs nog eens een voorstelling van voor Freddie. Daar heb ik nu spijt van...' Ze keek haar man aan. 'Ik heb geen hekel aan Boy, wat hij ook gedaan heeft. Ik heb – medelijden met hem. Hij was het slachtoffer van zijn vader. Hij wist dat hij nooit de man zou kunnen zijn die zijn vader wilde dat hij was. Dat maakte hem zo ongelukkig.'

'Dat maakte hem tot een aanrander van kinderen, bedoel je.'

'Doe niet zo hardvochtig.' Constance wendde haar hoofd af. 'Boy was bang om volwassen te worden. Hij was bang voor volwassen vrouwen. Als kind was hij zeker van de liefde van zijn vader, maar toen hij ouder werd voelde hij dat hij hem teleurstelde. Ik kon dat begrijpen, dat kind willen blijven. Dezelfde leeftijd te willen houden als toen je gelukkig was.'

'Kon je dat?'

'O ja, en Boy wist het. Daarom voelde hij zich bij mij veilig. In de eerste plaats wàs ik een kind en nog wel een afschuwelijk, lelijk, nors kind. Niemand kon zich een mislukkeling voelen vergeleken bij mij, zelfs Boy niet. Iedereen had altijd medelijden met hem en dat vond hij vreselijk. Dat begreep ik ook. We hadden dus een band. We waren vrienden.'

'Ja, ik begrijp het.'

422

'Echt?' Constance keek hem bedroefd aan. 'Ik hoop het, maar ik zie dat het moeilijk is. Je weet niet hoe afschuwelijk het is als iemand medelijden met je heeft. En niemand zou het wagen medelijden met jou te hebben.'

'Ik ben niet zo onkwetsbaar als je denkt, maar ga door.'

'Goed. Toen Boy en Jane weg waren, was ik helemaal opgewonden. Een huwelijksaanzoek. Ik wilde Steenie wekken om het hem te vertellen. Maar Steenie was in diepe slaap en ik dacht dat ik hem beter niet wakker kon maken. Ik hoorde de gasten die vertrokken. Weet je waar de kinderkamers zijn op Winterscombe? Op de tweede verdieping, dan is er een overloop en dan een gang met de kamers van Boy, Acland en Freddie. Vanaf de overloop kun je de hal beneden zien, dus ging ik daar zitten kijken. Ik zag de logés naar hun kamer gaan. Maud en...' ze glimlachte even, 'en later jou. Ik zag dat Boy Jane naar haar kamer bracht. Hij zag er zo ellendig uit! Ik wilde teruggaan naar de kinderkamer, toen Boy uit zijn kamer kwam. Ik denk dat hij Acland zocht, want hij opende de deur naar zijn kamer. Maar Acland kan er niet zijn geweest, omdat Boy onmiddellijk terugkwam.'

'Zocht hij Acland?' vroeg Stern scherp. 'Hoe laat was dat?'

'Ik weet het niet, ik had geen horloge. Iedereen was naar bed, zelfs de bedienden. Ik denk een uur of een.'

'Eén uur. En Acland was er niet?'

'Nee.'

'Weet je waar Acland was?'

'Ik heb het hem gevraagd en hij zei dat hij bij een vrouw was.'

'Een vrouw?'

'Ja, de hele nacht.'

'Geloofde je hem?'

'Ik denk van wel. Maar Acland heeft er niets mee te maken. Boy kwam de overloop op en zag me. Hij vroeg me wat ik daar zo laat nog deed en ik legde hem uit over de komeet. Hij lachte en zei dat hij, toen hij zo oud was als ik, ook altijd naar feestjes van volwassenen keek, vanaf dezelfde plaats. Hij vroeg of ik nog zo wakker was dat ik bij hem in zijn kamer kon komen. Dan konden we praten.'

'Praten?'

'Dat zei hij. Ik kwam binnen en Boy gaf me een plaatsje bij de open haard. Ik was in mijn nachtpon, zonder kamerjas, dus haalde Boy een deken die hij om me heensloeg. Ik kreeg een glas limonade en biscuitjes en hij liet me zijn verzameling zien – vogeleieren, tinnen soldaatjes. Echt leuk. En we praatten. Ik geloof dat Boy heel ongelukkig was en hij had er behoefte aan met iemand te praten. Ik was er nu eenmaal.'

'Hoe lang hebben jullie gepraat?'

'Heel lang, maar dat leek niet zo. Toen bracht hij me terug naar de kinderkamer. Daar keek ik op de klok. Het was even voor vijf; toen ik in bed kroop, hoorde ik de kerkklok vijf slaan.'

'Weet je dat zeker?'

'Absoluut.'

'En om hoe laat werd het ongeluk ontdekt?'

'Half zeven. Cattermole heeft dat altijd gezegd.'

'Vreemd.'

'Hoezo?'

'Omdat Boy er dan nooit bij betrokken kan zijn geweest. Waarom zou hij dan tegen Steenie hebben gezegd dat het wel zo was? Wilde hij iemand beschermen, denk je?'

'Beschermen? Bedoel je mijn vader?'

'Dat zou kunnen, maar er is nog iemand anders.'

Constance stond op. Ze schudde haar hoofd.

'Ik weet zeker dat het daar niet om ging. Hij was gewoon – in de war. Ons huwelijk had hem ongelukkig gemaakt. Hij had een zenuwinzinking door de oorlog. Het was die oorlog die hem zo deed praten – en ik wilde dat Steenie dat zag...'

'Je schijnt er erg op gebrand om dat te geloven.'

'Ik wil alles vergeten – misschien is het daarom. O, Montague, begrijp je het niet? Ik hield mezelf voor dat het geen ongeluk was – dat ik op een dag de waarheid zou horen. Ik probeer dingen met elkaar in verband te brengen. Dat wil ik niet meer...'

'Waarom niet?'

'Omdat het wel een ongeluk was. Je kunt er niemand de schuld van geven – behalve Hennessy. Hij zette die val, maar de verkeerde man werd erin gevangen. Het is zeven jaar geleden. Ik wil het vergeten. Zie je dat dan niet, Montague?' Ze greep zijn hand. 'Ik wil een ander leven beginnen – met jou. Dit is de laatste maal dat we erover moeten praten. Ik wil dat we ergens een prachtige plek vinden om te wonen...'

'Niet Winterscombe?'

'Niet Winterscombe, en er niet in de buurt, zie je niet dat dat niet kan?'

'Ja, dat zie ik.'

'En – o, ik wil dat we gelukkig worden samen. Ik wil je je zoon geven. Ik wil dat we samen de wereld veroveren, zoals we van plan waren, ik wil...'

'Wil je nog steeds Jenna als kamenier?'

'Ja, ja, ik zou haar en haar baby willen redden van die verschrikkelijke Hennessy. Ik zou voor hen willen zorgen. Maar dat is alleen maar een onderdeel van mijn plannen. Vergeet dat maar. Het gaat om ons. O, Montague...'

'Is Hennessy de vader van de baby?'

'Hoe weet ik dat nou? Wat voor verschil maakt het? Jenna zegt van wel. En zij zal het wel weten. Vergeet ze nu maar. Luister, mijn lieve Montague, ik heb Steenie vandaag nog iets verteld, iets over jou. En nu...'

'Nee. Luister naar me, Constance.' Hij legde zijn hand op haar mond. Constance wilde die hand wegtrekken, maar de uitdrukking op zijn gezicht legde haar het zwijgen op.

'O, wat grimmig en bedroefd. Waarom kijk je zo naar me?'

'Omdat ik jóu iets wil zeggen. Iets dat ik nu pas begrijp. Een antwoord op een oude puzzel. Vanavond heb ik het laatste stukje gevonden en nu zie ik het hele patroon. Ik denk dat jij dat ook zou kunnen, als je maar wilde kijken. Het is zo eenvoudig, ik had het al lang geleden kunnen zien.'

'Ik begrijp het niet.'

Stern zuchtte. Hij scheen het moeilijk te vinden om te beginnen.

'Constance,' begon hij, 'je moet er nog één keer naar kijken. Anders kun je het nooit achter je laten en ik misschien ook niet. Vraag jezelf af of het een ongeluk was. Of was er iemand in het huis die er een goede reden voor had je vader kwaad te doen? Iemand die zich door hem verraden of bedrogen voelde, die misschien wist van zijn affaire met Gwen?'

'Denton? Bedoel je hem?'

'Denton ligt natuurlijk voor de hand. Maar Denton bedoel ik niet.' Weer scheen hij te aarzelen om verder te gaan. 'Je vergeet, Constance, dat ik erbij was. Ik heb eraan gedacht. Maar Denton was zo dronken dat hij nauwelijks op zijn benen kon staan. Peel en Heyward-West en ik hielpen hem naar de bibliotheek. Hij was vrijwel meteen van de kaart.'

'Was hij daar?' Constance fronste. 'Boy zocht hem, om hem te vertellen van de verloving, maar kon hem niet vinden...'

'Nou, daar was hij en ik zag hem voordat ik naar boven ging. Hij was volkomen afgeknapt.'

'Dan is er niemand. Zie je wel?'

'O, maar ik denk van wel, Constance. Je schijnt er geen zin in te hebben erover na te denken. Vraag het jezelf maar. Welk alibi is het zwakste?'

'O,' Constance maakte een nijdig gebaar. 'Ik zie waar je naar toe wilt.'

'O ja?'

'Ja. Je beschuldigt Acland. Dat wil ik niet geloven. Het kan Acland niet zijn geweest. Hij heeft me verteld waar hij die nacht was...'

'Constance...'

'Ik wil er niet naar luisteren. Acland is dood. Hij kan zich niet verdedigen. Het is verkeerd er zo over te denken. Je kent Acland niet zoals ik. Ik kende hem door en door en jij bent jaloers op Acland – dat zie ik nu. Je ondervraagt me altijd over hem. Acland zou nooit tegen me liegen...'

'O, maar je kunt liegen tegen jezelf, Constance. Denk daar eens over.' Stern stond op. Hij keek op haar neer. 'Je zou kunnen geloven wat je graag wilde geloven. Daar zijn we allemaal toe in staat, vooral wanneer we daardoor een vreselijke waarheid kunnen omzeilen. Als de waarheid pijnlijk is en iemand betreft van wie we houden, willen we het gewoonweg niet zien. We beschermen onszelf voor die wetenschap en tevens de ander.'

'Denk je dat ik van Acland houd?' Constance kreeg een kleur.

'Die mogelijkheid is bij me opgekomen. Je was in ieder geval ontzettend bedroefd over zijn dood. Dat herinner ik me nog.'

'Je denkt dat ik hem wil beschermen.'

'Ik denk dat je jezelf beschermt, dat je weigert de waarheid te zien.'

'Goed, dan zal ik je iets vertellen.' Constance ging luider spreken, ze liep naar haar man toe. 'Ik geloofde Acland toen hij zei dat hij bij een vrouw was, omdat ik weet wie dat was. Hij was toen verliefd op haar – bracht ieder vrij ogenblik bij haar door. Die avond hadden ze afgesproken in de paardestal. Het is waar wat hij zei. Ik zal je haar naam niet zeggen...'

'Dat is niet nodig. ik weet wie het was.'

'Onmogelijk.'

'O ja.' Stern pakte haar arm met een uitdrukking van spijt. 'Ik heb je al eerder gezegd, Constance, dat je mij niet gemakkelijk kunt bedriegen en ik houd er niet van misleid te worden. De vrouw was Jenna. Haar minnaar was Acland en de val was voor hem neergezet door Hennessy die jaloers op Acland was. Ik denk dat Hennessy jaloers zal blijven, omdat het kind vrijwel zeker van Acland is. Daarom doe je er ook zo bezitterig over. Het is toch van Acland, dat had je direct kunnen zeggen. Maar er zijn zoveel dingen die je had kunnen zeggen, alleen heb je het niet gedaan. Je redigeert nog steeds de waarheid, Constance – zowel tegenover mij als tegenover

Steenie. Soms denk ik dat je de waarheid ook redigeert tegenover jezelf.'
'Hoe weet je dat?'
'Deels door observatie, deels door informatie. Toen Acland in dienst ging, liet hij een testament opstellen door een jurist die ik hem aanraadde. In dat testament liet hij het beetje geld dat hij had aan Jenna na. O, misschien interesseert het je, maar jij zou zijn boeken krijgen.'
'Ken jij de inhoud van testamenten?'
'Soms. En dit heb ik toevallig gelezen.'
'Wat gemeen! Om zo te spioneren. Het laaghartigste dat ik ooit heb gehoord...'
'Dat betwijfel ik. In mijn positie zou je hetzelfde hebben gedaan.'
'Daar luister ik niet naar. Als jij weet van Jenna, weet je ook waarom ik geloof in Acland. Zijn alibi is niet zo zwak.'
'De hele nacht?'
'Hij was verliefd.'
'O, ik ben ervan overtuigd dat hij dol op haar was. Misschien is hij in de paardestal gebleven, wie weet. Maar er is één ding waar we zeker van zijn, Jenna is niet gebleven. Je hebt haar zelf even na middernacht naar Jane Conynghams kamer zien gaan.'
'O,' schrok Constance. 'Ja. Daar had ik niet aan gedacht. O, god.' Ze boog haar hoofd. Stern legde een arm om haar heen.
'Constance, het bewijst toch niet dat Acland geen waterdicht alibi heeft. De anderen hebben dat ook niet. Ja, Denton. Maar misschien is hij weer tot zichzelf gekomen. Misschien heb je je vergist in de tijd en ben je niet zo lang bij Boy gebleven als je dacht. Wat een mogelijkheden!' Hij zuchtte. 'Misschien heb je gelijk en was het gewoon een ongeluk.'
'Maar dat geloof je niet, hè?'
'Nee.' Hij keek Constance aan. 'Ik geloof dat ik precies weet wat er die nacht is gebeurd – en ik geloof dat jij het ook weet. Maar het is pijnlijk en je wilt het niet onder ogen zien.'
'Acland zou niet tegen me kunnen liegen.' Constances ogen stonden vol tranen. 'En bovendien is hij dood. Zie je niet, Montague, dat het geen zin heeft alles weer tot leven te brengen? We moeten er een streep onder zetten, jij en ik, en opnieuw beginnen.'
'Goed. We praten er nooit meer over.'
Stern boog zich om haar een kus te geven en op dat moment rinkelde de telefoon. Hij nam geërgerd de hoorn op en luisterde. Eerst lette Constance er niet op, ze verwachtte dat het over zaken ging. Maar toen werd ze getroffen door Sterns manier van doen, het

427

eigenaardige van zijn vragen en ze bleef naar haar man staan kijken. Ze probeerde de stem te herkennen – een vrouwenstem. Toen Stern de hoorn op de haak legde, vloog ze naar hem toe.

'Was dat Maud?'

'Ja.'

'Heb je haar je nummer gegeven?'

'Nee, dat zal Gwen wel hebben gedaan.'

'Hoe durft ze op te bellen!' Constance stampte met haar voet. 'Wat is er? Er moet iets ergs zijn gebeurd, anders had ze niet gebeld.'

'Er is iets gebeurd...'

'Je schijnt het in ieder geval niet plezierig te vinden. Is het geld? Is ze ziek?'

'Nee.' Stern ging zitten. Hij zei niets.

Constance keek steeds bezorgder. Ze rende naar hem toe, knielde neer en greep zijn handen. 'O Montague, het spijt me. Ik ben dom en jaloers. Is er iets ergs gebeurd? Zeg het toch. Je maakt me bang.'

'Er is iets vreemds gebeurd.'

'Erg?'

'Ik weet het niet.'

'Heb ik ermee te maken?'

'Ik ben bang van wel.'

'Zeg het gauw.'

'Gek genoeg,' zei hij, 'heeft het met grotten te maken.'

Jane hield van de grotten bij Etaples. Als de luchtaanvallen begonnen kwamen ze altijd 's nachts. En de grotten die zich tot ver in de heuvels uitstrekten, fascineerden haar. In de diepere grotten drong geen licht, geen geluid door. Als je erin stond, verloor je alle idee van tijd en plaats. Het was er kil, de temperatuur veranderde 's zomers en 's winters nauwelijks. Zonder zaklantaarn zou ze in een paar minuten verdwaald zijn, maar van zulk gevaar hield ze ook. Soms liep ze verder en wanneer ze bij een grote grot kwam, deed ze haar zaklantaarn uit. De hand die ze dan voor haar gezicht hield, was onzichtbaar. Het enige dat ze hoorde, was haar ademhaling en het gedrup van water, het smelten van de eeuwen. Als ze tot honderd telde voordat ze de zaklantaarn weer aanknipte, prikte haar huid van angst. Zo bleef ze zich de stille macht van de grotten herinneren, ze wist niet of die macht goed of boosaardig was, maar macht was het.

Winnie voelde dat niet en toen Jane probeerde het haar uit te leggen, werd ze boos. Winnie had een hekel aan de grotten. Ze vond ze beklemmend, ondanks hun omvang. Ze klaagde over de harde rotsgrond waarop ze moest slapen. Ze was trouwens heel verbitterd over alles van de grotten. Dat kwam omdat kolonel Hunter-Coote met zijn mannen in het kamp bleef. 'We horen daar, meisjes,' zei ze, als ze aan de ingang van de grot stond en door de duisternis naar het kamp tuurde dat werd verlicht door de kanonnen.

Maar toen de exodus naar de grotten vaker plaatsvond, ging Winnie ervan genieten. Ze kon haar organisatietalent ontplooien. Winnie moest een deken en een opblaasbaar kussen hebben, een lantaarn, een zakmes, papier, batterijen, kaarsen. En zij noch haar meisjes zouden een voet in de grotten zetten zonder chocolade, vruchten in blik en sandwiches.

Winnie bewonderde de Fransen die de grotten in een thuis veranderden. Ze zochten een droge grot met het beste uitzicht, lieten er hun bezittingen achter en een oude man sleepte zelfs een leunstoel de heuvel op. Kinderen brachten voedsel en wijn en één grootmoeder had een geit aan een touw, die ze voor de grot zat te melken. 'Týpisch!' riep Winnie jaloers. 'Midden onder het bombardement braadde ze een kip op een paraffinekacheltje.' Dus zorgde Winnie voor een primusbrander waar ze blikken ossestaartsoep op verwarmde. Voor de volgende nacht beloofde ze sardientjes. Die nooit kwamen, want die nacht kreeg het kamp een voltreffer. De bom viel niet op de munitie en de nissenhutten, maar op Winnies club. Niemand was gewond maar toen Winnie de volgende nacht in de grot kwam, was ze een andere vrouw.

'Weg, alles weg. Al die blikjes met lekkere gecondenseerde melk! Het aardewerk, tafels, stoelen, als lucifershoutjes! Zelfs de piano is aan diggelen. Het ging hun niet om het munitiedepot, maar om ons moreel!'

Winnie wilde zich niet laten troosten. Ze weigerde zelfs een kop chocolademelk. Ze kroop onder haar dekens en stootte klanken uit die op gesnurk of gekreun leken. Toen ze zeker wisten dat het gesnurk was, lieten Jane en Wexton haar alleen.

Jane ging naar haar patiënten in de grot en kwam toen bij Wexton in de ingang zitten, vanwaar ze het kamp kon zien. Later liep ze langs de grot waar de grootmoeder naast haar geit zat te breien. Ze liep door naar een grotere ruimte – de gewonden lagen er in veldbedden te slapen en nog dieper in de heuvel waren mannen die aan oorlogsmoeheid leden. Hier drong het geluid van de kanonnen en de explosies nauwelijks door. De mannen schenen lekker te slapen onder het oog van een van de Rode-Kruisverpleegsters die Jane wel eens in Winnies club had ontmoet. Ze had een boek op haar schoot en twee flakkerende kaarsen naast zich. De vlammen dansten als duivels over haar gezicht. Toen ze Jane zag, keek ze op en glimlachte. Jane liep verder.

Steeds dieper de heuvel in. De stilte was nu volkomen. Sommige grotten waren klein, niet breder dan een gang, andere zo hoog dat de straal van haar lantaarn niet tot het dak reikte. Het licht deed het vocht op de wanden glimmen, de fosforescerende stalactieten oplichten. Jane bleef niet staan om ernaar te kijken. Ze liep steeds sneller. Er was een bepaalde grot die ze wilde bereiken, die ze al eerder had onderzocht, een grot even hoog en echoënd als een kathedraal. Bij de ingang was een holte in de rots met ijskoud water. Ze doopte haar hand erin en spetterde het over haar gezicht. Even verder bleef ze staan. Hoog boven haar hoorde ze een leerachtig geritsel. Het zouden wel vleermuizen zijn. Jane was bang dat ze in haar haar zouden vliegen en aarzelde. Toen knielde ze neer.

Ze was hier gekomen om te bidden. Deze grot gaf haar volkomen afzondering. Maar soms voelde Jane ook hier dat haar gebeden zo klein waren. Deze avond begonnen haar gebeden op dezelfde manier. De koude rots deed pijn aan haar knieën en leidde haar af. Ze probeerde te bidden voor Boy, want al zeiden zijn ouders dat het een ongeluk was geweest, zij geloofde dat hij zichzelf had gedood. Er drupte wat water. Ze probeerde te bidden voor haar tante Clara die dood was en haar vader en haar broer Ronald die in een andere oorlog was gesneuveld. De duisternis smoorde haar gebeden. Ze ging op haar hurken zitten, voelde hoe haar kousen aan haar knieën trokken. Misschien was het verkeerd om altijd voor de doden te bidden. Ze moest bidden voor de levenden.

Toen deed ze iets vreemds. Later, toen ze probeerde het in haar dagboek te beschrijven, kon ze er niets over zeggen. Het ene ogenblik knielde ze, het volgende lag ze in haar volle lengte op de stenen met uitgestrekte armen. Plotseling waren er geen woorden meer, de rots trok ze uit haar; woede en pijn, het medelijden over de oorlog, geloof en weerstand ertegen waren weg. Ze voelde zich licht, zwevend boven de woorden. Als een ruimtereiziger met vleugels keek ze op die woorden neer en ze waren even klein als sterren, ver en mooi, het goede en het kwade, hoop en wanhoop, alle tegenstellingen bewogen zich in harmonisch evenwicht. Sneller dan het licht: ze keek neer op de vrouw die ze in de grot had achtergelaten, ze keek neer op vrede en gevechten, ze zag het ritme van dood en geboorte, van vernietiging en regeneratie. De schoonheid van het patroon was verblindend, precisie en juistheid ervan straalden uit haar ogen, en de vrouw in de grot beneden schreeuwde het uit.

Het was in een moment voorbij, het duurde een heel leven. Toen de helderheid van het visioen was gedoofd, was de duisternis van de grot volkomen. Eerst rustte ze in die duisternis, toen werd ze bang. Ze krabbelde overeind en liet haar zaklantaarn vallen. Een ogenblik van pure angst dat ze gevangen was in die doolhof van gangen. Toen ze zich bukte, vond ze haar lantaarn. Hij deed het nog en ze liet het licht over de rotswand dwalen. Welke gang had ze genomen om hier te komen? Deze? Die? Ze liep heen en weer terug, tuurde angstig naar de plek waar ze had gelegen. Had ze daar wel gelegen? Misschien verbeeldde ze het zich maar. Dit maakte haar nog angstiger.

Er was een macht in deze grotten die ze vanaf het begin had gevoeld. Nu ging ze geloven dat die boosaardig was, wilde dat ze zou verdwalen. Er streek iets langs haar gezicht. Jane gaf een gil die teruggekaatst werd door de wanden. De straal van haar zaklantaarn maakte haar kalmer. Ze was er bijna zeker van dat ze een nauwe opening moest nemen waarna de gang steil omhoog liep. Het was niet de weg waarlangs ze binnengekomen was, maar ze liep goed. Als Ariadne, met een onzichtbaar koord. Ze was er nu bijna, bleef staan bij een driesprong. In de verte hoorde ze de kanonnen. De grot waar Winnie sliep, was links, en die waar Wexton zat, recht voor haar. De grot die ze moest vinden, was aan haar rechterhand. Ze rende verder en zag de Rode-Kruisverpleegster die haar boek neerlegde, die gaapte en lachte. Haar twee kaarsen waren bijna opgebrand, dus pakte ze twee nieuwe en zette die in de plas zacht kaarsvet. 'Wat duurt een nacht toch lang,' zei ze.

Jane telde de bedden. Hier lagen vijfentwintig mannen. De meesten sliepen. Eén man zat rechtop, telde de vingers van zijn handen, telkens opnieuw. Twee bedden verderop lag iemand zonder onderbreking zacht te kreunen. Daarnaast bevoelde een man zichzelf, de dekens gingen op en neer, hij zuchtte. 'Je kunt hen maar het beste met rust laten,' zei de zuster. 'Ze bedoelen het niet kwaad. Het zijn net kinderen en dit houdt ze kalm, dus waarom niet?'

Jane keek om naar de bedden. De man die had liggen kreunen, werd onrustig. Hij bonsde met zijn hoofd tegen de rots.

'O, die, dat is een van de moeilijke gevallen.' De zuster stond op. Ze nam Jane kritisch op. 'Sommigen zijn zo stil als een muis. Zeggen nooit iets. Maar die... als hij begint, is er maar één manier om hem tot rust te brengen. Wil je het zien? Zul je er niets van zeggen? We doen het allemaal maar de hoofdzuster wil het niet hebben.'

'Ga je gang, het zijn jouw patiënten.'

Jane wendde zich af, keek naar de kaarsen, naar de schaduwen op de rotswanden. Toen ze zich omdraaide, zat de verpleegster op de rand van het bed van de man. Ze boog zich over hem heen, maakte toen de voorkant van haar uniform los en trok een mollige borst te voorschijn.

'Kom maar, schat. Hier. Stil maar.'

De ogen van de man waren stijf gesloten maar bij de klank van haar stem, werd het kreunen minder.

De zuster geleidde zijn hand, die nu de bleke ronding van haar borst vastgreep. Hij maakte smakkende geluiden en terwijl de zuster hem wiegde stak ze haar tepel tussen zijn lippen. Zo bleef ze een minuut of twee, drie met hem zitten. Toen legde ze hem weer neer, streelde zijn voorhoofd en knoopte haar uniform dicht.

'Hij is nu helemaal rustig, de stumper. Het geeft hem troost en wat betekent het eigenlijk? Niet meer dan je voor een baby doet als die huilt. Beter dan morfine en niet zo verslavend, en sneller ook.'

'Praat hij wel eens?' vroeg Jane. 'Denkt hij dat je zijn moeder bent?'

'Geen idee. Hij kreunt veel – zoals je al hoorde. Zegt eigenlijk niets...' Ze aarzelde. 'Ik denk niet dat hij het haalt naar huis.'

'Praten ze nooit over wat hen zo gemaakt heeft? Wat ze hebben gezien?'

'Sommigen.' De verpleegster zuchtte. 'Meestal één ding en daar beginnen ze steeds opnieuw over. Anderen zeggen niets. Kijken door je heen. Sommigen hebben geen naam, we weten niet wie het zijn en sommigen hebben een nummer. Maar daar houd ik niet van. Ik zeg: "Goed. Jij bent Bill of Johnnie." Dat schijnen ze prettig te vinden. Ze herinneren zich natuurlijk niets.'

'Namen?' vroeg Jane. 'Waarom zouden ze geen naam hebben?'

'Honderden redenen. Opgeblazen. In het prikkeldraad. Levend half begraven. Vijf dagen in een bunker met dode soldaten voordat iemand hen kan bereiken. Dat gebeurt steeds. Er zijn erbij die weten wie ze zijn of ze kunnen geïdentificeerd worden, maar sommigen ook niet. Ik denk dat ze het in Engeland uitzoeken. O hemel. Kijk die nou weer. Ik moet hem laten ophouden. Eén ogenblik.'

Ze schoof haar stoel achteruit en ging naar de man wiens dekens zo op en neer gingen. Die waren nu van het bed gevallen. Zijn broek stond open en tussen zijn pompende handen was een glimp van nauwelijks opstaand vlees te zien. De verpleegster gaf hem een klap en hij kreunde. Toen Jane keek, lagen de dekens op hun plaats en had de man zijn ogen gesloten. Zijn duim was in zijn mond.

'Geen rust voor de bozen.' De verpleegster bleef naast zijn bed staan en scheen met haar zaklantaarn langs de rijen bedden. Haar patiënten waren stil. Ze keek op.

'Wil je iets warms drinken? Ik heb een thermosfles met warme melk en iets sterkers erbij. Ik ben blij als ik gezelschap heb. We moeten hier nog uren zitten.'

'Zo dadelijk. Ik zou graag...' Jane liep tussen de bedden door. 'Een van de mannen naar wie je daarstraks hebt gekeken. Toen viel me iets op...'

'Wie?' De verpleegster liet het licht van haar lantaarn over de mannen glijden. 'Deze? Die is heel stil, ik ben bang dat hij het ook niet haalt.'

'Nee. Daar...'

De lantaarn scheen nu op grijze dekens en afgewende gezichten, volwassen mannen, opgerold als een foetus.

'O, die? Hij is een van de nummers. Ik weet niet veel over hem. Ze hebben hem pas twee dagen geleden binnengebracht. Er was een uitwisseling van krijgsgevangenen in Arras, geloof ik – toen is hij hier terechtgekomen. Mager, hè? Half verhongerd. En hij had een afschuwelijke wond. Die is nu genezen maar ziet er nog verschrikkelijk uit.' Ze sloeg de deken weg.

'Maak hem niet wakker. Hij slaapt.'

'Die wordt niet wakker.' De verpleegster wierp haar een zijdelingse blik toe. 'En als hij wakker wordt, zegt hij niets. Hij is catatoon. Ik geef hem nog een week. Moet je zien. Hoe is het mogelijk dat een man die zo'n wond krijgt, nog leeft?'

De zuster schoof zijn jasje opzij. Een bajonetwond. De bajonet was langs de ribben gegleden en had een wond vlak onder het hart gemaakt. De wond was slecht gehecht en hij had een litteken in de vorm van een maansikkel. Om zijn hals zat een leren koord met een medaillon.

'Een-negen-drie?'

'Dat is zijn nummer. Zijn hospitaalnummer.' De verpleegster klonk ongeduldig en trok de deken over de man heen.

'Heb je hem dan geen naam gegeven?'

'Deze? Nee. Ik weet niet waarom. Hij is hier nog maar pas en ik heb hem niet dikwijls verpleegd. Hij maakt me bang. Dat gebeurt wel, weet je. Door de blik in hun ogen. Alsof ze je zouden willen vermoorden. Hij heeft dat ook. Koude ogen. Ze kijken recht door je heen. En ze hebben een gekke kleur.'

Het was of de man hen had gehoord. Hij bewoog zich en opende de ogen. Hij lag op zijn rug en staarde omhoog zonder hen te zien. Hij had net zo goed naar een muur kunnen staren.

433

'Kom je melk drinken?' De verpleegster draaide zich om maar Jane bewoog niet. 'Vooruit. Ik heb nog sigaretten. Hoort eigenlijk niet als je dienst hebt, maar de nacht duurt zo lang.' Ze huiverde. 'Ellendig, die nare grotten.'

Jane knielde naast het bed. Ze pakte haar eigen zaklantaarn en scheen omzichtig langs de zijkant van zijn gezicht, om hem niet te verblinden. Een mager gezicht met een rossige stoppelbaard van een dag of vier, vijf.

Waarom had niemand hem geschoren? dacht ze. Ze werd boos. Zijn haar was ongewassen en ongekamd. Toen ze het glad wilde strijken voelde ze het krioelen op zijn hoofdhuid.

Jane trok haar hand weg. Ze liet bijna de lantaarn vallen.

'Deze man heeft luizen.' Ze draaide zich beschuldigend om. 'Ik zal er een aantekening van maken, dan kunnen ze er morgen naar kijken.'

'Ze hadden er direct naar moeten kijken. Dìrèct.'

Jane zweeg. De man had zijn hoofd omgedraaid en bekeek haar gezicht met een stille, koude blik. Zijn ogen keken naar haar haar, naar haar mond en kin, toen weer naar haar ogen. Zijn ogen waren leeg.

'Zeg, wil je nog melk of niet?' De verpleegster klonk ongeduldig. 'Laat die man toch slapen. Ik wil geen moeilijkheden.'

'Ik ken hem,' zei Jane. 'Ik ken hem.'

Haar ogen keken in de zijne. Zijn ogen waren groen, de linker anders dan de rechter. Jane nam zijn linkerhand in de hare. Zijn zegelring die hij altijd aan zijn pink droeg, was er niet.

'Acland.'

Ze sprak zijn naam heel zacht uit, zodat alleen zij tweeën hem konden verstaan. Er was geen enkele reactie.

'Acland? Versta je me? Ik ben het, Jane. Ik ben hier verpleegster. Ik heb mijn haar afgeknipt sinds je me voor het laatst hebt gezien. Als je echt kijkt, weet ik zeker dat je me herkent...'

Jane was in de war. Waarom praatte ze nu over haar haar? Hoe kon ze zo stom zijn? Zijn hand bewoog niet. 'Kijk, Acland, ik huil. Tranen – voel je ze? Ik huil omdat ik zo blij ben. Ik dacht dat ik je verloren had, maar ik heb je gevonden. Acland, kun je me verstaan?'

De man gaf geen teken dat hij haar hoorde. Zijn hand bleef stijf, zijn ogen reageerden niet. Ik was altijd onzichtbaar voor hem, dacht Jane, en ik ben het nog.

'Acland, toe, laat me je helpen. Je bent nu veilig. Ik neem je mee naar Winterscombe, Acland. Daar is het nu lente...'

434

Jane ging iets achteruit. Aclands hand bleef zoals hij was geweest. Hij liet zijn arm niet zakken. Jane beefde. Ze probeerde de geheven arm op de deken te leggen, maar het lukte niet. Ze draaide zich met een ruk om.

'Wat is er met die man?' vroeg ze boos. De verpleegster was beledigd.

'Wat er met hem is? Hetzelfde als met de anderen, je verspilt echt je tijd door met hem te willen praten. Misschien hoort hij je, maar als dat zo is, luistert hij niet. En hij spreekt nooit. Kom nou maar iets drinken. Pak een sigaret.' Haar stem klonk verzoenend. 'Ach liefje. Je kunt hem maar het beste met rust laten. Hij is psychisch gestoord.'

10

Lazarus

'Wexton,' vroeg ik, 'wil je dit lezen?'
Ik stak hem een van Constances dagboeken toe. Wexton, die tot nu
geweigerd had om ernaar te kijken, pakte het met tegenzin aan.
'Alsjeblieft, Wexton, ik wil zo graag dat je begrijpt waarom ik erdoor in de war raak.'
'Na de grotten?' Hij zette zijn bril op.
'Vijf maanden later.'
Wexton liep naar het raam. Het was een heldere, koude najaars-
dag, de zon scheen op de tuinen van Winterscombe. Hij boog zijn
hoofd over de bladzij en las zwijgend het volgende stuk dat Constance in oktober 1917 in dit huis had geschreven.

*De cirkel is opnieuw gesloten. We zijn hier weer allemaal bij el-
kaar. Een idee van Gwen. Het ouderlijk huis, de familiekring.
Gwen gelooft dat Acland hierdoor zal genezen, iets wat de vijf
maanden in Londen en de meest vooraanstaande doktoren niet gelukt is. Het is mooi weer. De kerk heeft een nieuw raam, Dentons
gedenkteken voor Boy. Gwen nam Acland gisteren mee om het te
bekijken, tegen Janes advies. Hij zat in zijn rolstoel voor dat raam.
Misschien zag hij het, misschien niet. En natuurlijk zei hij niets.
Maar de afgelopen nacht keerden de nachtmerries terug, hij
schreeuwde zo hard dat ik wakker werd en naar de overloop rende.
Ik dacht dat mijn vader was teruggekomen. Mensen renden heen
en weer. Zelfs Montague werd wakker en kwam zijn kamer uit, hij
legde zijn arm om me heen. Hij bood aan te blijven maar ik stuurde
hem weg. Ik heb hem nu niet nodig. Ik heb jou nodig, Acland, ik
ga je terughalen uit de dood.*
*Luister, mijn liefste Lazarus. Ik ben geduldig geweest, maar nu
niet meer. Laat Jane maar weeklagen en bidden. Vriendelijkheid
brengt je niet terug. Ze hebben er vijf maanden mee verspeeld. Je
moet de waarheid horen.*
*Je denkt dat je gewond bent? Wacht maar – ik kan je verwonden
op een manier die je niet geloven kunt. Steek, steek. Wat de Duitsers je aandeden, kan ik nog erger doen. Zal ik je vertellen over
Jenna? Over je zoon Edgar, die dezelfde ogen had als jij en die drie
weken geleden gestorven is aan pleuritis? Er is nog meer. De tijd
staat niet stil, Acland. Ik moet alleen met je zijn, een uur is vol-*

*doende maar Jane bewaakt je als een cerberus. Maar zelfs Jane
wordt moe, dus krijg ik binnenkort de kans. En als je weet hoe het
voelt om een hoofd vol molenstenen te hebben die maar malen en
malen, dan kun je kiezen. Ga dood als je wilt, tenslotte weten we
allebei dat de dood het laatste geheim heeft. Maar als je sterft,
maak er dan een glorieuze dood van, niet dat ellendige wegkwijnen. Spuug in de ogen van die bedrieglijke wereld, ga op het getij
van triomfantelijk bloed. Ik zal je helpen. Wat wil je? Een revol-
ver? Een scheermes?*

*Of blijf leven – als je woedend genoeg bent. Stel jezelf te weer tegen
deze wereld, dat kan, ik doe het. Maar vergis je niet – je moet eerst
woedend zijn en je moet die woede altijd in je houden.*

*Jane belooft je troost: geloof, hoop en liefde. Kun je haar niet ho-
ren? Ze zegt dat er een vallei is, een stille plaats, een plaats die je
rust geeft, die je kunt bereiken. Geloof haar maar niet. Er is misschien een vallei, maar daarna is er weer een bergketen en weer een
en als je ze allemaal beklommen hebt, is er een strook zwart, zwart
water.*

*Mijn man is aan de deur. Acland, ik stop met schrijven en sluit dit
weg. Ik bewaar je geheim, ik bescherm je nog steeds. Herinner je je
de nacht dat je bij me kwam en me je wond liet zien? Je maakte een
ring van blond haar en wond die om mijn vinger – o, Acland, toen
leefden we pas echt! Wacht op me, ik breng je twee geschenken. De
dood in mijn rechter, het leven in mijn linkerhand. Dexter of sinister. Vergeet het niet, Acland.*

Wexton deed het schrift dicht. Hij zweeg.
'Zie je, Wexton,' zei ik ten slotte. 'Ze was verliefd op mijn vader en
hij op haar, denk ik. Altijd. Alles wat ze hier zegt, heeft ze gedaan.
Zie je? Mijn moeder heeft hem niet tot het leven teruggeroepen,
dat heeft Constance gedaan.'
'Gek.' Wexton leek niet te luisteren. Hij trok aan zijn haar. 'Gek.
Ik herinner het me niet meer, maar is Constance rechts?'
'Wat? Ja. Maar...'
'*Dexter of sinister* – dat vind ik wel goed. Behalve...' Hij zweeg.
'De meeste mensen zullen de dood met hun linker- en het leven met
hun rechterhand aanbieden, als ze tenminste niet linkshandig zijn.
Zij draait het om.'
'Ik zie niet in waarom dat belangrijk is...'
'O, jawel. Een spiegelbeeld. Het is nogal duidelijk welke hand ze
wilde dat hij koos. Die met het scheermes. Was het een scheer-
mes?'

437

'Ja.'

'Een gewoon scheermes om iemands keel mee af te snijden. Maar een veiligheidsscheermes is er niet geschikt voor en het klinkt niet goed.'

'Wexton, maak er geen gekheid over. Ik begrijp het wel – de manier waarop ze schrijft. Maar zo schrijft ze altijd. Ze meent het.'

'O, zeker, ik maak er geen gekheid over. Het is natuurlijk vreselijk theatraal maar beter dan ik dacht. Ik wil nog wel iets lezen.'

'Wexton, het gaat niet om een literaire kritiek. Dit is mijn váder...'

'Is ze altijd verliefd op de dood geweest?' vroeg Wexton.

'Wat? Ik begrijp je niet.'

'O jawel, je begrijpt het best. Dit is toch een liefdesbrief?'

'Ik veronderstel van wel. Een van de vele. En allemaal aan mijn vader.'

'O, ik geloof van niet. Ze schrijft aan de dood, maar noemt hem nu toevallig Acland.'

'Een liefdesbrief – aan de dood?'

'Het lijkt mij van wel. Ik kan het natuurlijk mis hebben. Maar ken je die regel van Keats: "... en voor lange tijd ben ik half en half verliefd op de rustgevende Dood"? Alleen gaat het in haar geval niet om een halve liefde, het is een echte volle romance. En de dood is niet zo rustgevend. Feitelijk klinkt hij nogal energiek, vind je niet? "Steek, steek... ga op het getij van triomfantelijk bloed". Het zit vol seks. Dood als uiteindelijke seksuele partner.' Hij zweeg alsof er juist een idee bij hem was opgekomen. Hij schudde zijn hoofd. 'Ik vraag me af...'

Hij scheen nog meer te willen zeggen. Hij keek naar de toekomst, dat weet ik nu, maar indertijd interpreteerde ik zijn reactie verkeerd. Ik dacht dat er een goede reden was waarom Constance Acland in verband bracht met de dood, dat het om het ongeluk van haar vader ging. Als Wexton dat verband ook had gelegd – *Ik bewaar je geheim, ik bescherm je nog steeds* – was het niet iets wat ik toen wilde bespreken. Ik wilde dat die achterdocht verdween en was nog niet bereid dat onder ogen te zien.

'Wexton,' zei ik, 'herinner je je India, de dag dat ik naar meneer Chatterjee ging?'

'O jee,' zei Wexton op zijn hoede.

'Niet dat ik nu direct in helderziendheid geloof – kennelijk niet.'

'Kennelijk.'

'Maar die twee vrouwen – hier zijn ze, zie je wel? Constance en Jane. Constance en – mijn moeder. Hij zei dat ik tussen hen moest kiezen. En ik heb het gevoel dat het hier moet. Precies hier.'

'Een van hen heeft Acland genezen, bedoel je? Dat verhaal?'
'Ja, ik ben ermee opgegroeid, Wexton. Ik geloof het nog steeds.'
'Ik ook.'
'Als ik nu maar zeker wist, wie van hen het geweest is. Constance beweerde altijd dat zij het had gedaan.'
'Dat klinkt typisch voor haar. En wat zei je moeder?'
'Ze zei dat het God was.'
'Dat kan ik me voorstellen. Jane... nou ja, zij zou zoiets zeggen.'
'Het was allemaal zo vréémd, Wexton. Als ik maar zeker zou weten...'
'Dat kun je niet, dat is het punt, zou ik zeggen.'
Hij aarzelde, liep door de kamer en streelde vol genegenheid mijn hand.
'Kun je de stem van je moeder horen? Verdringt Constance haar niet meer?'
'Nee, niet zo erg. Ik hoor haar. Ik geloof dat ik haar hoor.'
'Denk daar dan aan. Vertrouw op je intuïtie. Weeg het ene af tegen het andere en neem een besluit. Vraag het niet aan mij. Je weet toch wat ik denk. Maar ik ben natuurlijk hopeloos bevooroordeeld.'
'Jij vindt het voor de hand liggen.'
Tot mijn verbazing schudde Wexton het hoofd.
'O, nee. Helemaal niet. Ik heb de macht van Constance nooit onderschat. En nu nog niet.' Hij gebaarde naar de dagboeken. 'Als vrouwen waren je moeder en zij extreme tegenstellingen. Het was een duel van engelen.'
Die uitdrukking verbaasde me nog meer. Wexton overdreef zelden. Hij zag mijn verrassing en lachte. 'Waarom niet? Het leven is niet gewoon. Het is buitengewoon. Dat heb ik altijd geloofd.'
'Echt, Wexton?'
'Natuurlijk. Maar ik houd niet van het prozaïsche. Nooit van gehouden. Daarom schrijf ik poëzie en geen proza.'
Toen hij dat gezegd had, ging hij bij het vuur zitten en zag eruit als een oude heer die zich klaarmaakt voor zijn ochtendslaapje.
Ik keerde terug naar Constance, mijn vader en moeder: een driehoeksverhouding op Winterscombe.

Als kind was de genezing van mijn vader mijn lievelingsverhaal voor het naar bed gaan. Dan vertelde mijn moeder me over de grotten en haar zekerheid dat ze, als ze de juiste grot ontdekte, ook Acland zou vinden. Ze vertelde over de reis terug naar Engeland, de maanden waarin zijn ziekte ongeneeslijk scheen en de avond toen hij, eindelijk, begon te spreken. Ik wist natuurlijk wat er toen gebeurde: ze leefden nog lang en gelukkig, zoals het hoort in een sprookje.

Ik weet niet hoe oud ik was toen ik besefte dat er iets was wat mijn moeder had overgeslagen, toen ik begreep dat wat betreft het geloof in het herstel van mijn vader de meningen verdeeld waren. Oudtante Maud was zeer definitief. Mijn moeder verpleegde mijn vader terug tot gezondheid. Zij was Aclands goede engel en haalde hem met gezond verstand, zacht gekookte eieren, frisse lucht en kalmte terug uit de onderwereld. Ook Wexton, een betrouwbaarder getuige, steunde Jane, hij gebruikte het gereformeerde woord 'genade' om zijn argument kracht bij te zetten. Steenie daarentegen was voor Constance. Constance, hoorde ik, had Acland opgezocht op de dag dat zijn genezing begon. Volgens Steenie was zij de duistere engel die plotseling tussen mijn vader en de dood sprong. Mijn oom Steenie had een klassieke opleiding gehad en in zijn meer lugubere versie was Acland al over de Styx geroeid, schudde hij de hand van Hades. Om iemand daarvandaan te ontvoeren, beweerde Steenie, vereiste iets heel wat drastischer dan gezond verstand of zelfs liefde: het vereiste durf, verleidingskunsten, en buitensporigheid. Al die dingen waren Constances troeven.

'Vergis je niet!' riep hij na zijn tweede fles champagne. 'Constance schokte hem zo dat hij tot het leven terugkeerde. Ik weet ook niet hoe.'

Als Steenie dat zei, gaf hij een knipoog. Ik had een hekel aan die knipoog. Ik vroeg het Constance maar ze zei niets. Alleen: 'Ik – en een beetje zwarte magie,' waarna ze van onderwerp veranderde.

Haar dagboeken waren minder terughoudend. Hier waren alle details van het proces. Zoals met veel van wat ze schreef, hadden ze de helderheid van een droom. Constance en mijn moeder zagen Acland op dezelfde dag, een paar uur na elkaar. En duistere engel of niet, Constance was een snelle werker. Twee dagen nadat ze het stuk had geschreven dat Wexton zag, kreeg ze haar kans. Jane ging naar Londen.

Twee vrouwen, twee verhalen, twee dagboeken op de tafel voor me. Mijn moeder was goed, maar te kinderlijk en de straf voor kinderlijkheid kan verblinding zijn. Ze vond het niet prettig Acland lang alleen te laten en vroeg Constance, voordat ze naar Londen ging, of die Acland een poosje wilde voorlezen. Ze dacht dat Constance een hekel aan ziekenkamers had en verwachtte bezwaren. *Maar ik beoordeelde haar verkeerd*, schreef ze in haar dagboek, *Constance kan heel aardig zijn. Ze stemde direct toe.*

Jane had twee redenen voor haar tocht naar Londen, ze wilde naar Jenna en daarna naar Maud. Het eerste bezoek was urgent. Jane maakte zich bezorgd over Jenna die haar baby had verloren en wier gezondheid slecht was.

Ze had echter nog een reden, hoewel ze dat eigenlijk niet wilde toegeven. Het was voor het eerst dat ze Acland alleen liet sinds ze hem van Etaples thuis had gebracht. Ze snakte naar een dag voor zichzelf.

Aclands toestand was vrijwel onveranderd. Zijn lichamelijke gezondheid was vooruitgegaan: hij at, mits hij alleen was en hij vond het goed als hij in een rolstoel werd gezet. Maar hij keek nog steeds door alles heen en hij sprak ook nog niet, hoewel hij, als hij nachtmerries had, woorden schreeuwde die herkenbaar waren.

Jane kwam in opstand tegen dat halve leven. Ze voelde de rebellie achter in haar hoofd toen ze in de trein naar Londen stapte. En het werd erger bij iedere kilometer die voorbijgleed. Jane hield zich voor dat het tijd kostte voor de geest van een mens weer gezond was, er waren geduld, doorzettingsvermogen en vertrouwen voor nodig. Die moest ze hem geven. Nu kwam ze in opstand tegen die vrome opvattingen. Daar was het, achter in haar geest: wat Acland deed, was verkéérd.

Ze wilde dat niet onder ogen zien – nog niet. Ze zou het laten rusten en aan het eind van de dag was ze er misschien klaar voor; dat gaf haar een vreemd gevoel van bevrijding en opwinding. Ze stapte uit in Paddington, nam een taxi naar Waterloo en liep door lelijke straten, langs de kerk waar Jenna getrouwd was, langs het kerkhof waar haar baby lag begraven. Jane werd steeds opstandiger.

Zes weken na de geboorte van de baby, toen Jane nog in Frankrijk zat, was Jenna, die geld nodig had, gaan werken. Hoewel ze het niet wist, had ze werk gekregen via de jurist Solomons, die met Montague Stern had gesproken. Mevrouw Tubbs zou voor het kind zorgen en een aarzelende Jenna ging samen met Florence Tubbs naar de munitiefabriek. Het werd goed betaald, Jenna kreeg vierentwintig shilling per week voor het inpakken van granaten. Maar het had haar wel getekend. Een van de stoffen die bij de fabricage van granaten werd gebruikt was tetrachloride dat veel bijverschijnselen gaf. De vrouwen die ermee werkten werden duizelig en misselijk en kregen een gelige huidskleur. De granaatinpaksters werden dan ook 'kanaries' genoemd.

De Jenna die op die oktobermorgen de deur voor Jane Conyngham opende, was erg veranderd: armoede en verdriet hadden haar oud gemaakt.

Ze nam Janes hand en sloeg een doek om haar schouders. 'Kunnen we er gelijk naar toe? Ik moet u laten zien hoe mooi het is.'

Ze trok Jane mee langs de kerk. Toen een paar zijstraten door tot ze bij een hoog ijzeren hek met een huisje voor de opzichter kwamen. Jenna wachtte even maar ging weer snel verder.

Het was een grote begraafplaats, een van de grootste van Zuid-Londen; hij bestaat nog steeds. Je kunt het pad volgen dat Jenna die dag nam, langs de stenen engelen, de bewerkte urnen en welgestelde doden, tot aan de opeengepakte grafstenen van de armen. Tegen de muur van het kerkhof was een rij kleine houten kruisen, begroeid met braamstruiken en verwilderd gras. Vele ervan hingen scheef en de letters erop waren verbleekt door zon en regen. Het waren graven van de allerarmsten.

'Het was zo'n schat van een kereltje. Ik was trots op hem. Ik wilde niet dat hij hier lag. Ik haat die graven. Het geld dat u me gegeven hebt – kijkt u maar. Het is leisteen uit Wales.' Ze trok Jane mee tot onder een taxusboom. Het was een klein heuveltje, een stenen vaas met viooltjes en een grafzerk van blauwe leisteen. Er stond alleen EDGAR – met de datum van zijn geboorte en dood. Eronder was een inscriptie:

Zeer geliefd en gemist door zijn vader en moeder. Rust in vrede.

Jane voelde woede en medelijden in zich opkomen. Dit kon geld doen, dit kleine beetje.

'Ik wilde dat u hem had gezien,' ging Jenna door. 'Ik weet dat u niet kon komen en hij was zo kort ziek. Hij huilde nooit. Hij hield mijn vinger stijf vast en lachte. Hij wist dat ik het was. Misschien had hij meer moeten huilen. Misschien was hij vanaf het begin al niet sterk. Maar hij dronk altijd zijn melk, tot de laatste dag. Toen dachten we dat het gewoon kou was. Het huis is vochtig en we konden niet altijd kolen krijgen. Florrie vloog naar de dokter maar die had het zo druk, dus wikkelde ik Edgar in deze sjaal en rende naar de kliniek. Het is maar vijf straten verder en ik liep zo hard ik kon, maar het regende en het werd al donker. Misschien had ik dat niet moeten doen. Maar zijn mondje was helemaal blauw – hij kon geen adem krijgen – Hij voelde nog warm toen ik in de kliniek kwam, maar hij was weg. Hij moet gestorven zijn toen ik zo hard liep. Ik wist het niet – ik had nog iets willen zeggen tegen hem. Een kusje geven voor de laatste keer. Dit helpt – echt. Nu ik weet dat hij hier ligt, met een echte steen, die goed is gemaakt. Ik dank u ervoor. Het is gewoon... dadelijk ben ik weer in orde. Ja.'

Jenna knielde en boog haar hoofd. Haar lichaam schokte van het snikken. Jane bleef staan. Er viel een fijne motregen uit een hemel

442

bleek als melk. De druppels vielen op haar handschoenen. Een paar gewone glacéhandschoenen, heel eenvoudig. Maar ze kostten evenveel als twee weken loon van Jenna.

Met een ongeduldig gebaar gooide ze ze in het lange gras. Ze zette haar hoed af en gooide die ook neer. Met diepe teugen ademde ze de vochtige, roetachtige lucht in. Ze dacht aan haar landerijen, haar huizen, haar geld op de bank. Ze maakte nog eenmaal een lijstje van alles wat haar uitstel veroorzaakt had: conventie en haar verlegenheid, Boy, verpleging, Acland.

De rebellie die ze al in de trein had gevoeld, kwam terug, fel en intens. Ze schudde het natte, korte haar en voelde zich zeker. Toen bukte ze zich en hielp Jenna overeind. Ze sloeg een arm om haar schouders en liep, nu langzamer, met haar naar huis. Ze bleef nog twee uur bij Jenna en stak later, zoals ze had beloofd, de rivier over naar Maud. De tijd scheen zowel heel traag als heel snel voorbij te gaan, ze was ongeduldig.

Mijn oudtante Maud was uit haar humeur. Omdat verschillende vrienden, waaronder lady Cunard, haar in de steek hadden gelaten, voelde ze zich misschien eenzaam.

'Heb je het laatste nieuws al gehoord?' vroeg ze bij de thee op een toon die balanceerde tussen minachting en woede. 'Deze schilderijen...' Ze wuifde naar de schilderijen die Constance ooit zo nuttig had gevonden om te bewonderen. 'Ze waren een cadeau. En nu schijnt zij ze terug te willen hebben. Zo snel mogelijk. Ik heb een lijst gekregen, moet je zien.'

Dit was een grote indiscretie voor Maud die altijd haar waardigheid wist te bewaren en het ongemanierd vond iets van pijn of jaloezie te laten blijken. Ze had er ogenblikkelijk spijt van en schoof de beledigende brief opzij. Tot haar verbazing veranderde Jane niet van onderwerp maar sprong op en sloeg hartstochtelijk de handen ineen. Ze keek Maud met een blos op haar wangen aan.

'O, maar zie je het niet?' riep ze, op een toon die Maud buitengewoon overdreven vond. 'Dat is precies wat je moet doen. Stuur ze terug. Stuur ze allemaal terug. Je zou je zoveel vrijer en beter voelen.'

'Lieve kind, wat een verrukkelijk idee. Ik zou als een zigeunerin door het leven kunnen gaan. Natuurlijk.'

Maud, zich ervan bewust dat ze, als ze alle geschenken van Stern terugstuurde, geen dak meer boven haar hoofd zou hebben, schonk thee in en veranderde van onderwerp. Jane irriteerde haar, ze vond haar romantische, emotionele ideeën zeer onverwacht.

'Je hebt te hard gewerkt, liefje,' zei ze verwijtend toen Jane afscheid nam. 'Je ogen staan zo helder en je hebt nog steeds een kleur. Zou je geen koorts hebben?'

'Nee,' antwoordde Jane op een manier die Maud te gebiedend vond. Ze nam Mauds hand en drukte die tegen haar voorhoofd. Dat voelde koel aan.

'Het was lief van je om me op te zoeken, Jane. Ik zal nadenken over wat je hebt gezegd.'

Maud wist niet wat ze moest doen. Haar ogen dwaalden over de koele bruine lijnen van Cézannes landschap dat bij de deur hing. Vanuit bepaalde hoeken was het een plaats, vanuit andere was het iets abstracts. Maud had er nooit van gehouden. Ze dacht aan Montague Stern, die ze erg miste.

'Misschien heb je gelijk,' zei ze peinzend. En toen, omdat ze de vraag niet voor zich kon houden: 'Hoe gaat het met Monty? Goed, hoop ik.'

Jane dacht na. 'Ongelukkig, denk ik,' zei ze eindelijk alsof het idee zojuist bij haar was opgekomen. 'Ja. Gezond. Maar ongelukkig.'

Zoveel oprechtheid op dat ogenblik was te veel voor Maud. Ze begon aan een uitgebreid afscheid. Jane, verstrooid, luisterde nauwelijks.

Ze was ongeduldig, wilde naar buiten, de straat op, naar de trein. Toen de deur achter haar gesloten was, keek ze op haar horloge. Het was halfvier. Als ze de goede trein haalde, kwam ze om even na zes uur thuis. Acland wachtte op haar. Het maakte geen verschil of hij antwoord gaf of niet. Voor deze ene keer wist Jane precies wat ze tegen hem zeggen zou.

Constance bereikte Acland als eerste, hoewel ze het bezoek had moeten uitstellen. Gwen stond erop het grootste deel van de ochtend Acland over het terras heen en weer te rijden. Daarna las ze hem voor op zijn kamer. Toen Gwen eindelijk verdween, kwam Denton puffend naar boven om een half uur bij zijn zoon te gaan zitten. Daarna kwamen Freddie en Steenie. En toen stond de verpleegster die ze in dienst hadden genomen, erop dat hij ging rusten. Juffrouw Conyngham had duidelijke instructies gegeven.

Na de rust was het tijd voor de lunch. En daarna wilde Montague Stern – tot Constances grote woede – een wandeling met haar maken. Hij nam de route waar ze het minst van hield, langs het meer, door de bossen en dan naar de rivier. Constance was bang dat haar man, die alles zag en hoorde, misschien wist wat ze van plan was. Daarom deed ze alles om maar ongehaast te lijken en stemde ze zelfs toe in een wandeling. Dus onderweg babbelde ze, hing aan

Sterns arm, keek hem in zijn gezicht, plaagde en provoceerde. Maar Stern liep met regelmatige passen verder en keek naar het landschap om hem heen, zo nu en dan glimlachte hij om haar.

Constance vatte moed. Hoewel hij zweeg en die stiltes van hem iets sombers hadden, was Constance eraan gewend geraakt. Eerst was ze ervoor op haar hoede maar – nu ze het kende – werd ze zorgelozer.

Ze staken de rivier over bij een smal bruggetje en liepen een heuvel op naar de grens van het landgoed. Vandaar was het mogelijk het land van de Cavendishes te zien en het punt waar het grensde aan het ruigere gebied dat eens van sir Richard Peel was geweest. Stern hield van dit uitzicht. Hij liet Constances arm los en leunde tegen een hek. Hij keek uit over velden en heggen, vandaar naar het landgoed van de Arlingtons en dan naar dat van Jane Conyngham. Daar hij met zijn rug naar haar toe stond, keek Constance op haar horloge. Het was bijna drie uur.

'Montague...'

'Ja?'

Stern keek niet om. Zijn blik was nu gevestigd op een lange kastanjelaan en daarachter de grijze massa van Peels huis, dat nu van Stern was.

Constance aarzelde maar besefte dat de wandeling toch nog goed kon aflopen. Ze legde haar arm op Sterns jas.

'Het is een prachtig huis.' Ze wierp een blik op Stern. 'Dat van Jane is misschien indrukwekkender maar dat van Peel is volmaakt, zelfs ik kan dat zien. Een achttiende-eeuws huis...'

'In een achttiende-eeuws park...' glimlachte Stern.

'Ingetogen. Klassiek. Een façade van Adam. En Gainsborough heeft er een schilderij van gemaakt, weet je, met een van de voorouders van Peel in het park.'

'Ja, dat vertelde Peel je tot vervelens toe.'

'Die dame was niet erg mooi, maar ze had een schat van een hond, een spaniel, net als mijn Floss.'

'Wel, wel.' Stern haalde de schouders op. 'Het is gewoon een huis.'

'Maar een dat van jou is, waar je van houdt, denk ik. Een sober huis. Het past bij je, Montague. Weet je nog? In Schotland zei ik...'

'Dat weet ik nog. Ik zag het als een van je grapjes. Een sober huis? Waarom zou dat bij mij passen, wanneer ik bekend sta als vulgair?'

'O, maar dat ben je niet.' Constance kroop dichter tegen hem aan. 'Je doet of je vulgair bent. Maar je houdt mij niet voor de gek met

445

je vesten en witte manchetten en nieuwe schoenen. Ik ken je geest, en iets van je hart. Je bent niet vulgair. Wil je me niet kussen? Dat is zo lang geleden.'

'Dat kan ik doen – als je zo aandringt,' antwoordde Stern. Hij nam haar in zijn armen en het was of alle doosjes in haar hoofd die ze zo netjes had opgestapeld, dreigden om te vallen. Ze deed een stap achteruit.

'Dat was een hartstochtelijke kus.'

'Onthouding heeft zijn voordelen.'

'Doe niet zo verbitterd.'

'Dat doe ik niet. Ik constateer alleen een feit.'

'Montague...'

'Ja?'

'Misschien ben ik wel van gedachten veranderd.'

'Dat doe je dikwijls. Het is een van je charmes. Wat is er veranderd?'

'Mijn idee over de landgoederen. Waar we moeten wonen. Alles wat we in Schotland hebben besproken.' Constance kwam weer naar hem toe. Ze legde een gehandschoende hand tegen Sterns borst, stak toen een hand tussen jas en colbert, zodat hij warm tegen zijn hart lag. Ze beet op haar lippen.

'Misschien kan ik toch wel in de buurt van Winterscombe wonen, ik voel me niet meer zo heftig als toen. We moeten toch ergens wonen, we kunnen toch niet eeuwig doorgaan met het huren van huizen. Ik denk dat ik wel in Peels huis zou kunnen wonen – als ik er met jou was.'

'Je vleit me.'

'Onzin, Montague. Ik zou het niet durven. Nu we terug zijn op Winterscombe – samen – merk ik dat ik het best aankan. Ik heb hier ook fijne herinneringen. En we kunnen het toch proberen? Als het huis ons niet ligt, gaan we weg. Zo eenvoudig is dat.'

'Wat je zegt, is heel verstandig.'

Constance werd aangemoedigd door zijn gebrek aan oppositie. Ze keek op naar het gezicht van haar man, naar de zware oogleden die de uitdrukking verborgen, het rossige haar dat langs zijn witte boord streek.

'Zeg "ja", Montague.' Ze stak haar arm door de zijne. 'Dat verhuizen verveelt me zo. Denk eens hoe leuk het zou zijn het huis nieuw in te richten. Je schilderijen – die zouden zo goed hangen in de bibliotheek, denk je niet? We...'

'Hoe kwam het dat je van gedachten veranderde?' onderbrak Stern haar. Hij keek Constance onbewogen aan. Ze wuifde vaag met een hand.

446

'Niets bijzonders. Dat zei ik toch. We zijn bijna een jaar getrouwd. Dingen veranderen. Ik...'

'Is het vanwege Acland?'

'Acland? Natuurlijk niet. Waarom?'

'Toen je dacht dat Acland dood was, wilde je hier niet wonen. Nu hij leeft, ben je van gedachten veranderd. Wil je hem als buurman hebben?'

'Belachelijk!' Constance trok zich terug. 'Wat zeur je toch over Acland. Bovendien wordt hij geen buurman. Je kunt Winterscombe toch krijgen zodra je wilt. Vraag hun de schulden te betalen.'

'Nu?'

'Niet direct. Niet nu hij nog zo ziek is. Dat zou er uitzien als...'

'Vulgair?'

'Roofzuchtig.' Constance lachte. Ze ging op haar tenen staan en kuste Sterns wang. 'Je kunt best roofzuchtig zijn – net als ik. Maar eerst moeten we geduld hebben. Aan het eind van het jaar misschien. Acland zal trouwens toch niet weten wat er met hem gebeurt, ook niet als hij naar een verpleeginrichting gaat. O ja' – ze keek op haar horloge – 'ik had Jane beloofd dat ik Acland vanmiddag een poosje gezelschap zou houden. Je weet hoe ze is. Ik moet hem voorlezen uit een van die saaie boeken van hem. We kunnen beter teruggaan.'

'Natuurlijk. Neem mijn arm. Het is hier glibberig.'

'Dank je, Montague.'

Constance die altijd levendig werd als ze erin slaagde haar zin door te zetten, liep opgetogen terug.

'Weet je nog, Montague?' begon ze en kwam met een stroom herinneringen, alles uit hun korte huwelijksleven. Alle moeilijkheden, alle pijnlijke incidenten liet ze weg. Ze concentreerde zich op de vreugdevolle dingen. De kus bij het altaar, hun wandelingen in Schotland door de sneeuw.

'Herinner je het je nog, Montague?'

'Het is als een religie voor me.'

'Het was zo koud – en dan zo warm als we binnenkwamen. Jij hield ervan. Je zou dat huis toch ook moeten kopen, we hebben er zulke speciale herinneringen aan. We zouden onze huwelijksreis ieder jaar kunnen hernieuwen.'

'Dat zouden we kunnen doen.'

'En dan die dag in Londen, weet je nog? Ik kwam uit het park en jij luisterde naar die Verdi van jou en besefte niet eens dat ik er was...'

'Wagner.'

'Wagner dan. Geeft niet. Je verraste me toch zo. Daarom pas je bij me. Omdat je altijd met verrassingen komt. Het ene ogenblik zo koel en beheerst, en het andere een machthebber.' Ze naderden het huis. 'Weet je nog, Montague die avond dat je het over je landgoederen had? Toen je die droom over je zoon vertelde? Dat ben ik niet vergeten, hoor. Het waren heilige woorden voor mij. Ik geloof dat we toen pas echt getrouwd waren. En als we eenmaal in Peels huis wonen, zou het kunnen gebeuren. Ons kind.'

Ze drukte een handje tegen haar hart. Stern ging langzamer lopen. 'Wat zeg ik? Waarom zouden we stoppen bij één kind? Ik zou een hele clan willen hebben. Vier jongens en vier meisjes. Peels huis is ideaal voor kinderen. Al die zolders en gangen. Die enorme tuin. We konden... Montague, wat heb je? Je doet me pijn.'

Stern was blijven staan. Toen ze bleef babbelen, pakte hij haar pols en boog haar hand naar achteren, zodat Constance het gevoel had of haar pols zou breken. Ze uitte een kreet van verbazing en pijn. Stern liet haar hand los en keek neer in haar gezicht.

'Laat dat,' zei hij hard. Toen stak hij zijn handen in zijn zakken en liet Constance achter op het pad, terwijl hij naar het huis liep.

De onverwachte heftigheid van Sterns reactie bracht Constance aan het schrikken. Toen ze naar Aclands kamer rende, dacht ze erover na. Was haar man jaloers? Hij klonk altijd jaloers als zij het over Acland had. Dit idee – dat Montague tot jaloezie in staat was – vond ze heerlijk, zoals trouwens alle bewijzen van haar invloed. Ze had het natuurlijk niet gemeend, maar dat kon Stern toch niet weten? Hij was jaloers en die opmerking over onthouding klonk zeer zeker verbitterd. Hoe lang had ze al niet met haar man geslapen? Een paar weken. Sinds het nieuws over Acland had ze niet meer zoveel behoefte aan hem. Maar het was misschien onvoorzichtig dat te laten blijken. Zou ze hem vragen de komende nacht bij haar te blijven? Ze aarzelde. Ze stond op het punt haar man te bedriegen en het was natuurlijk fout als Stern haar ontrouw zou merken. Aan de andere kant was het opwindend haar man zijn gewone zelfbeheersing te laten verliezen, of dat nu door woede of uit jaloezie gebeurde. Natuurlijk mocht Stern er nooit achter komen wat ze deze middag deed, dat zou veel te gevaarlijk zijn. Maar het kon geen kwaad om Acland als rivaal voor te stellen, alleen maar door kleine toespelingen.

Dus al denkend aan haar echtgenoot kwam Constance Aclands kamer binnen. Ze stuurde de verpleegster naar beneden om minstens een uur met Box, haar hond, te gaan wandelen. Toen de zuster weg was, pakte ze het boek dat iemand aan een niet reagerende Acland had voorgelezen. Het was *De Antiquair* van Walter Scott. Constance had het altijd vervelend gevonden. Ze boog de rug heen en weer en gooide het boek op tafel. Eigenlijk wenste ze dat haar man de voorgenomen ontrouw zou meemaken – eens zien of hij dan kalm kon blijven! Maar voor alle zekerheid deed ze de deur op slot.

Acland, terug op Winterscombe, had een grote logeerkamer gekregen, want zijn eigen kamer op de tweede verdieping was te klein en te ver weg. Het was een kamer op het zuiden met een erker die over de tuinen, het meer en het park uitkeek. Toen Constance binnenkwam, zat hij voor het raam in zijn rolstoel. Hij was gewassen, geschoren, gekleed – allemaal dingen waar Jane op stond. Zijn magere handen lagen op de leuningen van de stoel. Zijn mager gezicht was naar het raam gekeerd. Zijn haar glansde in de zon.
Constance begroette hem niet. Ze pakte een stoel en zette die vlak voor hem neer, met de rug naar het raam. Ze zag dat zijn ogen, hoewel niets ziend, open waren en ze trok het gordijn opzij om naar het uitzicht te kijken.
'Een panorama,' begon ze. 'Je kunt de bossen en het meer zien. Het berkenbosje waar Boy zelfmoord pleegde. Het was geen ongeluk, al zeggen ze van wel. Freddie en Steenie waren erbij. En voordat hij het deed, legde hij een bekentenis af tegen Steenie. Hij zei dat hij mijn vader had gedood. Ik weet dat dat niet waar is. Ik denk dat jij dat ook weet, Acland.'
Constance ging zitten. Ze keek Acland aandachtig aan. Zijn gezicht noch zijn handen bewogen. Zijn ogen bleven strak op het raam gevestigd.
'Hoor je me, Acland? Ik geloof van wel. Waarom probeer je je voor mij te verstoppen? Dat lukt je toch niet. Onze band is te sterk. Alles wat je ooit hebt gedaan, wat je ooit bent geweest – kan ik zien. Ik kijk tot op de bodem van je ziel. Ik hoor je gedachten, ik ken je dromen. Jij kunt je niet verbergen voor mij en ik kan me niet verbergen voor jou. Begrijp je het dan niet, Acland? Ik veroordeel je niet. Als je iets slechts hebt gedaan, hebt gezien, heb ik het ook. Ik weet hoe het voelt om te willen sterven. Vertel eens, Acland, was het de oorlog die je zo gemaakt heeft? Of was het iets anders, van lang geleden, wat maakt dat je je nu schuldig voelt? Een schuldgevoel kan dat doen, denk ik. O, Acland, alsjeblieft...'
Constance zweeg, haar handen beefden. De stilte van de kamer drukte op haar. Acland bleef onbeweeglijk in zijn stoel.
'Wil je me niet één keer aankijken? Ik weet dat je naar me kijken

wilt,' zei Constance en toen Acland nog steeds niet reageerde, begon ze haar haar los te maken.

'Goed,' ging ze door. 'Het kan me niet schelen. Ik geef niet op. Wacht maar Acland, luister. Ik zal je mijzelf laten zien, eens kijken hoe dood je eigenlijk bent.'

Ze schudde haar hoofd zodat het haar over haar schouders viel. Toen knoopte ze haar blouse los. Een crucifix, een van Sterns cadeaus, in een opwelling gegeven door een areligieuze man aan een areligieuze vrouw, hing tussen haar borsten. Constance drukte haar handen ertegen en huiverde.

'O, ik ben nu helemaal alleen. Niemand ziet me. Ik houd er niet van als iemand naar me kijkt. Het is zo heerlijk me in mijzelf terug te trekken. Het maakt me wel eens verdrietig om te liegen, te doen alsof tegenover de wereld. Weet je wat ik dan doe? Dan kom ik hier, binnen deze kleine cirkel. O, ik zie hem nu. Daar is hij.'

Ze stak haar voet uit en tekende een cirkel op de vloer.

'Zie je, Acland? Een onzichtbare cirkel. Jij kunt hem zien. Ik kan hem zien. Maar niemand anders. Een cirkel met wanden van glas. Niemand kan ons daar aanraken, we kunnen er alles doen wat we willen. Zal ik je laten zien wat we doen? We strijken de duisternis weg.' En Constance sloot de ogen omdat ze er nu zeker van was dat Acland haar zag, zijn blik streek langs haar huid. 'Luister,' zei ze, 'dan vertel ik je het verhaal van Constance en haar minnaar. Hij heet Acland. Hij is de enige man van wie ze ooit heeft gehouden. Hij is haar vijand en haar vriend, haar broer en bevrijder. Welk verhaal hoor je het liefst? Er zijn er zoveel en hij komt in zoveel vermommingen. Toen ze nog kind was, kwam hij in de vorm van een vogel, een grote witte vogel – zo'n vrij wezen! Dan tilde hij haar op zijn vleugels en konden ze samen de wereld overzien. Dat is één verhaal. Of ik kan je vertellen hoe hij kwam als man. Nachten achter elkaar. Hij streelde haar – haar haar, dan haar hals, haar borsten, haar dijen. Eens lagen ze samen in de sneeuw en hij deed haar lichaam wenen. Eens gingen ze naar de bossen en eens lagen ze samen op de trap en eens verstopten ze zich – ja, in de klerenkast, tegen de mantels in het donker en zijn handen waren ruw. Toen ze hem die keer aanraakte, was hij hard als een stok en toen ze hem proefde, smaakte hij als een god. Zo wàs het.' Constance zweeg, kreunde even. Ze sloeg haar armen om haar schouders. 'Zo ging het door jaren, eeuwen. Het was ondraaglijk om gescheiden te zijn. Maar toen, niet zo lang geleden, gebeurde er iets vreselijks. Hij kwam op een nacht haar kamer binnen en nam haar in zijn armen, zei dat hij teruggekeerd was uit de dood. Hij vertelde haar hoe het voelde die grens te overschrijden. Het grote geheim! Hij opende zijn hemd en toonde haar de wond die hij had, juist onder zijn hart. Toen maakte hij een ring van zijn haar en schoof die om haar vinger. Ze was zijn bruid, zei hij en ook zijn weduwe. Ze wist dat hij zou vertrekken, zie je. Hij bleef de hele nacht tot de ochtend.

Jíj ging weg.' Ze keek Acland aan. 'Ik dacht dat je nooit meer terug zou komen. Ik dacht dat dat het einde was, mijn straf en veroordeling, om altijd alleen te zijn. Als dat zo is, kan ik het overleven op mijn manier. Ik ga niet dood – niet direct. Maar ik moet het zeker weten – of je weg bent of dat je terug zou kunnen komen. Wil je heel stil blijven? Ik moet je aanraken.'

Constance stond op. Haar verhaal was uit. Ze voelde zich onzeker op haar voeten, duizelig. Toen boog ze zich naar hem toe, keek hem in de ogen, knoopte zijn overhemd los en stopte haar kleine hand ertussen. Het litteken was bekend, ze legde haar hand erop.

Ik wilde een tovenares zijn, schrijft ze. Ik wilde Aclands eigen Circe zijn. Dus vertelde ik hem onze liefdesgeschiedenis en toonde mijzelf. Als hij niet reageerde op mijn woorden, deed hij het misschien op mijn lichaam. Zo zijn mannen, ik denk dat ze van mijn huid houden, en van mijn verhalen. Mijn lippen waren zo dicht bij de zijne dat ze die bijna raakten. Acland was toch niet helemaal dood, ik zag het. Ik had hem kunnen aanraken om het te bewijzen. Maar ik deed het niet. Hij moest me een teken geven en ten slotte gebeurde dat ook. Hij tilde zijn hand op. Ik dacht dat hij mijn borst wilde aanraken, maar hij raakte het crucifix van Montague aan. Hij hield het stevig vast. Hij kon mijn hart voelen kloppen, denk ik. Ik wachtte. Toen besloot ik dat het genoeg was. Ik was bijna blij dat hij mij niet aanraakte, ik wil niet dat we ooit – gewoon zijn. Ik ging over tot de feiten die hij moest weten. Er was niet zoveel tijd meer en ik moest snel en praktisch zijn.

Ik knoopte mijn blouse dicht en ging op de stoel zitten. Toen ik er zeker van was dat hij me aankeek en niet door me heen, kwam ik met de feiten, klap, klap, als het uitdelen van een spel kaarten. Boy, Jenna en de baby (ik vertelde hem dat ik voor zijn baby had kunnen zorgen). Ik legde hem uit dat zijn vader Montague geld schuldig was. Ik vertelde dat Montague Winterscombe wilde kopen. Toen stopte ik even. Aclands gezicht was lijkbleek. Ik dacht: misschien is hij schuldig. Misschien voelt hij zich schuldig tegenover Jenna en de baby. Ik wist niet precies wat ik verder moest zeggen. Ik denk dat ik het idee van schuld wel begrijp, maar ik voel het

niet. Ik kan het niet te voorschijn halen, zelfs niet toen Boy stierf.
Maar Acland is anders. Dus probeerde ik hem uit te leggen dat een
gevoel van schuld nutteloos is. Hij kan het verleden niet ongedaan
maken, maar hij kon wel de toekomst maken. Ik stond op, liep
naar het raam, wees naar de tuinen en de bossen. Ik zei dat ik niet
wist of hij ervan hield, maar als hij ze voor zichzelf of zijn broers
wilde behouden was dat heel goed mogelijk. Montague mocht het
huis dan graag willen hebben, zei ik, maar hij kon Montague voor
zijn als hij maar naar mij wilde luisteren. Het enige dat Acland no-
dig had om zijn huis te redden, was een rijke vrouw en wie was er
rijker en beschikbaarder dan Jane? Ik ging weer zitten en somde de
voordelen van Jane Conyngham op. 'Ze is buitengewoon rijk. Ze
kan de schulden van je vader betalen, Winterscombe redden en zal
het verschil nauwelijks merken.' Ik herinnerde hem eraan wat hij
Jane schuldig was. Ze had tenslotte zijn leven gered en hem met
meer zorg verpleegd dan ik ooit zou hebben gedaan. Ik wees hem
erop dat Jane van hem hield, al jaren. Ik geloof dat het hem ver-
baasde – mannen zijn vaak zo bot. Een huwelijk zou een afbetaling
van zijn schuld aan haar zijn. En als hij mijn plan te hebzuchtig
vond, kon hij vast wel een manier bedenken om het geld terug te
betalen – hij had talenten genoeg. Ik dacht dat Acland niet over-
tuigd leek. Zijn gezicht was zo strak, zijn ogen zo koud. Ik zei dat
ik me kon voorstellen dat hij het idee niet erg aantrekkelijk vond,
maar Jane zou zeker een uitstekende vrouw zijn en later een voor-
beeldige moeder. 'En ze is knap, ze is dapper. Jullie hebben veel ge-
meen. Zij heeft de oorlog meegemaakt. Jullie houden van dezelfde
muziek, van dezelfde boeken. Natuurlijk is Jane niet opwindend.
Maar als je na een paar jaar een nieuwe stimulans zoekt, zou je dat
op een discrete manier kunnen doen zonder Jane te kwetsen zoals
andere mannen doen.'

Ik zag dat Acland moe werd en ik dacht, hij doet het niet, hij kiest
het scheermes. Ik ging snel verder: 'Er is nog iets. Als je hier zou
wonen, zag ik je zo nu en dan nog eens. We worden buren, we gaan
het huis van Peel inrichten. We zouden kunnen...' Ik stopte. Ik
wilde niet alles zeggen. Hij weet het, hij droomt ervan. Ik denk dat
ik verwachtte dat hij iets zou zeggen. Hij zei niets en ik werd bang.
Mijn handen bewogen en wilden niet stil blijven. Ik probeerde hem
uit te leggen hoe ik het wilde voor ons, dichtbij en ver weg, allebei
tegelijk. We moeten elkaar niet aanraken, want dat soort liefde is
de mooiste en blijft altijd volmaakt. Het maakte me boos dat ik het
op die slome manier moest zeggen, hij weet het toch. Onze geheime
liefde. Mijn boosheid maakte dat ik begon te beven. Ik rook de

brand van mijn woede. Ik moest snel zijn, zijn twee geschenken ge-
ven. Ik knielde naast zijn stoel. Ik haalde het scheermes uit mijn
zak. Ik hield het stevig in mijn rechterhand. Ik keek hem in de
ogen, legde mijn lippen tegen de zijne. Ik proefde hem, liet hem
mij kussen.
'Kijk. Hier zijn je cadeaus. De dood in mijn rechterhand, het leven
in mijn linker. Kies, Acland.'
Acland zat naar het scheermes te kijken. Het scheen hem te verba-
zen, al moet hij hebben geweten dat ik het mee zou brengen. Om
hem te helpen beslissen, vouwde ik het open. Het was scherp en
toen ik het mes over mijn handpalm trok, sneed het de huid open.
Het bloed gutste eruit. Ik hield hem mijn hand voor. 'Proef het,
Acland. Je kent de smaak en de reuk. Dat is de smaak van de uit-
weg. Wil je dat? Dan help ik je, dat beloof ik. Je polsen of je keel.
Ik zal wachten tot het voorbij is. De deur is op slot. Ik beloof je dat
ik niet ga schreeuwen. Ik ben niet als andere vrouwen. Als jij het
wilt, kan ik het. Kies, Acland.'
Zijn vingers grepen mijn pols. Ik denk dat hij mijn hand omdraai-
de. Het scheermes vloog door de lucht.
Acland zei: 'Je bent een buitengewone vrouw. De meest buitenge-
wone vrouw die ik ooit heb ontmoet.' Ik denk dat hij dat zei. Na-
dat hij had gekozen.
Ik raapte het scheermes op en stak het in mijn zak. Ik wilde hem
zeggen dat de vrouw van wie hij hield niet zo bijzonder was. Ze
was... toeval. Iemand met te veel stukjes die fout zaten. Zo was ze
geboren – of misschien was ze gedwongen om zo te worden. Ac-
land houdt van me om mijn tegenstellingen. Hij weet dat ik iedere
vrouw kan zijn – alleen voor hem. Ik kan zijn kleine maagd zijn en
zijn kleine hoer. En hij is mijn onmogelijke man, die naar de dood
is gegaan en terug is gekomen, die terwille van mij zou doden. Ac-
land, mijn bevrijder, met je oneindige durf!
Ik liep naar de deur. Het werd al donker en de kamer was vol sche-
mer. Ik knipte het licht aan, knipte het weer uit. 'Kijk, Acland,' zei
ik. 'Daar ben ik. En daar ben ik niet.' Toen ging ik weg.
Ik ging terug naar Montague, we lagen te vrijen, nogal ruw. Daar
houd ik van – een enkele keer. Ik kan nog steeds niet tot een hoog-
tepunt komen en vroeg hem wat onverschillig, of hij meer vrouwen
had gehad die zo waren. Hij zei, ja, een of twee, het kon lang du-
ren, maar ik moest me niet bezorgd maken.
Het klonk bijna als medelijden en daar houd ik niet van. Volgende
maal zal ik het voorwenden en zorgen dat hij in extase raakt.
'Heb je Acland voorgelezen?' vroeg hij toen we ons verkleedden

453

voor het avondeten. Ik zei van ja. Uit De Antiquair, *en dat het ver-*
haal onbegrijpelijk was maar dat ik het heel mooi had gelezen.

Het was over vijven toen Constance Aclands kamer verliet, en een
uur later toen Jane bij hem binnenkwam. De verpleegster, die
dacht dat hij sliep, had hem in zijn rolstoel voor het erkerraam laten zitten. Jane zag dat zijn ogen open waren. Ze dacht, hij kijkt
naar de oorlog.
Ze was zo snel mogelijk naar huis gegaan. Toen ze door de hal liep,
zag ze Gwen alleen in de salon zitten. Ze zat daar in de schemer,
met gebogen hoofd, in een houding van verdriet. Die aanblik
spoorde Jane aan. Ze wist hoeveel verdriet Gwen had, ze wist hoeveel het haar kostte om met Acland te gaan praten, hem voor te lezen, opgewekt te blijven. Jane was vol woede en verontwaardiging.
Haar hart bonsde. Ze was van plan met hem te praten. Ze wilde
niet dat hij zijn familie dit allemaal aandeed. Ze wilde het niet. Het
is zelfzùchtig. Ze rende naar hem toe en knielde neer, greep zijn
handen. De schaduwen maakten zijn gezicht grauw. Maar ook zo
kon ze zien dat hij gehuild had.

Ik ben nog altijd geschokt wanneer mannen huilen. Ik hield zo ont-
zettend veel van hem. Mijn lichaam deed er pijn van. Ik wist wat ik
zou zeggen en de argumenten die ik zou gebruiken. Maar toen het
puntje bij paaltje kwam, was het een mengsel van liefde en boos-
heid en verontwaardiging.
Ik wilde hem laten zien dat ondanks alles wat hij in Frankrijk had
meegemaakt, hij het had overleefd. Hij had de kostbaarste gift ge-
kregen die er bestaat: het leven. Hoeveel duizenden, miljoenen,
hadden die gift níet gehad? Zij zouden nooit meer terugkomen. Als
de oorlog voorbij is, zullen ze wel oorlogskerkhoven aanleggen en
mensen gaan ernaar toe. Maar zullen we ons hen nog herinneren?
Elk van die graven een man, elk kruis een levensgeschiedenis. De-
genen die van hen hielden, vergeten hen niet, maar als zij er niet
meer zijn, wat is er dan over? Anonimiteit. Mensen vergeten oorlo-
gen zo snel. Ik begon te huilen. Ik wilde hem laten zien dat wat hij
deed verkeerd was. Het was meer dan verspilling. Het was zondig.
God had hem zijn leven gegeven en hij gooide het in Zijn gezicht.
Wat dom om dat te zeggen. Acland gelooft niet in God. Ik pro-
beerde samenhangend te praten. Hij had zoveel gekregen, hij
kwam niet verminkt thuis, hij had alle mogelijke comfort, hij was
bij zijn familie die van hem houdt... Ik kon niet verder. Het klonk
allemaal zo dom en banaal. Het maakte me boos op mezelf. Dus

zei ik, ik houd van je Acland. Ik houd al jaren van je, zo lang ik
me kan herinneren. Hij bewoog zich niet. Hij draaide zijn hoofd
niet om. Niets. Toch wist ik zeker dat hij me kon horen, begrijpen.
Maar hij gaf niet voldoende om me om ook maar een klein teken
te geven. Ik liet zijn handen los. Stond op en vertelde hem wat ik
besloten had. Ik zei dat als ik hem niet kon helpen, er anderen wa-
ren voor wie ik wel iets kon doen. Ik moest mijn leven leven. Ik
herinner me precies wat ik toen zei, omdat wat er toen gebeurde zo
verbazingwekkend was. Ik liep naar het raam. Het was donker. Ik
hoorde een uil in de verte. Mijn keel deed pijn maar ik voelde me
sterk. Ik wist dat ik gelijk had – en dat gebeurt niet dikwijls. Ik zei:
Ik zal je niet langer verplegen. Ik houd van je en ik zou je willen
helpen om te leven als ik dacht dat ik dat kon. Maar ik help je niet
om dood te gaan – niet wanneer dat niet nodig is. Ik vind het ver-
achtelijk van je. Het is vreselijk wat je je moeder aandoet en de
rest van je familie. Er zijn zoveel mensen die er veel erger aan toe
zijn. Weet je wat die rolstoel betekent, en dat zwijgen? Het is laf-
heid.
Ik keek niet om. Ik tuurde in de duisternis. Ik dacht: Ik ben negen-
entwintig. Ik dacht aan huizen en geld en aan goed-doen. Ik hoor-
de een zacht geluid en wist eerst niet wat het was. Toen besefte ik
het. Het was Aclands stem. Hij noemde mijn naam.

Hij noemde haar naam drie maal. Jane wendde zich om en Acland
stak zijn hand uit. Hij zei: 'Ik kan spreken en lopen en denken en
voelen. Je maakt me – beschaamd.' Het was bijna donker en ze
kon nauwelijks de vorm van zijn figuur in de rolstoel zien. Zijn gezicht was een bleke vlek. Even dacht ze dat ze het zich had verbeeld, toen wist ze dat het niet zo was. Ze liep naar hem toe, greep
zijn uitgestrekte hand en knielde bij hem neer.
'Je hebt je haar afgeknipt.'
Aclands vingers streelden haar hals. 'Ik herkende je. In de grotten...' Hij sprak langzaam, de medeklinkers kwamen aarzelend
alsof hij die niet vertrouwde. Er flikkerde iets in zijn ogen, toen
was het weer stil.
'Ik herkende je stem. Lang voordat je bij mijn bed stond. Ik hoorde alle dingen die ik dacht dat ik verloren had. Engeland. Dit huis.
Meer dan dat. Iets veel belangrijkers. Ik wilde roepen, maar kon
het niet.' Hij boog zijn hoofd. In het vage licht was zijn haar zonder enige kleur. Jane streek voorzichtig over zijn wang.
'Ik dacht altijd aan je als aan de toekomstige vrouw van mijn
broer. Ik – kon jou niet zien...' Jane trok haar hand terug.

'Ik weet het Acland. Ik begrijp het. Maar we zijn altijd vrienden geweest.'

'Nee. Je begrijpt het niet, helemaal niet. Ik ben zo afschuwelijk moe. Ik geloof niet dat ik het kan uitleggen. Als je nu eens naar me keek...'

Op dat moment begon Jane te hopen. Ze hield zich voor dat ze dat niet moest doen, maar het was onmogelijk. Ze keek naar Aclands bleke gezicht, naar zijn ogen waarvan ze de twee soorten groene kleur altijd verwarrend had gevonden. Die uitdrukking in zijn ogen had ze nooit eerder gezien.

'Acland,' begon ze.

'Gek, hè?' Zijn hand hield de hare steviger vast. 'Ik zou dit nooit hebben voorspeld. En toch is het heel sterk. Toen je zonet aan het praten was. Als ik naar je kijk, denk ik dat het er misschien altijd is geweest.'

Hij tilde zijn hand op en legde die tegen haar wang, streek met één vinger over haar wenkbrauw. 'Je ogen zijn vol licht.' Hij liet zijn hand zakken. 'En je haar is als een helm. Je klonk daarnet zo fel.' Hij aarzelde. 'Het was dapper van je – om die dingen te zeggen. Ben je altijd zo dapper geweest? Waarom heb ik dat nooit gemerkt?'

'Nee, niet dapper,' zei Jane snel. 'Als ik al veranderd ben...'

'Kom hier.' Acland stond op en ging met haar naar het raam waar ze bleven uitkijken over Winterscombe. Jane zag een wolk voor de maan drijven, het licht donkerder worden, toen weer helder. Hij keek naar haar.

'Je bent veranderd. Wanneer? Waarom ben je veranderd?'

Jane dacht: Ik ben nu niet onzichtbaar voor hem. Misschien ben ik dat nooit meer. En ze zei: 'Mijn werk misschien. En het ouder worden. En de oorlog...'

'Ach, de oorlog,' antwoordde Acland en nam haar in zijn armen.

Toen ik dit verslag van mijn moeder gelezen had, liet ik Wexton dutten in zijn stoel en liep de tuin in. Ik ging naar het meer en het berkenbosje, naar het uitzicht dat mijn vader had op de avond van zijn herstel. Ik hoorde de stem van mijn moeder duidelijker dan ik die in dertig jaar had gehoord. Ik zag haar zoals ze vroeger was: een rustige, veilige aanwezigheid. De eerste acht jaar van mijn leven had ik nooit hoeven twijfelen aan haar liefde en zorg, voor mij en mijn vader. Ze werd niet boos zoals Constance om onbenullige dingen: om een jurk in de verkeerde tint, een kapsel dat ze niet goed vond. Ze was niet ijdel. Leugens maakten haar boos, en onrecht helemaal. Zo was mijn moeder: ik voelde haar kracht. Een goede vrouw. En wat had ik haar gegeven? Gebrek aan loyaliteit. Ik had mijzelf toegestaan haar te laten wegglippen, haar te vergeten. Ik had Constance haar plaats laten innemen. Ik wist dat er excuses voor waren. Mijn moeder stierf jong en de levenden eigenen zich vrijwel altijd de plaats van de doden toe. Goedheid is misschien ook geen uitbundige eigenschap, goede mensen zullen niet als eersten de aandacht in een kamer opeisen. Goedheid heeft geen charisma, klinkt saai. Toch verachtte ik mezelf.

Ik ging bij het meer zitten en dacht aan huwelijksliefde, die ook zo saai kan lijken – al geloof ik dat het de grootste levensvervulling is. Ik wist wat ik wilde geloven, ik wilde het verslag van mijn moeder geloven. Ik wilde geloven in de liefde van mijn moeder voor mijn vader en in zijn liefde voor haar. Ik wilde geloven dat het haar liefde was die hem had genezen. We zijn, denk ik, in dit opzicht allemaal kinderen: we hebben een blijvende behoefte om te geloven in de liefde die ons op de wereld heeft gezet, lang nadat we de leeftijd hebben bereikt waarop we weten dat die behoefte irrationeel kan zijn. En ik had mijn twijfels natuurlijk, die had Constance gezaaid. Op dat ogenblik haatte ik haar bijna. Ik haatte haar om het sublieme zelfvertrouwen waarmee ze schreef, de blijde veronderstelling van de band tussen haar en mijn vader, haar onwankelbare overtuiging dat zij het huwelijk van mijn ouders had bewerkstelligd, dat het een financiële zaak was geweest, een verstandshuwelijk.

Er was niets wat ik me van mijn ouders samen herinnerde dat daarop wees en ik dacht dat zo'n idee een banvloek zou zijn. Maar er bleven twijfels. De vader in deze dagboeken had Jenna al minderwaardig behandeld. De wispelturige beeldenstormer van de vooroorlogse jaren was niet de vader die ik had gekend, de bebaarde figuur in de grotten van Etaples, de zwijgende man in de rolstoel – het waren allemaal vreemden voor me.

Toen ik naar huis terugkeerde, was ik er zeker van dat Constances geschenk van het verleden een boosaardige bedoeling had. Ik keek vol achterdocht en afkeer naar de schriften.

Wexton werd wakker en rekte zich uit. 'En, wat gebeurde er toen?' Ik wist het al een beetje, want ik had verder gelezen. En ik moet toegeven dat ik iets van leedvermaak voelde.

'Constance krijgt haar verdiende loon.'

'O, mooi zo,' zei Wexton.

Toen het nieuws van Janes verloving Constance bereikte – en er was een uitstel van een paar weken voordat zelfs Aclands naaste familieleden het hoorden – danste ze door de gehuurde salon in Londen. Het nieuws stond in een brief van Gwen, Constance gooide de velletjes hoog in de lucht maar zocht ze weer bij elkaar. Haar wilskracht was onweerstaanbaar.

Ze hield die wetenschap de hele dag bij zich. Ze stopte die weg tot haar man thuiskwam. Zelfs toen hield ze het nog voor zich. Wanneer zou ze het hem vertellen? Het plezier – Constance was dol op geheimen – was intens. Tijdens het avondeten zei ze er niets over. Ze speelde toneel voor haar man, haar ogen schitterden, haar wangen bloosden, de juwelen aan haar handen vormden glinsterende kringen als ze sprak. Ze droeg een nieuwe, opvallende japon. Haar slangenarmband was om haar arm gerold. En Constance dacht, ik ben hem ditmaal te slim af geweest. Na het eten hing ze aan zijn arm, kuste eerst haar hondje, toen hem. Ze speelde een van haar lievelingsrollen, die van de kinderlijke kokette. Ze herinnerde hem aan de party waar ze die avond heen zouden gaan, ze stelde hem voor dat het misschien prettiger was om thuis te blijven. Om tien uur trok ze hem mee de trap op met kussen en gefluister. Om kwart over tien kleedde ze zich eerst preuts en toen uitdagend uit. Ze trok Stern in haar bed. Ze klom op hem, sloeg haar armen om zijn hals. Ik zal hem in extase brengen, dacht ze en daarna vertel ik het hem. Achter het bed hing een grote spiegel. Constance keek naar zichzelf. Ze rees en daalde. Haar huid had de kleur van rozen. Haar haar was lang en heel zwart. Haar lippen waren rood als bloed. Praat met me, schok me, fluisterde ze, daar houd ik van. Later bleef ze in de armen van haar man liggen. Ze kon heel mooi kwijnen. Ze deed even of ze sliep. Straks zou ze van de verloving vertellen en de nadruk leggen op Aclands nieuwe toewijding aan Jane. Direct daarna kon ze over het huis beginnen.

Constance ging rechtop zitten. Ze gaapte, rekte zich uit.

'Montague,' zei ze, 'ik heb een nieuwtje.'

'Even, liefje.' Stern stond op, ging naar zijn bureau, opende het en wendde zich tot Constance. 'Een cadeautje voor je, Constance.'

Constance was meteen afgeleid, ze had een kinderlijk plezier in alle cadeaus – en Stern was heel gul. Dit was echter nogal eigenaardig: twee enveloppen. Met een beleefdheid die haar op haar hoede deed zijn, legde hij ze in haar schoot. Ze opende de enveloppen en bleef even naar de inhoud kijken. In haar hand had ze twee biljetten voor een oceaanreus: enkele reis Southampton-New York.

'Wat zijn dat?' vroeg ze op het laatst nerveus.

'Twee gereserveerde hutten. Een voor jou, een voor mij. Onze naam staat erop.'

'Dat zie ik.' Constance boog haar hoofd. 'Volgende maand.'

'December, ja. Met Kerstmis, liefje, zijn we in New York.'

'New York? En er is een oorlog aan de gang.'

'Ja, maar de lijndiensten gaan gewoon door. De reis is best mogelijk.'

Constance kende die effen, onverstoorbare klank in zijn stem. Ze wierp hem een snelle blik toe. Hij zat naast haar, een glimlach om zijn lippen.

'En hoe lang blijven we daar, Montague? Een maand? Twee maanden?'

'O, veel langer. Ik dacht zelfs dat we... voorgoed kunnen blijven.'

Constance hield niet van de toon waarop dit werd gezegd. Ze hoorde een soort ijzige triomf onder de beleefdheid. Ze waagde een kreet.

'Voorgoed?' Ze trok haar man naar zich toe. Ze sloeg haar armen om zijn hals. 'Liefste Montague, plaag me niet zo. Hoe kunnen we nu in New York wonen? Al je werk is hier. De munitiefabrieken...'

'O, daar heb ik mee afgedaan,' zei Stern luchthartig. 'Heb ik dat niet verteld? De tussenkomst van de Amerikanen in de oorlog is beslissend, en ik heb het gevoel dat het niet lang meer zal duren. Ik heb ze verkocht, voor een betere prijs dan ik over een jaar zou krijgen.'

'Maar Montague, de bank...'

'Ik heb partners die de leiding overnemen. Bovendien hebben we banden met Wall Street. Dat herinner je je toch wel. Ik heb het je verteld.'

'Ik herinner het me helemaal niet,' pruilde Constance. 'Je hebt het nooit over New York gehad of over Amerika.'

'Misschien heb je niet geluisterd. Vind je het geen prettig idee? Ik dacht dat je verrukt zou zijn. Je hebt altijd willen reizen. Je houdt van verandering. En New York is een stad van verandering. Daarbij vergeleken is Londen saai.'

'Maar ik wil niet in Londen wonen,' barstte Constance uit. 'Daar hebben we het toch over gehad. Ik wil in het huis van Peel...'

'Het huis van Peel?' Stern leek verbaasd. 'Maar Constance, dat heb ik verkocht.'

Constance was even stil. Ze kreeg een kleur. 'Verkocht? Wanneer?'

Stern haalde de schouders op. 'Lieve kind, van de week of vorige week, ik weet het niet precies. Je verandert zo dikwijls van gedachten dat ik dacht dat die voorliefde voor Peels huis een van je grillen was. Het is nooit bij me opgekomen...'

Hij zweeg. Constance was er nu van overtuigd dat haar man loog. Nooit bij hem opgekomen! Ze was ervan overtuigd dat hij wist hoe graag ze Peels huis had willen hebben – en erger nog, misschien ook wel wist waarom.

Constance beet op haar lip, tranen prikten achter haar oogleden. Al haar plannen waren bijna gelukt en nu was haar echtgenoot haar te slim af geweest. *Duivel, duivel*, zei ze in zichzelf. Ze balde haar kleine handen.

'Lieveling,' zei Stern, die zelden zo'n woord gebruikte. Hij omhelsde haar en zijn stem klonk berouwvol.

'Constance, je schijnt het erg te vinden. Als ik het maar geweten had. Maar ik kreeg een uitstekend bod, zowel op het huis van Peel als dat van Arlington. De prijs was goed...'

'O, vast wel,' mompelde Constance.

Tot haar grote woede liep er een traan over haar wang en tot haar nog grotere woede kuste haar man die traan weg.

'Constance,' en hij sloeg zijn armen om haar heen, 'denk eens na. In Schotland was je heel definitief. Geen Winterscombe – ook niet in de buurt ervan. En ons kleine rijk – weet je nog dat we daarover hebben gepraat? Dat rijk is de laatste weken steeds meer gekrompen. Het huis van Peel heeft weinig aantrekkelijks zonder Winterscombe of het Conyngham-landgoed. En die zal ik nooit kunnen krijgen – niet als de geruchten waar zijn...'

'Geruchten? Wat voor geruchten?'

'Dat Dentons schulden op wonderbaarlijke manier kunnen worden terugbetaald. Dat Acland en een zekere rijke erfdochter dolverliefd op elkaar zijn. Dat soort gerucht, liefje.'

'Acland en Jane, bedoel je? Verliefd?' Constance maakte zich vrij uit zijn armen. Ze gooide haar hoofd naar achteren. 'Ik heb nog nooit zoiets stoms gehoord.'

'Meer dan dolverliefd, ik hoor tenminste dat ze erg aan elkaar verknocht zijn.' Stern stond op. 'Verloofd, ze gaan trouwen,' voegde hij eraan toe.

Constance bleef in de kussens liggen. Omdat ze zo woedend was, wist ze dat ze niets moest zeggen. Boosaardigheid, die laatste opmerking van Stern, en anders een onmiskenbaar verlangen om te kwetsen. Het ergste was dat hij moest aannemen dat ze niets om Acland gaf, dus kon ze niet laten zien dat ze gekwetst was. Ze had natuurlijk voorzichtiger, subtieler, moeten zijn. Maud had haar gewaarschuwd en in het begin was ze zich goed bewust geweest van Sterns macht als tegenstander – en wat had zij gedaan? Plannen gemaakt en vergeten dat haar man ook zijn plannetjes had. Een dom-

460

me fout. Als Stern triomfeerde omdat hij haar te slim af was geweest, liet hij het niet blijken. Ze keek toe zoals hij met zijn gewone kalmte de enveloppen met de reisbiljetten opborg. Ze voelde haar woede overgaan in bewondering. Hij was haar de baas geweest en omdat ze van vechten hield, begon ze nieuwe plannen te bedenken. Stern had de slag gewonnen, maar dat was de oorlog nog niet. Er was een onmiskenbare opening in zijn wapenrusting ontstaan.

'Montague,' begon ze peinzend.

'Ja, liefje,' antwoordde Stern, op zijn hoede.

Constance stak haar hand uit en trok hem naar zich toe. 'Montague, heb ik je boos gemaakt?'

'Boos?' vroeg Stern. 'Natuurlijk niet. Waarom? Ik ben trouwens zelden boos. Ik ben nu eenmaal gezegend – of vervloekt – met een koel temperament. Boosheid verspilt alleen maar tijd.'

'Ben je dan nooit boos?'

'Een enkele maal.' Zijn ogen ontmoetten de hare. 'Ik houd er niet van om tegengewerkt te worden, Constance.'

'Tegengewerkt?' Constance trok een lelijk gezicht. 'Hemel, ik weet zeker dat niemand dàt zou durven. Ik in ieder geval niet. Het kan dus geen boosheid zijn en toch, toen je me die biljetten gaf, dacht ik...'

'Een cadeau, Constance. Een verrassing.'

'O, natuurlijk is het een enige verrassing. Maar toch vraag ik me af of je misschien niet jaloers was. Ik geloof echt dat je dat was, Montague. Zie je wel!' Ze keek hem aan. 'Ik zie het aan je gezicht. Je bent echt jaloers – op Acland. Daarom kwam het zo goed uit om Peels huis te verkopen, en neem je me mee naar de andere kant van de aardbol. Ik geloof, Montague, dat je me ver van de *verleidingen* van Winterscombe vandaan wilt houden.'

Tot Constances ergernis bleef Stern onverstoorbaar. Hij lachte.

'Constance, lieve kind, ik vind het jammer je te moeten teleurstellen. Ik weet dat vrouwen dit soort motieven graag aan mannen toeschrijven. Het hoort bij het vrouwelijk denken. Maar in mijn geval heb je helaas ongelijk. Ik heb veel fouten maar jaloezie is er niet bij.'

'Echt, Montague?'

'Het spijt me, maar het is zo. Acland betekent niets voor je, dat heb je vaak genoeg gezegd. De droeve waarheid is dat mijn motieven enkel en alleen financieel zijn.'

'Ben je dan nooit jaloers geweest?' Constance wilde het niet opgeven.

'Niet voor zover ik me kan herinneren,' zei hij kortaf. 'Ik probeer iemand altijd vrij te laten.'

461

Constance die een kwetsbaarheid vermoedde die niet genoeg verborgen bleef, fronste. Ze zakte terug in de kussens.

'Natuurlijk, nu herinner ik het me weer,' zei ze nadenkend. 'Wat zei je toen? Dat lichamelijke trouw niet veel voor je betekent – ja. Je bent zo nobel, zo ben ik helemaal niet.'

'Echt niet, Constance?'

'Nooit.' Ze ging rechtop zitten en greep zijn hand. 'Ik ben zo jaloers als het maar zijn kan. Als je naar een andere vrouw zou kijken – als je met een andere vrouw naar bed ging, zou ik doodgaan van binnen, ik zou het gevoel hebben of ik in kleine stukjes werd gesneden...'

'Constance, zeg niet zulke dingen.' Sterns hand pakte de hare steviger beet. 'Je moet weten – dat er geen gevaar...' Hij corrigeerde zich, 'dat er geen direct gevaar voor is. Ik ben – tevreden met jou.'

Constance drukte zich dichter tegen hem aan. Een bekentenis, eindelijk. Ze voelde triomf maar tegelijk een stroom van tegengestelde emoties. Als ze door Stern werd omhelsd, als zijn handen haar haar streelden, als ze zijn lippen voelde, gaf haar dat een opstandig verlangen naar oprechtheid. Maar dan gaf ze zich bloot en dat wilde ze niet riskeren – allerminst met Stern. Ze trok zich terug.

'Zo zijn we dus,' zei ze kalmer. 'Ik heb een jaloerse aard en jij niet. Hoewel ik niet kan geloven dat je echt zo koud bent als je beweert. Als ik me nu eens interesseerde voor een andere man... als ik een minnaar nam? Dat doe ik natuurlijk nooit, maar als...? Dat vind je toch wel erg. Een beetje? Het is onmenselijk om dan niet jaloers te zijn, Montague.'

'Goed, als je erop staat.' Stern haalde geërgerd zijn schouders op. 'Ik zou natuurlijk niet zonder gevoel zijn, maar ik zou proberen me te beheersen. Ik zei je al dat er andere vormen van trouw zijn tussen vrouwen en mannen die mij belangrijker schijnen. Toen ik dat zei...'

'Ja, Montague?'

'Keek ik – jaren vooruit. Ik dacht aan ons verschil in leeftijd. Ik probeerde – realistisch te zijn. Tenslotte ben je nog heel jong. Als jij dertig bent, ben ik bijna zestig.' Hij zweeg. Constance bleef hem aandachtig aankijken.

'O, nu begrijp ik het,' zei ze ten slotte zacht. 'Je had het over de toekomst. Niet over nu.'

'Dat ligt voor de hand, Constance, we zijn nog geen jaar getrouwd...'

'Geen jaar?' Constance gaf een gilletje. 'Is het pas een jaar? Het lijkt zoveel langer. Je maakt me gelukkig, Montague. Als ik bij jou

ben, heb ik geen gevoel van tijd. Ik voel – dat jij me verandert...'
Ze boog zich onstuimig naar voren en overdekte zijn gezicht met kussen. 'Echt. Als ik altijd met jou samen zou zijn – als ik nooit alleen was – veranderde ik misschien nog meer, kon ik...' Ze zweeg. 'Vergeet dat maar. Dat is niet belangrijk. Ik wil alleen zeggen dat ik blij ben dat je die biljetten hebt gekocht, Montague.'
'Is dat waar?' Stern tilde haar kin op zodat hij haar in de ogen keek. Zijn blik was wat triest. 'Is dat waar? Bij jou weet je het nooit. Misschien meen je wat je zegt. Misschien zou je graag menen wat je zegt. Misschien doe je alleen maar alsof...'
'Echt. Ik meen het. Ik meen het nu. Natuurlijk...' Ze sloeg de ogen neer en glimlachte, 'natuurlijk kan ik niet spreken voor de toekomst. Wat ik nu meen, meen ik over vijf minuten – of over vijf jaar – misschien niet meer... Zie je? Ik ben eerlijk. Ik ken mijn eigen aard. Ik geef je brokjes oprechtheid – en dat is meer dan ooit iemand van me gekregen heeft. Alsjeblieft. De waarheid. Toen je me die biljetten gaf, was ik er niet erg blij mee, nu wel. Ik vind je verstandig en wijs – en ik denk dat we heel gelukkig zullen zijn in Amerika.' Ze knielde op het bed en sloeg haar armen om zijn hals. 'Een nieuwe wereld om te veroveren, zoals we wilden. We laten alles achter, Londen en Winterscombe en iedereen. We beginnen opnieuw. O, ik wilde dat we morgen al konden gaan. Je zult zien dat je eer met me kunt inleggen. Ik zal allerlei soorten plannen maken – we krijgen de beste party's, de beste gastenlijsten, o, de hele stad zal aan onze voeten liggen! Ik zal – een prachtvrouw voor je zijn! Als je dan naar me kijkt, denk je: Constance is onontbeerlijk...'
'Maar lieve kind, dat vind ik nu al,' zei Stern droog.
'Maar dan vind je het nog méér!' riep ze zonder aan de bedoeling van zijn woorden te denken en ze begon aan een stroom plannen, waar ze zouden wonen, hoe ze zouden wonen, het ene detail na het andere.
Stern was erdoor getroffen. Constance was soms net een kind en hij verwachtte niet dat haar opwinding lang zou duren maar hij had het mis. Haar opgewektheid bleef, haar genegenheid tegenover hem verminderde niet, en in de volgende weken belegerde ze vrienden, telefoneerde, schreef adressen en introducties op. Ze kocht nieuwe kleren, nieuwe juwelen. Iedere avond als Stern thuiskwam, liet ze haar kleine successen zien.
Stern waarschuwde haar een paar maal dat die sociale triomfen gecompliceerder konden zijn dan ze dacht: voor zijn ras, legde hij haar uit, bleven heel wat deuren in New York gesloten. Constance schoof die woorden opzij. Als ze vooroordeel zouden ondervinden,

463

zouden ze dat met de minachting behandelen die het verdiende.
'Zulke mensen nodig ik niet uit,' verkondigde ze.
'Ze zouden toch niet komen, Constance. Dat probeer ik je nu juist uit te leggen.'
'Zoveel te beter, ik wil ze niet eens leren kennen!'
Haar energie en opwinding lieten het eenmaal afweten en dat was aan boord van het schip. Het was een ruwe overtocht en Stern genoot ervan. Constance plaagde hem dat hij zo graag het dek op en neer liep en aan de reling naar de ruimte van de Atlantische Oceaan bleef kijken. Stern probeerde zijn vrouw over te halen aan dek te komen en ze ging de eerste avond met hem mee. Hij toonde haar de vinger van licht die de maan op de golven maakte. Hij nam haar mee naar de achtersteven, zodat ze het bruisende kielzog kon zien. Hij had het over de kracht van de turbines.
Constance huiverde. Ze haatte de zee, zei ze. Die maakte haar bang. Ze bleef voortaan benedendeks en speelde iedere avond bridge. Ze maakte kennis met mensen die haar later van nut waren bij haar intrede in de Newyorkse *society* en flirtte met een jongeman uit een van de oudste Newyorkse families, die gedecoreerd uit de oorlog terugkeerde.
Op de dag dat ze landden, was Constance een en al levendigheid. Ze keek vol verwachting naar Manhattan en kuste haar man hartstochtelijk. 'Liefste,' zei ze, op reis was ze hem zo gaan noemen, 'je hebt me zo gelukkig gemaakt. Maar ik zal dolblij zijn als ik aan land ben. Ik ben een landwezen.' Ze keek hem plagend aan. 'Ik houd van een trottoir onder mijn voeten. Dan loop ik harder.'

Op dit punt van de dagboeken aangekomen, stopte ik er een tijdlang mee. Het was vreemd een verhaal te lezen waarvan je het begin en het eind kende, en daardoor voelde ik me niet op mijn gemak. Ik wist bíjna wat er ging gebeuren. Het patroon stond vast en dat bleef het de eerstvolgende twaalf jaar, in een tijdsbestek dat 1918, toen de oorlog eindigde en mijn ouders trouwden, scheidde van 1930, het jaar van mijn geboorte.
Al die tijd woonden mijn ouders in Winterscombe. Mijn vader werkte een paar jaar als partner bij een handelsbank – in een poging, denk ik, om Jane iets van de schuld af te betalen. Hij hield niet van het werk dat hem niet lag – zijn snelle geest en gift voor abstract denken, zijn interesse in geschiedenis en filosofie, waren moeilijk aan te passen aan de eisen van de geldmarkt. In dat opzicht was hij misschien de gevangene van zijn klasse, hij trok zijn neus op voor geld verdienen.

Toen zijn vader in 1923 stierf aan een beroerte, gaf mijn vader de bank op en wijdde zich volledig aan Winterscombe. Hij raakte steeds meer betrokken bij de vele liefdadige projecten van mijn moeder, vooral wat betreft de architectuur van weeshuizen. Hij begon zelfs een campagne voor parlementaire hervorming van de zorg voor de verschoppelingen in de samenleving. Hij geloofde dat gebouwen – niet alleen weeshuizen maar ook gevangenissen, grote invloed hadden op de mentaliteit van degenen die er waren opgeborgen. Als je mensen in een kooi zette, vond hij, gingen ze zich als dieren gedragen. Met die ideeën was mijn vader zijn tijd ver vooruit. Het waren verloren zaken, maar daar hield hij van.

Dat soort verloren zaken kostte geld, Winterscombe kostte geld, in de volgende twaalf jaar had een aantal van hun liefdadige plannen succes – maar haar kapitaal slonk. Ik denk dat ze een gemakkelijke prooi was voor charlatans, althans de eerste jaren. Het idealisme van mijn ouders duwde hen stap voor stap naar de beschaafde armoede van mijn kindertijd. Ik was er trots op, en ben het nog, maar zag het patroon voor me toen ik zat te lezen. Op Winterscombe idealisme en financiële achteruitgang, aan de andere kant van de Atlantische Oceaan pragmatisme en een niet te stuiten opmars naar wereldlijk succes. In New York ging het goed met Stern en Constance, Stern was al gauw in Wall Street even gevreesd als hij in de City was geweest. Constance danste zich naar een dominerende positie in de Newyorkse salons. 'De zachtmoedigen zullen het aardrijk beërven?' riep ze soms. 'Wat een onzin. De zachtmoedigen gaan ten onder!'

Eens per jaar kwamen deze twee stromingen samen wanneer Stern en Constance naar Europa kwamen en Winterscombe bezochten. Het laatste bezoek vond plaats in 1929, het jaar van de crisis in Wall Street. Het volgende jaar werd ik geboren en Constance was aanwezig bij mijn doop zonder haar echtgenoot. Het was haar laatste bezoek – ze werd toen van Winterscombe verbannen. Er gebeurde iets wat dat patroon van twaalf jaar kapotmaakte. Ik wist nog steeds niet wat het was, maar een ander feit kende ik wel. 1930 was ook het jaar waarin Constances huwelijk met Stern eindigde.

Ik wist dus iets van het verleden en iets van de toekomst – en het scheen me toe dat het verband ertussen duidelijk was. De obsessie van Constance voor mijn vader was als een kleine tijdbom, hij tikte twaalf jaar en waarschijnlijk ontplofte hij bij mijn geboorte, maar voor mij bleven de ontploffingen nog jaren doorgaan.

Dus op een avond, toen Wexton naar Winterscombe kwam, besloot ik dat ik niet verder ging. Ik was bang. Ik wilde het mijzelf indertijd niet toegeven maar ik stopte alle dagboeken en brieven gewoon weg. Het verleden werd in de bureauladen gestopt. Wexton gaf geen commentaar. Ik denk dat hij al had besloten waar ik naar toe moest gaan en dat hij wachtte tot ik hem had ingehaald.

'Ik heb plaatsen besproken voor Stratford,' zei hij aan het ontbijt. We gingen er de volgende dag naar toe, de komende dagen liepen we met een boog om het verleden heen.

We zouden Shakespeares *Troilus and Cressida* gaan zien, een van Wextons lievelingsstukken dat zijn toenmalige obsessie voor oorlog weerspiegelde.

Die ochtend reden we naar Stratford-upon-Avon, liepen door de stad, zagen 's avonds het toneelstuk en reden over donkere, vredige landwegen terug naar Winterscombe. Ik geloof dat het bezoek een soort pelgrimage voor Wexton was, een deel van het proces waarin hij afscheid nam van mijn oom Steenie. We waren dikwijls naar Stratford gegaan, maar altijd met Steenie. Dit was voor het eerst dat Wexton en ik er alleen waren. Natuurlijk sprak Wexton er niet over, maar we gebruikten de lunch in Steenies *pub* aan de rivier. En toen we door de stad liepen, kozen we de route die we altijd met Steenie hadden genomen, langs Waterside naar de kerk van de Heilige Drieëenheid, waar Shakespeare begraven ligt. Wexton zou nooit naar Stratford gaan zonder Shakespeares graf te bezoeken. We naderden de tombe. Wexton scheen blind voor de groep schoolkinderen – verveeld – aan de ene kant en de Japanse zakenlieden – teleurgesteld omdat ze in de kerk niet mochten fotograferen – aan de andere. Later sloot hij een van zijn plotselinge vriendschappen met een Japanse zakenman en praatte met hem over uitjes met een jan-plezier, de betekenis van Hamlet en de mogelijkheid dat Anne Hathaway een uitgebreide thee voor haar man had gemaakt.

Na onze thee stak Wexton een sigaret op. Hij had niets gemerkt van de blikken van studenten die hem hadden herkend. Zijn gedachten waren nog bij de inscriptie op de graftombe: *Goede vriend, onthoudt u in Jezus' naam van het opgraven van het stof dat hier is ingesloten.*

'Uitstekend advies,' zei Wexton. 'Ik had gelijk, zoals gewoonlijk. Als we terug zijn op Winterscombe, zullen we een vreugdevuur ontsteken.'

Dat deden we de volgende dag. Ik ontdekte de inhoud van de geheimzinnige koffers die Wexton had meegebracht. Wexton opende ze, er zaten stapels papieren in. Hij noch ik keken ernaar. We zochten een plek bij het meer. 'Een brandstapel voor de dode,' zei hij opgewekt. Er was meer dan voldoende droog hout en we maakten een prachtig vreugdevuur. Wexton kieperde de koffers erin om. Er waren brieven maar ook gedichten bij, dacht ik. De hitte was geweldig, een enkele maal als een stuk papier dreigde weg te waaien, schoof Wexton het met een lange stok weer terug. Ik twijfelde er niet aan: hij genoot van het vuur. Ik aarzelde, in het begin. Ik had het gevoel dat ik had moeten proberen hem ervan af te brengen. Als Wexton brieven, zijn privé-leven, in het vuur wilde gooien, moest hij dat weten, maar ik vond het vreselijk dat er ook gedichten tussen konden zitten. Wexton genoot ervan en ik ten slotte ook. Er huist in iedereen een pyromaan. Het duurde niet lang of we wierpen vol energie van alles op het vuur en ten slotte moest Wexton zeggen: 'Dat was alles. Opgegaan in rook. Nu voel ik me véél beter. Dan ziet die gier in Yale hoe ik over hem denk.'

Ik aarzelde. 'Het is niet alles, Wexton,' zei ik tot slot. 'Er liggen hier in huis nog brieven aan Steenie van jou. Zal ik die ook gaan halen?'

'Nee. Ze waren van Steenie en zijn nu van jou. Jij moet zeggen wat je ermee wilt doen.'

'Weet je het zeker?'

'O ja.' Hij wierp me een zijdelingse blik toe. 'Ik heb liever dat ze níet ergens in Yale of Austin eindigen. Austin wordt nu wel heel vreselijk. Een kerkhof van iedere schrijver. Maar jij moet beslissen. Maak er nog maar eens een vreugdevuur van – of doe dat niet. Ik vertrouw op je.' Hij zweeg even. 'Dit was geen suggestie, als je dat soms dacht. Je hoeft ze niet te verbranden – althans nog niet.'

We bleven kijken tot er van het vuur niets meer over was dan gloeiende takken. Toen de schemering viel, liepen mijn peetoom en ik terug naar huis. Wexton was heel stil en nadenkend tijdens de thee tot aan een korte onderbreking, toen een hevig opgewonden Gervase Garstang-Nott opbelde om te zeggen dat hij eindelijk de man te pakken had gekregen die een voornaam huis wilde kopen en die kennelijk zijn op en neer reizen tussen de Kaaimaneilanden en Zwitserland had opgegeven. Hij was nu in Londen en wilde naar Winterscombe komen.

'Smeed het ijzer als het heet is!' zei Garstang-Nott onkarakteristiek. 'Hij wil het overmorgen komen bezichtigen.'

We maakten een afspraak en ik voelde een sprankje hoop, al wist ik dat een dergelijke man even weinig geïnteresseerd zou blijken als de vorige potentiële kopers. Ik bleek gelijk te hebben. De man kocht

Winterscombe inderdaad niet, maar zijn bezoek was van groot belang.

Wexton, die nog steeds stil was na zijn vreugdevuur, nam niet veel notitie van een eventuele koper. Hij hielp me met het klaarmaken van de maaltijd, maar was er met zijn gedachten niet bij.

'Wat betreft die dagboeken,' zei hij ten slotte aan tafel. 'Over Constance en je vader...'

'Ja, Wexton?' vroeg ik gespannen.

'Je hebt het er moeilijk mee, er is iets wat je niet hebt verteld.'

'Ja, maar daar wil ik niet aan denken...'

'Toch zul je dat vroeg of laat moeten doen. Het gaat niet weg. Ik kan wel raden wat het is, want ik heb er ook problemen mee gehad en Steenie trouwens ook. Het gaat om het ongeluk van Shawcross, hè?'

'Ja.' Ik aarzelde. 'Jij had er een theorie over, Wexton, dat weet ik, omdat Steenie het erover heeft in een van die brieven die hij nooit heeft verstuurd. Hij zei dat jij erover gesproken had en kwam tot de slotsom dat jullie het allebei mis hadden. Ik vroeg me af wat het was, Wexton. Ik vond het zo gek dat je het me nooit had verteld.'

Wexton haalde zijn schouders op. 'Een theorie, waarschijnlijk verkeerd. Ik wil er nu niet over praten – dat zou niet goed zijn.'

'Zou het me van mijn stuk kunnen brengen?'

'Misschien.' Voor zover het hem mogelijk was, deed Wexton ontwijkend. Dat maakte me ongerust, ik voelde me misselijk en schoof mijn bord opzij.

Wexton at echter met smaak door. Toen hij eindelijk zijn vork neerlegde, glimlachte hij welwillend en begon over Tibet. Hij kwam met een voorstel – iets heel voor de hand liggends, waar ik zeer zeker aan had moeten denken.

De volgende ochtend handelde ik ernaar. Ik had tenslotte in mijn eigen familie iemand die een beroep had gemaakt van het oplossen van puzzels en toevallig was ik ook nog dol op hem. En hoewel ik hem niet wilde lastigvallen met vragen, was hij, afgezien van Constance zelf, de enige nog levende getuige van het feest dat ter ere van de komeet in Winterscombe gegeven werd.

DEEL VIER

11
Cui bono?

Mijn oom Freddie was toen al meer dan zeventig. Hij woonde nog steeds in het huis in Klein-Venetië waar ik hem als kind had opgezocht. Het huis was echter opgeknapt, de bezem die door Freddies leven was gegaan viel op zodra je het tuinhek door kwam. Die nieuwe kracht was ook verantwoordelijk voor het glimmende koper van de brievenbus en klopper, voor de heg die was geknipt met militaire precisie, en voor een vijvertje dat sinds mijn laatste bezoek was aangelegd en vlak onder de ramen lag. Het was versierd met een dik, strijdlustig cherubijntje.

'Watersalamanders!' zei Winnie toen ze de deur voor me opende en me aan haar machtige boezem drukte. Ze wees vol trots naar het vijvertje. 'Ze zijn onze nieuwste aanwinst. Absoluut fascinerend.'

Winifred Hunter-Cooper had in de jaren vijftig haar man verloren, toen ik in New York woonde. Winnie rouwde lang om hem en had nu nog steeds de neiging ter ere van hem zwart te dragen maar ze was een verstandige vrouw met een enorme vitaliteit en het weduwschap paste niet bij haar. Het duurde een jaar of twee voordat ze dat besefte en op zoek ging naar een nieuwe echtgenoot. Ze keek de kring van haar kennissen eens rond, en trof mijn oom Freddie. Ze sleepte hem binnen drie maanden in de wacht en ik denk dat het uitsluitend Winnie was die aan hofmaken dacht. Ze was na de dood van mijn moeder met Freddie bevriend gebleven en toen ze weer een man zocht, kwam ze een keer in Klein-Venetië thee drinken. Ze keek om zich heen, zag dat Freddie ongelukkig en ongeorganiseerd was en nam een besluit.

De beslissende factor was oom Freddies schrijven. Met zijn detectiveromans – zijn enthousiasme ervoor was, in tegenstelling tot andere hobby's niet geluwd – had hij steeds meer succes gekregen. Tot zijn grote verbazing, want Freddie was bescheiden, had een uitgever zijn zevende poging in dat genre geaccepteerd en had ook de opvolgers ervan aangenomen. Maar het verbazingwekkendste was dat de mensen er geld voor betaalden en ze kochten. Dat wist hij omdat ze hem soms schreven, iets wat hij alleraardigst vond; dat vond hij de cijfers van zijn royalty's trouwens ook.

De komst van die cheques, tweemaal per jaar, moest gevierd worden. 'Kijk,' zei Freddie dan, 'kijk eens, Victoria! Ik heb drieduizend, vierhonderd en zesendertig exemplaren verkocht! Is dat niet wonderbaarlijk? Ik vraag me af wat dat allemaal voor mensen zijn

471

en hoeveel van hen de moordenaar hebben kunnen raden. Het was de secretaris, hij gebruikte een heel speciaal vergif – daar heb ik over moeten lezen. Het was heel interessant. Waar heb ik dat vergiftenboek ook weer gelaten?'

Hij kon het meestal niet vinden – het vergiftenboek of het handboek over schietgerei of het spoorboekje waardoor de moordenaar snel kon terugkeren en op twee plaatsen tegelijk kon zijn (een van oom Freddies geliefde kunstgrepen). Hij vond het niet, omdat het in zijn huis altijd een troep was.

Winnie zag dit met één oogopslag toen ze die dag kwam theedrinken. Ze keek naar de kruimels op het vloerkleed, naar de koperen tafel met de poot als een cobra die in geen jaren was gepoetst. Ze keek naar de aanplakbiljetten voor Duitse cabarets en naar de pantoffels van mevrouw O'Brien toen deze de thee binnenbracht. Ze keek naar de inktpot op de tafel voor het raam, de stapels papieren, boeken, bibliotheekkaartjes, en kwam tot een besluit. Oom Freddie moest georganiseerd worden.

'Wie typt jouw romans, Freddie?' vroeg ze streng.

'O, een meisje. Verschillende meisjes. Als ze klaar zijn, pak ik ze in en breng ze naar een bureau.'

'Een bureau?' Winnie was diep geschokt. 'En corrigeren ze je spelling? Want die is verschrikkelijk.'

'Nee, eigenlijk niet.' Freddie keek verdrietig. 'Ik geloof dat zij ook niet zo goed kunnen spellen. En ik heb eens gevraagd of ze naar de interpunctie konden kijken maar dat was ook geen succes, geloof ik. Maar,' en hij fleurde op, 'ik heb een alleraardigste redacteur. Die doet het voor me.'

'Ik kan typen, Freddie,' zei Winnie veelbetekenend. Omdat ze hem wilde sparen, zei ze maar niet dat haar spelling uitstekend was en dat ze alles van grammatica afwist. Ze dacht eens goed na. En later die middag toen Freddie haar vol trots zijn opbergsysteem liet zien, werd ze nog nadenkender.

'Kijk,' zei Freddie, 'ik heb het allemaal georganiseerd. Roze kaarten voor de verdachten, blauwe voor de aanwijzingen. Dan kan ik niet in de war raken. O, en drie moorden per boek. Daar maak ik een gewoonte van.'

Winnie bekeek het opbergsysteem. Eerst bleven de laden steken. Toen ze eindelijk opengingen, vlogen de kaarten als confetti in het rond. En toen Winnie ze oppakte, vond ze een verdachte op een blauwe kaart en een aanwijzing in de vorm van een cake op een roze. Streng liet ze dit aan Freddie zien.

Freddie zuchtte. 'Ik weet het,' zei hij verslagen. 'Ik word meege-

sleept door de intrigue. Eigenlijk heb ik een secretaresse nodig.'
Winnie was voor zichzelf al tot de conclusie gekomen dat hij niet
alleen een secretaresse, maar ook een vrouw nodig had. Binnen een
week was ze geïnstalleerd als secretaresse en daarna was een huwelijk onvermijdelijk. Freddie die zich nooit gehaast had, was hier
buitengewoon trots op.
'Winnie is zo'n doortastende vrouw,' kon hij verrukt zeggen. 'Ze
wierp één blik op me en ik was helemaal weg.'
Ze vormden een uitstekend, onconventioneel paar. Mijn oom Freddie, zo uitbundig als jongen, was ergens in het leven de weg kwijtgeraakt, misschien door Constance of de dood van Boy, misschien
door een karakterfout. Jarenlang had hij doelloos rondgedobberd,
maar met de komst van Winnie ontdekte hij niet alleen een doel,
maar ook nieuwe energie. Hij had iedere twee jaar een detectiveroman gepubliceerd maar met Winnie verdubbelde hij zijn literaire
prestaties, verdriedubbelde ze op den duur. Hij verzon een nieuwe
detective, inspecteur Coote, als eerbetoon aan Winnies eerste echtgenoot. Het karakter van inspecteur Coote was, denk ik, beïnvloed
door lange gesprekken met Winnie en hij was zeer geliefd bij Freddies lezers. Zijn verkoop steeg. Zijn royalty's rezen. Hij werd gepubliceerd in Amerika waar de mensen hielden van de buitenhuizen
waar zijn verhalen speelden, in Duitsland en Frankrijk. Freddies
grote kracht lag in het feit dat de wereld die hij beschreef, nooit veranderde. Het was in feite de wereld die hij als jongen had gekend.
Zijn boeken konden zich in het heden afspelen, maar inspecteur
Coote bleef een energieke vijftiger en geen van Freddies belangrijkste personen kon zich een leven zonder butler voorstellen.
Toen ik die ochtend bij hen kwam, waren Winnie en mijn oom Freddie een jaar of tien getrouwd. Ze waren onafscheidelijk en ze waren
innig en duidelijk zichtbaar gelukkig. Hun leven bestond uit regel-
maat. Winnie organiseerde alles en oom Freddie deed wat hem werd
gezegd. Dat schikte hen beiden. Ze hadden de charme van routine
ontdekt. Om klokslag kwart voor tien ging oom Freddie aan zijn
schrijftafel voor het raam zitten en Winnie aan een keurige moderne
tafel aan de andere kant van de kamer. Winnie typte, Freddie schreef.
Ze pauzeerden om elf uur voor koffie of chocola, dan weer voor de
lunch, die mevrouw O'Brien – net zo opgeknapt als het huis – op bladen binnenbracht. Om drie uur gingen ze een half uur wandelen langs
het kanaal en namen altijd dezelfde weg. 's Avonds na het werk keken
ze naar de televisie: toneelstukken, *soap opera's*, voetbal, wat er maar
was en zonder enig onderscheid. Oom Freddie was verslaafd aan de
knoppen. Aangezien hij graag wilde dat mensen er gezond uitzagen,

draaide hij net zolang tot alle gezichten helder oranje waren.

Hun routine werd slechts eens per jaar onderbroken. Dan gingen ze in een plotselinge uitbarsting van energie twee weken een avontuurlijke reis maken. Ieder jaar werden ze eerzuchtiger. Ze waren de Nijl opgevaren in een felucca. Ze hadden Angkor Vat gezien. Ze hadden op een kameel door de Sahara gereden. En de laatste maal hadden ze een wandeltocht gemaakt door de heuvels aan de voet van de Himalaya en hadden een bezoek aan Tibet gebracht.

Toen ik bij hen kwam, lagen de brochures voor de volgende reis al op tafel. We zaten in de zitkamer koffie te drinken. Oom Freddies pen, inktpot en papier stonden klaar, Winnies papier zat al in de schrijfmachine. Naast de koffiekoppen lagen kleurige foto's van tempels en piramiden, verre bergen en gevaarlijke rivieren. Ze hadden nog niet besloten maar misschien vlogen ze naar Australië om daar in de wildernis te kamperen. Ik ging me schuldig voelen. Ik bracht hun routine in de war. Maar toen ik dit zei, werden ze heel hartelijk.

'Onzin,' trompetterde Winnie. 'Je ziet er betrokken uit. Er is iets met je, hè? Vertel het maar. Gaat het om een man? Dat kun je ons best zeggen. Freddie en ik zijn niet gauw geschokt. Een gedeeld probleem is een half probleem. Wat is er?'

Ik bleef aarzelen. Ze wachtten. Het was dwaas zover te komen en dan te stoppen, dus zei ik: 'Het gaat over Constance.'

Winnie snoof. Oom Freddie, die eindelijk van Constance genezen was, hief zijn ogen naar de zoldering.

'Zeg niet dat je haar hebt gezien, Victoria. Je weet dat ze altijd moeilijkheden maakt.'

Winnie brieste: 'Ik heb haar ontmoet voor de dood van je moeder. Op Winterscombe. Ze droeg altijd van die twijfelachtige hoeden. Ik zou die vrouw voor geen cent vertrouwen. Toen niet en nu niet. Freddie wéét,' voegde ze er met grote waardigheid aan toe, 'hoe ik over haar denk.'

Een veelbetekenende blik tussen Winnie en mijn oom. Ik vroeg me af hoeveel Freddie haar precies had verteld over zijn verhouding met Constance. Denkend aan Winnies vastbesloten aard waarschijnlijk heel veel. Ik kon me niet voorstellen dat ze geheimen voor elkaar hadden. Maar er waren voetangels en klemmen dus moest ik voorzichtig zijn. Ik vertelde over mijn bezoek aan New York, mijn speurtocht naar Constance. Winnie had de neiging om tussenbeide te komen. Op een gegeven ogenblik zei ze iets over Constances leeftijd en voegde er vijf jaar aan toe. Ze verwees naar de roddelpers. Ze maakte opmerkingen over mannenverslinders en nymfomanen.

Dit woord, op Winnies lippen, verbaasde me en Winnie, die het zag, wuifde met haar hand.

'O, Freddie en ik weten alles van dat soort dingen. We blijven bij, hoor Victoria. We zagen er pas een heel interessant programma over op de televisie. Heel onthullend. Ik zei tegen Freddie dat hij het in een van zijn boeken kon gebruiken. Op de goede manier verwerkt, natuurlijk.'

Toen zwegen we. Ik zag de zwijgende boodschappen tussen Winnie en Freddie. Winnie rolde eigenaardig met de ogen, ze knikte in de richting van de schoorsteenmantel – waarom? Nu schraapte Freddie zijn keel.

'Je heb hèm toevallig niet gezien toen je in New York was?' Hij bloosde. 'Ik vroeg me af of je na al die tijd misschien...'

'Nee, ik heb hem niet gezien.'

'Ik denk nog wel eens aan hem.' Freddie keek verlegen. 'Winnie en ik – we zouden graag zien dat je een eigen plek vond. En we dachten dat jullie bij elkaar pasten. Ik mocht hem graag. Hij was...'

'Is, Freddie. Hij is – een buitengewone man. Een fijne man.'

'Winnie,' begon ik.

'En hij is nog niet getrouwd,' ging Winnie door. 'Freddie en ik hebben nog steeds belangstelling voor hem. We volgen zijn carrière. Ik wist natuurlijk dat hij een succes zou zijn. Dat kon je zien – die roeping. Weet je dat er pas een artikel over hem in *The Times* stond? Waar heb je het gelaten, Freddie? Ik heb het speciaal uitgeknipt...'

Protesten waren nutteloos. Ik was dankbaar dat Winnie noch Freddie zijn naam had genoemd, dat deed me nog steeds pijn – toen het knipsel voor den dag kwam. Het had klaar gelegen. Een herdruk van een levensbeschrijving in de *New York Times* met de kop: *Een Overwinnaar van de Inwendige Ruimte*. De foto erbij was groot en in het Scripp-Foster Instituut genomen door Conrad Vickers en Vickers – die chroniqueur van onze tijd, van het schone, het modieuze, het begaafde en verdoemde – fotografeerde niet veel wetenschapsmensen. Maar dr. Frank Gerhard was toen al een vooraanstaande wetenschapper, al was dat niet de reden waarom Vickers de opdracht had aanvaard. Nee, Vickers had de man natuurlijk willen fotograferen om zijn gezicht – een boeiend gezicht, dat me nog steeds pijnlijk trof. Vickers had hem gefotografeerd in zijn laboratorium, omringd door alle belemmeringen van zijn beroep. Zijn rechterhand lag bij een microscoop, hij boog zich naar voren. Ik dacht dat Vickers hem al sprekende had genomen. Hartstochtelijke woorden – dat kon ik zien. Dokter Gerhard moest over zijn werk hebben gesproken. En Vickers had de blik opgevangen die ik zo goed kende, een evenwicht tussen intensiteit en terughoudendheid, overtuiging en melancholie. Ik kon het artikel toen niet lezen, de woorden bleven niet stil op het blad. Losse zinnen sprongen eruit. Ik zag dat het kankeronderzoek doorging. Ik zag dat de journalist het beschreef als een 'queeste', als een in kaart brengen van nieuwe werelden, dat hij, en niet Frank Gerhard, de mogelijkheid van nieuwe geneeswijzen voorzag.

Een wetenschapper met de ogen van een priester, had Wexton eens van hem gezegd. Ik keek naar zijn ogen, zijn haar, zijn handen. Ik beefde. Ik vouwde het knipsel dubbel en dacht, ik heb geen toekomst die me verder nog interesseert. Ik gaf het papier terug.

'Niet getrouwd,' zei Freddie – Winnie telegrafeerde hem. 'Zie je? Niet getrouwd, staat er.'

'Het maakt geen verschil,' zei ik. 'Het is voorbij. Dat weet je.'

'Ik zie niet in waarom. Je bent koppig, dat is het. En jij kunt koppig zijn, weet je, Victoria.'

'Hij ook, Freddie.'

'Ja, dát weet ik. Maar er waren redenen voor. Winnie en ik dachten dat als je...'

'Freddie, alsjeblieft. Ik wil er niet over praten.'

Tot mijn verbazing en opluchting kwam Winnie tussenbeide.

'Laat maar Freddie, Victoria heeft gelijk. Dit is niet het moment.'

'Maar Winnie, jij zei...'

'Freddie!'

Winnie had kennelijk gekozen voor een tactische terugtocht. Misschien had ze mijn verdriet gezien. Ze zei nuchter: 'Laten we ons even tot de zaak beperken. We hadden het over... die vrouw. Je wilde ons iets vertellen.'

'Ik zocht naar Constance,' begon ik. 'Maar ik vond haar niet. In plaats daarvan gaf ze me een cadeau.'

'Een cadeau?' vroeg Freddie, niet op zijn gemak.

'Haar dagboeken.'

'Dagboeken? Ik wist niet dat Constance een dagboek bijhield.' Freddie kreeg een vuurrode kleur.

'Ze schreef er niet iedere dag in. Ik heb ze doorgebladerd, met nog wat papieren op Winterscombe. En dat deed me denken aan vroeger. Er zijn vragen die jij misschien kunt beantwoorden.'

Freddie keek als een opgejaagd dier. Winnie tuurde naar het blad voor haar.

'Wat voor vragen?' vroeg oom Freddie ten slotte.

'Voornamelijk over de dood van haar vader.' Freddie was kennelijk opgelucht.

'Wat – dat? Dat is eeuwen geleden. Lang voordat jij geboren werd.'

Winnie vroeg me het uit te leggen en ze luisterden aandachtig. Zodra ik het woord 'moord' noemde, bogen ze zich naar voren met een gespannen, professionele blik in de ogen. Toen snoof Winnie minachtend.

'Typisch, echt. Typisch. Die vrouw wil overal een drama van maken. Als ze een overhemd strijkt, wordt dat een tragedie in drie bedrijven. Moord? Ik heb nog nooit zo'n onzin gehoord. Het verhaal is me honderden keren verteld. Het is doodeenvoudig. Die vader deugde niet. Een heel onbetrouwbaar type en hij heeft een heel onplezierig ongeluk gehad. Dat is alles, Victoria. Ik zou het maar gauw vergeten. Het heeft niets met jou te maken.'

Maar oom Freddie zat op zijn vloeiblad te tekenen. 'Als ze denkt dat het moord is,' zei hij ten slotte, 'moet er een moordenaar zijn geweest. Dat is het probleem, hè, Vicky?'

'Ja.' Ik keek neer op mijn handen. Zou ik het wagen? Ik besloot van wel. 'Zie je, Constance schijnt te denken dat het mijn vader was.'

Mijn vader was al een jaar of dertig dood maar Freddie hield nog steeds van hem. Hij verdedigde hem vurig. Maar ik merkte dat Winnie – heel ongewoon voor haar doen – zich rustig hield. Ik had verhalen verwacht over Constances onbetrouwbaarheid, en ik geloof dat ik me toen ging afvragen of Winnie – die altijd zo hartstochtelijk voor mijn moeder opkwam – misschien minder verrukt was van mijn vader.

Aan het eind van Freddies wat verwarde verhaal ter verdediging van zijn broer Acland, stond Winnie op.

'Ik ga de lunch klaarmaken, want mevrouw O'Brien heeft vrij.'

Dus kwam ik ook overeind. 'Het spijt me, Winnie. Ik houd jullie van je werk. Ik ga weg.'

'O nee.' Winnie legde een grote hand op mijn schouder. 'Je moet dit met Freddie uitpraten. Het werk kan wel wachten. Dit heeft je kennelijk overstuur gemaakt, dus luister naar Freddie, dan legt hij het je uit. Je oom, Victoria, is een heel wijs man.'

'O hemel,' zei Freddie, toen Winnie weg was. 'Wijs. Was het maar waar.'

Ik vond het naar voor hem en bedacht een manier die ons beiden kon helpen.

'Zie je, Freddie. Constance is nooit duidelijk. Toen haar man eens veronderstelde dat mijn vader erbij betrokken kon zijn, ontkende ze het heftig, maar hoe meer ze het ontkent, hoe banger ik word. Ik

477

zeg dan tegen mezelf dat het een ongeluk moet zijn geweest maar dan twijfel ik weer. Ik moet bewijzen dat mijn vader onschuldig was. Ik moet het oplossen. En nu denk ik: Wat zou inspecteur Coote in zo'n geval doen?'

Oom Freddie fleurde ogenblikkelijk op.

'Als het echt een moord was, bedoel je?'

'Ja.'

Hij wreef in zijn handen. 'Dat is interessant. Hij zou natuurlijk beginnen met iedereen op het feest te ondervragen. Gasten, familie, bedienden.'

'En dan?'

'Hij zou het probleem van de tijd onderzoeken. Daar is hij knap in.'

'En daarna?'

'Je weet het, Vicky: motief, gelegenheid, karakter. Dat zijn de sleutelwoorden. *Cui bono*, dat moet je nooit vergeten.'

'*Cui bono*?'

'Letterlijk, *aan wie het goede*. En dus *wie heeft er voordeel bij*?'

'In die boeken van je, Freddie, hebben alle verdachten er voordeel bij. Dat maakt het zo moeilijk.'

'Natuurlijk. Om je op het verkeerde been te zetten. Maar in dit geval is er niemand die erbij wint, voor zover ik kan zien.'

'Freddie, dat is niet waar,' zei ik zacht. 'Ik weet iets van wat er was gebeurd. Er waren inderdaad mensen die Shawcross misschien wel uit de weg wilden ruimen. Mijn grootvader bijvoorbeeld. Was hij jaloers?'

'Op Shawcross?' Freddie deed ontwijkend. 'Misschien.'

'En mijn vader. Hij had kennelijk een hekel aan Shawcross, haatte hem.'

'Mogelijk.' Freddie wapperde met zijn handen. 'Maar je moet niet overdrijven. Haat is zo'n groot woord. Mijn moeder – er waren destijds zoveel getrouwde vrouwen die een speciale vriend hadden. Niemand dacht erover na. Acland heeft altijd een hekel aan Shawcross gehad, maar we mochten hem geen van allen. Ik kon hem niet uitstaan. En ik heb hem echt niet vermoord, als je dat soms dacht.'

'Natuurlijk niet. Maar, Freddie...'

'Als je het puur en alleen als detective bekijkt, zou je er een goed verhaal van kunnen maken. De motieven voor de moord. Ja, dat is mooi! Dan moet je zeggen: "Wie haatte hem maar verborg die haat? Was er misschien iemand die avond in huis met wie hij een band onderhield – financieel misschien?" Misschien kende een van de gasten Shawcross al langer. En dan – dat is belangrijk – moet je uitvinden wie sterk genoeg was. Shawcross was betrekkelijk fit. Je kon hem niet het bos in volgen en zeggen: "Hier is een val. Heb je er bezwaar tegen om erin te stappen?" Hij moest erin geduwd worden, of gedreigd. Interessant.'

Dit leidde me weer terug tot mijn vader. Dat wilde ik niet.

'Freddie, als je het vervelend vindt, houden we ermee op. Maar ik weet over Boy. Ik weet wat Boy Steenie vertelde op de dag dat hij zelfmoord pleegde. En ik weet dat het niet waar kan zijn omdat hij bij Constance was. Maar wie nam die geweren dan weg? Iemand moet het gedaan hebben. Aan het eind van het diner waren ze weg – en dat moet waar zijn. Het staat in het dagboek van mijn moeder.'

Freddie zuchtte. 'Arme Boy. Ik denk nog dikwijls aan hem. Hij was een goede vent. Zou geen vlieg kwaad doen. Ik weet niet wie de geweren heeft gepakt, maar ik weet wel wie ze heeft teruggezet. Mijn vader.'

'Denton? Weet je het zeker, Freddie?'

'Ik herinner het me nog goed. Ik kwam langs de wapenkamer en zag dat hij ze wegborg. Shawcross was toen nog niet dood. Hij was boven – stervende. Ik vond dat heel raar. Wat deed vader met Boys geweren? Natuurlijk' – en hij werd weer vrolijker – 'maakt dat mijn vader tot belangrijkste verdachte. Denk je dat? Toch ben ik bang dat je het dan mis hebt. Hij kon het niet hebben gedaan. Ik geloof tenminste niet dat hij dat kon.'

'Waarom niet, Freddie?'

'Omdat ik hem de nacht van de komeet heb gezien. En hij dwaalde niet door de bossen op zoek naar Shawcross. Hij was in huis.'

'In huis? Hoe weet je dat?'

Freddie bloosde. 'Nou, die avond... dronk ik veel te veel. Ik mocht opblijven voor de port. Dat was voor het eerst en ik had drie glazen op. Daarna dronk ik champagne. Toen ik naar bed ging, voelde ik me hondsberoerd. Ik had die knecht – ik ben zijn naam vergeten...'

'Tubbs. Arthur Tubbs.'

'Juist. Knap van je.' Freddie straalde. 'Nou, ik stuurde Arthur weg. Toen was ik te ziek om me uit te kleden. De kamer ging op en neer – je weet wel. Dus viel ik gewoon op bed en sliep, maar niet lang. Toen ik wakker werd, kwam ik om van de dorst. En mijn hoofd voelde of ik een trap van een paard had gehad. Dat krijg je van port, weet je. Veel te zuur. Ik kom er nooit meer aan.'

'Freddie...'

'Sorry. Ik stond op om water te drinken en liep een beetje rond. Toen dacht ik dat frisse lucht wel goed kon zijn. Dus ging ik naar beneden naar het terras en ademde een paar maal diep. Dat scheen te helpen. De meeste mensen waren naar bed maar er brandde licht in de biljartkamer. Ik wankelde naar binnen, wilde zeker bij de mannen horen – ik was toen pas vijftien.'

'En je vader was binnen?'

'Ik weet het bijna zeker. Maar het is zo lang geleden en het was ook niet belangrijk. Er waren een hoop mensen – de vrienden van mijn vader, die bleven altijd graag lang op. En Peel, Richard Peel, en een man uit de City...'

'George Heyward-West?'

'Wat heb jij je daar goed in verdiept. Ik weet dat hij het was omdat hij en Montague Stern een soort wedstrijd hielden, ze waren allebei even goed in biljarten en ik heb naar hen staan kijken.'

'Montague Stern? Freddie, dat kan niet...'

'Waarom niet?' vroeg Freddie geïrriteerd. 'Het was de eerste maal dat ik hem ontmoette. Stern droeg altijd van die verschrikkelijke vesten. Rood, met goud geborduurd. Ze hadden hun jasje uitgedaan en hun mouwen opgerold...'

'Freddie, hoe laat was dat?'

'Geen flauw idee. Twee uur? Drie uur? Maar mijn vader was er ook. Hij zat in de hoek in zijn stoel. Zo nu en dan werd hij wakker en viel dan weer in slaap.' Freddie zweeg. 'Ik herinner het me niet meer zo goed. Op een gegeven ogenblik gaf iemand me whisky en ik begreep wat ze dachten. Dus wilde ik ze eens laten zien... In ieder geval was dat een vergissing. Acland had me een sigaret gegeven, toen dronk ik die whisky, toen dacht ik: o god, ik moet overgeven. Acland bracht me naar mijn kamer. En ik dacht, gek genoeg, dat Boy hem hielp, maar het kan Boy niet zijn geweest. Misschien die Heyward-West, een aardige kerel. Gaf me altijd geld.' Freddie staarde in de verte. Hij zuchtte. Er viel een stilte.

Ik dacht erover na. Als dit waar was, was Montague Stern niet steeds bij Maud gebleven. Denton was beneden en het belangrijkste, mijn vader was beneden. De tijd zou inspecteur Coote niet bevredigd hebben, maar mijn vader was daar geweest. Niemand kon een moord begaan en dan rustig gaan biljarten, nee toch? Ik tuurde langs mijn oom naar het uitzicht uit het raam, een gewone straat, een gewone dag. Ik was opgelucht. Natuurlijk was het een ongeluk, daar had ik nooit aan moeten twijfelen. Constance had me op het verkeerde been gezet met haar verhalen.

Oom Freddie glimlachte en kwam weer tot zichzelf.

'In ieder geval – als je het ziet vanuit het oogpunt van inspecteur

Coote – zie je dat het onmogelijk een moord kan zijn geweest. Onmogelijk.'

'Waarom?'

'Denk eens even na. Shawcross ging niet dood – niet direct, het duurde drie dagen. Hij kon weliswaar niet spreken in die tijd, want hij was te ziek, maar een eventuele moordenaar had dat niet kunnen weten. Ze hadden Shawcross eerder kunnen vinden. Hij had niet zo gewond kunnen zijn. Hij had misschien kunnen praten en zijn moordenaar hebben geïdentificeerd! Wel een riskante manier om iemand koud te maken. De moordenaar had er zeker van moeten zijn dat hij niet herkend werd – en dat was onmogelijk. Er was een maan en ze zouden hebben gevochten.' Hij streelde mijn hand. 'Zie je wel? Je maakt je druk om niets. Ik heb achtenvijftig jaar de tijd gehad om erover na te denken en ik weet dat ik gelijk heb. Een ongeluk, en als Constance iets anders zegt, kun je dat beter negeren. Zij is niet de beste persoon om te vertrouwen. Ze – houdt ervan om moeilijkheden te scheppen. Dat weet je.'

Winnie was intussen binnengekomen met een dienblad. We kregen een heerlijke lunch en spraken over recepten en kook-methoden. Een paar maal probeerde ik het gesprek op mijn doop en de geheimzinnige ruzie van Constance met mijn ouders te brengen maar ze hadden er geen zin in.

Een paar weken na de lunch begon oom Freddie een detectiveroman gebaseerd op dat ongeluk in 1910. Hij noemde het *Geneigd tot Moord*. Het zou een van zijn grootste successen worden en vele herdrukken beleven. Veel van de personen erin zijn herkenbaar, maar de oplossing van oom Freddie was niet die van mij – maar ja, hij schreef een roman en mijn vermoeden was toen een feit geworden. Hoewel oom Freddies verslag verschilt van het mijne, overlappen we elkaar wel. Toen we die dag over de moord praatten, had hij de waarheid dicht benaderd, maar geen van ons beiden zag dat toen.

Er waren redenen voor. Oom Freddie was bevooroordeeld en ik ook. Er waren bepaalde dingen, uit liefde of loyaliteit, die we niet wilden zien.

We waren klaar met de lunch en Winnie wierp verlangende blikken op haar schrijfmachine. Ik zei dat ik weg moest.

Oom Freddie was erop gebrand om aan het werk te gaan en bleef aan zijn schrijftafel. Maar zijn ogen gingen weer in de richting van de schoorsteenmantel en ik zag dat Winnie hem een geheimzinnig knikje gaf. Winnie bracht me naar de voordeur. Ze keek over haar schouder en toen ze er zeker van was dat Freddie haar niet kon horen, greep ze mijn arm.

'Victoria, je hebt nog iets, hè? Je hebt ons niet alles verteld, denk ik.'

'Niet alles, Winnie, maar dat geeft niet. Ik voel me veel beter.'

'Luister. Wat Freddie net zei, was waar. Die vrouw heeft altijd moeilijkheden gemaakt. Volgens mij heeft ze Freddie veel kwaad gedaan. We hoeven niet op details in te gaan, maar ze heeft hem al zijn zelfvertrouwen ontnomen. Hij kon nergens rust vinden en het heeft hem jaren gekost voordat hij van haar genezen was. Ze vergiftigde zijn geest – het ging tegen bepaalde familieleden. Ik zou niet graag willen dat dat jou ook overkwam.'

'Daar zorg ik wel voor, Winnie.'

'Dat kun je nu wel zeggen en je meent het natuurlijk, maar lukt dat ook? Tijdens de lunch – toen je vroeg naar je doop, de onenigheid – was dat toevallig?'

'Nee, Winnie. Niet helemaal.'

'Ik wist het. Ze heeft je een bepaald idee gegeven. Over haar en je vader? Ja, hè?'

'Zoiets.'

'Nu moet je eens luisteren.' Winnie draaide me naar zich toe, 'ik was op Winterscombe voor je doop. Het is helaas geen gebeurtenis waar ik met plezier aan terugdenk. Maar ik was er en ik weet precies wat er gebeurd is.'

'Ze had een verhouding met mijn vader,' zei ik vlak. 'Het is zo, Winnie. Ik heb het weken geleden al verwerkt. Het was vlak voordat ik geboren werd, of vlak erna. De details komen er niet op aan. Ik ben ervan overtuigd dat hij van mijn moeder hield – maar hij hield ook van Constance. En zij hield zeker van hem. Zulke dingen gebeuren nu eenmaal.'

'Onzin,' snauwde Winnie. 'Zo was het helemaal niet en als ze het zo voorstelt, liegt ze of het gedrukt staat. Het is heel gewoon wat er gebeurde. Ze verscheen – bij jouw doop, nota bene – en probeerde je vader te veroveren maar hij ging er niet op in. Ze ging woedend terug naar New York. Ze dacht dat ze onweerstaanbaar was voor mannen – zelfs voor een man als je vader met een gelukkig gezin, een vrouw van wie hij hield en een pasgeboren baby. Dat kon ze natuurlijk niet hebben. Ze wilde alles vernielen. Je begrijpt dat wel. Ze deed bij jou hetzelfde.'

Er lag iets uitdagends in die laatste opmerking. Ik antwoordde niet.

'De hel kent geen grotere furie dan een versmade vrouw!' trompetterde Winnie. 'Dat heb ik altijd geloofd. Toen Constance vertrok zag ze wit van woede. Volgens mij had ze altijd haar klauwen in je vader willen slaan en toen dat mislukte, begon ze aan jou. Die vrouw heeft een schadelijke invloed. Freddie had op zijn stuk moeten staan en haar nooit voogd over jou moeten laten worden. Als ik toen met Freddie getrouwd was geweest, was het nooit gebeurd.'

'Winnie, ze is altijd even aardig voor me geweest. Meer dan aardig. Tot we ruzie kregen...'

'O, maar wannéér kregen jullie ruzie?' vroeg Winnie triomfantelijk. 'Toen ze dacht dat ze je zou verliezen. Toen ze dacht dat je het geluk gevonden had. Precies als ze met je vader deed. Zie je? Als ik nog denk aan de scène die ze die laatste avond op Winterscombe maakte – de leugens die ze vertelde. Wexton was erbij. Je kunt het hem vragen als je daar behoefte aan hebt. Hij zal bevestigen wat ik je nu vertel. Verbanning! Verbanning was niet genoeg. In het geval van Constance was een duiveluitdrijving nodig.'

Plotseling stopte ze. Haar wangen waren nog rood van opwinding maar haar uitdrukking veranderde. Ze zocht in haar zak, duwde me een kaart in de hand en werkte me naar de deur.

'Iets wat wij graag wilden dat jij had. Kijk er later maar naar. Wij kunnen niet gaan, zie je, en we dachten dat jij misschien...'

Ze wilde me kennelijk de deur uit hebben. 'Kijk naar de watersalamanders als je weggaat. Er is een heel groot beest bij waar we erg dol op zijn. Bij de waterlelie aan de linkerkant.'

De deur werd haastig gesloten. Verbaasd bekeek ik de salamander. Hij zat op de juiste plaats, een mooi, dik wrattig beest. Ik wilde hem aanraken maar hij plonsde uit het gezicht onder zijn lelieblad. Toen ik de kaart openvouwde die Winnie me had gegeven, begreep ik ook de blikken naar de schoorsteenmantel. Een goedwillende samenzwering. De kaart was een uitnodiging voor een lezing over twee dagen, die werd gegeven in Londen, door dokter Frank Gerard. In een hoek stonden de namen van Freddie en Winnie in Franks handschrift. Omdat ik nog steeds van hem hield, kwam ik in de verleiding om te gaan. Maar ik had mijzelf acht jaar geleden geoefend nuchter te zijn en die acht jaar sloegen me in mijn gezicht. Een hereniging na acht jaar is mooi in een roman, in werkelijkheid komt het zelden voor.

Ik liep naar het station en kocht vier kranten omdat ik wilde lezen en niet denken. Het was eind oktober en ze stonden vol van de oorlog in Vietnam. Ik las hetzelfde verhaal in vier versies steeds weer over zonder de woorden te begrijpen, staarde er alleen naar in blinde concentratie.

De volgende dag werd ik gelukkig afgeleid door de komst van de eventuele koper. Er was niet veel wat ik kon doen om het uiterlijk van Winterscombe een beter aanzien te geven, maar ik deed mijn best. Bracht de ochtend door met bloemen schikken, want de miljonair, die Cunningham heette, zou om elf uur komen. Het was goed dat het niet regende, in de regen zag het huis er niet op zijn best uit. Het was een heldere, koude dag. Toen ik om negen uur in de wintertuin kwam met een arm vol late rozen, bleef ik staan om naar het huis te kijken. De morgenzon verzachtte de architecturale lijnen en gaf een warme kleur aan de baksteen. Klimplanten slingerden om de ramen. Toen ik omkeek over het meer naar de bossen, zag ik een vage, roze nevel. Er was geen enkel geluid op een vogel na. Ik herinnerde me wat Franz-Jacob indertijd had gezegd: *ein Zauberort*. Ik voelde een golf van genegenheid in me opwellen voor het huis, de vroegere bewoners en hun geheimen. Deze ochtend voelde ik hun geesten. Inderdaad, een magische plaats. Zou zo'n nieuwbakken miljonair dat voelen?

Toen hij aankwam, precies op tijd, achter in zijn door een chauffeur bestuurde Corniche, stonden Garstang-Nott en ik hem op te wachten. Hij zag er niet uit als een man die 'magie' tot het credit van een huis zou rekenen. Hij fronste toen hij de gevel bekeek en ik wist zeker dat hij de tekortkomingen van de goten zag. Zijn uitdrukking was die van een man die onzichtbare zwammen onder de vloerplanken vermoedde. Ik schatte hem een goede zestiger, maar hij bleek veel ouder te zijn. Hij was tenger en gebruind. Zijn kleren waren duur en iets te conservatief. Hij straalde ongeduld en energie uit. Hij had een Amerikaans accent. Zodra hij binnen was, vroeg hij of hij kon telefoneren. Ik weet dat zakenlieden ontwenningsverschijnselen krijgen zodra ze langer dan een uur van een telefoon verstoken zijn. Maar ik denk dat hij ook zijn eigen belangrijkheid wilde onderstrepen. Hij telefoneerde in een andere kamer, maar de deur stond open en hij sprak luidkeels over enorme getallen. Garstang-Nott kneep zijn lippen op elkaar en kromp ineen. Toen Cunningham eindelijk terugkeerde, wisselden hij en Garstang-Nott een uitdagende blik. Het was duidelijk dat ze elkaar niet konden uitstaan en dat geen van beiden probeerde het te verbergen. Garstang-Nott sprak op de neerbuigende manier van zijn kostschool, hij had jaren gehad om dat te perfectioneren. Cunningham antwoordde met al de agressie van het Nieuwe Geld. Garstang-Nott liet doorschemeren dat hij het raar vond dat een man als Cunningham zo'n huis wilde hebben. Cunningham liet met ieder gebaar doorschemeren dat de tijden waren veranderd. Klassenhaat vonkte, de lucht was vol rook.

We begonnen een rondgang door het huis. Garstang-Notts theorie dat de zeer rijken niet geïnteresseerd waren in volmaaktheid, klonk raar, maar ik had dit ook meegemaakt. Ze gelóófden niet in volmaaktheid. Zelfs als een huis piekfijn in orde was, zouden ze wat te klagen hebben. Ze snakten ernaar om dingen te veranderen.

Winterscombe was natuurlijk verre van perfect en Garstang-Nott noemde vol enthousiasme de nadelen op. Verrotte balken, slechte riolering, de goten, het dak, de verwarming: hij wierp de nu zwijgende Cunningham een steelse blik toe. Ik wist precies hoeveel het zou kosten om Winterscombe werkelijk op te knappen, maar Garstang-Nott maakte er het dubbele van.

'Als een mínimum,' hij rekte zijn woorden, 'nog afgezien natuurlijk van de inrichting.'

Zijn accent en houding van superioriteit veronderstelden dat Winterscombe de middelen van Cunningham verre te boven ging. De man hapte.

'Zo?' zei hij agressief. Hij liep naar de open haard waar het oorspronkelijke bellekoord voor de bedienden nog hing. Hij trok eraan. 'Werkt het?'

'Ik zei ja, nog steeds.' Hij glimlachte, min of meer boosaardig. Toen we naar de volgende slaapkamer liepen, realiseerde ik me dat hij de geografie van het huis kende. Hij scheen trappen en hoeken te verwachten, en het kwam bij me op dat hij hier eerder was geweest. Misschien tijdens de oorlog, in de tijd dat het leger het huis had opgeëist. We liepen van de ene kamer naar de andere. Cunningham zei weinig, maar binnen een uur wist ik dat hij niet zou kopen. Hij verloor zijn belangstelling en keek vol ergernis om zich heen alsof hij veel had verwacht en het huis hem teleurstelde. Het kwetste me en ik werd boos. Ik was ouderwets genoeg om te vinden dat hij zijn best had mogen doen beleefd te zijn. Winterscombe had alle absurde dingen van zijn tijd, maar ook de kracht ervan. Ik wees op het uitzicht. Hij keek even maar trapte tegen de betimmering. Hij keek naar het parket. Achter zijn rug trok Garstang-Nott een lelijk gezicht.

We sjouwden door de stallen, het koetshuis, de oude wasserij en voor het eerst sinds jaren stond ik in de slaapkamer van de weeskinderen. Hier had het bed van mijn vriend Franz-Jacob gestaan, uit dat raam had hij zijn morsecodes naar me geseind. Ik keek wanhopig rond. Was er hier in huis dan nooit iets weggegooid? De lange kamer stond nog steeds vol oude ijzeren bedden.

Ik wist dat ik mijn tijd verspilde – dat we dat alle drie deden. Toen we terugliepen naar het huis, wilde ik juist voorstellen om de rondleiding maar te bekorten, toen Cunningham bleef staan. Hij negeerde de makelaar en wendde zich tot mij.

'Ik ken dit huis,' zei hij.
Ik aarzelde. Hij scheen die betekenis met tegenzin te doen. Zijn brutale energie was verdwenen.
'Dat dacht ik al. Was het in de oorlog?'
'Wat?'
'Was u hier gestationeerd in de oorlog? Ik dacht...'
'Hier? O nee, ik heb hier gewèrkt. Ze stuurden me vanuit het huis in Londen toen ik vijftien was. Uw familie heeft me getraind.' Zijn glimlach werd spottend. 'Ik was de bediende van uw... oom, denk ik. Uw oom Frederic? Hij schrijft nu detectiveverhalen, dat soort spul, dacht ik.'
Ik keek hem verbaasd aan. 'U bent Arthur – Arthur Tubbs?'
Omdat ik nog vol was van het verleden, zag ik hem als een magere, puisterige jongen vol van de ramp op de ochtend van het ongeluk. En zoals Constance hem had beschreven, de vriend van Jenna's man op haar bruiloft. Vroeger in de zijlijn, nu een hoofdrol. Ik merkte dat het noemen van zijn naam – waarschijnlijk onverwacht – hem deed blozen onder zijn bruine kleur.
'Ja... ik gebruik die naam al veertig jaar niet meer. Om zakelijke redenen, ziet u. Ik ben nu Cunningham.'
Ik dacht: Conyngham/Cunningham. Hier is nog een verhaal dat ik nooit zal kennen.
'Gek...' Het Amerikaanse accent dat hij even vergeten was, kwam weer duidelijk voor den dag. 'Ik wilde deze plaats hebben. Jaren heb ik gewacht tot het op de markt kwam. Ik dacht, dan koop ik het. Alleen...'
'Alleen wilt u het nu niet meer?'
'Nee. Ik weet niet precies waarom. Het voldoet niet aan...'
'Ja, het huis is verwaarloosd, dat weet ik. Het moet worden opgeknapt.'
'O, daar gaat het niet om.' Hij keek me nijdig aan. 'Dat had ik toch willen doen. Ik had gedacht dat u misschien... ik heb werk van u gezien. Maar het ligt me niet. Tijd is geld. Ik moet weg.'
Met snelle passen liep hij naar zijn auto. Zijn chauffeur stapte uit en zette zijn pet af. Hij opende het achterste portier.
'Goed getraind.' Tubbs/Cunningham glimlachte flauwtjes. 'Maar dat was ik ook. Ik weet hoe je dingen moet doen.'
Hij wierp nog één blik op het huis en ik zag waarom hij erover gedacht had mij te vragen het huis voor hem in te richten. Dat had niets te maken met mijn naam als binnenhuisarchitecte. De bediende bediend. Voor het eerst besefte ik dat Garstang-Nott er niet op aankwam, dat Cunningham míj onsympathiek vond.

'Weet u hoeveel huisbedienden er toen waren?' vroeg hij koud. 'Vijftig. Misschien is dat het wat ik mis, al dat buigen: "Ja, my lord. Nee, my lady." Weet u hoeveel ik kreeg om al die kleren op te bergen? Een pond per week.'

'Mèt kost en inwoning, neem ik aan,' onderbrak Garstang-Nott hem niet al te beleefd. 'En het was wel làng geleden.'

Ze wisselden een vijandige blik. Cunningham klom in zijn auto en maakte nog een laatste opmerking tegen mij.

'Kleine griezel,' zei Garstang-Nott. 'Zal zijn eerste geld wel op de zwarte markt hebben verdiend. Nogal een ongunstige vent, vind je niet?'

Ik antwoordde niet, ik deelde zijn politieke en sociale zekerheden niet en dacht dat Arthur Tubbs veel gecompliceerder was dan dat. Om eerst geëxploiteerd te worden en dan zelf te exploiteren, om een zakelijke carrière af te sluiten met de koop van het huis waar je ooit hebt gediend... ik zag de treurige logica er wel van in.

Ik keek met nieuwe ogen naar Winterscombe. Ik zag hoe het op allerlei manieren door allerlei soorten mensen op zijn waarde werd beoordeeld. Voor Tubbs was het de wraak na jaren dienstbaarheid, voor mijn grootvader de ontsnapping aan de smet van zijn fabriek. Voor Montague Stern had het vrijheid en macht betekend, een gebied voor een buitenstaander om over te heersen, om na te laten aan zijn gedroomde zoon. Voor Constance was het een huis vol geheimen geweest, voor mijn vader een elegie, voor mij de schrijn van een verloren kindertijd. En we hadden allemaal op onze eigen manier naar stenen en cement gekeken en een hersenschim opgebouwd.

Ik zag het gevaar. Ik denk dat ik toen besloot, werkelijk besloot om het los te laten.

'Het is niet... zoals ik het me herinnerde,' had Cunningham gezegd toen hij wegreed. Toevallige opmerkingen helpen je soms om een hoek om te slaan. Toen Garstang-Nott was vertrokken en ik binnenkwam, zei ik: 'Wexton, vind je het erg als ik morgen naar Londen ga? Ik wil naar een lezing.'

'Best.' De manier waarop Wexton het zei, gaf me het gevoel dat hij van de lezing afwist, en dat hij een aandeel had in de goedwillende samenzwering van Freddie en Winnie. Toen ik die avond naar bed ging, wist ik dat ik niet zou slapen. Ik dacht aan alle versies van het verleden die ik gekregen had, er waren evenveel aspecten als mensen. Maar één ervan was nog niet onderzocht en één verhaal was er buiten gebleven, dat van mijzelf: het verleden zoals ìk het me herinnerde.

Het was een terrein dat ik lang had vermeden en slechts één mens kon me overhalen er naar terug te gaan. Hij wachtte daar op me, verduisterd omdat ik hem acht jaar lang had gemeden. Ik wist waar die weg heen leidde. Naar het verleden en ook vooruit, naar mijn Amerikaan, dokter Frank Gerhard.

Hij genàs mensen. Na zijn medische studie aan Columbia ging hij naar Yale, toen naar het Scripp-Foster Instituut, waar hij biochemisch onderzoek deed. Hij hield zich speciaal bezig met de transmutatie van cellen, de anarchie- of de interne oorlogen die het evenwicht van het menselijk lichaam verstoren. Hij was biochemicus, ik binnenhuisarchitecte. Daarom ook had een scheiding van acht jaar geleden zo gemakkelijk definitief kunnen blijven. We moesten een beslissende actie ondernemen om elkaar weer te zien. Een toevallige ontmoeting was onwaarschijnlijk. Hij werkte in Amerika, ik vermeed dat land. Maar ook in dezelfde stad zou een toevallige ontmoeting onwaarschijnlijk zijn geweest. Ik had in de afgelopen acht jaar vaak verlangd naar een kracht – hoewel ik niet in het lot geloofde – die tussenbeide zou komen en ons een duwtje gaf. Maar misschien was ik er dan blind voor geweest, dat was ik ook toen we elkaar voor het eerst zagen. Ik ontmoette Frank Gerhard door mijn werk en door mijn vriendschap met zijn moeder, de onmogelijke Rosa. Zo nu en dan zag ik hem in die eerste jaren. Hij zei 'hallo' en 'tot ziens', en ik dacht dat ik er onverschilligheid in hoorde. Vijf minuten in mijn gezelschap schenen genoeg te zijn om me aan de kant te schuiven. Dat deed pijn. Ik besloot zijn reactie te negeren en daar hij zijn antipathie altijd liet blijken als hij me zag, was dat niet altijd gemakkelijk.

De eerste maal dat ik hem onmogelijk kon negeren, was in 1956. Het was vroeg in de lente. Constance en ik waren in Venetië. Bij die gelegenheid nam Conrad Vickers – onderdeel van Constances entourage – de foto voor de kerk van de Santa Maria della Salute. Frank Gerhard was in Venetië terwille van zijn moeder. Zijn vader, Max Gerhard, professor in de linguïstiek op Columbia, was een paar maanden daarvoor gestorven. Frank en een van zijn broers – het was een groot gezin – probeerden hun moeder Rosa door een moeilijke tijd heen te helpen, en Rosa, dankbaar en moedig, maar geen goede actrice, deed of het plan een succes was. Rosa, die haar verdriet energiek bestreed, droeg een rode jurk. Met een reisgids in de hand had ze haar zoons de kerk rondgeleid. Constance, Conrad Vickers en ik, met nog een paar van Constances aanhangers, zoals Bobsy en Bick van Dynem, de Hemelse Tweeling genoemd door de roddelpers vanwege hun geld en hun verblindend knappe uiterlijk, hadden een lid van de Van Dynem-familie bezocht om na het huis van deze *principessa* naar Harry's bar te gaan.

Deze twee groepen kwamen elkaar tegen in de zonneschijn van een ideale Venetiaanse middag. Constance, die Rosa in de verte zag, zei: 'O, nee. Te laat om te ontsnappen.' Rosa, die niet wist dat we in Venetië waren, omhelsde me en begroette Constance hartelijk. Ik trok me terug en keek uit over het water. De stad weerspiegelde in het oppervlak en het licht was goud als op een schilderij van Veronese.

'Hallo,' zei Frank Gerhard, toen Conrad Vickers een foto van de groep wilde maken. Mijn vriendin Rosa, blij van cultuur bevrijd te zijn, denk ik, praatte met Constance die ze al jaren kende, want Constances firma had Rosa's vele huizen ingericht. Een van de Van Dynem tweeling zette een panamahoed op mijn hoofd. Ik nam die af en zei wat scherp: 'Laat dat.'

Constance, die graag deed of Bobsy van Dynem mij het hof maakte, keek veelbetekenend. Bick, de andere helft van de tweeling, zei dat hij iets wilde drinken. Conrad bleef de groep formeren. Ik stond eerst aan de rand, toen in de schaduw, toen weer in de zon. Een zwijgende Frank Gerhard stond naast me. Ik keek naar de kerk. De sluiter klikte. Ik verwachtte dat Frank Gerhard 'tot ziens' zou zeggen maar tot mijn verbazing deed hij dat niet. Hij schoof met me weg van de rest van de groep. We vertelden elkaar over onze activiteiten in Venetië. Ik was ontsnapt aan Constances cocktailparty's en had de dag ervoor de Academia bezocht. Frank Gerhard was er toen ook en we hadden elkaar op een haar na gemist. Hij scheen erover na te denken, en tuurde in het water van het Grand Canal. Licht dan schaduw, weerspiegeld door het water, streek over zijn gezicht. Hij was niet vrolijk en ik maakte een paar aarzelende opmerkingen over zijn vader. Hij maakte een ongeduldig gebaar en ik waagde nog een paar hooggestemde woorden. Ik was in die tijd pijnlijk verlegen. Terwijl ik naar Frank Gerhard keek in zijn zwarte kostuum, vond ik hem – hoe de omstandigheden ook waren – moeilijk, somber, onbeleefd en verstrooid.

Intussen praatte Rosa met Constance over huizen – een onderwerp waar Constance altijd over begon. Was ze vergeten dat Rosa kort geleden haar man had verloren? Best mogelijk, Constance dacht nooit aan de details in het leven van anderen. 'En, Rosa,' zei ze, 'wanneer ga je verhuizen? Ik denk soms dat jij verhuist zoals anderen een koffer pakken.'

'O,' zei Rosa zacht. 'Ik ga niet meer verhuizen. Niet nu – je weet wel – vanwege Max.'

Ze maakte een verdrietig gebaar en draaide zich om. Achter haar rug ving Constance de blik van Conrad Vickers op, ze trok een onguldig gezicht en toen Rosa weer iets zei, onderbrak Constance haar haastig.

'Ja, ja. Maar hier moeten we niet praten. Bick komt om van de dorst. We gaan naar Harry's bar. Ga mee, Rosa. We nemen bellini's...'

Het vriendelijke gezicht van Rosa klaarde op. Ze was altijd op Constance gesteld geweest en dacht waarschijnlijk dat de uitnodiging gemeend was. Ik had medelijden met haar en was woedend op Constance. Mijn peettante was meedogenloos; als ze in de bar was, zouden Rosa en de anderen ogenblikkelijk opzij worden geschoven. Ook Frank Gerhard had de blik tussen Constance en Vickers gezien. Hij liep naar zijn moeder en sprak zacht met haar.

'Nee, nee,' antwoordde Rosa, 'ik voel me best. Harry's Bar, daar ben ik nooit geweest. Dank je, Constance.' Maar Frank Gerhard trok zijn broer opzij en deze nam Rosa's arm. Alleen Frank Gerhard en ik bleven achter bij de kerk. Frank Gerhard kwam plotseling tot een besluit. Tot mijn verbazing pakte hij mijn arm toen ik de anderen wilde volgen. 'We hoeven niet mee te gaan,' zei hij.

'Ik dacht juist...'

'Ik weet wat je dacht. Daniel zal wel voor Rosa zorgen. Wil je iets drinken? Hier vlakbij is iets aardigs – heel rustig.'

Hij wachtte nauwelijks op antwoord. Hij loodste me een nauwe straat door. We snelden door een doolhof van stegen, toen onder een boog door en toen over een brug. We spraken geen van beiden. Eindelijk kwamen we bij een cafeetje op een binnenplaats. Het was beschaduwd door een magnolia en er liep water uit de bek van een stenen leeuw in de kom van een fontein. Wij waren de enige bezoekers.

'Ik vond dit hier de eerste dag dat we in Venetië waren. Hoe vind je het?'

Hij scheen graag te willen dat ik het er bijzonder vond.

'Ik vind het prachtig.'

Hij glimlachte toen ik dat zei en zijn gezicht veranderde op slag, het straalde van een aanstekelijke vrolijkheid.

'Houd je dan niet van Harry's Bar?' vroeg ik. Hij pakte een stoel voor me.

'Nee, ik houd absoluut niet van Harry's Bar. Het is een café in Venetië dat ik meer dan alle andere wil vermijden.'

490

'En je houdt niet van bellini's?'

Hij lachte. Ik wist dat hij niet van het gezelschap hield, het ging hem niet om de bar of de bellini's. Frank Gerhard wist dat ik dat wist.

Hij haalde de schouders op. 'De schilders, ja. Het drankje, nee. Maar ik heb wel wat te drinken verdiend na die middag in de Santa Maria – ik geloof dat ik ieder beeld, ieder raam en ieder altaarstuk heb gezien. Het is wel een héél grote kerk en na de zesenvijftigste steunbeer...'

'Rosa is onvermoeibaar.'

'Ja.' Hij keek me plechtig maar met iets van vrolijkheid aan. 'Maar...'

'Helpt het haar?'

'Ik geloof van wel. Ik hoop het,' antwoordde hij kortaf. 'Wat wil je drinken? Campari?'

Toen de campari's kwamen, waren de randen van de glazen gesuikerd, dat weet ik nog. De drank had de kleur van vloeibare robijnen. Ik bleef ernaar kijken, ik was verlegen zoals ik al zei en gewend als ik was dat Constance iedere situatie domineerde, kon ik moeilijk converseren. Ik was nooit eerder met Frank Gerhard alleen geweest en hij intimideerde me. Hij was toen kort geleden gepromoveerd aan de universiteit van Yale – dat had ik van Rosa gehoord die zo trots op hem was – en ik probeerde over zijn werk te praten. Mijn pogingen tot conversatie waren waarschijnlijk nogal hoogdravend en zijn antwoorden waren mechanisch. Ik had de indruk dat hij niet aan mijn vragen dacht en evenmin aan zijn eigen antwoorden. Hij scheen me aandachtig op te nemen, ik voelde zijn ogen op mijn gezicht. Ook hij maakte een gespannen indruk. Zo nu en dan wierp ik hem een blik toe.

Ik was toen vijfentwintig, Frank Gerhard zeven- of achtentwintig. Hij was heel lang en mager en had een smal gezicht, zwart haar dat over zijn voorhoofd viel en ogen die bijna zwart waren. Zijn opleiding had hem leren observeren, maar hij deed het, dacht ik, ook van nature. Zijn blik, doordringend en ongeduldig, miste weinig. Hij was heel intelligent en ik vond hem arrogant. Maar die dag was ik daar minder zeker van. Nu hij ons hier zo impulsief naartoe had gebracht, scheen hij even onzeker als ik over hoe het verder moest. Onze conversatie leek op een armzalige tennismatch tussen twee aarzelende spelers. Mijn antwoorden werden per seconde nietszeggender. Ik kon mijzelf wel door elkaar rammelen en wilde dat ik de gave van Constance had die altijd geestig en gevat was. Ik was nergens meer en hij had zijn blik afgewend. Maar op dat ogenblik

keek hij me aan en ik kon zijn blik niet meer ontwijken. Ik geloof dat ik hem toen voor het eerst werkelijk zag. Ik kon mijn ogen niet meer afwenden en hij scheen dat ook niet te kunnen. Ik denk dat hij mijn naam noemde. Zijn hand vlak bij de mijne op tafel, maakte een onwillekeurige beweging. Ik zag in zijn gezicht geen verveling, geen onverschilligheid, dat verwarde me. Zijn uitdrukking leek eerst gespannen, toen onbegrijpelijk blij, toen ernstig. Hij scheen te wachten tot ik iets zou zeggen maar toen ik dat niet deed, zag ik zijn gezicht veranderen. Ik dacht aan het 'lezen van een gezicht'. Het is een oude uitdrukking en heel geheimzinnig. Wat voor zinnen gebruiken we dan? Zijn gelaatstrekken bewogen niet, hij zei niets, gebaarde niet, en toch las ik de verandering op zijn gezicht. Zijn blik werd doffer, treurig, wat hij probeerde te verbergen achter een zekere kilte. Ik las dat alles in de paar seconden die voorbijgingen, toen zei hij iets. Hij had over iets anders willen praten. Nu sprak hij om iets te zeggen en zijn woorden vormden een barrière tussen mij en zijn gedachten. Ik luisterde niet meer naar wat hij zei, maar naar zijn stem. Hij had een accent dat leek op dat van zijn moeder, Rosa. Rosa Gerhard was oorspronkelijk katholiek, ze kwam van de lage Zuidduitse adel. Haar vader, die aan het eind van de Eerste Wereldoorlog zijn land en zijn geld had verloren, was naar Amerika geëmigreerd, waar hij een aanzienlijk fortuin wist te vergaren. Rosa, de enige verwende dochter, die naar een exclusieve katholieke meisjesschool was gestuurd, sprong op haar achttiende uit de band toen ze Mark Gerhard ontmoette, met wie ze korte tijd daarna trouwde. Ook hij was een Duitser, kwam uit Leipzig, maar was tot afschuw van haar ouders joods.
Rosa, uitbundig en doortastend, bekeerde zich tot het geloof van haar man en accepteerde zijn politieke overtuiging (radicaal). Toen ze het fortuin van haar ouders had geërfd, wist ze ook haar bourgeois bestaan in het academische leven in te passen. Thuis had ze Duits gesproken, en als getrouwde vrouw sprak ze ook Duits. Ze was onmogelijk ergens in te passen wat betreft klasse, religie of ras. Ze was een hybridisch wezen, zei ze opgewekt, en al die invloeden waren te horen in haar stem. Nu ook in die van haar zoon. Toen ik die dag in Venetië naar hem luisterde hoorde ik twee culturen en twee tijdperken, alles in die ene stem. Ik zou ervan gaan houden. Frank Gerhard deed me aan iemand denken maar ik wist niet aan wie. Toen besefte ik dat hij me iets had gevraagd.
'Neem me niet kwalijk.'
'De oorlog. Ik vroeg je iets over de oorlog. Was je toen in Engeland?'

'O nee. Ik ging weg in 1938. Na de dood van mijn ouders. Toen kwam ik bij Constance.'

'Ga je terug? Ben je wel eens teruggeweest?'

'Niet naar mijn huis. Wel in Londen, maar niet dikwijls. Constance houdt meer van Italië. En Frankrijk.'

'En jij?'

'Ik weet het niet zeker. Ik vind Venetië mooi. Ik ben dol op Frankrijk. Meestal gaan we naar Nice of Monte Carlo. Maar eenmaal zijn we in een dorpje in de buurt van Toulon geweest. Constance had er een huis gehuurd. Daar hield ik het meest van. Ik ging er naar de markt en wandelde langs het strand, keek naar de vissers. Je kon er alleen zijn. Ik...'

'Ja?'

'O, het is niet interessant. Het was een gewoon plaatsje. We bleven er niet lang. Constance vond het saai, dus...'

'Vond jij het saai?'

'Nee.' Ik wendde mijn ogen af. 'In ieder geval gingen we weg, door naar Duitsland. Daar wilde ik graag naar toe. Constance wist dat, dus...'

'Duitsland?' Dat scheen hem te interesseren. 'Waarom wilde je daarheen?'

'O. De dood van mijn ouders. Het ongeluk. Rosa heeft je er vast wel iets over verteld.'

'Ja,' hij aarzelde, 'ik geloof van wel.'

'Het werd nooit verklaard, zie je, wat er gebeurd was. Ik dacht altijd dat er in Berlijn of zo een rapport over moest zijn. Dat ik dat misschien zou kunnen vinden... hoe het ongeluk gebeurd was. Nee, waaròm het gebeurd was.'

'En dat is niet gelukt?'

De zachte klank in zijn stem verbaasde me. Ik had nooit eerder over die sombere reis gepraat – en het speet me dat ik het nu wel deed. Meegevoel bracht me eerder aan het huilen dan onverschilligheid.

'Nee.' Mijn stem klonk vaster. 'Alle papieren waren verdwenen – als die er ooit zijn geweest. Het was natuurlijk dwaas van me. Constance had me gewaarschuwd. Maar die papieren waren niet zo belangrijk. Het was alleen...' Toen zei ik opgewekt en beleefd: 'Ben jij wel eens in Duitsland geweest?'

Er viel een stilte. Zijn gezicht werd hard.

'Of ik wel eens in Duitsland geweest ben? Nee.'

Hij trok zich terug toen hij het zei. Even daarvoor had zijn hand op de tafel gelegen, vlak bij de mijne. Nu trok hij die hand terug en zijn aandacht ook. Hij keek rond naar de kelner. Ik had hem kennelijk op de een of andere manier beledigd. Ik probeerde het goed te maken.

'Ik dacht dat je er misschien... geweest was. Na de oorlog. Met Rosa of met je vader. Ik weet dat Rosa een keer zei...'

'Nee. Je weet dat mijn vader joods was. Als je daarover nadenkt, kun je begrijpen dat tochtjes naar Duitsland niet hoog op zijn verlanglijst stonden.'

Ik kreeg een kleur als vuur. Frank Gerhard stond op en betaalde. Hij gaf geen teken dat hij zijn standje niet te pas vond komen. Integendeel, hij deed of hij zo snel mogelijk van mijn gezelschap verlost wilde zijn. We verlieten het restaurant en liepen terug. Ik zei dat ik naar Constance en haar gezelschap wilde, hij ging naar het hotel. Er was een halte van de *vaporetto* bij Harry's Bar. Hij wilde tot zover met me meelopen. In de verte, met hun rug naar ons toe, zag ik Constance en Conrad Vickers. Vickers praatte en gebaarde, Constance lachte, de tweeling, decoratief en indolent, hing tegen een muur. Rosa zag ik niet. Terwijl we op de *vaporetto* wachtten, hoorden we fragmenten van Vickers' conversatie. Het bleek dat hij het over Rosa had.

'Dertiende huis. Maar scha-at, hoe hóud je het uit? Die jurk. Als een grote rode brievenbus. Afgrijselijk! Ik dacht dat je zei dat ze weduwe was. Dat kàn niet. Is ze een vrólijke weduwe – is dat het soms?'

Ik probeerde weg te lopen maar het was duidelijk dat Frank Gerhard de opmerkingen over zijn moeder had gehoord. Hij deed een paar stappen en draaide zich toen met een ruk om.

'Zal ik je eens zeggen waarom ze die rode jurk droeg?' Zijn stem was strak van woede. 'Het is vandaag toevallig haar trouwdag en rood was de lievelingskleur van Max. Daarom droeg ze vandaag een rode jurk...'

'Ik begrijp het. Toe...'

'Echt?'

'Natuurlijk.'

'Weet je dat zeker?' Hij was een en al sarcasme. 'Die man is toch een vríend van je? Conrad Vickers. De Van Dynem tweeling. Je voortdurende reisgezelschap. Je beste vrienden...'

'Ik reis wel eens met hen, ja. Het zijn eigenlijk vrienden van Constance.'

'Bobsy van Dynem – de vriend van je peettante?' Het woord 'vriend' had een vernietigende klank. Ik wist niet of hij de verhouding van mijn peettante met Bobsy bedoelde of die van mij.

'Niet precies. Hij is ook een vriend van mij. En ik ken Conrad van toen ik een kind was. Ik weet dat hij geaffecteerd doet, maar...'
'Geaffecteerd? Ook boosaardig.'
'Hij maakt prachtige foto's, Frank...'
Ik zweeg. Voor het eerst gaf ik voor mijzelf toe dat Vickers, die altijd door Constance werd opgehemeld, iemand was aan wie ik een hekel had. Het was verleidelijk om me nu van hem los te maken, maar dat was goedkoop. Bovendien zag ik dat het zinloos was. Aan hun vrienden zult gij hen kennen. Het was duidelijk, voor zover het Frank Gerhard betrof, dat Conrad Vickers en ik over één kam werden geschoren. Hij keek om, met een kleur van woede op zijn gezicht en even was ik bang dat hij naar Vickers toe zou gaan, maar met een blik vol afkeer draaide hij zich om naar de *vaporetto*.
Ik weet nu dat zijn reactie veel gecompliceerder was dan ik toen begreep, dat er jaloezie aan te pas kwam en dat niet al zijn woede tegen Vickers was gericht. Ik was verward en bedroefd en had het gevoel dat ik iets verloor, iets wat veel voor me betekende, maar ik wist niet wat. Ik noemde zijn naam en geloof dat ik mijn hand uitstak. Frank Gerhard kwam terug.
'Hoe oud ben je?' vroeg hij.
Toen ik antwoordde dat ik vijfentwintig was, zei hij niets. Dat was niet nodig. Ik wist wat hij dacht. Op je vijfentwintigste ben je oud genoeg om een eigen oordeel te kunnen vellen.
Word volwassen. Hij sprak de woorden niet uit maar gaf me alleen een kil en beleefd: 'Tot ziens.' Jaren later vertelde ik hem dat ik het toen al probeerde. Maar het was moeilijk om op te groeien, om uit te breken. Constance had van me gehouden toen ik een kind was en wilde graag dat ik kind bleef. Ook lichamelijk – en dat was natuurlijk absurd.
'Houd toch op met gróeien,' zei ze toen ik als tiener de hoogte in schoot tot een meter vijfenzeventig, waar ik gelukkig stopte.
'Groei niet zo snèl!' riep ze half spottend, half serieus, en ik, wanhopig om haar genegenheid te houden, zou gestopt zijn als ik dat had gekund.
'Je maakt dat ik me een dwèrg voel,' klaagde ze. 'Afschuwelijk. Ik haal je nooit in.'

'Wat ben je groot voor je leeftijd.'
Het was een van de eerste dingen die ze tegen me zei toen ik in New York aankwam. Mijn eerste dag bij mijn peettante. Mijn eerste dag in een nieuwe wereld. Ik werd er al gauw door betoverd.
We stonden in de spiegelhal en keken naar onze weerkaatsing, ter-

wijl Jenna zwijgend aan de kant stond te wachten. Ik had een paar dagen op een oceaanstomer gezeten. Ik was zojuist voor het eerst in een lift geweest. Ik voelde nog steeds de beweging, het vloerkleed was een en al golven.

'Hoeveel Victoria's kun je zien?' vroeg mijn nieuwe peettante. 'Hoeveel Constances?'

Ik telde er zes, toen telde ik er acht. Maar Constance zei dat ze ontelbaar waren. 'Wat ben je groot voor je leeftijd.' Toen ik in de spiegel keek, kwam ik bijna tot aan de schouder van mijn peettante. Ze was volmaakt en verfijnd en ik begreep niet waarom mijn lengte haar niet beviel.

Ze nam me bij de hand en bracht me in een enorme salon. Uit de ramen kon ik de boomtoppen zien en ik dacht: We zitten in een arendsnest.

'Je moet kennismaken met Mattie,' zei Constance en Mattie, in wit uniform en met witte schoenen aan, kwam naar voren. Ze was de eerste zwarte vrouw die ik zag. In Wiltshire waren in 1938 geen zwarte vrouwen. Haar zwarte huid had een purperachtige glans, als de schil van kasdruiven. Haar wangen waren rond en leken wel gepolijst, ze was heel dik en als ze lachte waren haar tanden witter dan wit.

'Als twee druppels water,' zei Mattie geheimzinnig, 'net als u zei.' Op de tafel naast haar stond een foto van mijn vader. Precies dezelfde stond ook altijd op mijn moeders bureau. Daar was mijn vader in een lang voorbije tijd, zorgeloos met een croquethamer in zijn hand. Ik dacht aan mijn vader en moeder die ik op Winterscombe had achtergelaten, die dood waren.

Een grote zwarte beer kwam de kamer binnen, hij likte mijn hand. Dit was Constances nieuwste hond, een Newfoundlander van grote zachtmoedigheid, dit was Bertie.

Bijna vijfduizend kilometer, ik reisde nog. Daar stond ik, acht jaar oud, lang en mager, met uitstekende botten en een hoge, smalle neusbrug. Mijn moddergroene ogen waren niet helemaal gelijk, de een was groener dan de ander. Daar stond de nieuwe Victoria, die verdween in een bedrieglijke oneindigheid, een meisje dat sprekend op haar vader leek.

Ik begon te huilen. Ik had mezelf beloofd dat ik dat niet zou doen, maar toen ik eenmaal begon kon ik niet meer ophouden. Ik wilde mijn vader terug, ik wilde mijn moeder terug, ik wilde de zomer en Winterscombe en mijn vriend Franz-Jacob. En dat zei ik allemaal. Toen ik begon te praten, kon ik ook daar niet mee ophouden. Ik had mijn verdriet te lang onderdrukt: de dood van mijn ouders, mijn vreselijke schuld, het opscheppen tegen Charlotte, de gebeden 's morgens en 's avonds, de kaarsen voor een zondig gebed naar de hemel.

Iedereen was even aardig, maar mijn vreemde peettante was het aardigst van allemaal. Ze stopte me in bed in een kamer die zo luxueus was, dat ik verlangde naar de eenvoud van Winterscombe. Mijn peettante kwam bij me zitten en pakte mijn hand. Ze deed geen poging om me te troosten. 'Ik was ook een wees,' zei ze. 'Net als jij, Victoria. Ik was tien toen mijn vader stierf. Het was een ongeluk en ik gaf ook mijzelf de schuld. Dat doen mensen altijd als er iemand doodgaat, je begrijpt dat wel als je ouder bent. Je denkt altijd: ik had dit kunnen doen of dat kunnen zeggen. Je had je ook zo gevoeld als je niet zo had gebeden.' Toen vroeg ze: 'Geloof je in God, Victoria? Ik niet, maar jij?'

Ik aarzelde. Niemand had me dat ooit gevraagd. Geloven werd als vaststaand aangenomen op Winterscombe.

'Ik denk van wel,' zei ik voorzichtig.

Constance keek bedroefd alsof ze zich ongelukkig voelde omdat ze atheïst was. 'Als je in God gelooft en Hij is een goede God, kun je toch niet geloven dat Hij je zo'n poets bakt?'

'Zelfs als Hij me wilde straffen – voor het vertellen van leugens aan Charlotte?' Ik keek haar angstig aan.

'Zeer zeker niet. Hij zou je een straf geven die bij de zonde hoorde, denk je ook niet?'

'Misschien wel.'

'Ik weet dat Hij je zó zou straffen.' Ze plooide het laken tussen haar vingers. Toen keek ze op. 'Het was maar een kleine zonde, Victoria, dat verzeker ik je. Zó klein – niet meer dan een klein vlekje. God heeft veel groter zonden om zich druk over te maken. Denk eens even: moord en diefstal en oorlog en haat. Echt van die grote dingen. Jij vertelde maar een leugentje, gewoon uit liefde. Hij zou je daar nooit voor straffen.'

'Weet je dat zeker?'

'Ik weet het heel, driehonderd procent, absoluut zeker. Ik geef je er mijn woord op.' Ze glimlachte. Ze gaf me een kus, en streelde mijn voorhoofd met een hand vol mooie ringetjes.

Ik geloofde haar. Ik was er zeker van dat ze in Gods hoofd kon kijken, die vreemde peettante van me. Als ze dit zei en ze gaf me haar woord, was het waar. De opluchting was groot, het verlies bleef, maar het schuldgevoel was veel minder. Constance scheen het te weten – misschien kon ze ook in mijn hoofd kijken, want ze stak haar hand uit, de handpalm naar boven.

'Het is bijna weg, hè, die schuld? Is er nog iets, geef dat ook maar aan mij. Stop alles maar in mijn hand. O, die schuld vindt het fijn bij mij. Hij loopt langs mijn arm en komt bij andere soorten schuld, allemaal vriendjes, zie je?' Ze schoof heen en weer. 'Nu zit hij in mijn hart. Daar vindt hij het leuk. Maak je maar niet bezorgd, hij komt niet meer terug.'

'Woont de schuld daar – in je hart?'

'Beslist. Hij springt wel eens een beetje rond, en dan denken de mensen dat ze een hartklopping hebben, maar dat is alleen maar hun schuld.'

'En heb je er al veel van?'

'Bendes. Ik ben een groot mens.'

'Krijg ik ze weer – als ik groot ben?'

'Iets misschien. En spijt en berouw – dat kan heel erg zijn. Maar zullen we een afspraak maken? Als jij ze nu naar je toe voelt kruipen, geef je ze aan mij. Ik vind het niet erg. Ik ben eraan gewend.'

'Nu wil ik gaan slapen.'

'Dat dacht ik wel. Kon je goed slapen op het schip? Ik houd niet van schepen. Al die zee. Afschuwelijk.'

'Zal ik je "tante" noemen?'

'Tante?' Constance trok een gek gezicht. 'Nee, dat vind ik niet leuk. Tante klinkt oud, het ruikt naar motteballen. Trouwens, ik ben geen tante van je en peettante is zo'n mond vol. Waarom niet gewoon Constance?'

'Alleen maar dat?'

'Probeer het maar. Zeg: "Welterusten, Constance," en probeer dan hoe het voelt.'

'Welterusten… Constance,' zei ik.

Constance gaf me nog een kus. Ik sloot mijn ogen en voelde haar lippen op mijn voorhoofd. Ze scheen met tegenzin weg te gaan. Ik opende mijn ogen en ze keek zowel blij als bedroefd, dacht ik.

'Ik ben zo blij dat je er bent. Die foto, dat was niet tactvol. Wist je niet hoeveel je op je vader leek?'

'Nee.'

'Toen ik hem leerde kennen, was hij twaalf, bijna dertien. Toen zag hij er precies zo uit als jij nu.'

'Echt?'

'Hij had natuurlijk geen vlechten…' Ze lachte.

'Ik heb een hekel aan vlechten, altijd gehad.'

'Dan doen we ze weg,' zei ze tot mijn grote verwondering. 'Los, of we knippen ze af. Net wat je wilt.'

'Kan dat?'

'Natuurlijk. We doen het morgen als je wilt. Het zijn jouw vlechten. En als je straks wakker wordt, zal Mattie pannekoeken voor je bakken. Houd je daarvan?'

'O ja.'

'Mooi, dan moet ze een flinke stapel maken. En terwijl jij slaapt, zal Bertie over je waken. Kijk, daar is hij. Hij gaat op dat grote kleed aan je voeteneind liggen en hij snurkt. Vind je dat erg?'

'Nee, ik vind het misschien wel prettig.'

'Hij droomt, weet je. Als hij snurkt en met zijn poten krabbelt, heeft hij een fijne droom. Over Newfoundland en over zwemmen. Hij is dol op zwemmen. Hij heeft zwemvliezen. In zijn dromen zwemt hij en dan ziet hij de prachtigste dingen. Grotten van ijs en ijsberen en pinguïns, en zeehonden en walrussen. Groene ijsbergen, zo groot als de Mount Everest. En zeevogels – die ziet hij ook als hij droomt...'

Ik wist niet wanneer ze wegging. Haar woorden gingen over in het snurken van Bertie. De kamer werd als water en ik zwom erin. Ik vond mijn peettante wonderbaarlijk. Ze kon vlechten wegdoen zonder erbij stil te staan. Ze woonde in een arendsnest. Ze gaf mij mijn vader terug. Hij was in mijn haar en mijn huid en mijn ogen. En als hij zo dichtbij was, was mijn moeder er ook, vlak achter hem, daar waar de zee begon, in de lift.

Ik sliep tot laat in de middag. Ik at vijf pannekoeken en Mattie liet me ahornstroop proeven. Ze vertelde me haar levensgeschiedenis. Ze was van huis weggelopen toen ze twaalf was en ze had een heleboel avonturen beleefd. Mattie had gezongen bij een dansorkest. Ze had lakens gewassen in een Chinese wasserij, ze had leren zakkenrollen en vloeren geschrobd.

'Kun je nog steeds zakkenrollen?'

'Zekers. Er is niks an,' en Mattie liet het me zien.

De volgende dag hield mijn peettante haar belofte. De vlechten werden losgemaakt. Het was een hele ceremonie. Ik stond op een laken, midden in de salon. Mattie applaudisseerde, Jenna keek toe. Knip, knip, knip. Constance knipte zelf mijn haar, en gebruikte er een zilveren schaar voor. Het kwam nu tot mijn schouders.

'Kijk eens, hoe lief ze eruitziet!' riep Constance. Ik keek in de spiegel. 'Niet mooi – dat zou ik nooit worden – maar een hele verbetering, dat moest zelfs Jenna toegeven. Toen fronste Jenna, misschien vond ze het te vroeg voor veranderingen. Ik keek onzeker naar Constance. Ze was een wees, net als ik. Ze had een hond met zwemvliezen die van ijsbergen droomde. Ze was klein en heel mooi.

Knip, knip, knip. Vlokken rood haar op een laken dat op een gebloemd tapijt lag. Het kon me niet schelen of het te vroeg gebeurde. Ik had iemand nodig van wie ik kon houden en ik hield ogenblikkelijk van Constance, zoals een wees doet en Constance zou het begrijpen: zonder enige terughouding.

Ik denk dat Constance het wist. Ze zei niets, maar opende haar armen. Ik rende erin en ze hield me stijf vast. Toen ik naar haar gezicht keek, straalde het. Ik dacht dat ze er zo gelukkig uitzag omdat ze van me hield en ik geloof zelfs nu nog dat dat misschien wel waar was. Aan de andere kant – met de terugblik van een volwassene – zie ik iets anders. Constance hield van veroveringen. Misschien hield ze van mij, misschien was ik een gemakkelijke prooi. Ik weet het nog steeds niet.

Dit is wat we iedere middag deden. Ik herinner het me nog goed. Om drie uur kwam Constance thuis, al had ze het nog zo druk. We gingen Bertie uitlaten. We zeilden in de lift naar beneden, staken de weg over, liepen een stukje over Fifth Avenue, waarna Bertie de luchtjes van het Central Park mocht inspecteren. Bij de ingang naar de dierentuin gingen we naar binnen, bezochten soms de dierentuin omdat Constance zo dol op de dieren was, al vond ze het vreselijk ze opgesloten te zien. We beklaagden hun gevangenschap en gingen dan verder naar de watervalletjes. Er is een beeldig meer met fonteinen. Eens gingen we er in januari naar toe. Er lag sneeuw. Het park was omringd door een wit Manhattan. Wij waren de enigen.

Bertie hield van sneeuw en van de Newyorkse winter. Maar hij had een dikke vacht, met dik, olieachtig onderhaar, en de hitte van de zomers in die oorlogsjaren maakte hem lusteloos en ellendig. In het begin haalden Constance en ik hem over voor de openstaande koelkast in de keuken te gaan zitten. Dat was fijn voor Bertie maar minder fijn voor de inhoud van de koelkast. De bedienden klaagden. Dus kocht Constance een ventilator voor Bertie en dat vond hij heerlijk. We zetten het ding op volle kracht en Bertie zat met zijn kop in de wind en met wapperende oren.

Een andere tocht die we jarenlang maakten, tot in mijn tienertijd toe, was naar een dierenwinkel. Het was een chique zaak met cliënten uit Park Avenue en omgeving, die veel exotische dieren had. Pratende papegaaien en angorakonijnen, pythons die dagelijks met babyolie moesten worden ingewreven om hun huid niet te laten uitdrogen. En alle soorten honden: groot, klein, ruwharig, gladharig. Dan waren er katten.

Dank zij de nabijheid van Park Avenue hoorden de katten ook tot de voornamere soorten. Er waren geen gewone cyperse of zwartwitte katten, maar slaperige aristocratische perzen en siamezen en ik hield vooral van de abessijnen. Die waren elegant en teruggetrokken, bekeken vanuit hun kooi de wereld met een minachtende blik en hun vacht was karamel met zwart. Het waren de katten van de Egyptische graftombes. Dat wist ik toen niet, het enige dat ik wist was dat ik er een wilde hebben.

Ik denk dat ik het zo graag wilde omdat ik wist dat het onmogelijk was. Het enige dier waar Constance een hekel aan had, was een kat. Als we naar de dierenwinkel gingen, vermeed ze de katten en niets kon haar ertoe brengen er een te aaien. 'Voor ons geen katten. Bovendien hebben we Bertie.'

Na zo'n bezoek aan de dierenwinkel vroeg ik Constance eens naar haar andere honden, Berties voorgangers.

'Hemel! De eerste heette Floss, die had ik van je oom Francis gekregen. Het was een allerliefste hond, bruin met zwart en wit met zo'n wapperstaart. Toen kwam Box, die had ik van iemand gekregen – wit, donzig, heel gehoorzaam. Hij is meegegaan naar New York en is vijftien geworden. Toen was hij wel oud en dik. Daarna – even kijken – had ik een pekinees en toen een mopshond. Ik was dol op mijn mops. Maar toen hij doodging, wilde ik iets anders. Al mijn honden waren klein geweest en nu wilde ik een ander uiterste. Ik vond Bertie.'

'Waarom wilde je veranderen? Van zo klein naar zo groot?'

'Zomaar. Eens kijken... Bertie is zes. Ik veranderde. Dat doe ik heel dikwijls. Dan verander ik radicaal. Dan stroop ik mijn oude huid af net als die slangen in de winkel. Ja, dat was het. Ik veranderde en kocht Bertie om het te vieren. Een goede beslissing. Bertie is nobel. En heel wijs, maar dat weet je.'

'Houd je veel van hem, Constance?'

'Ja. Ik houd het allermeeste van hem. Als hij dood zou gaan – en grote honden leven minder lang dan kleine – zou ik niet weten wat ik beginnen moest. Bertie is mijn laatste hond. Dat ben ik aan hem verplicht.'

'Echt, Constance?' Ik was diep onder de indruk. 'Wil je dan geen nieuwe meer hebben?'

'Trouw tot in de dood. Ja, Bertie is mijn betere ik. Ik leg een plechtige eed af, hier, op dit ogenblik en ik zweer het.'

'Maar je hield natuurlijk ook van de andere,' zei ik. 'Vooral van Floss. Hij was de eerste en...'

Ik stond op het punt om te zeggen dat Freddie me het verhaal van de dood van Floss had verteld, en hoe Constance daarna ziek van verdriet was geweest.

'O, Floss, ja,' onderbrak Constance me. 'Hij kreeg tetanus. Vreselijk. Hij is op Winterscombe doodgegaan.'

Ik wist wat tetanus was – een van de paarden van mijn vader was eraan gestorven. Tetanus was niet hetzelfde als te worden doodgetrapt in Hyde Park maar dat wilde ik niet zeggen. Je hoorde terughoudend te zijn, dat was beleefd.

De lift in ons flatgebouw bracht ons boven. Constance had me haar eerste leugen verteld maar ik dacht alleen dat Freddie, die nogal vaag was, het bij het verkeerde eind had gehad.

Het was 1939, kort na het uitbreken van de oorlog. Ik begon de tweede fase van mijn jeugd die zou eindigen met de wapenstilstand van 1945. Tetanus, zei ik tegen mijzelf, en kuste Bertie, die op ons afkwam.

Alle jaren van de oorlog schreef ik iedere dag brieven. Brieven lieten me contact houden. Ik was vaak alleen met Mattie of met een van de vele gouvernantes die kwamen en gingen. Constance was aan het werk of bracht een onstuimig bezoek aan vrienden elders. Dan bleef ik achter in ons arendsnest, maakte soms mijn huiswerk, maar zat meestal te lezen of schreef brieven, met Bertie aan mijn voeten.

Ik schreef lange, vlekkerige epistels: aan mijn oudtante Maud, aan mijn ooms, mijn peetoom Wexton, aan Jenna. Tweemaal per week zonder over te slaan, schreef ik mijn vriend Franz-Jacob.

Mijn familie was edelmoedig. Ik kreeg uitgebreid antwoord. Iedere ochtend bracht Constance mijn brieven binnen en legde ze naast mijn ontbijtbordje. Iedere middag als we met Bertie wandelden, postten we mijn brieven in de mooie koperen brievenbus in de hal beneden. Door die brieven hoorde ik het meest over de oorlog.

Tante Maud, nog steeds te ziek om zelf te schrijven, dicteerde alles aan een secretaresse en schreef over de luchtgevechten boven Londen en de kabelballonnen in Hyde Park. Steenie schreef vanuit Conrad Vickers' villa op Capri en toen vanuit Zwitserland, waar hij als een 'vrolijke lafaard' zoals hij zei, tot het eind van de oorlog bleef. Oom Freddie vertelde over de brandweer waar hij bij werkte en over zijn detectiveromans. Wexton, wiens werk nogal geheimzinnig was – iets met coderen en decoderen, dacht ik – hield zich bij eenvoudige onderwerpen, vooral de distributie. 'Hij is een spion,' zei Constance toen ze een van zijn brieven las. Ik voelde toen al dat ze een hekel aan Wexton had.

Jenna, die wat geld van mijn ouders had geërfd, was huishoudster geworden bij een emeritus predikant in Noord-Engeland. Haar man was niet met haar meegegaan maar dat verbaasde me niet. Zelfs op Winterscombe spraken ze nooit met elkaar, ik vergat eigenlijk dat ze getrouwd waren.

Toen ik dat eens tegen Constance zei, had ze haar antwoord klaar. 'Hennessy? Ze mag blij zijn dat ze van hem af is. Hij dronk en hij sloeg haar. Hij sloeg haar een blauw oog. Toen was jij net geboren. Ik begrijp niet waarom je moeder Hennessy hield.'

Ik schreef juist een brief aan Jenna toen ze dat zei en liet van verbazing mijn pen vallen. Hennessy, de stoker, dronk en sloeg Jenna. Mannen konden vrouwen slaan. De wereld trilde op zijn grondvesten. Ik gaf die verpletterende ontdekking door aan mijn tante Maud in mijn volgende brief. Ze antwoordde onmiddellijk.

'Nee, dat wist ik níet van Jenna. En als ik het had geweten, had ik er niet over gepraat. Dat hoort niet, Victoria. Dat is geen beléefde conversatie. En daar het van je peettante afkomstig is, moet je het met heel veel korreltjes zout nemen. Ze kan altijd véél verzinnen.'

Al hield ik veel van tante Maud, ik geloofde haar niet. Zelf kon ze ook zo roddelen, dus een deel van de brief was al niet waar. Ik geloofde de verhalen van Constance.

Constance was mijn bondgenote. Dikwijls deed ze of we even oud waren. Dan zei ze: 'Ik ga je op mijn kantoor bij Prudie parkeren. Ze blaft altijd maar bijt niet en zorg dat ze je niet op je kop zit.' Of ze kwam thuis wanneer een van de ongelukkige gouvernantes probeerde me les te geven. 'De les is voorbij,' riep Constance en nam me mee naar een restaurant of een huis dat ze aan het inrichten was. Ze was tegen scholen, tegen leren, tegen alles wat op discipline leek. Een goede gouvernante werd ontslagen omdat ze een grote wrat op haar kin had. Een ander, een leraar ditmaal, jong en knap om te zien, scheen zeer in de smaak te vallen en het zag ernaar uit dat hij zou blijven – maar ook hij werd ontslagen, hoewel ik hem heel aardig vond. Het ontslag ging gepaard met een hevige scène. Van de andere kant van het appartement hoorde ik luide stemmen, toen het slaan van een deur. Constance haalde haar schouders op over het ontslag, ze zei dat zijn dassen haar niet bevielen.

Constance en ik tegen de voorschriften van de wereld, de volwassen, vervelende wereld: dat was het scenario. Welk kind zou kiezen voor Latijnse werkwoorden, wanneer het alternatief blinis en kaviaar in de Russische tearoom is? Waarom zou ik worstelen met dat afschuwelijke algebra als ik met Constance naar de grot van

Aladdin kon gaan in haar showrooms aan Fifty-Seventh Street? Constance verblindde me met haar anarchie.

Maar ze was ook mijn bondgenote op een andere manier – die haar toverkracht nog machtiger maakte. Hoewel Constance zich soms gedroeg of we even oud waren en samen als kinderen speelden, kon ze ook doen of ik even oud was als zij. Dan waren wij beiden volwassen. Vanaf het begin, toen ik mee mocht naar haar werk, vroeg ze mijn raad en scheen te luisteren naar mijn mening. 'Welk geel, vind je?' en ze hield twee lappen stof omhoog. Ik koos er blindelings een uit en Constance knikte goedkeurend. 'Goed,' zei ze dan. 'Je hebt er oog voor. Goed.'

Ik was nooit eerder geprezen voor een aanleg en was gevleid. Het vleide me ook dat Constance, als ik haar iets toevertrouwde, altijd luisterde. Als ik haar iets vroeg, kreeg ik antwoord, niet of ik een kind was, maar een vrouw.

Mijn tante Maud scheen haar niet aardig te vinden. Dat was goed te begrijpen. Mijn tante Maud was verliefd geweest op de man met wie Constance was getrouwd. Hoe heette hij? Montague Stern. Waar was hij nu? Ze zagen elkaar nooit meer, maar ze geloofde dat hij in Connecticut woonde, alleen. Waarom waren ze uit elkaar gegaan? Omdat hij kinderen wilde en Constance kon geen kinderen krijgen. Had ze om een kind gebeden? Ja, op haar manier, en hier zat dat kind bij haar peettante.

Ik begreep die verklaringen toen maar half. Maar ook zo accepteerde ik ze. Ze stelden me gerust. Er was iemand die me graag wilde hebben.

Omdat Constance me zoveel vertelde, opende ik mijn hart voor haar. Ik vertelde haar over mijn grote vriend, Franz-Jacob – en juist in het zoeken naar Franz werd Constance mijn echte bondgenote.

Franz-Jacob schreef me nooit. In het begin gaf ik de post de schuld. Ik schreef naar het weeshuis dat mijn moeder had helpen oprichten. Ik ging geloven dat het niet aan de post lag, maar dat het adres verkeerd was. Maar al bereikten mijn brieven hem niet, dan nog verklaarde dat niets over Franz-Jacobs stilte. Hoe kon hij het beloven en dan niet schrijven?

Er bestaat geen afstand tussen de harten van vrienden. Ik dacht aan het schip, aan de kade, aan de gouden doos met Weense chocolaatjes. Ik had die doos nog steeds. Ik werd bang dat Franz-Jacob misschien ziek was.

Constance was alleraardigst. Ik had haar het verhaal van Franz-Jacob talloze malen verteld maar ze werd nooit ongeduldig als ik weer over hem begon. Ik vertelde over zijn wiskunde, zijn treurige Europese ogen, zijn familie. Ik vertelde over die vreselijke dag toen hij bloed en oorlog had geroken, midden in het bos. Ik vertelde hoe we bleek en huiverend de honden in het kreupelhout hadden gehoord. Constance werd ook bleek.

'Die plek,' zei ze, toen ik het haar voor het eerst vertelde. 'O, Victoria, we moeten hem vinden.'

Ik viel Freddie en tante Maud lastig, zij moesten voor mij tussenbeide komen, navraag naar hem doen. Toen dat niet hielp, belde Constance het weeshuis op. Het was een heftig gesprek, gevolgd door een nog heftiger brief, die ze samen met juffrouw Marpruder op haar kantoor opstelde. De brief was zo bevelend, met zulke brutale verwijten, zo'n aanval op de knullige bureaucratie dat we eindelijk iets hoorden. We kregen het adres van een andere organisatie voor evacués. Een paar weken waren we vol hoop dat Franz-Jacob, zoals zoveel kinderen, naar het platteland was gebracht, ver van de bombardementen. Toen kwam het nieuws. Hij was geen evacué. Twee maanden voor het uitbreken van de oorlog was hij, op verzoek van zijn ouders, teruggegaan naar Duitsland.

Ik herinner me nog Constances gezicht toen ze me die brief liet zien, de zachte manier waarop ze met me praatte. Ik was negen en begreep alleen dat Franz-Jacob naar huis was gegaan en dat het daar heel gevaarlijk was. Dat maakte ik op uit haar weigering om oprecht te zijn. Ik kende die uitdrukking op het gezicht van een volwassene. Het betekende iets ergs, waarvoor ik moest worden beschermd. Voor het eerst werd ik echt bang.

Constance beschermde me, maar dat kon ze niet blijven doen. Bepaalde feiten waren niet te ontwijken. Ik was negen toen de oorlog begon, vijftien toen hij eindelijk afgelopen was. Franz-Jacob was een jood. Toen begreep ik waarom hij nooit schreef. Ik wist wat er met de joden in zijn vaderland was gebeurd.

Ik postte mijn laatste brief op 8 mei 1945, toen het eind van de oorlog werd gevierd. Ik was al die oorlogsjaren blijven schrijven en Constance, die wist dat die brieven nooit zouden worden gelezen, begreep en respecteerde mijn verlangen. Toen de laatste brief in de bus ging, stonden haar ogen vol tranen. Ik moest haar troosten.

'Het is goed, Constance. Het is de laatste brief. Nu begrijp ik het. Ik weet dat hij dood is.'

Een dom Engels meisje: *ein dummes englisches Mädchen*. Ik had zes jaar nodig gehad om hem in te halen, om te begrijpen dat op een hete vooroorlogse middag in de bossen van Winterscombe Franz-Jacob zijn eigen dood had vermoed.

Een gecodeerde boodschap, zes jaar later begrepen, nog een laatste flits morse. Ik wilde dat ik sneller was geweest, dat ik het toen had begrepen. Maar nu begreep ik het.

Dat begrijpen was onze uiteindelijke band. Over verlies en dood heen greep ik de handen van Franz-Jacob. Afstand – zelfs de laatste afstand – betekende niets voor het hart van vrienden. *Lieve Franz*, schreef ik plechtig in mijn laatste brief, *ik zal iedere dag aan je denken voor de rest van mijn leven*.

Gek genoeg hield ik mijn belofte aan Franz-Jacob. Ik vergat hem nooit, evenmin als die belofte aan een verloren jongen. Maar het was een belofte voor mijzelf. Ik vertelde het niet aan Constance, toen niet en later niet.

Ik denk dat het door Franz kwam dat ik belangstelling had voor Rosa, ook een Duitse, en een bekeerde jodin. Zo kunnen de doden je leven blijven beheersen. Ik hoorde haar naam voor het eerst toen ik een jaar of twaalf, dertien was. Het was nog steeds oorlog. Constance had me die dag weggerukt uit de handen van mijn laatste leraar. Die man, een luguber uitziende Wit-Rus, een emigré, was een van Constances talloze verschoppelingen. Constances wekelijkse party's kregen altijd extra kleur door vorstelijke, verarmde aristocraten, wier invloed sinds lang verdwenen was. Servische groothertogen, de *Gräfin* van dit, de *duqueza* van dat; de geschiedenis schreed door Constances party's.

De Rus die mij les gaf, heette Igor, hij was lui en rommelde maar wat aan. In een vlaag van enthousiasme leerde hij me die eerste week de meest vitale dingen: hoe je sevruga van beluga kon onderscheiden, hoe je een kniebuiging moest maken als je een Russische groothertogin ontmoette. Ik leerde de naam van de gerant in het beste restaurant in Moskou van voor de Revolutie – een restaurant dat een jaar of vijftien geleden was opgeblazen. Ik hoorde dat Igor de bolsjewisten verafschuwde. In de tweede week merkte ik dat Igor zijn belangstelling verloor. Een enkele maal wist hij zich van zijn melancholie te bevrijden en las hij me iets in het Russisch voor. Maar toen hij merkte dat ik het niet verstond, was hij dodelijk beledigd, hij vond het een bewijs van slechte manieren, denk ik. Hij ging over op het Frans, rilde bij mijn armzalige antwoorden en gaf het op. Met een gebaar van kwijnende ergernis stelde hij voor dat ik maar moest gaan zitten lezen. En dat deed ik. Ik was dol op lezen en ging met Bertie in een hoekje zitten. Igor, die graag droomde, zat in een andere hoek en nipte van zijn wodka. Het was een regeling waar we beiden van hielden. Er was alleen één probleem: in

Constances appartement dat van alles rijk voorzien was, ontbraken boeken.

'Je bent precies je vader,' zei Constance. 'Acland zat ook altijd te lezen. Wat is er met al die boeken gebeurd, Victoria? Die zijn nu van jou. Die hele bibliotheek van Winterscombe.'

'Ze zullen wel opgeslagen zijn, Constance. Toen het leger ons huis in beslag nam. De boeken van mamma en pappa, en die van mijn grootvader. Ik denk dat ze op zolder liggen.'

'Dan laat ik ze komen! Prudie moet maar gauw aan die oude sufferds van beheerders schrijven.'

Het duurde maanden, want de boeken kwamen per zeepost en in al die maanden maakte Constance er een soort gedenkplaats voor. Het appartement was groot en een van de kamers werd als bibliotheek ingericht. Constance ontwierp de kamer zelf en ik mocht niet komen kijken.

Toen de dag van inwijding kwam, werden Igor, Bertie en ik trots naar een schitterende kamer geleid. Alle vier de wanden waren van de vloer tot aan de zoldering, met boeken bekleed. Ik was ontroerd dat Constance zoveel moeite had gedaan, zoveel geld had uitgegeven. Zelfs Igor bleek onder de indruk. Igor streelde de Shakespeares, ik gleed met mijn hand langs de rij van Walter Scott. Maar geleidelijk merkte ik iets vreemds. De titels waren zorgvuldig gerangschikt maar al de boeken van mijn moeder stonden recht, die van mijn vader links in de kamer. Dezelfde schrijvers waren gescheiden door een literaire apartheid. Ik zei niets, want ik wilde Constance niet beledigen. Igor, die een goed gevoel voor zelfbehoud had, zei ook niets en Constance liet ons alleen met boeken rechts en links.

In deze eigenaardige kamer zat ik iedere dag te werken, als je het lezen van romans werken kunt noemen – en hieruit sleepte Constance me mee op de dag dat ik voor het eerst over Rosa Gerhard hoorde. Ik was verdiept in *Persuasion* van Jane Austen maar Constance moest nu eenmaal worden gehoorzaamd. In haar showrooms aan Fifty-Seventh Street moest ik mijn oordeel over een lap zijde geven en werd toen vergeten. Zo ging dat. Maar al te vaak keek juffrouw Marpruder op, liet haar kralen rinkelen en wuifde me vrolijk toe. Telefoons gingen tekeer, Constance liep spiedend rond. Ik was er graag om toe te kijken, te leren, te luisteren.

Een assistente, een elegante, indrukwekkende vrouw, nam Rosa Gerhards telefoontje aan. 'O,' zei ze, 'mevrouw Gerhard.' En er viel een stilte.

Iedereen zweeg om mee te kunnen luisteren. Men keek elkaar aan. Ik zag dat de assistente de hoorn een paar centimeter van haar oor hield. Ze zei vrijwel niets. Jammerklachten klonken uit de telefoon. Toen ze de hoorn neerlegde, telde Constance hardop – tot tien.

'Toch niet de gele slaapkamer?'

'Nee, mevrouw Shawcross. Erger. Ze gaat verhuizen, heeft een huis gekocht.'

De assistente stak een sigaret op, haar hand beefde. Rosa Gerhard – dat viel me later op – had een dergelijke invloed op mensen.

'Is dat het zevende?'

'Nee, mevrouw Shawcross, het achtste. Misschien kan ik van haar afkomen.'

'Je kunt niet van haar afkomen. Rosa Gerhard is een gegeven. Je kunt even goed proberen een wervelstorm in een stofzuiger te stoppen.'

'Zal ik haar bellen? Ze zei...'

'Dat is vast niet nodig.' Constance lachte. 'Nog twintig seconden.'

We wachtten. Twintig seconden gingen voorbij, een secretaresse lachte nerveus. Dertig seconden: de telefoon rinkelde. Constance nam hem op.

'O, Rosa...' zei ze na een minuut. 'Ben jij het? Wat fijn om eindelijk iets van je te horen...'

Rosa Gerhard was als Kerstmis, ze kwam eens per jaar. Ze was op zoek naar het ideale huis en ieder jaar vond ze het. Ik kon de jaren van mijn kindertijd per huis aftellen: 1942, 1943, 1944. Rosa bereikte haar achtste, negende, tiende ideaal. Toen ze het tiende bereikte, openden we een fles champagne, weet ik nog. Ik vond mevrouw Gerhard een mysterie. Er waren veel mysteries in Constances leven en die waren, in tegenstelling tot mevrouw Gerhard, niet allemaal professioneel. Als Rosa Gerhard zo onmogelijk was, waarom weigerde Constance dan niet om voor haar te werken? Ik vroeg het eens aan juffrouw Marpruder toen ze me mee naar huis had genomen. Ik leefde in de hoop dat Prudie het nog eens zou verklaren. Ik verheugde me altijd op een bezoek bij Prudie, zoals ik jaren geleden uitkeek naar de bezoeken van mijn oom Steenie aan Winterscombe. Ieder ogenblik kon er een onthulling komen.

Maar Prudie zuchtte, speelde met de telefoon, legde de onderlegger recht.

'Ik denk dat je peettante haar amusant vindt. Dat zal het wel zijn.'

'Maar mevrouw Gerhard maakt haar stápel. En telkens als ze zo nijdig is, zegt ze dat ze nooit meer met haar zal praten. Maar ze doet het toch.'

508

'Zo is ze nu eenmaal, schatje.' Dat zei Prudie altijd. Dat verklaarde haar stemmingen die onvoorspelbaar waren. Het verklaarde haar plotselinge afwezigheid. Ik begreep dat niet. Constance was pas weer twee dagen weggeweest en ik had gedacht: waarom?

'Prudie,' zei ik voorzichtig, 'heb je wel eens van de Hemelse Tweeling gehoord?'

Iedereen had van de Hemelse Tweeling gehoord, hun heldendaden stonden dagelijks in de roddelpers. Ze heetten Robert en Richard van Dynem maar werden Bobsy en Bick genoemd. Zij waren ècht rijk, erfgenamen van een onmetelijk fortuin, maar – een hulde aan hun uiterlijk – ze waren beroemder om hun schoonheid dan om hun rijkdom. Bobsy en Bick kwamen tragisch aan hun eind. Bobsy reed zich aan het eind van de jaren vijftig dood met zijn sportauto en niet lang daarna dronk Bick zich opzettelijk dood. Maar in 1944 waren Bobsy en Bick twintig, twee blonde jonge goden in de bloei van een stralende jeugd. Ze waren misschien niet bijzonder intelligent, maar altijd even opgewekt. Ze waren heel aardig voor me, net als hun vader en oom, ook een tweeling die je regelmatig op Constances party's aantrof.

'Natuurlijk heb ik van hen gehoord.' Prudie speelde nog met het kanten kleedje.

'Blijft Constance wel eens bij Bobsy en Bick logeren? Nu ook, Prudie?'

Ze wist altijd waar ze Constance kon bereiken en dat wist ik.

'Wat – in hun huis op het eiland?' Prudie haalde de schouders op.

'Waarom, ze heeft toch een eigen huis?'

'Ja, maar Constance is er niet, Prudie. Ze had gezegd dat ze erheen zou gaan en ik probeerde haar gisteravond op te bellen. Ze was er niet.'

'Dat moet je niet doen.' Prudie kreeg een kleur. 'Daar houdt ze niet van. Dat weet je toch wel?'

Ze zweeg even en legde een paar kussens recht.

'Ze was zeker uit. Naar een party, of om ergens te gaan eten.'

Dat was mogelijk. Zou ik Prudie vertellen dat de party dan wel lang had geduurd? Ik had Constance op East Hampton om drie uur en toen weer om vier uur opgebeld. Ze was toen nog niet terug. Ik zou het maar niet zeggen.

'Waarom Bobsy en Bick?' vroeg Prudie plotseling. 'Ze kan overal zijn.'

'Om iets wat ik Bobsy tegen Constance hoorde zeggen. Toen maakten ze een afspraak en de volgende dag praatte Constance er niet meer over.'

'Zeker van gedachten veranderd,' zei Prudie ondeugend. 'En jij hebt daar niets mee te maken, nieuwsgierig aagje.'

'Dat weet ik, Prudie, en ik wilde niet nieuwsgierig zijn. Maar ik wil graag weten – soms…'

Prudies gezicht werd zacht. 'Kijk, je peettante vindt het fijn om uit te gaan. Jíj weet dat, ík weet dat. Ze kan nu niet zoveel reizen – door de oorlog. Maar ze wil graag mensen ontmoeten. Plezier maken.'

'Prudie,' zei ik in een opwelling, 'heb je haar man ooit ontmoet? Heb je Montague Stern gekend?'

'Nee,' antwoordde Prudie bot.

'Denk je dat ze van hem heeft gehouden, dat hij van haar hield, Prudie?'

'Wie weet?' Prudie draaide zich om. 'Ik weet één ding: ik heb er niets mee te maken. En jij ook niet.'

Dat was het dan, een stenen muur. Ik liep er die dag tegenop, ik zou er later weer tegenop lopen. Ik dacht dat Prudie veel meer wist dan ze vertelde. Ik dacht dat Prudie wist van Montague Stern en Bobsy en Bick en dat ze de reden kende van Constances afwezigheid. Ik dacht dat ze ook andere dingen kon verklaren: de bloemen voor Constance die naar het appartement werden gebracht en waarvan de kaartjes werden verscheurd, de telefoongesprekken, afgebroken als ik de kamer binnenkwam. Prudie zou me kunnen uitleggen waarom Constances gezicht veranderde als ze het over haar ex-man had. Prudie kon vast alles uitleggen over de liefde, want ik wist dat dit allemaal over liefde ging. Ik herkende de aanwijzingen, ik was ze tegengekomen in romans.

Maar Prudie legde niets uit en – ging ik nu begrijpen – Constance evenmin.

'Liefde?' Constance gooide haar hoofd in de nek. 'Ik geloof niet in liefde, niet tussen een man en een vrouw. Ik geloof in aantrekkingskracht en een heleboel zelfbelang.' Dan kuste ze me. 'Ik houd natuurlijk van jóu. Ik houd heel veel van jou, maar dat is anders.'

Ik scheen op mijn veertiende nog te jong voor de liefde te zijn. Ik kon lezen en dromen, maar geen vragen stellen. Vragen over haar vroegere huwelijk, haar afwezigheid, en liefde – al die dingen ergerden Constance. Dus hield ik ermee op. Maar ik bleef vragen naar een paar van de spannendste cliënten van Constance, zoals Rosa Gerhard.

'Hoe is ze nu eigenlijk?' vroeg ik Constance. Het was voorjaar 1945 en ik was bijna vijftien. Mijn laatste brief aan Franz-Jacob moest nog geschreven worden. We liepen met Bertie door Central

Park. (Bertie die de voorspelling over zijn levensduur negeerde, was elf.)

'Eens kijken. Ze is van heel goede familie en een beetje excentriek. Ze is katholiek opgevoed, en bekeerd toen ze met Max trouwde. Ze gaat iedere week naar de synagoge, ze gaat ook naar de mis. Daar ziet ze niets tegenstrijdigs in. Zo'n soort vrouw is ze.'

'Is ze nog met Max getrouwd?'

Constance glimlachte. 'Hemel, ik weet het niet meer. Ze verzamelt toch huizen? Nou, ze verzamelt mannen ook, en kinderen.'

'Mannen?' Ik had er geen idee van dat ik werd misleid. 'Je bedoelt dat ze telkens gaat scheiden?'

'Nee, ik geloof dat ze doodgaan. Ze gaan dood aan haar. Ik weet zeker dat Rosa veel van hen houdt maar ze put hen uit. Weet je hoe een auto klinkt na honderdduizend kilometer? Zo klinken Rosa's mannen ook. Maar meneer Gerhard heeft het wel tien jaar uitgehouden. Heel bijzonder.'

'En de kinderen?'

'O ja. Ik geloof niet dat ik ze ooit heb ontmoet. Ze lopen altijd weg. Maar er zijn er een heleboel. Negen, tien – misschien twaalf. Ik weet wel alles over hen, want Rosa vertelt het me allemaal. Er is een filmregisseur bij, een senator, de burgemeester van New York, een advocaat. En een dochter die de Pullitzerprijs heeft gekregen. O, en dan nog een zoon met de Nobelprijs.'

Ik bleef staan. We waren boven aan de watervalletjes gekomen.

'De burgemeester? Een Nobelprijs?'

'Ja, maar ik ben vergeten of het voor natuurkunde of medicijnen was. Het is een paar jaar geleden. Hij was toen dertien.'

'Je bedoelt, ze zijn niet... al die dingen?'

'Ik bedoel dat Rosa een echte moeder is. Dat is haar beroep. En ze is de grootste optimist die ik ooit heb ontmoet.'

'Mag je haar, Constance?'

'Gek genoeg, ja. Maar ik weet niet waarom. Rosa is de enige vrouw die ik ken die dertig maal in dertig seconden van gedachten kan veranderen over een lapje stof. Dat kan ik zelfs niet. Toch mag ik haar graag. Ze is een *force de nature*. En ze is absoluut niet gemeen – dat, Victoria, is buitengewoon zeldzaam.'

We bleven staan bij het meer. Ik vergat Rosa Gerhard, die ik pas vijf jaar later zou leren kennen. Die middag was ik met iets anders bezig, iets dat me meer aanging dan mevrouw Gerhard.

Ik lette op Bertie. Hij liep langzamer en als hij rende, hoestte hij. Ik vroeg me af of Constance het had gemerkt maar ik dacht van wel, want toen we thuiskwamen, was ze ongewoon stil. Ze ging bij

Bertie op het kleed zitten en keek angstig. Ze zei dat ze van hem hield. En terwijl ze hem aaide, vertelde ze hem de verhalen die hij, naar zij dacht, fijn vond. Ze fluisterde in zijn oor over ijsbergen, zeehonden, witte meeuwen en de koude zeeën van Newfoundland.

De zomer van mijn vijftiende jaar was droevig en druk. Die twee feiten hoorden bij elkaar. Ik was bedroefd omdat ik me de waarheid over Franz-Jacob realiseerde, omdat ik vol was van alle vragen over leven en liefde die niemand wilde beantwoorden. En Constance en ik waren treurig vanwege Bertie, we zagen dat hij zwakker werd, al zeiden we het niet.

'Werken!' zei Constance, 'we moeten tweemaal zo hard werken, Victoria.' Dat was altijd Constances oplossing voor verdriet. Werk was therapie.

Dus die zomer werd de prikkelbare, wodka drinkende Igor aan de kant gezet en alles wat op een leerproces leek, was voor mij voorbij. Europa was nog niet mogelijk. 'Wacht maar,' zei Constance, 'na de oorlog maken we de meest fantastische reizen.'

We zaten die zomer in Constances huis in East Hampton maar toen ze er eenmaal was, weigerde ze er te blijven. Ze had een van haar rusteloze buien. Zelfs de nabijheid van Bobsy en Bick kon haar niet troosten. 'Werken!' riep ze als ze Bertie lusteloos in de schaduw zag liggen hijgen – dus werkten we. Die zomer wijdde Constance me in in de geheimen van haar kunst. Ik wist er al iets van. Ik had goed naar Constance geluisterd. Ik had in de hoek van haar showrooms gezeten. Ik had boodschappen mogen doen en telefoons mogen aannemen, ik was geraadpleegd bij het kiezen van kleuren. Ik kon ook al met het blote oog de maten van een kamer schatten en begon iets van proporties te begrijpen en die zomer, de laatste van de oorlog, liet Constance me de riten van de tempel meemaken.

Ze had in het begin van het jaar een opdracht gekregen om een enorm huis opnieuw in te richten. Het huis had een eigen strandje en lag vijftien kilometer van haar eigen huis vandaan. De eigenaar zat in Californië. Constance had de opdracht gekregen ondanks hevige concurrentie. Maar toen ze die eenmaal had, verloor ze er alle belangstelling voor. Nu leefde die weer op. 'Huize De Hoop' noemde Constance het. Als we hard genoeg werkten, was er geen ruimte voor verdriet. We gingen er iedere dag heen, alleen wij tween. Constance had een Mercedes coupé waarmee ze snel en gevaarlijk reed. Bertie werd op de achterbank geïnstalleerd. Constance droeg een zonnebril en het korte haar, dat me altijd aan een Egyptische deed denken, wapperde in de wind, net als Berties oren. Als we er waren, werd Bertie op de stenen in de hoge hal neergelegd en gingen Constance en ik aan het werk. Vormen, licht, kleur, proporties: Constance gaf me een stoomcursus. Ik vond de salon heel mooi: kijk nog eens, zei Constance dan, en ik zag dat de proporties niet goed waren.

'De deuren zijn te hoog en niet op één lijn. En de ramen hebben de verkeerde stijl voor de periode. Zie je?'

En toen een paar weken later de werklieden kwamen, zag ik nog meer. Ik wist allang dat ik binnenhuisarchitecte wilde worden en in Huize De Hoop begon ik daarmee. Ik leerde de pool van fluweel, de handelbaarheid van zijde kennen. Constance leerde me dat kleur, net als waarheid, niet vaststaat maar veranderlijk is. Kleuren veranderen met de belichting. Neem een lap stof. Die is groen, zie je? Helder groen, als smaragd? Leg het naast wit en misschien is het dan zo, maar probeer het naast zwart, naast paars of kobalt. Zie je? De tint verandert. En geel? Welk geel bedoel je? Citroen, oker, saffraan? Ik kan het je allemaal geven, maar ik kan het ook anders doen lijken. Vertrouw nooit op je ogen – die zomer leerde ik hoe je ze voor de gek kan houden.

Constance leerde me over vorm, proportie. Ze nam iets vaststaands en gaf het een nieuw uiterlijk. Alles is mogelijk: een koude kamer kan warm lijken en iedere ruimte kan anders worden door de dubbelhartigheid van binnenhuisarchitecten. Ze zetten de ruimte naar hun hand. Geef me licht, geef me kleur, geef me geld en ik geef je symmetrie.

Een zomer waarin ik leerde toveren, leerde maskeren. Constance die zo goed verhalen kon verzinnen, was een geboren binnenhuisarchitecte. Ze leerde het me goed en met veel geduld.

We bleven de hele zomer in Huize De Hoop. Ik had niets gevraagd. Het kwam vanuit de warme stilte van de zomermiddag, en – misschien – van de armband die ik die dag om mijn arm droeg. Mijn slangenarmband, het doopgeschenk. Hij was tegelijk met de boeken naar New York gekomen en Constance wilde graag dat ik hem droeg, ook overdag.

Ze zei: 'Wat ben je mooi vandaag. Je wordt groot. Binnenkort ben je een vrouw. Dan laat je mij achter. Dan heb je mij niet meer nodig, je kleine peettante.'

Toen, met haar kleine hand op de mijne, vertelde ze waarom ze van Winterscombe was verbannen.

Ik was teleurgesteld. Ik las al die boeken en was nu begonnen aan mijn vaders geliefde Walter Scott. Ik verwachtte een drama, een onecht kind, een verborgen liefdesgeschiedenis. Maar nee, het was geld.

'Geld.' Constance zuchtte. 'Dat is het dikwijls. Je bent nu oud genoeg om dat te weten. Je ouders hadden geleend van mijn man. Hij was een fijn mens, Victoria, maar je kon beter niet bij hem in de schuld staan. Er kwam ruzie van, er werden wederzijds onvergeeflijke dingen gezegd. Het was heel verdrietig. Je vader was als een broer voor me. Ik hield veel van hem. Ik hield op mijn manier ook van Montague. Het is lang geleden, maar ik mis Winterscombe soms, zelfs hier. Het wordt laat en Bertie is moe. Op de terugweg kunnen we even bij de Van Dynems langs gaan.'

Een paar dagen hierna keerden we naar New York terug. Eind september. De oorlog was voorbij, ik schreef mijn laatste brief aan Franz-Jacob. Ik dacht aan de liefde en hoe je die kon herkennen als het gebeurde. Ik dacht aan de soorten liefde – voor een vriend, of een broer of een man. Ik dacht ook aan de dood. Dat kon niet anders. Ik had Franz-Jacob verloren binnen een maand na het eind van de oorlog. Ik had ook mijn tante Maud verloren. Ze kreeg haar laatste beroerte toen ze rechtop in haar stoel zat in haar eens zo beroemde salon. Ik zou haar nooit meer zien. Nu leek het of we zeven jaar geleden afscheid hadden genomen. Geen brieven meer.

Verdriet komt met hele bataljons tegelijk, zei Constance altijd en deze herfst was dat ook zo. Ook Bertie ging sterven. Je zag het gebeuren. Hij was als een klok die afliep. Hij liep steeds langzamer, hij hoestte. Hij ging stinken. Ik denk dat hij het wist. We konden hem niet opfleuren. Constance gaf hem stukjes kip. Ze probeerde hem uit haar hand te laten eten, maar hij keek haar verwijtend aan en wendde zijn kop af. Ik denk dat hij wist dat hij stierf – dieren weten dat – en hij wilde alleen en waardig doodgaan. Wilde dieren vinden een plek voor zichzelf, Bertie ging in een hoek liggen. Constance was wanhopig. Ze riep de ene dierenarts na de andere. Ze zei al haar afspraken af. Ze gaf geen party's. Toen het duidelijk werd dat Bertie lag te sterven, bleef ze steeds bij hem.

Op een dinsdag stond Bertie op en rekte zich uit. Hij hief zijn kop op en snoof. Constance sprong verrukt overeind, want Bertie was naar zijn ventilator gelopen. Hij keek ernaar en kwispelde. Constance zette het ding zachtjes aan. Bertie stond er met zijn neus naartoe. Toen liep hij stijf naar de deur.

'Hij wil uit. Kijk, Victoria. Hij moet een stuk beter zijn, denk je niet?'

Het was een warme herfstavond. We liepen naar het park, langs de dierentuin en Bertie wees de weg. Hij bekeek de watervalletjes, de trappen. Hij plaste op zijn lievelingsplekjes. Toen we weer thuis waren, vond hij een plaatsje achter de sofa, naast een kamerscherm. Een fijn afgezonderd plekje. Bertie ging liggen slapen. Hij snurkte. Hij krabde met zijn voorpoten. Constance aaide zijn poten met de zwemvliezen.

Ik wist dat hij dood was zodra ik de volgende ochtend wakker werd. Het was heel vroeg, ik hoorde Constances geweeklaag. Toen ik binnenkwam, lag Bertie met zijn kop op zijn voorpoten. Zijn flanken bewogen niet. De enorme staart die alle kopjes van tafel kon vegen, lag onder hem. Constance lag naast hem op de grond. Ze was niet naar bed geweest. Ze had haar arm om zijn nek en haar handen met de glimmende ringen lagen in zijn vacht. Ze kon niet huilen en wilde niet weg. Zo bleef ze twee uur liggen en als ik maar één herinnering aan haar zou mogen houden, zou het deze zijn, die van mijn peettante die afscheid nam van haar laatste, liefste hond. Haar critici hadden ongelijk. Winnie had ongelijk en Maud en ook ik heb niet altijd gelijk gehad. Degenen die een hekel aan Constance hadden, zagen slechts een gedeelte van haar. Ze begrepen het niet... laten we zeggen dat ze het niet begrepen van de honden.

Bertie had een mooie begrafenis. Hij werd op het goedverzorgde dierenkerkhof begraven. De grafsteen was ontworpen door de orchideeachtige jongeman die naam had gemaakt met zijn coulissen voor ballet. Het moest een ijsberg worden en van een bepaalde kant lijkt het er ook op, maar de steen kon geen ijs weergeven. Constance moest toegeven dat het geen succes was. De jongeman beweerde dat het een meesterwerk was maar hij bewonderde zijn eigen dingen altijd. Constance werd woedend en zei dat het een klomp slecht bewerkte steen was, een belediging voor Berties nagedachtenis. De ontwerper, trillend van woede, zei dat ze eerst eens volwassen moest worden. Berties begrafenis was keurig, maar de nasleep niet.

Constance hield haar belofte. Ze kocht nooit meer een nieuwe hond. Maar de dood van Bertie veranderde haar. De eerste weken na zijn dood was ze zwaar gedeprimeerd. Ze ging het appartement niet uit. Werkte niet. At nauwelijks. Toen ik op een dag van de showroom thuiskwam, zat ze met haar hoofd in haar handen, haar gezicht zonder make-up, haar Egyptische kapsel in de war. Ze zei dat er een vogel in de kamer was. Ze had het raam geopend en de vogel was naar binnen gevlogen. Ze hoorde zijn vleugels. Ze kreeg er hoofdpijn van. Om haar te kalmeren doorzocht ik de kamer.

Zoals al Constances kamers was ook deze stampvol. Ik moest achter het kamerscherm, onder stoelen en tafels kijken, en alles opzij zetten. Natuurlijk was er geen vogel maar om haar gerust te stellen deed ik of ik het dier gevonden had. Ik maakte een kom van mijn handen. Ik opende het raam. Ik zei tegen Constance dat de vogel weg was en toen scheen ze op te leven.

Een dag of drie later gebeurde er iets bijzonders. Ik was in de werkplaats geweest in een poging haar afwezigheid te verdoezelen. Bestellingen en opdrachten liepen terug. Er moesten beslissingen worden genomen en alleen Constance kon dat doen. Een van die beslissingen gold Rosa Gerhard die weer aan het verhuizen was. Ze had gestaan op een blauwe slaapkamer. Toen had ze gedacht dat roze of lavendel beter zou zijn. Soortgelijke veranderingen moesten in alle kamers plaatsvinden: in kamers waarvoor de kleurenschema's al klaar lagen. Rosa Gerhard was teruggekeerd tot een blauwe slaapkamer maar kon niet kiezen tussen twee soorten gordijnstof. Ik wist dat verder uitstel zou leiden tot een keuze uit vijftig en zei dat ik Constances mening zou vragen. Ik kwam thuis, met twee lappen stof onder mijn arm, rende de spiegelhal in en bleef staan. Want daar, blijkbaar op het punt om afscheid van een stralende Constance te nemen, stond een lange, bejaarde man. Aan zijn kleren te zien was hij een van Constances vroegere aristocraten, een Roemeen of een Rus. Hij zag eruit als een buitenlander, en de snit van zijn kleren zou dertig jaar geleden in de mode zijn geweest. Een lange man met een rechte rug, sterke gelaatstrekken en dunnend, rossig haar. Hij droeg een zwarte jas met een astrakan kraag.

Ik bleef staan. Hij bleef staan. We keken naar elkaar. Ik zag Constance in de vele spiegels. Ze zei niets, bewoog alleen haar handen.

'Dit moet Victoria zijn?'

De man had een diepe stem, een accent dat ik niet kon plaatsen. Centraal-Europa dacht ik. Hij maakte een kleine formele buiging met het hoofd.

'Aangenaam,' zei hij en liep de deur uit naar de lift die zich achter hem sloot.

'Dat was mijn echtgenoot,' zei Constance. Stern was gekomen om haar te condoleren met het verlies van Bertie. Ze scheen er niets vreemds aan te vinden dat een man die ze in geen vijftien jaar had gezien, terugkwam om zijn deelneming te betuigen met de dood van een hond.

'Zo is hij,' zei ze, 'zulke dingen doet hij. Je kent hem niet. Hij was altijd zeer vormelijk.'

Dat kon ik nog net begrijpen, maar wat ik niet begreep was hoe

Stern wist van Berties dood. Constance was zeker in staat geweest om een advertentie in *The New York Times* te zetten maar dat had ze niet gedaan.

Constance had geen uitleg nodig. 'O, dat weet hij gewoon,' zei ze onverschillig. 'Montague hoort altijd alles.'

Vanaf dat ogenblik werd Constance weer beter. Er bleef een stille droefheid, maar de zware depressie was weg. Ze werkte de eerstvolgende maanden met nieuwe energie. Ik hoopte in stilte dat deze ontmoeting een toenadering tussen Constance en haar man teweeg zou brengen. Ik werd teleurgesteld. Stern kwam niet nog een keer op bezoek. Constance scheen hem weer te vergeten. Haar leven werd steeds chaotischer. Het eind van de oorlog betekende dat ze weer kon reizen. Dit waren de jaren van vliegtuigen, boten en treinen, koortsachtige bezoeken aan het naoorlogse Europa, met uitstapjes naar Venetië en Parijs, van Parijs naar Aix, van Aix naar Monte-Carlo, vandaar naar Londen.

Naarmate de tijd voorbijging werden die reizen steeds willekeuriger. Constance kon midden in de nacht besluiten om de volgende ochtend naar Europa te gaan. Ze liet haar werk liggen – laat de cliënten maar wachten. Eerst ging ik met haar mee maar later scheen ze liever alleen te gaan en bleef ik achter om, zoals ze zei, op de winkel te passen. 'Hè, Victoria,' zei ze dan, 'je doet het zo goed.'

Het duurde lang voordat ik zag dat er een andere, voor de hand liggende reden was waarom Constance me liever achterliet. Ik was zestien toen ik me realiseerde dat ze niet alleen op reis ging. Ze ging met, of ontmoette, minnaars. Zelfs toen had ik een eigen vorm van censuur. Ik noemde hen geen minnaars, die mannen die met de snelheid van het licht door Constances leven trokken. Haar bewonderaars, zei ik op mijn zestiende. En ik was achttien toen ik toegaf dat niet al die bewonderaars zo vluchtig voorbijgingen en dat tot de vaste aanhang de tweeling hoorde die twintig jaar jonger was dan zij: Bobsy en Bick. Ik dacht er niet aan om commentaar te leveren. Constances humeur werd steeds onberekenbaarder en ze werd woedend zodra ze dacht dat ze werd ondervraagd of dat er op haar gelet werd.

Ik dacht wel eens dat Constance minder om me ging geven toen ik ouder werd. Als ze van zo'n reis terugkeerde met een spottend lachje om haar mond, zei ze beschuldigend: 'Je bent alweer gegroeid.' Een andere maal overstelpte ze me met hartelijkheid of met cadeaus. Als ik eenentwintig werd, zou ze me haar partner maken. Intussen zou ik het misschien leuk vinden aan die opdracht voor dat prachtige huis te beginnen – zou ik daar niet graag aan willen werken? Ik kon meteen beginnen, ze zou me wel opbellen vanuit haar schuilplaats in Venetië, Parijs of Aix om me raad te geven.

Zo werd ik ook in de laatste maanden van 1950, kort voor mijn twintigste verjaardag, naar Westchester County gestuurd. Rosa Gerhard verwachtte me in haar twaalfde huis. Constance zei dat ze besloten had me voor de leeuwen te gooien, zelf ging ze de volgende dag naar Europa. Ze vond de hele geschiedenis een bron van vrolijkheid en dat vonden juffrouw Marpruder, de assistenten, de secretaressen en de rest van de staf ook. De staf bood me een feestje aan en gaf me, om me succes te wensen, een stel oordoppen.

'Blijf vooral absoluut, totaal, driehonderd procent op je stuk staan,' zei Constance voor ik vertrok. De secretaresses lagen dubbel van het lachen.

'Vergeet niet naar de kinderen te vragen!' riep een geestigerd. Ik wierp hun een koude blik toe en hield mijzelf voor dat ze kinderachtig deden. Op mijn twintigste, optimistisch en onervaren, dacht ik dat ik het wel klaar zou spelen. Ja, Rosa Gerhard was moeilijk maar iedere cliënt was te manipuleren. Ik moest alleen de juiste techniek zien te vinden.

Tien uur later kwam ik uitgeput thuis.

'Alsjeblieft, Constance, doe me dit niet aan. Ik mag haar graag maar ik kan niet met haar werken. Ga alsjeblieft niet naar Europa. Of doe haar over aan iemand anders.'

'O, ze is dol op je,' antwoordde Constance. 'Ze vindt je geweldig. Intelligent, mooi, origineel.' Constance genoot ervan.

'Ik ben dood voor zover het Rosa Gerhard betreft. Net als haar echtgenoten. Ik kan niet meer.' Ik zweeg even. 'O ja, je hebt je vergist. Met mannen, bedoel ik. Er wàs er maar een. Is er maar een. De overlever, Max.'

'Heb ik me vergist?' Constance deed onschuldig. 'In ieder geval was het een goed verhaal. Maar het is een feit dat je, als je haar aankunt, iedereen aankunt. Mevrouw Gerhard is van jou, met haar man, met haar kinderen. O, heb je een van hen ontmoet?'

'Ja, een.' Ik aarzelde. 'Kort. Toen ik wegging.'

'Dat zei ik al. Ze vluchten. Maar wat spannend. Wie was het?'

'Een van de zoons.'

'En? En?' Constance boog zich naar voren. 'Hoe ziet hij eruit? Ik wil àlle details. Je bent niet erg mededeelzaam.'

'Híj was niet erg mededeelzaam. Er zijn geen details. Hij zei hallo en dag. Dat was alles.'

'Dat geloof ik geen moment. Je verbergt iets. Dat merk ik.'

'Nee. Ik zei het al. We werden aan elkaar voorgesteld, gaven elkaar een hand...'
'Vond je hem aardig?'
'Ik had geen tijd om hem al dan niet aardig te vinden. Hoewel ik dacht dat hij mij antipathiek vond.'
'Onmogelijk!'
'Heel goed mogelijk. Misschien is hij allergisch voor binnenhuisarchitecten. Onder deze omstandigheden begrijp ik dat best.'
'Ja. Inderdaad.' Constance fronste. 'Welke zoon was het?'
'De tweede, geloof ik, Frank Gerhard.'
'Knap?'
'Kennelijk heel intelligent, van wat Rosa vertelde. Niet dat het erop aankomt, maar hij is, dacht ik, de Nobelprijswinnaar.'

12

Frank

De Nobelprijswinnaar, Frank Gerhard. De eerste maal dat ik hem zag, jaren voor onze ontmoeting in Venetië, was hij misschien weinig mededeelzaam maar Rosa Gerhard was dat niet.

In de loop van de tien uur die ik bij haar doorbracht, kwam er weinig schot in het ontwerp voor haar huis, maar heel veel in andere opzichten. Toen ik vertrok, kende ik Rosa's familiegeschiedenis vanaf haar grootouders. Ik zag nu precies hoe Constance, die als altijd op de dingen voortborduurde, de zaak bij elkaar had gefantaseerd. Ze had slechts in één ding gelijk: er waren een stuk of twaalf kinderen. Negen waren van Rosa zelf, en drie van de gestorven broer van haar man die door Rosa in huis waren genomen. Max, de enige en blijvende echtgenoot, was er niet en Rosa zei dat dat een gewoonte van hem was. Zelfs als hij geen lezing hield of college gaf, scheen de professor moeilijk thuis te kunnen werken. Hij kon zich niet concentreren, zei Rosa vertederd. Dat was wel te begrijpen, een verwarrend aantal kinderen vloog door het huis heen.

Rosa bemoeide zich *en passant* met hen. De leeftijd van de kinderen varieerde tussen vijf jaar en begin twintig. Toen ze me rondleidde door het chaotische huis, onderbrak ze haar verhaal om een kapotte knie te verzorgen, een ruzie te beslechten, een jongen van tien te helpen die een gaatje in zijn voetbal had, en een schoon overhemd te zoeken voor een ongelukkige tiener. Op al die dingen wierp ze zich met haar volle energie en keerde daarna terug tot haar onderwerp zonder een woord over te slaan.

'En dit vloerkleed? Vind je het mooi? Ik vind het monsterlijk, maar Max houdt ervan. Zou er blauw bij kunnen? Of misschien geel? Of groen? Dit is Daniël. Daniël is vijftien. Hij schrijft gedichten. Aan een stuk door. En hij raakt zijn overhemden kwijt. Het blauwe, Daniël? Kun je het witte niet nemen? Oké, het blauwe. In de kast op je kamer. Ja, ik heb er een knoop aangenaaid. Als we dat kleed nu eens beneden leggen? Zou Max dat erg vinden, denk je? Ik denk wel eens dat hij alleen maar zijn boeken ziet. Toch kunnen mannen zo zijn. Hierheen, Victoria. Nog meer mensen om je aan voor te stellen. Kun je het bijhouden? Dit is Frank.'

Frank Gerhard, een knappe man, stond op toen we binnenkwamen, de kamer bleek zijn studeerkamer te zijn. Hij legde beleefd zijn boek neer. Rosa begon aan een lang verhaal, eerst over de prestaties van Frank en toen over die van mij. Er volgde een pijnlijke verklaring over mijn gaven en over de sympathie die Rosa voor me voelde zodra we elkaar ontmoetten. Frank Gerhard luisterde zwijgend. Ik zag dat hij twijfelde aan haar lovende woorden en hij bleef met de armen over elkaar staan tot Rosa scheen te begrijpen dat er iets mis was. Ze aarzelde – onkarakteristiek voor haar – en nam me toen mee de kamer uit. Onze ontmoeting was dus niet zoals ik die aan Constance had beschreven. Frank was niet de enige zoon die ik had ontmoet en de ontmoeting was ook anders. Maar Frank bracht mij in de war en Rosa ook, geloof ik, want toen we thee dronken beneden, kwam ze op haar zoon terug.

'Hij werkt zo hard en we onderbraken hem. Hij zit voor zijn laatste examen op Columbia. Hij is een perfectionist. Frank is niet... dat moet je niet denken... hij werkt te hard... ik denk dat dat het is. De afgelopen nacht heeft hij doorgewerkt, helemaal niet geslapen. Hij nam geen ontbijt, niets. En hij is zo bleek. Ik zei dat hij zich ziek maakte, dat er andere dingen in dit leven zijn. Ik probeerde hem te vertellen over het huis, over jou. Maar nee, hij wilde niet luisteren. Vond jij hem niet bleek?'

Ik gaf toe dat hij bleek was maar dat was niet het voornaamste dat me bijbleef van die ontmoeting. Na nog wat gepraat over haar zoon, zijn knappe uiterlijk, zijn studie, was het mogelijk Rosa weer op het onderwerp van het huis te brengen.

Een tijdlang sprak ze enthousiast over haar plannen, maar we hielden ons niet lang aan dat onderwerp. Ik geloof eigenlijk dat Rosa niet echt in huizen was geïnteresseerd. Rosa droomde van een volmaakte, geordende omgeving met een kamer voor ieder kind, ruimte voor iedereen om met elkaar om te gaan en om afzondering te kunnen zoeken, maaltijden op tijd, en prachtig ingerichte kamers. Ik denk dat ze droomde van al die dingen, maar ze bereikte ze nooit en als het gelukt was, had ze er niet in kunnen leven. Misschien dienden al die verhuizingen en plannen alleen als uitlaat voor haar overmaat aan energie. Het ging in wezen niet om de huizen, merkte ik al gauw; in alle jaren die ik haar kende, draaide het om haar man en haar gezin.

Die dag keerden we al gauw tot dat onderwerp terug. Rosa over kleurnuances was ondraaglijk vermoeiend, Rosa over familiedrama's was interessant. Ik was enig kind. Ik was nooit op school geweest. Ik had heel weinig vrienden van mijn eigen leeftijd, vanaf mijn kindertijd in Engeland tot in al de jaren in New York was ik vrijwel uitsluitend onder ouderen geweest. Ik woonde met Constance in een appartement dat de antithese was van dit huis, waar ieder voorwerp, ieder meubel, ieder schilderij zijn ideale plaats had. Het huis van de Gerhards was voor mij een reis naar een vreemd land. Toen ik naar Rosa zat te luisteren, voelde ik me onuitsprekelijk eenzaam, met een hartstochtelijk verlangen om op te groeien met broers, zusjes, rommel, vrienden. Misschien voelde Rosa dit. Ze was een van die vrouwen die door de warmte van hun persoonlijkheid confidenties van anderen te horen krijgen. Ze had ook iets directs dat barrières afbreekt. Ze vond me heel terughoudend, zei ze, maar toen ze meer over mijn achtergrond had gehoord, begon ze te lachen.

'O, je bent een Engelse. De Engelsen zijn zo. Die sluiten vriendschap per millimeter, hè? Telkens iets meer. En na zestig jaar kun je misschien zeggen dat je een vriend van hen bent. Nooit eerder. En bij mij – zestig minuten, of zestig seconden. Als ik iemand graag mag, mag ik hem. Ik weet het altijd onmiddellijk.'

Rosa had gelijk, althans wat mij betreft. Ik was te veel op mijn hoede. Ik verlangde ernaar om anders te zijn, even onbevreesd als Constance, even open en impulsief als Rosa. Ik dacht dikwijls: ik tel de jaren af. Wanneer begint dat leven voor mij? Daarom probeerde ik bij Rosa meer van mijzelf te geven met het resultaat dat Rosa veel meer van me wist dan wie dan ook behalve Constance en ik kon Rosa ook niet weerstaan toen ze me steeds dichter naar het onderwerp manoeuvreerde dat haar het meest na aan het hart lag: de romance. Rosa was een overtuigde romantica. Ze had me al vele malen het verhaal van Max, hun eerste ontmoeting, hun huwelijk, verteld. Ook had ze me onthaald op de liefdesgeschiedenissen van haar ouders, grootouders, een oom, verschillende neven en nichten en een vrouw die ze een keer in de bus had ontmoet. Rosa vertelde die verhalen heel goed. Ze gingen over eerste ontmoetingen, en *coups de foudre*. Wanbegrip, hoop, verleiding. Maar al die verhalen hadden één ding gemeen: ze eindigden goed. Geen echtscheiding, geen dood, geen ruzie, geen overspel. Ze waren als de romans van mijn tante Maud, want al Rosa's verhalen eindigden met een ring en een omhelzing.

Het duurde even voordat ik begreep dat die verhalen ook wenken waren. Ze werden gevolgd door stiltes. Rosa wachtte op míjn verhaal, mijn romance. Maar er was er geen, tot mijn grote verdriet. Toen ik dat eindelijk moest toegeven, werd Rosa zeer begrijpend. Die Engelse terughoudendheid, misschien dat ik haar later in vertrouwen zou nemen. Nee, ze zou geen woord meer zeggen, niets meer vragen. Maar bij de volgende ademtocht was het: 'Soms een speciale vriend?'

We zaten in haar salon en ik had monsters van zijde uitgelegd aan mijn voeten, terwijl ik een bordje met een heerlijke *Sachertorte* op schoot had. Ze keek me weemoedig aan. 'Een mooi meisje als jij, zo jong en met haar hele leven voor zich, dan moet er toch iemand zijn. Wacht je tot hij je opbelt? Klopt je hart sneller wanneer je zijn stem hoort? En als hij schrijft zoals mijn Max mij vroeger schreef...'

'Nee, Rosa. Geen telefoontjes, geen brieven. Geen speciale vriend.'

Ik zweeg. Frank Gerhard was juist binnengekomen. Hij vroeg zijn moeder iets, toen – zonder een blik in mijn richting te werpen – ging hij weg.

'Wat een blos!' zei Rosa toen de deur dicht was. Ze glimlachte zelfgenoegzaam. 'Je verbergt iets. Vooruit dan maar, op zijn tijd vertel je het wel.'

Rosa had gelijk. Toen die erkenning kwam, maanden later, was het werk van Rosa's huis in Westchester al lang klaar. Het werk dat acht maanden duurde, bevestigde onze vriendschap, hoewel dat wel vaak via ruzies liep.

Rosa had een eigenaardige smaak. Haar kamers waren, net als Rosa zelf, tweeslachtig. Van haar eigen familie had ze mooi, maar wat zwaar meubilair geërfd en een paar uitstekende schilderijen. Er waren gobelins bij die zouden passen in een *Schloss* maar niet in Westchester. Er waren antieke Duitse kasten van zwart eikehout en enorm hoge kerkkandelaars. Al die dingen moesten met de meubels worden gebruikt die Rosa zelf had aangeschaft en die grotendeels vrij opzichtig waren. Rosa hield van verguldsel, ze was dol op rococo. Ze had een verzameling kostbare – en naar ik vermoedde – namaak Louis XIV-stoelen. Aan de ene kant moest er ruimte worden gemaakt voor sentimentele glazen dieren en aan de andere voor verfijnd Meissen porselein. En dan was er nog de invloed van Max en van de kinderen. Er lagen boeken, stapels tijdschriften, grammofoonplaten, instrumenten, speelgoed. De orde in dit huis verloor het steeds van alle rommel. Ik vond het misschien prettig om er te zíjn, maar het wèrken daar ging tegen al mijn principes in. Ik probeerde het aan Constance uit te leggen, maar die lachte alleen maar.

'Wees niet zo'n purist,' zei ze. 'Maak het werk af en vergeet het verder. Dan hoef je nooit meer terug te komen.'

Maar ik ging wel terug, dat wist ik. Rosa trok aan me, haar gezin trok aan me. Stap voor stap werd ik opgenomen in de familiekring.

Ik kwam terug voor een familiedineetje, voor thee met Rosa, voor besprekingen over de volgende kamers – en ik merkte dat· al het werk dat ik had gedaan alweer vernietigd was. Rosa verknoeide een kamer binnen een week nadat hij klaar was. Dan weer verscheen een van die alomtegenwoordige lampekappen met strookjes, dan weer een stuk monsterlijk geslepen glas – Rosa hield van alles wat glom. Een Meissenfiguurtje keerde terug – prachtig, maar stond dan naast een intens lelijke glazen pelikaan. Ik keek om me heen naar die eens zo mooie kamer en zag een overmaat aan dingen.
'Rosa, wat doe ik hier? Wat heeft het voor zin?'
Ik kan heel driftig zijn en Rosa ook, dus deze gesprekken eindigden in lange hartstochtelijke gevechten. Minstens tweemaal liep ik weg en zei dat ik niet met haar kon werken. Minstens tweemaal ontsloeg Rosa me, terwijl ze kussens opschudde of een glazen pelikaan tegen haar borst drukte. Het maakte geen verschil. De volgende dag belde ze me op, en ik ging terug. Aan het eind van die acht maanden, toen het huis bijna klaar was, beseften we beiden dat we eigenlijk wel genoten van die ruzies. Maar dat weerhield ons er niet van een geweldige scène te maken die ons ademloos achterliet.
Het was zo luidruchtig, zo prachtig dat we getuigen hadden, hoewel we dat geen van beiden wisten. Later ontdekte ik dat een paar van Rosa's jongste kinderen, aangetrokken door het lawaai, in de deuropening stonden toe te kijken en huilden van het lachen. Toen hoorde ik ook dat Frank hen had weggejaagd en het eind van de ruzie afluisterde, waarin ik niets zei en Rosa heel veel, maar die me gelouterd achterliet.
'Ik weet wat je denkt!' riep Rosa. 'Je denkt dat ik geen smaak heb. Erger, dat ik een slechte smaak heb. Maar niet iedereen wil in een museum wonen. Weet je wat er aan jou mankeert? Je hebt te véél smaak. *Lieber Gott* – een volmaakt oog, ja – dat geef ik toe, maar geen hàrt. Ik moet léven in deze kamers. Mijn kinderen, Max – zij leven hier ook. Dit is geen etalage, het is geen foto. Het is mijn húis.'
Rosa zweeg verontwaardigd, maar plotseling begon ze te lachen. 'Moet je ons nu toch zien. Acht maanden en nog steeds ruzie. Luister, dan zal ik het je uitleggen. Toen je klaar was met deze kamer, keek ik ernaar – hij was zo eenvoudig, zo mooi – en ik dacht, Rosa, je moet je hervormen. Leer van Victoria. Probeer het. Maar toen zat ik daar en het was zo verschrikkelijk leeg. Ik miste mijn spulletjes. Ik miste mijn pelikaan waar jij zo'n hekel aan hebt. Maar die heb ik van Max gekregen! Ik kijk graag naar Franks boeken, naar de pijpen van Max, naar de foto's van alle kinderen. En die

dikke kussens – mijn moeder heeft ze allemaal geborduurd. Als ik ernaar kijk, brengen ze haar terug. Dus' – en ze liep de kamer door en nam mijn handen in de hare – 'zullen we het nooit eens worden – zie je wel? We bekijken de wereld op een andere manier. Als we zo doorgaan, zeggen we nog eens iets waar we allebei spijt van hebben en dan verlies ik een goede vriendin. Dat wil ik niet. Maar ik heb een voorstel...'

Het voorstel – de werkverhouding te verbreken om de persoonlijke te kunnen bewaren – was een uitstekend idee. Ik richtte geen kamers meer voor Rosa in, we werden betere vriendinnen. Rosa had me die dag iets geleerd. Als ik nu minder autocratisch ben als binnenhuisarchitecte – en ik hoop dat dat zo is – komt dat door Rosa. Zij toonde me iets heel simpels en voor de hand liggends, iets dat ik had gemist in Constances lessen: een huis is een thuis.

Een thuis. Kort daarna ging ik het beter begrijpen: volmaakte kamers in een volmaakt appartement aan Fifth Avenue maken nog geen thuis. Al hield ik veel van Constance – sinds Winterscombe had ik geen echt thuis meer gehad –, daar verlangde ik nu naar. Constance voelde het en ze raakte geïrriteerd.

'Alweer?' zei ze, wanneer ik naar Rosa ging. 'Is er een speciale attractie in Westchester waar ik niets van weet? Dit is al de tweede maal van de week. Iedereen zou denken dat Rosa je geadopteerd had.'

In zekere zin had Rosa dat ook. Constance was dikwijls weg en met al haar deugden was ze nooit moederlijk geweest. Rosa wel. Misschien ging ik zo vaak naar haar huis in de hoop dat zij een hiaat kon opvullen waarvan ik het bestaan nu pas ontdekte. Misschien ging ik gewoon naar haar huis vanwege de lawaaiige maaltijden, de spelletjes, de woordenwisselingen. Ze waren zo plezierig en zo verschillend van de harde, glinsterende chic van Constances vrienden. Misschien ging ik om Frank te zien. Dat kan best het geval zijn geweest, maar ik gaf dat toen niet toe. Bovendien had Frank Gerhard net zijn laatste medische examens achter de rug en was naar Yale gegaan voor zijn promotie. Hij was zelden in Westchester en nooit, merkte ik, als hij wist dat ik was uitgenodigd. Bij de zeldzame gelegenheden dat we elkaar ontmoetten, keek hij naar me maar zei zelden iets. Eens was ik zijn partner met bridgen – op aandrang van Rosa – en ik speelde toen heel slecht. Bij een andere gelegenheid op een party voor een van zijn zusters, werd hij overgehaald, met veel grapjes en gelach – om met me te dansen: een rokerige kamer, rokerige muziek, een geïmproviseerde ruimte en we konden niet veel meer dan heen en weer schuiven – een dans, kennelijk uit plichtsgevoel. Bij een derde gelegenheid, ditmaal op voorstel van zijn vader, gaf hij me een lift terug naar de stad. Ditmaal kwam hij tot mijn opluchting wat los. Het was lente, een heerlijke avond. Ik voelde me plotseling opgetogen, voelde de wens dat we de hele avond samen zouden zijn. Toen we Manhattan naderden, leek het of we de toekomst voor ons zagen, ik zag een glimp van de torens, de straten. Ze wenkten door een nevel van onverklaarbaar geluk. Naar mij, niet naar Frank Gerhard, bleek nu.

Ik had op zijn aandringen gepraat over Winterscombe. We bereikten Fifth Avenue, maar toen we langs de ingang van het park reden waar ik altijd met Bertie ging wandelen, veranderde Franks manier van doen abrupt. Zijn gezicht werd weer gesloten, en hij gedroeg zich formeel en afstandelijk. Hij zette me af bij Constances appartement en was al verdwenen voordat ik goed en wel binnen was. Kort daarna vroeg ik Rosa ernaar. Ik wilde begrijpen wat ik had gedaan om zijn antipathie op te wekken. Rosa zei dat het niets met mij te maken had. Frank was moeilijk en op het ogenblik onmogelijk. Zelfs zijn familie vond dat. Er was één voor de hand liggende reden: Frank Gerhard was verliefd.

Op een van zijn collega's in Yale, scheen het. Ze was heel mooi, Rosa had haar ontmoet. Het was een middag in juni. Ik herinner me het gesprek en de consequenties ervan. Hoe meer haar deugden door Rosa werden opgehemeld, des te antipathieker vond ik haar. Donker haar, donkere ogen, en een briljante toekomst. Ik had een onredelijke hekel aan haar.

'Ja, verliefd,' ging Rosa peinzend verder. Ze zag nu dat het al een tijdlang aan de gang was. Frank vertoonde alle symptomen. Natuurlijk was ze er blij om, maar ook ongerust. Frank, zei ze, was het soort man dat niet oppervlakkig kon liefhebben.

'Een idealist. Hij kan geen compromis sluiten. Zo koppig. Voor Frank is het alles of niets.'

Het leek mij nogal een deugd toe, maar Rosa was er minder zeker van. Het kon gevaarlijk zijn. Stel dat Frank de verkeerde vrouw vertrouwde?

Het was even stil. Toen boog ik me naar haar toe.

'Rosa, wat zijn de symptomen?'

Rosa noemde ze plichtsgetrouw op. Het leek wel een geval van griep.

'Je weet het wel als je het voelt,' zei ze.

'Weet je het zeker, Rosa?'

'Ik ben een vrouw.' Triomfantelijk. 'Natuurlijk.'

Op dat moment vertelde ik Rosa plotseling over Bobsy van Dynem.

In feite was er niet veel te vertellen, al hield dat me niet tegen.
Ik was al jarenlang bevriend met de Van Dynems en van de tweeling was ik het meest op Bobsy gesteld. Die zomer, toen ik Rosa
mijn bekentenis deed, was Constance in Italië en nu ik terugkijk,
geloof ik dat Bick van Dynem, die steeds meer ging drinken, bij
haar was. In ieder geval was Bick niet op Long Island. Zonder zijn
tweelingbroer begon Bobsy zich te vervelen. Zijn vrolijkheid verdween. Hij scheen genoeg te krijgen van de meisjes die om hem
heen dwarrelden, van de tenniswedstrijden en alles wat er in de Van
Dynem familie 's zomers werd gedaan. Hij wilde praten – met mij.
Ik werd een weekend bij hem thuis uitgenodigd, ik ging. Bobsy
wandelde met mij langs het strand en tuurde over de oceaan. Hij
hield ervan 's avonds over de wegen te scheuren met zijn nieuwe
auto – een Ferrari, niet de auto waarin hij later zou verongelukken.
Soms parkeerde hij bij een pier, niet ver van zijn huis en bleef daar
met me praten over Bick, soms over zijn vriendschap met Constance waar hij omheen draaide, alsof er iets geheimzinnigs was dat hij
niet begreep. Op een van die avonden had hij me, na een lange stilte, gekust. Het was een droevige, tedere kus maar dat wist ik toen
niet. Ik had weinig verstand van kussen.
Ik zou het incident zijn vergeten als er niet die lange, dwaze gesprekken met Rosa waren geweest. Die deden me ernaar verlangen
verliefd te zijn, ik wilde eindelijk al die verrukkelijke, vreselijke gevoelens leren kennen waarover ik in romans had gelezen en het was
maar één stap om te geloven dat ik verliefd was, vooral met Rosa
aan de zijlijn om me met advies bij te staan. Al die verzinsels dreven me verder. Toen ik weer bij de Van Dynems werd uitgenodigd,
stortte ik me op Bobsy op een manier waar ik me nog voor
schaam. Mijn pogingen waren onhandig en warrig maar ze hadden
succes. Bobsy, oppervlakkig en weinig principieel en – zie ik nu –
diep ongelukkig, ging erop in. Ik flirtte met hem, hij flirtte met
mij. We reden vaker naar het strand, zaten vaker op de pier. Daar
aan de oceaan kuste hij me weer. Hij zei mat: 'Ach, waarom niet?'
Aan de oceaan: daar begon en eindigde mijn eerste liefdesaffaire.
Hij duurde maar kort. Ik wilde mezelf er dolgraag van overtuigen
dat ik verliefd was, Bobsy wilde afgeleid worden. Ik was onhandig,
Bobsy onvolwassen. Bobsy bleef met zijn snelle auto veel te hard
rijden, hij probeerde joviaal en geweldig te zijn. Ik deed mijn best
om de steeds wijder wordende kloof tussen werkelijkheid en verwachting te negeren.
Een paar weken speelden we onze rol. We dansten wang-aan-wang
op grammofoonplaten van Frank Sinatra. We maakten lange

nachtelijke autotochten, en strandwandelingen in het maanlicht. We probeerden ons aan alle regels te houden maar tegen het eind van de zomer wisten we dat het niet werkte.

Ik had geluk dat ik niet zo gekwetst was als ik had kunnen zijn met iemand die minder attent was. We gedroegen ons zo dat we vrienden bleven tot zijn dood, een paar jaar later – en het was pas in die jaren van vriendschap dat ik het voor de hand liggende ging begrijpen. Ik was geen toevallige keus geweest, ik was de plaatsvervangster die voor Bobsy nog het meest Constance benaderde.

Ik denk dat Rosa nooit precies heeft begrepen wat er gebeurde. Ik wist dat ze wat ik deed zou afkeuren en dus, lafaard die ik was, vertelde ik het haar niet. Rosa, mild en in veel opzichten onschuldig, geloofde dat er een romance – geen affaire – was begonnen. Ik vertelde haar niet dat het voorbij was. Het was wel een lànge romance, vond ze, maar daar zouden wel redenen voor zijn. Later kon Rosa nog steeds erop zinspelen dat het te lang duurde, dat de erfgenaam van de Van Dynems een besluit moest nemen. Ze had het over een bruiloft. Het had geen zin te protesteren dat we alleen goede vrienden waren. Rosa geloofde het niet. Ik was een van haar verhalen geworden en later hoorde ik van Frank dat ze haar hoop aan het gezin had toevertrouwd en gevraagd had wat zij eraan kon doen.

Het gevolg was dat Bobsy van Dynem met me meeging naar Rosa's huis, en zowel die eerste zomer als later gingen onze bezoeken vergezeld van veelbetekenende blikken. Bobsy vond het amusant, ik niet. En de twee maal dat Frank aanwezig was, liet deze duidelijk blijken dat hij Bobsy van Dynem onuitstaanbaar vond. Arme 'hemelse' tweelingbroer! Hij zat aan de lawaaiige eettafel, omringd door Rosa's intelligente, debatterende kinderschaar en Bobsy, met het zelfvertrouwen van zijn klasse, poneerde zijn overgeërfde ideeën, zijn slechtgeformuleerde politieke meningen. Dikwijls raakte hij halverwege de draad kwijt. Hij had wel charme, maar was niet geestig en analyseren kon hij helemaal niet. Ik wist dat een paar van Rosa's kinderen Bobsy dom vonden. Zij hadden tenminste de beleefdheid hun mening voor zich te houden, dat was niet het geval bij Frank Gerhard.

Hij zat aandachtig naar Bobsy te kijken en een paar maal, wanneer Bobsy een buitengewoon ezelachtige opmerking had gemaakt, kwam hij met een geestig, bijna onbeschaamd antwoord dat Bobsy's tekortkomingen benadrukte.

Bobsy's achtergrond had hem een dikke huid gegeven en ik denk dat hij zulke dingen nauwelijks merkte. En anders had het hem niets kunnen schelen, want Bobsy had ook de zelfgenoegzaamheid van zijn klasse. Maar voor mij was het vervelend en ik had het gevoel dat ik Bobsy moest beschermen. Bobsy was dom en lui, maar vriendelijk en voorkomend. Ook begon ik te begrijpen hoe intens ongelukkig hij was.

Bobsy, van zijn kant, vond het prettig met mensen om te gaan. Een paar maal deed hij een poging door Frank Gerhards koude reserve heen te breken en een gesprek met hem aan te knopen. Ik herinner me de laatste maal dat hij het probeerde. We stonden op het punt om weg te gaan en Bobsy vroeg Frank over Yale – zijn vader had er gestudeerd. Ik keek naar die twee mannen, de een lang en blond, de ander lang en donker. Bobsy's oppervlakkige charme werd niet goed ontvangen. Frank Gerhard keek of hij hem tegen de grond wilde slaan.

'Wat een gek,' was Bobsy's oordeel. Volgens hem was iedereen die een boek las gek – zijn definitie van excentriciteit was gebrek aan belangstelling voor tennis. 'Wat een gek. Wat heb ik gezegd? Ik vroeg alleen iets over Yale – en merkte je het? – hij keek of hij me wilde vermoorden.'

Niet lang na dat etentje werd Max Gerhard ziek en hij stierf die winter. Ik zag Frank Gerhard bij de begrafenis en toen weer in Venetië het volgende voorjaar. Na dat débacle kon ik nauwelijks verwachten dat hij nog eens naar me toe zou komen. Ik hoorde over hem uit de tweede hand van zijn broers en zusters en van Rosa. Kort na Venetië scheen hij een aanbod voor een gasthoogleraarschap in Oxford te hebben gekregen. De beslissing om naar Oxford te gaan was plotseling gekomen en hij wist niet hoe lang hij zou blijven. Zijn beweegredenen om de uitnodiging aan te nemen, waren niet zuiver professioneel. Het was kennelijk een eer, maar hij was van plan geweest te weigeren. Rosa zinspeelde erop dat hij ging om te vergeten en de ideale vrouwelijke wetenschapper leek verdwenen van het toneel.

Ik verwachtte niet Frank Gerhard ooit nog eens terug te zien, misschien nog via anderen over hem te horen: hij was hier, hij was daar, hij maakte carrière, hij trouwde. Ik vond het vreemd spijtig maar wilde niet te veel aan zulke gevoelens denken. Ik verborg ze achter andere veranderingen die toen plaatsvonden, aanpassingen in mijn leven en een algemeen gevoel van onbehagen. Vijfentwintig, zesentwintig, bijna zevenentwintig. Mijn leven tikte voorbij. Ik werkte, ik werd als een succes beschouwd, maar werk vulde niet iedere beschikbare minuut van iedere beschikbare dag. Soms leek het alsof ik reikte naar iets wat ik nauwelijks kon waarnemen. En ik had een hekel aan mijzelf om naar iets te verlangen wat zo weinig concreet was. Ik wist het nog niet, maar mijn leven balanceerde op de rand van een beslissende verandering. Ik zou Frank weer ontmoeten en die vreemde ontmoeting, die zo omslachtig tot stand kwam, vond plaats in New Haven, eind 1957.

Hoe kwam het dat we elkaar weer terugzagen? Door tal van omstandigheden, maar een ervan was een schandaal.

Het schandaal had betrekking op mijn oom Steenie. Steenie die zevenenvijftig was, woonde op Winterscombe. Zijn financiën waren précair, maar verder leefde hij nog steeds uitbundig. Naarmate Steenie ouder werd, gaf hij zich meer en meer over aan bandeloos homoseksueel gedrag. De jongeman die eens zijn eeuwige liefde aan Wexton had verklaard, ontwikkelde een smaak voor korte, koele verhoudingen, in het bijzonder met soldaten en parkwachters. Steenie ontmoette die stoere kerels in Hyde Park en nodigde hen uit bij zich thuis in Londen. Eerder dat jaar had hij een soldaat ontmoet die gewend was aan dat soort benaderingen door losbandige heren op leeftijd en die voorstelde dat het achter een bosje sneller en eenvoudiger zou gaan.

Dit had Steenie nooit eerder gedaan. Hij verklaarde het – dat deed hij aanhoudend – met te zeggen dat het zo verrukkelijk héimelijk was. Hij dook met de soldaat het bosje in en op het meest compromitterende ogenblik schoten er twee politiemannen in burger uit de struiken ernaast omhoog.

'Ik heb het uitgelegd,' riep Steenie. 'Een welsprekende verklaring.'

De welsprekendheid was echter niet voldoende en de huidige Britse wetgeving was tegen hem. De soldaat werd ontslagen uit de dienst, mijn oom Steenie ging zes maanden naar de gevangenis. Toen hij daar uitkwam, wilden zijn vrienden hem niet meer kennen. Conrad Vickers ontdekte dat zijn huis op Capri de hele zomer vol was. Steenie had zijn homoseksualiteit nooit geheim gehouden, maar hij had nu een onvergeeflijke zonde begaan. Hij was betràpt: in het openbaar.

Constance nodigde hem onmiddellijk uit om naar New York te komen. Ze haalde Steenie niet alleen in huis, ze nam hem ook mee uit: naar concerten, galeries, restaurants, party's. Vrienden die er iets op tegen hadden, liet ze vallen. Dit is een van de dingen van Constance om niet te vergeten: ze kon loyaal zijn, en het ontbrak haar nooit aan moed.

Steenie, in de luxe van Constances appartement, hield zich flink

530

maar hij leed. Hij schommelde tussen pieken van uitdagende vrolijkheid en diepten van intense ergernis. Hij kon in tranen uitbarsten en had de neiging om het leven op de meest onwaarschijnlijke momenten verantwoordelijk te stellen. Zijn liefde voor een snelle slok werd steeds groter. Zelfs Constance moest toegeven dat zijn gedrag haar ongerust maakte.

Eind december, toen het nieuws kwam dat Wexton een voordracht zou houden aan de universiteit van Yale en dat Steenie en ik waren uitgenodigd, was hij zielsgelukkig. Hij zei dat hij Wexton in geen jaren had gezien, dat een lang gesprek met Wexton precies was wat hij nodig had. Ik betwijfelde het. Constance, die niet uitgenodigd was, was beledigd. Steenie smeekte en ten slotte zouden we toch gaan. Maar voordat we op weg gingen, besliste ik dat de zilveren flacon thuis bleef. Ik zag de problemen voor me.

Twee dagen voordat we zouden gaan, werden mijn voorgevoelens sterker. Ik was bij Rosa op bezoek, zoals ik het afgelopen jaar iedere week had gedaan. Rosa was veranderd door het verlies van haar man. Ze was dikwijls verdrietig wanneer ik bij haar kwam. Maar ditmaal straalde ze.

'Zulk heerlijk nieuws.' Ze greep mijn hand. 'Frank is thuis.'

'Thuis? Bedoel je dat hij hier is?'

'Hij is gisteren teruggevlogen. Hij is nu uit, maar je ziet hem wel voor hij naar New Haven gaat. Hij vroeg naar je. Dat doet hij altijd, hoor. Hij schrijft altijd: hoe gaat het met Victoria? Ik vertelde hem over de lezing en over je peetoom. Zo'n beroemd man. Frank gaat er ook heen en...'

'Gaat Frank ook?'

'Natuurlijk. Hij houdt van de gedichten van je peetoom. Die wil hij niet missen. Hij hoopt dat hij je na de lezing zal zien – een drankje op zijn kamer – ik weet dat hij je wil begroeten.'

'Rosa, ik weet niet of dat kan. Ik heb mijn oom bij me en...'

'Je oom ook – allemaal. Frank stond erop.'

Ik luisterde maar half naar Rosa's gepraat. De terugkeer van Frank Gerhard maakte me nerveus en ik probeerde me al een ontmoeting voor te stellen tussen de moeilijke, zwijgzame dokter Gerhard en mijn oom Steenie met zijn geverfde haar, zijn make-up, zijn lavendelkleurige stropdas.

Zo'n reactie zou Rosa hebben gekwetst. Ze had Steenie nooit ontmoet en het was onvoorstelbaar voor haar dat ik met zo'n groot man, mijn peetoom, naar New Haven zou gaan en hem dan niet aan een andere belangrijke man, haar zoon, zou voorstellen. Het was ook een kwestie van gastvrijheid. Nee, ik kon Rosa mijn reactie niet laten merken, dus bleef ik stil zitten terwijl ze over haar zoon praatte. Na de eerste opwinding werd ze stiller, en werden haar zinnen langzamer. Ze hernam haar peinzende houding en de droefheid die haar sinds de dood van haar man kenmerkte. Ze zat me beschouwend aan te kijken.

'Ik zou soms willen dat Frank...' begon ze.

'Wat, Rosa?'

'O, dwaze dingen. Ik word oud. Sinds de dood van Max – hij beschermde me. Dat zie ik nu. Als ik me zorgen maakte, kon ik er altijd met Max over praten. Mijn Max was zo'n wijze man! Maar nu...'

'Je kunt met mij praten, Rosa.'

'Natuurlijk. Maar niet over alles. Je bent te jong en – vergeet het maar. Steek de lamp aan, het is al zo donker. Mijn kinderen,' zei ze half tegen zichzelf. 'Max zei altijd dat ik veel te veel met ze bezig was. Dat doen moeders nu eenmaal,' zei ik. 'Ik kan er niets aan doen. Ik wil ze zo graag gelukkig zien.'

'Rosa...'

'Jou ook, Victoria.' Ze pakte mijn handen en kuste me. Toen keek ze me aandachtig aan. 'Je bent veranderd, weet je dat? De laatste twee jaar.'

'Ik ben ook ouder, Rosa.'

'Ik weet het.' Ze aarzelde. 'Ik moet je iets vragen. Weet je hoe we altijd praatten? Over Bobsy van Dynem? Dat is allemaal voorbij, hè?'

'Al eeuwen, Rosa. Bobsy en ik zijn vrienden, dat is alles.'

'En is er niemand anders? Ik dacht wel eens...'

'Dat dacht ik ook. Wel eens.' We glimlachten. 'Het is niets geworden.'

Dat mocht niet van Rosa. Bij mijn vertrek kreeg ik een preek. Ik moest niet zo praten als een oude vrouw, en ik moest niet zo denken, dat was zonde. Het ontroerde me. Ik liet haar achter in de volle, gezellige zitkamer en liep de hal door. Er was geen teken van Frank. Van boven klonken kinderstemmen. Ik trok mijn mantel aan.

Buiten regende het. Ik keek naar de regen en naar de lucht die steeds donkerder werd. Het licht was bijna verdwenen, het zou een lange rit worden terug naar Manhattan. Ik had Constances cabriolet geleend. Toen ik de sleutels eindelijk had gevonden, liet ik ze vallen. Pas toen ik me bukte om ze op te rapen besefte ik dat ik niet alleen was. Voetstappen, toen sloot een mannenhand zich om de sleutels. Ik schrok en stapte achteruit, want toen Frank Gerhard ze teruggaf, pakte hij mijn hand. 'Ga nog niet. Wacht. Ik moet je iets zeggen...'

Ik draaide me om om hem aan te kijken, opmerkzaam op de klank van zijn stem. Dit was de eerste maal dat ik hem weer zag nadat hij in Venetië op de vaporetto was gestapt, maar hij deed of we elkaar gisteren nog hadden gezien.

Hij was bleek en zijn jas en haar waren nat van de regen. Hij was ouder dan ik me hem herinnerde. Voor het eerst zag ik dat hij trots was en dat dat het moeilijk voor hem maakte zijn woorden te vinden.

'Ik wil je bedanken omdat je Rosa steeds komt opzoeken. Het is heel moeilijk voor haar...'

'Rosa is mijn vriendin. Natuurlijk kwam ik. Je hoeft me niet te bedanken.'

'Ik... heb je verkeerd beoordeeld.' Hij maakte een nijdig gebaar. 'Toen ik je zag – in Venetië. En bij andere gelegenheden... Ik beoordeel mensen wel vaker verkeerd. Gehaast. Arrogant. Dat is een fout van me.'

Het opbiechten van die zwakheid kostte hem moeite. Hij stopte.

'Maar ik stel me voor dat jij dat gemerkt hebt – voor ik het zelf deed.'

'Ja,' glimlachte ik. 'Een enkele maal.'

'Zie je, ik wilde dat je het begreep, ik wilde het uitleggen.'

'Je hoeft niets uit te leggen. Het komt er niet opaan. Het is zo lang geleden.'

'Dat weet ik. Dacht je dat ik het niet wist? Hoeveel maanden, dagen, uren...'

'Frank. In Venetië... Je hoeft je niet te verontschuldigen. Als ik in jouw situatie was geweest, had ik hetzelfde gedaan. Je had je redenen. Conrad Vickers. Constance. De manier waarop ze zich misdroegen tegen Rosa.'

'Dat waren niet de enige redenen.'

Ik keek hem verward aan. Hij had plotseling vastberaden gesproken. Zijn gezicht stond strak. Hij keek me recht in de ogen.

'Echt niet?'

'Nee.'

Toen was het stil. We keken elkaar aan. Hij streek heel kort met zijn hand langs mijn gezicht. Ik voelde de warmte van zijn huid, de regen op zijn handpalm. Ik veronderstel dat ik het toen wist, hoewel we niet veel meer zeiden. We zouden elkaar in New Haven weer treffen.

Wextons voordracht verliep goed. Hij stond aan een katheder, over de microfoon gebogen als een grote arend. Hij sprak over tijd en onbestendigheid en eindigde met het voorlezen van gedichten, waaronder een paar van hemzelf. Het laatste was een van de sonnetten uit *Schelpen*, die verzameling uit de Eerste Wereldoorlog, opgedragen aan de jongeman die Steenie eens was geweest. Dokter Gerhard zat een paar rijen voor ons en Steenie zat naast mij. Hij huilde zonder geluid te maken. Toen de voordracht voorbij was, nam hij mijn hand.

'Vroeger was ik anders,' fluisterde hij, 'echt.'

'Dat weet ik, Steenie.'

'Ik was niet altijd zo'n oude schurk. Ik had iets kunnen worden, vroeger. Ik had zoveel energie, ik verprutste het. Wexton had me misschien kunnen tegenhouden, als ik hem zijn gang had laten gaan. Maar dat deed ik niet. Nu is het natuurlijk te laat.'

'Steenie, je bent eenmaal veranderd, dat kun je weer doen.'

'Nee, ik zit vast. Laat dat jou nooit overkomen, Vicky. Het is vreselijk.' Steenie snoot luidruchtig zijn neus in een zijden zakdoek.

'Het was de schuld van Vickers.' Steenie was weer wat bijgekomen. Hij stond op, applaudisseerde luid en uitte een pijnlijk 'hoera'.

Hierna gingen we naar de receptie en het diner, waar Steenie zachtjes aan dronken werd. 'Zo dronken als een aap,' zei hij toen we eindelijk van het diner konden ontsnappen. Hij zwalkte heen en weer. Wexton liep op zijn gemak voor ons en Frank Gerhard, onze gastheer voor de rest van de avond, stapte flink door. We liepen langs de grijze stenen van de collegegebouwen met hun hoge klimop. Steenie, niet onder de indruk van de overeenkomst met Oxford en Cambridge, zei: 'Precies de rekwisieten van een toneel.'

Frank Gerhards kamers keken uit over de binnenplaats van de universiteit. Ze waren slordig en stonden vol boeken. Een microscoop stond op een stoel. Wexton keek met plezier rond, ze deden hem aan zijn eigen kamers denken. Ik tuurde angstig naar Steenie, die een groenige kleur had. Ik was doodsbang dat hij moest overgeven. Frank Gerhard durfde ik zelfs niet aan te kijken. Hij had ons hier wel mee naartoe genomen maar kon er best spijt van hebben. Nadat ik Steenie in een stoel had geduwd, riskeerde ik een blik op Frank Gerhard. Hij keek ons een voor een aan: een vooraanstaand dichter, een oude roué die te veel had gedronken, en mij. Zijn gezicht verraadde niets al zag ik iets van vrolijkheid in zijn ogen toen Steenie probeerde een liedje voor ons te zingen en ik hem de mond snoerde. We deden een poging tot conversatie maar Steenie viel in slaap en begon ogenblikkelijk te snurken. Wexton, die misschien

534

de spanning in de kamer voelde, of medelijden met Frank Gerhard kreeg, zag een schaakbord en stelde een spel schaak voor. Frank scheen het voorstel de eerste maal niet te horen. Toen vroeg hij of ik het vervelend vond. Ik zei van niet. Hij liep de kamer door, merkte dat hij ons niets te drinken had gegeven en schonk verstrooid wat in. Wexton zei dat hij pure jenever had. Mijn drankje smaakte naar whisky en tonic. Het spel begon en het was stil. Daar was ik blij om. Ik wachtte tot ik wat kalmer werd, ik wachtte ook op het moment dat Wexton zou winnen.

Wexton speelde uitzonderlijk goed. Ik herinner me nog met hoeveel gemak hij mijn vader versloeg. Het spel duurde lang. Ik kwam kijken. Wexton speelde zijn gewone verdedigende spel, maar zijn koningin was in gevaar.

Ik ben niet goed in schaken en evenmin een goede beoordelaar van een spel. En nu ik voor iedereen onzichtbaar was, kon ik Frank Gerhard rustig opnemen. Ik was blind geweest of zijn gezicht was veranderd. Terwijl ik hem eerst somber en kritisch had gevonden, zag ik nu een man wiens gezicht kracht en zachtmoedigheid uitstraalde. Terwijl ik eerst zijn fouten had genoemd, noemde ik nu zijn deugden: intelligentie, loyaliteit, humor. Was hij trots? Ja, maar daar was ik blij om. Was hij koppig? Ik dacht een paar maal, als hij naar me keek, dat hij buitengewoon koppig was en dat soort koppigheid vond ik heerlijk.

De minuten tikten voorbij – ik hoorde ze tikken want er was een klok boven de haard die een half uur achterliep. Terwijl ik daar zat, kreeg ik het eigenaardige gevoel dat de tijd zowel verderging als bleef stilstaan, dat we met ons vieren in deze kamer zaten en tegelijk ergens anders waren. Daar, waar het ook mocht zijn, was het druk in de lucht, de moleculen vlogen heen en weer. Ze tolden in het rond. Ze maakten me duizelig. Misschien voelde Frank Gerhard dat ook maar het had geen invloed op zijn spel. Hij bleef even vastberaden spelen. Hij deed echter iets vreemds. Zonder op te kijken van het schaakbord stak hij zijn hand naar me uit. Ik stond op en pakte die. Ik keek neer op zijn hand, dacht aan voorbije jaren, vroegere ontmoetingen, vroegere woorden. De zinnen kwamen er niet opaan.

Frank Gerhard verzette zijn raadsheer in een diagonaal over de hele lengte van het bord. Wexton was ingesloten. Frank bleef mijn hand vasthouden. Vijf minuten later gaf Wexton het op, een vindingrijk schaakmat.

Ik geloof dat Wexton toen van tafel opstond en Steenie wakker maakte. Ik herinner me dat Steenie protesteerde, dat het veel te vroeg was om naar het hotel terug te gaan en Wexton moet hebben aangedrongen omdat ze in ieder geval vertrokken en Steenie onderweg de microscoop omgooide. En er zal wel meer zijn gezegd, bijvoorbeeld dat ik later zou komen. Ik herinner me vaag dat Frank zei dat hij me wel naar ons hotel zou brengen. Maar oom Steenie was veel te dronken om te merken wat er gebeurde en Wexton – die dat natuurlijk wel zag – was te wijs om iets te zeggen.

Ik herinner me dat ik Steenie op de binnenplaats hoorde zingen. Maar al die dingen waren onbelangrijk. Ik hield nog steeds Franks hand vast en bleef hem aankijken. Hij was opgestaan. Ik was lang maar hij was nog langer zodat ik naar hem opkeek. Hij keek me eigenaardig aan alsof hij de lengte van mijn neus of de breedte tussen mijn ogen mat. Ik vroeg me af waarom ik zo gelukkig was en dacht dat het door zijn hand kwam. Ik bleef turen. De klok bleef tikken. Hij fronste.

'Tweeënzeventig,' zei Frank Gerhard.

Ik had me zo op die frons geconcentreerd dat ik schrok van zijn woorden.

'Tweeënzeventig,' zei hij streng. 'Vroeger had je er tweeënzeventig, nu vijfenzeventig. Drie meer aan dezelfde kant, onder je linkeroog. Sproeten.'

Ik zal wel iets hebben gezegd, of misschien maakte ik alleen een onsamenhangend geluid. Het maakte hem in ieder geval ongeduldig en blij. Ik zag een uitdrukking op zijn gezicht die me bekend voorkwam. 'Het is doodeenvoudig.' Ik zag dat het hem moeite kostte redelijk te praten. 'Je had tweeënzeventig sproeten. Nu vijfenzeventig. Ik vond het toen niet erg en nu nog niet.' Zijn frons werd dieper. 'Nee, dat is fout. Ik hóud van ze. Je sproeten, en je haar, en je ogen. Vooral je ogen.'

Hij zweeg. Ik zei: 'Franz-Jacob.'

'Als ik naar je ogen kijk...' Hij aarzelde – 'dan was het zo moeilijk niets te zeggen. Niet al die dingen te zeggen en te doen. Wat zei je?'

Ik zei:' *Er bestaat geen afstand tussen de harten van vrienden.*'

Het was even stil. De kleur kwam en ging in zijn gezicht. 'Betekent het iets voor je? Herinner je je het nog?'

Ik begon te vertellen hoeveel het had betekend, en hoeveel ik me herinnerde. Een vreemde lijst: hazewinden en algebra. Morsecodes en walsen. Winterscombe en Westchester, de kinderen die we waren geweest en de volwassenen die we nu waren.

Ik kwam niet ver met die lijst. Toen ik bij de hazewinden was gekomen, of misschien bij de algebra, zei Frank: 'Ik geloof dat ik je moet kussen. Ja, dat moet ik nu onmiddellijk doen.'

'Geen algebra?'
'Geen algebra, geen geometrie, geen trigonometrie. Een andere keer.'
'Een andere keer?'
'Misschien.' Hij sloeg zijn armen om me heen en ik wist dat ik de lijst niet zou afmaken.
'Misschien, maar misschien kan je vooruitgang of het gebrek eraan op het gebied van de wiskunde me niets schelen.'
'Weet je het zeker?'
'Niet helemaal. Maar híer ben ik wel zeker van.' Hij wachtte nog even voor hij me kuste. Hij streelde mijn gezicht en zijn stem klonk teder.
'*Verstehst du, Victoria?*'
'*Ich verstehe, Franz,*' zei ik.

Zo was het. Ik voelde dat alle elementen samenkwamen. Dit was de wiskunde van mijn leven. Ik bleef de hele nacht, we praatten – althans het grootste deel. Frank vertelde: 'Twee van Rosa's kinderen zijn geadopteerd. Daniël komt uit Polen, ik uit Duitsland. We spreken er nooit over. Het zou Rosa kwetsen en Rosa zelf spreekt er ook nooit over. We zijn allemaal... haar kinderen. Zo zag ze dat. Ik moest kiezen...' Zijn gezicht verstrakte. 'Ik kon Franz-Jacob blijven, zonder familie, of Frank Gerhard worden. Ik koos voor Frank Gerhard. Ik had grote bewondering voor haar man, Max. En ik ben van allebei gaan houden.'
'En wie ben je nu? Frank Gerhard of Franz-Jacob?'
'Allebei natuurlijk. Maar dat zeg ik nooit tegen Rosa.'
'En hoe zal ik je noemen?'
'Wat je maar wilt. Je ziet dat het er niet op aankomt. Zolang jij er bent, komt niets anders erop aan. En namen allerminst.'
Hij nam mijn handen in de zijne. 'Weet je hoeveel brieven ik je heb geschreven? Eens per week, drie jaar lang. Eerst waren het korte brieven, heel droog en vol sommen – zo'n jongen was ik toen. Ik vond het moeilijk om mijn gevoelens uit te drukken. Dat vind ik trouwens nog. Ik wil mijn hart laten spreken – en dan lukt het me niet. Een wetenschapper.' Hij haalde boos de schouders op. 'Een enkele maal kon ik wat welsprekender zijn in het Duits.'
'Ik vind je juist zo welsprekend. Woorden komen er niet op aan, niet als ik je aankijk. Vertel me van je brieven, Frank.'
'Goed. In het begin waren het jongensbrieven. Wat er gebeurde toen ik terug was in Duitsland, kon ik niet beschrijven. Dus schreef ik over andere dingen. Ik was toen twaalf. Als je die brieven ooit

gekregen had, zou je ze heel saai hebben gevonden. Misschien had je gezegd: mijn vriend Franz schrijft als een spoorboekje... die brieven tenminste. Later veranderden ze.'

'Waren die anders?'

'Heel anders. Wanhopig... Ik was toen veertien, vijftien. Ik stortte mijn hart bij je uit. Dat had ik nooit eerder gedaan, en daarna ook nooit meer. Ik zei – het komt er niet op aan wat ik zei.'

'Maar het komt erop aan voor mij.'

'Het is zo lang geleden. Ik was nog een jongen...'

'Ik wil het weten, Frank.'

'Goed.' Hij stond op en draaide zich om. 'Ik schreef dat ik van je hield. Als een vriendin – maar ook als meer dan een vriendin. Dat zei ik.'

Die bekentenis kwam met grote tegenzin en ik zei zacht: 'Je doet net of je je schaamt. Waarom? Is het zo vreselijk om dat te zeggen?'

'Ik schaam me helemaal niet, dat moet je niet denken. Alleen...'

'Ik zei het ook en ik denk dat ik, als ik nu kon lezen wat ik toen schreef, diep beschaamd zou zijn. Maar is dat erg? Ik meende wat ik schreef.'

'Je schreef dat?' Hij tuurde naar me.

'Natuurlijk. In erbarmelijk proza. Veel te veel bijvoeglijke naamwoorden en overal bijwoorden.'

Frank glimlachte. Hij kwam naar me toe. 'Noem eens een bijwoord.'

Ik begon. Maar net als de eerste maal werd het een kort lijstje. Ik kwam misschien tot 'hartstochtelijk' of 'voor eeuwig'. Toen werd ik tot zwijgen gebracht. Wat later nam Frank mijn hand. Ik was te wazig van geluk om helder te denken, maar zag dat er, ondanks alles, nog iets ontbrak.

'Ik begrijp het nog steeds niet. Al die brieven, jouw brieven, mijn brieven. Wat zou ermee zijn gebeurd?'

Ik denk dat dit vanaf het begin de vraag was die ik voor alles wilde vermijden. Ik zei dat de brieven niet waren aangekomen, dat het niet belangrijk was.

'Het is wèl belangrijk. De logica ervan is belangrijk – dat moet je toch zien. Jij hebt de hele oorlog door geschreven. Hoeveel brieven?'

'Ik weet het niet meer.'

'Ik weet hoeveel ik er geschreven heb. Eens per week, iedere week, drie jaar lang. Denk maar na. Honderdzesenvijftig brieven. Aan het juiste adres. In de oorlog hadden er natuurlijk wel een paar ver-

538

loren kunnen gaan, maar honderdzesenvijftig? Dat is tegen alle wetten van waarschijnlijkheid.'

'We weten nu wat erin stond...'

'Daar gaat het niet om. Jij kon geloven dat jouw brieven niet terechtkwamen maar die van mij? Wat dacht je wel toen ik had beloofd om te schrijven en ik het niet deed?'

'Ik dacht dat je dood was.'

'O, mijn schat, je moet niet huilen. Luister. Kijk naar me. Jij dacht dat ik dood was. Maar wat dacht ik? Ik wist dat je nog leefde. Ik wist waar je woonde. Luister.' Zijn stem werd zacht. 'Je hebt me iets heel gewoons niet gevraagd: waarom ik niet langer schreef.'

'Omdat het me bang maakt.'

'Dat hoeft niet. Je hoeft nergens bang voor te zijn.' Hij keek de kamer rond. 'Het was midden in de oorlog, eind 1941. Ik was toen in New York, en al een paar weken bij Max en Rosa. Op een middag liep ik door de stad. Ik wist waar je woonde – zo'n indrukwekkend adres! Ik stond voor het gebouw en probeerde de moed bij elkaar te rapen om naar binnen te gaan. En terwijl ik aan de overkant van de straat stond, kwam jij naar buiten met je peettante. Jullie liepen gearmd. Je had dat prachtige haar afgeknipt. Je had een hond bij je, zo groot als een zwarte beer...'

'Bertie,' zei ik. 'Hij heette Bertie. Hij is dood. En jij stond daar? Maar dat kan toch niet...'

'Ik zag jullie over Fifth Avenue wandelen, lachend en pratend. Jullie liepen heel snel. Ik zag je het park ingaan en volgde je tot aan de dierentuin. Het was een mooie dag. Je keek niet om.'

'En toen?'

'Niets. Dat was het laatste. Ik stond in dat park en besloot om je nooit meer te schrijven.'

'Je nam dat besluit – zomaar? Dat had ik nooit gekund. Als ik het was geweest, zou ik achter je aan gerend zijn en had je bij je arm gepakt...'

'Echt?' Frank keek me aan. 'Weet je het zeker? Ik dacht – kun je je voorstellen wat ik dacht?'

'Zeg het eens.'

'Ik dacht dat je me vergeten was, dat onze vriendschap niets meer voor je betekende. Ik dacht toen niet zo goed over je. Maar honderdzesenvijftig brieven vond ik genoeg. Ik ging naar huis, sloot me op in mijn kamer en werkte. Als ik ongelukkig was, deed ik dat altijd.'

'Je werkte? O, Frank.'

'Wiskunde, denk ik. Dat helpt. En dat vind ik nog, zelfs nu.'

Ik wendde mijn ogen af. Ik dacht aan een jongen, in een vreemde kamer, in een vreemd huis, in een vreemde stad, een jongen die uit zijn gezin was gerukt, die een vriendin had verloren. Ik begreep nu waarom die jongen was opgegroeid tot de man die naast me zat, een man die het moeilijk vond vertrouwen te geven en nog moeilijker de intensiteit van zijn gevoelens te uiten. Al die gebeurtenissen in het recente verleden werden begrijpelijk, het ene treurige incident na het andere. Ik zocht zijn hand.

'Frank, als ik je had herkend, de eerste dag dat ik bij jullie thuis kwam, zou dat gescheeld hebben?'

'Voor mij wel. Ik hoop dat ik me toen en later beter zou hebben gedragen.'

'En in Venetië? Toen stond je op het punt het te vertellen – je zweeg?'

'Ik had het willen doen. Heel graag.'

'Was je jaloers?'

'Ja.' Zijn ogen glinsterden ondeugend. 'Ik kan intens jaloers zijn. Dat is nog een van mijn fouten.'

'Ik vind het niet erg, helemaal niet.'

'Het is niet gemakkelijk tegenover de vrouw te zitten van wie je houdt en dan te ontdekken dat ze je niet herkent en te denken dat het ook dan geen verschil zou maken. Het is niet zo eenvoudig, als je weet dat je gauw geïrriteerd bent, arrogant en heel koppig...'

'Je had toch...'

'O, ik weet precies wat ik had kunnen doen. Maar ik deed het tegenovergestelde. Ik ging naar Oxford. Ik dacht dat ik daar kon leren vergeten...'

'En dat kon je niet?'

'Nee, die les kan ik niet leren. In voor- en tegenspoed, zo ben ik.'

Ik aarzelde, keek naar het raam en zag dat het licht begon te worden. 'Je moet van gedachten veranderd zijn. Waarom? Wanneer?'

'Toen ik weg was. Toen ik je vroeg hier te komen. En vanavond, denk ik. Toen ik aan het schaken was met je peetoom...'

'Toen? Waarom?'

'Ik had genoeg van een openingsgambiet. Ik zag de volgende zet, riskant...'

'Vond je het riskant?'

'O ja. Tot ik je hand pakte.'

'En toen?'

'Ik wist dat het niet alleen de juiste zet was,' antwoordde hij, 'maar de enige zet. Dat zag ik toen.'

Wexton, Steenie en ik reisden per trein vanuit New Haven terug. Ik babbelde tegen Wexton, die probeerde te lezen, en zo nu en dan glimlachte. Ik babbelde tegen de treinramen, tegen de lucht, tegen de papieren bekertjes met waterige koffie. Ik babbelde tegen Steenie, die een kater had.

'Liefde? Vicky, schatje, alsjeblieft. Mijn hoofd doet pijn en ik heb allemaal van die vlekken voor mijn ogen. Mijn linkerbeen kan wel verlamd zijn. Ik kan een verhaal over liefde echt niet verdragen. Bovendien herhaal je jezelf. Verliefde mensen zijn altijd egoïstisch, ze zijn eindeloos vervelend.'

'Het kan me niet schelen. Ik houd niet op en je moet luisteren. Ik houd van hem. Eigenlijk heb ik altijd van hem gehouden. Hij is niet Frank Gerhard, ja, dat is hij, maar hij is ook Franz-Jacob. Die herinner je je toch nog wel?'

'Ik herinner me niets. Ik weet niet eens of ik me mijn eigen naam herinner. Wat hebben we gisteren gedronken? Port? Cognac?'

'Dat doet er niet toe. Vond je hem aardig?' Ik trok aan Steenies arm. 'Steenie, wat vond je van hem?'

'Ik vond hem een angstwekkende jongeman.' Steenie zuchtte. 'Hij had zo'n wilde blik in zijn ogen. En hij loopt zo gek vlug.'

'Maar hoe vond je hem?'

'Ik herinner me echt niet of ik hem aardig vond. Ik ben in slaap gevallen. Hij zet zijn microscopen op de stoelen, dat weet ik nog wel.'

'Je was dronken. Je was zo dronken als een tor, dat zei je zelf. Anders had je wel gemerkt hoe bijzonder hij is. Heb jij het gemerkt, Wexton?'

Wexton dacht na. 'Hij kan goed schaken.'

'En? En?'

'Hij houdt je hand vast en wint in drie zetten: mat. Indrukwekkend!'

'Wexton, je plaagt me.'

'Helemaal niet. Ik zou niet durven.'

'Wel waar. Jullie allebei. Jullie zijn vergeten hoe het voelt...'

'Je beledigt me,' zei Steenie. 'Dat is heel erg. Ik herinner me precies hoe het voelt. Jij niet, Wexton?'

Ze wierpen elkaar een blik toe vol genegenheid, een beetje wrang.

'Zeker,' antwoordde Wexton, 'zo nu en dan.'

'Maar over het geheel,' Steenie diepte een andere zilveren flacon uit zijn zak en nam een slokje, 'herinner ik het me liever niet. Het is veel te vermoeiend. Verliefdheid is goed en wel op jouw leeftijd, Vicky, maar het verslindt energie. Kijk nu eens naar jou, je bent zo bruisend. Heel charmant, liefje, en het staat je goed. Maar het

maakt dat ik me kleurloos voel. Helemaal vaal. Bovendien...' Hij
zuchtte. 'Bovendien zie ik klippen voor je. Ik geef je de raad niet al
te jubelend te doen als je het aan Constance vertelt.'
'Constance? Waarom niet?'
'Ik weet het niet. Gewoon een gevoel.'
Steenie nam nog een slokje. Wexton legde zijn boek weg. 'Constance zal blij zijn,' zei ik in de stilte die volgde. 'Steenie... waarom
zou Constance het erg vinden?'
'Ik zei niet dat ze het erg zou vinden. Ik geef je alleen de raad niet zo
te jubelen. Probeer iets minder gelukkig te doen. Constance kan het
geluk van anderen hoogst irritant vinden. Ze is er allergisch voor.'
Ik vond dit unfair. Als ik aan de vriendelijkheid van Constance tegenover Steenie dacht, vond ik het weinig loyaal, en dat zei ik ook.
'Vicky, schat,' zuchtte hij, 'val niet zo uit. Het was gewoon een opmerking. Je zult wel gelijk hebben. Ik denk aan Constance zoals ze
vroeger was, toen ze nog een kind was.'
'Steenie, dat is gemeen. Constance is even oud als jij. Je zei gisteravond dat je veranderd was. Constance moet dan toch ook veranderd zijn.'
'Vast wel.' Steenie wilde voor alles vrede sluiten. Hij stak een sigaret op. 'Honderdzesenvijftig brieven,' zei hij ten slotte toen we in
de buurt van een vervallen New York kwamen. 'Honderdzesenvijftig. Een heleboel. En allemaal zomaar verdwenen. Vind jij dat niet
gek, Wexton?' Weer wisselden Wexton en hij een blik. Wexton
keek me bezorgd aan.
'Ja,' zei hij ten slotte. 'Ik zou zeggen dat het... heel gek was.'

Constance zei: 'Vertel me alles. Begin bij het begin en ga door tot
het eind. Ik wil alles horen. Het leven is zo vreemd. Ik vind het
heerlijk als het zulke trucs uithaalt.'
Constance had me meegenomen naar de bibliotheek om mijn verhaal te horen. Boeken rechts en boeken links. Ik probeerde niet al
te bruisend te zijn.
'Maar ik begrijp het niet. Hij schreef – aan het juiste adres? Weet
je zeker dat hij schreef?'
'Ja, Constance.'
'Iedere week – zoals hij had beloofd?'
'Ja, Constance.'
Ze fronste. 'Maar hoe kan dat dan? Je brieven aan hem – ja, daarvan kan ik me voorstellen dat ze niet aankwamen. Maar die van
hem aan jou? Onmogelijk. Vertel nog eens waar hij naar toe was
gegaan.'

Ik vertelde haar nog eens het verhaal van Frank – althans gedeelten eruit. De terugkeer naar Duitsland, waar zijn vader van een hoge ambtenaar de verzekering had gekregen dat een geleerde van zijn formaat in korte tijd een uitreisvisum kon krijgen. De overtuiging van zijn moeder dat het gezin bij elkaar hoorde. En toen het onvermijdelijke: laarzen op de straatstenen, een nachtelijke arrestatie. 'Ze namen zijn vader alleen mee voor ondervraging, zeiden ze. Niemand mocht hem zien. Franks moeder was in paniek. Zelf weigerde ze te vertrekken maar ze besloot dat de kinderen het land uit moesten – er waren er vijf. Ze hadden nog steeds geen visa. Zijn moeder wist dat ze nooit in een groep konden ontsnappen, dus werden ze gesplitst. Zij probeerde er voor de kinderen een spelletje van te maken. Ze trokken loten: wie waar naar toe zou gaan – naar welke vriend, welke oom of tante. Frank trok een nicht in Karlsruhe, niet ver van de grens. Hij bleef er een week. Toen hoorden ze dat zijn moeder ook gearresteerd was. Zijn ouders waren naar het oosten weggevoerd. De nicht was doodsbang. Ze had een vriendin in Straatsburg en die vriendin had weer een vriendin in Parijs. Hij werd op de trein gezet met niet meer dan een klein pakje. Aan de grens verstopte hij zich. Ze hadden hem er net op tijd uit gekregen, Constance – naar Frankrijk en toen naar Engeland. Daar kwam hij bij een vluchtelingenorganisatie terecht. De kinderen gingen naar Australië, Canada, Amerika. Hij kwam hier, in een kamp in de staat New York. Hij had een label met een nummer om zijn hals. Max en Rosa hebben hem daar gevonden.'

'O, mijn god.' Constance liep de kamer op en neer. 'En zijn familie? Wat is er met zijn familie gebeurd?'

'Dat heeft hij pas na de oorlog ontdekt. Ze zijn allemaal gestorven. In verschillende kampen.'

Constance was bleek geworden. Ze liep rusteloos de kamer door. Ik zei: 'Constance, het is gebeurd. Het gebeurde met honderden kinderen. Frank was een van de gelukkigen – dat weet hij.'

'Een van de gelukkigen? Hoe kun je dat zeggen? Gelukkig als je als wees in zo'n afschuwelijk kamp zit, met een nummer om je hals.'

'Constance – hij is blijven leven.'

'Hadden we het maar geweten! Ik was er zo van overtuigd dat hij dood moest zijn! Het deed me zo'n pijn dat je maar bleef schrijven, bleef hopen...' Ze stopte abrupt. 'Maar er is nog iets dat ik niet begrijp. Toen hij hier kwam, in New York, wist hij waar je woonde. Waarom heeft hij toen geen contact met je opgenomen?'

Ik gaf een ontwijkend antwoord, ik wilde Constance niet vertellen van die middag dat Franz-Jacob ons naar het park was gevolgd. Ik denk dat Constance merkte dat ik iets achterhield, en dat ze erdoor was gekwetst, want ze onderbrak mijn verklaring.

'Nou ja, het komt er nu niet meer op aan, denk ik, nu je hem hebt gevonden. Eigenaardig. Franz-Jacob was kwijt en is terecht. Precies zoals je vader.' Ze keek peinzend voor zich uit. 'Dus – je houdt van hem, hè?'

'Ja, Constance.'

'O, schat, ik ben er zo blij om. Ik moet hem zo gauw mogelijk ontmoeten. Echt kennis met hem maken, bedoel ik. Gek, hè, toen in Venetië – ik herinner me dat hij me opviel. Zo'n knappe man. Maar ik had nooit gedacht... Zo, dus het is ten slotte toch gebeurd. Ik veronderstel dat ik je kwijt zal raken – je gaat weg, het huis uit. O, kijk maar niet zo. Dat gebeurt.' Ze aarzelde. 'Hij heeft niets gezegd... jullie hebben geen plannen voor de toekomst gemaakt?'

'Nee, Constance.'

'Alles op zijn tijd. Dat komt nog wel.' Ze wachtte weer. 'Is hij dat soort man?'

'Wat voor soort man?'

'Doortastend, natuurlijk – je weet wel wat ik bedoel. Sommige mannen zijn niet zo. Die zijn zo besluiteloos, twijfelen altijd naar welke kant ze moeten springen. Ik haat dat type man.'

Ze fronste naar de boeken aan mijn vaders kant van de kamer. Toen ik zei dat ik dacht dat Frank wel doortastend was, scheen ze nauwelijks te luisteren. Ze ijsbeerde weer door de kamer.

'Hij moet zo gauw mogelijk hier komen. Vanuit Yale – dan geef ik een party voor hem. Zal ik dat doen?'

'Nee, Constance, hij zou het vreselijk vinden, en ik ook.'

'Een kleine lunch dan, zodat hij en ik wat kunnen praten. Ik wil hem graag leren kennen. O, ik voel bijna dat ik hem al ken door je verhalen. Ik zie hem op Winterscombe met zijn sommen en aan het wandelen met de hazewinden... Die dag dat jullie het bos ingingen. Zo'n vreemde jongen, een helderziende. En nu is hij een man en je houdt van hem...'

Ze brak af en keek me aan.

'Heb je hem dat gezegd, tussen twee haakjes?'

'Constance, dat zijn mijn zaken.'

'O, al goed.' Ze lachte. 'Je hoeft niet zo te reageren. Alleen...'

'Wat, Constance?'

'O, niets. Maar jij kunt een beetje direct zijn, weet je – voor een vrouw. Je vertrouwt mensen veel te gauw. Dat is allerliefst en ik bewonder het. Maar je moet eraan denken dat het in verband met mannen niet altijd zo'n goed idee is. Die houden van de spanning van de jacht. Ze willen een vrouw veroveren. Laat die man van jou niet al te zeker van je zijn, niet te snel...'

'Ik wil juist dat hij zeker van me is.'

'Ook goed. Maar je maakt een fout – als je met hem wilt trouwen.'

Ik bloosde. Constance kreeg ogenblikkelijk spijt. Ze gaf me een kus.

'Liefste Vicky, het spijt me. Dat had ik niet moeten zeggen. Ik vlieg altijd veel te snel vooruit. Geen woord meer. Ik ga die lunch bedenken. Ga mee – dan vragen we Steenie en Wexton om raad.'

'Frank!' Een klein figuurtje, met onstuimige snelheid door de grote, verfijnde salon. Bloemen op iedere tafel. Het licht weerkaatst door spiegels, hoge hakken over de guirlandes van het Aubussontapijt. Een begeleidend parfum van groene varens, met een hongerige ondertoon. Constance in een heldergroene japon, met ogen die schitterden, handen die gebaarden.

De eerste ontmoeting. Ze greep zijn handen, lachte toen ze naar hem opkeek. Ze kwam ter hoogte van zijn hart, keek omhoog naar zijn gezicht, trok hem toen naar zich toe zodat ze eerst zijn rechter- en toen zijn linkerwang kon kussen.

'Frank,' zei ze weer. 'O, ik ben zo blij dat ik je eindelijk leer kennen. Ik begon al te denken dat dat nooit zou gebeuren. Ik moet je eens goed bekijken. Weet je, ik voel dat we al vrienden zijn, Victoria heeft me àlles verteld. O, ik heb het gevoel dat we elkaar lang geleden hebben ontmoet. Maar ik ben onzeker – moet ik je Frank noemen of Franz-Jacob?'

Frank nam dit alles op met een gelijkmoedigheid die me verbaasde. Constance, die met de matadorencape van haar charme wapperde, verblindde mannen of maakte hen verlegen. Frank liet echter totaal niet blijken dat hij in verwarring was geraakt. Al omhelsde hij haar niet op zijn beurt, zich terugtrekken deed hij ook niet. Zijn antwoord op haar vraag klonk effen.

'De meeste mensen,' zei hij beleefd, 'noemen me Frank.'

'Geen Francis?' Constance hing nog steeds aan zijn arm.

'Nee, nooit, voor zover ik het me herinner.'

'O, wat jammer. Ik vind dat juist zo'n mooie naam. Een van Victorie's ooms heette Francis. Maar hij werd Boy genoemd en dat vond hij vreselijk. Dus ik noemde hem altijd bij zijn echte naam. We waren zulke dikke vrienden, Francis en ik. Nu is hij natuurlijk dood.'

Constance nam nauwelijks de tijd om adem te halen. 'Kom,' ging ze door en trok hem mee, 'ik denk dat je iedereen kent. Nee? Dit is Conrad Vickers...'

'O ja, we hebben elkaar even ontmoet in Venetië.'
'Natuurlijk. En dat is Steenie, hij zit te mokken bij een fles cognac. Bobsy van Dynem heb je denk ik vaker ontmoet. Ik geloof tenminste dat het Bobsy is, het zou ook Bick kunnen zijn. Even kijken, wie nog meer...'
Constance had, zoals ze het noemde, een paar andere vrienden en kennissen opgevist die misschien interessant voor Frank konden zijn. Er was ook een oude *Gräfin von* iets, een van Constances vroegere aristocraten, een lieve vrouw die stokdoof was en die naast Frank werd gezet. Er waren een paar mondain uitziende Newyorkers die verbaasd waren over de uitnodiging en de jonge wetenschapsman achterdochtig bekeken. Maar de glansrollen waren toebedacht aan Conrad Vickers en de Van Dynem tweeling, de drie mannen uit Constances kennissenkring die Frank het minst op zijn gemak moesten doen voelen. Waarom ik dit niet had voorkomen? Ik kwam de salon pas tien minuten voor de komst van Frank binnen. Ik had er geen idee van wie uitgenodigd waren. Constance had de lunch telkens uitgesteld – Frank scheen er tegenop te zien – en ze gedroeg zich zoals ze jaren geleden had gedaan toen ze de bibliotheek inrichtte. 'Een verrassing.'
Toen ik binnenkwam en zag wie er aanwezig waren, voelde ik me verslagen. Ik had niets tegen Constance gezegd over Franks antipathieën, ze wist niets van zijn reactie op Vickers en de tweeling – dat althans geloofde ik toen. Dus tijdens die afschuwelijke opzichtige lunch waar alles, vanaf de gedekte tafel tot aan het menu van overdadige vulgariteit getuigde, geloofde ik dat mijn peettante om vooral een goede indruk te maken, een bijna meelijwekkende *faux pas* had gedaan. En ik vond het zielig. Toen de champagne werd geschonken en Constance luidkeels opgaf over het jaar, toen de kaviaar binnenkwam in een zilveren schaal zo groot als een emmer, toen Constance een vreselijke opmerking maakte over Straatsburg terwijl de foie gras op tafel kwam – 'Jij was er toch, Frank, tijdens de oorlog? Heb je de beroemde ganzen gezien? Arme gansjes' – kon ik wel sterven van schaamte maar ik had medelijden met haar. Voor het eerst was haar leeftijd haar aan te zien. Ze droeg te veel make-up en de rode lippenstift was veel te opzichtig. Haar japon was te gekleed voor een lunch en bovendien behangen met te grote broches. Ik had medelijden met de harde kunstmatige manier waarop ze sprak, de leegheid van haar onderwerpen. Geen teken van haar scherpe geest: een oude vrouw, eens een schoonheid, die de conversatie opzweepte zonder tact of gevoel – o, ik schaamde me maar toch had ik medelijden.

'O god, o god,' zei Constance later die dag, 'wat een ramp. Ik was zo nerveus, ik wilde zo graag dat hij me aardig zou vinden. O Victoria, haatte hij me, denk je?'

'Natuurlijk niet, Constance,' zei ik zo flink mogelijk. 'Hij begreep het wel. Ik weet zeker dat Frank ook nerveus was.'

'O nee. Hij nam het allemaal of het gewoon was. Hij is amusant, en hij kan charmant zijn, Victoria, dat had ik nooit verwacht! Je maakte dat hij klonk... ik weet het niet, gereserveerd, onaantastbaar – maar hij was zo aardig tegen die afschuwelijke oude Gräfin. Zo doof als een kwartel. Ik dacht dat ze over Duitsland zouden kunnen praten. Maar hoe kon ik weten dat ze zonder haar gehoorapparaat zou komen?'

'Constance, ze heeft helemaal geen gehoorapparaat.'

'Onzin. Ik weet het zeker. Heel groot, van plastic en roze. Maar Frank was geweldig. Ze aanbad hem! Zoals hij haar in haar mantel hielp en met haar meeliep naar de auto, terwijl hij naar die onbegrijpelijke, vervelende verhalen moest luisteren...'

'Het geeft niet, Constance. Frank vond haar heel aardig en absoluut niet vervelend.'

'Maar de anderen!'jammerde Constance. 'Ik weet zeker dat hij hen verafschuwde. Vickers met al zijn schàt-ten, alsof het confetti was. En Bobsy met die ezelachtige opmerkingen over de Russen en Hongarije – weet je dat hij er geen idee van heeft waar Hongarije ligt? En Bick – o god, wat heeft me in vredesnaam bewogen om Bick uit te nodigen? Ik had niet beseft hoe erg dat drinken van hem is geworden.' Ze keek ondeugend. 'Na de lunch, dat vreselijke moment dat hij ging zitten en de bank miste. Het leek wel of hij eeuwig bleef vallen en ik moest eigenlijk zo lachen. Met die ogen zo rond als een uil. Het was gek, maar ook heel ellendig...'

'Constance, echt, maak je geen zorgen. Frank heeft wel eens vaker een dronken vent gezien. Wij allemaal.'

'Maar Bick mag hier nooit meer komen, en Bobsy ook niet. Ik heb meer dan genoeg van hen. Na vandaag stop ik misschien wel helemaal met zulke uitnodigingen. Zeg het maar tegen Frank. Ik vind hem geweldig maar ik zal hem nooit meer zo'n lunch aanbieden. Hij moet komen theedrinken, alleen wij drieën, Victoria, dan kan ik proberen het goed te maken.'

'Constance, maak je toch niet bezorgd. Hij vond je heel aardig. Ik weet zeker dat hij je aardig vond.'

'Zei hij dat?' vroeg Constance nogal snel.

Ik dacht aan wat er gebeurd was toen we vertrokken. Ik had gezegd: 'Frank, kun je die lunch vergeten? Iedere afgrijselijke mi-

nuut ervan? Constance wilde zo graag indruk op je maken, daarom ging alles mis. Ze wil zo graag dat je haar aardig vindt.'
'Echt? Ik dacht het tegenovergestelde. Ik dacht dat ze juist alles deed om te maken dat ik haar níet aardig vond.'
Hij zei het droogjes en ik beschouwde het als een grapje. Maar geen grapje om aan Constance door te geven.
'Hij zei dat je je reputatie meer dan gestand deed.'
'O ja?' Constance keek peinzend voor zich uit. 'Ik mag hem ook graag. Ik zie nu – dat die Frank Gerhard van jou een heel intelligente man is.'

'Vertel eens, Frank,' had ik gezegd toen we van die lunch waren ontsnapt. 'Hoe vind je haar?'
'Ze doet haar reputatie meer dan gestand.' Hij ging sneller lopen, zodat ik bijna moest rennen om die lange, onmatige passen – zoals Steenie ze noemde – bij te houden. We liepen de stad door naar een onbekende plaats. Een verrassingstocht, had Frank gezegd toen we Constances appartement verlieten. Het was een heldere dag aan het eind van de lente, met een koude wind. Frank had de kraag van zijn jas opgezet, de wind in zijn gezicht speelde met zijn haar en maakte er een zwarte stralenkrans van. Hij had mijn arm stevig in zijn hand.
Nu we weg waren, leken de details van die afschuwelijke maaltijd minder belangrijk. Zelfs aan tafel was alles draaglijk geweest door Frank, wiens gemakkelijke manier van doen me had verbaasd en wiens ogen – op de ergste momenten – met een bemoedigende blik de mijne hadden gezocht. Al dit soort sociale rampen was te overleven als je er samen om kon lachen.
We waren aan de overkant van het park gekomen en sloegen een straat naar het noorden in. Toen we langs het Dakotagebouw kwamen en ik die gotische torenspitsen tegen de lucht zag afgetekend, zei Frank plotseling: 'Ik ken haar man. Dat had ik nog niet verteld.'
Ik bleef verbaasd staan. 'Constances man? Montague Stern?'
'Ja, ik ken hem al een poosje.'
'Dat kan niet. Waarom heb je het niet gezegd? Wat is hij voor iemand?'
'Eén, ik zie niet in waarom ik hem niet zou kennen. Twee, het leek niet belangrijk, zo goed ken ik hem ook niet. Drie, wat voor man hij is? Dat weet ik eigenlijk niet. Hij is... formidabel.' Hij wachtte even. 'Ik houd ervan wanneer je vragen in drieën stelt. Met een vaart achter elkaar. Waarom? Het is absoluut niet logisch. Zie je wat je hebt gedaan? Een verstandelijk man laten verdwijnen!'

'Probeer nu niet van onderwerp te veranderen,' zei ik toen we verder liepen. 'Hoe heb je hem leren kennen?'

'Dat was een jaar of vier geleden. Door de Scripp-Foster Foundation. Er was een project waar ik in Yale aan werkte en zij verschaften de fondsen. Stern is een van hun curatoren en hun belangrijkste geldschieter. Ze zochten naar iemand om het werk te doen en zo heb ik hem ontmoet.'

'En heb je hem daarna nog gezien?'

'Een paar maal. Ik vermoed dat hij achter mijn benoeming hier aan het Instituut zat.'

'Die wetenschappelijke afdeling die je krijgt – zorgde hij daarvoor?'

'Hij was een van de bestuursleden die een gesprek met me had. Ik had verwacht dat ze een oudere man zouden nemen. Hij is geïnteresseerd in mijn werk. Maar zo'n beslissing ligt nooit bij één man...'

'Ze wilden je allemáál. Natuurlijk. Eenparig. Ze konden niet anders.'

'Je bent bevooroordeeld, lieverd, maar zo gaat het niet helemaal. In ieder geval weet ik het niet en Stern zal er zeker nooit over praten. Hij overweegt de dingen voor zichzelf. Ik ben erg op hem gesteld.'

'En zie je hem wel – afgezien van je werk?'

'Zo nu en dan. Niet dikwijls. We eten wel eens samen.'

'Waar woont hij? Toch niet in New York?'

'Nee, ergens buiten de stad.'

'Connecticut? Constance zei dat hij daar woonde.'

'Nee, ik geloof tenminste van niet. Dichterbij, denk ik. Als hij hier is, logeert hij in het Pierre. Daar heeft hij een suite en als we samen eten, is het daar en alles wordt zeer formeel opgediend door zijn eigen butler. Het is heel traag, heel waardig. Alsof je in een mannenclub bent, waar de klok rond 1930 is blijven stilstaan.'

'1930? Praat hij ooit... over Constance?'

Er kwam een windvlaag en Frank trok me dichter tegen zich aan.

'God, wat is het koud. Rennen. Het is niet ver meer. Constance? Nee, nooit – voor zover ik me herinner.'

Ik had het gevoel dat Frank iets achterhield, maar de volgende minuut was ik het weer vergeten. Hij was blijven staan voor een armoedig flatgebouw.

'Maar ik kan het wel regelen dat je kennis met hem maakt, als je dat graag wilt. Vooruit. Kun je al die trappen lopen? Er is een lift, maar die werkt meestal niet.'

Het appartement waar ik heenging toen ik op zoek was naar Constance, met zijn brandtrap en wasgoed aan de lijn. Toen dacht ik: *Wie wonen daar nu, een of ander onbekend paar?* Dat appartement was het. Een slaapkamer, een zitkamer, een badkamertje en een keuken. Het was schoon, leeg en wit geschilderd. Vanuit het raam had je dag en nacht uitzicht over Manhattan.

Toen we binnenkwamen, merkte ik dat Frank, die steeds zo'n haast had gehad, gespannen was. Zijn gezicht had een uitdrukking die ik goed leerde kennen: een strakke, gesloten uitdrukking. Zijn manier van doen was plotseling formeler.

'Vind je het leuk?'

'Ja, Frank.' Ik begreep het niet. 'Ik houd... van het uitzicht. Het uitzicht is prachtig.'

'Het is heel klein. Dat weet ik.'

'Deze kamer is niet zo klein. En de keuken is heel praktisch. Leuk.'

'De lift werkt soms. Vorige week deed hij het.' Hij zei het wat droefgeestig. Door de stilte die volgde, kwam luid en onverwacht de klank van een trompet, zilver en zuiver. Ik sprong op.

'Dat is het appartement hieronder.' Frank was nu op zijn hoede. 'Daar woont een zekere Luigi. Hij speelt trompet in een band. Hij heeft vijf kinderen. Hij is... heel aardig.'

'Vast wel, Frank.' Ik draaide me om en begon de waarheid te vermoeden. Ik sloeg mijn armen om zijn middel. 'Van wie is dit appartement?'

'Van mij. Ik heb het vorige week gehuurd. Wanneer ik in het Instituut ga werken, kom ik hier wonen. Dan loop ik naar mijn werk. Wel een flinke wandeling...'

'Frank, het zijn bijna veertig blokken.'

'Ik dacht dat dat goed voor me was.' Hij was een en al koppigheid. 'Lopen. Dan hier terugkomen en...'

Hij kon de goede woorden niet vinden. In een opwelling van verdriet en teleurstelling begreep ik waarom hij me hier had gebracht. In de afgelopen maanden, toen hij zijn werk in Yale afmaakte en ik hem daar ging opzoeken, hadden we het nooit over de toekomst – zoals Constance het zou noemen – gesproken. En nu was die toekomst verklaard. Hij ging hier wonen. Alleen. Ik probeerde mijn stem zo opgewekt en zorgeloos mogelijk te laten klinken.

'O, maar dat komt toch goed uit. Kijk, er zijn boekenplanken voor je boeken en als het gemeubileerd is...'

'Meubels. Ik heb niet aan meubels gedacht.'

'Die zul je toch nodig hebben, Frank. Zelfs jij. Je kunt niet op de grond slapen. Je hebt een tafel en een stoel nodig en...'

Ik kon niet verder. Ik was woedend op mijzelf. Ik wist dat het verkeerd was geweest om te hopen dat Frank als hij eenmaal uit Yale
weg was, me zou vragen – wat zou vragen? Met hem te trouwen,
zoals Constance scheen te verwachten? Met hem samen te wonen?
Gewoon bij hem te zijn? Iets in ieder geval. Ik had het nooit duidelijk voor me gezien.
'O, ik ben zo stom. Ik doe het allemaal verkeerd. Altijd doe ik zulke dingen.' Frank draaide me naar zich toe. 'Je huilt.'
'Nee. Ik heb alleen iets in mijn oog.'
'Ik houd van je. Wil je luisteren?' Weer zag ik die worsteling in zijn
gezicht. 'Ik had het je moeten uitleggen. Van het geld. Het gebrèk
aan geld. Ik... ben niet rijk, Victoria.'
'Dat weet ik. Dacht je dat me dat iets kon schelen?'
'Nee. Natuurlijk niet. Ik weet dat je de wereld niet zo bekijkt. Maar
het feit blijft... Toen ik in dit land kwam, had ik niets. Alleen de kleren die ik aanhad. Max en Rosa hebben me in huis genomen. Ze
hebben alles voor me betaald, ook mijn school, een langdurige,
kostbare opleiding. Na de dood van Max...' Hij zweeg even. 'Rosa
is niet zo kapitaalkrachtig als ze denkt, Victoria. Max heeft niet zoveel nagelaten. Ze geeft veel te veel uit, heeft dat althans in het verleden gedaan. Ze heeft jonge kinderen die nog op school zitten. Dus
voordat ik aan mijzelf kan denken moet ik eerst Rosa terugbetalen.'
'Terugbetalen?'
'Schat, universiteiten zijn niet gratis. Wetenschappelijk medewer-
kers worden niet zo goed betaald. Iets van het geld heb ik al terug-
gestort maar er moet nog veel meer zijn. Als ik eenmaal bij het Instituut zit, wordt het wel gemakkelijker wanneer ik heel bescheiden
leef – als een wetenschappelijke monnik, alleen maar voor een
poosje...'
'Niet al te zeer als een monnik, hoop ik.'
'Misschien niet in ieder opzicht. Maar als dit achter de rug is, kan
ik – kunnen we – hoop ik – ik zou niets liever willen dan...'
Hij begon uitgebreid in het Duits te vloeken. Frank Gerhard was
geen man die dat vaak zou doen, in geen enkele taal. Ik begon te lachen. Frank zweeg en keek me achterdochtig aan.
'Vind je dat belachelijk? Voor mij is het dat helemaal niet...'
'Ik vind jou zo gek, Frank. Waarom maak je niet af wat je wilde
zeggen?'
'Dat kan ik niet, dat probeer ik je uit te leggen, maar nu zie ik – dat
het dwaas was om te beginnen. Ik wilde je zeggen dat ik – misschien wel binnenkort – iets zou kunnen vragen dat ik nu niet vragen kan. Omdat het, als ik het nu deed...'

'Wat, Frank?'
'Omdat het verkeerd zou zijn.'
'Verkeerd?'
'Eerloos.'
'Frank, in welk jaar leven we?'
'1958.'
'En in welk land zijn we?'
'In Amerika. Kennelijk.'
'Vind je dan niet dat je misschien, omdat we niet in Engeland of in Duitsland zijn en het niet meer – ik weet niet precies wanneer, 1930, of mogelijk zelfs 1830 – is, dat je je misschien ten onrechte zorgen maakt? Dat je misschien een heel klein beetje achterloopt?'
'Ik weet dat ik achterloop, maar dat wil ik juist. Omdat ik je respecteer. Ook...' Hij aarzelde. 'Vandaag zag ik jouw manier van leven. Een groot appartement. Bedienden. Kaviaar bij de lunch...'
'Frank, zou ik niet hier bij jou, in dit appartement kunnen wonen? Dat zou ik fijn vinden, weet je. Dat zou ik dolgraag doen.'
'Zou je dat willen?' Het scheen hem te verbazen. Zijn gezicht klaarde op.
'Ja. Het lijkt misschien verbazingwekkend, maar ik denk dat ik heel gelukkig zou kunnen zijn zonder al die kamers en bedienden. En ik kan zeker leven zonder kaviaar. Frank, denk eens...' Ik liep naar hem toe. 'Je herinnert je Winterscombe en hoe armoedig dat was. Geen geld. Gaten in de vloerkleden.'
'Jullie hadden een butler,' zei hij beschuldigend.
'We hadden William, die heel oud was. Een kokkin die eens per week kwam opzeggen. En Jenna. Dat was in 1938 niet zo bijzonder.'
'Het was een groot huis.'
'Frank, wil je nu ophouden? Je bent de koppigste, meest botte man die ik ooit heb ontmoet. Waarom kan ik niet hier wonen als ik van je houd, als ik hier wil zijn? Of wil jij me hier niet hebben? Gaat het daarom?'
'Je weet dat het niet waar is,' barstte hij uit. 'Ik wil je àltijd bij me hebben. Ik wil met je leven, met je denken en praten, met je slapen en wakker worden. Maar je kunt hier niet wonen, dat hoort niet. Als ik in een positie ben om je te onderhouden, als ik het recht heb...'
'Frank, ik werk. Ik kan mezelf onderhouden.'
'Dan nog,' antwoordde hij stijfjes, 'moet ik in een positie zijn om ervoor te zorgen dat je ermee kunt ophouden. Ik ben niet zo ouderwets als je denkt. Maar...' Hij aarzelde. 'Soms kan een vrouw niet

altijd werken. Als ze een kind verwacht. Als ze kinderen heeft. Ik...' Hij sloeg zijn armen om me heen. 'Ik maak er een puinhoop van,' zei hij eenvoudig. 'Daar was ik al bang voor. Maar het is niet voor lang en ik houd zo ontzettend veel van je. Wanneer ik dit zeg, wanneer ik het kan zeggen met een goed hart en een helder hoofd – wil ik dat het de éérste keer is dat ik het zeg. Dat is belangrijk. Ik wil dat het... volmaakt is, zodat we het ons altijd blijven herinneren en...' Hij zweeg even. 'Dan zeg ik het juiste, hoop ik, op de juiste manier. In het Engels. Dan krijg je de toespraak die je verdient. Ik zit eraan te werken – 's nachts.'

'Werk je eraan? Maar Frank!'

'Ik ben bezig met de derde versie.' De vrolijkheid was in zijn ogen terug.

'De derde?'

'*Natürlich*. Ik verwacht vijf of zes versies. Dan is het zeker goed.'

'Je verzint maar wat.'

'Een beetje. Niet alles.'

'Je plaagt me.'

'Waarom niet? Jij plaagde mij toch ook?'

'Je bent een heel vreemde man en ik houd zoveel van je. Nog één ding...'

'Ja?'

'Staat die vreemde code je toe om me binnen te laten als ik op bezoek kom? Is mijn reputatie dan veilig, als we heel discreet zijn? Denk je, dat ik een heel enkele keer naar binnen en naar buiten gesmokkeld kan worden?'

'Ik zou doodgaan als dat niet gebeurde,' zei Frank.

'Op 1959! Een heel speciáál jaar,' zei Rosa. Ze werd verlegen en kuste haar hele familie, mij ook. Toen begon ze te huilen.

Ze had naar Frank en mij gekeken toen ze het een speciaal jaar noemde en omdat Rosa nooit een lichtvoetige toespeling maakte, trok ze me opzij en zei: 'Kijk toch eens naar Frank.'

Frank zat te spelen met een paar neefjes en nichtjes, want Rosa was al enkele malen grootmoeder en de nieuwe generatie Gerhards mocht opblijven voor nieuwjaar. Midden in de kamer maakten ze een enorme toren van stenen, een soort Taj Mahal. Frank zat hen op zijn knieën te helpen. Zo demonstreerde hij een of andere wet over geavanceerde natuurkunde bij het maken van een bruggetje. Maar hij deed het met tact, hij liet de kleine handjes alles doen. Zo nu en dan deed hij een voorstel, zoals waar ze een steen konden neerzetten zonder het bouwwerk om te gooien. Maar soms was zijn vingerwijzing verkeerd en dan legden de vier- en vijfjarigen hem uit waarom die steen daar niet kon liggen en Frank accepteerde dat nederig. 'Zie je hoe goed hij in zoiets is,' zei Rosa. Daar bleef het natuurlijk niet bij, ze moest ook vertellen wat een goede vader Frank zou zijn.

Ik wist dat ze gelijk had. Ik dacht ook dat Rosa die geadopteerde zoon niet helemaal begreep. Sinds Rosa weduwe was, hield ze zich verre van de donkerder kant van het leven. Ze wilde niet naar de schaduwen kijken en dus was het portret van Frank vol liefde getekend, maar niet geheel juist.

Ik geloof dat ze de duisternis in Frank, die een onderdeel van zijn karakter vormde, niet zag. Hij had als kind veel geleden en verloren. Die verliezen en de manier waarop vergat hij nooit. Het was er altijd, zelfs op het gelukkigste ogenblik, het waren *Gespenster*, zijn privé-spoken. Ze beïnvloedden zijn morele code die streng was en ieder compromis afwees. Ze beïnvloedden zijn wilskracht die zeer groot was. Als hij eenmaal ergens in geloofde, was hij er niet meer vanaf te brengen. Tot op zekere hoogte was hij niet in harmonie met de tijd waarin hij leefde en dat zou in de jaren zestig nog erger worden. Voor Frank waren veranderingen in sociale gebruiken zinloos. Hij was een morele eenling, had zijn eigen code ontwikkeld en hield er zich rigoureus aan. Er was dan ook een zeer belangrijke factor in onze verhouding – zijn mening over Constance. Frank Gerhard had eenvoudige overtuigingen waaraan hij zich hield. Hij geloofde in eerlijkheid, hard werken, huwelijk, trouw, kinderen en het belang van het gezinsleven. Constance vertegenwoordigde daarom alles waar hij een banvloek over uitsprak, al zei hij dat nooit. In de tijd van Rosa's nieuwjaarsparty woonde hij al vanaf die zomer in zijn kleine appartement. Ik bezocht hem daar, hoewel die bezoeken, ondanks zijn ouderwetse ideeën soms tot bijna een half jaar uitliepen. Maar al die tijd had hij mijn peettante nooit bekritiseerd. Hij prees haar evenmin, want hij kon niet goed liegen, maar hij zei nooit iets in haar nadeel. Constance zei dikwijls dat hij dat wel deed. 'O, hij mag me helemáál niet,' riep ze dan, of: 'Die man van jou keurt alles in me af! Ik weet het!' Als ze zoiets zei, kon ik haar wel geruststellen maar het kostte me steeds meer moeite.

Frank was níet op haar gesteld – dat voelde ik, ondanks zijn koppige weigering iets te zeggen. Eigenlijk was ik bang dat wat hij voelde, veel dieper ging dan antipathie. Soms, als we bij Constance waren, zag ik plotseling op zijn gezicht een uitdrukking van onverzoenlijke vijandschap.

Als ik het met hem over Constance had, sloot hij zich af, en ik verdacht hem ervan dat hij veel meer van haar wist dan hij ooit zei. Een paar maal vroeg ik mij af of Montague Stern de bron van die informatie kon zijn maar naar wat Frank over hem had gezegd, leek dat me nogal onwaarschijnlijk. En ik had Stern nog steeds niet ontmoet. Hij was kennelijk ziek, er was een paar maal een afspraak gemaakt die dan weer werd verschoven.

Andere malen leek het dat Franks reactie op haar alleen maar primitief en instinctief was. Frank trok zich terug van Constance alsof er iets in haar was dat hij niet wilde aanraken. Toen we die nacht van Rosa vandaan kwamen, was Frank heel stil. Hij scheen zich zorgen te maken en hield zijn ogen strak op de weg. Hij reed snel, want we zouden nog naar Constances nieuwjaarsparty gaan. Ze had vrolijk gezegd dat die de hele nacht zou doorgaan. Het was bijna twee uur. Ik had slaap en keek naar de regen op de voorruit, het ritme van de motor en van de ruitewissers maakte me doezelig. Ik had geen zin om naar die party te gaan, maar Constance zou jaloers zijn op Rosa als we niet kwamen. Ze had al geklaagd dat ik zo vaak weg was. Frank wilde Constance geen voedsel voor zulke klachten geven. Als ik had voorgesteld de party over te slaan, zou hij hebben geantwoord: 'Nee, je hebt het beloofd. We moeten erheen.'

'Heeft niemand je ooit uitgelegd,' begon hij in de warme stilte, 'waarom je ouders zo'n ruzie met Constance hebben gehad, waarom ze nooit meer naar Winterscombe is gegaan? Weet je nog dat we er als kinderen over praatten?'

'O ja,' gaapte ik en zakte dieper weg in mijn stoel. 'De oudste reden van alles. Niets dramatisch. Geld. Mijn ouders hadden geleend van Montague Stern. Misschien betaalden ze niet gauw genoeg of was de rente te hoog. Maar er kwam ruzie. Constance zei dat het geen goed idee was om bij hem in de schuld te staan.'

'Dat kan ik me voorstellen. Hè, die verdomde regen.'

Hij ging langzamer rijden maar niet voor lang. 'Toch gek, vind je niet, dat je ergens zo over ruziet dat je er nooit meer komt? Tenslotte kende ze je vader uit haar kinderjaren. Ze is er opgegroeid. Je zou denken...'

'O, ik weet het niet. Mensen maken nu eenmaal ruzie over geld. Geld en liefde – de grote krachten die mensen uit elkaar drijven, zegt Constance.'

'Je haalt haar dikwijls aan, hè?'

'O ja? Ze heeft goede dingen om aan te halen. Dat weet je.'

'Ik bedoel haar woorden niet. Haar ideeën. Die haal je aan.'

'Nee.' Ik ging verontwaardigd rechtop zitten. 'Constance is heel anders dan ik...'

'Dat weet ik.'

'Ik ben het over duizend dingen met haar oneens. Ze doet van alles wat ze niet zou moeten doen, vind ik, dingen waar ik een hekel aan heb...'

'Zoals?'

'O, mannen, neem ik aan. Bobsy en Bick bijvoorbeeld. Ik mag hen graag, en ze zou hen met rust moeten laten. Ze zegt dat ze het zal doen en ze doet het niet. Ze zijn allebei even hopeloos. Ze ruziën met haar en staan weer op de stoep. Ze zijn van haar afhànkelijk – dat begrijp ik niet.'

Het was stil. Frank scheen te aarzelen.

'Ze zijn meer dan twintig jaar jonger dan zij,' zei hij toen. 'En ze zijn een tweeling. Bovendien zijn ze allebei haar minnaars. Dus...'

'Wàt zei je?'

'Je hebt me wel gehoord.'

'Dat is niet waar! Ze zijn verlíefd op haar – dat heb ik eindelijk begrepen. Maar ze zijn haar minnaars niet. Belachelijk. Mensen roddelen altijd over Constance. Als ze met een man naar een theater gaat, kletsen ze al. Meestal zijn het leugens. Ik woon bij haar. Ik weet het heus wel.'

'En als ze geen minnaars zijn? Wat is het dan? Een platonische vriendschap?'

'Nee, niet precies. Het is een flirtation. Dat weet ik wel. Ik ben niet blind. Maar Constance flirt met iedere man, het betekent niets.'

'Heeft ze dan geen minnaars?' vroeg hij zacht.

Ik keek uit het raam. 'Ja. Zo nu en dan. Maar niet half zoveel als ze beweren. Ze houdt ervan veroveringen te maken, denk ik. Gewoon ijdelheid – en ook wel eenzaamheid. Het kwetst niemand...'

'O? De echtgenotes zijn niet gekwetst? De kinderen? Of beperkt ze haar aandacht tot ongetrouwde mannen?'

Het verbaasde me dat hij zo sprak. Het deed pijn – en omdat ik wist dat wat hij zei waar was – maakte het me boos.

'Waarom zeg je dat? Je hebt het nooit over Constance en nu begin je opeens over iets als dit. Je moet niet over haar oordelen, daar heb je het recht niet toe. Ik ben haar alles verschuldigd. Ik houd van haar...'

'Maar schat, dat weet ik.'

'Toen ik in New York aankwam – je had moeten zien hoe ze toen was, hoe lief tegen me. Hoe ze me aan het lachen maakte. O, duizend dingen...'

'Vertel me daar eens iets van.' Hij wierp me een blik toe. 'Ik wil het begrijpen.'

'Ze kan... zo ontzettend leuk zijn. De saaiste dag maakt ze vrolijk. Als ze je iets vertelt, zet ze de dingen op hun kop – als een goochelaar. Ze is zo snel, zo verrassend. Ze geeft je geest geen moment rust. En ze is steeds anders: het ene ogenblik gelukkig, lachend, en dan plotseling vreselijk bedroefd. Zo'n enorme opwelling van verdriet.' Ik aarzelde. 'Je hebt haar nooit gezien met Bertie. Je weet niets van honden.'

'Vertel me eens over Bertie.'

Dus onder het rijden vertelde ik hem dat verhaal en andere. Ik had het niet vaak met hem over mijn Newyorkse jeugd gehad en toen ik begon, zag ik de ene episode na de andere weer voor me. Zijn aandacht, het suizen van de banden, het gevoel opgesloten te zijn in de veilige auto, was als een reis door de tijd. Omdat ik hem zo graag wilde overtuigen, vertelde ik hem voor het eerst hoe ze me had geholpen naar hem te zoeken, hoe ze had opgebeld en geschreven voor mij.

'Ze wilde bijna even graag dat je brieven aankwamen als ikzelf. Iedere ochtend als de post er was, bracht ze de brieven mee naar de ontbijttafel. Iedereen was zo aardig, ik kreeg erg veel post: Maud, Steenie, Freddie, Wexton – ze schreven allemaal. Constance kende hun handschrift, maar er was nooit een brief van jou bij. Soms gaf ze me een kus – Frank, wat doe je?'

'Niets, sorry. Die koplampen verblindden me. Ik rijd wel langzamer. Ga door.'

'Er is niet meer zoveel. Alleen – o, ik wil zo graag dat je haar ziet zoals ze echt is.'

'Ik zie haar nu beter.'

'Werkelijk? Ik zou het zo prettig vinden als je haar aardig vond, Frank.'

'Ga door. Wat deden jullie nog meer?'

'We wandelden met Bertie – iedere dag, zoals je weet. Tenzij Constance weg was natuurlijk. Als ze thuiskwam van haar werk, haalde ze me af en dan gingen we uit. O, en onderweg stopten we om mijn brieven in de bus in de hal te stoppen. Daarna gingen we naar het park en...'

'Wat een routine.' Hij glimlachte. Even later vroeg hij: 'En als zij er niet was? Wie bracht dan de brieven binnen? Wie postte ze?'

'O, dat weet ik niet meer.' Ik gaapte. 'Ik krijg weer zo'n slaap. Mattie zal ze wel hebben binnengebracht. We hadden een meisje dat Mattie heette en dat zakkenrolster was geweest. Ze was heel aardig. Aan het eind van de oorlog ging ze weg. En ik mocht Bertie niet alleen uitlaten, dus dan moest een van die gouvernantes mee. Maar altijd hetzelfde. De brieven gingen in de hal op de bus en wij liepen door het park. Het was saai zonder Constance.'

'Je moet wel eenzaam zijn geweest. Zo'n enorm appartement. Dienstmeisjes, gouvernantes die kwamen en gingen...'

'Ik voelde me niet eenzaam. Ik las veel. Frank, het is al vreselijk laat. Over drieën. Waar zijn we?'

'We zijn er bijna.' Hij fronste tegen de weg voor ons. 'Als we aankomen,' zei hij terloops, 'moet je me die brievenbus in de hal laten zien. Ik zou graag zien... waar vandaan je je brieven verstuurde. O, en toon me de bibliotheek. Die is ook interessant. Ik zou hem graag willen zien.'

Ik liet hem de brievenbus zien maar niet de bibliotheek, niet die nacht. Toen we uit de lift kwamen, zei ik: 'Wat een rùstige party. Denk je dat we te laat zijn?'

Het was stil omdat er geen party was. Alle gasten waren een paar uur geleden vertrokken. Allen op één na. Toen we de salon binnenkwamen, zat Constance er alleen met Bick van Dynem. Deze ene keer in zijn leven was hij zo nuchter als hij maar zijn kon. Hij vertelde het ons: Bobsy was dood.

'De mensen zullen zeggen dat het zelfmoord is,' zei Bick met een toonloze, beheerste stem. 'Dat is niet waar. Het was een ongeluk. Hij was hier vanavond. Ik heb met hem staan praten. Hij kon zichzelf niet doodmaken. Ik ben zijn tweelingbroer. Ik weet dat.'

Als het geen zelfmoord was, was het een heel vreemd ongeluk. Bobsy was al om een uur of tien vertrokken en reed met meer dan honderdvijftig kilometer over de Long Island snelweg. De motorpolitie kon hem niet bijhouden, en hij vloog naar de pier waar hij vroeger graag parkeerde, richtte de auto op de oceaan en reed met volle vaart het water in. Hij droeg geen veiligheidsgordel. De portieren zaten op slot en alle raampjes stonden open. Toen de auto boven water kwam, vond men geen spoor alcohol in zijn bloed. Hij was niet verdronken maar stierf toen de auto het water raakte, het stuur was door zijn borstbeen gedrongen.

De Van Dynems sloten de gelederen na dit ongeluk. Bick was erop uit zich dood te drinken, wat hem in twee jaar lukte. Ik heb hem nooit meer gezien. Mijn laatste herinnering aan hem is zoals hij die nacht was, bleek, aan de grond genageld, en steeds opnieuw bewerend dat het geen zelfmoord was. Frank stond met een onbewogen gezicht toe te kijken, toen zag ik dat hij medelijden kreeg. Hij liep naar Bick en zei hartelijk: 'Moet je niet naar je ouders? Ze hebben je nu nodig, Bick. Wil je niet bij hen zijn?'

'Ik heb geen auto.' Bick keek Frank aan met een blik van kinderlijk verdriet. Met een schok besefte ik dat Frank Gerhard, die oneindig veel ouder leek, in werkelijkheid een paar jaar jonger was dan Bick. 'Ik mag niet rijden, zie je. Ze zijn al naar het eiland. Ik wilde er ook heen maar ik denk niet dat ik op oudejaarsavond een taxi kan krijgen.'

Ik keek naar de grond. Constances auto, wist ik, stond beneden. Toen vroeg ik: 'Hoe laat is het gebeurd, Bick?'

'Om een uur of twaalf, dacht ik. Of was het één uur?' Hij schraapte zijn keel. Het mooie, aristocratische gezicht keek zonder iets te zien de kamer rond. 'Ik weet eigenlijk niet wat ik doen moet. Ik denk dat ik iets moet doen, ik wil bij hen zijn. Ik had altijd een auto. Ik herinner me niet... wanneer ze me die hebben afgenomen.'

'Dat geeft niet,' zei Frank, 'ik breng je wel.'

'Helemaal naar het eiland?' Het was het eerste wat Constance zei. Ze was opgestaan. Haar gezicht was bleek. 'Om deze tijd van de nacht? Bick heeft een shock. Hij kan beter hier blijven.'

'Ik denk dat zijn ouders hem nodig hebben. En ik denk dat hij hen nodig heeft,' zei Frank. 'Het geeft niet, Constance, ik breng hem wel.'

Ik voelde een korte, verbitterde worsteling in de kamer. Constance stond op het punt te blijven protesteren maar de uitdrukking op Franks gezicht en de klank van zijn stem hielden haar tegen.

Even was het gezicht van Constance vol angst en ik besefte dat ze niet wilde dat Bick, in shock, alleen met Frank Gerhard helemaal naar Long Island zou rijden.

'Victoria blijft bij je,' zei Frank en trok Bick naar de deur. 'Misschien is het een goed idee, Victoria, om een dokter te laten komen.'

'Ik heb geen dokter nodig,' zei Constance luid. 'Ik ben niet ziek. Bick...'

Bick stond bij de deur. Toen Constance hem riep, aarzelde hij. 'Misschien kan ik beter niet gaan.' Hij keek smekend naar Frank. 'Mijn ouders – misschien zijn ze wel liever alleen. Ik kan Constance niet zo achterlaten. Ze is overstuur.'

Nu gebeurde er iets beangstigends. Frank en Bick stonden bij de deur, Constance stond onbeweeglijk aan de andere kant van de kamer. Ze keek Frank aan met een blik vol onmiskenbare haat. Geschokt zag ik hoe haar ogen over Bick gleden. Ze boog even het hoofd, een toestemmend knikje. Bick ging direct de kamer uit. Er was geen woord gezegd, het knikje had iets dat op minachting leek voor dit deel van de hemelse tweeling. Ik huiverde. Ik veronderstelde dat ik toen, in die fractie van een seconde, iets van Constance ging begrijpen.

Misschien had Constance het gevoeld – we waren op elkaar afgestemd. En misschien voelde ze ook dat ik iets voor haar verborgen hield. Toen ik Frank de volgende dag zag, vertelde hij me niet veel over de rit en niets over wat Bick hem had verteld. Dat kwam later. Maar ik zag zijn bezorgdheid. Hij zei alleen: 'Besef je – dat we een gesprek met je peettante moeten hebben? Een echt gesprek? Het kan niet veel langer wachten.'
Hij wilde toen niet met haar praten, hij wist dat de dood van Bobsy van Dynem me diep had geschokt. In plaats daarvan zei hij: 'Ik moet een afspraak maken met Montague Stern. Hij is weer beter. En nu moet je echt kennis met hem maken – niet in een hal. Alleen één ding... Stern heeft liever niet dat je het tegen je peettante zegt.'
Ik zei niets en Constance voelde misschien dat ik haar ontweek, net zoals ze voelde dat ik me steeds meer van haar terugtrok. Ze ging in de aanval, eerst door duidelijk te laten blijken dat ze sinds de dood van Bobsy van Dynem zeer veel op Frank Gerhard tegen had. Wat volgde, zie ik nu, was een gestage campagne die enkele maanden duurde. Het begon met die druppeltechniek van nuances, zinspelingen, die geleidelijk aan steeds opener werden. 'Weet je,' kon ze zeggen. 'Ik ben niet meer zo zeker van die man van jou als vroeger, Constance. Neemt hij nooit een besluit? Uiteindelijk is het nu al langer dan een jaar – en ik weet nog niet zeker wat er aan de hand is. Woon je met hem samen? Niet helemaal – maar je verdwijnt dagen achter elkaar. Ik neem aan dat hij je niet ten huwelijk heeft gevraagd. Wees alsjeblieft voorzichtig, schat. Ik zou het vreselijk vinden als je gekwetst werd...'
Dat was een geliefde strategie, maar soms was ze veel subtieler. 'Ik vraag me af – nu ik eraan denk maakt het me toch wel bezorgd, die band vanaf jullie kindertijd. Weet je zeker dat je verliefd bent op Frank Gerhard – of is het op Franz-Jacob? Je weet toch zeker dat je niet naar je jeugd terugverlangt? Je zou kunnen denken dat je van hem hield, omdat hij een band is met Winterscombe. Je maakte altijd een soort heiligdom van dat huis, schat – en ik begrijp het wel. Maar het is niet gezond. Hetzelfde kan gezegd worden van hem. Hij raakte zijn huis en zijn familie kwijt – dus wat deed hij? Hij was gefixeerd op een vriendinnetje dat hem nooit schreef. Jullie zijn allebei verliefd op het verleden, niet op elkaar.'

560

Toen dat niet werkte, kwam ze met een andere benadering: Frank begreep me niet. 'Zie je, schat, al die verschillen! Denk eens na, wat verdient hij? Wat verdient een knappe wetenschapsman? Niet half zoveel als ze horen te krijgen – dat weten we wel. Terwijl jij en ik te veel verdienen. Ik ben bang dat dat hem ergert. Hij is in bepaalde opzichten zo ouderwets. Toen je de stad uit moest voor die opdracht voor Gianelli, deed hij ook al zo...'

'Constance, we moesten onze plannen veranderen. Je zei dat jij het huis van Gianelli zelf wilde doen...'

'Ik kan niet alles tegelijk! Begrijpt hij dat niet? Dit is niet het soort werk waarbij je je aan kantooruren kunt houden.'

'Hij begrijpt het wèl. Hij houdt zich ook niet aan die uren.'

'Ik hoop dat je gelijk hebt. Maar ik moet zeggen dat hij niets van je werk schijnt te begrijpen. In de eerste plaats is hij visueel blind. Zo onwerelds! Hij kon het verschil niet zien tussen een Aubusson en een Bokhara...'

'Constance, wil je ophouden? Ik begrijp zíjn werk niet. Ik ben visueel blind wanneer het op wetenschap aankomt. Ik kan het proberen maar ik weet niets van de structuur van cellen en...'

'Dat is nog zoiets!' riep Constance. 'Het is heel belangrijk dat mannen en vrouwen dingen gemeen hebben. Niet voor een losse relatie, maar voor een huwelijk is het van vitaal belang. Je ouders, bijvoorbeeld. Die hadden dezelfde smaak voor muziek, voor boeken. Montague en ik...'

'Ja, wat hadden Montague en jij gemeen, Constance?'

'We dàchten gelijk.'

'Misschien denken Frank en ik ook gelijk. Is dat wel eens bij je opgekomen?'

'Natuurlijk – en in het begin dacht ik dat het zo was. Nu weet ik het niet meer. Hij gaat zo op in zijn werk en hij is heel intelligent. Jij bent ook intelligent, op jouw manier – niet iedereen ziet dat misschien, maar ik wel. Hij is analytisch, jij bent intuïtief. Misschien heeft hij wel iemand nodig die zijn werk begrijpt, iemand met dezelfde achtergrond, dezelfde opleiding. Zie je! Ik wist het. Die gedachte is bij je opgekomen. Ik zie het aan je gezicht. O, schat – kijk niet zo bedroefd – het maakt me bóós. Ik weet hoe begaafd je bent – en als hij dat niet ziet...'

Zo ging het door, dagen, maanden achter elkaar. Eens, toen ik de gedachte aan het appartement niet langer kon verdragen, bleef ik bijna een week weg. Toen ik terugkwam, huilde Constance. Frank Gerhard haatte haar. Hij wilde dat we ruzie maakten.

'Dat is niet waar, Constance. Hij zegt nooit iets lelijks over je. Jij bent degene die zo stom en achterdochtig doet. Ik bleef weg omdat ik er doodziek van word. Ik luister er niet meer naar. Of je bemoeit je alleen met je eigen zaken en praat niet meer over Frank of ik verhuis helemaal.'

'Nee, dat moet je niet doen. Hij zal denken dat ik hem onder druk wil zetten, dat ik hem wil dwingen om met je te trouwen.'

'Constance, ik waarschuw je. We praten niet meer over hem. We praten over alles maar niet over Frank. Dit maakt mij ellendig, jou ellendig en het moet uit zijn. Ik houd van hem en ik wil niet dat er zo over hem gesproken wordt. Nooit meer. Ik meen het, Constance.'

'Goed, ik zal niet meer over hem praten.' Constance rechtte haar rug. 'Ik moet je nog één ding zeggen. Ik houd van je en ik beschouw je als mijn dochter. Ik hield ook van je vader, heel veel, en ik heb geprobeerd – echt geprobeerd – zijn plaats in te nemen. Ik vraag me steeds af: wat zou Acland nu doen? Wat zou er gebeuren als je een vader had om je te beschermen? Alles wat ik heb gezegd, heb ik goed overwogen. Ik ben geen dwaas. Ik weet dat je niet wilt luisteren. Toch zeg ik het omdat ik weet dat Acland hetzelfde tegen je zou zeggen. Precíes hetzelfde. Ik wil graag dat je dat onthoudt, Victoria.'

Het was Constances belangrijkste gave – haar instinct voor de achilleshiel van anderen. Verwierp ik alles wat ze zei nu direct? Sommige dingen, maar andere niet. Ze druppelden mijn geest binnen. Ik haatte de manier waarop mijn denken erdoor beïnvloed werd.

Dat voorjaar ontmoette ik eindelijk Montague Stern. Het was tijdens wat Constance 'onze koude oorlog' noemde. Frank Gerhard werd niet meer genoemd. Het was de vijftiende mei, ik herinner me de datum, zoals ik me ieder detail van die avond herinner. Ik ontmoette Frank in zijn appartement. Hij was laat, was opgehouden op het Instituut waar hij bezig was met een artikel voor een medisch tijdschrift. Een van de assistenten had te laat bepaalde gegevens bij elkaar gezocht.

'Lieveling, het spijt me,' zei hij. 'Ik kon niet wegkomen en ik denk dat ik weer terug moet. We zullen de halve nacht moeten doorgaan. Dan laat ik je met Stern alleen...'

'Kunnen we het niet beter afzeggen?'

'Nee, nee.' Hij scheen verstrooid. 'Het is te laat. Dat zou onbeleefd zijn. En zijn gezondheid is niet best. Kom, we moeten gaan.'

'Is hij ernstig ziek?'

'Maar schat, hij is boven de tachtig.' Ik merkte zoals al eerder dat hij een beetje ontwijkend deed. Ik zou me meer bezorgd hebben gemaakt als ik zelf ook geen problemen had. De afgelopen maand had Constance mijn werk verdubbeld. Deze middag had ze, even koel, een nieuwe opdracht aangekondigd, een waar we maanden op gehoopt hadden – de restauratie van een groot château aan de Loire, eigendom van een familie met een van de mooiste meubelverzamelingen van Europa. 'O, schat,' zei ze en gaf me een kus. 'Het is van ons. Ik zal het nauwkeuriger zeggen: het is van jou. Ik wil dat jij het doet, Victoria. Doe het, en je hebt het gemaakt. O, ik ben zo blij, schat.'

Ik was niet blij. De opdracht was inderdaad verleidelijk, maar ik zou minstens drie maanden in Frankrijk moeten zitten.

'Frank,' begon ik toen we op straat liepen. 'Frank, zou je het erg vinden als ik je iets vroeg? Het gaat over mijn werk.'

'Vraag maar op, schat. Die verdomde taxi's – dadelijk zijn we te laat.'

'Vind je mijn werk erg stompzinnig? Ik denk dat dat soms niet anders kan. Jij gaat naar je Instituut, je bestudeert ziekten, je probeert een geneesmiddel te vinden – en wat doe ik? Ik kies tinten verf. Kies materialen. Knoei een beetje met kleuren.'

'Knoeien?' Hij fronste. 'Je knoeit helemaal niet. Het is juist interessant wat je doet. Ik begrijp het niet helemaal, maar ik probeer ervan te leren. Weet je nog die keer in de werkplaats, toen je al die soorten vernis mengde en experimenteerde met kleuren? Dat was heel interessant.'

Ik had toen geprobeerd om een rode kamer voor een cliënt te ontwerpen – niet het rood dat Constance vaak gebruikte, dat ze Etruskisch noemde, maar een tint die je kon bereiken door een basiskleur te bestrijken met verschillende tinten vernis. Ieder vernis, transparant en glanzend, wijzigde de kleur eronder: vermiljoen over karmijn, Venetiaans rood, een laatste laag van omberbruin om de kleur oud te maken. Het was langzaam werk en ik vond het fascinerend, het experimenteren met die soorten vernis, de mogelijkheid om een kleur te wijzigen.

'Zoals de waarheid, zie je wel?' had ik gezegd, terwijl ik opkeek naar Frank. 'Dat zegt Constance altijd. Je kunt steeds nieuwe lagen aanbrengen en iedere keer verandert de laag eronder.'

'Als de waarheid?' vroeg Frank. 'Daar ben ik het niet mee eens. De waarheid verandert niet, die is onveranderlijk. Ik heb de waarheid altijd heel simpel gevonden.'

Hij was toen vrij ongeduldig geweest en omdat ik zag hoe verkeerd het was om Constance alweer aan te halen, zweeg ik, al vond ik niet dat hij gelijk had. Nu we doorliepen omdat er nog steeds geen taxi te zien was, dacht ik aan die opdracht in Frankrijk en aan zijn werk in het laboratorium.

'Ik denk wel eens aan al die verschillen tussen ons. Jouw werk is van vitaal belang, dat van mij is pure luxe. Ik doe het omdat ik het leuk vind, en omdat het het enige is wat ik goed kan. Maar voor jou moet het wel onbenullig schijnen. En soms denk ik...'

Frank bleef staan. Hij draaide me naar zich toe en nam mijn hoofd in zijn handen. Hij dwong me hem aan te kijken.

'Meen je dat, schat? Vertel eens wat je soms denkt.'

'Misschien zou je liever iemand willen hebben die je werk beter begrijpt dan ik. Iemand met wie je erover kunt praten. Ik ben nooit op school geweest en van wetenschappelijke dingen weet ik helemaal niets. Ik speel geen schaak, alleen heel slecht bridge. Ik kan niet goed koken. Ik kan alleen een kamer inrichten. Dat is niet erg veel, hè?'

'Nog meer wat je niet kunt?' Hij was geamuseerd.

'Gun me even tijd, dan weet ik veel meer.'

'Laat mij je eerst een paar dingen zeggen waar je goed in bent. Je kunt lief zijn – goed. Je kunt begrip tonen – goed. Je kunt praten en nadenken – goed. En je kunt liefhebben – goed. Er zijn niet veel mensen die zulke gaven hebben – zeker de laatste niet. Weet je dat niet?'

'Frank, meen je dat? Weet je het zeker?'

'Wat zeker?'

'Zeker over mij. Ik zou het begrijpen als je op den duur iemand vond die je meer nodig had. Een wetenschappelijke vrouw, bijvoorbeeld.'

'O, dus dat zou je begrijpen?'

'Nee. Nou, ik zou het misschien begrijpen. Ik zou het afschuwelijk vinden, maar...'

'Geef me een arm. Dan vertel ik je over mijn ideale vrouw. Ze weet alles van kernfysica. Ze legt me uit waar Einstein in de fout ging, terwijl ze de heerlijkste eieren voor het ontbijt klaarmaakt. Ze is dan ook *cordon bleu* chef – ze nam lessen toen ze Russisch leerde...'

'Russisch?'

'Chinees ook, denk ik. Zo'n vrouw. Bobby Fischer leerde nog van haar als ze schaakten. En ze is heel mooi...'

'Echt?'

'Ze ziet eruit als... Even denken. Als een van die vreemde vrouwen

op de omslagen van tijdschriften. Met een huid als porselein en een uitdrukking van hooghartige verbazing. In bed is ze een tijgerin...'
'Wil je nu ophouden?'
'...beroemd om haar verleidingskunsten en haar charme. Er ontbreekt maar één ding aan haar...' Hij bleef staan en ik zag dat we Hotel Pierre hadden bereikt. Frank was nu echt serieus.
'Zij is niet jij – begrijp je? En ik houd van jou. Zeg dat nooit meer tegen me – nooit meer, hoor je dat? Ik weet wie je die gedachten heeft opgedrongen, wie je het gevoel wil geven dat je te kort schiet – en dat moet ophouden. En nu naar binnen. Het is tijd dat je de man van je peettante leert kennen.'

Sterns suite was inderdaad zoals Frank had beschreven. Er hing de rustige sfeer van een herenclub. Terwijl ik naar de versleten leren stoelen keek, naar de mooie vloerkleden, naar het mannelijke van het geheel, tot aan de bejaarde butler toe, had Frank zich in één ding vergist, dacht ik. De klok was hier stil blijven staan, maar lang voor 1930. Ik had het mis, Frank had de juiste datum gekozen. Maar toen had ik het gevoel dat ik terug was in de tijd van mijn grootvader en dat de man die me hoffelijk begroette, uit de tijd van koning Edward stamde. Sterns gestalte was nu iets gebogen. Hij bewoog zich langzaam. Constance had verteld over zijn opvallende vesten maar zijn donker fluwelen *coin de feu* was ouderwets maar niet vulgair. Hij kwam naar me toe en boog zich over mijn hand. Ik hoorde weer het accent dat ik me herinnerde: Engels, maar met een spoor van Centraal-Europa.
'Lieve kind, ik ben zo blij dat je hebt kunnen komen. Ik moet me verontschuldigen voor het uitstel. Op mijn leeftijd zijn dat nu eenmaal de feiten, ben ik bang. Ik kan moeilijk van tevoren plannen maken, zoals vroeger.' Hij zei het op een droge manier, alsof hij het wel aardig vond.
Hij beheerste de situatie en speelde de rol van ervaren gastheer die twee veel jongere mensen meenam op een tocht naar een vroeger tijdperk. De conversatie was afgemeten en zo door Stern gestuurd dat ieder op zijn beurt tijd had om te spreken en te luisteren. Het enige eigenaardige was dat het gesprek volkomen onpersoonlijk bleef.
Noch voor noch tijdens het diner werd mijn peettante genoemd. Zodra het gesprek zich in haar richting bewoog – wanneer er gesproken werd over gezamenlijke vrienden of mijn werk als binnenhuisarchitecte – merkte ik dat Stern er een bijna onmerkbare draai aan gaf. Hij hield de teugels van de conversatie in handen.

Frank probeerde die ontwijkende conversatie niet te verhinderen, ik dacht zelfs dat hij erbij hielp. Ik had verwacht dat Stern over Constance zou praten, althans naar haar zou vragen. Ik had zelfs verondersteld dat hij me wilde ontmoeten vanwege mijn band met haar.

Om een uur of elf, toen de maaltijd voorbij was, nam Frank afscheid. Hij had de problemen op het Instituut al eerder uitgelegd en Stern deed niet teleurgesteld dat de avond op die manier werd bekort. Omdat ik dacht dat hij moe werd, stelde ik voor ook te vertrekken maar Stern stond erop dat ik nog wat bleef.

'Lieve kind, ik houd er niet van alleen koffie te moeten drinken – en het is uitstekende koffie. Wil je me niet nog wat gezelschap houden?'

Het was duidelijk dat ik die charmante uitnodiging niet mocht afslaan en terwijl de butler koffie bracht, stak Stern een sigaar op waar hij kennelijk van genoot.

'Jammer,' zei hij, 'dat Frank weg moest. Ik bewonder hem. Ik vind dat je dat moet weten. Eens... had ik graag een zoon willen hebben. Dat is helaas nooit gebeurd, anders had ik gehoopt dat hij zou lijken op Frank Gerhard.' Het was even stil. 'Maar ik hoef zijn kwaliteiten niet op te sommen. Ik weet dat je je die goed bewust bent. En ik ben heel blij dat hij jou heeft gevonden. Een paar jaar geleden, toen ik hem pas leerde kennen, was ik wel eens bang dat hij niet zoveel geluk zou hebben. Maar vertel me nu over jezelf. Wat is er met Winterscombe gebeurd? Ik heb er de meest gelukkige herinneringen aan.'

Ik vertelde hem van het huis, ik had het over mijn ooms Steenie en Freddie. Onder het praten merkte ik dat Sterns reserve verminderde. Hij vertelde er verhalen over, ontspande zich. Hij scheen het prettig te vinden over het verre verleden te praten, moedigde me aan over mijn kindertijd, zelfs over mijn ouders te spreken.

'Ziet u,' zei ik, 'ik heb het gevoel dat ik u bijna ken. Tante Maud had het dikwijls over u en natuurlijk...' Ik zweeg. Ik had Constance willen noemen maar was bang dat de avond dan meteen voorbij zou zijn.

'En?' vroeg Stern. 'Ga door.'

'O... niets. Ik wilde zeggen – dat het zo eigenaardig is om iemand uit de tweede hand te kennen, via via. Het had allemaal anders kunnen zijn als de ruzie met mijn ouders er niet was geweest. Dan had ik u al lang geleden gezien, op Winterscombe en...'

Ik zweeg. Stern had zijn ogen op mijn gezicht gevestigd en was een en al aandacht.

566

'Ruzie? Wat voor ruzie?'
Ik bloosde. Nu ik in die kuil was gevallen zag ik geen mogelijkheid meer om eruit te kruipen. Ik keek op mijn horloge.
'Het wordt laat. Ik dacht juist dat ik misschien moet gaan.'
'Lieve kind, dat dacht je helemaal niet. Wat voor ruzie?' Hij vroeg het beleefd maar zijn wilskracht klonk uit zijn woorden.
'U hebt gelijk. Het spijt me. Het was alleen niet erg tactvol van me om het te zeggen.'
'Niet tactvol? Waarom?'
'Omdat u niet over Constance wilt praten,' zei ik gehaast. 'Ik zie dat wel en respecteer het en ik wilde er niets over zeggen...'
'Je had het toch niet over haar. Maar over een ruzie.'
'Ja... Er was onenigheid over geld tussen u en mijn ouders. Daarom zijn u en Constance nooit naar Winterscombe teruggegaan. Constance legde me dat allemaal uit. Het is natuurlijk geen goed idee om geld te lenen van vrienden...'
Weer zweeg ik. Ieder woord dat ik zei, maakte de dingen erger. Stern fronste, onaangenaam getroffen.
'Je hebt ongelijk,' zei hij koud. 'Ik ben het met je eens dat je nooit geld aan of van vrienden moet lenen. Maar ik heb nooit iets aan je ouders geleend en het is me nooit gevraagd. En ik herinner me niet dat ik ooit ruzie met hen heb gehad. Ik zag hen alleen niet meer na het eind van mijn huwelijk.'
Ik was opgestaan, maar toen hij dit zei, ging ik weer zitten. Ik voelde me ellendig. 'O, ik moet het verkeerd begrepen hebben. Het spijt me.'
Stern bleef me aankijken. Hij doofde zijn sigaar. Toen, na een stilte, kwam hij tot een besluit.
'Is er iets, mijn kind? Je kijkt zo ongelukkig. Wat je zojuist zei, is geen reden voor die uitdrukking op je gezicht. Het heeft een diepere oorzaak dan een *faux pas* tijdens een gesprek. Wil je het me niet vertellen? Wacht.' Hij hield zijn hand op en glimlachte. 'Als ik als biechtvader word beschouwd – en op mijn leeftijd ben ik daaraan gewend – moet ik eerst een cognac hebben. Jij ook. Spartel niet tegen. Je zult het lekker vinden. Het is heel goede cognac.'
Hij was inderdaad heel goed en verwarmde mijn maag. Ik tuurde in mijn glas en vroeg me af of ik mijn hart moest uitstorten of niet.
'Als het helpt,' begon Stern, 'denk dan maar aan mijn leeftijd, mijn... positie. Er is maar heel weinig waar ik me over verbaas. Bovendien,' hij aarzelde even, 'praat Frank ook met me. Ik ben min of meer op de hoogte van zijn hoop – en zorgen.'
'Neemt Frank u in vertrouwen?'

'Je hoeft niet zo fel te kijken, lieve kind. Je weet vast wel dat Frank Gerhard loyaal en – voor zijn leeftijd – zeer discreet is. Hij heeft niets gezegd wat hij niet tegen jou zou zeggen. Waarom vertel jij me je zorgen niet? En ik vind het echt niet pijnlijk als je over mijn vrouw wilt praten.'

Die laatste opmerking was, dacht ik, niet waar, ik zag het in zijn ogen. Toch deed ik het. Ik was wanhopig en moest raad hebben. Nu zei ik dat de vraag die ik hem stelde dezelfde was waar ik mijn hele leven al mee tobde: Wie is Constance en wat is ze?

Ik had het niet over de Van Dynem tweeling of dat moment van inzicht in de salon. Dat was niet nodig. Wat ik zei draaide om Constances verzinsels. Ik probeerde uit te leggen hoe ze voortdurend een wig wilde drijven tussen Frank en mij, ik probeerde haar gave om de waarheid op zijn kop te zetten, uit te leggen en ik probeerde het voornaamste duidelijk te maken: wanneer ik bij Constance was, kende ik mijzelf niet.

Stern luisterde tot het eind toe.

'Ziet u,' zei ik ten slotte, 'ik houd heel veel van Frank. Ik houd ook van Constance. En ik zie dat ze me zal laten kiezen tussen haar en hem. Ze zal een confrontatie forceren. En daar ben ik zo bang voor.'

'Ik begrijp het,' zei Stern na een lange stilte. Hij keek de kamer rond alsof hij een besluit wilde nemen. De stilte duurde zo lang dat ik dacht dat hij vergeten was dat ik er zat. Toen zei hij plotseling, 'Luister, lieve kind, ik zal je een verhaal vertellen.'

Het ging over een appartement in New York en het verhaal komt nog ter sprake. Het was over het appartement waar al die jaren later, Constance haar dagboeken achterliet met het briefje: *Hier ben ik*.

Ik weet zeker dat Stern het nooit eerder had verteld en er nooit meer over spreken zou. Ik denk dat hij het vertelde terwille van hemzelf en mij, alsof het een waarheid bevatte die hij nog eenmaal wilde bekijken. Ten slotte maakte hij een opmerking over zijn wens dat de geschiedenis zich niet zou herhalen. Toen boog hij zich over de tafel en pakte mijn hand. Zijn waardigheid had niet geleden, maar zijn gezicht had diepe groeven van emotie.

'Dat was hoe en waarom er een eind aan mijn huwelijk kwam. Ik vertel je dit omdat ik je vriend bewonder en omdat je, voor zover het hem betreft, niet moet aarzelen. Als je een keus moet maken, dan is hij de juiste keuze. Er is nog een reden waarom ik dit vertel, omdat we met hetzelfde probleem zitten. Wat er ook gebeurt en ondanks alles ben ik altijd van mijn vrouw blijven houden.'

Later diezelfde avond ging ik terug naar Frank. Daar vertelde ik hem alles wat Stern mij verteld had. Hij luisterde met zijn rug naar me toe en keek uit het raam naar de nachtelijke hemel.
'Ik wist dat hij van haar hield,' zei hij toen ik klaar was. 'Hij spreekt zelden over haar, maar toch wist ik het.'
'Ze heeft tegen me gelogen, Frank, dat zie ik nu. Niet alleen over kleine dingen, maar leugens die belangrijk zijn, die het hart van alles raken. Ze heeft gelogen over mijn ouders, over Winterscombe, de ruzie...'
'Had Stern een verklaring?'
'Nee. Maar ze loog wel. Het had niets met geld te maken. Ze loog over haar huwelijk, over Stern, over zichzelf. Ik heb het gevoel dat ik haar absoluut niet meer ken. Ik weet niet wat ik tegen haar moet zeggen, hoe ik haar nog kan vertrouwen...'
'Ik denk dat je dat al een tijdlang weet.' Hij kwam naar me toe. 'Zo is het toch?'
'Misschien. Ik wist het half, wilde het niet weten. Al die dingen.'
Hij kwam naast me zitten en sloeg een arm om mijn schouders.
'Het moest een keer gezegd worden. Vroeg of laat. We kunnen het niet negeren.' Er viel een stilte.
'Ze heeft onze brieven achtergehouden,' zei hij toen met tegenzin. 'Lieverd, dit moest je weten. Als ze tegen jou gelogen heeft, is dit de grootste leugen van allemaal. Luister je? Zij heeft de brieven achtergehouden.'
Ik staarde naar de vloer. Wanneer was die mogelijkheid voor het eerst bij me opgekomen? Ik kende het antwoord. Het was in de nacht dat Bobsy stierf, toen ze zijn broer dat knikje gaf dat hem wegstuurde. Toen begreep ik dat Constance ervan hield mensen te breken.
'Ik heb eraan gedacht,' zei ik, 'ik heb er zelfs aan gedacht het haar te vragen. Maar ze zou het alleen maar hebben ontkend.'
'Ik weet het.' Hij fronste. 'Eigenlijk heb ik het altijd geweten, vanaf het eerste moment dat ik haar ontmoette. Toen ze me kuste – weet je nog? Ik hield mijzelf voor dat het onmogelijk was, maar het is heel goed mogelijk en het past bij haar karakter.'
'Ik kan het niet geloven.' Ik wendde me tot hem en zei smekend: 'Ze houdt echt van me, Frank.'
'Daar twijfel ik geen moment aan. Maar degene van wie ze houdt, vernietigt ze.' Hij wachtte. 'Je begrijpt het wel – ze vernietigt jou

ook als je het toelaat. Ze breekt je in stukken – stap voor stap en zo behendig, zo lief, dat je nooit weet dat het gebeurt tot het te laat is. Als je haar haar gang laat gaan.'

'Dat is niet waar.' Ik stond op. 'Het klinkt of ik een zwakkeling ben.'

'Je bent niet zwak,' zei hij berustend. 'Maar zij heeft één ding op je voor. Je bent als kind bij haar gekomen. Weet je wat de jezuïeten zeggen? "Geef mij het kind en ik geef je de man."'

'Dat is ook niet waar. Ik ben haar vrouw niet.'

'Nee, maar een deel van jou behoort haar toe. Als je twijfelt aan jezelf – is dat Constance die wil dat je twijfelt. Als je weet dat iets waar is en je twijfelt – is dat Constance. Als je twijfelt aan ons, aan mij – is dat ook Constance.'

Ik wist dat het waar was en zijn treurige stem sneed me door de ziel.

'Is het zo verkeerd om te twijfelen?' vroeg ik eindelijk.

'Soms heel verkeerd. Misschien heb ik het mis' – hij brak af – 'maar nu we zo weinig tijd hebben, moeten we er niet te veel van verspillen. Aan twijfel. Of uitstel. Dat is mijn schuld, ik weet het.'

Hij keek het appartement rond en toen naar mij.

'Ik had gedacht dat we moesten wachten op de ideale omstandigheden. Tot ik je alles kon geven wat ik dacht dat je hebben moest. Ik zie nu dat dat verkeerd was. Ik zei dat ik een toespraak tegen je wilde houden, maar nu doe ik dat niet. Ik houd van je, Victoria, en ik wil met je trouwen.'

Eén maand later, een paar weken voor de datum van onze bruiloft, kreeg Montague Stern een hartaanval en stierf kort daarna. Ik hoorde het nieuws in een lang, verward en emotioneel telefoongesprek van Constance. Ik was in Frankrijk en Frank – tot ergernis van Constance – was bij me. Hij had twee weken vakantie genomen. Toen ik het hem vertelde, zaten we op een hotelterras aan een vroeg ontbijt. Het was een heerlijke zomerdag met een onbewolkte hemel: het huis dat ik aan het inrichten was, lag aan de overkant van de vallei en onder ons slingerde de Loire zich naar de verte. Toen ik hem het nieuws vertelde, stond Frank op en draaide zich om.

'Wanneer is het gebeurd?' vroeg hij ten slotte.

'In de nacht.' Ik aarzelde. 'Frank, ze is vreselijk bedroefd. Het was geen spel. Ik moet terug.'

Frank keek weer naar de rivier. Hij zei langzaam: 'Ze heeft bijna dertig jaar niet met Stern samengeleefd en hem vrijwel niet meer gesproken. Maar ze is zo bedroefd dat jij vijfduizend kilometer moet vliegen, je werk onderbreken, na alles wat er is gebeurd.'

'Ze is zijn weduwe. Ze zijn nooit gescheiden. Die keer dat hij naar het appartement kwam toen Bertie dood was – Frank, als je toen haar gezicht had gezien. Ze hield van hem op haar manier.'

'We hebben de gevolgen van haar liefde uitgebreid besproken.' Zijn gezicht verstrakte. 'Stern verdient het dat er om hem gerouwd wordt – maar niet in gezelschap van haar.'

'Ik beloofde haar dat ik zou komen. De begrafenis is zondag. Een orthodoxe begrafenis. Ze smeekte me bij haar te zijn en ik heb toegestemd. Ze raakt iedereen kwijt. Ze heeft Stern verloren, nu verliest ze mij...'

'Is dat zo?' vroeg Frank scherp. 'Je trouwt met me, dat betekent nog niet dat ze je verliest.'

'Zo voelt zíj het. Het is in zekere zin waar. We zijn niet meer zulke vriendinnen als vroeger. Frank, alsjeblieft – ze vraagt om hulp. Maar heel kort – een week...'

'Vraagt ze jou om hulp? Goed, ik ook. Ik vraag je om hier te blijven, om niet naar haar toe te gaan.'

'Frank, waaròm? Wat kan dat nu voor kwaad?'

'Ik praat er niet meer over.'

Ik geloof dat ik hem nog nooit zo boos had gezien. Ik zag hoe hij vocht tegen zijn woede. Zijn gezicht – het ene ogenblik vol hartstocht – verstrakte. Hij keek op me neer en zei toen met een koude stem, een stem die hij nooit eerder tegen me gebruikt had: 'Goed. Jij gaat terug en ik ga mee. Ik wil graag de begrafenis bijwonen. Help je peettante door haar periode van rouw heen. Die zal niet lang duren.'

Hij had het mis. Constances verdriet was diep en duurde maanden. Toen ik de volgende dag aankwam, stond ze erop alleen naar de begrafenis te gaan. 'Ik ga alleen, op mijn eigen manier!' riep ze boos toen ik probeerde haar over te halen. 'Hij was míjn man. Waarom zou jij gaan? Je kende hem niet eens...'

Ze was heerszuchtig en nerveus. Als ik haar van Stern zou vertellen, zou ik een scène veroorzaken. De volgende ochtend probeerde ik haar uit te leggen dat Frank Stern had gekend en naar de begrafenis zou gaan. Ik weet niet of ze luisterde. Ze liep steeds de kamer op en neer, van top tot teen in het zwart en wapperde met een brief van Sterns advocaten. Ze had me de brief al laten lezen, die details gaf over Sterns testament. Het grootste gedeelte van zijn vermogen ging naar liefdadige instellingen, zijn vele huizen en landgoederen waren aan Constance nagelaten.

'Moet je die brief zien! Ik haat die brief! Ik haat advocaten! De woorden die ze gebruiken. Huizen – hoe durft hij me huizen na te laten. Vooral déze. Schotland – het huis waar we onze huwelijksreis doorbrachten – dat krijg ik. Hoe kon hij zo wreed zijn? Ik weet wat hij probeerde: hij wilde me dingen laten herinneren. Het werkt niet. Ik verkoop ze, allemaal.'

Ik had beloofd dat ik in haar appartement op haar terugkeer zou wachten. Het werd steeds later. De begrafenis was om een uur of twaalf voorbij, maar het was laat in de middag toen Constance thuiskwam. Door de zwarte kleren leek alle kleur uit haar huid verdwenen. Haar gezicht zag asgrauw.

'Ik haat de tijd!' riep ze. Haar ogen waren zwart, zoals altijd als ze boos was. Haar zwart gehandschoende handen trilden.

'Waarom kunnen we de tijd niet laten stilstaan? Terugdraaien? Hij loopt over ons heen. Hoor je zijn zware laarzen? Ik wel.' Ze bedekte haar oren met haar handen. 'Bonk, bonk, bonk! Ik word er doof van. Ik wil terug. O, ik wilde dat ik God was!'

Ze begon weer op en neer te lopen.

'Weet je wat ik zou doen als ik God was? Dan zou niemand oud worden, niemand doodgaan. Er zouden geen ziekten en ongelukken zijn. En geen herinneringen. We zouden altijd kleine kinderen blijven. Te jong om bang te zijn voor het donker, te jong om je gisteren te herinneren.'

'Constance...' begon ik, maar ze scheen zich nauwelijks te realiseren dat ik er was. 'O, ik heb zo'n berouw. Alles doet er pijn door. Ik wil mijn leven terug. Ik wil het ànders. Ik wil niet alleen zijn. Ik kan er niet tegen. Ik wil Montague. Ik wil de baby die ik verloren heb. Ik hield van hem. Ik hield bíjna van hem. En hij was altijd zo koud. Weet je hoe ik hem zie? Wandelend door de sneeuw, in Schotland, op onze huwelijksreis. Op en neer. Hij noemde het "lichaamsbeweging op de binnenplaats van een gevangenis". "Zullen we naar de wildernis gaan?" vroeg hij dan. Nu bèn ik er. O, ik ga dood als ik eraan denk...'

'Constance, toe. Ik weet zeker dat je het mis hebt. Ik weet zeker dat hij niet koud was. Ik weet zeker dat hij van je hield...'

'Wat weet jij?' Constance vloog me aan. 'Wat weet jij van liefde? Niets. Stomme lieve dingetjes. Je denkt dat liefde geluk betekent. Liefde heeft níets met geluk te maken, het is een pijnbank.'

'Constance, ga toch zitten, probeer wat kalmer te worden...'

'Waarom zou ik? Ik ben nooit kalm. Weet je wie ook op de begrafenis was? Die man van jou. Zwart pak. Waarom was hij er? Waarom bespioneert hij me?'

'Constance. Hij kènde Stern – door zijn werk. Ik zei dat hij zou komen.'

'Dat deed je niet. Ik weet wel wat jullie dachten. Jullie dachten dat ik hem niet zou zien. Er waren honderden mensen. Ik zag hem en ik wachtte tot iedereen weg was. Ik ben Montagues vrouw. Het is mijn rècht. Dus wachtte ik op het kerkhof. Het regende zo. Die man van jou kwam naar me toe. Hij probeerde me over te halen om weg te gaan. Maar ik schreeuwde tegen hem. Misschien. Hij ging weg. Ze gingen allemaal weg. Ik stond daar helemaal alleen. Het was afgrijselijk. Al die graven waren zo wit, joodse graven.'

Ze bleef in de kamer staan staren. 'Weet je, ik heb Montague nooit begrepen. Dat heb ik vandaag ontdekt. Ik begreep zijn schilderijen niet, of zijn muziek. Ik probeerde het maar het lukte niet. Wagners *Tannhäuser* – dat was de opera waar hij het meest van hield. Waarom? En de begrafenis was in het Hebreeuws. Ze spraken Hebreeuws aan zijn graf. Ik luisterde en luisterde en werd er zo ziek van. Ik was een vreemde. Ik was een vreemde voor hem. Het stroomde van de regen en eindelijk waren we samen, mijn echtgenoot en ik. Ik luisterde aandachtig om maar één woord, één uitdrukking te begrijpen – maar ik kon het niet, Victoria. Het was afschuwelijk. Ik denk dat Montague het met opzet heeft gedaan. Hij deed het voor mij – een laatste ironie. Ik kon zijn taal niet spreken, begrijp je?'

'Er is niets dan leegte.'

Het was een uur later en Constance praatte nog steeds. Niets wat ik deed, bracht haar tot rust.

'We brengen niets in deze wereld en nemen niets mee. Montague en ik, we maakten plannen voor overwinningen. Waar zijn ze? Ik heb niemand en niets. Ik ben weer kind. Zie je – mijn zwarte jurk, precies dezelfde, mijn zwarte schoenen, mijn zwarte haar. Alles zwart. Waar zit die vogel?' riep ze. 'Victoria, laat hem weggaan. Ik weet dat je achter mijn rug wilt gaan kletsen. Dat moet je nog niet doen. Vang eerst die vogel. Snel. Gooi hem het raam uit.'

Ze begon weer te huilen en bedekte haar gezicht met haar handen. Ze had nog steeds haar handschoenen aan. Ze wilde nog steeds niet gaan zitten. En ze huilde nog om de vogel toen Frank even later verscheen. Hij keek naar haar vanuit de deuropening en zei kortaf: 'Bel haar dokter. Nu.'

Toen ging hij weg. Daarna ging ik naar hem toe. Hij was in de keuken. Een angstig dienstmeisje verzamelde alle messen en borg ze in een kast.

'Frank, wat doe je?'
'De dokter geeft haar een kalmerend middel, maar dat is na een poosje uitgewerkt. Je moet alles opruimen, geen messen, geen barbituraten, geen bleekmiddel, geen scheermesjes. Neemt ze barbituraten? Ik denk van wel.'
'Ja, sembutal, als ze niet kan slapen. Frank...'
'Ruim alles op. Kijk ook haar kamer en haar kleren na.'
'Is dat nodig?'
'Zeer zeker. Terwijl jij bezig bent, blijf ik bij haar.'

Het duurde lang om alle kamers na te gaan. Constance beschouwde haar eigen kamers als haar hol. Nu ik in haar kleedkamer tussen de kasten stond, zag ik hoe Constance het verleden oppotte. Jurken die ze in geen twintig jaar gedragen had, rijen schoenen, dozen handschoenen, alles geordend volgens kleur. Zelfs haar trouwjapon was erbij, die legendarische creatie, met borduursel en stofpareltjes. De zijde was broos als oud papier. Toen ik de doos waar hij inlag, opende, voelde ik me een dievegge.
Tegen de tijd dat ik klaar was, was de dokter geweest en was Constance naar bed gebracht. Ze lag doodstil en haar gezicht was even wit als de kussenslopen. Ik had haar geheime wapens naast elkaar op de toilettafel gelegd. Het was zoals Frank had gezegd – ik had ze gevonden in schoenen, tussen ondergoed, in zakken. Verschillende artsen, verschillende recepten, verschillende data: sommige medicijnen dateerden van hetzelfde jaar, andere waren veel ouder. De oudste was voorgeschreven in 1930.
Er was nog iets, een laatste ontdekking. De envelop was opengescheurd en er was een Amerikaanse postzegel op geplakt. Er zat een kort briefje in.

Mijn liefste Victoria. Ik schrijf met een zwaar hart. Ik denk dat je je vriend vergeten bent. Weet je hoeveel pijn het doet dat je nooit hebt geschreven? Misschien heb ik je boos gemaakt met al die liefde waarover ik schreef – dus nu vraag ik alleen of we vrienden kunnen zijn. Kijk, ik stuur je nog een som zoals ik beloofde. Niet te moeilijk. En anders zal ik je helpen. Ik probeer er een grapje van te maken maar het is moeilijk te spreken en nooit antwoord te krijgen. Ik denk dat dit mijn laatste brief zal zijn en de laatste som, Victoria. Als je ditmaal niet schrijft, weet ik zeker dat je me vergeten bent – je vriend, Franz-Jacob.

Ik las de brief telkens weer over tot de tranen verder lezen onmogelijk maakten. Frank kwam binnen. Ik zag zijn ogen over de stapels pillendoosjes glijden en toen naar mijn tranen. Ten slotte zag hij het vel papier in mijn hand. Zonder een woord nam hij me in zijn armen terwijl ik huilde over dit bewijs van zijn liefde – en over het verraad.

Frank zei dat we voorzichtig moesten zijn en dag-en-nachtverpleegsters waren niet genoeg. Al had hij de slaaptabletten weggenomen, er bleven andere methoden.

'Als ze echt dood wil,' zei hij, 'vindt ze wel een manier.'

Daar had hij gelijk in. De dag voor ons huwelijk gooide Constance een glas kapot en sneed haar polsen door. De bruiloft ging niet door. Die middag zat ik met hem op zijn kamer. Hij zei: 'Victoria, luister. Als iemand echt zelfmoord wil plegen op die manier, doet hij het achter een gesloten deur. Hij geeft een snee in de lengte op de slagader, niet overdwars. En hij doet het niet in zijn slaapkamer met de zekerheid dat binnen tien minuten de verpleegster terugkomt. Dit was geen echte poging tot zelfmoord. Het was een boodschap aan jou. Een waarschuwing.'

'Weet je dat zeker?'

'Niet helemaal. Ik twijfel er niet aan dat je peettante ziek is en ze is het op deze manier waarschijnlijk al jaren. Maar ik denk dat ze reden heeft om in leven te blijven, hoezeer ze ook flirt met de dood. Ze houdt van vechten. Ze verjongt zich door een gevecht. Zo lang ze gelooft dat ze jou van me af kan nemen, pleegt ze geen zelfmoord. Zeker niet.'

'Maar waaròm, Frank? Waarom?'

'Geen idee. Zo is ze,' antwoordde hij eenvoudig.

Zo was ze en zo bleef ze. Maanden gingen voorbij. Het werd najaar. Constances toestand ging op en neer.

Met behulp van kalmerende middelen en goede verpleging leek ze vooruit te gaan. Dan kwam ze haar slaapkamer uit, zei dat ze naar vrienden wilde, terug wilde naar de showroom. Ze kreeg trek, ze praatte helder en kalm. Ze verontschuldigde zich nederig voor alle last die ze had veroorzaakt, voor het extra werk dat ik moest doen, voor het uitstel van ons huwelijk.

'Ik zie nu,' zei ze op een dag, 'dat ik Frank in het begin goed zag. Ik weet niet waarom ik later zoveel op hem tegen had. Hij is heel aardig.'

Ik vertrouwde haar niet maar ging toch hopen. Ik dacht, nog een paar weken, een maand. En weer had ik het mis. Even plotseling als ze opknapte, was er een terugval. Soms zakte de energie langzaam weg, soms ging het plotseling. Die cyclus van hoop naar wanhoop, gezondheid naar ziekte, putte me volkomen uit. Op mijn werk moest ik achterstallige opdrachten het hoofd bieden, sommige werden uitgesteld, zoals het kasteel in Frankrijk, sommige werden afgezegd door woedende cliënten, soms werd alles chaotisch omdat Constance de nerveuze assistenten belde, tussenbeide kwam en instructies die ik gegeven had, terugdraaide.

Ik had het gevoel dat ik nooit van haar los kon komen. Als ik bezig was met een cliënt, belde ze op. Als ik bij Frank was, belde ze, soms om drie uur 's nachts, dan weer om vier uur en opnieuw om zes uur. 'Waarom zit je daar?' huilde ze. 'Moet je nu alweer bij hem zijn? Victoria, ik heb je nódig.'

In het begin kon ik het aan omdat Frank er altijd was om me gerust te stellen en te steunen. Maar toen de weken en maanden voorbijgingen, zag ik dat ook hij veranderde. Hij wilde niet langer over mijn peettante praten. Zijn gezicht verstrakte tot een masker van ongeduld als ik begon. We zagen elkaar steeds minder omdat ik uren langer moest werken om te proberen de zaak bij elkaar te houden. Frank trok zich terug in zijn laboratorium. En wanneer de barrières tussen ons schenen te worden afgebroken, kwam Constance tussenbeide. Ze scheen intuïtief het juiste moment aan te voelen. Eenmaal, toen de telefoon al tienmaal had gerinkeld en ik eindelijk, moe gebeukt de hoorn wilde oppakken, smeet Frank die weer neer.

'Blijf eraf,' zei hij boos. 'Voor deze ene keer, in godsnaam.'

Die nacht hadden we onze ergste en pijnlijkste ruzie, vol beschuldigingen en tegenbeschuldigingen. De volgende ochtend zaten we tegenover elkaar aan de keukentafel. Ik tuurde naar de koffiekopjes, de pot marmelade. Ik voelde me wanhopig ellendig. Frank ook. Uiteindelijk pakte hij mijn hand. 'Zie je wat dit voor ons betekent – voor ons beiden? We zijn nooit alleen. We kunnen nooit samen zijn. We hebben een officiële vergunning. Alle regelingen zijn klaar. We trouwen volgende week. Ik wil je woord dat we het ditmaal niet meer uitstellen, wat er ook gebeurt. Beloof je dat?'

Ik zei: 'Ja, ik beloof het.'

Diezelfde dag kwam Constance naar de showrooms. Ze zag er goed en opgewekt uit en werkte op haar oude manier met de assistenten, heerszuchtig maar amusant en met goede ideeën. Om een uur of twaalf zouden er een paar potentiële cliënten komen en dat maakte me nerveus, maar toen ze er waren, gedroeg Constance zich onberispelijk. De kamers werden besproken, met de kleurenschema's, voorkeuren en tijden. Om half een leidden Constance en ik dit zeer conservatieve echtpaar de showrooms door. Er was een speciale tafel, zei Constance, die ze hun wilde laten zien, Iers, uit de tijd van de Georges. Toen ze de tafel naderde, bleef ze staan. Ze zei zacht: 'Victoria, wie heeft die spiegel daar opgehangen? Ik dacht dat ik het duidelijk had gemaakt. Ik zei: geen spiegels.'

De achttiende-eeuwse Franse spiegel, bewerkt en verguld, hing strak tegen de muur. Constance bleef ernaar staan kijken. Naast haar stond een grote, kostbare Chinese vaas en zonder een woord gooide ze die door de spiegel. Beide werden verbrijzeld. Splinters glas vlogen naar alle kanten. Iemand – de cliënt veronderstel ik – zei: 'Wat is hier aan de hand, verdomme?' Nadat Constance de vaas en de spiegel had vernield, pakte ze nog meer voorwerpen en smeet die door de kamer; een wilde opeenvolging van dozen, kandelaars, vazen. Ze pakte een antieke stoel, greep een glasscherf, sneed de zijde aan stukken en vernielde de hele stoel. Ze trok hem uit elkaar. De cliënten waren natuurlijk al lang weg voordat de stoel aan stukken lag. Ik wist dat ze nooit terug zouden komen. Dit verhaal – het waren invloedrijke mensen – zou diezelfde avond de ronde door New York doen.

Constance werd naar huis gebracht, kreeg nieuwe artsen, nieuwe verpleegsters. Er gingen twee, drie dagen voorbij. Eindelijk durfde ik Frank te vertellen wat er was gebeurd. Ik probeerde het krankzinnige van de scène uit te leggen. Hij luisterde met een grimmig gezicht tot ik klaar was en pakte toen mijn arm.

'Trek je jas aan,' zei hij. 'Ik wil je iets laten zien op het Instituut.'

'Ik wil je je peettante laten zien. Voor de laatste maal zal ik proberen het je te laten begrijpen.' Hij duwde me in een stoel. Voor me stonden twee microscopen. 'Kijk eens naar deze objectglaasjes en zeg me wat je ziet.'

Voor de laatste maal, die woorden maakten me bang. Ik voelde zijn emotie toen hij me aanraakte. Ook het laboratorium maakte me bang met die ziekenhuislucht, het licht van tl-buizen. De vloertegels waren wit. Ieder voorwerp had een functie, ieder reageerbuisje een label. Precisieinstrumenten om ons heen. Alles stond op zijn plaats, alleen afwijkende cellen waren toegestaan. De feiten kon je niet op verschillende manieren interpreteren, iets was zo of het was niet zo. Ik begreep waarom Frank de waarheid zo simpel vond.

Onwillig keek ik eerst in de ene en toen in de andere microscoop. Frank stond achter mijn stoel. Hij zei: 'Het zijn allebei bloedmonsters, duizendmaal vergroot. Die rechts is van een gezond lichaam. Die ronde vormen zijn witte cellen, en die met die kleine stokjes zijn een virus. Zie je hoe die witte cellen het virus aanvallen? In een gezond lichaam heb je dit soort oorlog. Als een virus, of een bacterie, het lichaam binnendringt, roept het lichaam de witte bloedlichaampjes te hulp. Kijk nu eens in de linker microscoop.

Dit monster is van een patiënt die stierf aan leukemie. De kanker is al in een vergevorderd stadium. De verdediging van het lichaam, het immuunsysteem, werkt niet meer. De witte bloedlichaampjes die het lichaam moesten verdedigen, vallen nu zelf aan. Het lichaam verwoest zichzelf.'

Ik ging rechtop zitten.

'Begrijp je het? Ik toon je dit omdat het de enige manier is waarop ik het je kan uitleggen. Dat tweede glaasje betekent voor mij Constance.'

'Wat monsterlijk om dat te zeggen.'

'Dat weet ik. Maar dat geloof ik nu eenmaal. Ik ben niet zo hard als je denkt, ik heb tot op zekere hoogte medelijden met haar. Ik weet dat er redenen moeten zijn waarom ze zo is. Ik geloof niet in het zuivere kwaad. Maar ik zie haar toch als iets kwaads, zo niet in haarzelf, dan toch in de invloed die ze op mensen heeft. Ik zag het in Montague Stern, in de Van Dynem tweeling. En ik zie het in ons. En daar trek ik de streep, ik doe het nu, ik moet wel.' Hij aarzelde. 'Ik weet dat je het hier niet mee eens bent, maar dit geloof ik nu eenmaal. Je kunt mijn verleden de schuld geven maar ik vind het fout als je denkt dat je een compromis met het kwaad kunt sluiten.'

Ik hoorde een pleidooi in zijn stem, maar ook de trots en onverzettelijkheid die deel uitmaakten van zijn karakter. Het was onvermijdelijk dat we zover zouden komen.

'Mag ik nog één ding zeggen? Tijdens mijn opleiding werkte ik bij mensen die op sterven lagen, mensen die dolgraag wilden blijven leven. Jonge kinderen. Mannen en vrouwen van een jaar of dertig, mensen met gezinnen die van hen afhankelijk waren. En ik wist dat ze zouden sterven. Begrijp je me? Ik kan niet zo reageren als jij wanneer je peettante haar polsen doorsnijdt. Ze is niet lichamelijk ziek. Ze heeft alle voordelen die je je maar denken kunt. Jij houdt van haar. Ze heeft alles om voor te leven. Als ze dood wil, is dat haar beslissing. Het is haar boosaardige wil.'

'Ze is ziek, Frank. Wat je zegt is niet helemaal waar. Haar géést is ziek.'

'Mogelijk,' zei hij kort. 'Soms geloof ik het. Soms niet. Ze is op een bepaalde manier zwak en er komen veel voorwendsels bij. Ik geloof dat ze echt verdriet heeft gehad en dat heeft ontwikkeld en aangekweekt. Dat blijft ze doen zolang ze er baat bij heeft. We stelden een datum voor ons huwelijk vast en ze sneed haar polsen door. Ze gooide met vazen en brak spiegels. Dat komt toch wel goed uit, vind je niet, die belangrijke ziekte van haar. Het is een voorspelbare cyclus. Ik vond het vanavond heel vreemd, toen je die dramatische terugval beschreef. Die was toch twee dagen geleden, maar vanmiddag lunchte ik bij haar en scheen ze in uitstekende gezondheid te verkeren, en ze was heel opgewekt.'

'Heb je bij Constance geluncht vandaag?'

'Ja. In haar appartement. Ze had me uitgenodigd. Ze moest dringend met me praten. Ze gaf me dit.'

Hij gaf me een stuk papier. Het was een cheque voor een angstwekkend hoog bedrag aan geld, overgemaakt aan de Scripp-Foster Foundation. De inkt was zwart, de letters groot en duidelijk. Ik telde de nullen.

'Het is natuurlijk omkoopgeld. Ze zei dat het tijd was dat ik je vrij liet. Ze beweerde dat we niet bij elkaar pasten, dat ik je carrière in de weg stond en dat je geen geschikte vrouw was voor een wetenschapsman. Ze zei dat je niet in bescheiden omstandigheden zou willen leven, dat je dat nooit had hoeven doen, dat het zelfzuchtig van me was om dat van jou te verwachten. Ze wist dat mijn werk mijn eerste prioriteit was en raadde me aan me daarop te concentreren. Deze cheque was bedoeld om me daarbij te helpen. Hij wordt geldig als ze resultaten ziet.'

'Zo'n grote donatie?'

'Ja. En ze was heel helder, maar nu je hem hebt gezien, kan ik hem verscheuren. Ik wil die cheque niet te veel aanraken, dus scheur ik hem in honderden stukjes. En ik ga je nog één ding vragen.' Hij keek me bedroefd aan. 'Wil je nog steeds van de week met me trouwen? Of wil je het weer uitstellen? Ik geloof dat je dat had willen voorstellen. Ik zag het in je gezicht. Maar voor je antwoordt, moet je weten dat er een voorwaarde aan vastzit.'

'Een voorwaarde?'

'Ik wil je peettante nooit meer zien. Ze stal je brieven. Ze schreef deze cheque uit. Ze heeft zich tegenover jou gedragen op een manier die ik haar nooit vergeven zal. Dus ik trek hier de streep.'

'Je wilt haar nooit meer zien?' Ik staarde naar de vloertegels.

'Ik wil haar niet zien. Ik wil haar niet in ons huis hebben. Als we kinderen hebben – en dat hoop ik met heel mijn hart – wil ik niet dat ze haar leren kennen. Ik zou het niet veilig vinden.'

'Je verbant haar,' zei ik langzaam, nog steeds naar de vloer starend. Ik keek op. 'Je verbant haar, Frank – net als mijn ouders. Besef je dat?'

'Natuurlijk. Toen ik probeerde te beslissen wat ik moest doen, heb ik daaraan gedacht. Daarom wist ik dat ik gelijk had. Ik doe dit voor jou – en ik vermoed dat zij het ook daarom deden.'

'En die voorwaarde...' Ik wachtte even. 'Slaat die ook op mij? Mag ik haar ook niet meer zien?'

'Je denkt dat ik je regels, beperkingen, wil opleggen?' Hij kreeg een kleur. 'Dat is niet eerlijk. Jij moet beslissen of je haar zien wilt of niet. Ik vraag je alleen dat niet te doen.'

'Vragen? Dus ik heb wel een keus?' Ik stond op. 'Heel aardig van je, Frank – om me de vrije keus te laten als ik de vrouw die ik als mijn moeder beschouw, wil opzoeken. De vrouw die me heeft grootgebracht...'

'Ze is je moeder níet. Het feit dat je haar als zodanig beschouwt, is een onderdeel van het probleem.' Hij pakte mijn pols. 'Ze heeft zich als een moeder gedragen, hè? Welke moeder stopt brieven weg van twee kinderen die elkaar schrijven? Welke moeder probeert de echtgenoot af te kopen? Wat moet ze nu nog doen voordat je de moed opbrengt om met haar te breken? Als je naar haar kijkt, ben je blind, weet je dat wel?'

'Ik ben niet blind.' Ik trok mijn pols los. 'Het is geen kwestie van moed. En ik wil niet van dergelijke lesjes krijgen als dit...'

'Lesje? Is dit een lesje?'

'Ik word hier neergezet als een kind, en moet door een microscoop kijken. Je zegt dat je met me wilt trouwen maar wel onder vóórwaarden. Voorwaarden, als het om een huwelijk gaat? Ik haat dat, ik veràcht dat.'

'Victoria, je begrijpt me niet. Luister...'

'Nee. Jij moet luisteren. Constance heeft in één opzicht gelijk. We zijn verschillend. We vóelen niet hetzelfde. Alles is duidelijk, net als je werk. Zwart en wit. Goed en kwaad. Zo is het niet voor mij. Het komt er voor mij niet op aan of Constance goed of slecht is. Ze is allebei. Ik houd van haar en ik kan niet ophouden van haar te houden omdat ik dingen afkeur – zo werkt dat niet. Moraal heeft er niets mee te maken. Wat ze ook heeft gedaan – ik houd van haar, onvoorwaardelijk. Dat kan niet ophouden omdat jij het mij vertelt. En ik trouw niet met iemand die me dat vraagt.'

Ik zweeg. Frank was heel bleek geworden.

'*Ein dummes englisches Mädchen*,' ging ik kalmer door. 'O, Frank, zie je het niet? Je zei dat een keer tegen me en iets in je denkt er nog zo over. Het maakt je ongeduldig – ik zie het aan je gezicht. Je vindt me traag en dom omdat ik het voor de hand liggende niet wil zien, maar je vergist je, ik weet dat ik niet knap ben op jouw manier, maar soms begrijp ik dingen die jij niet begrijpt. Ik ben niet altijd blind.'

'En ik soms wel? Bedoel je dat?'

'Ik bedoel dat je simplificeert. Je probeert mensen te vormen volgens jouw overtuigingen: je stopt ze in categorieën – die voldoet aan je idealen en principes en die niet.'

'Ik houd van je,' zei hij en ik zag dat zijn gezicht verstrakte. 'Ik houd van jou – onvoorwaardelijk. Ik dacht dat je dat begreep.'

'Maar je wilt niet van gedachten veranderen wat Constance betreft?'

Zijn rug was naar me toegekeerd. Hij worstelde om tot een besluit te komen. Toen zei hij: 'Nee, ik wil dat ons huwelijk standhoudt. Wat dat betreft verander ik niet van gedachten.'

'Denk je dat Constance ons huwelijk in gevaar zal brengen?'

'Ik weet het zonder enige twijfel.'

We wisten beiden dat we een impasse hadden bereikt. Ik zag een duistere cul-de-sac voor me en als Frank zich toen had omgekeerd, of iets had gezegd of me had aangeraakt, zou ik in alles hebben toegestemd. Ik ben er zeker van dat hij het wist. En daarom, met een gewetensvolle nauwgezetheid die hem eigen was, draaide hij zich niet om en raakte me niet aan. Het was mijn beslissing en Frank, die ethiek berekende zoals hij het liefde deed, liet mij zelf besluiten als een volwassen mens – volgens mijn eigen termen, zwijgend. Ten slotte zei ik: 'Goed dan. Dat is dat. Ik ga weg. Dat is het beste.'

'Je gaat weg?' Hij draaide zich nu om. Ik kon hem niet aankijken.

'Naar Frankrijk. Die opdracht afmaken. Me concentreren op het Europese werk. Dat kan ik doen.'

'Werk? Ik veronderstel dat dat altijd blijft.' Hij pakte een van de microscopen op en zette het ding weer neer. 'Dat kan ik misschien ook doen. Ik zou bijna alles willen geven om dit te voorkomen, weet je dat?'

'Bijna alles? Niet je principes, Frank?'

Op het ogenblik dat ik het zei, had ik er al spijt van.

'Mijn principes zijn star en onbeweeglijk – dat heb je me al verteld. Ik wil geen ruzie maken. Ik wil niet van je scheiden met ruzie...'

'Dan ga ik maar,' zei ik.

Ik wachtte nog een paar seconden. Ik klungelde aan nuttige vrouwelijke accessoires, handschoenen, een handtas. Frank keek uit het raam. Hij keek niet om. Na een poosje, toen de stilte afstand was geworden en de afstand onoverbrugbaar, liep ik naar de deur.

Het laatste dat hij tegen me zei, was een bevel of een smeekbede. 'Schrijf niet. Ik wil liever niet hopen. Schrijf niet.'

Vanuit het laboratorium ging ik meteen naar Constance. Ze verwachtte me, denk ik. Ik voelde de elektriciteit van die verwachting kraken in de lucht. Ze had alleen gegeten, het dienstmeisje was weg. Ze was mooi en formeel gekleed, uitstekend opgemaakt. Ze at maar weinig, een stukje kaas, wat biscuits, wat blauwe druiven. Het was ons laatste samenzijn – dat had ik al besloten – en het was kort. Ik zat in die overvolle kamer vol Chinese lak, terwijl Constance babbelde over ditjes en datjes. Ik hoorde nauwelijks wat ze zei. Ik dacht aan haar en aan Frank, de twee mensen van wie ik het meest op de wereld hield en die beiden probeerden op verschillende manieren, en om verschillende redenen, me te dwingen een keus te maken. Ik koos nu voor geen van beiden, het was geen prestatie, geen hernieuwd zelfvertrouwen. Ik voelde me verdoofd, somber.
'Constance,' zei ik, 'waarom heb je onze brieven verdonkeremaand?'
Ze kreeg een kleur. Ik had een ontkenning verwacht maar had kunnen weten dat Constance veel sneller dacht dan dat.
'Je hebt er een gevonden? Ik wist dat je in mijn spullen had gesnuffeld. Ik zou willen zeggen dat ik er maar een heb opengemaakt. De laatste. De andere heb ik ongelezen weggedaan.'
'Constance, dat maakt het niet beter. Het was slecht van je. Wreed.'
'Dat weet ik.'
'Waarom deed je het dan? Ik ga weg, Constance. Ik ga weg van jou en van Frank. Ik kom hier nooit meer terug en ik wil je nooit meer zien. Dus voor ik ga, wil ik weten, waarom je zoiets hebt gedaan.'
'Ik weet het niet zeker. Ik heb het altijd moeilijk gevonden rekenschap van mijn daden af te leggen. Anderen doen dat wel. Ik heb het gevoel dat er duizenden redenen zijn – en ze veranderen van dag tot dag...'
'Constance, dat heb ik al zo vaak gehoord. Waarom deed je het?'
'Ik denk voor jou. Ook voor mijzelf – ik zal niet ontkennen dat ik jaloers was, misschien. Maar voornamelijk voor jou. Ik keek naar de toekomst. Je hechtte zoveel waarde aan die vriendschap en dat vond ik zo triest. Arme Victoria. Ze wordt door die grote vriend van haar in de steek gelaten. De correspondentie gaat hem vervelen of hij vergeet haar, of hij gaat dood. Op den duur is ze gedesillusioneerd en teleurgesteld – zoals vrouwen altijd door mannen worden teleurgesteld. Ik wilde je dat besparen...'

Ze begon te gebaren met die kleine glinsterende handen, raakte geagiteerd.

'Je had hem al je vertrouwen gegeven en dat is altijd verkeerd. Doe dat nooit, Victoria, dan sluit je je op in een gevangenis en gooi je de sleutel weg. Hoe meer je om iemand geeft, des te meer stelt hij je teleur. Mannen weten dat beter dan vrouwen, ze spreiden hun kansen. Terwijl wij alles voor de liefde over hebben, dat is ons grootste gebrek.'

'Constance, ik was een kind en schreef aan een vriendje in de oorlog...'

'O, maar een ongewoon vriendje. Iemand met ongewone macht. Een jongen die bloed en oorlog kon ruiken... in een bos. Misschien was dat het wel wat ik op hem tegen had.'

'Waarom? Je vond het een goed verhaal. Dat zei je zelf.'

'Mijn vader is daar gestorven.' Ze wendde haar hoofd af. 'Ik hield nooit van die plek.'

Ik wist dat het geen zin had door te gaan. Er zouden ingewikkelde nietszeggende verklaringen blijven komen. Ik stond op. Constance schrok.

'Wat doe je?'

'Ik zei het je al, Constance, ik ga weg.'

'Je kunt niet weg. We moeten praten.'

'Nee. Je praat veel te veel. Altijd al. Ik luister niet langer.'

'Je kunt niet weg. Ik ben nog ziek. Ik voel me nog niet goed.'

'Dan moet je beter worden zonder mijn hulp, Constance. O, dat wil ik nog zeggen: Frank heeft je cheque verscheurd.'

'Wat nobel van hem! Maar ja, hij is nobel en dat moet je weten ook. Heb je daarom besloten niet met hem te trouwen?'

'Nee, ik bewonder hem en houd van hem. Het heeft daar niets mee te maken. Nu ga ik...'

Ze maakte een angstig gebaar en stond op.

'Je gaat toch niet echt? Je komt terug, hè?'

'Nee, ik kom niet terug.'

Toen ik naar de deur liep, zag ik haar met de ogen van Frank, snel, aantrekkelijk, demonisch, anderen meeslepend in het krachtenveld van haar eigen vernietigingsdrang. Even leek ze verslagen. Haar kleine handen gebaarden, haar ringen glinsterden. Ze vloog naar me toe als een kind en vroeg heerszuchtig om een bevestiging van mijn genegenheid. Mijn peettante die nooit volwassen was geworden. Ze legde een hand op mijn arm, probeerde mijn wang te kussen. Haar haar streek langs mijn gezicht, ik rook het parfum dat ze altijd gebruikte, varens en civet. De kus mislukte. Ik liep de deur door. Constance greep me bij mijn arm.

'O, stop – alsjeblieft, stop. Je gaat voorgoed weg – ik begrijp het nu pas. Dat wil je toch? Ik zie het aan je gezicht. O, ga niet weg. Blijf nog even. Je kunt me niet alleen laten. Ik ben niet sterk genoeg. Kom mee. Kijk, Victoria, al die kamers, die herinneringen. Daar stond je toen ik je haar afknipte. Weet je nog, die vlechten – waar je zo'n hekel aan had? En Bertie. Daar lag hij, toen hij oud en ziek was. Toen hield je van me. En al die boeken van je vader. Blijf nog even staan. Kijk naar de hal. Weet je nog, de dag dat je aankwam? Zo'n ernstig klein ding. Je telde zes Victoria's, toen zeven, toen acht. En zie je hoe streng en moralistisch je er nu uitziet? En hoe klein en verdrietig ik ben? Zie je mijn tranen? Constance en Victoria. Moeder en kind. Hoeveel zie je er? Negen? Tien? Victoria, ik wil niet alleen zijn. Laat me niet in de steek. Ga niet weg...'

Ik liet haar in de steek. Ik ging weg. Ik liep naar de lift en liet Constance achter in de hal met al die spiegelbeelden om haar gezelschap te houden. Tot het moment dat ik de deur achter me dichttrok, dacht ze dat ze me kon overhalen, want daar was ze goed in, denk maar aan alle anderen die van haar hadden gehouden, denk aan de ervaring die ze had.

Een paar weken bleef Constance me achtervolgen met telefoontjes. Ik zag Frank nog enkele malen voor mijn vertrek naar Frankrijk. Er waren ruzies, smeekbeden, totdat we het moeilijk vonden elkaar in de ogen te kijken.

Hij bracht me naar de luchthaven, daar stond hij op. We konden niets tegen elkaar zeggen, en ik denk dat we allebei spijt hadden van het feit dat hij was meegegaan. Ik keek nog eenmaal om voor een laatste blik op hem.

Het was koud buiten. Hij droeg een donkere overjas. Passagiers drongen langs hem heen. Hij zag eruit of hij kapot was, alles had verloren, en hij deed me denken aan foto's van vluchtelingen op de grens van nergens naar nergens. Ik wilde terug, maar pakte mijn koffers op, trok een streep onder de som, net als hij.

Een jaar of drie daarna las ik over hem. *Time* wijdde een hoofdartikel aan de nieuwe generatie Amerikaanse wetenschappers en op de omslag stonden foto's van de tien meest vooraanstaande mensen op hun vakgebied. Een van hen was biochemicus: dokter Gerhard. Ik schreef om hem te feliciteren met zijn werk en kreeg een brief terug die op die van mij leek, beleefd en nietszeggend.

Nog eens twee jaar later, toen ik aan een project in Californië werkte, zag ik hem terug – weer via via. Toen ik op een avond alleen op mijn hotelkamer zat, zette ik de televisie aan. Er was een documentaire, ontworpen om medisch onderzoek begrijpelijk te maken voor de leek. Frank was de eerste van het programma. Hij deed het heel goed, maakte wetenschap en het geduldige onderzoek naar een ziekte tot een queeste die ontroerend en begrijpelijk was. Hij leek onveranderd. Deze serie en een die erop volgde, maakten Frank Gerhard beroemd. Hij werd een zeldzaamheid: een populaire wetenschapsman. Ik schreef hem bijna, maar zijn nieuwe roem hield me tegen. Toen ik hem echter op het scherm zag, streelde ik zijn haar, zijn gezicht, zijn ogen, zijn mond. Ik miste hem.

Hij schreef mij ook. Het was een maand of zes voordat mijn oom Steenie ziek werd, voordat ik naar India ging. Ook hij scheen op een afstand contact te houden. Hij had in een Amerikaans tijdschrift een artikel gelezen over mijn werk, met foto's over een zestiende-eeuws huis, nu een museum, waarbij ik had geholpen met de restauratie.

Hij maakte me een compliment over mijn werk. Het was een kort briefje, dat ik talloze malen herlas. Hij had het getekend zoals hij die kinderbrieven had gedaan: *Je vriend, Frank*.

Als je van iemand houdt, wil je altijd geheime boodschappen zien, een speciale betekenis in een woord. Ik dacht na over het woord vríend, een sterke band met het verleden, zoals Frank moest weten. Anderzijds was 'vriend' van een minnaar, een man die je als je echtgenoot had beschouwd, ook een beleefde degradatie. Als Frank me maar één klein teken had gegeven zou ik zijn briefje hebben beantwoord. Nu aarzelde ik en stelde het uit. Mijn oom Steenie werd ziek en ik antwoordde niet. Ik was te bang om afgewezen te worden.

In plaats daarvan dreef de tijd me voort. Ik keerde terug naar Winterscombe om Steenie het sterfbed te geven dat hij wilde hebben. Ik luisterde als hij Wextons brieven las. Ik luisterde naar die stem van liefde en gezond verstand. Als ik eerlijk ben, geloof ik dat de verandering toen begon.

Dit waren de pleisterplaatsen van die verandering: Ik organiseerde een begrafenis, ik ging naar India, ik ging naar Amerika. Ik zocht naar mijn peettante, keerde terug naar Winterscombe. Ik las, zocht naar Constance – en in die tijd vond ik Frank Gerhard terug, ik vond ook mijzelf.

Toen, die oktoberavond, reed ik van Winterscombe naar een collegezaal in Londen. Een grote, stampvolle zaal. Ik zat achteraan naast een student wiens denimjasje vol badges zat. Zij verkondigden de uitdaging van een nieuwe generatie: *Doe aan Liefde, niet aan Oorlog.*

Ik herinner me het ogenblik dat dokter Gerhard werd voorgesteld en het podium beklom. Ik herinner me dat de lezing zeer technisch was en dat hij dia's vertoonde. Ik herinner me zelfs een paar ervan, de cellen die ik erop zag, de visie die ze openden op ons onzichtbaar, actief, inwendig heelal. Ik herinner me niet wat hij zei, luisterde naar de klànk van zijn stem. Eenmaal was ik er bijna zeker van dat hij me had gezien. Zijn blik gleed naar het achterste deel van de zaal, halverwege de zin bleef hij even steken. Hij sprak zonder aantekeningen, en dit was het enige moment van aarzeling.

Toen de lezing uit was en alle bedankjes waren uitgesproken, verliet dokter Gerhard de zaal. Er zou een receptie zijn en ik zag de studenten vertrekken, oudere, professorale figuren de rijen sluiten. Ik deed wat ik van plan was geweest. Het was een collegezaal in de Universiteit van Londen en mijn briefje aan dokter Gerhard was al geschreven. Ik liet het achter bij de portier.

Het was tien uur toen ik Winterscombe bereikte. Wexton was al naar bed. Hij had een briefje neergelegd met: *Je peettante heeft gebeld. Ze wilde geen nummer opgeven en geen boodschap. Ze zei dat ze misschien zou terugbellen.*

Ik bleef naar het briefje zitten kijken. Tot dat moment had ik niet meer aan Constance gedacht, en ik maakte me die avond niet druk om haar telefoontje. Ik ging bij het vuur zitten en zette de telefoon op het tafeltje naast me. Ik vergat Constance vrijwel meteen. Ik probeerde de telefoon te dwingen om te bellen en probeerde te berekenen hoe lang de receptie duurde en wanneer Frank Gerhard mijn briefje zou ontvangen. Om tien uur? Elf uur? En zou hij diezelfde dag nog bellen of wachten tot de volgende, of helemaal niet? Ik zocht een reden voor iedere stille minuut: de receptie duurde lang, de portier was het vergeten, hij had het nog niet gelezen. Om half twaalf bedacht ik andere redenen voor die stilte – en minder aangename. De verbeelding is dan altijd extra levendig. Ik zag hoe dwaas het was om na zo'n lange tijd te veronderstellen dat Frank op dezelfde manier aan mij dacht als ik aan hem.

Toen, om een minuut over twaalf, rinkelde de telefoon. Mijn hart sprong op. Ik luisterde maar het bleef even stil. De verbinding was slecht, ik hoorde op de lijn een geluid als die van de zee in een schelp, als de wind in de bomen. Toen de stem hoorbaar werd, was die beurtelings duidelijk en nauwelijks te verstaan.

'Victoria,' zei Constance. De teleurstelling was zo hevig dat ik eerst niets kon zeggen. Weer was het stil, toen vroeg ze: 'Heb je mijn cadeau gelezen?'

'Een deel ervan. Nog niet alles. Constance, waar ben je?'

'Op een station. Ik bel... vanaf een station.'

'Constance...'

'Je hebt niets overgeslagen? Je bent niet begonnen aan het eind?'

'Nee...'

'Ik wist dat je dat niet zou doen. Hoe vond je de bloemen voor Bertie?'

'Constance...'

'Wat is alles toch treurig. De levens van anderen. Ze zijn nooit werkelijk, niet meer dan een veeg aan de rand van een foto. Heb je de moord opgelost? Heb je ontdekt wie er gedood werd? Ik moet nu gaan...'

'Wacht...'

'Dat gaat niet, schat. Ik heb iemand bij me. Hij roept. Ik ben bang dat hij ongeduldig wordt. Je weet hoe mannen zijn. Dag, schat. Alle liefs.'

Ze had de hoorn neergelegd. Constances stem had nog steeds macht, zelfs na een leemte van acht jaar. Ik weet niet of het alleen Constance was die me voor een laatste maal terugtoverde naar het verleden. Ik denk dat het deels aan haar lag, en deels aan de man van wie ik hield.

Het wachten was ondraaglijk, ik wilde iets doen, maar ging in plaats daarvan zitten lezen. Ik haalde Constances dagboeken voor den dag en bleef ernaar zitten kijken. Eigenlijk was ik bang voor die pikzwarte kaften. Toch moest ergens daarbinnen Frank en ik te vinden zijn.

Ik had ze steeds in chronologische volgorde gehouden. Maar ditmaal speelde ik vals en nam het onderste schrift. Ik had geen zin in vermeende moorden of een verre familiegeschiedenis. Ik wilde de ontbrekende brieven begrijpen, Constances kijk op mijn eigen gemiste kansen.

Ik opende het laatste dagboek en las: *Ik heb besloten dat er een eind aan dit huwelijk moet komen.* Even dacht ik dat ik direct de juiste plaats had bereikt. Toen zag ik de datum, *december 1930.* Ik sloeg gehaast de bladzijden om en kwam aan het laatste stukje: *januari 1931.* De rest van de bladzijden was leeg.

Ik liet het schrift vallen. Ik bladerde door de andere, maar toen ik uiteindelijk zeker was, legde ik de schriften weer op de stapel. Ik had kunnen weten dat Constance degene was die vals speelde.

Haar verhaal eindigde te vroeg. Ze hield op waar ik verscheen. Ik was boos. Als ik Frank Gerhards stem dan niet kon horen, wilde ik zijn naam lezen. Maar het laatste stuk ging over mijn doop.

Ik wilde de schriften in het vuur gooien. Ik deed het bijna, maar ik had het schrift nog in mijn handen bij het laatste dat ze geschreven had. Daar las ik iets dat me diep schokte. Ik tuurde naar de volgorde van de woorden. Woorden werden zinnen, die een betekenis hadden. Op die bladzijden stond de oplossing van een mysterie en een verklaring van mijn verleden.

Ik las het laatste korte dagboek en toen ik het uit had, begreep ik waarom Constance me dit cadeau had gegeven. Ik begreep nu ook de ingesloten brief.

Eindelijk vielen alle stukjes van de puzzel op hun plaats. Ik wist wat er in 1930, bij mijn doop, was gebeurd. Ik wist wat er twintig jaar eerder, in 1910, gebeurde. Een dood en een geboorte. Daar, voor me, was de naam van het slachtoffer, de identiteit van de moordenaar, de aard van de misdaad.

In mijn eerdere lezing had ik bepaalde aanwijzingen gemist, soms was ik misleid, soms was ik opzettelijk blind geweest. Ik las met verbazing, met berouw en – uiteindelijk – met een gevoel van bevrijding.

Constance had me in haar ban, ja – maar toen ik klaar was met lezen, wist ik dat het voor het laatst was geweest.

13

De laatste aantekeningen

Uit de Dagboeken

New York, 18 december 1930

Ik heb besloten dat er een eind aan dit huwelijk moet komen.
Acland kreeg vandaag zijn kind. Toen het telegram kwam, hunker-
de Constance om iets te doen. Ik wil geen afstand meer. De Atlan-
tische Oceaan is toch te breed. Ik wil je dicht bij me, Acland. Ik
heb besloten je te komen opeisen.
Montague weet het, denk ik. Wat een frons toen ik zei dat ik naar
Engeland ging. Hij werd niet om de tuin geleid door dat verhaal
over een doop. Ik hoopte dat hij me zou verbieden te gaan – ik wil
eerlijk zijn. Hij is zo beheerst. Hij neemt zelfs de minnaars op de
koop toe en dat stelt me teleur, een klein beetje. Hij houdt zich aan
zijn afspraak. En als ik nu de regels zou overtreden? Gewone min-
naars kunnen ermee door, maar jij bent anders. Montague weet
dat, hij gelooft dat jij mijn vader doodde.
Weet je dat hij nooit heeft gezegd dat hij van me houdt? Vind je
dat niet uitzonderlijk? Ik wel. We zijn nu zoveel jaar getrouwd en
ik ben er nog steeds niet zeker van. Soms denk ik dat hij om me
geeft, soms dat ik hem onverschillig laat. Een enkele maal heb ik
vermoeidheid en zelfs afkeer gevoeld. Dat maakte me bang.
Dus je ziet dat ik naar Engeland kom, Acland – maar ik weet niet
zeker voor wie ik kom. Ik denk dat jij het bent. Ik weet het bijna
zeker. Maar het zou ook voor mijn man kunnen zijn.
Dit is jouw schuld, Acland. Ik weet niet hoe trouw je me bent.
Soms, als ik mijn glazen cirkel trek voor ons, kom je niet. Je laat
me alleen daarbinnen. Dat geeft me hoofdpijn, het vervormt de pa-
tronen in de lucht.
Ik wilde dat ik een kind had. Er was er een maar ik liet het wegha-
len – heb ik je dat verteld, Acland? Ik zei dat het slecht was maar
Constance zei van niet. Ze zei dat ik dan zeker zou weten of Mon-
tague om me gaf. Zij zei dat hij pijn leed, ik zei van niet. Daarna
zeiden de doktoren dat ik geen kinderen meer kon krijgen. Die
baby achtervolgde me. Ik weet niet wat ze met hen doen, met dode
baby's. Maar 's nachts kwam hij in mijn dromen. Hij wilde zijn
ogen niet openen. Het was erger dan mijn vader.

Ik vond het heel verdrietig. Maar vandaag is het niet erg. Vandaag heb jij een kind voor me. Een meisje. Lijkt ze op je? Lijkt ze op mij? Ik vind het prettig haar peettante te zijn – daar zal ik op staan. Peettante is beter dan moeder, vind je niet?

Vandaag – weet je wat ik deed vandaag toen jouw baby werd geboren? Ik maakte een kamer van zilver met zwart en rood. Ik heb altijd zo'n kamer willen hebben. Vandaag is hij klaar. Volmaakt. Ieder ding op de juiste plaats. Een centimeter verschuiven met iets, en je verknoeit het.

Acland, ben je er nog? Luister je? Praat toch. Je stem is soms zo zacht. Het is zo'n gewone stem. Ik wil niet dat hij zo is. Praat. Schreeuw. Toe, Acland, Constance kan je niet horen.

Die middag toen Stern de kamer van zijn vrouw – die ze pas nieuw had ingericht in rood, zilver en zwart – binnenliep, zat Constance te schrijven.

Ze zat aan haar schrijftafel, het hoofd gebogen. De vulpen kraste. Ze gaf geen teken dat ze hem had gehoord en toen hij haar naam noemde, schrok ze. Ze legde haar hand over het blad waarop ze schreef. Toen Stern naderde, sloot ze haastig, heimelijk, de zwarte kaft van het schrift.

Die pantomime ergerde Stern. Ze had het eerder gedaan. Het was bedoeld, dacht hij, om zijn nieuwsgierigheid naar die schriften te prikkelen. In het begin van hun huwelijk waren die dagboeken beter beschermd maar in de loop van de tijd waren ze eerst te voorschijn gekomen – alsof ze vergeten waren – en toen telkens blijven slingeren. Stern wist dat zijn vrouw wilde dat hij haar bespiedde zoals zij het hem deed. Hij keek nooit naar die schriften.

'Lieve kind.' Hij drukte een lichte kus op haar haar. 'Kijk niet zo bang. Ik respecteer je eigen dingen.'

Het ergerde Constance. Ze trok een gezicht om haar boosheid te verbergen.

'Een echte moralist. Ik kan niet tegen geheimen van anderen. Ik las vroeger altijd andermans brieven, weet je.'

'Dat kan ik me voorstellen.'

Hij keek de nieuwe kamer rond. De wanden gloeiden. De lampen brandden en het beetje daglicht dat er was, viel niet meer op. Een ebbehouten kamerscherm – heel mooi – stond in een hoek. De gelakte wanden glansden dofrood. Stern wist niet waarom, maar hij vond de kleur benauwend, hoe subtiel die ook was. De kamer was te vol, zoals de meeste kamers die zijn vrouw ontwierp. Het deed hem denken aan een vesting.

'Is de kamer een succes? Ben je er tevreden over?'

De vraag irriteerde Constance, ze was overgevoelig voor kritiek.

'Ik vind hem goed. Hij bevalt... míj.'

Haar toon was uitdagend. Stern keek uit het raam, een winterse schemer, het sneeuwde. Zijn vrouw prutste met pennen en papier, alsof ze wilde dat hij vertrok. Ze had haar hoofd gebogen. De lamp op de tafel maakte een cirkel om haar heen. In het licht glansde haar zwarte haar. Ze had het recht over haar voorhoofd afgeknipt en het stond wigvormig uit aan weerszijden van de mooie lijn van haar wangen. Het gaf haar een Egyptisch uiterlijk dat zeer bewonderd en nagedaan werd. Stern, die zag dat het effect mooi was, miste de oude haarstijl, het suggestieve van dat lange, dikke haar dat over blote schouders kon vallen. Hij wist dat zijn smaak ouderwets was.

Constance speelde met een van haar armbanden, streek de rok van haar jurk glad. Sterns blik scheen haar nerveus te maken. De jurk, speciaal voor haar gemaakt door een modeontwerper met wie ze bevriend was, was dramatisch, elektrificerend blauw – een kleur die weinig vrouwen konden dragen. De rok was kort, de schouderlijn enigszins mannelijk. Stern zag wel dat het effect elegant was maar hield er niet van. Hij kon nog steeds niet wennen aan hoge hakken, zichtbare benen, de assertiviteit van een opgemaakt gezicht. Soms verlangde hij naar de kleren van vroeger, naar kleren die minder lieten zien en meer beloofden. Hij werd oud, vond hij.

'Ga je uit?' Constance stopte haar schrift in een la.

'Ja, liefje. Dat kwam ik zeggen. Een uurtje. Herinner je je de Zuidafrikaan over wie ik het had – die man van De Beers? Ik moet hem spreken.'

'O, er is altijd wel iemand die je moet spreken.' Ze stond op. 'Weet je wat ik soms zou willen? Dat je verleden jaar al je geld verloren had – net als andere mensen. Pft – alles weg. Dan hadden we met ons beiden heel eenvoudig ergens kunnen gaan leven.'

'En ik denk dat je dat zeer onplezierig zou hebben gevonden. Het spijt me dat ik niet pft ben gegaan, zoals je zegt. Maar ik ben voorzichtig.'

'O, voorzichtigheid. Ik haat voorzichtigheid.'

'Ik heb wel wat verloren. Zoals iedereen.'

'Werkelijk, Montague?' Ze keek hem strak aan. 'Ik kan me dat niet voorstellen. Winnen, ja. Verliezen, nee.'

'We verliezen allemaal wel eens, Constance.'

Iets in de manier waarop Stern dat zei, scheen haar van haar stuk te brengen. 'Misschien. Misschien niet. Nou, als je weg moet, wil ik niet dat je te laat komt. Voor je Zuidafrikaan.'

'Om een uur of zeven ben ik terug.'

'Mooi.' Ze ging weer aan haar schrijftafel zitten. 'We moeten om acht uur naar een party. Had je het niet vergeten?'

'Nee, ik ben op tijd thuis.'

'Goed.' Ze keek op haar horloge. 'Twee uur voor je Zuidafrikaan? Hij is zeker belangrijk. En dan nog op zaterdag! Maar haast je niet. Ik heb genoeg te doen.'

Stern ging weg. Hij negeerde de scherpe klank in haar stem. Sloot de deur. Bleef staan. Zoals hij verwachtte pakte Constance ogenblikkelijk de telefoon.

Ze sprak zacht. Stern bleef niet luisteren. Hij wist wie ze belde, zijn vrouw, die zelfaangestelde spionne in het huis van de liefde. Ze belde haar nieuwe detectivebureau.

Voor het huis, dat dicht bij het flatgebouw aan Fifth Avenue lag waar ik later met Constance woonde, bleef Stern even staan. Als hij zijn niet bestaande afspraak met de Zuidafrikaan had willen houden, zou hij links af moeten slaan maar hij keek de straat af en ging naar rechts.

Het was druk. Mensen waren al aan hun kerstinkopen begonnen. Vrouwen met boodschappentassen en met kinderen achter zich aan, drongen zich langs hem heen. Er lag vuile sneeuw in de goten. Dat deed hem denken aan Schotland, aan zijn huwelijksreis, dertien jaar geleden. *Zullen we naar de wildernis lopen*? Stern zette zich schrap in de koude wind. Hij had het gevoel of zijn vrouw naast hem liep.

Het appartement waar hij heenging, was een minuut of tien lopen. Het was aan Park Avenue, op de vijfde verdieping van een nieuw gebouw, het appartement waarover hij het had toen hij, kort voor zijn dood, met me sprak, en waar ik jaren later terechtkwam op mijn speurtocht naar Constance. Stern had het indertijd onder een valse naam en via een omweg gekocht, maar wel op een manier die te achterhalen zou zijn.

Hij wist dat de detectives die zijn vrouw had gehuurd het na een jaar wel zouden hebben gevonden. Ze volgden hem altijd en om hen terwille te zijn, had hij een appartement genomen dat aan de voorkant lag. Als het licht brandde en de gordijnen open waren, had de man die hem altijd volgde een mooi uitzicht.

Stern was op deze mensen gesteld. De spionnen verzekerden hem van Constances jaloezie en de mogelijkheid van haar liefde. En omdat hij voorkomend was, haastte hij zich niet. Op de hoek van de straat had de man hem gewoonlijk ingehaald. Daarna liep hij sneller door.

Het appartement was gekocht onder de naam Rothstein. De portier begroette hem bij die naam, zoals altijd. Stern nam de lift naar de vijfde verdieping, deed de lichten aan in de zitkamer met uitzicht op de Avenue en liep een paar maal voor het raam heen en weer. De vrouw die hij verwachtte zou stipt op tijd zijn, daar betaalde hij haar ook voor. Maar voor ze kwam, had hij een kwartier voor zichzelf.

Toen Stern het appartement had gekocht, liet hij het een paar maanden ongemeubileerd. Hij genoot van de leegte en de anonimiteit. In die eerste dagen van teleurstelling was een leeg appartement voldoende en had hij geen behoefte aan meubels en aan de vrouw. Zijn bezoeken waren kort, met grote tussenpozen, maar langzamerhand kwam hij er vaker. Stern zocht er de bevrijding die hij in zijn kantoor op Wall Street niet vond en thuis nog minder. Hier in deze lege kamers vond hij die wel.

Na een paar maanden kwam het bij hem op dat de detectives misschien niet tevreden waren met toekijken, maar het liefdesnest zouden binnendringen. Dat was niet zo moeilijk, portiers konden altijd worden omgekocht. Omdat detectives een liefdesnestje zonder meubels, vloerkleden en een bed wat eigenaardig zouden vinden, had Stern het gemeubileerd. Dat had hij tot zijn eigen verbazing met veel zorg gedaan. Het was dezelfde inrichting die ik, bijna veertig jaar later zou zien; kamers zonder herinneringen.

De kamers maakten een bleke indruk: witte muren, witte meubels, witte vloerkleden. Sneeuwachtige kamers, op de meest moderne manier gemeubileerd. Bauhaus-brutaliteit, een appartement waarin niets ouder was dan gisteren, gemaakt voor het tijdperk van de machine. Stern had bereikt wat hij wilde: een plek zonder herinneringen, een stedelijke lege ruimte.

Een paar maanden later besefte hij dat er nog een element ontbrak, wat de detectives betreft, en hij had een vrouw gehuurd. Die vrouw paste bij de kamer. Haar toneelnaam was Blanche Langrishe, een absurde, kunstmatige naam maar 'Blanche', zo'n meisje paste in het witte appartement.

Ze was zangeres. De eerste maal dat hij haar zag, stond ze in de voorste rij van het koor van de Metropolitan Opera. De tweede maal, bij vrienden thuis, zong ze *Lieder*. Ze had een hoge, heel zuivere sopraan. Stern, aangetrokken door haar stem, had met haar gepraat en ontdekte dat Blanche weliswaar de stem had van een engel, maar de instincten van een show-girl. Ze was bij de Metropolitan, die ze verafschuwde maar had ook Manhattan al bereikt. Ze nam dansles en zag zichzelf al in een Broadway musical, met haar naam in neonletters.

Stern hield dit voor mogelijk. Ze had energie en verbazend veel gezond verstand. Toen hij haar een paar weken later een voorstel had gedaan, had Blanche erover nagedacht en zonder verder overleg toegestemd. Ze stelde geen vragen maar hield van praten. Ze had kort, platinablond haar en een brutaal, knap gezichtje. Het tegenovergestelde van zijn vrouw. Soms, als Stern naar haar keek wanneer ze op de bank lag, haar lange benen tegen wit leer en chroom, had hij het gevoel dat hij het meubilair voor haar had uitgezocht voordat hij haar kende.

Hij betaalde haar voor twee bezoeken, tweehonderd dollar per week.

Nog vijf minuten. Stern hoefde niet op zijn horloge te kijken, hij wist het.

Hij stond op, liep naar het raam, verschikte een gordijn. Toen keerde hij terug naar zijn witleren stoel en bleef nadenken over zijn huwelijk, zoals gewoonlijk. Eens had hij zich ervan losgemaakt door de vertakkingen van zijn zaken, de ingewikkelde financiële wereld, zijn liefde voor muziek en kunst, dat alles had de macht gehad gedachten aan zijn vrouw op een afstand te houden en nog kon hij tijdens zijn werk, in de opera of een galerie, zijn vrouw vergeten, al werd dat zeldzamer naarmate hij ouder werd. Constance verstoorde zijn gemoedsrust, nam de belangrijkste plaats in zijn gedachten in en Stern haatte dat. Dikwijls had hij een hekel aan zijn vrouw, hij kon niet begrijpen dat hij van een vrouw bleef houden die hij niet respecteerde. Hij dacht aan haar trouweloosheid, haar bedrog, eerst in het klein, later in het groot. Hij dacht aan haar minnaars, een lange rij. Hij dacht aan een baby – verloren bij een miskraam, had Constance vorig jaar beweerd. Hij was er niet van overtuigd dat al die minnaars bestonden. Hij was er zelfs niet van overtuigd dat de baby had bestaan of – als het waar was – of het een opzettelijke abortus of een miskraam was geweest.

'Houd me tegen je aan,' had Constance gezegd, toen ze in bed lag met een wasbleek gezicht. 'Ik heb mezelf voorgehouden dat dit het beste was. Ik wist niet zeker of jij de vader was, Montague. O, wees niet boos. Ik weet dat ik onvoorzichtig ben geweest. Ik zal nooit meer onvoorzichtig zijn.'

Stern zat met zijn gezicht in zijn handen. Hij zag dat hij vergeten was zijn handschoenen uit te trekken en dat hij nog steeds zijn overjas aan had. Hij trok die uit. 'Ik zal nooit een zoon hebben. We zullen nooit kinderen hebben.' Hij zei het tegen zichzelf, wist dat het waar was en vroeg zich vaag af wanneer hij dat feit had geaccepteerd.

Hij keek om zich heen in de helderheid van de kamer en vond die vol mannen. Sommige minnaars kende hij, andere waren slechts namen. Constance hield daar niet van, ze wilde dat hij haar minnaars duidelijk voor zich zag.

'Ik gehoorzaam je alleen maar,' zei ze terwijl ze aan zijn arm hing. 'Ik blijf binnen de grenzen die je hebt gesteld. Je zei dat seksuele trouw er niet op aan kwam. En zolang ik je alles vertelde en er geen geheimen tussen ons waren...'

'Constance, lieve kind, beperk de details tot een minimum. Zeg maar wanneer je een nieuwe verhouding begint en met wie. Vertel me wanneer het voorbij is, of wanneer je aan een nieuwe man begint. Maar het interesseert me echt niet om te weten wat je in bed doet.'

'Echt niet? Je klinkt zo zeker, Montague – en ik geloof je helemaal niet. Ik denk dat je het dolgraag wilt weten. Die nieuwe jongeman is veel jonger dan jij, dus ik kan het niet helpen als ik vergelijkingen maak.'

Ze was altijd zeer geanimeerd op zulke ogenblikken. Dan keek ze naar hem op met het vertrouwen van een kind, met blozende wangen en ogen die straalden. Stern probeerde haar het zwijgen op te leggen, en een- of tweemaal, toen de pijn en woede intens waren, had hij bijna geweld gebruikt – tot vreugde van Constance. Een andere keer liep hij de kamer uit en hield zich voor dat hij zijn vrouw zou verlaten. Of hij luisterde, en verachtte zichzelf dan, omdat zijn vrouw natuurlijk gelijk had. Hij wilde alles weten, ieder pijnlijk detail. Een deel van hem stond erop al die kreten en bewegingen te kennen. Was dat voyeurisme van zijn kant? Als hij erdoor geprikkeld werd, was hij daar wel eens bang voor. Dan weer besefte hij dat het geen perversie was, hij wilde gewoon het terrein van het allerergste in kaart brengen. Gebeurden die dingen die zijn vrouw beschreef, werkelijk? Hij was er nooit zeker van. Hij zag die echte of vermeende minnaars, zag ook de reactie van zijn vrouw, beter dan met hem, beweerde ze. Hij had het verwacht en vroeg zich vaag af wat ze nog meer zou verzinnen om hem te kwellen.

Vorig jaar was er een kind dat al dan niet had bestaan. Dit jaar, dacht hij, was het Acland, een wapen dat ze lang in reserve had gehouden.

De prachtige dubbelzinnigheid van leugens, de nooit aflatende verleiding van een halve waarheid, dat waren de dingen waarvan hij hield. Hij nam wraak met bedriegerijen, raadsels, met een geheim appartement en een gehuurde vrouw. Stern greep de chroom armleuningen van zijn stoel. Ondanks zijn koele handen zag hij zijn vingerafdrukken op het metaal. Hij keek naar de unieke windingen van zijn vingerafdrukken. Vernietigingsdrang absorbeerde te veel energie, dacht hij vermoeid. Zoveel tijd, zoveel pijn. Toch begon hij te zien dat zowel hij als Constance de gevangene was van hun huwelijk. Ze konden elkaar alleen nog bereiken door pijn, het was een samenzwering tussen de gepijnigde en de pijniger. Geen intimiteit was groter dan die, dacht hij.

Hij pakte zijn overjas en wilde weer vertrekken. Toen hoorde hij de sleutel in het slot. Zo heb ik mijzelf laten worden, peinsde hij. Was er nog verandering mogelijk? Hij legde zijn jas neer toen de zangeres de kamer binnenkwam.

Blanche Langrishe droeg een uitdagend hoedje. Een voile met nopjes verborg het kalme porseleinblauw van haar ogen. Haar hoge hakken tikten op de parketvloer. Ze liep direct naar het raam.

'Stumper. Hij staat er weer aan de overkant. Hij ziet er ellendig uit. Het is om te bevriezen buiten.'

Ze zette haar hoed af op een zakelijke manier en gooide haar mantel over een stoel.

'Hij heeft vast een boekje met aantekeningen. Ik heb het nooit gezien, maar het moet wel. Vind je niet dat we hem eens wat anders moeten geven om op te schrijven?'

'Wat had je gedacht?'

'O, je kùnt echt glimlachen.' Blanche wierp hem een zijdelingse blik toe. 'Ik begon het me al af te vragen.' Ze zuchtte. 'Wat denk je van een kus? Daar kunnen we mee beginnen.'

'Je denkt dat een kus hem zou... opmonteren?'

'Zeker. Ik weet nog wel wat, maar laten we beginnen met een kus.' Ze keek Stern nadenkend aan. 'Ik mag je graag. Je bent knap, ik houd van de manier waarop je je kleedt. Hoe oud ben je eigenlijk?'

'Lieve kind.' Stern luisterde niet. Hij verschoof het gordijn. 'Ik ben zo oud als de wereld. Ik voel me heel oud, vooral wanneer ik in gezelschap ben van zo'n charmante jonge vrouw als jij...'

'Hoe oud?'

'Ik ben... zevenenvijftig,' antwoordde Stern.

Dat was de waarheid en het verbaasde hem.

'Je ziet er niet naar uit,' zei Blanche. 'Ik zou je voor achtenveertig houden. Kom, kijk niet zo treurig. Kop op. Wil je me nu geen kus geven – na al die weken?'

'Dat zal wel gaan.'

Stern nam Blanche Langrishe in zijn armen. Haar lengte verbaasde hem na de kleine figuur van zijn vrouw. Haar huid rook melkachtig, zoet.

'Vind je de lipstick niet erg?'

'Nee, dat kan me niet schelen.'

'Flamingo Pink. Zo heet het. Welke idioot verzint er nu zo'n naam? Kom wat dichterbij, anders kan hij ons niet zien. Zo, ja.'

Stern kuste haar. Hij had in geen veertien jaar een andere vrouw gekust dan Constance. De kus voelde eigenaardig, mechanisch. Hij hield zijn armen hier, zijn lippen daar. Blanche smaakte naar cosmetica, niet onprettig.

'Nou, ik weet niet wat hij vindt...' Blanche gebaarde naar het raam, 'maar ik vond het fijn. Dat wist ik wel. Zullen we het nog eens doen?'

'We moeten hem niet te veel opwinden.'

'En ik dan?' Blanche trok een lelijk gezicht. Ze ging in een decoratieve houding op de witleren bank liggen. Ze trapte haar hooggehakte schoenen uit en keek hem kritisch aan.

'Weet je wat ik dacht? Ik dacht: Tweehonderd dollar per week om op mijn achterste te zitten en te praten. Geef ik waar voor mijn geld? Ik zou je veel meer kunnen geven, hoor.'

'Dat is heel edelmoedig van je, maar...'

'Nee? Oké.' Ze zuchtte. 'Ik dacht wel dat je dat zou zeggen. Maar waarom is het nooit jouw beurt om iets te vertellen? Ik klets niet. Maar ik word wel nieuwsgierig, ik bedoel, die hele beweging hier... Je bent bezig met een echtscheiding, hè?'

'Een echtscheiding?' Dat verbaasde Stern. Die mogelijkheid was nooit bij hem opgekomen. 'Nee, ik denk niet aan een scheiding.'

'Maar je bent wel getrouwd, hè?'

'Ja.'

'Oké, eind van de ondervraging. Behalve...' Ze aarzelde en trok met een kousevoet een cirkel op het parket. 'Ik vind alleen... weet je wat ik vind? Ze moet stapelgek zijn, die vrouw van jou.'

'Daar lijkt het niet op.'

'Ze maakt je ellendig. Ze verliest je. Er zijn een boel vrouwen hier in de stad die...'

'Ik wil niet over mijn vrouw praten, Blanche.'

'Goed, goed. Ik vraag al niets meer. Je bent loyaal, dat begrijp ik...' Ze aarzelde en zei tot Sterns verbazing: 'Ik wilde dat je zo nu en dan eens naar me keek, dat is alles. Misschien komt het daardoor.'

'Ik kijk toch naar je. We... praten.'

'Zeker, we praten. Je kijkt – maar je ziet me niet. Ik zou net zo goed onzichtbaar kunnen zijn. Ik ben híer, Blanche Languishe.'

'Dat is je echte naam niet.'

'Nee, maar jij heet geen Rothstein. Dat weet ik.'

'Weet je mijn echte naam?'

'Natuurlijk.' Blanche keek uitdagend. 'Ik heb hier en daar gevraagd. Maar ik zeg niets, hoor.'

'Wil je me je werkelijke naam niet vertellen?'

'Wil je dat echt weten?'

'Ja, gek genoeg wil ik dat. Misschien dat ik vandaag wil weten wie je bent. Wie ik ben.'

'Oké.' Ze had zijn laatste gefluisterde woorden niet meer gehoord. Nu kreeg ze een kleur. 'Ik heet Ursula. Kan het nog erger? Ursula. Vreselijk. Klinkt als een non of zo. Zuster Ursula. Bah!'

Ze trok haar neus op. Stern lachte.

'Het past bij je,' zei hij aardig. 'Past bij je stem – je zangstem.'

'Vind je?' Ze leek er verbaasd over. 'Nou, ik denk dat het er niet opaan komt. Wat is een naam, hè? Ik was Ursula. Nu ben ik Blanche.'

'Daar ben ik het niet mee eens.' Stern was opgestaan en naar het raam gelopen. 'De naam die je krijgt bij je geboorte – is belangrijk. Deel van je identiteit. Ben je ooit in Schotland geweest?'

'Wat?' Blanche staarde naar hem. 'Schòtland? Je houdt me voor de gek. Ik ben nog nooit in Europa geweest. Waarom vraag je dat? Waarom daar?'

'Niets. Zomaar.' Hij stond nog steeds met zijn rug naar haar toe. 'Ik ben er eenmaal geweest. Toen ik pas getrouwd was. Het was winter. Er lag sneeuw – in feite waren mijn vrouw en ik een tijdlang geïsoleerd door de sneeuw. Toen ik daar was...'

Hij zweeg. Blanche zag de spanning in zijn lichaam. 'Ga door,' zei ze.

'Toen ik daar was – het was een verlaten, eenzame plek, veronderstel ik, hoewel ik dat niet vond – toen ik er was, voelde ik... had ik het gevoel een hoogtepunt bereikt te hebben. De wereld scheen vol mogelijkheden. Mijn huwelijk scheen vol mogelijkheden. Het beloofde land.' Hij zweeg weer.

Blanche zei zacht: 'Het beloofde land? Bedoel je de plek – of je huwelijk?'

'O, allebei. De plek en mijn huwelijk – op dat ogenblik voelde ik ze met elkaar verbonden. Ik geloofde, ik hoopte – een beloofd land. Mijn vrouw...'

Zijn stem brak.

Blanche zag hoe hij zijn hoofd boog en zijn handen voor zijn gezicht hield. Hij was kapot, die man wiens beheersing nooit eerder gewankeld had. Hij zei niets meer. Ze zag dat hij probeerde zijn verdriet tot zwijgen te brengen. De tranen sprongen haar in de ogen en ze bleef zitten, liet hem uithuilen.

Wat later, toen hij gekalmeerd was, stond ze op. Ze wist dat hij haar niet wilde aankijken en dat het beschamend voor hem was te weten dat zij zijn kwetsbaarheid had gezien, met de frustratie van jaren op zijn gezicht.

Ze raakte voorzichtig zijn arm aan.

'Blijf daar bij het raam. Ik zal voor je zingen. Je vindt het prettig als ik zing.' Ze aarzelde. 'Daarom ben ik hier, geloof ik. Dat zie ik nu. Om mijn stem. Ik zing die *Lieder* voor je – zoals op de eerste avond.'

Ze stond midden in de kamer en ademde diep. Haar stem ging langs octaven op en neer. Ze gooide haar krullen naar achteren en begon aan de *Lieder* met haar engelenstem. Puurheid, zuiverheid. Stern, die naar een verlichte stad keek die hij niet zag, luisterde naar de noten: hoog, zuiver, puur, waarachtig. Hij zag zichzelf en zijn vrouw over het smalle pad door de sneeuw lopen. Ze kwamen bij een balustrade en keken uit over een wildernis. *We zouden dit allemaal kunnen hebben...* Dat had gekund, hij geloofde het nog steeds. Nu niet meer, er waren te veel jaren voorbijgegaan, er was te veel onrecht geweest. Door hem, dat wist hij, en door zijn vrouw. Als hun huwelijk een soort gevangenis, een hel was geworden, was dat ook zijn schuld. Gebrek aan vertrouwen van zijn kant, en een wil, zo getraind dat hij zijn hart niet kon laten spreken. Zou het anders zijn geweest als hij niet zo bang was zijn liefde te uiten? Misschien, dacht hij treurig – maar niet meer dan misschien.

Hij kon de muziek nu voelen. Hij voelde ruimte, de troost van de kunst, muziek die hem verwelkomde en noot na zuivere noot meevoerde naar een betere plaats. Dit had hij tenminste nog, dit was nog niet vernietigd. Hij dacht verrast: er is een andere wereld, de belofte ervan is hier, in deze muziek, in deze stem. Met dat besef kwam de grootste bevrijding, alsof de deur van de gevangenis openzwaaide en daar eindelijk – achter de figuur van zijn vrouw – de vrijheid was, de vrede en de wijde lucht die hij zocht, en ook de eenzaamheid van een verlaten plek.

Toen Blanche zweeg, omhelsde hij haar. Ze wist, dacht hij, dat ze elkaar hier niet meer zouden zien. Ze accepteerde dat, zoals hij had geweten. Hij drukte haar handen, bedankte haar voor wat haar stem hem gegeven had en vertrok.

Hij verliet het gebouw en stak de Avenue over. Dat deed hij nooit en die afwijking van een gevestigde routine verraste de detective. Haastig draaide de man zich om om naar een etalage te kijken. Toen Stern hem passeerde, knikte hij hoffelijk en nam zijn hoed af.

Toen hij en zijn vrouw die avond van het diner thuiskwamen, bleven ze nog even bij elkaar zitten. Stern nam een whisky, Constance speelde met haar twee hondjes. De ene was Box, oud en dik, de andere was een mops en was nieuw. Hun gesprek was eerst oppervlakkig. Stern verviel tot zwijgen. Hij nipte aan zijn glas. Constance, geknield op het vloerkleed, speelde nu eens met deze hond en dan weer met die. Stern vond haar heel vrolijk – zoals zo dikwijls wanneer ze iets in de zin had – en ook eigenaardig gespannen. Ze had het over haar komende bezoek aan Engeland, over de doop, over Acland. Ze legde nadruk op de naam Acland. Stern antwoordde niet. Hij luisterde naar de *Lieder* zoals ze die middag voor hem waren gezongen. Daarbinnen was hij veilig.

'En Box, wat vind je?' Constance pakte hem op en kuste zijn snoet. 'Zal ik naar Engeland gaan? Zal ik Montague heel, héél boos maken? Zal ik hem jaloers maken? Hij wordt heel jaloers als ik over Acland praat. Dat weet je. Knap hondje. Jij bent niet jaloers, hè? Het kan jou niet schelen van wie ik houd.'

'Constance, doe niet zo kinderachtig,' zei Stern. 'Je maakt schoothondjes van ze.'

'Dat vinden ze leuk. Zie je wel? Box gaf me een kusje.'

'Constance, het is laat. Ik ga naar bed.'

'Wil je niet over Engeland praten? Dat wil je best, ik zie het aan je gezicht.'

'Er valt niets te praten. Ik heb je gevraagd niet te gaan...'

'Gevraagd?' Constance zette Box neer. 'O, je vráágt altijd. Dat is zo saai. Waarom zèg je niet dat ik niet gaan mag? Verbied je het me niet? Dat zou ik juist willen. Je kunt het idee dat ik erheen ga niet verdragen. Iedere keer dat ik de naam Acland noem, kijk je woedend.'

'Je overdrijft. Ik ben niet van plan je ook maar iets te verbieden. Je moet zelf een keus maken.'

'Dat heb ik al gedaan – dat zei ik je toch. Je kunt me niet tegenhouden. Maar het zou leuk zijn als je het me verbood. Dan kon ik zien of ik het durfde, tegen je in te gaan...'

'Constance, houd toch op met die onnozele spelletjes. Als je een man wilt hebben die zich als een tirannieke vader gedraagt, had je met iemand anders moeten trouwen.'

'O ja?'Constance, eerst een en al beweging, bleef stil zitten en Stern die lang genoeg getrouwd was om te weten dat die berekenende houding gevolgd zou worden door theater, een of andere uitbarsting, stond op.

'Misschien heb je gelijk. Misschien had ik met een ander moeten trouwen,' ging ze peinzend verder. 'Met Acland misschien; dat had ik kunnen doen. Ik hoefde maar met mijn vingers te knippen!'

'Denk je dat? Ik betwijfel het.'

Stern liep naar de deur maar keek om. Constance zat nog steeds op de grond, haar ogen schitterden. Vermoeid zag Stern hoe haar woede groeide.

'Wat weet jij? Niets. Je hebt geen fantasie, Montague. Je zult Acland en mij nooit kunnen begrijpen. Het enige dat je weet, is dat Acland een bedreiging vormt.'

Stern fronste. 'Voor mij of voor jou?'

'Voor jou natuurlijk.' Constance sprong op. 'Hoe kan Acland nu een bedreiging zijn voor mij?'

'O, als we mensen uitvinden, zijn ze altijd een bedreiging. Dat weet ik uit ervaring.'

'Uitvinden? Uitvinden? Denk je dat ik Acland heb uitgevonden? Wat een idioot ben je.' Constance schudde haar hoofd. 'Hoe durf je zoiets te zeggen. Je bent saai. Je hebt alleen verstand van geld – van niets anders. Acland en ik horen bij elkaar. Als een tweeling. Intiemer dan een tweeling. Zal ik je iets vertellen, dat ik je nooit eerder heb verteld? Weet je waarom ik zo aan hem gebonden ben? Acland was de éérste!'

Stern had iets dergelijks verwacht. Het hoorde tot de volgende verdraaiing.

'Goed, Constance. Het is nogal laat voor zulke dramatische onthullingen. Ik ga naar bed.'

'Je gelooft me niet?'

Stern keek naar zijn vrouw, haar woede maakte haar altijd mooier, dan schitterden haar ogen en straalde haar gezicht. Ze had een kleur.

'Nee, lieve kind, ik geloof je niet.'

'Het is waar.'

'Ik denk dat je graag zou willen dat het waar was. Maar een wens verandert de feiten niet. Als je inderdaad met Acland naar bed was gegaan, had je genoeg van hem gekregen, zoals van ieder ander. Maar nu...'

'Seks? Je denkt dat het om seks gaat? Wat dom van je. Vulgair, met weinig fantasie.'

'Mogelijk. Aan de andere kant geef je je met veel energie aan seksuele bevrediging over en ik vermoed dat die je steeds ontglipt. Ondanks je beweringen. Ik heb je ervoor gewaarschuwd.'

'Ik zoek wat ik bij jou niet kan vinden... dat is nogal natuurlijk.'

'Liefje, het heeft geen zin elkaar over en weer te beschuldigen wat mijn viriliteit en jouw frigiditeit betreft. Het spijt me als ik je in dat opzicht heb teleurgesteld. Maar het is laat en we hebben hier al dikwijls over gesproken.'

'En als ik van Acland hield – wat dan? Dat bracht je zorgvuldige afspraken in de war, hè? Minnaars mogen – liefde mag niet. Alleen jij kon zo'n contract bedenken en je dan verbeelden dat het werkte. Je wilde me altijd aan de lijn laten lopen. Jij hebt alles bepaald.

Maar ik stik erin, ik kan niet ademen, ik kan mezelf niet zijn. Maar als ik van iemand hield – dan zou ik vrij zijn van jou. Zomaar. Je kunt genoeg krijgen van een minnaar, niet van iemand van wie je houdt.'

'Denk je dat?' vroeg Stern met iets van spijt in zijn stem. 'Ik geloof dat je heel goed genoeg kunt krijgen... van iemand van wie je houdt.'

De rust waarmee hij sprak, bracht Constance van haar stuk. Ze stapte achteruit, pakte een van de hondjes op en knuffelde het.

'Heb je vandaag met Blanche Langrishe geneukt, Montague? Je was vrij lang in je appartement, dus waarschijnlijk heb je het gedaan. Je dacht toch niet dat ik in die Zuidafrikaan geloofde?'

'Het kon me niet schelen of je me geloofde of niet.'

'Maar ik dacht dat we een afspraak hadden: geen geheimen tussen ons. Toch zie je die vrouw al maandenlang en je hebt er nooit over gepraat.'

'Lieve kind, je kent al mijn geheimen. Ik wist dat je er direct achter zou komen.'

'Inderdaad. Een zangeresje, met geverfd haar, die uit Queens komt. Niet wat ik van jou zou hebben verwacht, Montague – een man met zo'n verfijnde smaak. Maar ik denk dat ze je bevredigt in bed. Een goedkoop hoertje, met een blik op je portefeuille. Wat trekt je zo in haar aan, Montague? Ik snak ernaar het te horen. Het is zeker niet haar intelligentie. Wat dan? Haar *chorus-girl* benen? Haar tieten? Haar kont? Of is ze alleen maar goed in bed?'

Stern stond nog steeds bij de deur en keek haar vol afkeer aan.

'Zo moet je niet praten,' zei hij op dezelfde rustige toon als eerst. 'Die woorden – je kiest zulke lelijke woorden. Goedkoop. Ik heb er altijd een hekel aan gehad als je zo praatte. Die woorden – horen niet bij je.'

'O, het spijt me, ik was het vergeten. Maar je bent ook zo'n heer. Een vrouw hoort zulke woorden niet te kennen. Ik mag ook geen "neuken" gebruiken, hè, Montague? Toch is het een uitstekend werkwoord. Je doet het tenslotte. Je gaat naar je appartement en neukt dat hoertje, tweemaal per week. Daarna betaal je haar, neem ik aan. Of geef je haar cadeaus, vulgaire cadeaus? Joden-cadeaus? Net zoals je mij geeft?'

Constance liep onder het praten naar hem toe. Hoe dichter ze naderde, hoe kleiner ze Stern toescheen. Zijn kleine, boze, kwetsende, vulgaire vrouw. Haar woede bonsde in de lucht, vloog uit haar haar. Haar stem werd luider. De mopshond, altijd bang voor zulke scènes, kroop onder een stoel.

'Je maakt de honden bang, Constance,' zei Stern met een beleefde stem. 'Schreeuw niet zo. De honden hebben er een hekel aan, ik heb er een hekel aan. En de bedienden zullen je horen.'

'Verdomde bedienden. Rot op, jij. Laten die hondjes oprotten. Ik vind ze toch allebei even grote rothonden. Ik heb ze van jou gekregen en ik haat ze. Een halsband van rijnsteen en een rode lijn – alleen jij zou zoiets kunnen uitkiezen. Je hebt een echte East-End-smaak, wist je dat? En je bent ook ordinair – gladde manieren, stomme buitenlandse geaffecteerde buigingen. Dacht je dat je kon doorgaan voor een Europese heer? De mensen lachen je achter je rug uit en ik ook. Weet je wat ik zeg? Ik zeg: "O, je moet het hem maar vergeven. Hij kan er niets aan doen. Hij weet niet beter, want hij komt uit een achterbuurt. Hij is gewoon een ordinair joodje."'

Constance had hem nog nooit zo gehoond. Misschien wist ze dat ze te ver was gegaan, misschien maakte iets in Sterns uitdrukking, de minachting in zijn ogen, haar bang. Ze uitte een kreet en sloeg haar handen voor haar gezicht.

'O god, o god, ik ben zo ongelukkig. Ik heb je zo'n pijn gedaan. Ik wilde dat je me had geslagen! Waarom heb je me niet geslagen? Ik weet dat je dat wilt. Ik zie het in je ogen.'

'Ik heb absoluut geen verlangen om je te slaan. Absoluut niet.'

Stern wendde zich naar de deur. Constance greep zijn arm en probeerde hem terug te trekken.

'Kijk alsjeblieft naar me. Begrijp je het dan niet? Ik meen die dingen niet. Ik zeg ze alleen om je te kwetsen, dat is alles. Het is de enige manier waarop ik je kan bereiken, als ik je pijn doe. Je bent zo koud – als je boos bent, is er tenminste nog enige reactie. Ik ben jaloers, dat is alles. Vind je dat niet prettig? Vast wel. Je wilt mij ook kwetsen en dat kan ik niet verdragen. Het is niets voor jou. Het is zo lelijk en voorspelbaar. Een appartement en liegen over afspraken, en dat meisje. Zo'n goedkoop kind. Zo'n goedkope naam: Blànche. Ik maak tenminste nog onderscheid als ik mijn minnaars uitzoek – tot op zekere hoogte zijn ze een compliment voor je. En jij pikt een goedkoop hoertje van de straat...'

'Ze is geen hoer.' Stern opende de deur. 'En Blanche is alleen haar toneelnaam. In werkelijkheid heet ze Ursula.'

'Ursula?' Dat scheen Constance ongelukkig te maken. Ze deed een stap achteruit en keek haar man met een uitdrukking van kinderlijk verdriet aan.

'Ursula. Ursula wat?'

'Dat komt er niet op aan.'

'Toch wel. Voor mij komt het er op aan. Het is een mooie naam –

even goed als Constance. Ik heb het gevoel... of hij me uitveegt.'
'Vergeet het maar, lieve kind. Ga liever naar bed.'
'Nee, wacht, vertel me nog één ding...'
'Constance, ik heb een hekel aan die scènes. Ze zijn zinloos, dat weten we allebei. Alles is al eerder gezegd. Vele malen.'
'O, dus ik word voorspelbaar.' Ze zuchtte. 'Verveelt het je, Montague?'
'Het kan langdradig zijn, ja.'
'O, hemel. Een terdoodveroordeling.' Ze draaide zich met een treurige glimlach om. 'Ik had het kunnen weten dat je het zo zou noemen. Zo koel. Langdradig. Ach.'
Ondanks zichzelf bleef Montague staan. Hij zag hoe zijn vrouw onder zijn ogen veranderde. Zoals altijd was die verandering bliksemsnel. Het ene ogenblik een helleveeg, het volgende stil. Ze keek naar hem op met een hopeloze blik, een blik die Stern eens bij haar terug zou hebben gebracht. Toen hij niet door de kamer naar haar toe liep, drukte ze een kleine, met juwelen bezette hand tegen haar hart. 'Ik heb zo'n pijn. Je bent veranderd, Montague. Dat zie ik nu. Wanneer... ben je veranderd?'
'Gisteren. Vandaag. Een jaar geleden. Geen idee.'
'Maar je bent veranderd. Nee, je hoeft niets te zeggen. Ik zie het. Ach ja, ik had het moeten voorzien. Maud heeft me een keer gewaarschuwd.'
'Maud is een slimme vrouw. Maar niet onfeilbaar.'
'Misschien. Montague, voor je gaat – voor je helemaal weg bent – vertel me dan nog één ding. Kijk nu niet op je horloge. Ik zal niet grof worden. Je maîtresse – hoor je hoe beleefd ik ben? Wat vind je bij haar? Wat heeft zij dat ik je niet kan geven?'
Stern aarzelde. 'Haar stem, denk ik. Ja. Ik hoor haar graag zingen. Ze heeft een prachtige stem.'
Constances ogen vulden zich met tranen. 'Ik begrijp het. Dat doet pijn. Daar kan ik niet mee concurreren.'
'Je bent nog steeds mijn vrouw, Constance,' zei Montague stijf. Hij zag de valstrik van zijn medelijden. Hij bleef het moeilijk vinden haar tranen te negeren.
'Nog steeds? Nog steeds je vrouw?' Constance trok een pijnlijk gezicht. 'Ik houd niet van dat "nog steeds". Het maakt me bang.'
'Constance, het is heel laat. Je bent moe. Ga naar bed.' Stern sloeg een arm om haar heen.
'Als ik zei...' Ze keek naar hem op. 'Als ik zei dat ik van je hield, Montague, heel veel van je hield, zou dat dan verschil maken? Wat zou je dan zeggen?'

Stern dacht na. Wat zou eens zijn antwoord zijn geweest, een jaar geleden, een uur geleden? Zacht maakte hij zijn arm los.

'Lieve kind,' zei hij en zijn stem was zacht en vol spijt, 'ik denk dat ik zou zeggen dat je te laat met die speciale bekentenis was gekomen.'

'Weet je het zeker?'

'Ik ben bang van wel.'

'Dan ga ik naar Winterscombe.' Ze greep zijn arm weer.

Stern maakte voorzichtig haar vingers los.

'Het is je recht. En je keus.'

Constance kwam inderdaad naar mijn doopfeest. De hoop dat haar daad een of andere crisis met Stern zou uitlokken, moedigde haar aan. Ik weet nog steeds niet of ze gegaan zou zijn als Stern het haar had verboden. Waarschijnlijk had het geen verschil gemaakt, hoe meer iets verboden was, des te meer wilde Constance het doen. Ze was eraan verslaafd tot het uiterste te gaan. In ieder geval vertrok ze begin januari 1931 uit New York en de doop was half januari. Haar besluit om de doop bij te wonen, het feit dat Acland erin had toegestemd dat zij een van de peettantes zou zijn, voorspelde problemen. Constance zou het heerlijk hebben gevonden als ze geweten had dat Acland en Jane, die zelden ruzie maakten, hier een woordenwisseling over kregen.

Mijn moeder Jane had een moeilijke bevalling gehad die haar had verzwakt. De tegenstand tegen de keuze van Constance als peettante was weken op de achtergrond gebleven, maar kwam te voorschijn op de dag voor mijn doop, de dag voordat Constance zou komen.

De hele ochtend zei ze niets, hoewel het voorgevoel van komende moeilijkheden, dat ze niet kon verklaren, steeds sterker werd. Die middag – de doktoren stonden erop dat ze 's middags rustte – besloot ze eindelijk te protesteren. Het tijdstip was slecht. Acland stond op het punt met Steenie en Freddie te gaan wandelen.

Het was rustig in de slaapkamer. Er brandde een vuur in de open haard. De wieg met de baby stond aan het voeteneind van haar bed. Het was dezelfde kamer waar Acland had gelegen toen hij ziek was en toen Jane als bruid op Winterscombe terugkwam, had ze de kamer hierom uitgekozen.

Haar baby was hier geboren. In deze kamer – ondanks de conventies van de tijd en hun stand – sliepen zij en Acland samen. De kamer was vol van hun huwelijk. Als Acland er een keer niet was, vond ze het moeilijk om in slaap te vallen zonder de geruststellende warmte van zijn lichaam.

Jane keek uit het erkerraam. Acland boog zich naar voren om haar een kus te geven. Hoewel Jane wist dat het al veel te laat was, begon ze met redelijke tegenwerpingen, ondanks haar onredelijke gevoelens. Ze zei dat het idee van Constance als peettante haar bezorgd maakte. Peetooms en -tantes moesten christen zijn, anders was de hele ceremonie zinloos. Constance – en ze plukte aan haar lakens – had zich tot atheïste verklaard en had de laatste maal dat ze op Winterscombe was, botweg geweigerd mee naar de kerk te gaan.

'Acland, waarom heb je erin toegestemd? Ik begrijp het niet.'

Acland die niet meer wist waarom hij erin had toegestemd – behalve dat het, toen Constance het zo dringend vroeg, gemakkelijk leek om maar toe te geven – en nu wenste dat hij dat niet had gedaan, raakte geïrriteerd. Hun baby zou twee peetooms krijgen en twee peettantes en de peetooms Wexton en Freddie stonden niet direct bekend om hun christelijke ijver.

'Freddie gaat naar de kerk,' zei Jane, 'als hij hier is, gaat hij.'

'O, schat, in godsnaam! Hij doet dat uit beleefdheid omdat wíj gaan. En Wexton gaat helemaal nooit – dus dat is geen argument.'

'Freddie is een goed mens. Wexton ook. Hij is de meest religieuze man die ik ken – op zijn manier. Ik kan het niet uitleggen.'

'Schat, ik weet dat je dat niet kunt. Het is gewoon onredelijk. Ik denk dat je Constance niet mag. Dat kun je toch beter eerlijk zeggen?'

'Het is niet dat ik haar niet mag, maar ze is de verkeerde keus. Ze zal het niet begrijpen. En wat moeten we met Maud?'

'Ik heb je al gezegd – Maud heeft erin toegestemd om te komen.'

'Ik geloof het nooit. Niet als Constance er is. En als ze komt, zal Maud doen of Constance lucht is, tot voor het doopvont toe.'

'Nee, dat doet ze niet. Ze heeft het me beloofd. Bovendien is zij ook peettante en even opvallend.'

'Het is afschuwelijk. Een doop moet blij zijn. Een dankzegging, een belofte – en dat is het nu niet. Maud kan Constance niet uitstaan en Constance Maud niet. De kerk zal vol woede en wrok en ergernis zijn, in plaats van dat hij vervuld is van God. We horen iets te beloven voor de toekomst van de baby en het enige dat we doen is het oprakelen van het verleden. Toe, Acland, kunnen we het niet alsnog veranderen?'

'Het is nu eenmaal gebeurd. Ik kan het niet meer veranderen. Constances schip is gisteren aangekomen. Ze is nu in Londen en komt morgen hier. Wat wil je dat ik dan zeg? "Sorry, maar je hebt drieduizend mijl voor niets gereisd – we zijn van gedachten veranderd, je bent geen geschikte peettante." Dat kan ik toch niet doen.'

'Zelfs niet voor mij?'

'Nee, zelfs niet voor jou.'

'Zelfs niet voor Victoria?'

'Zelfs niet voor Victoria.' Hij kuste Janes voorhoofd. 'Je maakt je veel te druk. Ik herinner me nauwelijks mijn eigen peettantes en - ooms; ze deden in ieder geval niets nuttigs. Ze zullen wel het traditionele cadeau hebben gegeven en verder hebben ze zich nooit met mijn geestelijk welzijn bemoeid.'

'Ik wilde dat je niet spotte.' Jane trok haar hand weg.

'Ik spot niet. Maar jij bent wel eens wat te ernstig.'

'Ik vind het belangrijk. Is het erg ernstig te zijn over iets dat je belangrijk vindt?'

'Nee, maar het is niet erg liefdevol. Omdat Constance niet naar de kerk gaat, is dat toch nog geen reden om haar buiten te sluiten. Ik dacht dat er meer vreugde in de hemel was over één zondaar die zich bekeert...'

'Houd op, Acland.'

'Misschien wordt Constance wel bekeerd. De doop kan wel een goede invloed op haar hebben. Een visioen op de weg naar Damascus. Dan verandert ze in een voorbeeldige peettante.'

'Vind je dat waarschijnlijk?'

'Nee, lieverd, ik vind het buitengewoon onwaarschijnlijk. Maar de Here God werkt op mysterieuze wijze om Zijn wonderen te volvoeren. Je weet maar nooit.'

'Je maakt me bang.' Jane wendde haar gezicht af. 'Zo deed je jaren en jaren geleden...'

'Hoe?'

'Grappen maken die klonken als heiligschennis.'

'Daar geloof ik niet in.' Acland stond ongeduldig op. 'Ik heb heiligschennis gezién. Heiligschennis is wat mensen doen, niet wat ze zeggen. Jij zag dat ook.'

Acland liep naar de ramen en Jane vroeg zich af of hij keek naar de bossen en het meer, of naar de oorlog. Dat deed hij telkens nog, evenals zijzelf.

Het was een heldere koude dag en Acland zag er in dit licht heel jong uit. Jane was al veertig. Acland moest die mijlpaal nog passeren. Soms scheen het, vond Jane, dat hun verschil in leeftijd ieder jaar duidelijker werd. Waarom waren er bij haar al grijze haren te zien en bij hem niet? Aclands gezicht toonde wel de sporen van zijn ziekte, de herinneringen aan de oorlog, de twee verloren baby's, financiële moeilijkheden, een werkkring die Acland had verafschuwd en waarbij hij ontslag genomen had.

Die tekenen waren zichtbaar als hij moe was of in de put zat. Maar als Acland een project had dat hem bezighield, zoals het landgoed, of zijn plannen voor een nieuw weeshuis, had hij zijn oude snelheid en levendigheid terug en sprak hij met zijn oude heftigheid. Dan was hij zowel jong als van middelbare leeftijd, een uitzonderlijke combinatie en Jane kon soms denken dat hij te jong was om gebonden te zijn aan een ouder wordende vrouw.

Ze was plotseling terneergeslagen en probeerde haar tranen te bedwingen, verachtte de tranen die zich op onverwachte ogenblikken aandienden, een lichamelijke reactie die ze niet in de hand had. Het hielp niet dat de doktoren nuchter zeiden dat zo'n neerslachtigheid heel gewoon was op haar leeftijd, na een moeilijke bevalling.

Acland had haar tranen gezien en kwam terug naar haar bed. Hij nam haar in zijn armen. 'Liefste, je moet niet huilen. Als het zoveel voor je betekent, bel ik Constance in Londen op. Dan zeg ik dat ze niet kan komen. Winnie is er ook, dan vragen we haar als peettante.'

'Nee, laat het maar zo.' Jane veegde haar ogen af. 'Vergeet wat ik heb gezegd. Je hebt gelijk, ik ben dom en liefdeloos. Ik voel me oud – ik denk dat het dat is. Een door en door onaangename vrouw. Het spijt me – je moet gaan, anders ben je te laat voor de wandeling.'

'Oud? Je ziet er toch niet oud uit.'

'O, Acland, je mag niet liegen. Ik heb ogen. Ik heb een spiegel.'

'Jane, je bent mooi. Je haar glanst. Je huid is zacht. Je ogen zijn vol licht. Ik kus je ogen, omdat ik ervan houd en het vreselijk vind als je huilt. Zie je nu wel? Je bent bijna even mooi als je dochter.'

Jane lachte. 'Acland, ze is helemaal niet mooi. Ik houd van haar met mijn hele hart maar het feit blijft bestaan...'

'Welk feit blijft bestaan?'

'Dat ze haast geen haar heeft en een rood gezichtje, vooral als ze huilt. En ze is zo mager. Je moet toegeven, Acland, dat we een mager scharminkeltje van een dochter hebben.'

'Dat geef ik helemaal niet toe.' Acland stond op en keek in de wieg. 'Nu huilt ze niet en haar gezichtje is helemaal niet rood. Haar oren zijn precies fijne schelpjes. En ze heeft nageltjes aan al haar vingertoppen. Ze kan de vinger van mijn hand grijpen maar dat mag nu niet, want dan wordt ze wakker. En nog iets – ze krijgt sproeten. Op haar neus, net als jij. En rood haar.'

Hij pakte Janes handen. 'Beloof me dat je niet meer zult huilen.'

'Dat kan ik niet. Ik ben sentimenteel. Ik zal zeker huilen bij de doop.'

'Goed. Dan mogen er nog een paar tranen bij. En niet meer tot...'

'Tot wanneer?'

'O, haar bruiloft, veronderstel ik. Dan huilen moeders toch – bij de bruiloft van hun dochter?'

'Dat zal pas over twintig jaar zijn – meer zelfs.'

'Dat is zo.'

'Een lange tijd zonder tranen.'

'Twintig jaar betekent niets. Denk eens aan de tijd vóór ons. Dertig jaar. Veertig. Geef me je hand.'

Acland kuste haar handpalm en sloot haar vingers over de kus.

'Weet je wat ik dacht toen ze geboren werd?'

'Nee, Acland.'

'Ik dacht...' Hij aarzelde. 'Ik dacht aan alles wat ik niet had gedaan. Alles wat mijn familie van me verwachtte. Ik dacht aan mijn moeder en hoe ik haar teleurgesteld heb...'

'Acland, je hebt haar niet teleurgesteld...'

'Jawel. Maar het geeft niet – zie je dat niet? Wat ik ook voor fouten heb gemaakt, twee dingen deed ik goed. Ik ben met jou getrouwd en we hebben háár gekregen... Het is niet zoiets machtigs, denk ik. Andere mannen hebben ook kinderen. Maar voor mij is het groots. Ik heb iets gepresteerd... iets blijvends. Ik heb liever haar dan dat ik een stad had gebouwd of een schilderij had gemaakt. Ik zou al Wextons gedichten opgeven – hoe goed die ook zijn, ze zijn niets vergeleken met haar. Maar goed ook, omdat ik nooit zal schrijven of invloed op de wereld zal uitoefenen – nu niet. Ik hoop dat je dat niet erg vindt. Misschien had je liever een eerzuchtiger echtgenoot gehad.'

'Er is niemand die ik liever zou willen hebben. Nooit. Niemand, dat weet je.'

Jane greep zijn handen en Acland, die de oude felheid in haar ogen zag, een kracht die hij niet langer bezat, legde zijn hoofd tegen haar borst. Jane streelde zijn haar. De kolen in de open haard verschoven. Acland dacht: ik heb vrede.

Even later ging hij rechtop zitten en kuste zijn vrouw. 'Ik moet gaan, anders worden Freddie en Steenie ongeduldig. We gaan naar de top van Galley's Field. Zul je proberen te slapen en zal ik Jenna vragen bij je te komen zitten?'

'Ja. Ik vind het prettig als ze hier is. Ze breit. Ik hoor haar naalden.'

'Jij en zij – jullie zijn dik bevriend.' Het verbaasde Acland.

'Ze is mijn vriendin, Acland. Ik ben blij dat ze hier nu is. Het was afschuwelijk toen ze in dat huisje moest wonen.'

'Ja, misschien heb je gelijk. Ik vraag het haar wel.'

'Dank je. Ik heb zo'n slaap, ik kan gewoon niet wakker blijven.'
'Ik houd van je,' zei Acland, 'en ik vind het heel naar als we ruzie hebben.'

Van de drie broers liep Acland het snelst. Door het bos en de brug over liep hij nog vlak voor hen uit, maar toen ze de heuvel hadden bereikt werd de afstand tussen hen steeds groter. Steenie liep achter hem en keek peinzend rond, alsof hij schrok van het landschap. Freddie, die vrij dik was geworden, was de achterste. Hij pufte van inspanning.

Steenie droeg een belachelijke jas, twee zijden sjaals en varkensleren handschoenen die veel leken op de handschoenen die Boy indertijd zo hadden geërgerd. Hij was uit Parijs komen vliegen waar hij een van zijn eeuwige ruzies met Conrad Vickers had afgewerkt en klaagde uitvoerig, eerst over de fouten in Vickers' karakter en toen over de vlucht. Freddie fronste om de gele handschoenen. Toch was die zwijgende kritiek op zijn broer heel mild. Freddie hield van een familiereünie en kwam zo vaak mogelijk naar Winterscombe.

Boven op de heuvel bleef Acland staan wachten tot zijn broers hem hadden ingehaald. Freddie vond hem gelukkiger, zorgelozer dan hij hem in jaren had gezien. Hij was gebruind door het werk buiten op het landgoed, en hij liep met grote passen. Nu begon hij enthousiast over koeien te praten.

Freddie was er zeker van dat het twee jaar geleden schapen waren geweest en dat die geen groot succes waren. Het kon Freddie niet schelen. Dit soort kort durend enthousiasme kende hij goed. Toen Acland het over koeien had, knikte Freddie wijs. Hij voelde zich verwant met zijn broer.

Steenie niet. Die nam opgewekt contanten in ontvangst, zijn eigen geld was al jaren geleden opgegaan. Steenies dure smaak werd bekostigd door Acland, nam Freddie aan, maar dat was geen middel om zich veilig te stellen voor Steenies scherpe tong.

'In godsnaam, Acland,' zei hij bij de top van de heuvel, 'moeten we hiernaar luisteren? Je lijkt wel een boer.'

'Ik bèn boer. Er moet toch iets met al dat land worden gedaan.'

'Het past niet bij je. Ik geloof nooit dat je weet waar je het over hebt. En je bent veel te optimistisch. Dat zijn echte boeren nooit. Dat zijn mannen van nooit aflatende somberheid.'

'Ik kan niet somber zijn, Steenie. Vandaag niet. Ik ben váder. Freddie, jij begrijpt me toch wel?'

'Geef me een sigaret. Vader?' Steenie stak de sigaret in de houder.

'Ik kan me niet voorstellen waarom je er zo zelfgenoegzaam over doet. Bendes mannen zijn vader. Wat is daar voor bijzonders aan?'

'Zo voel ik het. Ik zal haar naam uitroepen over de heuvels' – en Acland ging op een hek staan. 'Victoria!' riep hij. 'Victoria!'

De bossen gaven antwoord, haar naam weerklonk van de heuvels. Acland werd verlegen omdat het gebaar zo buitensporig was geweest, dus sprong hij van het hek en bleef ertegenaan leunen. Hij keek uit over zijn velden. Het waren niet langer norse, moeilijke plekken waar nooit iets op wilde groeien, het waren plekken die hij door zou geven.

'Pappa hield van deze plek.' Ook Freddie leunde tegen het hek. 'Hij stond altijd hier. Ik ging een paar maal met hem mee.'

'Natuurlijk. Je kunt het hele landgoed hiervandaan overzien. Hij hield ervan – de spil te zijn waar alles om draaide.'

'Houd je kop, Steenie. Hij was op zijn manier een aardige vent. Hij was niet zo gek.'

'Dat zeg ik toch niet? Ik zei alleen dat hij graag de spil wilde zijn, monarch van alles wat hij kon overzien. Ik hield ook van hem, Freddie. Hij kon me stapelgek maken, maar ik hield van hem, een klein beetje. Nou, meer dan dat.' Steenie zuchtte. 'Ik denk niet dat hij dat merkte. Mijn haar was niet goed. Ik geloof dat hij het veel te blond vond, te buitenissig.' Hij trok aan zijn sigaret. 'Hoe laat komt Wexton? Het zal fijn zijn om Wexton weer te zien.'

'Morgenochtend. Dan komt Constance ook. En Winnie. Maud komt apart met de auto. Ze komt naar de doop en gaat direct daarna weer terug. Het zou een goed idee zijn, Steenie, als je daar niets over zei.'

Steenie keek zijn broers aan met een blik als de vermoorde onschuld. 'Ik kan heel tactvol zijn, hoor, als ik dat wil. Ik zal geen woord over Montague zeggen.'

'O, dat betekent niets meer,' zei Freddie op zijn eigen nonchalante manier. 'Dat was eeuwen geleden. Maud zal heel aardig zijn, zoals altijd.'

'Schat, ik weet zeker dat Maud de waardigheid in eigen persoon is. Ik maak me geen zorgen over Maud maar over Constance. Constance is dol op scènes. Die doet zeker iets méér dan weerzinwekkends, daarom is ze waarschijnlijk gekomen...'

'Ze komt als Victoria's peettante. Ze stond erop en ik heb toegestemd. Ze blijft niet lang. Twee dagen. En Constance heeft hier talloze malen gelogeerd. Ze komt ieder jaar en er is nooit een scène geweest.'

'O, maar dat was met Stern. Die houdt haar in bedwang en die komt niet.'

'Haar man is niet de enige die haar in bedwang kan houden,' zei Acland geïrriteerd. 'Anders helpt Freddie me wel.'
'Ik zal het proberen. Maar ik heb haar in geen jaren gezien. Ik weet niet precies meer hoe ze is.'
Steenie glimlachte raadselachtig, misschien bedoeld om te irriteren. Hij leunde op Freddies arm toen ze de heuvel afliepen. Het begon donker te worden. Ze staken de rivier over en namen het pad dat langs het huisje van Jack Hennessy voerde, terug naar het dorp en de bossen. De tuin van het huisje stond vol onkruid tot op het pad toe. Het dak was verzakt. De ramen zonder gordijnen waren donker.
'Wat een vreselijke troep,' zei Steenie toen ze er voorbij waren. 'Acland, wacht even op ons. Woont Hennessy hier nog steeds?'
'Ja, hij heeft erom gevraagd toen hij terugkwam uit de oorlog. Hij is niet helemaal normaal, een soort kluizenaar.'
'Maar Jenna dan? Is het waar dat hij haar heeft geslagen? Het verbaast me niets. Ik heb hem altijd een griezel gevonden.'
'Hij heeft haar kort geleden geslagen. Maar dat is niet zijn gewoonte. Er zijn alleen moeilijkheden wanneer hij drinkt. Maar Jane heeft zich ermee bemoeid. Jenna woont nu in het huis, ze zal voor Victoria zorgen. Dat komt iedereen goed uit. We gaan verder...'
'Je moet iets doen aan dat huis, Acland,' zei Steenie, dravend om hem bij te houden. 'Vandaag of morgen krijgt Hennessy het op zijn hoofd. En deze huizen ook.' Ze hadden het dorpsplein bereikt. Steenie keek om zich heen. 'Het ziet er vreselijk uit, Acland. Misschien komt het omdat ik er zolang niet ben geweest. En de helft van de huizen ziet er leeg uit.'
'De helft ìs leeg,' zei Acland geërgerd. 'Wil je weten waarom, Steenie? Ze staan leeg omdat de helft van de werkkrachten vertrokken is. Omdat ik het loon van de mensen die erin wonen niet kan betalen. Niemand wil ze kopen...'
'Maar íemand wil ze toch wel hebben? Schrijvers, schilders, dat soort mensen. Pottenbakkers zijn dol op dit soort huizen. Je zou ze kunnen opknappen. Ik herinner me hoe ze er vroeger uitzagen. Heel charmant, op een feodale manier. Rijen groenten en bonen, en overal stokrozen...'
'God, Steenie.'
'Het wàs zo, Acland. Het is waar. Je hebt de plaats verwaarloosd.'
'Steenie. Er is een óórlog geweest. Begrijp je dat? Ik vraag het me wel eens af. Probeer er even aan te denken, wil je? Al die mannen die die bonen en stokrozen plantten – weet je hoeveel er teruggekomen zijn? Nee, natuurlijk niet. Jij hebt het veel te druk met niks-

doen. Er is een gedenkplaat in de kerk. Die kun je morgen bekijken en tel dan de namen van degenen die niet teruggekomen zijn. Denk daar maar eens over na.'

'O, de oorlog, de óórlog!' Steenies stem werd luider. 'Ik ben doodziek van die ellendige oorlog. Je zanikt er maar over door. Net als Jane, zelfs Wexton zeurt. In godsnaam, de oorlog is voorbij. Al twaalf jaar...'

'Voorbij?' Acland draaide zich om. Hij pakte Steenies arm en liet zijn broer naar de afbraak kijken. 'Kijk nu eens, Steenie. En denk eens voor één keer na. De oorlog was in 1918 nog niet voorbij. Dat was het begin. Zie je het dorp? Echt? Weet je waarom het plaatsje hier kon bestaan? Inkomen uit investeringen. Lage belastingen. Goedkoop personeel. Belachelijke feodale loyaliteit. Dat is veranderd en ik ben blij dat het veranderd is. Maar ik blijf proberen er iets aan te doen, het weer te laten werken. Mijn vrouw zorgt voor het geld, en ik probeer de energie te leveren. Ieder jaar wordt het moeilijker en duurder. En jij wordt ook steeds duurder. Je mocht daar wel eens aan denken, Steenie.'

'Dat is niet fair!'jammerde Steenie. 'Ik vind het vreselijk als je zo praat. Je klinkt zo rustig en zo grimmig. Ik probeer zuinig te doen. Als pappa de dingen beter had geregeld, was alles in orde geweest. Hoe wist ik dat de helft van het geld was verdwenen? Mamma zei altijd...' Steenies stem brak. De tranen stroomden plotseling uit zijn ogen. 'Kijk nou eens wat je hebt gedaan! Je hebt me aan het huilen gemaakt. O, verdòmme...'

'Je huilt heel gemakkelijk, Steenie. Altijd al.'

'Dat weet ik.' Steenie snoot zijn neus. 'Dat zit in mijn aard. Als mensen zo beestachtig tegen me doen, huil ik. Ik hoef toch niet zo mannelijk te doen? En die tranen zijn oprecht. Ik huil om die stokrozen en een idylle die er nooit is geweest...'

'En om jezelf, Steenie, vergeet dat niet.'

'Nou ja, ook om mijzelf. Ik ben een zwakkeling, maar het is niet leuk altijd je hand te moeten ophouden...'

'Steenie, je bent onmogelijk.' Aclands stem werd zachter. 'We moeten naar huis. Het heeft geen zin te lopen ruziën.'

'Zeg dat je me vergeeft.' Steenie rende achter hem aan en greep zijn arm. 'Zeg dat ik een idioot ben, een afschuwelijke sociale vlinder, zelfzuchtig, onmogelijk – en dat je me vergeeft.'

'Je maakt me doodziek.'

'En ik ben je broer.'

'Ja, goed.' Acland zuchtte. 'Je bent een zorgenkind en mijn broer. En ik vergeef je. Waarom ook niet?'

'Zeg ook iets aardigs.' Steenie gaf Acland een arm. 'Zeg – dat je die gele handschoenen mooi vindt.'

'Steenie. Ik kan er niet om liegen. Je handschoenen zijn verdomd lelijk.'

'Dàt is beter. Ik ben helemaal opgefleurd. Kom, Freddie. Drie broers die samen een wandeling maken. Is dàt niet leuk?' Hij keek hen spottend aan. 'Wat gaan we doen? Naar huis om thee te drinken – of te praten over Moskou?'

Freddies smaak voor het theater had Tsjechov nooit bereikt en hij begreep de opmerking niet, maar omdat hij wist dat de ruzie was bijgelegd, begon hij te fluiten.

'Zullen we het bos maar nemen?' vroeg hij bij een kruispunt. 'Dat is sneller. Over de open plek. Ik kom om van de honger.'

Tot zijn verbazing aarzelden Acland en Steenie beiden.

'Het is niet zoveel vlugger...' begon Acland.

'Wel waar. Tien minuten. Wat mankeert er aan?'

'Niets,' aarzelde Acland, 'maar ik ga meestal niet zo.'

'De wraakzuchtige geest van Shawcross!' giechelde Steenie nerveus. 'Ik háát die weg. Ik ben een vreselijke lafaard – vooral als het donker is. Dat deel van het bos is echt eng.'

'Belachelijk,' vond Freddie en hij liep het pad op. Hij dacht aan toost en een warme haard. Thee en misschien cake. 'In godsnaam, wat hebben jullie? Ik geloof niet in spoken en jullie evenmin. Kom, schiet op.'

Hij liep het pad af naar de open plek. Acland volgde. Steenie uitte een jammerklacht, zodat Freddie opsprong.

'Wacht op me!' riep hij.

Bij de open plek waar Shawcross in de val terechtgekomen was, gingen ze langzamer lopen. En in het midden bleven ze staan.

'Zie je wat ik bedoel?' Steenie tuurde naar de struiken. 'Griezelig.' Hij haalde de zilveren heupfles uit zijn zak en nam een slok. Toen bood hij hem Acland aan die met een hoofdbeweging bedankte, en vervolgens Freddie, die een flinke slok nam.

De cognac brandde in zijn maag en gaf toen een plezierige warmte. Freddie keek om zich heen. Hoewel het belachelijk was, voelde hij dat Steenie gelijk had. In de schemer stonden bomen en heesters tegen elkaar gedrukt. Afgetekend tegen de grauwe lucht zag hij de kale takken oprijzen. Freddie vroeg zich af waar het gebeurd was. Daar ergens, tussen het onderhout. Hij huiverde.

'Het was daar.' Acland sprak zo plotseling dat Freddie schrok. Hij wees naar een kleine hoogte met braamstruiken.

'Weet je het zeker?' vroeg Steenie.

'Ja, rechts van het pad.'

'Hoe weet je dat?'

Steenies stem ging omhoog. Acland haalde de schouders op.

'Het ding moest worden weggehaald – naderhand.'

'Ik dacht dat Cattermole dat had gedaan.'

'Ik ging met hem mee. Met een paar mannen. Ik weet niet meer wie. De broers Hennessy, denk ik.'

'Huuh. Afschuwelijk.' Steenie rilde. Hij tuurde naar de plek die Acland had aangewezen.

'Ja. Er lag veel bloed. Gescheurde kleren. Het was geen plezierig karwei.'

Acland liep een paar passen verder en bleef met zijn rug naar zijn broers staan. Nu hij de plek had bereikt, merkte Freddie dat deze een eigenaardige macht over hen had. Eerst hadden ze niet willen stoppen, nu schenen ze zich er niet van te kunnen losmaken. Freddie vond de plek bij helder daglicht niet angstwekkend, het was de schemer die het deed. 'Laten we teruggaan,' zei hij.

'Herinner je je wat mamma zei toen ze op sterven lag?' vroeg Steenie. Hij keek naar Acland.

'Ja,' antwoordde Acland kortaf.

'Wat herinner je je?' zei Freddie.

Hij was toen in Zuid-Amerika waar hij postvluchten uitvoerde. Haar ziekte – longontsteking – had niet lang geduurd en Freddie, die te laat was gewaarschuwd, kwam pas de dag na haar dood. Dat had hem indertijd pijn gedaan en deed hem nog pijn. Steenie en Acland hadden aan haar sterfbed gezeten, Jane ook, hij had zijn moeder in de steek gelaten.

Freddie keek naar zijn broers. Er zat een wonde in de relatie met zijn moeder die al jaren voor haar dood bestond en die nooit helemaal genezen was. Hij had zijn moeder voordat zij stierf, willen zeggen dat hij van haar hield.

'Wat zei mamma?' hield hij aan.

Acland antwoordde niet. Steenie zuchtte.

'Op het laatst...' Hij aarzelde, 'had ze het over Shawcross. Het was nogal eng. Ze praatte veel over hem.'

'O, god.' Freddie boog het hoofd.

'Ze had geen verdriet, Freddie.' Steenie pakte zijn arm. 'Eerlijk. Ze was heel kalm. Maar ik denk – dat ze dacht dat Shawcross in de kamer was. Geloof je ook niet, Acland? Ze praatte met hem.'

'Je zei dat het gemakkelijk was,' barstte Freddie uit. 'Jullie zeiden dat, dat ze gewoon... wegglipte.'

'Zo was het ook. Ze scheen blij te zijn om te gaan. Ze protesteerde niet. Maar dat deed ze eigenlijk nooit, over niets. Ze had tegenwerpingen maar gaf altijd meteen toe. O, god, ik wilde dat we deze weg niet hadden genomen. Hoe kwamen we hierop?'

'Ik wil het weten. Acland...' Freddie greep zijn arm. 'Wat zei ze?'

'Niets. Ze praatte over Shawcross, zoals Steenie zegt. De medicijnen die ze kreeg, maakten haar suf. Ze wist niet wat ze zei...'

'Wel waar...' kwam Steenie. 'Ze zei dat toen Shawcross hier was, op de nacht van de komeet, hij haar hoorde roepen. Kennelijk was ze hier niet, maar hij hoorde haar. Dat zei hij voordat hij stierf. En toen zijzelf op haar sterfbed lag, herinnerde ze het zich weer. Heel vreemd...'

'Vreemd? Hoezo?'

'Ze was erg geagiteerd, hè Acland? Het was of ze ons iets wilde zeggen en het niet kon. Alsof ze bang was.'

'Ze was heel ziek,' zei Acland kortaf. 'Je moet die dingen niet ophalen, Steenie. Ze was in de war... Daarna viel ze in slaap. Het eind was echt heel vredig, Freddie. Ze was moe. Ik geloof dat ze blij was dat dit het eind was.'

'Echt waar,' zei Steenie. 'Toen pappa dood was, miste ze hem erg. Ze had hem nodig en toen hij weg was...'

'Vocht ze niet langer.' Aclands stem was vlak. 'Dat doen we allemaal op een bepaald ogenblik.'

'O, god, ik voel me zo ellendig.' Steenie pakte Freddies arm. 'Waren we hier maar nooit gekomen. Alles komt terug. We hebben haar allemaal op onze eigen manier teleurgesteld. Ze had zoveel plannen. Acland is een mislukte aristocraat, ik ben een mislukte schilder. Freddie is...'

'O, ik ben de ergste. Ik ben overal in mislukt.' Tot verbazing van zijn broers maakte Freddie die opmerking duidelijk en zonder bitterheid. 'Het geeft niet of je je erin wentelt, Steenie,' ging hij nuchter door. 'Maar Acland houdt het landgoed op de been – ondanks alle moeilijkheden. Daar heb je moed voor nodig. Jij schildert niet meer, maar jij maakt mensen aan het lachen. Je bent wie je bent... Je verontschuldigt je niet – en dat vraagt ook moed. En ik... ik rotzooi zo'n beetje aan, zoals ik altijd heb gedaan. Maar ik doe niet veel kwaad. Het had erger gekund. We zijn er nog steeds en we hebben elkaar.'

'O, Freddie.' Steenie begon te lachen. 'Je bent volkomen gek, weet je dat? Alleen jij zou zo'n preek kunnen houden.'

'Het kan me niet schelen,' zei Freddie vierkant. 'Ik ben geen hemelbestormer. Maar het is waar wat ik zeg. We zijn net als iedereen. Een mengeling van kwaad en goed. We zijn... gewóón.'

'En we hebben honger,' lachte Acland. 'Vergeet dat niet, Freddie. We worden allemaal even druilerig. Denk liever aan alles waar we dankbaar voor kunnen zijn.' Hij draaide zich om. 'Ik mis mijn vrouw. Ik mis mijn baby. Ik wil thee, laten we teruggaan naar het huis.'

Freddie voelde zich opgefleurd. Ze liepen flink door en lieten de bossen achter zich. De schaduwen werden minder, het onderhout verdween. Hij voelde een plotselinge warme genegenheid voor zijn broers, diep in zijn hart. Hij had de plek kunnen aanwijzen. Ze zouden hun moeder hierin niet teleurgesteld hebben.

'Wij smeken U...' begon de predikant.

Hij zag Constances hoed voor zich – de hoed die Winnie twijfelachtig zou vinden en die de predikant somber maakte. Een hoed met de kleur van viooltjes. Hij wendde zijn ogen af, schraapte zijn keel.

'Wij smeken U, in Uw oneindige genade, wil genadig neerkijken op dit kind, was haar en heilig haar met de Heilige Geest, opdat zij...' – hij wachtte even – 'standvastig in het geloof, vreugdevol in de hoop, en geworteld in de liefde, de golven van deze woelige wereld moge doorstaan, en dat zij uiteindelijk moge komen tot het land van het eeuwige leven, om daar te heersen met U, wereld zonder einde, door Jezus Christus, onze Heer. Amen.'

'Amen,' antwoordde Constance zacht.

'Amen,' antwoordde Wexton en keek naar Steenie.

'Amen,' antwoordden Acland en Jane, wisselden een blik en toen een zakdoek.

'Amen,' zei Freddie, die opkeek naar Boys gedenkraam.

'Amen,' antwoordde Steenie, die dacht aan het oorlogsgedenkteken waar hij op aanraden van Acland vijfenveertig namen had geteld.

'Amen,' antwoordde Maud en keek neer op de baby.

'Amen,' antwoordde Winifred Hunter-Coote, met een blik op Freddie.

'Amen,' antwoordde Jenna vanaf een bank achterin, waar ze zat met William, de butler.

'Amen,' antwoordde Jack Hennessy, die helemaal alleen achter in de kerk zat, met één lege mouw netjes voor op zijn beste jasje gespeld.

De predikant was dezelfde die dertien jaar geleden het huwelijk van Constance had ingezegend en hij herinnerde zich de vrouw die erop had gestaan haar hond mee te brengen. Het dier had op Steenies

618

schoot zitten hijgen tijdens de gebeden, had gegaapt tijdens de gezangen en dreigend aan een van de kerkbanken gesnoven toen hij naar buiten ging.

De predikant had geprotesteerd.

'Hij is ook een schepsel van God,' had Constance geantwoord.

Hij had toegegeven.

Indertijd had hij er aanstoot aan genomen en dat deed hij nog. Zijn verontwaardiging stond tussen hem en de woorden van de dienst. Hij vond Constances blikken ongepast, dus vestigde hij zijn ogen op de grote, welwillende gestalte van Wexton wiens gedichten hij zeer bewonderde. De woorden kregen weer betekenis voor hem.

Tijdens de doop moesten de peetooms en -tantes uit naam van de baby een gelofte afleggen. Acland had afgesproken dat Freddie en Maud dan aan de ene kant van het doopvont zouden staan en Wexton en Constance aan de andere. Acland had dit al met hen afgesproken.

Maar er ging iets mis. Wexton, verstrooid en vaag, liep naar de verkeerde kant en ging naast Freddie staan, zodat Maud zich naast Constance posteerde. Tot verslagenheid van iedereen begon de predikant aan het volgende gedeelte van de dienst met de peetooms aan de ene kant van de baby en twee nijdige peettantes aan de andere kant.

Maud, minder betrouwbaar dan Freddie had gezegd, gedroeg zich met provocerend decorum. Ze hield haar gebedenboek tegen de borst van haar onberispelijk gesneden mantelpak geklemd en had de vossebont zo om haar schouders gedrapeerd dat Constance een puntig, driehoekig, dood vossekopje voor haar ogen had.

'Geliefde broeders en zusters,' begon de predikant.

'Neem me niet kwalijk,' zei een helder stemmetje, 'ik kan niets zien.' De predikant kuchte, Maud bewoog geen centimeter.

'Het enige wat ik zie,' ging het stemmetje op redelijke toon verder, 'is een dode vos. Ik ben ook peettante. Ik zou de baby heel graag willen zien.'

'O, Constance, ben jij daar?' riep Maud. 'Ik had je niet gezien. Ik was vergeten – dat je zo klein bent. Zo – is dit beter?' En ze deed een paar stappen naar rechts.

'Dank je, Maud.'

'Misschien zie je niet goed door die voile, Constance. Zou het geen goed idee zijn die opzij te doen?'

'Het is gek, Maud, maar ik kan erdoor zien, dat is de bedoeling ervan.'

'Ja. Dit is niet direct het moment om over hoeden te praten.'

Maud keerde terug tot de predikant. Ze had absoluut geen respect voor dit soort mensen. Haar broer had deze kerk geschonken en betaalde het salaris van de predikant, zoals Acland het nu deed. Wat Maud betreft was de predikant bij hem in dienst.

'Ga door,' zei ze.

De predikant zuchtte. Hij beëindigde het gebed en kwam tot de gelofte van de peetooms en -tantes.

'Zult gij,' vroeg hij, 'in naam van dit kind, de duivel en al zijn werken, de ijdele pracht en praal van de wereld en de begeerten van het vlees, verzaken zodat gij deze niet zult volgen noch door hen geleid worden?'

'Ik verzaak ze alle,' antwoordden drie stemmen. Freddie en Maud spraken duidelijk en tegelijk. Constance even na de anderen. Wexton zei niets. Hij keek bezorgd naar Constance. De predikant schraapte zijn keel, grote dichters mochten misschien wel verstrooid zijn. Wexton kwam tot zichzelf.

'O, sorry. Ja, ik verzaak ze alle, natuurlijk.'

Wexton kreeg een kleur. De predikant vroeg nu of de peetooms en -tantes geloofden, in naam van de baby, in God de Vader en Zijn eniggeboren Zoon, in de kruisiging en opstanding, in de Heilige Kerk, de Gemeenschap der Heiligen, de vergeving der zonden en een eeuwig leven.

'Dit alles geloof ik waarachtig,' klonk het antwoord. Op dat moment zag Acland dat Constance, ondanks alle voorspellingen van het tegendeel, diep onder de indruk was. Tijdens de geloften stond ze heel stil met gevouwen handen. Haar ogen wendden zich geen moment van het gezicht van de predikant af, ze scheen al zijn woorden in zich op te nemen.

De baby werd gedoopt, het teken des kruises werd gemaakt. Acland zag dat Constance huilde, twee tranen rolden van onder haar voile vandaan. Acland, zelf diep onder de indruk, werd er door ontroerd. Constance was meer dan ze scheen.

'Victoria Gwendolen,' zei Constance naderhand toen ze over het kerkhof naar de auto's liepen. 'Victoria Gwendolen, wat een mooie namen.'

'Van haar beide grootmoeders.'

'Goed is dat. Het geeft een band met het verleden.' Ze keek op. Voor hen stond Maud bij haar auto te wachten.

'Ik ga nu terug naar het huis, met Steenie.' Ze glimlachte flauwtjes. 'Ik weet dat ik te veel ben maar wilde je nog bedanken, Acland, dat je me haar peettante laat zijn. Het betekent heel veel voor me. En ik ben zo blij – voor jou en Jane.'

Constance zei verder niets, vermeed Maud op een bewonderenswaardige manier en stapte met Steenie in de eerste wachtende auto. Maud keek de wagen hooghartig na, wendde zich toen tot Jane en daarna tot Acland en kuste hen.

'Ik kom terug als die vrouw weg is. Nee, Acland, laat me één keer uitspreken. Ik vind jouw keuze van haar als peettante volkomen onbegrijpelijk en zeer onverstandig. Ik begrijp niet, Jane, dat jij...'

'Het was mijn beslissing, Maud,' zei Acland rustig.

'Dan kan ik alleen maar zeggen dat het dwaas was. Ze is niet vooruitgegaan. Integendeel. En die hoed! Die hoed was volgens mij een vooropgezette belediging. Volkomen ongeschikt voor een doop. Maar ja, ze eist altijd alle aandacht op. Ze voedt zich er mee. En die hoed stond haar niet, veel te jeugdig. Je begint haar leeftijd te zien.'

'Maud, kunnen we hier niet mee ophouden?' onderbrak Acland haar. 'Het is onaardig en overbodig en Jane trekt het zich zo aan.'

'Jane?' Maud keek hem met een ijskoude blik aan. 'Jane is niet ontdaan.'

'Maud, het is genoeg.'

'Zag je hoe ze naar mijn arme vos keek? Met een boosaardige blik.'

'Hij zat in de weg, Maud.'

'Dat was opzettelijk. Ik heb liever dat ze zo naar mijn vos kijkt dan naar jullie baby...'

'Maud!'

'Goed, ik zeg al niets meer. Ik ga terug naar Londen.'

Met een kleur schikte Maud de vos die de oorzaak was van de onenigheid. Het viel haar op dat Freddie, die het gesprek had aangehoord, moeite had om zijn lachen in te houden.

'Ik moet nog één ding zeggen – en nee, Freddie, het is niet om te lachen – die vrouw heeft slechte manieren. En het ergste is dat het opvalt.'

'Ik ben in ongenade gevallen,' zei Constance die middag na de lunch.

Wexton, Steenie, zij en Acland maakten een wandeling langs het meer. Jane was gaan rusten, Freddie was in slaap gevallen boven een nieuw boek van Dorothy Sayers, Winnie – met een blik in de richting van Constance – weigerde mee te gaan. Ze zei veelbetekenend dat ze naar haar kamer ging om haar man te schrijven.

'Winnie vindt dat ik aan Montague hoor te schrijven.' Constance trok een zuur gezicht. 'Ik heb vaag de indruk dat ze me geen plichtsgetrouwe vrouw vindt.'

'Zij zit in Mauds kamp,' zei Steenie met boosaardige vreugde. 'Ze keurt je volkomen af, Constance. Ik denk dat je hoed...'

'Wat onaardig. Ik ben uren bezig geweest om die hoed uit te zoeken.'

'Maud zei dat het een opzettelijke belediging was,' ging Steenie vrolijk verder. Hij negeerde Aclands waarschuwende blikken. 'Weet je hoe Maud je noemt?' "Die vrouw." Ze zei dat je haar vossebont een boosaardige blik had toegeworpen.'

'Dat deed ik ook,' antwoordde Constance agressief. Ze nam Aclands arm. 'Ik moet zeggen, Acland, dat het plezierig is om drieduizend mijl te reizen naar mijn oude thuis en me dan zo welkom te voelen.'

'O, Maud meent niet half wat ze zegt,' zei Acland weinig overtuigend.

Constance keek hem even aan. 'O, jawel. Ik hoor het haar al zeggen: "Die vrouw heeft een slechte invloed. Ik kan me niet vóórstellen waarom je haar als peettante hebt uitgekozen. Zag je wel hoe ze naar mijn arme vos keek?"'

Het was een prachtige imitatie. Constance trof Mauds stem met de volmaakte toon, de overgangsklanken, de overdreven nadruk. Al was ze klein in verhouding tot Maud, toch wist ze even de indruk te wekken dat ze op haar leek door de manier waarop ze haar rug rechtte. Acland glimlachte, Steenie lachte, Wexton reageerde niet. Constance, nu weer zichzelf, zuchtte.

'Ach, ik kan het haar niet kwalijk nemen. Ze hield van Montague en ze zal het me nooit vergeven. Jammer. Ik was altijd erg op Maud gesteld.'

Ze liepen een tijdlang zwijgend verder. Acland vroeg zich af of Constance misschien toch meer gekwetst was door Mauds opmerkingen dan ze wilde toegeven. Er had iets uitdagends in haar stem gelegen dat hij zich nog herinnerde van vroeger wanneer Constance als kind zo'n toon gebruikte om de antipathie die ze altijd scheen te verwachten, om te buigen.

Na een minuut of tien kwamen ze bij een kruising. Constance bleef staan. 'Weet je waar ik naar toe wil? Naar het Stenen Huis. Bestaat het nog? Weet je, Acland – de lievelingsplek van je moeder? Ik ben er in geen eeuwen in de buurt geweest.'

'O, het bestaat nog. Slecht onderhouden – zoals alles.'

'Zullen we gaan kijken? Steenie – Wexton – gaan jullie mee? Ik herinner het me zo goed. Gwen maakte er haar aquarellen, had er haar bloemenpers. Boy nam er nog eens een foto van ons. Even denken... Gwen was er, en jij, Steenie. O, en mijn vader.'

Ze bleef staan en maakte een klein gebaar. Ze liep een paar passen verder.

De drie mannen keken naar haar rug. Toen Steenie zag dat Acland verbaasd was, vormde hij met zijn lippen het woord 'komeet'.

'We waren die dag in het Stenen Huis,' fluisterde hij, 'de ochtend van de party voor de komeet. Het lijkt me geen goed idee om erheen te gaan. Je weet hoe ze is als ze zich dingen herinnert.'

'Ik ga in ieder geval terug naar het huis,' kondigde Wexton plotseling aan. 'Het is koud. Ga je mee, Steenie?' Tot Steenies verbazing zette Wexton, die altijd op zijn gemak liep, de pas erin. Steenie, die erop gebrand was Wexton alles over zijn ruzie met Vickers te vertellen, maar zich niet op zijn gemak voelde, aarzelde. Hij keek naar Constances rug. Hij keek naar Acland.

'Ga maar,' zei Acland.

'Weet je het zeker?'

'Ja. We halen jullie wel in. Het is in orde, Steenie,' zei hij zacht. 'Ze is kennelijk overstuur. Geef haar maar een paar minuten.'

'O, goed dan.'

Steenie draaide zich met tegenzin om. Hij liep weg, aarzelde, wierp nog een blik op Acland en rende toen weg om Wexton in te halen. De beide mannen bleven staan en keken om. Constance en Acland waren niet langer te zien.

'O hemel,' zei Steenie met een zijdelingse blik, 'moeten we echt weg? Ik weet niet zeker of Acland veilig is.'

'Ik ook niet. Maar het is zijn probleem, vind je niet?'

'Ik zou het niet prettig vinden als hij gekwetst werd – of Jane.' Steenie aarzelde. 'Er is waarschijnlijk niets aan de hand – tenslotte is het moment er niet erg geschikt voor, zo vlak na de doop. Anderzijds, met Constance...'

'Bemoei je er niet mee, Steenie. Kom, we gaan naar huis.'

'Weet je het zeker?' Steenie zuchtte. 'Misschien heb je gelijk. Misschien was ze echt overstuur. Ik heb het eerder gezien – wanneer er iets is wat haar vader terugbrengt. Ze hield veel van hem, Wexton.'

'O ja?' Wexton klonk niet overtuigd. 'Herinner je je het verhaal dat je me vertelde – over de roman van haar vader, dat nagelschaartje?'

'Ja.'

'Als ze zoveel van haar vader hield,' zei Wexton eenvoudig, 'waarom knipte ze zijn boeken dan in stukjes?'

'Wil je terug?' vroeg Acland toen ze het Stenen Huis hadden bereikt.

'Nee, nee. Echt niet. Ik ben blij dat we gekomen zijn. Niet al mijn herinneringen doen pijn. Ik vond deze plek vroeger zo plezierig. Je kunt van hier de bossen en het meer zien. Weet je nog, Acland – hier had je moeder een tafel staan. En haar waterverf en haar ezel – daar. En ook haar boeken – op die planken. De romans van mijn vader. Hij had ze laten inbinden in perkament, speciaal voor haar.'

Constance liep het kamertje op en neer. Ze scheen niets te merken van het vocht, de kilte van de stenen vloer. Ze streek over de pilaren van de loggia buiten, die uitzag over het meer en liep de kamer weer in.

Acland stond onzeker naar haar te kijken. Ondanks haar opmerking, vond hij het onverstandig dat ze hier waren gekomen. Hij aarzelde, half binnen, half buiten, leunde tegen een pilaar en stak een sigaret op. Een van de zwarte zwanen gleed over het meer en verdween achter een pol zegge.

Constance had geen zin haar onderzoek te beëindigen. Haar adem vormde witte wolkjes in de koude lucht. Ze trok haar handschoenen uit en ging met haar hand langs de boekenplanken. Haar ringen schitterden. Acland vond haar klein, verfijnd, mooi en ernstig: een vreemd exotisch wezen op Winterscombe. Ze droeg nu geen hoed en het Egyptische kapsel omlijstte haar gezicht. De uitdrukking had iets verlatens, bijna hopeloos, alsof – nu de anderen weg waren – het defensieve masker van spot en vrolijkheid niet langer nodig was.

Ze droeg een mantel van zachte donkergrijze stof – een ongewoon sombere keus die hem deed denken aan een non, een verpleegster, een stille, zorgende vrouwelijke invloed. Onder die mantel zag hij het wit van een blouse, de kraag geplooid tegen haar hals. Terwijl hij naar haar keek, maakte Constance, zich onbewust van zijn blik, haar mantel los. Deze viel terug toen ze haar arm uitstrekte om de plaats aan te raken waar eens een schilderij had gehangen. Onder de bleke zijde van haar blouse was de omtrek van haar borst duidelijk zichtbaar. Acland zag de rondheid van het vlees, de tepel. Geschokt door het feit dat ze geen ondergoed droeg, wendde hij zijn ogen af.

Toen hij weer naar haar keek, zat ze op een oude houten bank in de loggia. Ze scheen zijn aanwezigheid te zijn vergeten. Ze had haar hoofd gebogen, haar handen gevouwen en ze had de mantel weer gesloten. Opnieuw deed ze Acland denken aan een non, een boeteling. Hij moest lachen in zichzelf – het was een onwaarschijnlijk beeld van Constance. Hij herinnerde zich de tijd dat ze ziek was toen hij op haar kamer in Londen was gekomen, en hij voelde een oude genegenheid in zich opwellen, ver en toch sterk, als de herinnering aan een parfum. Ze leek heel jong, breekbaar, kwetsbaar – het soort voorwerp dat je in de etalage van een dure winkel ziet. Dan denk je: *wat mooi, maar niet voor mij*, en je loopt verder.

'Ik had niet naar Winterscombe moeten komen.' Constance keek naar hem op met een bedroefd gezicht. 'Ik had niet moeten vragen of ik peettante van Victoria mocht zijn. Ik heb je in een onmogelijke situatie gebracht, dat weet ik. Je bent heel vriendelijk en moedig, maar het was niet fair. Ik heb iedereen alleen maar geïrriteerd. Zelfs Jane. Waarom doe ik dat toch? Ik bedoel het niet zo maar, ik zie het gebeuren. Had ik maar nooit die stomme hoed opgezet...'

'Het was een mooie hoed,' lachte Acland.

'O, Acland – wat ben je toch een heer. Maar daar gaat het niet om. Dat weet ik. Het gaat om mij, niet om de hoed. Ik hoor hier niet en het was verkeerd om me aan je op te dringen. Toch ben ik blij dat ik er bij was. Ik heb nooit eerder een doop meegemaakt. Die woorden zijn heel bijzonder, vind je niet? "Standvastig in het geloof", "de golven van deze woelige wereld". Ik ken ze uit mijn hoofd. Golven – dat begreep ik. Ik haat de zee. En de wereld is heel woelig.'

'De woorden ontroeren je, ook al geloof je niet. Ze hebben een macht van zichzelf.' Acland liep het huis binnen, keek naar de boekenplanken van zijn moeder. Hij ging zitten.

'Ze doen je geloven terwijl ze worden uitgesproken.' Constance huiverde. 'Ze doen je geloven in het onmogelijke. Verlossing, verandering – ik weet het niet. Maar ik meende het toen ik al die geloften deed vanochtend. Ik weet dat niemand zal geloven dat ik het kon, maar ik meende het. Ik wil dat je dat weet.'

'Zullen we teruggaan?'

'Nee, nog niet. Ik wil nog even blijven. Alleen mijn handen zijn maar koud. Wil je ze vasthouden, Acland? Wrijf ze een beetje. Ja, dat is beter. Ze zijn bevroren.'

Acland wreef haar handen tussen de zijne tot ze warm waren en omdat er geen reden scheen om ze los te laten, hield hij ze vast. Hij keek ernaar.

'Zoveel ringen. Je draagt altijd zoveel ringen.'

'Ik weet niet waarom. Ik ben dol op ringen, alleen kleintjes. Ze doen me aan bepaalde mensen denken. Deze hier, met die blauwe steen, kreeg ik van Boy toen ik veertien was. Montague heeft deze gekocht. En die opaal komt van Maud – voordat ik uit de gunst was.'

'Je huilde vandaag in de kerk, dat zag ik.'

'Ik weet het. Sorry. Ik dacht dat niemand het had gezien.'
'Het waren maar twee tranen, meer niet.'
'Krokodilletranen, zou Maud zeggen.' Constance glimlachte.
'Maar dat is niet waar. Ik huil niet dikwijls. Niet zoals Steenie.
Mijn tranen hebben een eigen wil. Ik huilde toen mijn hond Floss
doodging, maar niet toen ik mijn vader verloor. Gek, hè?'
'Dat hoeft niet.'
'Acland, mag ik je iets vragen? Iets dat ik altijd al wilde doen?'
'Ga je gang.'
Constance aarzelde. 'Zul je niet boos worden? Het gaat over mijn
vader.'
Acland liet haar hand los. Hij trok zich wat terug. Constance
scheen nog te aarzelen. Toen haalde ze haar schouders op.
'Vraag maar op. Ik verwachtte al dat je het zou vragen – op een
dag.'
'Die nacht van het ongeluk...' Constance keek hem in de ogen.
'Geloof je dat het een ongeluk was – zoals iedereen beweerde?'
'Het is twintig jaar geleden, Constance.'
'Voor mij is het pas gisteren. Alsjeblieft, Acland, zeg het.'
Acland zuchtte. Hij keek uit over het grasveld naar het meer en
naar de bossen erachter. 'Nee, indertijd geloofde ik niet dat het een
ongeluk was.'
'En nu?'
'Nu weet ik het niet zo zeker. De tijd verandert dingen, ook het ge-
heugen. Sommige dingen blijven duidelijk, andere vervagen.
Soms... ik probeer me niet alles te herinneren en misschien is mijn
vermogen om me te concentreren niet meer zo goed als vroeger.'
'Door de oorlog?'
'Misschien.'
'Denk je dat – door de oorlog – er dingen zijn die je uitwist?'
'Mogelijk.'
'Acland.' Constance stak een kleine hand uit. Ze legde die op de
zijne in zijn schoot. Haar mantel viel weer open en Acland zag de
lijn van haar borst onder de zijden blouse. Hij wendde zijn ogen
af. De hemel aan de horizon verkleurde en hij dacht: zo dadelijk is
het donker.
'Acland. Antwoord me eerlijk. Ik geloof dat ik het antwoord al
ken en ik beloof je dat ik het niet erg zal vinden. Maar ik wil de
waarheid van je horen. Heb jij die geweren gepakt, Acland?'
'Geweren?'
'Ja, die geweren van Boy.'
Acland keek haar aan. Zijn blik was afstandelijk en kalm.

'Ja.' Hij zuchtte alsof hij plotseling vermoeid was. 'Ja. Op de dag van het feest. We dronken toen thee op het terras en je vader was boos op je. Je moest naar binnen om je te wassen en Jane ging met je mee.'

'Ja.'

'Daarna...' Acland aarzelde, 'liep ik met Boy naar het meer. Hij was kapot, want hij had zojuist je vader en mijn moeder gezien, zag haar de kamer van je vader binnengaan. Boy was een eigenaardige vent. Hij leek altijd zo rustig, maar daaronder... Zijn reactie was zeer heftig. Hij had zo'n simpele kijk op de wereld en die was plotseling vernietigd. Ik luisterde naar hem, en daarna gingen we naar huis terug. Ik liep naar de wapenkamer en zei tegen Boy wat ik zou doen.'

'Jij nam zijn geweren?'

'Ja. Ik weet niet waarom. Het waren de beste geweren in huis – de trots van mijn vader – ik denk daarom. In ieder geval nam ik ze mee. Ik verstopte ze in de garderobe. Ik was er 's middags geweest om overschoenen voor Jane te halen. Het was er altijd zo'n troep dat ik ze daar wel kon verstoppen. Ik dacht dat ik ze er later kon weghalen.'

'Wat wilde je ermee doen?'

'Kennelijk iets kwaads. Voor je vader natuurlijk.'

'Omdat je hem haatte?'

'Ja, ik haatte hem. Ik was toen zeventien en ik geloof dat ik nooit zo'n haat heb gevoeld, ook later niet. Ik verafschuwde hem om wat hij was en om wat hij deed. Om wat hij míjn vader aandeed – en mijn moeder. Om wat hij Boy had aangedaan. Ik dacht...'

'Zeg het, Acland.'

'Ik dacht dat de wereld een betere plaats zou zijn als hij dood was.'

Constance had haar handen in haar schoot gelegd. Ze telde haar ringen.

'Zeg me wat je deed, Acland,' zei ze ten slotte. 'Ik moet het weten. Met de geweren. Wat deed je – later?'

Ze boog zich naar voren. Acland voelde haar adem tegen zijn wang. Hij rook lente en aarde in de parfum die ze gebruikte. Haar nabijheid leidde hem af. Hij keek naar de lijn van haar hals, van haar kin. Haar lippen, rood als altijd, waren iets geopend. Ze keek hem angstig aan.

'Constance, ik weet niet of ik verder wil gaan. Ik weet niet of dat wel goed is. Het was zo lang geleden. Kunnen we het niet vergeten?'

'Ik kan het nooit vergeten. Ik moet het weten. Ik heb er zo lang op gewacht.' Ze pakte zijn hand. 'Toe, Acland. Ik raadde het al zo'n beetje. Wanneer ging je terug naar die geweren? Nadat je van Jenna vandaan kwam?'

'Een poosje daarna. Ja.'

'Vertel het me.'

'Goed dan. Het was een uur of elf en ik wilde niet terug naar het feest. Zoveel mensen. Ik wilde buiten blijven, in het donker. Ik wilde nadenken. Hoe zou ik het kunnen doen? Wanneer? En terwijl ik daar stond, zag ik je vader naar buiten komen. Ik zag hem het pad naar de bossen nemen. Ik wist dat het was om mijn moeder daar te ontmoeten. Een van hun rendez-vous. Dat wist ik.'

'En je volgde hem?'

'Nee, niet direct. Ik hoorde de gasten vertrekken. Ik had ook weg kunnen gaan, naar bed. Ik had het idee kunnen opgeven. Jenna had me wat gekalmeerd. Maar toen kwam mijn moeder naar buiten. Ze zag me op het terras. Ze riep me. Ze streek over mijn jas, dat weet ik nog, en ze zei dat die vochtig was. Ze wilde dat ik naar binnen ging. Ik wist waarom. Ze was opgehouden en stond op het punt om naar Shawcross te gaan. Ze wilde niet dat haar zoon haar zag vertrekken. Hij had haar kunnen vragen waarom ze om een uur 's nachts in het bos ging wandelen.'

'O, Acland,' zuchtte Constance. 'Het is precies zoals ik dacht. Was je erg boos? Haatte je hem erg?'

'Dat moet wel.' Acland fronste. 'Ik ging naar binnen en koos een van de geweren. Toen nam ik het pad naar het bos. Halverwege laadde ik het geweer. Beide lopen.'

'Beide lopen?' huiverde Constance.

'Ja. Eén schot zou hem kunnen missen. Ik wist wat ik wilde doen. Ik dacht: *ik loop dit pad af en als ik Shawcross vind, schiet ik. In zijn hoofd, in zijn hart. Van dichtbij.* Ik wilde dat hij dood was – direct.'

'Dat geweer zou hem doden?'

'O ja. Heb je nooit de gevolgen gezien van een jachtongeluk?'

'Nee. Toe, neem mijn hand. Laat hem niet los. Ik wil het begrijpen. Sla je arm om me heen – ja, zo. Vertel het me nu, heel rustig en eenvoudig. Zie je hoe dichtbij ik ben? We hebben nooit geheimen voor elkaar gehad, behalve dit. Je bent nog nader dan een broer. Toe Acland, je laadde het geweer. Je liep het pad af...'

Constance legde haar hoofd tegen zijn schouder. Ze had Aclands arm om zich heen getrokken. Hij voelde de spanning in haar rug. Waar zijn hand op haar arm lag, voelde hij de ronding van haar borst tegen zijn vingers. Een vrouwenborst; Acland vond het onverklaarbaar. Constance was als een kind, klein als een kind, ademloos en druk als een kind. Hij dacht aan haar als aan een kind en toch had dat kind borsten. Hij verlegde zijn hand naar haar schouder, keek naar het meer en naar het tanende licht.

'Constance, het is moeilijk om te vertellen.'

'Zeg het toch maar.'

'Wil je het echt horen?'

'Jazeker.'

'Ik laadde het geweer en liep het pad af naar de bossen.'

'Wist je van de val? O god, Acland, wist je ervan?' Ze drukte zich dichter tegen hem aan. Ze huiverde in haar mantel. Acland streelde haar arm en bleef naar het meer staren.

'Nee, voetangels voor mensen waren verboden. Mijn vader deed er wel druk over maar dat nam ik niet au sérieux. In ieder geval maakte het geen verschil, want ik bleef staan...'

'Je bleef staan?'

'Gewoon. Midden op het pad. Ik kwam tot mezelf – ik veronderstel dat je dat zo moet zeggen. Ik zag mezelf over dat pad lopen met een geweer om iemand dood te schieten. Ik zag hoe belachelijk dat was, denk ik. Niet verkeerd – ik voelde niet dat ik iets vreselijks deed. Alleen belachelijk.'

'Om iemand te doden die je haatte? Vond je dat belachelijk?'

'Constance, is dat zo moeilijk te begrijpen? Ik zag alles van de buitenkant en het scheen absurd. Het idee van een zeventienjarige jongen, puur melodrama. Om de eer van zijn moeder te wreken. Ik had gelijk. Het was absurd. Dus ging ik terug. Ik stopte het geweer weer onder de jassen en ging biljarten. Maar de volgende dag – na het ongeluk – toen ze je vader terugbrachten, toen gebeurde er iets.'

Hij keek haar aan. 'Jij was het, denk ik, Constance. De manier waarop je schreeuwde. De manier waarop je naar me keek. Ik had het gevoel of je mijn gedachten had gelezen... Toen voelde ik me een moordenaar. Het was alsof ik hem echt had gedood. Je maakte me beschaamd.'

Acland zuchtte. 'Dat is eigenlijk alles. De volgende dag ging ik naar mijn vader, ik wilde hem alles opbiechten. Tot mijn verbazing begreep hij het heel goed. Ik zei niet waarom ik Shawcross had willen vermoorden – ik noemde mijn moeder geen ogenblik. Maar hij wist het natuurlijk. Dat zag ik aan zijn gezicht. Hij had grote waardigheid en was niet zo dom als hij soms leek. Ik toonde hem waar ik de geweren had gelaten en hij heeft ze teruggezet, denk ik. Die dag. Of de dag erna.'

Er viel een stilte. Constance huiverde en trok zich terug. Ze drukte haar handen tegen haar voorhoofd. Staarde verblind naar de bomen, het meer.

'Ik dacht dat jij hem had gedood.' Er klonk spijt uit haar stem. 'Ik zag het aan je gezicht toen ze hem brachten. Ik keek naar mijn vader op die brancard met die afschuwelijke geruite plaid en toen naar jou. Het was of ik je herkende. Ik was er zo zeker van. Het was als een pijl in mijn hoofd. Sindsdien heb ik het altijd geloofd. Er nooit over gepraat. Twintig jaar. Als jij het was – werd alles duidelijk.'

Ze hield zijn handen tussen de hare.

'Acland, je liegt toch niet? Beloof dat je niet zult liegen. Zeg nog eenmaal "ik heb hem niet gedood".'

'Ik heb hem niet gedood, Constance, ik wilde het, was het zelfs van plan. Zes uur? Acht uur? Maar ik deed het niet. Ik moest door het leger getraind worden om te doden en zelfs toen was ik er niet goed in. Om er goed in te zijn, moet je er plezier in hebben, denk ik. Of heel bang zijn.'

Acland zei het rustig. Constance drukte haar handen tegen zijn gezicht, bedekte zijn ogen.

'Kijk niet zo, Acland. Vreselijk om je zo te zien. Je lijkt zo moe – en ouder – en ook wat bitter... Je ziet er anders uit.'

'Ik ben ook veranderd.'

'Ik geloof je.' Ze stond op en liep zenuwachtig op en neer. 'Je kunt niet tegen me liegen. Maar ik begrijp het niet. Dan moet iemand anders het hebben gedaan. Het was geen ongeluk, Acland. Ik weet het. Plezier? Je zegt dat mensen er plezier in moeten hebben om goed te doden? Of is het dat andere. Angst, ja, dat is het. Maar wie had dat kunnen voelen? Om zoiets vreselijks te doen. Niet je vader, niet Boy, niet jij. Er is niemand. Had ik het maar nooit gevraagd. Nu vliegen al die vragen weer door mijn hoofd. Twintig jaar, Acland, en ze gaan niet weg. Ze knagen. Het moet dus toch een ongeluk zijn geweest, zoals iedereen zei. Kon ik het maar geloven...'

'Constance. We hadden hier nooit moeten komen, we hadden er niet over moeten beginnen. Constance...'

Acland was opgestaan. Het verdriet, de vage manier waarop ze sprak, het feit dat ze nog steeds beefde – al die dingen maakten hem bang. Hij pakte haar arm en trok haar zacht naar zich toe. Hij voelde hoe gespannen ze was.

'Constance. Vergeet het toch,' begon hij. Hij had medelijden met haar en trok haar daarom dichter naar zich toe, streelde haar haar. Hij was vergeten hoe haar haar aanvoelde maar op het ogenblik dat hij het aanraakte, was het bekend. Hij streek het voorzichtig omlaag, voelde de ronding van haar hoofd onder de gezonde veerkrachtige bos. Constance scheen tot rust te komen.

'Wat ben je aardig, Acland,' zei ze zacht. 'Ik heb nooit op die manier aan je gedacht. Wel als boos, vernietigend – hard misschien. Maar je kunt aardig zijn. Je bent veranderd. O, ik heb het zo koud. Ik blijf maar rillen. Houd me dicht tegen je aan – alsjeblieft, maak me een beetje warm. Ik ben zo weer in orde, dan kunnen we gaan.'

Ze kroop dichter tegen hem aan en daardoor gleed de mantel verder van haar schouders. Acland wist niet precies hoe – maar opeens had hij zijn arm om haar middel geslagen, onder de mantel. Ze had een smal middel. Hij had het met zijn handen kunnen omvatten. Hij vond het pijnlijk en streelde haar haar niet meer. Toen hij een stap achteruit wilde doen, klampte Constance zich aan hem vast.

'Houd me nog even tegen je aan. Ik ben zo ongelukkig, ik huil. Ik maak je jasje helemaal nat. Ik heb zo'n hekel aan dat jasje. Het kriebelt, als een harig hemd. Waarom dragen Engelse mannen altijd tweed? Zo, dat is beter.'

Ze knoopte zijn jasje los en nestelde zich tegen hem aan. Toen zuchtte ze tevreden. De geur van varens en vochtige aarde steeg op uit haar huid en leidde zijn gedachten af. Een van haar kleine, met juwelen bezette handen lag tegen zijn hart, haar borsten drukten tegen hem aan. Hij voelde haar tepels hard worden. De huwelijksjaren met een heel ander soort vrouw hadden zijn instincten vertraagd, een gedeelte van zijn geest was nog bezig met de vraag of het toevallig zo erotisch was, toen Constance hem aanraakte op een manier die hij onmogelijk verkeerd kon begrijpen.

Hij liet haar ogenblikkelijk los en stapte achteruit.

Constance bekeek hem met geduldige, bijna droevige verdraagzaamheid. Ze schudde verwijtend haar hoofd.

'Wat een getrouwd gezicht, wat onnozel. O, Acland. Het heeft geen zin om weg te lopen,' zei Constance, toen Acland naar de deuropening liep. 'Je kunt niet van me weglopen. Ik ben heus niet ondersteboven van je demonstraties van echtelijke toewijding.'

'Ik loop niet weg. Maar ik ga terug naar mijn vrouw. Ik ben liever in haar gezelschap.'

'Haar gezelschap?' Constance volgde hem naar de deur. 'Eindeloos saai. Ik kan je binnen vijf minuten alle plezier in haar gezelschap doen vergeten. Kus me, Acland – en zeg me dan hoeveel waarde haar gezelschap heeft. Niet iets dat je zo dringend nodig hebt.'

'Constance, ik houd van mijn vrouw.'

'Natuurlijk, daar twijfel ik niet aan. Tenslotte heb ik je huwelijk aangekaart. Ik zei dat ze bij je zou passen. Je hebt haar net zo nodig als ik Montague. Maar mij heb je ook nodig. Je wilt me hebben en daarom durf je me niet aan te raken – daarom loop je weg.' Ze haalde de schouders op. 'Je kunt me niet uitbannen. Ik blijf in je hoofd. Je zult fantaseren, verlangen. Net als je altijd hebt gedaan. Net als ik altijd deed.'

Ze sprak met grote zekerheid en haar arrogantie maakte Acland nijdig.

'Geloof je dat?' vroeg hij zacht.

'Natuurlijk. Ik heb er nooit aan getwijfeld.'

'Je vergist je. Ik kan je aanraken zonder iets te voelen. Maar ik verlang er niet naar je aan te raken.'

Constance uitte een zachte kreet. Acland vond die te perfect op het juiste moment, het gebaar van pijn te gewild. Ze schakelde ogenblikkelijk over op kwetsbaarheid. Acland zag het als mechanisch, bedoeld om het spreken te manipuleren, een scène te maken tot een hoogtepunt van melodrama.

'Hoor eens, Constance,' begon hij redelijk. 'Ik ben getrouwd. Jij bent getrouwd. Je kwam hier voor de doop van mijn dochter. Een moment geleden hadden we het over de dood van je vader. Je was bedroefd en ik probeerde je te troosten. Als je me verkeerd begrepen hebt, spijt het me. Zullen we nu naar huis gaan?'

'Je hebt eens mijn leven gered,' riep Constance.

'Dat is zo lang geleden. Je was ziek en ik heb je misschien geholpen...'

'Je beloofde me dat je niet dood zou gaan.' Haar ogen stonden weer vol tranen. 'Je hebt het gezworen. Je bent teruggekomen.'

'Constance, dat weet ik wel. Dat was vóór mijn huwelijk.'

'Je maakt je huwelijk tot een afschuwelijke barrière. Een hoge muur. Hoe kun je zo spreken? Zo afwijzend? Al die heilige dingen. Ik geloofde in jou, in ons. Het is het enige waarin ik ooit heb geloofd.'

'Ik wijs het niet af, ik zeg alleen dat het voorbij is, dat is alles.'

'Wel waar. Je ontkent het.' Ze uitte weer een kreet en sloeg haar handen voor haar oren. 'Ik wil niet luisteren. Het is vreselijk, het is zondig.'

'Constance, houd op. Luister...'

'Nee.'

Ze deed een stap achteruit. Acland was er niet langer zeker van of ze toneel speelde of in de war was. Haar gezicht was lijkbleek en ze beefde weer door de kracht van haar emotie.

632

'Je hield van me. Er was iets tussen ons. Het was iets dat leefde. En nu probeer je dat te doden. Je bent veranderd. Je bent niet meer zoals vroeger. Toen nam je risico's, nu wil je zelfs niet toegeven dat er risico's zíjn. O, Acland, wanneer heb je besloten om gewoon, om een doorsnee man te worden?'

Acland draaide zich om. Keek naar het meer, de donkere hemel. De bossen waren nu onzichtbaar, een schaduw achter het water.

'Is het gewoon om van je vrouw en je kind te houden? Is het gewoon waarde te hechten aan je huwelijk? Misschien. Goed, dan ben ik gewoon.'

Het was even stil. Toen Constance weer sprak, was haar stem anders.

'Ik vraag me af of je misschien altijd zo bent geweest. Misschien ben je niet veranderd. Misschien heb ik je uitgevonden. Montague beweerde dat. Dat zal het zijn. Ik maakte je, Acland, en je was zo bijzonder. Een held. Weet je wat ik zag? Een unieke man. Een engel, met haar als vuur. Ogen die me konden doden. Je was onoverwinnelijk – een van de onsterfelijken. Al die macht – en die gaf ik jou. Ik maakte die in mijn geest. Ik maakte je sterk. Ik keek naar je handen en weet je wat ik zag? De dood in de ene hand en het leven in de andere. Mijn verlosser en bevrijder. Degene die me zou redden, met de moed om mijn vader te doden. Zoveel was er toen, zo weinig nu. Ach...'

'Constance.'

'Eigenlijk ben ik niet zo nietig. Ik vind mezelf wel eens nietig, dan krimp ik voor mijn eigen ogen. Maar nu weet ik het niet zo zeker. Misschien ben ik... groots. Maakt het iemand groots – als hij veel fantasie heeft?'

'Constance, we hadden hier niet moeten komen.' Acland keerde naar haar terug. Ze stond stijf rechtop en keek naar het donkere water van het meer. Ze had gesproken alsof ze Acland niet zag. 'Kom mee naar het huis.' Hij pakte haar arm. 'Hoor je me? Het is laat. Het is koud. Kom nu mee.'

'Ik ben dapperder dan jij. Dat begrijp ik nu.' Ze keek naar hem met een lege blik. 'Dat zal ik je nooit vergeven, Acland.'

'Praat niet zo. Neem mijn arm en dan gaan we. Je moet rusten.'

'Ik wil je arm niet. Ik zal nooit rusten. Wat een dwaas ben je. Laat me met rust.'

'Constance...'

'Weet je, er is maar één soort moed die de moeite waard is. De moed om te doden. Ik dacht dat jij die had. Wat stom van me! Je laadde je geweer. Toen ging je terug. God, ik veracht je...'

'Houd op. Je weet niet wat je zegt.' Acland keek hulpeloos rond. 'Zal ik iemand halen? Steenie misschien? Hij kan met je praten en later, als je kalmer bent...'

'Maar ik bèn kalm. Kijk maar.' Ze stak haar hand uit. 'Zie je? Geen zuchtje wind. Het water is doodstil. Zo zwart.'

'Je bent ziek. Ik ga iemand halen.'

Acland liep naar de trap maar wist dat het onverstandig zou zijn haar nu alleen te laten. Constance bleef in de richting van het meer staren, dat nog net zichtbaar was in de vallende duisternis. Haar gezicht was krijtwit, haar blik star. De nabijheid van het meer maakte Acland ongerust. Nee, hij kon haar nu niet alleen laten.

Terwijl Acland naar het water keek, hoorde hij een onverwacht geluid waar hij zo van schrok na die stilte dat hij, in een reflex die zoveel jaar na de oorlog nog steeds bestond, zijn arm ophief om zijn gezicht te beschermen. Hij hoorde het geruis van vleugelslagen en zag dichtbij een zwarte, onduidelijke schim. Toen hij hem herkende als een zwaan die opvloog, dacht hij nog: *zal ik hier ooit van bevrijd worden*? Op hetzelfde ogenblik schreeuwde Constance.

Haar meeuwengekrijs, één enkele heldere doordringende schreeuw. Acland draaide zich met een ruk om. Angst en verwarring maakten dat hij verwachtte een kind te zien, met een wit gezichtje, in een zwarte jurk, dat zich rekte, krijste – en toen doodstil bleef staan en hem aankeek met beschuldigende ogen, zwart en onwrikbaar in een stenen gezichtje.

Geen kind natuurlijk. Constance, in haar grijze mantel, was in elkaar gekrompen. Ook haar arm was voor haar gezicht, als om een slag af te weren. Ze liep achteruit, opgeslokt door duisternis, zodat hij alleen het bleke van haar gezicht kon zien. Ze zei – later zou hij denken dat ze had gezegd: 'Niet doen. In godsnaam. Niet doen.'

Ze maakte een klaaglijk geluid als een gewond klein dier. Toen Acland aarzelend naar haar toekwam, liet ze haar arm zakken. Haar gezicht hield hem tegen. Ze zei met duidelijke stem: 'Weet je wat mijn vader eens deed? Hij gaf me mijn eigen bloed te drinken. In een klein glaasje. Of was het wijn? Nee, dat geloof ik niet. Wijn smaakt heel anders dan bloed.'

Voordat Acland iets kon zeggen, hief ze haar hand op en streek over zijn gezicht.

'Arme Acland,' haar gelaatsuitdrukking veranderde. Haar haar was onzichtbaar in het donker. 'Arme Acland. Ik ben niet ziek. Ik ben nog nooit zo helder geweest. Nu begrijp ik het. Ik wist dat ik het zou begrijpen – eens. De hele dag voelde ik het komen, steeds dichterbij. Jij hielp – ik denk dat je hielp. De stem was er altijd, ik moest er alleen naar luisteren. Dat had ik eerder moeten doen, maar ik durfde niet. Ik dacht dat hij in de loop der tijd wel zou verdwijnen, maar dat was natuurlijk niet zo. Ook in twintig jaar niet. Het diepste water zou die stem niet doen zwijgen. Je kunt een mens wel verdrinken, maar een stem niet.'

Acland voelde haar vingers over zijn gezicht glijden, toen liet ze haar hand zakken.

'Het wordt donker. Ik kan je niet goed meer zien. Laat me nog even naar je kijken. Zo weinig fantasie. Zo snel, zo knap – maar je begrijpt het nog steeds niet, hè? Zal ik het je laten zien? Ik vind van wel.'

Ze rende voor hem uit de trappen af. Beneden bleef ze even naar hem staan kijken, toen liep ze in de richting van het huis. Het was nu bijna donker. Acland rende achter haar aan. Hij hoorde haar voetstappen. Hij tuurde in de duisternis. Constance, een ogenblik geleden nog te zien, was weg. *Zo ben ik er en zo ben ik er niet.* Acland kreeg een angstig voorgevoel. Hij rende verder en tuurde het pad af. In de verte zag hij de lichten van het huis, de schaduwen dansten. Was het Constance? Hij aarzelde, bang dat ze de weg naar het meer was opgegaan. Hij begon te rennen. Een tak bleef vastzitten in zijn haar. Hij liep langzamer, bleef stilstaan.

Uit de verte voor hem riep een stem. Hij voelde een instinctieve angst, een kilte achter in zijn nek. De stem van zijn moeder.

In de stilte die volgde hield hij zich voor dat hij zich door de duisternis allerlei dingen verbeeldde. Toen kwam de stem weer. Perfecte imitatie.

'Eddie,' riep de stem van zijn moeder. 'Eddie. Deze kant op. Ik ben hier.'

Toen Acland thuiskwam, bleef hij staan in de hal. Vanuit de salon hoorde hij de normale geluiden: het knetteren van houtblokken op het vuur, gerinkel van theekopjes, gemurmel van stemmen. De stem van zijn vrouw, van Wexton, Steenie er tussendoor, een paar opmerkingen tussen Freddie en Winnie, toen tussen de andere stemmen die van Constance. Hij ving een enkel woord op, want Constance sprak altijd vrij zacht maar het bleek dus dat Constance terug was in de familiekring. Haar stem en manieren waren niet uitzonderlijk, er was geen enkele aanwijzing van spanning of emotie. Acland sloot zijn ogen, opende ze weer. Hij dacht: *ik heb het me verbeeld.*

Constance had dat vermogen altijd gehad: ze trok hem door de spiegel, zette alles op zijn kop en maakte het tot iets zinnigs. Hij had geen zin om de bescherming van de hal te verlaten, hij wilde hier blijven op de grens. Hij wilde Constance niet aankijken. Daar, in de hal, wist Acland zeker dat er die middag bepaalde gebeurtenissen hadden plaatsgevonden maar hij was er even zeker van dat dat niet het geval was. Hij kon zich niet meer precies herinneren wat Constance tegen hem had gezegd. Zijn hoofd was vol brokstukken, hij kon ze steeds herschikken. Hun energie, het boosaardige vermogen om alles te veranderen, verwarde hem. Hij wist zeker dat Constance op het pad naar hem had geroepen met de stem van zijn moeder. Hij was zelfs zeker van de woorden die hij had gehoord. Maar als dat zo was, was de stem die hem geroepen had, de stem van een vadermoordenaar.

Ook dit was mogelijk en onmogelijk. Hij durfde zijn geheugen niet te vertrouwen. Constance was tenslotte een leugenaar en een fantast. Denk terug, zet alles op een rij. Acland probeerde zijn geest te dwingen tot werken – eens was hij trots geweest op zijn scherpe verstand.

Als hij had gehoord wat hij dacht dat hij gehoord had, had Constance een moord kunnen plegen, of ze was niet normaal geweest, of haar fantasie was op hol geslagen. Schuldgevoel, wist hij, was een bedrieglijk iets: het was mogelijk schuld te voelen voor een daad die wel is gewenst maar niet uitgevoerd. Had zij een misdaad begaan of verbééldde ze het zich alleen? Hij kende Constances vermogen om haar eigen verzinsels te geloven en al zou hij net zo lang praten tot het binnen de greep van het verstand kwam – toch kon hij nergens zeker van zijn. Er was een vrijwel oneindige mogelijkheid tot interpretatie, niets kon worden vastgesteld. Deze misdaad – als hij al bestond – was te oud. Hij lag twintig jaar in het verleden.

Ik zal het weten als ik haar aankijk, dacht Acland. Hij liep de hal door en kwam de salon binnen. Constances gezicht vertelde hem niets, haar manier van doen zei hem niets. Ze zat thee te drinken met de anderen, links van het vuur, haar voeten uitgestrekt naar de warmte van de vlammen.

Het scheen dat ze zojuist haar doopgeschenk had gegeven, en Jane die haar afkeer verborg voor een dergelijk voorwerp, stond op om het hem te laten zien. Een buitenissige, kostbare, heidens uitziende armband: een slang met juwelen als ogen, zo ontworpen dat hij zich om een arm wond. Constance zei onverschillig dat ze geen voorspelbaar doopgeschenk had willen meebrengen. Victoria kon dit dragen als ze ouder was, hij zag er het mooist uit op de blote huid. Constance glimlachte. Ze had hem in een opwelling de vorige dag in Bond Street gekocht.

Er gebeurde niets. Acland werd nerveus. Hij kreeg hoofdpijn. Toen hij zich ging omkleden voor het diner, werd de pijn erger. Sinds de oorlog had hij last van migraine en ook in mijn kindertijd leed hij er nog aan. De enige remedie was stilte en een donkere kamer, maar dat was deze avond niet mogelijk.

Er zou een speciaal diner zijn, ter ere van de doop – een gewoon familiedineetje maar hij wist dat het belangrijk was voor zijn vrouw. Acland nam codeïne om de pijn te verdoven. Toen hij naar de lampen keek, zag hij dat het licht een donkere rand had, die hem misselijk maakte.

Om half acht ging hij naar beneden. Iedereen was aanwezig behalve Constance. Constance kwam veel te laat. Terwijl de anderen beneden hun sherry dronken, ijsbeerde zij door haar kamer. Ze draaide in het rond voor de spiegel, stelde zich gerust wat betreft haar schoonheid. Glinsterend en volmaakt als ijs, de spanning die van haar afstraalde, haar vingers als dolken.

Constance maakte zich op voor haar kleine scène. Zou ze eerst dit zeggen, of eerst dat? Zou ze alleen Acland straffen omdat hij zo gewoon was of zou ze hen allen straffen, de een na de ander? Allemaal, vond ze.

Ze stuurde een gedachtenboodschap naar Montague die – dat zag ze nu – géén gewone man was en die zeker zou goedkeuren wat ze ging doen. We zijn eender, zei ze tegen hem: we weten hoe we moeten haten en zo nodig zouden we allebei de moed hebben om in de afgrond te springen. Kijk maar hoe ik de tempel afbreek, Montague. Ik weet dat je het amusant zult vinden.

Ik zal voor jou mijn diamanten dragen. En Constance wond ze om haar hals. Ze keerde haar hals naar verschillende kanten en zag het licht van hun facetten springen. Tijd om te gaan. Haar huid was blank. Haar avondjapon zwart. Haar lippen rood. Ik kan doden, zei haar wil en toen: ik kan alles.

Ze deed een voor een de lichten uit en liep langzaam de trap af, terwijl ze intussen haar kleine voeten bewonderde.

Ik zal hen pijn doen, zei Constance tegen zichzelf. En omdat ze in alle opzichten een kind was en nooit zou begrijpen dat het straffen van anderen neerkomt op het straffen van jezelf, kwam ze vol zelfvertrouwen de salon binnen zoals altijd wanneer ze een bepaald doel voor ogen had. Ze keek het gezelschap rond en bracht haar eigen verbanning teweeg. Acland kan het instrument ertoe zijn geweest maar Constance was zowel rechter als jury: door ervoor te zorgen dat ze verstoten werd, sprak ze een oordeel over zichzelf uit.

De eetkamer van Winterscombe was ouderwets en zeer formeel. Verarmde omstandigheden, ja, maar de oude regels waren niet veranderd. Een glimmende tafel, te groot voor zeven mensen en nog wel een oneven getal. William, geholpen door een van de oude gedienstigen, diende aan tafel. Hij zou een prachtige bordeaux schenken en dat op eerbiedige wijze doen. De vier mannen in smoking, de drie vrouwen in avondjapon. Kaarslicht, een open haard, zwaar, mooi gepoetst zilver. Een bewerkt eetservies met familiewapen, vierhonderd stuks, eens de trots van mijn grootvader, Denton.

Een goed klaargemaakte eenvoudige Engelse maaltijd, want de kokkin wantrouwt wat ze noemt 'liflafjes'. Geen kruiden, geen spoor van knoflook; opgerolde tongfilet als kleine witte vuisten, met geen andere versiering dan citroen. Het vlees is lende van het schaap, maar zal niet worden gegeten. De puddingen – met een knikje naar Freddie – zijn van het soort waar Engelsen zo van houden, kinderkamerpudding. Veel zetmeel en alle gaatjes vullend. Maar ook die zal blijven staan want toen het vlees binnenkwam en Acland, zoals de gewoonte was, naar het dressoir liep om het aan te snijden, begon Constance. En die arme Winnie gaf de aanleiding.

Winnie, die dol op Wexton was, had zijn gedichten gelezen. Ze waren opgedragen aan mijn ouders, wat Winnie dan ook vertelde. Constance kneep haar lippen op elkaar.

Winnie verklaarde dat zij en Cootie, die in Londen te doen had, de gedichten hardop aan elkaar voorlazen voor ze naar bed gingen. Hun favoriet was een liefdessonnet en Winnie, zonder Wextons verlegenheid te merken, citeerde er uit het hoofd een paar regels uit.

Ze begreep ze verkeerd. Winnie was, en is, tot op zekere hoogte heel onschuldig. Voor haar was het een gedicht over liefde, dus over het soort liefde dat Winnie begreep. Toen ze uitgesproken was, bleef het even stil. Steenie, die nog geen tijd had gehad om echt dronken te worden, knipoogde tegen Wexton. Jane vond de woorden ontroerend en wierp een blik op Acland. Constance boog zich naar voren. 'Natuurlijk weet je wel dat het gedicht voor een man is geschreven.'

Winnie die net haar glas wijn naar haar lippen bracht, liet het bijna vallen. Ze keek Wexton geschokt aan. Haar hals en wangen werden vuurrood.

'Hij heeft het natuurlijk over liefde, maar dan tussen twee mannen. Het soort waar Wexton van houdt, Steenie ook, trouwens. Wist je, Winnie, dat Steenie en Wexton minnaars zijn geweest?' Ze fronste. 'Was je toen zestien, Steenie – of zeventien? In ieder geval nog minderjarig.'

Er klonk gerinkel. De bejaarde gedienstige had een grote schaal laten vallen. Het zilveren deksel kletterde over de vloer. Aardappelen rolden in het rond. De vrouw knielde en probeerde ze op te rapen.

'Homoseksuelen,' ging Constance peinzend verder. 'Ik gebruik nooit het woord "mietje". Ik vind die woorden dom en onbeschaafd.'

Acland legde zijn mes neer en gaf een teken dat de bedienden konden gaan. Constance praatte maar door.

'Mensen gebruiken zulke woorden omdat ze homoseksualiteit angstwekkend vinden. Ze zijn bang, dat voel ik. Mensen als Steenie en Wexton herinneren ons eraan dat er geen regels zijn – voor liefde of seks. Jij, Winnie, hoe zou je normale liefde definiëren? Als heteroseksueel? En normale seks? Alleen voor gehuwden? Eens per week? En in welke houding? Ik wilde dat je man hier was. Dan kon hij ons vertellen hoe hij erover dacht. Ik bedoel, als het om neuken gaat, zijn zijn ideeën dan conservatief of liberaal? Of radicaal?'

Winnie schoof haar stoel achteruit. Ze trilde van het hoofd tot de voeten. Haar mond ging open en dicht. Acland zei streng: 'Constance, houd op.'

Constance keek hem met grote ogen aan.

'Acland, dit is toch interessant. Ik verdedig de deregulatie van de seks. En van liefde. Maar die twee zijn zo met elkaar verweven. Mensen worden er opgewonden van. Ik begrijp niet waarom. Neem sodomie. We weten allemaal dat homoseksuelen dat doen...'

'Bíjbels!' riep Steenie en stond met een dramatische beweging op. 'Gaan we bijbels doen? Want in dat geval...'

'Maar tenslotte,' ging Constance door, 'is sodomie niet beperkt tot homoseksuelen. Heteroseksuelen, de meest stoere christenen, hebben erom bekend gestaan. Is het dan een perversie? Winnie, wat vind je? Zou Cootie zeggen dat het pervers is? Heeft hij een oordeel over – masturbatie bijvoorbeeld? Orale seks? Persoonlijk vind ik altijd dat alles wat bevredigt, gepermitteerd is en als het niet gepermitteerd is, is het nog leuker. Maar ik heb nooit gezegd dat ik een moralist was. Ik denk dat ik moeilijkheden heb met de táál. Vind jij dat ook, Winnie? Ik begrijp niet waarom we van lust een zonde maken en van liefde een deugd, terwijl liefde zoveel ellende veroorzaakt in deze woelige wereld. Maar ik heb ook nóóit begrepen waarom ingewikkelde Latijnse woorden aannemelijker zijn dan gewone. Gebruiken mensen nu echt liever het woord "penis" als ze...'

'Nooit!' riep Winnie, die eindelijk haar stem terug had.

'En dan néuken, dat is toch een alleraardigst woord, vind je niet, Wexton? Het kan heel poëtisch zijn.'

'Nooit!' riep Winnie energiek. 'Een vrouw op zo'n manier te horen spreken – wíe dan óók zo te horen spreken. Is dat mens gek? Is ze dronken?'

Winnie droeg een sjaal. Ze sloeg de sjaal nu om haar schouders, rechtte haar rug en keek Constance doordringend aan. Constance bekeek haar wijnglas.

'Nee, Winnie. Ik ben niet dronken. In feite word ik nooit dronken.'

'Dan is die demonstratie nog veel droeviger,' zei Winnie giftig. 'Ik wil geen woord meer horen...'

'Ik evenmin,' onderbrak Freddie haar. Hij stond op en keek verward de kamer rond. 'Acland, kan ze niet ophouden? Je weet hoe ze is. Als ze eenmaal begint...'

'Constance...'

'Acland, doe niet zo dwaas. We hebben het over taal en moraal. Ik ben een vrouw. Een vrij kleine vrouw. Wat ga je doen – me eruit gooien?'

'Weggaan,' antwoordde Winnie verstandig. 'Ik tenminste wel. Freddie – wil je zo vriendelijk zijn? Ik heb een beetje frisse lucht nodig.'

Winnie liep waardig naar de deur. Freddie keek om naar Constance, alsof hij nog eenmaal bij haar wilde pleiten, maar hij besloot het niet te riskeren. Hij liep naar de deur en bood Winnie zijn arm – een kleine beleefdheid die Winnie, denk ik, niet vergat. De deur werd gesloten.

Steenie zei: 'Ik ben misselijk.' Hij hing in zijn stoel, dronk zijn glas leeg en schonk het weer vol. 'Eerlijk, Connie, waarom doe je zoiets?'

'Wat?' Constance keek onschuldig. 'Het was niet meer dan een discussie.'

'Een vrij eenzijdige discussie.' Wexton boog zich naar voren. 'Het was geen discussie. Je was er op uit om Winnie te kwetsen.'

'Ja, misschien wel.' Constance glimlachte flauwtjes. 'Ze ìs een klein beetje dom, vind je niet? Ze trok zulke afschuwelijke gezichten toen ze mijn hoed zag vanochtend...'

'Jezus christus!' zei Steenie.

'Bovendien ergeren mensen als Winnie me. Jij ook, Jane, als je het niet erg vindt dat ik het zeg. Ik heb een hekel aan morele codes die zelfbeperking opleggen. Oogkleppen op is niet moreel, het is laf.

En Winnie deed onmogelijk stom over je gedicht, Wexton, jij zat met gekromde tenen te luisteren, geef het maar toe.'

'Dat gebeurt altijd als iemand mijn gedichten voordraagt.'

'Echt? Wat nobel. Maar zo ben je, Wexton. Een olympische teddybeer. Mag ik je iets vragen?'

'Best.'

'Ik bewonder je gedichten, zelfs ìk kan zien dat ze goed zijn. Maar ik heb nóóit begrepen hoe je zulke gedichten kon opdragen aan iemand als Steenie. Of verliefd op hem worden. Nou, Steenie, rol niet zo met je ogen, je weet dat het waar is. Ik ben dol op je en toen je jonger was en niet zo veel dronk, was je heel mooi – maar ik had nooit gedacht dat Wexton het type man was dat viel voor een mooi gezicht...'

'Begin nu niet met mij, Constance.' Steenie wapperde met zijn handen. 'Als je dat doet...'

'Eerlijk, Steenie. Je bent toch een dilettant. Eén enkele schilderij-ententoonstelling en kijk wat er gebeurt. Je bent Wexton nog geen vijf seconden trouw geweest. Op dat moment dat Boy zelfmoord pleegde, wat deed je toen? Je rende naar Conrad Vickers en sprong in zijn bed. En je gaf Boy de schuld van je ontrouw, dat heb ik altijd nogal goedkoop gevonden. Maar niemand vertelde de waarheid over Boys dood. Na al die jaren doen we nog of het door *shellshock* kwam. Maar het had niets met de oorlog te maken. Boy doodde zichzelf omdat hij van kleine meisjes hield...'

'Wàt zei je?'

'Hij hield van kleine meisjes. Dat kon je toch raden, Acland? Als je twijfelt, vraag je het maar aan Freddie. Die zag de foto's die Boy van mij als kind genomen heeft. Ze waren een beetje pornografisch. Wat Freddie niet weet – en niemand van jullie – is dat het niet alleen foto's waren. Boy neukte kleine meisjes. Mij bijvoorbeeld. Je hoeft niet zo naar me te kijken, Acland, weet je nog toen ik uit Boys kamer kwam?'

'Nee, en ik geloof het niet. Ik weet niet waar je het over hebt.'

'Acland, je vergeet het liever, maar ik herinner het me precies.'

'Er is niets gebeurd.' Steenies stem klonk hoog. 'Praat niet met haar, dat heeft geen zin. Constance vertelt altijd van die rottige leugens. Haar vader was een gemene, goedkope leugenaar en zij is net zo...'

'Steenie, houd je mond.' Constance wierp hem een vernietigende blik toe. 'Je mascara loopt door. Dadelijk barst je in tranen uit, zoals altijd.'

'Je bent een loeder,' zei Steenie wiens scheldwoorden nooit op hun best waren als zijn emoties hem de baas werden. 'Boy is dood. Hij kan zich niet verdedigen.'

'Steenie, wat onnozel om me uit te schelden. Over drie dagen kom je bij me terug als een allerliefste jongen. En je ziet er vreselijk uit. Veel te geverfd. Over een paar jaar ben je een zielige oude nicht...'

'Echt? Ik en geverfd? Maar ik ben niet de enige. Maud zei dat je slechte manieren had, ze zei dat je het ging zien – en ze heeft gelijk. Rimpeltjes om je mond, schat. Als ik een zielige oude nicht ben, zie jij eruit als een kenau. Ik zou maar gauw een plastisch chirurg bellen, lieverd.'

'Steenie, ga alsjeblieft weg.'

'Lieve schat, ik ga al.' Steenie beschikte nog over waardigheid. 'Ik zal niet langer onder je gehoor blijven. Ik heb in geen jaren zulke overdreven nonsens gehoord, in geen enkele schouwburg. Ver over de schreef, schat, zelfs voor jou, en dàt wil wat zeggen. Wexton, ga je mee?'

'Nee. Ga maar. Ik blijf. Je hebt gelijk. Het is over de schreef, maar wel interessant. Ik wil zien wat ze als finale heeft bedacht.'

'Als ze zover is, vraag dan naar die stuwadoor in New York. Dat is héél amusant.'

Steenie sloeg de deur dicht. Wexton keek van Jane die niets had gezegd, naar Acland die met zijn rug naar iedereen toe stond.

'Steenie heeft ongelijk,' begon hij ontspannen. 'Ik wil niets over die stuwadoor weten. Dat is vast niet amusant. Maar nu je iedereen die je uit de weg wilde hebben, kwijt bent – behalve mij...'

'Wexton, wat onaardig!'

'Dus kom ter zake. Jane is hier. Acland is hier. Je hebt je lichtkogels afgeschoten, je kunt het echte doelwit nu zien. Begin.'

'Nee, Wexton,' onderbrak Acland, 'ik heb er genoeg van. Het is geen spelletje. Dit is míjn familie. Steenie heeft gelijk. Boy kan zich niet verdedigen. Ik wil niet dat er zo over hem gesproken wordt.'

'Hemel, wat een koude stem. Wat ga je doen, Acland? Zet je me met geweld de kamer uit? Dat zou ik best leuk vinden.'

'Dat is niet nodig. Het klinkt allemaal nogal eenzijdig, vind ik. Maar zou je niet iets over jezelf vertellen, Constance, voor je gaat? Waarom niet over vanmiddag? Tenslotte was dat de aanleiding tot dit alles, hè?'

Constance zuchtte. 'Weet je,' begon ze langzaam, 'dat geloof ik ook. Ik realiseerde het me vanmiddag en nu zag ik het weer. Een Engelse familie die de rijen sluit. Misschien doen alle families dat, is het niet typisch Engels. Dat zou me niets verbazen. Ik ben een buitenstaander hier, altijd geweest.'

'Dat is niet waar,' zei Jane verontwaardigd. 'Het gezin heeft je gewoon opgenomen. Zelfs vandaag – omdat jij vroeg om peettante te mogen zijn. Acland was het ermee eens en ik heb je uitgenodigd.'
'O, met tegenzin, denk ik. Constance als peettante, dat wilde je vast niet.'
'Je hebt gelijk. Ik wilde het niet.'
'Wel, wel, laten we er maar niet over ruziën. Het was heel verstandig. Ik had altijd de neiging om de hand te bijten die me voedt. Een fout in mijn aard. Is het de liefdadigheid waar ik een hekel aan heb? Nee, ik houd er niet van zo minzaam neerbuigend behandeld te worden.'
'Is vriendelijkheid dan minzaam neerbuigend?'
'Jane, praat niet met haar, het heeft geen zin.'
'O, Acland, houd je vrouw niet tegen.' Constance keek hem stralend aan. 'Ik vind het heerlijk naar Janes argumenten te luisteren. Soms denk ik dat ik, als ik lang genoeg zou luisteren, een beter mens zou worden. Net zo worden als zij. Kalm en goed, altijd redelijk. En dan denk ik: nee, ik zou nog liever dood zijn. Ik wil... groots en meeslepend leven, zie je.'
'Groots en meeslepend leven,' Acland wendde zich af. 'Noem je dat zo? Ik heb nog nooit zoiets zots gehoord.'
'Het is zo maar een uitdrukking. Ik kan wel andere bedenken. Gek...' Constance stond op en liep de kamer op en neer. 'Altijd als ik op Winterscombe ben, voel ik me... slecht. Als een anarchist. Ik zie dat prachthuis en die prachtfamilie en vroeg of laat snak ik ernaar de boel op te blazen. Eén bom. Een enorme brand! En de hele boel vliegt de lucht in. Heel vreemd. Vijf minuten in dit huis en ik ben een vurig revolutionair.'
'Je bent destructief, met andere woorden,' antwoordde Acland kortaf, 'ik veronderstel dat je dat altijd bent geweest.'
'Is dat destructief?' Constance scheen erover na te denken. 'Misschien. Zo voel ik het niet. Ik zie het als een loutering, al die vlammen door het dak. Geen goede bedoelingen meer. Geen pretenties. Geen geheimen. Ik heb altijd het idee dat Winterscombe een heel prutserig bouwwerk is. Zoveel barsten in de muur en iedereen er maar behang overheen plakken. Als ik een barst zie, wil ik die altijd verder openmaken. Tot ik erdoor kan stappen, in alle puin en chaos. Waar het gevaarlijk is.'
'Waarom?' fronste Jane.
'Gewoon om te zien wat ervan overblijft. Of er iets kan blijven staan. Wie weet wat ik er zou vinden?' Ze lachte. 'Ik zou van alles kunnen vinden waarvan mensen zeggen dat het goed is. Liefde. Of

waarheid. Anderzijds zou ik misschien niets vinden. Absoluut niets. Vind je dat niet dapper van me? Geen van jullie zou het wagen me te volgen, denk ik. Wexton misschien. Maar jij niet, Acland en je vrouw ook niet. Jullie blijven liever hier, waar het veilig is.'

'Veilig?' Het woord scheen Jane te kwetsen. Ze kreeg een kleur. 'Als je de oorlog had gezien, Constance, zou je dat niet zeggen. Dit huis – dit gezin – is niet zomaar een toevluchtsoord. Het is iets waarin ik geloof en waarin Acland gelooft. Het is broos en kwetsbaar – dat weten we allebei. We moeten iedere dag worstelen om het te laten werken...'

'Je huwelijk ook – moet je daar ook aan werken?'

'Jane, praat toch niet met haar. Zie je niet wat ze wil?'

Maar Jane was fel geworden. 'Ik blijf niet stilzitten, terwijl zij alles afwijst waar ik om geef. Ze laat het zo aannemelijk klinken, zo redelijk – en ze heeft het mìs. Je bent zelfzuchtig, Constance. Je vertelt leugens en het kan je niet schelen wie erdoor gekwetst worden...'

'Leugens? Heb ik vanavond leugens verteld? Over Steenie? Over Boy? Alles wat ik zei was waar. Grote hemel! Ik ben nog heel mild geweest. Ik heb het niet over Freddie gehad – en daar zou ik je een paar gekke dingen over kunnen vertellen. En Acland...'

'Laat Acland erbuiten!'

'Waarom? Acland is het ideale voorbeeld van wat ik bedoel. Ik heb een goed geheugen. Ik weet hoe Acland was – voordat jij hem getemd had. En kijk nu eens. De volmaakte echtgenoot, de volmaakte vader.'

'Is dat iets om je voor te schamen?'

'Niet direct.' Constance pakte een tafelmes. 'Hij speelt de rol heel goed. Ik ben bijna overtuigd. Maar er zijn bepaalde elementen die er niet in horen... Tenslotte zijn we hier bij elkaar voor een doop. Voor de vreugde van de geboorte van een klein meisje. Een eerste kind, eindelijk. Behalve dat het geen eerste kind is. Acland had eens een zoon. Bij Jenna, van wie hij ooit gehouden heeft. Een jongetje, Edgar, met ogen precies als van zijn vader...'

'Stop.' Acland draaide zich met een ruk om. 'Goeie god, wil je ophouden?'

'Nee, Acland.' Jane stond op en legde een hand op zijn arm.

'Dank je, Jane, ik wilde zeggen – Edgar is dood. Het komt goed uit dat hij al zo lang dood is. Het zal eenvoudiger zijn te doen of hij nooit heeft bestaan dan steeds over hem te moeten liegen. En zolang we zeggen dat hij van Hennessy was, zijn we veilig. Maar is dat goed, dat bedrog? Boven zit Jenna op de nieuwe baby te passen. En Jane is kennelijk dol op Jenna. Komt dat door onwetendheid? Of is het pure edelmoedigheid? Is Jane dom of magnifiek? Wist je het, Jane? En was je nooit jaloers?'

Er volgde een stilte. Acland had zijn handen voor zijn gezicht geslagen. Jane en Constance keken elkaar aan. Wexton – de toeschouwer bij dit alles, zoals hij me later zou vertellen – bleef met belangstelling luisteren.

Jane fronste, alsof ze niet zeker wist hoe ze moest antwoorden.

'Constance,' zei ze ten slotte. 'Ik wéét het allemaal. Jij bent niet de enige die aan Edgar denkt, ik denk ook aan hem. Ik praat over hem, met Acland – en met Jenna. Vanochtend in de kerk dacht ik aan hem en zij ook, dat weet ik. Hij wordt niet vergeten, Constance.' Ze aarzelde.

'Acland en ik zijn twaalf jaar getrouwd. Te lang om geheimen voor elkaar te hebben. Jenna verloor een kind. Ik verloor er twee. We begrijpen elkaar. Wat er in het verleden gebeurde heeft geen verwijdering gebracht, kun je dat begrijpen? Het brengt ons dichter bij elkaar. Acland en ik, en Jenna – we verwerken het op onze eigen manier.'

Constance maakte een onzeker gebaar. 'Twaalf jaar? Is het twaalf jaar?'

'Constance, waarom doe je dit?' Jane legde een hand op haar arm. 'Om zo over een kind te spreken – om een dood kind te gebruiken als wapen – waarom doe je zoiets en dan nog wel op een dag als vandaag! Waarom vraag je om peettante te zijn en doe je dan zo? Waarom probeer je van alles om anderen pijn te doen?'

'Laat me met rust.'

'Steenie is je vriend – en je hebt hem gekwetst. Winnie heeft weliswaar bepaalde aspecten van Wextons gedicht niet begrepen, maar ze begreep de kern ervan. Was het niet vriendelijker geweest haar haar illusies te laten? Boy, Freddie, Acland – ik weet dat je om hen geeft, Constance, dus waarom gedraag je je alsof je hen niet kunt luchten of zien?'

'Ik houd van ze, ze zijn broers van me.'

'Waarom kwets je ze dan? Je isoleert je alleen maar. Zie je niet dat je jezelf veel meer pijn doet dan ons?'

Het woord 'ons' stak. Het was zachtzinnig gezegd, maar Constance kromp in elkaar. Ze rukte haar gezicht opzij alsof ze was geslagen.

'Je laat het om medelijden met me te hebben. Hoe durf je.' Ze liep achteruit tot ze tegen de tafel stond. 'Je bent dom. De ex-verpleegster. Ik zou mijn vinger nog niet door je laten verbinden. Weet je waarom Acland met je is getrouwd? Om je geld. Omdat ik het tegen hem heb gezegd.'

'Goed. Dan heb ik nu gelegenheid om je te bedanken. Er is niet veel geld meer – maar in ieder geval heb je mijn man goede raad gegeven, waarvoor we je heel dankbaar zijn.'

Toen Jane dit zei, keek ze naar haar man. Misschien was het die blik – vol genegenheid en wat wrang – misschien het feit dat Acland op zijn vrouw toeliep of omdat Wexton glimlachte, in ieder geval knapte Constances zelfbeheersing.

Zoals altijd was haar woede plotseling. Ze sloeg met haar vuist op de tafel. Messen, vorken, borden kletterden op de grond. Wexton bukte zich. Constance begon met glazen te smijten. Kristal vloog in het rond, wijn drupte op de vloer. De kamer stond bol van een wervelwind van energie, een woeste storm van vernielzucht. Toen een griezelige stilte.

'Zal ik, Acland?' vroeg Constance.

Ze stond midden tussen de wanorde met uitgestrekte pols, de steel van een wijnglas in haar rechterhand.

Alle beweging kwam tot stilstand. Wexton stond aan haar ene kant, Jane en Acland aan de andere. Constance stond tegen de tafel gedrukt met een wit gezicht en starende, glinsterende ogen.

'Denk je dat ik het niet zal doen? Je denkt dat mensen zich niet opensnijden in de eetkamer van anderen? Ik wel. Ik breek alle regels...'

'Constance.'

'Ga achteruit. Allemaal. Als je dichterbij komt, doe ik het.'

Acland deed een stap naar voren, bleef toen staan. Constances gezicht was een en al triomf.

'Zal ik, Acland? Welke – pols of keel? Dit glas is heel scherp. Snijd de goede ader op de goede manier en het is gebeurd. Een grote bloedfontein. Kijken jullie maar.'

'Goed.' Acland sloeg de armen over elkaar. Zijn stem klonk grimmig. 'We kijken wel. Ga je gang. Maar zorg ervoor dat je een slagader neemt en geen ader als je vlug wilt zijn.'

'Acland, niet doen. Ze is ziek...' Jane deed een stap naar voren. 'Constance, leg dat glas neer.'

'Als je dichterbij komt, steek ik het in je schijnheilige gezicht.'

'Laat haar maar. Blijf waar je bent.' Acland ging tussen Constance en zijn vrouw staan. Constances ogen vestigden zich op zijn gezicht. Haar zwarte ogen kregen een dode blik.

'Zal ik, Acland? Zal ik springen? Is het ver naar beneden?'

'Ver genoeg.'
'Heb je het begrepen – van vanmiddag?'
'Ja.'
'Ik haat dit huis. Alle hoeken spreken.'
'Geef mij het glas, Constance.'
'De doden wandelen door het huis. Ik ruik ze.'
'Geef mij het glas.'
'Waar is mijn vader? Ben jij mijn vader?'
'Nee, Constance.'
'Is hij hier niet? Ik dacht dat ik zijn stem hoorde.'
'Constance, hij is hier niet. Leg het glas in mijn hand. Rustig.'
'O, goed.' Constance zuchtte. De spanning verdween uit haar lichaam. 'Misschien heb je gelijk. Leef nog wat langer, dag voor dag, stap voor stap. Alsjeblieft Acland. Mag ik alleen zijn? Ik wil alleen zijn. Ik ga naar bed. Het is weer in orde. Morgen ga ik weg. Wat een afschuwelijke puinhoop. Het spijt me vreselijk.'

Toen ze de kamer uit was, viel er een stilte. Jane bukte zich om een bord op te rapen. Wexton ging weer zitten. Hij zei: 'Jezus.'
'Ik weet het.' Acland keek grimmig naar het verbrijzelde glas, de chaos op tafel.
'Ik wil een whisky,' zei Wexton.
'Goed idee. Schenk er voor mij ook een in.'
'Gaat ze dikwijls zover?'
'Ze heeft altijd van scènes gehouden. Dit was een van de betere. Ze kan het tot een bepaald punt blijven beheersen. Daarna gaat het volkomen mis – verliest ze alle controle. Zoals je nu zag. Vandaag – waren er redenen.'
'Dat dacht ik al.'
'Acland.' Jane had in het vuur zitten staren. 'Je kunt haar niet laten gaan. Ze moet blijven. Ze is ziek.'
'Nee. Ze vertrekt. En ze komt niet meer terug.'
'Dat kun je niet doen. Het is iets ernstigs.'
'Dat weet ik. En ik ben niet verantwoordelijk. Ik wil haar niet in huis hebben. Niet na vanavond. Je zag wat er gebeurde. In godsnaam...'
'Ze kan er niets aan doen. Dat zie ik nu. Ze is niet verantwoordelijk voor haar daden.'
'Dan wordt het tijd. Ik praat er niet meer over. Ik wil haar niet in de buurt van jou of van Victoria.'
'Acland, ze is zíek.'
'Ik ken haar ziekte. En ze wordt beter zodra het haar uitkomt. Je

zult zien – morgen gedraagt ze zich of er niets is gebeurd. En ze verwacht dat iedereen ook zo doet. Ze vertrekt en komt niet meer terug. Het is voorbij.'

'Laat je haar alleen naar New York teruggaan? Zo'n lange reis?'

'Kan ik dat niet? Wacht maar.'

'Haar gedrag vanavond. Zoals ze keek met dat glas in haar hand...' Jane aarzelde. 'Acland, ze is niet goed bij haar verstand.'

'Ze is evenmin helemaal krankzinnig. Misschien zou ze willen dat je dat dacht. Ik heb gelijk, vind je niet, Wexton?'

Wexton had aan het eind van de tafel gezeten met zijn whisky voor zich. Nu kwam hij overeind in zijn lievelingshouding, als menselijk vraagteken.

'Is Constance krankzinnig? Dat is de vraag. Een beetje als in het toneelstuk. Je weet wel. Gek noord, noord-west, als de wind zuid is...'

Hij keek Jane met een droefgeestige blik aan.

'Acland heeft gelijk. Ze moet weg. Dat wil ze toch. Nee. Ze wil weggestuurd worden.'

'Waarom wil ze dat?'

'Straf, denk ik.' Wexton haalde zijn schouders op. 'Als andere mensen haar dat plezier niet doen, straft ze zichzelf. Nee, Acland, zeg maar niets. Wat ze je vertelde – ik hoef het niet te weten. Deze hele avond ging alleen daarom. Constance die zich ervan verzekerde dat ze verbannen werd. Laat haar, Jane. Ze heeft toch een man.'

Toen Acland later die avond Jane de gebeurtenissen van de middag uitlegde, probeerde Jane Constances echtgenoot een telegram te sturen en de volgende dag nog een. 's Ochtends vertrok Constance. Jane hoorde vanuit haar slaapkamer de gedempte geluiden van haar vertrek en liep naar het erkerraam. Alleen Steenie kwam Constance vaarwel zeggen, hij scheen haar te hebben vergeven zoals ze voorspeld had. Hij omhelsde haar op de trap van het terras. Hij droeg geen jas, hoewel het koud was en er rijp op het gras lag. Constances kleine blanke handen lagen om zijn hals. Ze kuste hem driemaal. Toen ze hem losliet, keek ze nog eenmaal rond. Haar rode mantel was de enige kleur in het witte landschap. Jane zag hoe ze naar het huis keek, toen naar het meer en de bossen. Het was haar laatste vaarwel van Winterscombe. En ditmaal had ze niets te zeggen. Ze stapte achter in de wachtende auto. Het portier werd gesloten. Ze reed weg. Jane keek de zwarte, begrafenisachtige Daimler na en ging terug naar haar man die geen zin had gehad om het vertrek te zien. Acland zat bij het vuur naar de kolen te staren. Het kind sliep.

'Ze is weg, Acland,' zei Jane zacht.

'Ik hoop het. Als ik er nu ook nog zeker van kan zijn...'

'Ze kan het niet hebben gedaan, Acland,' zei Jane die naast hem knielde. 'Ze kan het zich hebben verbeeld – maar haar eigen vader doodmaken? Onmogelijk. Ze was pas tien.'

'Ik weet het en ik geloof het ook niet. Maar zíj wel. Ik denk dat dat haar probleem is.'

'Denk je dat Stern het weet?'

'Hij weet veel. Ik denk niet dat je gemakkelijk een geheim voor hem kunt bewaren. Maar in dit geval... Eerst was ze ervan overtuigd dat ik het gedaan had. Ze bleef maar praten, zoals mensen doen in een droom. Ze zei iets over een stem. Toen wilde ze me iets laten zien, alsof het idee op dat moment bij haar opkwam. Ze keek – ik kan het niet beschrijven.'

'Ze maakt me bang, Acland.'

'Dat weet ik. Ze maakt mij ook bang. Zie je nu waarom ik haar hier niet meer wil hebben? Het was mijn schuld. Niets en niemand is veilig voor haar. Ze praat over Boy – en ik heb het gevoel of ik hem nooit heb gekend. Ze verdraait alles, maar op zo'n manier dat ik het niet goed meer zie. Ik denk dat ze misschien gelijk heeft, misschien was het wel zo als ze zegt. Het enige dat ik weet is dat ze mensen pijn doet. En ik wil niet dat ze jou pijn doet. Of Victoria.'

'Acland,' Jane keek hem aan. 'We moeten zorgen dat Stern het begrijpt. Niet alles misschien. Maar hij moet weten dat ze ziek is.'

'Ze had anders kunnen worden.' Met een nerveus gebaar stond Acland op. Hij liep de kamer op en neer. 'Dat geloof ik nog steeds. Toen ze nog jong was. Zelfs nu – ze kan heel bijzondere dingen zeggen.'

Jane keek naar de vloer. Toen zei ze: 'Ze is heel mooi.'

'Dat bedoel ik niet. En ze is niet mooi, niet als je haar analyseert, iedere trek apart. Maar dat kun je niet als je naar haar kijkt. Ze is zo levendig. Ze heeft zoveel energie...'

'Houd je van haar, Acland?'

Acland tuurde naar zijn vrouw. 'Houd ik van haar? Nee.'

'Maar hiéld je van haar – vroeger? Zeg het me, Acland. Ik wil het graag weten.'

'Ik kan er geen antwoord op geven. Ik wéét het antwoord zelfs niet. Voor de oorlog, in het begin van de oorlog, toen betoverde ze me een beetje, geloof ik.'

'Betoverde ze je?' Jane wendde haar ogen af. 'O, Acland, dat is geen woord voor jou. Ik begrijp het. Ze is heel mooi en heel vreemd. Iedere man zou verliefd op haar kunnen worden.'

'En ik neem aan dat een aantal dat ook doet,' antwoordde Acland droogjes. Hij liep naar zijn vrouw en sloeg zijn armen om haar heen. 'Het bleef niet – daar gaat het om. Ik vond jou.'
'Ha, de echtgenote.'
'Dat moet je zo niet zeggen. Dat wil ik niet.'
'Ik wel – en alle vrouwen.' Jane kwam overeind. 'Zelfs de meest deugdzame echtgenote is een beetje jaloers op de maîtresse – het type ervan.'
Er schitterde iets ondeugends in Aclands ogen. 'Echt waar?'
'Natuurlijk. Ik zou een slechte maîtresse zijn. Ik ken mijn beperkingen. Maar ik ben niet half zo preuts als Constance denkt. Zo nu en dan heb ik gedacht hoe het zijn zou – als ik zo'n ander soort vrouw was. Een voorwerp van begeerte. Mooi. Zorgeloos. Wispelturig.'
'Waardeloos.'
'Misschien. Ik weet het niet zo zeker. De ideale maîtresse...'
'Bestaat er zoiets?'
'De ideale maîtresse is... onbereikbaar. Net als de ideale minnaar. Je kunt haar... benaderen, maar nooit bezitten.'
'En je denkt dat mannen zich zo'n vrouw voorstellen? Dat ik dat doe?'
Jane lachte. 'Ik ben een echtgenote. En verstandige vrouwen zijn discreet. Ik zal je er nooit naar vragen, Acland. Nee, zeg maar niets, ik luister toch niet.'
'Ik wilde alleen zeggen dat je een vrij vrouwelijk idee hebt van de mannelijke fantasie. De meeste mannen zijn, denk ik, meer laag bij de gronds. Ze zijn als ik – voorbeeldig – of ze willen afwisseling. En die is vrij gemakkelijk te krijgen. En gemakkelijk opzij te zetten...'
'Acland, ik meen het.'
'Dat weet ik. Het is verrukkelijk.'
'Denk je dat ik het mis heb? Hoe verklaar je Constances succes dan?'
'Bij mannen?' Acland fronste. 'O, ik zie de val. Ze heeft wel een groot aantal aanbidders gehad. En slachtoffers. Misschien heb je gelijk. Steenie noemt haar de *femme fatale* van Fifth. En dat schijnt ze plezierig te vinden. Ik weet niet of ik in zulke vrouwen geloof, hoewel...'
'Ik wel. Zeker als die vrouw ook een *femme enfant* is.'
'Wat zei je?'
'Ze heeft geen kinderen.' Jane drukte haar gezicht tegen het raam. 'Ze is nooit volwassen geworden. Ze is vrouw èn kind. Soms denk ik dat mannen daarvan houden.'

Acland antwoordde niet. Hij dacht aan het Stenen Huis, aan de vorige dag. De scherpe geur van Constances haar kwam terug. Hij zag de lijn van haar blanke hals, de rode, half geopende lippen, de kinderlijke angst in haar ogen. Hij sloeg zijn armen om een kind, zijn vingers streken langs een vrouwenborst. Hij dacht: ik had kunnen blijven toen ze het me vroeg. Wat zou er dan zijn gebeurd?

'Ik zal Stern schrijven,' zei hij. 'Als hij vanavond onze telegrammen niet heeft beantwoord, stuur ik er morgen een naar zijn kantoor.'

Dat deed Acland, maar hij ontving geen antwoord. De telegrammen bleven onbeantwoord. Jane noch Acland zou ooit nog iets van hem horen.

'Dat kun je niet doen,' zei Constance. 'Wáárom doe je dit?'

'Als je hier wilt tekenen, Constance. Mijn secretaresses kunnen de handtekening verifiëren.'

'Ik teken niet. Je wilt niet dat ik teken. Ik houd van je. Ik kwam terug om tegen je te zeggen dat ik van je hield. Ik nam de eerste de beste boot, ik rende het appartement binnen. Het was wreed om dat te doen. Al je spullen mee te nemen. Ik zocht naar je kleren. Al de hangertjes waren leeg, kletterden tegen elkaar...'

'Onder aan het tweede blad, Constance. Ik heb de details kort gehouden.'

'Ik wil het niet!' Constance drukte haar kleine handen plat op het bureau van haar man. 'Je begrijpt het niet. Je wilt niet luisteren. Acland betekent niets voor me. Weet je wat ik heb ontdekt? Hij is precies als je zei. Een saaie Engelsman, in tweed en met een vrouw en een wieg in de slaapkamer. Er wàs geen andere Acland, behalve in mijn hoofd. Ik heb hem uitgevonden. Ik weet dat ik dom ben geweest. O, ik ben zo snel weggerend! Montague, waarom is dat bureau van jou zo groot? Ik haat het. Je lijkt zo ver weg en zo koud, daar achter je bureau. Ik ben geen cliënte, ik ben je vrouw. Je houdt van me, dat weet ik. En je probeert het te verbergen, net als ik. Al die dwaze spelletjes, Montague – zie je het niet? Ze zijn voorbij. O, we zullen zo gelukkig worden. Alsjeblieft – kijk – als ik me over je bureau buig, kus je me dan?'

'Téken alleen maar, Constance, als je zo vriendelijk wilt zijn. Ik heb nog een afspraak.'

'Barst dan – ik teken niet. Stomme papieren. Advocatentaal. Ik haat advocaten.'

'Constance als je die regeling voor een scheiding van tafel en bed

niet tekent, scheid ik ècht van je. Zo simpel ligt dat.'
'Echtscheiding? Maar dat doe je niet.'
'Dat doe ik wel. En met het oog op het aantal medeplichtigen dat gedaagd kan worden, zouden de voorwaarden financieel heel wat ongunstiger voor je zijn dan deze. Dus stel ik je voor te tekenen.'
'Je straft me – daar gaat het om. Je straft me omdat ik naar Engeland ben geweest...'
'Constance, doe niet zo kinderachtig. We hebben eens een afspraak gemaakt. Daar heb je je niet aan gehouden. Nu betekent die niets meer.'
'Denk je dat ik dat geloof? Onzin. Je hebt genoeg van me. Je wilt er vandoor met die Ursula van je, met die mooie zangstem.'
'Constance, ik zei je al, al dat vuurwerk kan vervelend worden. Ik vind je leugens vervelend, je minnaars vervelend, het feit dat je steeds van gedachten verandert wordt vervelend. Dit huwelijk wordt vervelend. Teken alsjeblieft.'
'Acland heeft mijn vader niet vermoord. Hij wilde het wel maar deed het niet. Dáárom ging ik naar Engeland. Om hem dat te vragen. Om geen andere reden. Zie je, je had geen reden om jaloers te zijn.'
'Het kan een van de redenen zijn geweest, al betwijfel ik het. En wat je me vertelt, wist ik allang.'
'Wat? Wist je dat Acland er niets mee te maken had? Maar je zei...'
'Je begreep me zeker verkeerd. Wil je nu tekenen, Constance?'
'Maar hoe wist je het dan?'
'Ik heb het je verteld. Ik was een van de logés die er waren.'
'Jij was bij Maud. Na de party. Dat heb je zelf gezegd.'
'Ik was een poos bij Maud. Maar later ben ik gaan biljarten. Het ene soort vertier maakte dat ik zin kreeg in het andere, denk ik.'
'Ik geloof je niet.'
'Zoals je wilt. Het is waar. Ik was aan het biljarten vanaf ongeveer half twee tot een uur of drie. Met een stel anderen. Acland en Boy, en Freddie die dronken was, waren er ook bij. Daarom vond ik het zo vreemd toen je zei dat Boy die nacht met je zat te praten op zijn kamer.'
'Je wist het.' Constances ogen vulden zich met tranen. 'Al die jaren.'
'Lieve kind,' Sterns stem werd zachter, 'ik probeerde het je te vertellen. Op het laatst liet ik het maar zo. Maar het maakte toen geen verschil en nu nog niet. Ik wil er niet over praten.'
'Montague, alsjeblieft.' Constance boog zich naar voren. 'Je ziet

toch dat ik je nodig heb. Als jij er niet bent, ga ik dood. Ik kan niet alleen zijn. Dan ben ik zo bang. Toe.'

'Constance, je gaat niet dood. Je zult van nature overleven. Je hebt zoveel weerstandsvermogen. Droog je ogen, teken en dan is de zaak geregeld. Als je naar het eerste blad kijkt, zul je zien dat het huis wordt verkocht maar je blijft goed verzorgd achter. Ik heb er één clausule aan toegevoegd. De schilderijen van Maud moet ze terug hebben. Ze waren een geschenk – ongetwijfeld een van mijn vulgaire geschenken, maar toch...'

'Montague, ik smeek je. Doe het niet. Jij zult er ook onder lijden. Je bent niet zo hard als je je voordoet...'

'En je ziet op het tweede blad dat je een kapitale som krijgt. Je kunt natuurlijk een appartement kopen en ik dacht dat je misschien zelf een zaak zou kunnen beginnen. Waarom zou je de adviezen die je je vrienden voor de inrichting van hun huizen geeft, niet in rekening brengen? Je hebt veel energie. In plaats van die te verspillen aan alle soorten liefdesaffaires, zou je die praktisch kunnen toepassen. Misschien ga je van het werk houden. Werken is een troost.'

'Kus me.' Constance liep naar hem toe. 'Ik daag je uit om me te kussen en me dan nog te laten tekenen. Dan moet je toegeven dat het een leugen is – al dat papier, alles. Ik ben je vrouw. Je houdt van me – bijna.'

Stern was opgestaan en ze sloeg haar armen om zijn middel. Ze hief haar gezicht naar het zijne.

'O, Montague. Je ziet me. Zeg me wat je ziet.'

'Je ziet er heel mooi uit, Constance. Ik dacht eens... ik wilde...'

Hij kuste haar. Eerst haar lippen, toen haar gesloten ogen. Hij streek de tranen van haar wangen en kuste haar nog eens. Constance legde met een kreet haar hoofd tegen zijn borst. Stern streelde haar haar, haar slanke hals tot hij zijn zelfbeheersing terug had. Toen maakte hij zich los.

'O, ik zie wat ik gedaan heb. Ik lees het in je gezicht. Ik heb zo'n hekel aan mijzelf. Zo'n berouw.'

Ze pakte het document voor de scheiding op.

'Zelfbescherming, Montague?'

Stern wendde zijn ogen af. 'Iets dergelijks.'

'Ik begrijp het. Ik zal tekenen, omdat ik om je geef. Heel veel. Zie je wel?' Constance pakte de pen en zette haar handtekening. Ze wierp haar man een zijdelingse blik toe. 'Wat ben ik nobel. Dit is het beste dat ik ooit heb gedaan. Mijn paraaf hier? Zo, het is klaar.'

Ze duwde de papieren weg. 'We lijken veel op elkaar.'
'O ja, heel veel.'
'Montague...'
'Ja, liefje?'
'Als we elkaar nu niet meer zien, zoals je zei – als ik beloof de kamer uit te gaan zodra je me antwoordt – mag ik je dan iets vragen?'
'Je houdt je belofte?'
'Absoluut. Ik kan het wel.'
'Goed.'
'Moet ik het vragen? Je kent de vraag.'
'Ja?'
'Er is er nooit meer dan één geweest.'
'Dat vermoed ik ook.' Stern aarzelde.
'Is het zo moeilijk? Ik zei het tegen jou.'
'De gewoonten van een leven...' Hij haalde de schouders op.
'O, Montague, breek die dan voor deze ene keer.'
'Goed dan. Ik houd van je, Constance. Ik heb altijd heel veel van je gehouden.'
Constance keek naar de grond. 'Ondanks wat ik ben? Zoals je me kent?'
'Zelfs zo.' Stern wachtte even. 'Je weet natuurlijk dat redelijke overwegingen er niets mee te maken hebben.'
'O, ik wilde dat ik anders was. Ik wilde dat ik opnieuw kon beginnen. Ik wilde dat ik het verleden kon uitvegen. Niet alles. Er waren tijden – maar ik gaf je mijn belofte. Het is moeilijk die nu te houden – maar kijk de andere kant op, Montague. Kijk naar het raam. Zie je wat een grijze dag het is? Zie je de regen vallen?'
Stern keek uit het raam. Wolken dreven langs een trage hemel. Hij hoorde geen enkel geluid maar toen hij omkeek was Constance verdwenen.

Ze was teruggegaan naar het verleden, denk ik, naar die zwarte schriften, naar het laatste dat ze opschreef. Er staat geen datum, maar het zal wel diezelfde dag zijn geschreven. Constances laatste poging om met het verleden in het reine te komen. Ik zat het die avond te lezen, naast de nog steeds zwijgende telefoon, in een kamer die langzamerhand koud werd.
Het handschrift was ongelijk, met grote halen van emotie. Constances bekentenis moet met veel vaart zijn geschreven en terwijl ik zat te lezen, had ik medelijden met haar.
Kijk, kijk, kijk, begint het. De woorden zijn met zoveel kracht in

het papier gekrast dat het telkens gescheurd is. *Luister, Montague.*
Constance zal je vertellen hoe het gebeurd is.

Hoe het gebeurde.
Het was het konijn dat Constance deed besluiten. Als het konijn
niet op zo'n manier gestorven was, had ze het niet gedaan. Maar de
strik zat zo vast. Hij sneed in het bont en het vlees. Het konijn
bloedde terwijl het stikte. Dat was heel gemeen: gemeen, gemeen.
Ze had haar moeder niet zien sterven maar toen het konijn dood-
ging, trok het met zijn pootjes en zijn ogen werden dof. Sterven
doet pijn – ja, ik weet hoe het voelt en ze pakte een grote stok en
zwaaide ermee over de open plek. Toen ze de val zag, dacht ze: Hij
zit te wachten. Hij heeft honger. Geef me iets te eten, zei de val en
hij had een metalen stem, als een mengsel van roest en stroop. De
mond gaapte, wilde gevuld worden.
Toen werd Constance slecht. Eerst begroef ze het konijn. Maar ze
wilde gluren, en de val zei: toe maar.
Dus toen het konijn veilig was, rende ze terug naar het huis. Nie-
mand zag het. Ze hijgde van al dat rennen. Ze mocht niet in dat
deel van het huis maar ze ging toch. De trap op, de deur open, de
kleedkamer binnen. De gordijnen waren rood, ze waren dicht. Ze
hoorde hen aan de andere kant van de gordijnen. Ze kon horen wat
ze deden.
Ze had het gehoord in Londen, met het kindermeisje, terwijl zij in
de kamer ernaast in bed lag. Gekreun en gehijg. Ze wist dat het een
geheim was. Het was vies. Zou ze kijken? Dat had ze nooit eerder
gedaan. Kussen, ja, maar dan was ze weggehold. Ditmaal, dacht
ze, zal ik heel even kijken om het hoekje van dat donkerrode gor-
dijn.
Haar vader deed het met Gwen. Gwen was helemaal vastgebonden,
als een mooie witte vogel. En pappa deed bij haar al die speciale
dingen die hij bij Constance had gedaan, die hadden gemaakt dat
hij zei dat hij van haar hield. Precies hetzelfde. Dat bot was in zijn
hand en hij wreef er zijn handen overheen, zodat het groter en gro-
ter werd en rechtop stond, pappa's grote stok, haar stok waarmee
hij altijd van haar hield en waarmee hij haar pijn deed. Constance
dacht: misschien stopt hij hem er niet in. Misschien deed hij dat al-
leen bij mij, omdat ik speciaal ben, heel speciaal. Maar hij stopte
hem er wel in. Gwen schreeuwde maar dat hield hem niet tegen. In
en uit. Precies hetzelfde. Geen verschil. Constances hoofd kraste,
de gordijnen schreeuwden. Wat gemeen. Constance voelde dat ze
dood was, nog doder dan het konijn. Ze kon zich niet bewegen. Ze

zag hoe Gwen huilde. Ze had medelijden met Gwen. Huilen deed hem nooit ophouden. Toen zei pappa tegen Gwen dat hij van haar hield. Hij gebruikte dezelfde stem en dezelfde woorden als tegen Constance. Hij wilde het opnieuw doen met Gwen. Diezelfde nacht. In de bossen. Na de komeet.

Constance rende weg. Ze verstopte zich in een kast. Het was er donker en niemand kon haar vinden, zelfs Steenie niet. En toen ze beneden kwam voor de thee, zei pappa dat afschuwelijke tegen haar, terwijl hij haar zo had beloofd dat hij het nooit meer zou zeggen waar anderen bij waren. Hij zei dat ze een albatros was, een grote, dode klomp om zijn nek die hem verstikte, zoals de strik het konijn deed stikken. Toen hij dat zei, dacht Constance: ik zal hem doden. Tijd genoeg voor een plan, de hele avond. Zijn eigen schuld, zeiden de kast en het bed. Constance sloop rond. Gemakkelijk, gemakkelijk. Naar boven, naar beneden, in en uit alle geheime plekken van het huis. Ze was heel sluw. Ze haalde Gwen. Ze zei tegen Gwen dat Steenie ziek was. Ze wist dat Gwen dan thuis zou blijven, net als vroeger wanneer Steenie ziek was. Ze hield van Steenie.

Buiten achter de serredeur was een grote struik waar ze zich verstopte. Ze wachtte heel geduldig. Ze had het niet koud, ze had overal aan gedacht. Ze had een mantel en een das en laarzen. Om twaalf uur kwam hij naar buiten. Hij rookte een sigaar. Acland zag hem ook gaan. Zij zag Acland, hij haar niet. Hij stond op het terras. Acland wist het, zij wist het. Verder niemand. Ze telde tot vijftig. Toen volgde ze haar vader. Door de struiken, het bos in. Hetzelfde pad. De sigaar gloeide. Het bos was donker. Spannend maar angstig.

Hij ging op de open plek zitten. Constance kroop naar hem toe. Hij keek op zijn horloge. Hij sloot zijn ogen. Constance begreep dat hij sliep. Ze kroop zo dicht naar hem toe, dat ze bang was dat hij wakker zou worden omdat een tak knapte en de val praatte, maar hij scheen niets te horen. Constance zag hem ademen. Zijn mond was open, zijn adem blies in haar gezicht, met de zoete lucht van port, als wijn en honing. Ze dacht: ik hoef het niet te doen. Ze dacht: ik kan zeggen dat ik van hem houd. Maar dat durfde ze niet. Zijn ogen zouden haar misschien haten. Hij zou haar kunnen slaan. Hij zou het bot te voorschijn kunnen halen en haar dwingen het te strelen. Ze haatte het bot en hield ervan. Haar hoofd ging er pijn van doen: al die liefde en haat door elkaar. Ze kroop weg tussen de struiken aan de andere kant van de val. De natte bladeren wasten haar schoon, haar ziel scheen door haar huid. De val praat-

te steeds luider, altijd maar door met die metalen stem: honger,
honger, honger. Eén grote mond, daar hield haar vader van. Ver-
zwelg me, zei hij eens tegen Constance.
Eindelijk werd hij wakker. Hij keek op zijn horloge. Mompelde
wat. Constance dacht: pappa is dronken, ze zag dat hij onzeker
liep. Slingerde heen en weer. Hij plaste tegen de boom. Hij plaste
op de boom en het gras en het graf van het konijn. Dat was ver-
keerd. De val hield er niet van. Als ze hem vertelde over het ko-
nijn? Constance wist wat hij zou zeggen. Flip, flip – een van zijn
grapjes, die waren als scheermesjes. Stomme Constance, zou hij
zeggen. Je had hem mee naar huis moeten nemen – er pastei van
moeten maken. Lelijke Constance. Pappa zei dat ze vies rook, dat
ze zuur smaakte. Hij zei dat ze klein was, dat het haar schuld was
dat ze bloedde. Stomme meid, zei hij. Stomme handen. Ik zal hem
laten zien hoe stom ik ben, dacht Constance en ze riep hem.
Eddie, riep ze, Eddie, ik ben hier. Deze kant op. De stem leek pre-
cies. Hij hield van die stem, veel meer dan van de hare en hij ging
erheen. Hij gleed uit tussen de varens. Hij vloekte. O, wat deed hij
onhandig. Ze riep nog een keer. Toen kreeg de val hem te pakken.
Verzwelg hem, zei Constance. Ze danste zoals ze altijd doet als ze
boos is. Zwart, zwart. De val klapte. Zijn tanden maalden. Al dat
bot en dat bloed. De val smakte met zijn lippen. Hij gorgelde.
Toen rende ze weg. Steeds sneller. Het enige dat ze hoorde, was de
wind in haar oren. Alleen de wind. Geen geschreeuw.
Het geschreeuw kwam later. 's Nachts. Toen ze haar ogen sloot,
kwam het schreeuwen. Het deed haar zo'n pijn maar de albatros
zei: nee, het is mooi, nu kan ik opstijgen. Hij verstikte de pijn met
zijn zachte witte veren, hij steeg op boven de pijn, steeds hoger,
buiten het bereik van mensen. Steeds hoger vloog hij tot naar het
eind van de aarde en toen hij terugkeerde zei hij tegen Constance:
heb er vrede mee, jij was het niet, het was Acland. Kijk in zijn
ogen, zei de albatros. Hij wist dat jij het wilde. En Constance keek
en zag die zuivere, zwarte haat, de spiegel van haarzelf. Ze hield
meteen van hem. Acland hield daarom ook van haar. Je bent mijn
tweelingbroer, zei Constance tegen hem. Als je diep in mijn ogen
kijkt, Acland, kun je erin verdrinken. Ze stapten binnen het glas en
in die cirkel waren ze dicht bij elkaar. Op een dag zouden ze nog
dichter bij elkaar zijn. Ze zei: we zullen samen gaan liggen aan het
eind van de wereld, Acland. Onze monden passen op elkaar. We
zijn zo symmetrisch. Wij beiden, bebloed van het hoofd tot de voe-
ten, de meest perfecte band van alles – een man en een vrouw, jij en
ik, minnaars en moordenaars.

Acland zei nee. Hij zei dat het een zwarte plaats was, hij wilde er niet naar toe. Dus ging Constance alleen. Ze was eerst bang om in die zwarte plaats te stappen. Ze deed een stap en nog een en ging steeds dieper. Ze werd dapper. Ze groef met haar handen, steeds sneller, gisteren, vandaag. Constance geloofde dat je als je tot in de zonde groef, je er doorheen kon komen. Je bereikte een plaats aan de andere kant van de zonde en als je daar eenmaal was, werd je gewassen door het licht. Het zei: je bent er, Constance, leg je last maar neer. Kijk naar de schoonheid van de wereld. Zie je? De bladeren zijn onvermijdelijk. Het gras springt omhoog. De nacht volgt op de dag. Een man sterft, een kind wordt geboren. Dit is de wereld, zie je de voorzienigheid in zijn patronen? Dat zei het licht aan de andere kant van de duisternis. Schrijf niet meer, zei het. Het zalfde mijn hoofd. Het zei: helemaal alleen. Je kunt nu rusten, Constance.

Het was laat toen ik klaar was met lezen. Het vuur in de haard was uitgegaan. Het was stil in de kamer. Ik legde het laatste schrift weg. Ik dacht dat Constance dit alleen had kunnen schrijven als ze krankzinnig was geweest, dat ze het alleen had kunnen schrijven als haar geest helder was. Ik was ontroerd door die tegenstellingen: liefde en haat, dood en geboorte, zelfs de woorden die ik in geen jaren had gehoord: zonde en verlossing. Het was of Constance mijn handen op twee eindpunten had gelegd en de stroom vloeide door me heen. Het was een uur of drie, vier en de zon kwam voorlopig nog niet op. Ik liep naar het raam en keek naar buiten. De maan was vol. Ik zag het loodkleurige meer, de koperen haan op het dak van de stal. Ik zag de zwarte streep van de bossen en achter de kassen de torenspits van de kerk waar ik was gedoopt – en Constance ook, diezelfde dag. Ik denk dat ze dat geloofde, net als ik.
Ik wilde niet slapen, maar dommelde weg in een stoel, half dromend, half wakker. Om een uur of zes, toen het licht werd, stond ik op. Ik liep de kamer door en toen zachtjes door het slapende huis. Ik nam afscheid van Winterscombe, van de mensen die ik er nu zag. Terwijl ik door de kamers liep, begreep ik waarom Constance me die dagboeken had gegeven. Ze waren vol van dood, maar ook vol van leven, en van liefde. Constance had het eerlijk willen afwegen. Ik dacht: vreemd, ze hebben me bevrijd.
Het was een pelgrimstocht. Ik stond in de serre, waar Boy zijn huwelijksaanzoek had gedaan. De sponningen waren verrot en het glas viel eruit. Ik ging naar de kinderkamers, naar de Koninklijke Slaapkamer, naar de kamer van mijn ouders met de erker. Ik liep

naar beneden naar de balzaal, waar Constance haar echtgenoot had uitgezocht en waar ik met Franz-Jacob had gedanst. Gewoon kamers, stil en de meeste leeg en toch niet zomaar kamers. In de salon keek ik rond in de uitbouw waar de piano van mijn moeder had gestaan. De piano, waarop ze had gespeeld op de avond van de party voor de komeet, was allang weg maar ik wist de plek nog precies. Ik stond waar mijn moeder die avond moet hebben gezeten. Ik wachtte en keek toe, zoals mensen op een filmset. Al kon ik de vroegere gebeurtenissen zien door de ogen van Constance, ik zag ze ook door die van mijn moeder. Ik was ook haar kind – dat zag ik nu. Haar identiteit hoorde bij mij, samen met die van mijn vader. Ik leek op hen, niet alleen lichamelijk – dat was niet belangrijk – maar in mijn hart en mijn geest. Ik hoorde duidelijk de muziek van de piano die door het huis weerklonk. Ik voelde zoveel liefde, van het verleden en het heden. De kracht ervan was in de lucht om me heen: de liefde van mijn ouders voor elkaar, van Constance voor Stern en die van hem voor Constance. Ik opende de deuren en liep de ochtend in.

Zoveel plaatsen om voor het laatst te bezoeken. Ik ging naar de belvédère waar mijn vader eens een roman van Scott ondersteboven had zitten lezen, naar het berkenbosje waar Boy was gestorven, naar het zolderraam van waaruit Jenna en mijn vader het licht van de komeet hadden zien vervagen. Ik keek naar het raam van de kinderkamer waar een klein kind de moord op haar vader had beraamd. Constance en Edward Shawcross in een dodelijk gevecht gewikkeld. Constance had dan wel haar vader vermoord, maar hij had haar eerst gedood, beiden, vader en kind, waren slachtoffers van een moord.

Ten slotte ging ik terug naar het meer. Ik liep langs de oever en zag de grijze schim van een reiger opvliegen. Ik dacht: ik kan nu door de bossen naar de open plek komen. Ik nam het pad dat Shawcross die nacht moet hebben genomen. 's Zomers zou het ondoordringbaar zijn geweest en zelfs in de herfst was het nauwelijks een pad. Het bos was vol van de drukte van dieren. De zon filterde door het kant van de boomtakken. Ik zag een haas uit het kreupelhout komen. Ik kon ademen in hoop. Zelfs op de open plek vond ik die. Het licht wierp schuine stralen, het gras was kortgeschoren door de konijnen, het enige geluid dat ik hoorde was van een vogel. De schaduw van het verleden was weg. De plek was gezuiverd door het voorbijglijden van de seizoenen. Het rook naar ochtend, naar vochtige bladeren. Ik zocht tussen de gevallen bladeren, maar het grafje van Constance was er natuurlijk niet meer. Er waren geen strikken, geen boswachters, er was geen wild om te beschermen. De bossen waren al lang weer opgeëist door de natuur. Ik hoorde mijn naam roepen, hoewel de bossen stil waren.

Toen ging ik terug. Ik liep langzaam, ik hoefde me niet te haasten. *Ein Zauberort.* Ik dacht: ik loop langs het meer en over de grasvelden en dan hoor ik de telefoon. Ik ga rennen, en de telefoon blijft rinkelen tot ik hem opneem. Ik keek op mijn horloge, berekende de afstand. Ik dacht: over twintig minuten hoor ik zijn stem.

Maar ik vergiste me. Toen ik het bos uitkwam, zag ik Frank aan de overkant van het water. Zijn gezicht was te ver weg om het goed te onderscheiden, het was in mijn richting gekeerd. Hij wachtte. De afstand tussen ons was ongeveer een halve kilometer, maar er was geen afstand meer. Het kostte vijf minuten om bij elkaar te komen. Ik streek over zijn hand, toen over zijn gezicht. Hij was kalmer dan ik. Het was een uur of acht toen we naar het huis terugliepen.

'Hoe komt het toch,' vroeg Frank, 'dat ik de brieven die jij me schrijft, nooit schijn te ontvangen? Wat vertelde dat briefje van jou?'

'Als je wegloopt van een receptie die voor jou wordt gegeven en de achteruitgang neemt, als je in je auto stapt en mijlen door de duisternis rijdt om hier de halve nacht door de tuinen te wandelen – maar deed je dat echt?'

'Ja, ik liep te denken.'

'Dan krijg je mijn boodschappen ook niet.'

'Jawel, maar indirect. Wat zeiden ze?'

'Niets belangrijks. Niets wat ooit nog van belang kan zijn.'

'Weet je het zeker?'

'Heel zeker. Het was een schaakprobleem.'

Frank bleef staan. 'Ik houd van je geheugen.'

'Zag je me tijdens je voordracht, Frank?'

'Nee, maar ik wist dat je er was. In gedachten, geloof ik. Ik raakte plotseling een zin kwijt. Als ik had geweten dat je er werkelijk zat, had ik al mijn aantekeningen rondgestrooid...'

'Je sprak niet vanaf aantekeningen. Je deed het uit je hoofd.'

'Ik zou van het podium zijn gerend en de professoren zouden uiteen zijn geweken als de golven van de Rode Zee voor Mozes. En...'

'En?'

'Dan had ik dat vooraanstaande gezelschap iets beters gegeven dan een voordracht. Een demonstratie. Van enkele elementaire vormen van biologie.'

'Frank,' zei ik. 'Je weet toch dat Wexton hier logeert?'

'Nee, maar dat geeft niet. Wexton is heel tactvol. Hij blijft onzichtbaar. Het is nogal koud, dat kussen in de open lucht. Zullen we naar binnen gaan? Er is ook nog iets dat ik je wil laten zien.'

'Mij laten zien?'

'Ja, een cadeau, denk ik. Voor ons beiden. Ik heb het nog niet open gemaakt. Het werd gisteravond bezorgd in mijn hotel. Geen boodschap. Alleen een label met mijn naam. Ik herkende het schrift.'

Ik herkende het ook. Een leren koffertje. De halen van de letters waren fors, de inkt zwart. Het was een zware koffer. Ik keek naar Frank.

'Weet je wat erin zit?'

'Ik geloof van wel.'

'Ik ook. Zullen we hem openmaken?'

'Later, denk ik. Het heeft geen haast.'

De volgende ochtend openden we het koffertje in de salon van Winterscombe. We legden het op de grond en daar waren ze, al die vergeelde enveloppen, ongeopend. Mijn handschrift, rond en ongevormd, dat van Frank Europees strak, formeel, zowel toen als nu. Amerikaanse postzegels, Engelse, Franse, Duitse postzegels. Er ontbrak geen enkele brief.

Het was een gebaar dat alle kenmerken van Constance had, zoals Frank later zei: verrassing en een soort uitdaging. Maar het was ook een laatste gebaar, Constances laatste toneelopvoering, haar manier om het gordijn te laten zakken over een leven waarin ze nooit minder dan bravourerollen had gespeeld.

Ik geloof dat Frank dat aspect direct al zag, maar ik was veel te gelukkig en bovendien wist ik dat ik niets meer van Constance te vrezen had.

Frank en ik trouwden in Londen, met een kreukelige Wexton en met een stralende Freddie en een triomfantelijke Winnie als getuigen. Het was november – en ik schrijf over bijna twintig jaar geleden – maar ik herinner me alles nog als de dag van gisteren, zoals Constance zou hebben gezegd.

Constance wachtte. Dat geloof ik nog, hoewel Frank er niet zeker van is. Ze wachtte tot we veilig en wel getrouwd waren en toen – toen ze misschien niet langer kon wachten – handelde ze pas.

Het nieuws van haar dood bereikte ons een week of drie later. Ik hoorde het niet van een vriend, maar van een onbekende verslaggever, een Schot die bij een Londense krant werkte en bevestiging van zijn verhaal zocht.

Het zou Constance die zoveel van al het indirecte hield, plezier hebben gedaan dat de omstandigheden van haar dood nooit werden verklaard en ten slotte aan een ongeluk werden toegeschreven. Dat was de openbare versie, die door de kranten, collega's, vrienden en minnaars werd geaccepteerd. Het is niet mijn versie, ik weet wat er is gebeurd, maar ik heb dan ook haar dagboeken.

Constance wilde sterven – en ik twijfel er niet aan dat ze dat laatste geheim wilde onderzoeken – op de plek waar ze haar huwelijksreis had doorgebracht. Het huis dat eens van mijn grootvader was geweest, was door Stern gekocht. Hij had het aan Constance nagelaten en ik geloof dat ze er tot het ogenblik van haar dood nooit meer geweest was.

Zullen we naar de wildernis lopen? Constance liep al zo lang in die richting en toen ik het nieuws hoorde, ging ik dit begrijpen. Haar keuze van tijd blijft haar geheim, maar dat heeft ze zeker gewild. Waarom tóen?

Soms dacht ik dat Constance aan haar laatste reis begon na de dood van Steenie maar een andere keer dacht ik dat ze er veel eerder aan begonnen was, misschien zelfs na de dood van haar man. Soms had ik het gevoel dat ze geleid werd door de symmetrie van getallen: zij was achtendertig toen ik in haar leven kwam, ik was achtendertig toen ze eruit vertrok. Toch zal de eenvoudigste verklaring wel de beste zijn: precies zoals Constance vroeger midden in de nacht aankondigde dat ze de volgende ochtend naar Europa ging, zo werd ze misschien op een ochtend wakker, knipte met haar vingers en zei: 'Het is mooi geweest. Eens kijken hoe het is om dood te zijn.'

Al kan ik dan niet haar keuze van tijdstip verklaren, ik weet wel alles van haar route. De eerste halte: het appartement van een cocktailtijdperk aan Park Avenue, waar ze haar dagboeken voor me had achtergelaten en dat nooit was veranderd sinds de dagen van Stern. Daarna een spoor van bezoeken, waarvan de details na haar dood boven kwamen. Er zijn hiaten, maar ik weet dat ze naar twee van de Londense huizen ging die Stern en zij hadden gehuurd en dat ze op zoek ging naar het huis in Whitechapel waar Stern als kind had gewoond. Ik ontdekte hetzelfde huis, met dezelfde Bengaalse familie, ze herkenden haar foto.

Of ze in de maanden voor haar reis naar Schotland Stern wilde zoeken, weet ik niet. Ik geloof eerder dat ze – net als ik – door een deel van haar verleden reisde om er afscheid van te nemen. Ze was alleen, er is geen enkele aanwijzing dat ze gezelschap had. Ik dacht aan dat laatste telefoontje en meende dat ik wist wie de man was die zo ongeduldig werd.

Misschien is het waar, misschien verzin ik maar wat. Maar ten slotte liep ze naar Sterns wildernis. Ze bleef nog één week in dat huis van rode zandsteen, met alleen een oude huisbewaarder.

Op een mooie, heldere dag, zonder een zuchtje wind, in de stralende zon en een ijzige lucht liep ze het pad af naar dat zwarte loch waar ze zo'n hekel aan had gehad. Het is een loch dat een open verbinding met de zee heeft, en ze had kennelijk de getijden goed bestudeerd. Ze nam een boot die aan de kant lag en moet zelf hebben geroeid, of zich hebben laten drijven tot een eind van de oever, want laat in de ochtend zag een voorbijkomende visser haar in de boot zitten. Ze was te ver van hem af zodat hij niet kon zien of het een man of een vrouw was. Hij dacht er niet meer over na maar toen hij die middag met zijn hond over het pad liep, zag hij de boot nog steeds drijven, maar nu was hij leeg. Het moet tussen elf en drie uur zijn gebeurd, toen het eb was.

Frank en ik vlogen naar Schotland zodra we het nieuws hoorden. Ik kwam in een huis dat ik alleen kende uit de dagboeken van Constance. We spraken met de huisbewaarder, met de visser, met de politie, en met de mannen van de reddingsbrigade. Toen we eindelijk alleen waren, liepen Frank en ik het pad af naar het loch.

Ik keek naar de bergen aan de overkant, naar de pieken die zich weerspiegelden in het zwarte, glasachtige oppervlak van het water. Het was er precies zoals Constance het beschreven had: een troosteloze en toch prachtige plek, maar niet om er alleen te zijn.

Bravoure èn moed, denk ik. Frank en ik stonden lang naar het water te kijken. Het was onnatuurlijk glad, een enkele maal bewoog het en zuchtte, als de flank van een enorm dier. Dan trilde en brak de weerspiegeling van de bergen. Het water was heel diep en het was een zeeloch. Haar lichaam werd nooit gevonden.

NAWOORD

Vier jaar geleden, na bijna twintig jaar, ging ik terug naar Winterscombe. Het was januari 1986. Onze twee kinderen – nu bijna volwassen – bleven in Amerika. Frank en ik gingen naar Engeland om twee redenen. Frank moest een voordracht houden voor de Royal Society waarvan hij lid was gemaakt, maar belangrijker volgens Frank was onze oom Freddie. Die was nu negentig, een feit waar hij buitengewoon trots op was. Wij zouden, al was het te laat, zijn verjaardag vieren. Maar hoe? De levenslust van Freddie en Winnie was nog steeds even groot en het was moeilijk een feest te bedenken dat indrukwekkend genoeg zou zijn.

Wat een leeftijd. Een gang naar een restaurant of theater was wel tam voor een echtpaar dat op zijn tachtigste een reis naar de Amazone had gemaakt. En Freddie, die vrijwel al zijn tijdgenoten had overleefd, hield niet meer van party's. Het probleem was nog steeds niet opgelost toen we in Londen aankwamen. Maar de avond na Franks voordracht, toen we op onze hotelkamer in de diverse tijdschriften bladerden en ik me wanhopig afvroeg welke musical Freddie leuk zou vinden, bekeek Frank de piekfijne brochures van piekfijne hotels en Frank die er zelf nooit heen zou gaan, werd erdoor gefascineerd. Plotseling wapperde hij met een blad voor mijn neus. Ik keek ernaar en zag Winterscombe.

Niet lang na mijn huwelijk was Winterscombe verkocht aan een paar onderwijshervormers, een echtpaar dat zich voorstelde dat Winterscombe de volmaakte basis was van waaruit ze het Britse schoolsysteem konden aanpakken. Hun hervormingen hadden geen succes gehad en ze verkochten Winterscombe aan een pensioenfonds dat het weer verkocht aan een computermiljonair als hoofdkwartier voor zijn bedrijf. De mogelijkheden van Winterscombe om zich aan nieuwe omstandigheden aan te passen waren kennelijk eindeloos, want nu was het een zeer luxueus hotel.

Niet te geloven. Het was Winterscombe en het was het niet. Het was ingericht door een Amerikaan die ik goed kende. De kelders waren veranderd in een zwembad en gymnastiekzaal waar Caesar zich gelukkig zou hebben gevoeld. De balzaal was een restaurant. De biljartkamer was grootser dan ooit. Er was een landingsplaats voor helikopters, een joggingpad en geen enkele slaapkamer zonder hemelbed. Het was knap bedacht en belachelijk. Nee, zei ik, we kunnen het hun echt niet voorstellen. Freddie en Winnie zouden het vreselijk vinden.

Maar de volgende dag wierpen ze één blik op de brochure en ik zag het: ze vonden het schitterend. Terwijl ik absoluut niet wist of ik het nog eens wilde zien.

'Wat een alleraardigst idee,' zei Freddie.

'We zijn er doodbenieuwd naar,' zei Winnie.

Frank belde ogenblikkelijk op en besprak kamers voor het komende weekend. Winnie schreef ordelijk als altijd dit feit op haar kalender. Ze had roze wangen van opwinding.

'Freddie!' schreeuwde ze, want oom Freddie was nogal doof. Ze wapperde met de kalender en Freddie frunnikte aan zijn gehoorapparaat. 'Freddie, we kunnen hem zien vanuit Winterscombe. Wat pràchtig. Dat weekend is hij zichtbaar. Het stond in *The Times*. Ik heb er nog een aantekening van gemaakt.'

'Wat? Wat?' vroeg Freddie. Het gehoorapparaat piepte.

'De komeet!' antwoordde Winnie triomfantelijk, 'de komeet van Halley. Die is het komend weekend te zien. Wat opwindend. De vorige keer was ik met mijn vader in Peking.'

'Stel je voor,' zei Freddie. Hij straalde. 'Tweemaal in één leven en vanaf dezelfde plek. Ik wed dat er niet veel mensen zijn die dàt kunnen zeggen!'

Dus het volgende weekend keerden we terug naar Winterscombe. Freddie en Winnie waren er het laatst geweest voor de begrafenis van Steenie, Frank en ik achttien jaar geleden, voordat we naar Amerika vertrokken.

Het landschap van Wiltshire was veranderd, zoals op zoveel plaatsen in Engeland. De lange rijen iepen waren weg, heggen waren omgezaagd, de dichtstbijzijnde stad, eens vijfenveertig kilometer ver weg, was opgerukt tot negen kilometer van Winterscombe.

We reden een hoog hek door en even – toen ik uitkeek over het meer en de kom van het dal met het huis en de tuinen in het zachte licht van een winternamiddag zag – leek er weinig veranderd. Maar dat was een illusie. Winterscombe werd nu bestúúrd. De oprit was aangeharkt en het hotelpersoneel moest de indruk wekken van oude familiebedienden: onze bagage werd aangenomen door een man in een kostuum dat ik in geen veertig jaar had gezien. Een soort butler begroette ons formeel bij de receptie, die bestond uit een groot bureau uit de tijd van koning Edward. Er lag een leren gastenboek en de kamersleutels droegen namen, geen nummers. Vermoedelijk waren er wel computers maar die waren goed weggestopt. De vloerkleden boven waren vervangen door hoogpolig tapijt. Freddie en Winnie schenen de enige Engelse gasten te zijn, alle andere accenten die we hoorden, waren buitenlands, dat van Frank en mij incluis.

Toen we op onze kamer waren en de piccolo met groen schort vertrokken was, keken Frank en ik elkaar aan. Het was een vroegere logeerkamer, enorm en gedomineerd door een van de hemelbedden. De ramen hadden dubbele beglazing, de verwarming was gloeiend. Er stonden een paar goed gekozen antieke stukken. De stoelbekleding en de gordijnen pasten bij elkaar. En op een kist zag ik twee flesjes sherry, een schaal fruit onder plastic en een vaas met droogbloemen.

'Wat zou Maud hiervan zeggen?' vroeg Frank lachend.

'Ik weet precies wat ze zou zeggen en doen. Maud was een afgrijselijke snob – maar alleen wat bepaalde dingen betreft. Weet je wat ze hier allereerst zou doen?'

'Nou?'

'Dit.' Ik trok de donzen deken weg en legde mijn hand op het kussensloop. Ze zou zeggen: "Victoria, dit kàn niet. Het is katoen, geen linnen."'

We werden die avond opgehouden omdat we onze kinderen in Amerika wilden bellen en toen we beneden kwamen, zaten Freddie en Winnie in de lounge, de vroegere salon. Ze zaten bij een groot haardvuur en werden door de andere gasten nieuwsgierig opgenomen.

Freddie droeg een oeroude, groenige smoking, Winnie een lange japon die nooit in de mode kan zijn geweest maar iets had van de jaren veertig. Op haar omvangrijke boezem had ze een enorme gitten broche gespeld. Ze had lippenstift opgedaan ter ere van deze belangrijke gebeurtenis.

'O lieverd, je raadt nooit waar ze ons gestopt hebben,' zei Winnie met een stem die tot in de tuin gehoord kon worden. 'De Koninklijke Slaapkamer, Vicky! Hoe vind je het!'

'En dat is nog niet het beste,' kwam Freddie verrukt. 'In de badkamer staat een ongelooflijk apparaat. Je doet er water in en dan wat van dat bubbelbadspul...'

'Dat hebben ze in zakjes,' onderbrak Winnie hem.

'Je drukt op een knop en hup – je krijgt een soort draaikolk.'

'Het is een jacuzzi, Freddie,' zei ik.

'Dat ze dit soort dingen tegenwoordig in hotels hebben, heel bijzonder. En er ligt een vast kleed in de badkamer. Ik zou best zo'n jac-ding in de badkamer willen hebben. Ik zei al tegen Winnie: "Wat een plek voor een moord! Wat kan inspecteur Coote daar niet allemaal mee doen!"'

Freddie bleef erover praten tot we aan tafel gingen. Daar, in de oude balzaal, maakten Freddie en Winnie voor het eerst kennis met de heerlijkheden van de *nouvelle cuisine*. Maar die maakte heel wat minder indruk dan de jacuzzi.

'Mijn hemel,' zei Freddie toen hij een bord voor zich kreeg met een kunstwerk van drie verschillende kleuren mousse op een groot wit bord. 'Is dat alles? Het lijkt wel babyvoeding. En ik heb een roos op mijn bord. Hoe is het mogelijk – het is een tomaat.'

Het diner was overigens uitstekend en Freddie werd langzamerhand bekeerd, al miste hij zijn 'echte' gangen, zoals een stevige vleesschotel.

Om half tien gingen Freddie en Winnie altijd naar bed en oom Freddie nam zijn voorgeschreven whisky en wreef eens over zijn ronde buik.

'Weet je,' zei hij vertrouwelijk tegen Frank, 'in de Eerste Wereldoorlog nam mijn moeder me mee naar de dokter, een beroemdheid, die zei dat ik een zwak hart had. Iets aan de kleppen of zo. Dan heb ik het toch niet zo gek gedaan, wat vind jij, Frank?'

'Ik denk,' antwoordde Frank, 'dat we jullie hier nog eens mee naar toe zullen nemen. En dan voor je honderdste verjaardag, Freddie.'

Freddie kreeg er een kleur van. Hij drukte Franks handen energiek.

'Je hebt een fijne man, Vicky,' zei Winnie. 'Freddie en ik hebben goed voor je gekozen, hè Freddie?'

Ze liepen de trap op naar hun kamer vanwaar ze zeker de komeet zouden kunnen zien. Het feit dat het bewolkt was, deed daar niets aan af. Winnie verwachtte, denk ik, dat de komeet direct buiten hun raam langzaam en goed zichtbaar voorbij zou komen om haar een plezier te doen.

'Zijn er vonken, Freddie?'

'Ik weet het niet meer, maar ik dènk van niet.'

'O, ik hoop van wel!' Winnies stem was vol nostalgie. 'Veel vonken en een lange staart. Weet je wat ik denk, Freddie? Ik denk dat hij er net zo uitziet als een vliegende bom – ja, dat is het!'

'We kunnen hem niet zien,' zei Frank spijtig. We stonden met onze jas aan op het terras.

'Je kunt nauwelijks de maan zien en er is geen enkele ster. De enige manier waarop je vannacht de komeet kunt zien, is met een radiotelescoop.'

'Dat zal wel. Maar hij is er toch, al zien we hem niet.'

'Dat zal wel.' Frank, de wetenschapper, klonk niet erg overtuigd. 'Ik had hem zo graag één keer willen zien. Eens in de zesenzeventig jaar. We zien hem dus nooit.'

'De kinderen zien hem misschien – dan kunnen die voor ons kijken.'
'Geloof je dat?'
'Half en half. Ik heb het gevoel of ik nu sta te kijken voor al die mensen die hem hier de vorige maal zagen. Mijn vader en moeder. Mijn grootouders. Maud en Montague Stern, Constance en Steenie en Boy, Jenna. Voor allemaal.' Ik keek het lege terras rond.
'Zullen we?' vroeg Frank. 'Laten we een wandeling gaan maken. Een heel eind. Ik heb geen zin om nu al naar binnen te gaan.'
'Ik ook niet. En ik ben dol op nachtwandelingen.'
Dus liepen we het pad af naar het meer. Eerst liepen we naast elkaar maar toen we verder kwamen, ging Frank voorop, zijn passen waren veel langer dan de mijne. Hij liep nog steeds, zoals mijn oom Steenie eens had gezegd, zo gek vlug... Hij wilde altijd verder, naar de volgende bocht, het volgende uitzicht. Ik vond het prettig zo nu en dan om te kijken.
Er waren nog steeds zwanen op het meer, maar nu witte. We zagen ze opdoemen in de duisternis – stille, witte, prachtige geesten, de inkeping tussen hun vleugels zwart als ebbehout.
Ik keek naar de wolken die voor de maan dreven. Ik keek naar de bomen die bewogen. De lucht was vochtig tegen mijn huid. Ik dacht vol liefde aan de doden, aan hen die kort geleden waren gestorven, Wexton en een paar jaar daarvoor, Jenna. Het was me gelukt Jenna op te sporen en ik had haar het laatst gezien in haar nieuwe gezin, met haar man, haar stiefkinderen en kleinkinderen. Jenna had ten slotte het geluk gevonden en ik was er blij om. Ik dacht aan degenen die eerder waren gegaan, aan Steenie en Constance, aan hen die lang geleden gestorven waren, mijn ouders, een oom die ik alleen uit de tweede hand kende, Franks omgekomen familie. Zoveel geesten, ik wilde dat ze tastbaarder voor me waren geweest, ik had hen zo graag willen spreken.
'Niet door het bos!' riep Frank, toen we dat naderden.
'Nee. Zullen we dat pad nemen?'
'Waar gaat het heen?'
'We hebben het eenmaal gelopen, met de hazewinden van Freddie. Het gaat mijlenver door. De vallei uit en dan omhoog naar de vlakte. Het loopt tot de cirkel – misschien nog wel verder. Toen we hier liepen, gingen we tot de top van de heuvel.'
'De cirkel? De steencirkel? Die heb ik nog nooit gezien. Hoe ver is het?'
'Zo'n zes, zeven kilometer.'
'Zullen we? Ik wil vannacht een heel eind wandelen.'
Het was een breed karrespoor dat duidelijk zichtbaar was. De

maan gaf juist voldoende licht om het slingerpad voor ons te on-derscheiden, het dal van Winterscombe uit en omhoog naar het rui-gere landschap erachter. De wind zwol aan en de hemel werd hel-der. We zagen allereerst de poolster, toen, alsof ze ontsluierd wer-den terwille van ons – de sterrenbeelden: Cassiopeia, Orion, de Tweelingen, Castor en Pollux. Misschien dat ik op dat moment be-sloot het verhaal te schrijven van mijn ouders en van Constance. Ik had er al eerder met Frank over gesproken en ik denk dat hij mijn gedachten kon lezen. We hadden één heuvel gehad en stonden nu voor de volgende.

'Als ik erover schrijf, Frank...'

'Winterscombe?'

'Ja. Waar zal ik dan beginnen?'

'O, dat is eenvoudig. Je moet beginnen bij de waarzegger.'

'De waarzegger? Waarom?'

'Je moet beginnen met magie, denk ik.'

'Waarom met magie?'

'Vanwege die andere magie natuurlijk. Was het geen magie toen Constance zo ziek was en toch weer beter werd? En toen je vader weer beter werd? En je moeder in die grotten? En wat voelde ik daar in het bos? Dus begin met de magie. Begin met je waarzegger.'

'Geloof je in magie?'

'Zeer zeker.'

'Al ben je een wetenschapsman?'

'Misschien omdàt ik dat ben. En als je aan ons toekomt, vergeet dan vooral de sommen niet.'

Ik lachte. Frank liep voor me uit tot hij de heuveltop had bereikt. Ik zag mijn man afgetekend tegen de hemel. Hij scheen iets moois te zien, want hij stak zijn armen omhoog. Een van zijn vreemde, triomfantelijke gebaren. Toen ik ook boven was, stak hij zijn hand naar me uit.

'Kijk eerst deze kant op.'

Ik draaide me om. Daar lag Winterscombe. Het maanlicht was hel-der en ik zag de vallei, de donkere draad van de rivier die in het meer uitmondde, de beschermende bosrand en het huis, zijn erkers en torentjes en rijen ramen met hun lichtjes.

Hij keerde me nu naar de andere kant. Ik hield de adem in. Daar, onder aan de kale boomloze heuvel stond een reusachtige eenzame cirkel van monolieten uit prehistorische tijden. De stenen waren in het maanlicht wit als beenderen. Achter die zuilen lagen de wolken als donkere lijnen aan de horizon. De nachthemel erboven was hel-der. De wolken hadden randen van licht en waren aanhoudend in beweging, ze hadden een onaardse, zwavelkleurige glans en waren zowel massief als vol strepen. We zagen hoe de wolken zich samenbalden, zich weer verspreidden.

'Is het de komeet, Frank?'

'Ik zou het niet kunnen zeggen.'

'Ik had nooit gedacht dat hij er zo zou uitzien, hij is er en is er niet.'

We bleven nog een tijdlang staan kijken. Naarmate de maan hoger rees, werd het licht sterker en de verkleuring van de wolken minder intens. Wat eerst zo fel schitterde, verbleekte tot parelmoerachtig zilver, toen tot grijs en ten slotte tot zwart.

'Wat zijn we klein als je ons ziet.'

Frank keek naar de glooiing van de heuvels.

'Klein – en groot. Allebei tegelijk. Voel jij dat ook?'

'Ja.'

'Laten we naar beneden gaan.' Hij wees naar de stenen cirkel. 'Vannacht wil ik daar staan. Midden in de cirkel. Met jou.'

Hij liep snel de heuvel af. De wind woei het haar om zijn gezicht. Frank, altijd onverschillig voor de elementen, lette er niet op.

Ik keek nog eenmaal om naar de lichtjes van Winterscombe, de beschutting van de vallei. Frank draaide zich om en wachtte op me.

Ik rende naar beneden. Hij pakte mijn hand en zo, hand in hand, met de wind in ons gezicht, liepen we omlaag naar de cirkel van monolieten.